J. D. Strauss

Prof. Phil. / Chr. Doct.

Lincoln Chr. Seminary

1968

# EDUARD SCHWYZER
# GRIECHISCHE GRAMMATIK

## DRITTER BAND

# HANDBUCH DER ALTERTUMSWISSENSCHAFT

BEGRÜNDET VON IWAN VON MÜLLER

HERAUSGEGEBEN

VON

## WALTER OTTO †

WEILAND ORD. PROFESSOR AN DER UNIVERSITÄT MÜNCHEN

ZWEITE ABTEILUNG. ERSTER TEIL
DRITTER BAND

C. H. BECK'SCHE VERLAGSBUCHHANDLUNG
MÜNCHEN MCMLXVIII

# GRIECHISCHE GRAMMATIK

AUF DER GRUNDLAGE VON

KARL BRUGMANNS GRIECHISCHER GRAMMATIK

VON

## EDUARD SCHWYZER †

WEILAND ORD. PROFESSOR AN DER UNIVERSITÄT BERLIN

DRITTER BAND

REGISTER

VON

## DEMETRIUS J. GEORGACAS

PROFESSOR IN THE UNIVERSITY OF UTAH (U.S.A.)

Dritte, unveränderte Auflage

C. H. BECK'SCHE VERLAGSBUCHHANDLUNG

MÜNCHEN MCMLXVIII

# VORWORT

Die leitenden Prinzipien bei der Abfassung der Register sind gewesen: Brauchbarkeit für den Benutzer und analytische Präsentation des Materials. Wort- und Sachregister ergänzen sich gegenseitig und sind deshalb parallel zu benutzen.

## Allgemeines

1. Dem Benutzer wird der beigegebene achtteilige Seitenteiler gute Dienste leisten. Er möge auch die Abkürzungen auf den Seiten XV–XXIII beachten.
2. Die Seitenzahlen des 1. Bandes sind ohne Bandbezeichnung angeführt, die des 2. mit II.
3. Hypothetisches ist mit einem Sternchen versehen; nur beim Indogermanischen auf den Seiten 275–281 ist das Sternchen weggelassen.
4. Zur Illustrierung seien hier einige Beispiele analysiert:

    353[6]. 541[1]. 746, 1. 769[4]. II 258[4]. 350,0 = Band I, Seite 353, Seitenteil 6 von oben; Seite 541, Seitenteil 1; Seite 746, Fußnote 1; Seite 769, Seitenteil 4; Band II, Seite 258, Seitenteil 4; Seite 350, Fortsetzung der letzten Fußnote der vorhergehenden Seite.

## Zu den Wortregistern:

Die Wortregister enthalten Laute, Ausgänge, Suffixe, Wörter und Wortformen, auch Termini.

1. Im Lemma der Hauptform eines Wortes ist gewöhnlich auf zugehörige Formen verwiesen.
2. Bei Wörtern aus der Syntax ist auch die Rektion von Nomina, Verba, Präpositionen usw. angegeben.
3. Falsche Formen sind eingeklammert; so z. B. (συμπρηισκεν delph.) 710, 2.
4. Kürze und Länge von Vokalen ist wie im Text der Grammatik bezeichnet ($\smile$, $-$, $\smile\!\!\!-$).
5. Bei Homonymen ist gewöhnlich die Bedeutung angegeben.
6. Die Nachträge auf den Seiten XI–XIV sind ebenfalls zu berücksichtigen.

## Zum Sachregister:

1. Termini und andere Ausdrücke (z. B. Änderung, echt, einsilbig usw.) sind auch im Wortregister (französische Termini im italischen, deutsche im germanischen, lateinische im italischen, griechische im griechischen usw.) aufgeführt.
2. Stämme, Suffixe, Ausgänge usw. sind im Wortregister zu suchen.
3. Alt- und mittelgriechische Autorennamen sind aufgenommen.
4. Auf die systematischen und detaillierten Inhaltsangaben im Band I auf den Seiten IX–XXIII und im Band II auf den Seiten IX–XVIII sei ausdrücklich hingewiesen.

Professor D. Dr. Albert Debrunner (Bern) und Dr. Hans-Rudolf Schwyzer (Zürich) haben die erste Korrektur mitgelesen. Debrunner hat die drei Korrekturen ineinandergearbeitet und allein die Umbruchkorrektur besorgt. Beiden Herren gebührt mein herzlichster Dank.

Der Beck'sche Verlag hat die großzügige Entscheidung getroffen, den Registerband ohne Kürzung herauszubringen, und so dem Benutzer den besten Dienst geleistet. Die schwierige Satzarbeit wurde von der Druckerei in ausgezeichneter Weise bewältigt.

D. J. G.

# INHALT

# BERICHTIGUNGEN
## ZU DEN BÄNDEN I UND II

(8, 5 = Seite 8, Zeile 5 von oben; 8, 5 v. u. = Seite 8, Zeile 5 von unten ohne Mitzählung
der Fußnoten; 8, F. 5 = Seite 8, Fußnote 5)

### ZU BAND I
Siehe auch I 819–842

**26**, 2 v. u. γενικὴ γλωσσικὴ
**49**, 18 v. u. *kilo-* (statt *chilo-*)
**56**, 3 v. u. *dāvánē*
**57**, 17 *atamn*
**58**, 20 *Dyáuṣ*
**58**, 11 v. u. tochar. B *soyä*
**67**, 14 ahd. *būr*
**153**, 12 hebr. '*ašdōd* LXX Ασηδωθ)
**161**, 24 ὕσσωπος
**161**, 21/20 v. u. Ἱερουσαλήμ
**190**, 3 an. *hrǫnn*
**193**, 10 Bechtel, D. 1, 217
**205**, 14 v. u. Mit -σσ- für -σθ-
**212**, 6 *Prhonimus*
**222**, 8 v. u. *vomo*
**224**, 18 εὐλή
**236**, 12 v. u. δείλαιος
**243**, 11 v. u. πύελος
**257**, 3 v. u. Solmsen, Unt. 238f. (statt: IF 6, Anz. 154)
**260**, 19 v. u. Χαιρεσο(τ)ράτη, böot. Σ(τ)ρο-τυλλίς
**260**, 11 v. u. lett. *pie*
**263**, 20 ὀπισθόδομος
**268**, 19 v. u. *stipula*
**270**, 10 v. u. vgl. kopt.
**286**, 11 v. u. *anser* (für *\*hanser*)
**291**, 10 *taihswō*
**292**, 4 v. u. *vīsaiti*
**293**, 16 v. u. toch. *čkāčar*
**297**, 23 heth. *dalugasti*
**300**, F. 2 lit. *gēras*
**302**, 16 lit. *kviẽsti*
**307**, 12 ai. *dagdha-*
**309**, 8 aksl. *zǫb ъ*
**311**, 14 lesb. μέμορθαι
**313**, F. 2 ai. *vrīhi-*
**314**, 5 ἐθρίς
**317**, 14 ποκγραψαμένοις
**323**, 8 νρ, νλ, νμ, ρν, μν
**825**, 12 v. u. ai. *pyúkṣna-*
**330**, 16 kypr. κορζια
**331**, 4 v. u. venezian. *dzovine*

**347**, 11/9 v. u. ahd. *sōrēn*, 'austrocknen', wozu Ortsnamen wie 'Sörenberg': aw. *huška-* ai. *çúṣka-*. Deutlich
**352**, 12 v. u. Ἐνυμακρατίδας
**357**, 17/16 v. u. ai. *dádāmi*
**358**, 2 v. u. γουνός
**363**, 15 ai. *-stṛta-*
**371**, F. 1 29, 50 ff.
**375**, 7/6 v. u. Tonerhöhung in der Endsilbe
**376**, F. 1 Von der Mühll, 46. Jahrbuch des Vereins schweiz. Gymnasiallehrer
**411**, 12 v. u. lat. *ē-rūgō* (statt: *rūgeo*)
**426**, 8 ai. *parút*
**428**, F. 4 dagegen bei μεσσηγυδορποχέστης
**431**, F. 1 Wortbildungslehre S. 206
**436**, 28 πολιόν
**437**, 11 πάμπρωτος
**440**, 6 v. u. γηροβοσκός
**441**, 13 v. u. ἐξεχέβρογχοι
**446**, 16 χαμαιεῦναι
**453**, 8 v. u. θεοείκελος
**454**, 9 v. u. *zolotaja*
**458**, 4 *Ašdōd*
**473**, 3 ἐξουλῆς (s. griech. Wortregister)
**475**, 5 ai. *pívarī*
**477**, 1 v. u. ai. *Manāvî*
**479**, 14 Rev. ét. gr.
**482**, 11 zu ἔτας
**484**, 11 (σκυρθ- ist zu streichen; s. griech. Wortregister σκυρθάλιος)
**490**, F. 3 apers. *-tanaiy*
**498**, 22 πίσυγγος
**498**, F. 2 Χατζιδάκις, A. α.² 2, 416ff.
**499**, F. 5 hom. εἰνάνυχες
**500**, 6 v. u. θωρηκτής
**503**, 26 Βοιωτοί ο. S. 91
**505**, 9 ai. *bhūti-*
**508**, F. 4 ἐσοχάδες (GEL s. v. ἐξοχάδες)
**509**, 22 Ἀσκληπιός
**518**, 22 *sûrya-*
**530**, F. 2 Gl. 10, 237. 12, 219 f.
**535**, 12 ai. *vṛṣantama-*
**548**, 1 ai. *pátir dán*

**552**, F. 3 (ç*unás* und κύνας ist zu streichen, weil ai. ç*únas*)
**557**, 13 aksl. *vlьku*
**560**, 2 u. 14 μητίετα
**560**, 2 εὐρύοπα
**566**, 1/2 Labialen und Velaren
**575**, 8 v. u. ΛαμπτρE
**577**, 3 εὐρύοπχ
**577**, 15 g*óṣu* (statt: *gáuṣu*)
**578**, 29 τὸ πετσί (statt: ἡ πετσή)
**584**, 24 Fem. *pūrvì*
**585**, 15 v. u. πολύς (o. S. 584, η ϑ)
**587**, F. o 143 σπείρης, 187 μακρή
**590**, 4 v. u. herakl. *hoκτώ*
**594**, 3 μυριονταδικός
**607**, F. 3 (Zeile 2) ἑωυτῆι
**615**, 2 v. u. τινές 'einige'
**616**, 12 zu τεῖον
**621**, F. 10 (Zeile 14) Pedersen 198, 1
**622**, 19 κηνούει
**624**, 25 καλῶς τον
**626**, 2 v. u. κεκράξεται
**632**, 15 κῆ(γ)χος
**646**, 1 v. u. *bálbalīti*
**648**, 15 *apīpatat*
**648**, 7 v. u. ai. *dádāti dádhāti*
**656**, 3 ἐξεκλησίαζον
**669**, 5 Pap. 25ᵖ
**669**, 17 -νϑειν
**674**, 5 *éti*

**675**, 7 v. u. lit. *daraũ*
**679**, 24 κατεκείαϑεν
**694**, 9 v. u. ai. *hrunāti* 'führt irre'
**702**, F. 6 Vergleich mit air. *regaid*
**706**, 9 νυκτεγερτέω und νυκτηγρετέω
**710**, F. 3 δέδαε(ν)
**722**, 4 v. u. ai. *jιvāmi*
**734**, 1 v. u. σήκασϑεν
**735**, 8 γρομφάζω neben γρόμφαινα
**735**, 4 v. u. ἀολλής
**736**, 7 v. u. κναδάλλω
**748**, 13 v. u. τετάρπετο (-ώμεσϑα
**754**, 18 καταζήνασκε
**756**, 2 v. u. S. 743, 2
**757**, F. 1 Synt. 1, 137 f.
**758**, 4 v. u. spät ἐμπεπήχεσαν
**769**, F. 5 ἀμφελήλεῦϑεν
**775**, F. 12 S. 770, Fußn. 1
**788**, 8 v. u. Augmenttempus
**792**, 18 ἐπισυνίστατοι
**794**, 12/11 v. u. *dádhāmi* bzw. *dádāmi*
**797**, 9 -*sē*- im sigmatischen Aorist
**798**, F. 10 heth. *ed* 'iss'
**799**, 11 v. u. (die Ziffer ⁶ ist eine Zeile nach unten zu φέρτε zu versetzen)
**803**, 17 v. u. Gl. 10, 112 ff.
**807**, 14 ἐπιτεϑεωρήκην
**820**, 5 v. u. Δημητράκος
**831**, 14 neugr. Ἀρχάνα
**840**, 19 v. u. 595, 5 (statt: 594, 5)

## ZU BAND II
Siehe auch II 713 f.

**8**, 13 *pitá*
**37**, 9 1,562
**57**, 15 v. u. Kasusendung
**66**, F. 2 Soeteman, Neophilologus
**89**, 15 v. u. Nomen
**117**, 14 v. u. im engeren Sinne
**156**, F.3(zweitletzteZeile)(ὣ μοῖρα,) οἴαμε τὸν
**183**, 13 Bildungsweise
**183**, 1 v. u. λειμακέστεροι; mindestens
**199**, 3 S. 194, β
**201**, 7 v. u. (της, τους m. f.)
**221**, 14 v. u. S. 335, 5
**250**, 15 *ja napisál*
**252**, 15 f. teils fientiv (statt: teils infektiv)
**293**, 1 v. u. Ξ 125 (statt: E 125)
**314**, F. 1 (Zeile 9 v. o.) s. o. S. 303
**326**, 25 S. 332, b
**358**, 25 apers. -*tanaiy*
**374**, 7–9 (die Worte „λέγω . . . a. c. i." sind das erste Mal zu streichen)
**378**, F. 1 Brugmann⁴ 595
**411**, 23 πό-ϑεν πό-ϑι

**413**, 4 v. u. δωρεάν
**456**, 10 S. 421 ff.
**456**, 11 8 (Ablehnung von anknüpfendem ἐν S. 424, Fußn. 3)
**494**, 20 v. u. π. τῶι βασιλεῖ
**500**, 15 v. u. lit. *pér-juosti*
**518**, 19 v. u. S. 422, 1
**524**, 24 S. 523, Fußn. 4. 6;
**530**, 10 κατέσκαπτον
**600**, F. 6 1,409, Zus. 1
**621**, 13 προυχώρει
**637**, 13 v. u. S. 654 ff. πρίν
**642**, 11 S. 216 c
**674**, 1 v. u. ist, als
**683**, F. 2 (Zeile 6) lit. *jéi*
**689**, 4 S. 674
**689**, 23 Heikel
**689**, 24 Πανταζῆς
**703**, 9 S. 580, 4
**714**, 7 v. u. 645, 14
**714**, 5 v. u. Zl. 11 v. u.
**714**, 2 v. u. 698, α

# NACHTRÄGE UND BERICHTIGUNGEN
## ZUM WORTREGISTER

a, b, c = 1., 2., 3. Kolumne; z. B. 7 b 10 = Seite 7, 2. Kolumne, Zeile 10; v. u. = von unten; nach 29 c 2 = nach 29 c 2 ist mit neuer Zeile einzusetzen)

3 a 1: α aus idg. ἄ 72⁸. 1907
3 a 19: α für αυ 198⁷ f.
3 a 2 v. u.: -α nom. acc. pl. n. II 37². 58¹
3 a 1 v. u.: -α adv. ngr. II 12⁷
3 b 16ff.: ᾱ in Namen 190³·⁴; ᾱ bewahrt 187¹; – – hinter ρ, ι, ε, υ 187⁶f. 189²; ᾱ el. 185⁴; ᾱ aus ᾱυ 203³; Unterschied zw. ᾱ u. η 187¹·²; Schwanken zw. ᾱ u. η 190⁸; ᾱ ion. att. < urgr. η 1904·⁵; hell. ᾱ < urgr. η 185³. 190⁶; ᾱ att. < ᾱι 201³; ᾱ > η 62⁷. 67². 186³·⁴. 187². 1904·⁵. 191³⁻⁸; Ursprung u. Wirkung des Wandels 187³·⁴; sekundäres ᾱ > η 190⁶; ᾱ > äol. αι 191¹; ᾱ in ᾱσ < -ανσ- 187⁶ f.; -ᾱ ͏für ᾱι 202 ⁴·⁵
3 b 26 v. u.: α el. aus η 185¹
3 b 20 v. u.: -ᾱ- Wznomina flektiert als -αντ- 561, 6
3 b 16 v. u.: -ᾱ-Stämme II 35⁶; – – m. II 559⁸, 1
7 a 4 v. u.: αε geschr. für αι 194⁶
7 b 10: αει zerdehnt aus αι 195⁵
8 c 27ff.: αι zweisilb., geschr. αϊ, αει 196⁶·⁷ αι zus.-gefallen mit ε 195²·⁶; αι = ε byz. 196¹
αι; Ausspr. 176⁷; geschr. αε 194⁶; hyper-äol. αι 191¹·²; äol. αι < ᾱ, 191¹; lesb. αι < urgr. η 185⁵; αι > thess. EI 194⁴
8 c 21ff. v. u.: ᾱι 2005·⁸–203²; Ausspr. 176⁸; ᾱι j.-lesb. 200⁶; ᾱι > att. ᾱ 201³; ᾱι > ηι 200⁶
8 c 7 v. u.: -αι 2. sg. imper. aor. med. II 9²
8 c 5 v. u.: -αι infin. II 9²
nach 9 a 22: -αια- < -εια- 195⁴
nach 9 c 1: αιει zerdehnt aus αι 195⁵
nach 9 c 12: -αιεύς > -εύς 195⁷
nach 11 c 28 v. u.: -άκης suff. mgr. 186, 4
nach 13 c 17 v. u.: ᾽Αλικαρνασσός 60⁶
18 c 23 v. u.: ἄν partic. c. potent. II 57⁶
nach 20 c 29 v. u.: ἀναφορά II 25, 2
23 a 21: -ανσ- > -ᾱν- 187⁶
nach 24 b 18 v. u.: ἀντιστοιχία (term.) 45²
nach 24 c 19: ἀντίφρασις; κατ᾽ -ιν (term.) 45¹
nach 25 b 3: ἀνωμαλία (term.) 7¹·²
nach 25 b 21: -ᾱξ suff. 190⁵
25 c 2: αο diphth. ion. 197⁶
25 c 9: -αο gen. sg. > -αυ 182⁴
27 c 16 v. u.: ἀπό verdeutl. den Ablat. II 94³

nach 32 c 15: -άρις suff. ngr. 543⁴
34 c 14 v. u.: -ᾱς (gen. -ᾱ )m. 190⁵
35 b 13 v. u.: ῎Ασπενδος 60⁶
37 a 18ff.: αυ 197¹–199; Ausspr. 176⁷; αυ wechselt mit ευ kret. 198⁶; αυ < ευ 1984·⁷; αυ < αλ vor Kons. 198¹; αυ > α 1987f.; αυ > ου 199, 1
nach 37 a 24: -αυ gen. sg. < -ᾱο 182⁴
37 a 25f.: ᾱυ diphth. 203²·⁶; ᾱυ < ᾱο 182⁴; ᾱυ > ηυ 200⁶; -ᾱυ > kypr. -ᾱ 203³. 561, 2
40 a 16: β Ausspr. 176⁸
nach 41 b 14 v. u.: βαρύφωνοι 6, 1
43 a 23: Βερ(ε)νίκη 69³
47 a 11: γ Ausspr. 176⁸; γ = ῃ vor Velar 308⁷
49 b 1 v.u.: γένος ἐπίκοινον II 28³. 32¹
51 b 34: γλῶσσαι 'Wörterbücher' II 33⁸
nach 52 b 32: γραμματικός (term.) 7²
53 a 28 v.u.: δ Ausspr. 176⁸
53 c 28 v.u.: (Τί) ist zu streichen
55 b 27 v.u.: -δε (Richtungs- u. Zielbeziehung) II 68¹
57 c 17: δένω; νὰ –, δένης conj. 793³. II 13¹
65 c 25: δὸς ἐργασίαν NT 40¹
68 a 20 v. u.: E Zeichen für ĕ (= ε), η u. ē (= ει) 146¹. 147⁸; – für ē aus Ersatzdehnung 146⁷; – für ει 147⁷; E kor. = ει [d. h. ei u. ē] 192¹; E att. arg. kor. = EI 192³
68 a 19 ff. v.u.: ε, geschr. E 147⁸; ε = ει 192⁴; ε aus idg. e 72⁸; ε offene Ausspr. im El. 181¹·²; ε nach α hin el. 198⁶; ε verwechselt mit αι 195²; ε mit αι zus.-gefallen 195⁶; ε < ευ 1987⁻⁸ f.; ε < υ 183⁷; ε zu η gedehnt 239⁴
69 a 11: -ε voc. sg. II 59, 2
nach 69 a 11: ē agr. 146¹. 191²·³; ē aus Ersatzdehnung 146⁷; ē geschr. ει 193⁶. 195¹; ē geschr. ει vor α, o 193⁸; s. ει unecht
nach 69 a 28: ēα spätgr. < εια 15³
69 a 29: εᾱ att. < εη 188³·⁵; < -εεα 188⁵
nach 72 c 16: εεα > εᾱ 188⁵
nach 73 b 19: εη > att. εᾱ 188³·⁵
74 a 5 ff.: ει echter Diphth. 146⁸ f.; – aus ηι gekürzt 201, 2. 202⁶; ει zweisilb., geschr. εϊ, εει 196⁶·⁷; ει echter Diphth. 191⁷. 192²⁻⁸. 193¹; geschr. E kor. 192¹·³;

EI (= ει) altatt. 148[1]; EI thess. für αι
194[4]; ει Ausspr. 176[7]. 194[3]; ει für ηι 148[1].
201[3·4]; Ablaut ει : οι(: ι), ει : ι 346[8] f.; ει
beibehalten 201[6]; ει unechter diphth.
147[3·7]. 191[7]. 192[1·2·3·5·7−8]. 193[1·6]. 195[1];
geschr. E 147[7]; geschr. E kor. 192[1·3]; EI
(= ẹ̄) att. 201[4·5]; ει (= ẹ̄) vor α, ο 193[8];
ει = ĕ 193[2]; ει thess. böot. = ion. η
185[6·7]; η = geschriebenes ει 185[7]; ει ver-
wechselt auf Pap. mit η 185[5]; ει und ι
verwechselt 193[5−6]; ει > ī 151[1·3]. 193[4·5·7].
201[5]; ει = ι 193[6·7]. 195[7]
nach 74 a 23: ẹ̄ι > ei 201[7]
74 a 32: -ει loc. sg. II 57[1]
nach 74 b 29: εια > spätgr. ẹ̄α 15[3]; εια >
εα 194, 1; -εια-> -αια- 195[4]
nach 74 b 31 v.u.: -εια suff. 194[3]
nach 77 a 11 v.u.: ειο > spätgr. ẹ̄ο 15[3];
ειο > εο 194, 1
77 a 4 v.u.: -ειον suff. 194[3]
86 a 25/24 v. u.: Es ist „'Εμπετδίουν thess.
231[5]" zu lesen und dieses nach dem
Lemma ἔμπεσε einzuschieben
86 c 23 v.u.: ἐν c. acc. 90[4]
90 a 13 v. u. 'Ενυμακρατίδας [so]
90 b 21: ἐξ verdeutl. den Ablat. II 94[3]. 95[1]
92 b 10 ff.: εο diphth. ion. 197[6]; geschr. εο
    = ευ 182[8]
nach 92 b 20: ẹ̄ο spätgr. < ειο 15[3]
95 c 34: ἐπίκοινον γένος II 28[3]. 32[1]
98 a 17: ερ für ιρ ngr. 186, 3
104 c 10 ff.: ευ Ausspr. 176[7]; Ablaut ευ : ου:
υ 347[2−4]; ευ geschr. εο 182[8]; ευ zweisilb.
182, 1. 197[7]; ευ diphth. 197[1]−199; Ausspr.
176[7]; ευ altatt. 148[1]; Ablaut ευ : ου : υ
347[2−4]; ευ geschr. εο 182[8]; ευ u. αυ wech-
seln 198[6]; ευ < ελ + Kons. 198[1]; ευ > ε
198[7] f.; ευ > αυ 198[4−7]; ευ > kret. ου 198[1]
106 c 26: -εύς nom. sg. m. 61[7]; -εύς < –αιεύς
195[7]
109 c 9: -έω verba II 71[5]
110 a 9 ff.: Ϝ; Zeichen 147[7]; = ɯ 197[2];
urgr. 72[3]; hom. 8[7]; Ϝ Gleitlaut 207[7]; Ϝ > ϲ
224[6]; Schwund von Ϝ 335[2]; intervokal. -
von Ϝ 188[6]. 191[5]; dissimilator. – des Ϝ 225[6]
112 a 1: ζ; Zeichen für ζ 145[1]; ζ Ausspr.
176[8]; ζ- < j- 57[2]
113 unten: h agr. 14, 1. 145[5]. 147[7]; Zeichen
für h 145[5]; H für h 145[7]; Ⱶ Zeichen für h
147[7]; h- an Stelle von Ϝ- 226[4]; h- aus j-
im Anl. 62[7]; h schwindet 535[2]; anlauten-
des h- im Ngr. u. in den roman. Sprachen
verschwunden 14[3]
114 a 25 v.u.: H Zeichen vieldeutig 145, 3;
für h 145[7]; für ā 145[7]. 146[1]; für ẹ̄ 146[1·6];
für offenes ẹ̄ 146[3]
114 a 24 ff. v.u.: η urgr. 185[6−8]. 186[2·4−5]

189[5]; erhalten 121[3]; Ausspr. 176[7]. 186[3·4];
als offenes e 186[5]; überoffenes η im El.
185[1]; hyperion. η 190[6]; geschlossenes η
185[6−8]; jüngeres η (V[a]) 186[4]; η verwech-
selt auf Pap. mit ει, ῑ 186[5]; Unterschied
zw. η u. ā 187[1·2]; Schwanken zw. ā u. η
190[8]; η < urgr. ā 62[7]. 185[2·4·8]. 186[3·4].
187[2·4·8]. 189[5]. 190[4·5]. 191[1]; Ursprung u.
Wirkung des Wandels 187[3·4]; η < se-
kundäres ā 190[6]; urgr. η > ā 185[3], hell.
ā 190[6]; η > lesb. αι 185[5]; η > el. α 185[1];
η > ι 201[6]; η aus ε gedehnt 239[4]; η mit
αι zus.gefallen 195[6]; η geschr. ει 185[7]; ion.
η = thess. böot. ει 185[6·7]; -η für -ηι 202[4·5]
114 b 22 v.u.: -η (-ω) instr. sg. II 57[1]
nach 114 c 13 v.u.: -ῇ suff. m. maked. 70[4]
116 a 5 ff. v.u.: ηι 200[8]−203[2]; Ausspr. 176[8];
ηι geschr. EI altatt. 148[1]; ηι < āι 200[6];
ηι gekürzt zu ει 201, 2. 202[6]; ηι > η 201[6].
202[4·5]; -ηι angeblich = geschlossenes e
186, 2
116 b 17 v.u.: ηιοι > ηυ 196[3]
nach 116 b 10 v.u. -ῃς suff. f. II 37[4]
nach 118 c 24: ηοι > ηυ 196[3]
nach 119 a 2: -ήρ 70[4]
120 b 25: ἥττων 421[3]
120 b 28: ηυ diphth. 203[2·6]; – (geschr. EY)
altatt. 148[1]; ηυ < āυ 200[6]
120 a unten: θ; Ausspr. 176[8]; θ- 148[8]; Suf-
fixe mit -θ- 510[4] f.
122 b 7 v.u.: -θεν suff. adv. II 90[6], 1
126 a Mitte: i; Vokalzeichen für i 142[6];
i < η 201[6]; i lesb. für ü Koine 184[3]; i < ü
(= υ, οι) 184[1]. 195[7]. 196[1]; i unsilb. 171[3];
Ablaut ι : ει : οι 346[8] f.; ι u. ει verwechselt
193[5·6]; ι verwechselt mit η auf Pap. 186[5];
ι, geschr. ει 195[7]; ι = unechtes ει 193[7];
Verlust des ι in εια ειο 194, 1; ι für υ 183[7];
ι adscriptum, subscriptum 203[1]; ι aus
vokalisiertem ν 284[6]. 287[1·4·7]. 289[7] f.;
– weggelassen 201[7]. 203[3], 2; – verstummt
in Langdiphth. 201[1·2], 1. 202[2·3]
126 b 25 ff. v.u.: ῑ; geschr. ει (EI) 15[1]. 184[5·6].
193[6]; ῑ arg. böot. att. < ει 193[4·5];
ῑ spätgr. < ει 15[3]. 193[7]. 201[5]; ῑ < ῠῑ < ιει
193[2]. 194[1·2]; ῑ verwechselt mit η in
Pap. 185[6]
nach 126 b 18 v.u. -ῑ suff. adj. f. 466[1]. II 36[2]
126 b 16 v.u.: -ι Ausg. dat. (loc.) sg. II 57[7];
-ῑ Ausg. dat. sg. 193, 1
126 c 27 v.u.: ια für i-a 196[8]; ιᾱ att. < ιη
188[3·5]; ιᾱ < ιεα 188[5]
126 c 25 v.u.: -ια suff. 194[3]
nach 128 a 20 v.u.: ιεα > att. ιᾱ 188[5]
nach 128 a 19 v.u.: ιει > ῠῑ > ῑ 193[2]. 194[1−2]
nach 128 c 15 v.u.: ιη ion. 189[1·2]; – > att.
ιᾱ 188[3·5]

130 c 29 v.u.: -ιον suff. 194³
130 c 12 v.u.: -ιος Verbaladj. 466²
131 a 5: ιου im Böot. 183⁴
nach 131 a 17: ιπ aus up- dissimiliert 184²
133 a Mitte: [j; *j-, *-j- idg. 57²; -j- geschwunden arm. 57²;] Übergangsl. j durch I geschrieben 202⁵·⁶
147 a 11 v.u.: κλυτός 502³
147 c 13 v.u. κοινὴ διάλεκτος 129⁴
nach 147 c 8 v.u.: κοινὸν γένος II 28³. 31⁶
148 b 2 v.u.: Koppa 149⁴
153 a 24: λ nach Konsonant 237⁶
nach 156 b 13: λέξεις 'Wörterbücher' 33, 1
159 a 24: -m > gr. -ν 14⁴
163 a 7: -μειν infin.-Ausg. 96¹
164 c 22: -μένος ptc. med. II 13⁴
nach 167 c 31 v.u.: Μητρόβεις 472³
167 c 10 v.u.: -μι verba äol. ark. 88⁵
171 a 2. 9: ν; ϻ velar 179, 5; ϻ (geschr. γ) 308⁴; ν zu ι vokalisiert 280⁷ f. 284⁶. 287 ¹·⁴·⁷
171 a 15: -ν < idg. -m 14⁴
171 a 18 v.u.: νά c. conj. II 13³
172 a 12: -nd- ON vorgriech. 123⁶. 823⁴
173 c 32: -νϑ- suff. in ON 61⁶
174 a 30: νικῶ μάχην II 84⁵
174 b 19: -ννυμι verba II 71⁵
nach 175 a 25: -nt- suff. in Namen vorgriech. 65⁵
175 b 22: -νῡμι verba II 71⁵
176 a 1: ξ 144³ f.
vor 177 a 1: O Zeichen 146⁷. 147⁷·⁸ f. 191, 1. 192, 1
177 a 1 ff.: o < idg. o 72⁸; Zeichen für o u.ǭ 146²; O Zeichen für ō aus Ersatzdehnung 146⁷; O Zeichen für ου 147⁷; altatt. O = o, ω u. sekundärem ου 147⁸f.; υ geschrieben für o 191, 1; mngr. Wandel von o zu ου [u] 185²; o gedehnt zu ω 239⁴; o > υ 182⁴; O für OY in jüngerer Zeit 191, 1; unechter ō-Laut 191²·³
177 a 25: -o-Stämme fem. im Gr. II 32¹ f.; -o-St. beseitigt II 38¹⁻²
177 a 10 v.u.: ὁ art. II 23². 57⁶
178 a 29 v.u.: οε geschr. für οι 194⁶; οε > ου 195⁴
178 b 12–13 lies: -οϑεν adv. 628³
ὅϑεσαν· ἐπεστράφησαν H. 721⁵
178 b 29 ff.: οι zweisilb., geschr. οϊ, οει 196⁶·⁷; οι diphth. 148¹; Ausspr. 176⁷; Ablaut οι: ι 347¹; οι geschr. οε 194⁶; οι gekürzt aus ωι 202⁷; οι verwechselt mit υ 195²; οι mit υ zus.gefallen 195⁶; οι = ü 195⁵·⁷; οι = υ byz. 196¹
178 b 19 v.u.: -οι loc. sg. II 57¹
178 b 16 v.u.: -οι nom. pl. II 40⁵
180 a 19: -οιο gen. sg. II 57²

180 b 9: -οις dat. pl. 2. decl. II 57, 2
183 a 10: -ον sg. neut. II 37³
185 a 16 v.u.: op äol. ark.-kypr. 88⁵
186 b 27 v.u.: ὁρσότης 529, 1 (nicht 528, 1)
187 a 25: -ος gen. sg. II 9⁴
187 a 31: -ος nom. acc. sg. n. II 32⁴
187 b 17 v.u.: ὅστις; s. ὥτινε
188 b 14 ff.: ου echter diphth. [ou] 147¹·². 191⁷. 192²·⁴·⁷. 194³; Ablaut ου: ευ: υ 347²; ου kret. < ευ 194⁴. 198¹; ου monophthongiert 197¹; ου aus Kontraktion u. Ersatzdehnung 192, 1; O für OY in jüngerer Zeit 191, 1; ου unecht 147²·⁷·⁸. 148¹. 191⁷. 192¹·²·⁴; ου < οε, οιε 195⁴; mngr. ου [= u] < ω bzw. o 185²; ου in τούτηι für αυ 199, 1
nach 188 b 32: -ου gen. sg. auf Pap. für -ω(ι) 185²
188 b 26 v.u.: οὐ negat. II 310⁴
189 c 19 v.u.: οὔς; s. ὦτα, ὥτοιν
189 c 12 v.u.: -οῦς -οῦν contracta 558¹
191 c 22: -όω verba II 71⁵
191 b 19 v.u.: πάθος 512³, (term.) 43⁵
193 b 19: παρά verdeutl. den Ablat. II 95¹
nach 193 b 8 v.u.: παραγωγή (term.) 43⁵
nach 194 b 22: παρασχηματισμός II 30⁶⁻⁷
Seitenziffer 195, nicht 951
208 a 23 v.u. (und nach 208 b 23): Πολίτης [st. Πολιανίτης] ngr. II 24, 2
213 b 20: πρός verdeutl. den Ablat. II 95¹
nach 216 a 4: πρωτότυπον 43⁵
216 a 10: πτ- aus idg. pt- 52²
218 a 6: ρ nach Konsonant 237⁶
218 c 16 v.u.: ρη ion. 189¹·²; < fremdes rā 187, 1
220 a 24: s; Zeichen für − 143⁵
220 a 6 v.u.: -σ- intervokal. erhalten 20⁴
nach 220 b 22 v.u.: -σ- in suff. 61⁶
220 c 19 v.u.: -σα- aor. II 71⁵
nach 221 b 4: Σαμόσατα 190³
nach 221 b 18 v.u.: Σάρδεις 60,2
223 b 29 f.: σι < τι 78. 62⁸. 75⁵. 81³. 88⁴. 89⁶. 106⁶. 270². 366⁴. 370⁷. 831⁴
227 a 18: -ss- suff. in ON vorgr. 823⁴
229 a 21: στοιχηδόν (term.) 148²
nach 231 c 20 v.u.: σύνθεσις 'Syntax' II 5, 3
234 b 19 v.u.: -τα nom. sg. 560¹⁻³, 1
241 b 9: -τηρ- suff. 82¹·². 530⁴. 531². 569³. II 31¹
241 b 24 v.u.: τι urgr. > gr. σι 7⁸. 62⁸. 75⁵. 81³. 88⁴. 89⁶. 106⁶. 270². 271⁵·⁷. 366⁴. 370⁷. 831⁴
244 a 16 v.u.: τό art. für alle genera ngr. (kappad.) II 38⁶
244 a 8 v.u.: το/ᾱ- suff. 57⁴
245 a 8 v. u.: -τός suff. Verbaladj. fem. II 38⁴

249 c 3: -τωρ suff. 530[3] f. 531[2]. II 31[1]

249 a 22 v.u.: ü 184[3]; ü > i 184[1]. 195[7]. 196[1]

249 a 18 ff.: υ 181[4] ff.; Ablaut ευ : ου : υ 347[2-4]; Ausspr. 176[7]. 181[4] f.; Ausspr. als u 182[5]; υ = ui 183[1]; υ doppelte Ausspr. 183[5]; Alter der att. Ausspr. von υ [= ü] 183[2]; υ verwechselt mit οι 195[2]; υ Transkription in fremden Sprachen 183[6]; υ für lyk. u 183[6]; Aspiration des Anlauts υ- 183[3]; υ für u < ρ 182[3]; υ geschr. für ο 191,1; υ [ü] Lautersatz 183[7]; υ < υι 199[4-6]

nach 250 a 8 v.u.: υει att. < υοι 196[2]

250 b 12: υι diphth. Ausspr. 176[8]; Entstehung 199[4,5]; υι > υ 199[4-6]

nach 251 b 3: υοι > att. υει 196[2]

255 a 19 v.u.: -ύς suff. adj. fem. 474[1]. II 34[5]

256 a 1: φ Ausspr. 176[8]

259 b 12 v.u.: -φι casus-suff. 106[7]. II 55[1,7]

263 a 1: χ 144[3] f.; Ausspr. 176[8]; χ ngr. 14, 1

266 c 13: χρόνος (term.) 373[3]

267 a 23: ψ 144[3] f.

268 a Mitte: ω; Ω Zeichen für ō 146 [6-7]; ω 192[7]; ω aus o gedehnt 239[4]; Ω Zeichen für offenes ō 146[4]; att. ω < ωι 201[3]. 202[7]; ω > thess. ū 184[7]; ω [= o] > mngr. ου [= u] 185[2]; -ω für -ωι 202[4,5]

268 a 14 v.u.: -ω ablat. sg. II 57[1,3]. 90[4]

268 a 13 v.u.: -ω instr. sg. II 57[1]

268 a 12 v.u.: -ω adv. pron. II 91[2]

268 a 3 v.u.: -ώ nom. sg. II 52[1]

269 a 10 ff.: ωι 208[8]-203[2]; Ausspr. 176[8]; ωι altatt. (geschr. OI) 148[1]; ωι > att. ω 201[3]. 202[4,5,7]; ωι j.-lesb. 200[6]

nach 269 a 14: -ωι 200[5]; -ωι angeblich = geschlossenem o 186, 2; -ωι > -ω 202[4,5]

nach 269 b 14 v.u.: -ων (gen. -ονος) 486[8] f. II 31[1]

269 b 13 v.u.: -ών (gen. -όνος) 479[4]. 582[6]

270 b 2: -ως adv. II 90[4]. 91[1,2]

nach 271 b 16: ωυ diphth. 203[2,6]

275 a 11: -ā nom. acc. pl. neut. 39[5], 5

275 b 24 v.u.: -bhis instr. pl. II 44, 4

275 b 22 v.u.: -bh(j)os abl.-dat. II 90[2]

276 b 17 v.u.: -es gen. sg. II 56[2]

276 b 16 v.u.: -es nom. pl. II 40, 2

nach 277 b 23: -ī gen. unkasuelle Adj.-Form II 89[5]

278 b 10: ] 171[4]

278 b 17: -m acc. sg. II 70[8]

278 b 27 v.u.: -men- suff. 65[5]

278 b 16 v.u.: -mi verba 20[2]

278 c 5: ṃ 171[4]

278 c 15 v.u.: nj 366[8] f.

279 a 6: ṇ 171[4]

279 a 17 v.u.: -ōd (-ōt) ablat. sg. II 90[1,3,4]

279 a 7 v.u.: -oi nom. pl. II 40[4]

279 b 4: -ōis instr. pl. II 138[5]

279 b 17: -om acc. sg. II 71[1]

279 b 18: -om nom. acc. neut. II 39, 5

279 b 23: -ōm gen. pl. II 56[2]. 57[2]. 90[3]

279 b 18 v.u.: -os gen.(-abl.) sg. II 9[4]. 56[2]. 57[1,2]

279 c 4 v.u.: pt- 57[8]

280 a 10: rj 366[8] f.

280 a 18: г 171[4]

280 a 21 v.u.: -s nom. sg. II 19, 2. 40[5]. 56[2]. 58[7]

280 a 19 v.u.: -s Pluralzeichen II 40[4], 4

280 b 16 v.u.: -sjo gen. sg. II 89[5]

nach 280 b 2 v.u.: -sm(en) suff. 65[5]

280 c 27: -so gen. sg. II 89[5]

281 a 3 v.u.: ti 7[8]. 62[8]. 67[3]. 270[2]. 366[4]. 370[7]

281 c 20 v.u.: wj 366[8]

287 c 29 v.u.: dhṛṣṇú- II 607, 2 (statt I 607, 2)

nach 288 b 15 v.u.: -i nom. acc. sg. et pl. neut. II 39, 3

nach 293 a 4: tatpuruṣa (term.) 429, 1

vor 293 b 25: -u nom. acc. sg. et pl. neut. II 39, 3

298 c 16 (13) v.u.: -v (vkʿ) instr. sg. 57[8]

nach 301 a 12 v.u.: ä schweizd. (Züricher Dial.) 22[5]

nach 302 b 29: Armbrust dt. 38, 1

nach 303 c 9 v.u.: fahren: durch das Haar – dt. 40[8]

nach 308 a 3: Quint dt. 375[6]

308 b 15 lies ndd. statt nhd.

nach 309 b 30 v.u.: Trema (term.) dt. 149[2]

nach 309 c 13: u unsilb. 171[3]

nach 310 a 6 v.u.: Walserdt. 97, 1

311 a 18: Ahhijavā 89, 1

vor 312 a 22 v.u.: a für au illyr. 70[4]

nach 313 c 26: agma (ausspr. aŋma) 214[7-8]

nach 315 a 16 v.u.: calque (linguistique) frz. 39[5-6]

316 a 11: coniunctivus adhortativus II 315[2]. 318[4-8]; – deliberativus II 318[4]; – obliquus II 319[1-3]. 334[5]

vor 316 b 8: -d 14[8]

nach 317 a 4: Doris mitior, severior 147, 1

vor 317 c 6 v.u.: f- 14[8]

nach 318 a 19: figura etymologica (term.) 4[8]

318 b 14 v.u.: genetivus pretii II 94[6]

319 a 25 v.u.: -ī gen. sg. lat. II 9[2]. 56[2]

nach 319 b 7 v.u.: interpretamenta 34[1]

nach 320 a 4 v.u.: licentia poetica 103[5]

nach 320 b 5: linguistique frz. 11[7]

nach 324 b 16: scriptio continua, plena 148[2]

vor 329 a 16: a aus ai vor Kons. 70[4]

331 a 3: -mε instr. pl. 57[8]

vor 332 a 19 v.u.: a für au 70[4]

vor 334 c 12: ti > si 7[8]

nach 335 a 7: h aus s 62[8]

nach 335 c 5: ti > si 7[8]

# ABKÜRZUNGEN

(außer den in Band I p. XXV erklärten)

Abkürz. . . . . . . . . . Abkürzung
abl., ablat., Ablat. . ablativus, Ablativ
ablativ. . . . . . . . . . ablativisch
Abl. . . . . . . . . . . . . Ablaut
ablaut. . . . . . . . . . . ablautend
Ablautr. . . . . . . . . . Ablautreihe
Ableit. . . . . . . . . . . Ableitung
abret. . . . . . . . . . . . altbretonisch
abs. . . . . . . . . . . . . absolutus
Abtön. . . . . . . . . . . Abtönung
acc. . . . . . . . . . . . . accusativus
ach. . . . . . . . . . . . . achäisch.
acorn. . . . . . . . . . . altcornisch
act. . . . . . . . . . . . . activum
adj., Adj. . . . . . . . . adjectivum,Adjektiv
adjektiv. . . . . . . . . . adjektivisch
adv. . . . . . . . . . . . . adverbium, adver-
  bial, adverbiell
Ael. . . . . . . . . . . . . Aelianus
Aeschin. . . . . . . . . . Aeschines
Aesch. . . . . . . . . . . Aeschylus
affekt. . . . . . . . . . . affektisch
afghan. . . . . . . . . . . afghanisch
afries. . . . . . . . . . . altfriesisch
afrz. . . . . . . . . . . . . altfranzösisch
ägä. . . . . . . . . . . . . ägäisch
agall. . . . . . . . . . . . altgallisch
Agathokl. . . . . . . . . Agathokles
ägin. . . . . . . . . . . . . äginetisch
agrig. . . . . . . . . . . . agrigentinisch
Ägypt. . . . . . . . . . . Ägypten
ägypt. . . . . . . . . . . . ägyptisch
ägypt.-griech. . . . . . ägyptisch-griechisch
ai.-ved . . . . . . . . . . altindisch-vedisch
aisl. . . . . . . . . . . . . altisländisch
akarn. . . . . . . . . . . . akarnanisch
akkad. . . . . . . . . . . . akkadisch
Akk. . . . . . . . . . . . . Akkusativ
akkusativ. . . . . . . . . akkusativisch
akor. . . . . . . . . . . . . altkorinthisch
akragant. . . . . . . . . akragantinisch
akret. . . . . . . . . . . . altkretisch
akt., Akt. . . . . . . . . aktiv, Aktiv
akypr. . . . . . . . . . . . altkyprisch
alem. . . . . . . . . . . . alemannisch
alett. . . . . . . . . . . . altlettisch
alexandr. . . . . . . . . alexandrinisch
alit. . . . . . . . . . . . . altlitauisch
Alk. . . . . . . . . . . . . Alkaios
Alkm., alkman. . . . Alkman, alkmanisch
allgem. . . . . . . . . . . allgemein

Alphab. . . . . . . . . . Alphabet
alphabet. . . . . . . . . alphabetisch
altäol. . . . . . . . . . . altäolisch
altatt. . . . . . . . . . . altattisch
altdial. . . . . . . . . . altdialektisch
altertüml. . . . . . . . altertümlich
altidg. . . . . . . . . . . altindogermanisch
altion. . . . . . . . . . . altionisch
altiran. . . . . . . . . . altiranisch
altkor. . . . . . . . . . . altkorinthisch
altlak. . . . . . . . . . . altlakonisch
altmediterr. . . . . . . altmediterranisch
altnordfränk. . . . . . altnordfränkisch
altphryg. . . . . . . . . altphrygisch
alt- u. ngr. . . . . . . . alt- und neugriechisch
amhd. . . . . . . . . . . alt- u. mittelhoch-
  deutsch
amorg. . . . . . . . . . . amorgisch
anacol. . . . . . . . . . . anacoluth
Anakr., anakr. . . . . Anakreon, anakreon-
  tisch
analog. . . . . . . . . . . analogisch
analyt. . . . . . . . . . . analytisch
anaphor. . . . . . . . . anaphoricum, ana-
  phorisch
Andan. . . . . . . . . . . Andania
Andok. . . . . . . . . . . Andokides
anl., Anl. . . . . . . . . anlautend, Anlaut
annamit. . . . . . . . . . annamitisch
Anth. P. . . . . . . . . . Anthologia Palatina
Antim. . . . . . . . . . . Antimachos
Antiphan. . . . . . . . . Antiphanes
Antiph. . . . . . . . . . . Antiphon
äol. . . . . . . . . . . . . äolisch
aor., Aor. . . . . . . . . aoristus, Aorist
Aor.-St. . . . . . . . . . Aoriststamm
Ap. Dysk. . . . . . . . . Apollonios Dyskolos
aphryg. . . . . . . . . . . altphrygisch
apoln. . . . . . . . . . . altpolnisch
appenzell. . . . . . . . appenzellisch
apreuß. . . . . . . . . . . altpreußisch
Ap. Rh. . . . . . . . . . Apollonios Rhodios
ar. . . . . . . . . . . . . . arisch
arab. . . . . . . . . . . . arabisch
aram. . . . . . . . . . . . aramäisch
Arat. . . . . . . . . . . . Aratos
archaist. . . . . . . . . archaistisch
Archil. . . . . . . . . . . Archilochos
Archimed. . . . . . . . Archimedes
Archyt. . . . . . . . . . Archytas
Aret. . . . . . . . . . . . Aretaios

argol. . . . . . . . . . . . argolisch
Aristarch. . . . . . . . Aristarchos
Aristid. . . . . . . . . . . Aristides
Aristoph. . . . . . . . . Aristophanes
Aristot. . . . . . . . . . Aristoteles
Arkes. . . . . . . . . . . . Arkesilaos
ark.-kypr. . . . . . . . . arkadisch-kyprisch
Arr. . . . . . . . . . . . . Arrianos
arsakid. . . . . . . . . . arsakidisch
aruss. . . . . . . . . . . . altrussisch
aschwed. . . . . . . . . altschwedisch
aschweizd. . . . . . . . alt-schweizerdeutsch
aserb. . . . . . . . . . . altserbisch
asigmat. . . . . . . . . . asigmatisch
aspir. . . . . . . . . . . . aspirata
Astyp. . . . . . . . . . . . Astypalaia
Ath. . . . . . . . . . . . . Athenaios
athem. od. athemat. athematisch
Athen. . . . . . . . . . . Athenaios
äthiop. . . . . . . . . . . äthiopisch
ätol. . . . . . . . . . . . . ätolisch
att. . . . . . . . . . . . . . attisch
attiz. . . . . . . . . . . . attizistisch
attribut. . . . . . . . . . attributiv
aufeinanderf. . . . . . . aufeinanderfolgende
augm. . . . . . . . . . . . augmentum
a.- u. mkymr. . . . . . alt- u. mittelkymrisch
Ausg. . . . . . . . . . . . Ausgang
ausgespr. . . . . . . . . ausgesprochen
ausl., Ausl. . . . . . . . auslautend, Auslaut
außeridg. . . . . . . . . außerindogermanich
außerpräs. . . . . . . . . außerpräsentisch
ausspr., Ausspr. . . . aussprechen, Aus-
                          sprache
AV . . . . . . . . . . . . . Atharvaveda

b. . . . . . . . . . . . . . . bei
Babr. . . . . . . . . . . . Babrios
babyl. . . . . . . . . . . . babylonisch
bair. . . . . . . . . . . . . bairisch
Bakchyl. . . . . . . . . . Bakchylides
Balb. . . . . . . . . . . . Balbilla
balt. . . . . . . . . . . . . baltisch
balt.-slaw. . . . . . . . . baltisch-slawisch
barb. . . . . . . . . . . . barbarisch
Bed. . . . . . . . . . . . . Bedeutung
Bed.-gruppe . . . . . . Bedeutungsgruppe
berb. . . . . . . . . . . . . berberisch
berndt. . . . . . . . . . . berndeutsch
bewegl. . . . . . . . . . . beweglich
Bild. . . . . . . . . . . . . Bildung
bosn. . . . . . . . . . . . . bosnisch
brachyl. . . . . . . . . . brachylogisch
bret. . . . . . . . . . . . . bretonisch
britann. . . . . . . . . . britannisch
Buchst. . . . . . . . . . . Buchstabe
bulg. . . . . . . . . . . . . bulgarisch

bulg.-gr. . . . . . . . . . bulgarisch-griechisch
Bundesspr. . . . . . . . Bundessprache
byz. . . . . . . . . . . . . byzantinisch
byz.-ngr. . . . . . . . byzantinisch - neu-
                          griechisch
bzw. . . . . . . . . . . . . beziehungsweise

c. . . . . . . . . . . . . . . cum
cas. obl. . . . . . . . . . casus obliquus
casus-suff. . . . . . . . . Kasus-Suffix
caus. . . . . . . . . . . . causativum
čech. . . . . . . . . . . . . čechisch
chald. . . . . . . . . . . . chaldäisch
chalkid. . . . . . . . . . chalkidisch
chi., Chios, chiot. . . . chiisch, Chios, chi-
                          otisch
chines. . . . . . . . . . . chinesisch
Choirob. . . . . . . . . . Choiroboskos
christl. . . . . . . . . . . christlich
chronolog. . . . . . . . . chronologisch
Chrysost. . . . . . . . . Chrysostomos
collect. . . . . . . . . . . collectivum
compar. . . . . . . . . . comparatio, com-
                          parativus
compos. . . . . . . . . . compositum
conj. . . . . . . . . . . . . conjunctivus
contr. . . . . . . . . . . . contractus
copulat. . . . . . . . . . copulativum
corn. . . . . . . . . . . . cornisch

d. . . . . . . . . . . . . . . der, die, das etc.
d. . . . . . . . . . . . . . . dieses
dän. . . . . . . . . . . . . dänisch
dat. . . . . . . . . . . . . . dativus
dativ. . . . . . . . . . . . dativisch
decl. . . . . . . . . . . . . declinatio
Dehn. . . . . . . . . . . . Dehnung
deikt. . . . . . . . . . . . deiktisch
Dekl. . . . . . . . . . . . Deklination
Dekl.-form . . . . . . . Deklinationsform
Dekl.-klasse . . . . . . Deklinationsklasse
Dekl.-weise . . . . . . Deklinationsweise
del. . . . . . . . . . . . . . delisch
delph. . . . . . . . . . . . delphisch
Dem. . . . . . . . . . . . Demosthenes
demin. . . . . . . . . . . deminutiv
Demokr. . . . . . . . . . Demokritos
demonst. . . . . . . . . demonstrativ, de-
                          monstrativum
demot. . . . . . . . . . . demotisch
denom. . . . . . . . . . . denominativ, deno-
                          minativum
Dent. . . . . . . . . . . . Dental
desid. . . . . . . . . . . . desiderativ, deside-
                          rativum
dial., Dial. . . . . . . . dialektisch, Dialekt
dimin. . . . . . . . . . . diminutivum

Dio C. . . . . . . . . . . . . Dio Cassius
Diod. . . . . . . . . . . . . Diodor
Diog. L. . . . . . . . . . Diogenes Laertios
Dion. Hal. . . . . . . . Dionysius Halikar-
                       nasseus
Diosk. . . . . . . . . . . . Dioskorides
Diph. . . . . . . . . . . . Diphilus Comicus
diphth. . . . . . . . . . . diphthongus,
                       diphthongisch
dissimilator. . . . . . dissimilatorisch
Dodon. . . . . . . . . . . Dodona
dor. . . . . . . . . . . . . . dorisch
dor.-nwestgr. . . . . . dorisch-nordwest-
                       griechisch
dryop. . . . . . . . . . . dryopisch
dt. . . . . . . . . . . . . . . deutsch
du. . . . . . . . . . . . . . . dualis

eigentl. . . . . . . . . . . eigentlich
einsilb. . . . . . . . . . . einsilbig
einzeldial. . . . . . . . einzeldialektisch
einzelsprachl. . . . . einzelsprachlich
eleus. . . . . . . . . . . . . eleusinisch
elid. . . . . . . . . . . . . elidiert
ellipt. . . . . . . . . . . . elliptisch
Emp. . . . . . . . . . . . . Empiricus
Emped. . . . . . . . . . . Empedokles
emphat. . . . . . . . . . emphatisch
EN . . . . . . . . . . . . . Eigenname
encl. . . . . . . . . . . . . encliticum
End. . . . . . . . . . . . . Endung
engl. . . . . . . . . . . . . englisch
enklit. . . . . . . . . . . . enklitisch
ep. . . . . . . . . . . . . . episch
ephes. . . . . . . . . . . . ephesisch
Epich. . . . . . . . . . . Epicharmos
epid. . . . . . . . . . . . . epidaurisch
Epikur. . . . . . . . . . Epikuros
epir. od. epirot. . . . epirotisch
Eratosth. . . . . . . . . Eratosthenes
eretr. . . . . . . . . . . . . eretrisch
Erschein. . . . . . . . . Erscheinung
Erythr., erythr. . . . Erythrai, erythrä-
                       isch
etazist. . . . . . . . . . . etazistisch
etc. . . . . . . . . . . . . . et cetera
ethn. . . . . . . . . . . . . ethnicum
Et. m. . . . . . . . . . . . Etymologicum mag-
                       num
etr. . . . . . . . . . . . . . etruskisch
etr.-lat. . . . . . . . . . . etruskisch-lateinisch
Etymol., etymol. . . Etymologie, etymo-
                       logisch
eub. . . . . . . . . . . . . . euböisch
Eupol. . . . . . . . . . . . Eupolis
Eur. u. Eurip. . . . . Euripides
europ. . . . . . . . . . . . europäisch

Europ. . . . . . . . . . . Europos
Euseb. . . . . . . . . . . Eusebios
Eustath. . . . . . . . . . Eustathios
exclam. . . . . . . . . . exclamativum
f. . . . . . . . . . . . . . . . femininum
f. . . . . . . . . . . . . . . . folgende
f. . . . . . . . . . . . . . . . für
falisk. . . . . . . . . . . . faliskisch
fem. . . . . . . . . . . . . . femininum
ff. . . . . . . . . . . . . . . folgende Seiten
Finals. . . . . . . . . . . Finalsatz
finn. . . . . . . . . . . . . finnisch
finn.-lapp. . . . . . . . finnisch-lappisch
finno-ugr. . . . . . . . finno-ugrisch
flexiv. . . . . . . . . . . . flexivisch
Formenbild. . . . . . . Formenbildung
Formenl. . . . . . . . . Formenlehre
Frages. . . . . . . . . . . Fragesatz
Fremdw. . . . . . . . . . Fremdwort
frühbyz. . . . . . . . . . frühbyzantinisch
fut., Fut. . . . . . . . . futurum, Futur

Gal. . . . . . . . . . . . . . Galenos
gall. . . . . . . . . . . . . . gallisch
gall.-lat. . . . . . . . . . gallisch-lateinisch
gall.-spätlat. . . . . . gallisch-spätlateinisch
gäth. . . . . . . . . . . . . gäthisch
Gebr. . . . . . . . . . . . Gebrauch
gedankl. . . . . . . . . . gedanklich
gemeingr. . . . . . . . . gemeingriechisch
gemeinngr. . . . . . . . gemeinneugriechisch
Gemeinspr. . . . . . . Gemeinsprache
gen., Gen. . . . . . . . genetivus, Genitiv
Gen.-Abl. . . . . . . . . Genitiv-Ablativ
genitiv. . . . . . . . . . . genitivisch
georg. . . . . . . . . . . . georgisch
gerundiv. . . . . . . . . gerundivum
Gesch. . . . . . . . . . . . Geschichte
geschichtl. . . . . . . . geschichtlich
geschr. . . . . . . . . . . geschrieben
gespr. . . . . . . . . . . . gesprochen
Gleitl. . . . . . . . . . . . Gleitlaut
gloss. . . . . . . . . . . . . glossaria
gort. . . . . . . . . . . . . gortynisch
got. . . . . . . . . . . . . . gotisch
got.-kelt. . . . . . . . . gotisch-keltisch
got.-urnord. . . . . . . gotisch-urnordisch
gr. . . . . . . . . . . . . . . griechisch
gr.-ital. . . . . . . . . . . griechisch-italisch
gr.-lat. . . . . . . . . . . griechisch-lateinisch
gramm. . . . . . . . . . grammatici
Gramm. . . . . . . . . . Grammatik
grammat. . . . . . . . . grammatisch
graph. . . . . . . . . . . . graphisch
Griechenl. . . . . . . . Griechenland
grönländ. . . . . . . . . grönländisch

Grundbed. ........ Grundbedeutung
Grundst. .......... Grundstufe

h. .............. hymnus
Halbv. ........... Halbvokal
Halik. ........... Halikarnassos
h. Ap. ............ hymnus in Apollinem
Haupts. ......... Hauptsatz
h. Cer. ........... hymnus in Cererem
hebr. ............ hebräisch
Hekat. ........... Hekataios
hell. ............. hellenistisch
hell.-poet. ........ hellenistisch-poetisch
her. od. herakl. .... herakleotisch
heteroklit. ........ heteroklitisch
h. Hom. .......... hymnus Homericus,
                   hymni Homerici
Hiatuskons. ....... Hiatuskonsonant
Hilfsvok. ......... Hilfsvokal
Hintergl. ......... Hinterglied
Hippokr. ......... Hippokrates
Hippon. .......... Hipponax
histor. ........... historisch
holländ. .......... holländisch
hymn. ............ hymnus
hyperatt. ......... hyperattisch
hyperdor. ......... hyperdorisch
Hyperid. .......... Hyperides
hyperpoet. ........ hyperpoetisch
hypok. ........... hypokoristisch

Iambl. ........... Iamblichos
Ibyk. ........... Ibykos
Il. .............. Ilias
illyr. ............ illyrisch
illyr.-lat. ......... illyrisch-lateinisch
imper. ........... imperativus
imperativ. ........ imperativisch
impers. .......... impersonale
indecl. .......... indeclinabile
indefin. od. indef. .. indefinitum
ind. ............. indisch
indic. ........... indicativus
Indik. ........... Indikativ
indir. ........... indirekt
indoir. ........... indoiranisch
indones. .......... indonesisch
inf. ............. infixum
infin., Infin. ...... infinitivus, Infinitiv
Infin.-Ausg. ....... Infinitivausgang
inkohat. .......... inkohativ
inl. ............. inlautend
Inschr. .......... Inschrift
inschr. .......... inschriftlich
inseldor. ......... inseldorisch
inselserb. ........ inselserbisch
instr. ........... instrumentalis

intens. ............ intensiv, intensivum
interj. ............ interjectio
Interj. ........... Interjektion
interkons. ........ interkonsonantisch
Interrog. .......... Interrogativ
Interrog.-Pron. .... Interrogativprono-
                    men
intervokal., intervok. intervokalisch
intr. ............. intransitiv, intransi-
                    tivum
ion. .............. ionisch
ion.-att. .......... ionisch-attisch
ion.-hell. .......... ionisch-hellenistisch
ipf. .............. imperfectum
Ipf. .............. Imperfekt
ir. ............... irisch
iran. ............. iranisch
Is. ............... Isaios
isl. ............... isländisch
Isokr. ............ Isokrates
italien. ........... italienisch
italisch od. ital. .... italisch
Itan. ............. Itanos
itazist. ........... itazistisch
iter. ............. iterativum
Iterativpräs. ...... Iterativpräsens
Iterativprät. ...... Iterativpräteritum

japan. ............ japanisch
j.-att. ............ jungattisch
j.-awest. .......... jungawestisch
j.-böot. .......... jungböotisch
jidd. ............. jiddisch
j.-ion. ............ jungionisch
j.-kret. ........... jungkretisch
j.-lak. ............ junglakonisch
j.-lesb. ........... junglesbisch
Jos. .............. Josephus
j.-phryg. .......... jungphrygisch

Kaiserz. .......... Kaiserzeit
kalabr. ........... kalabresisch
Kalch. ............ Kalchedon
Kallim. ........... Kallimachos
kalymn., Kalymn. . kalymnisch, Ka-
                    lymna
kampan. .......... kampanisch
kappad. .......... kappadokisch
kar. .............. karisch
kar.-gr. ........... karisch-griechisch
Karp. ............. Karpathos
kaschub. .......... kaschubisch
Kasusbild. ........ Kasusbildung
kaukas. .......... kaukasisch
kaus. ............. kausativ
keisch ............ (Insel Keos)
kelt. ............. keltisch

| | | | |
|---|---|---|---|
| kelt.-lat. | keltisch-lateinisch | langvokal. | langvokalisch |
| Kentumspr. | Kentumsprache | lanuvin. | lanuvinisch |
| kephall. | kephallenisch | lapp. | lappisch |
| kilik. | kilikisch | Lar. | Larisa |
| kilik.-gr. | kilikisch-griechisch | lat.-kelt. | lateinisch-keltisch |
| Kinderspr. | Kindersprache | lautl. | lautlich |
| klass. | klassisch | Lautl. | Lautlehre |
| klass.-ai. | klassisch-altindisch | lesb. | lesbisch |
| klass.-arab. | klassisch-arabisch | lett. | lettisch |
| kleinas. | kleinasiatisch | leukad. | leukadisch |
| kleinas.-äol. | kleinasiatisch-äolisch | lexikal. | lexikalisch |
| kleinas.-gr. | kleinasiatisch-grie- | lind., Lind. | lindisch, Lindos |
| | chisch | lit. od. liter. | literarisch |
| kleinas. Koine | kleinasiatische Koine | Liqu. | Liquida |
| kleinruss. | kleinrussisch | liv. | livisch |
| knid. | knidisch | loc. | locativus |
| knos. | knosisch | lokr. | lokrisch |
| koisch | (Kos) | lothr.-lux. | lothringisch-luxem- |
| kollekt. | kollektiv | | burgisch |
| Kollektivbild. | Kollektivbildung | Luk. od. Lukian. | Lukianos |
| kom., Kom. | komisch, Komiker | luzern. | luzernisch |
| Komp. | Kompositum | lyd. | lydisch |
| Kompos. | Komposition | lyk. | lykisch |
| Kompos.-Fuge | Kompositionsfuge | Lykophr. | Lykophron |
| Kompos.-Glied | Kompositionsglied | Lys. | Lysias |
| Kompos.-Suff. | Kompositionssuffix | | |
| Kompos.-Vok. | Kompositionsvokal | m. od. mask. | masculinum |
| Kondizionals. | Kondizionalsatz | magyar. | magyarisch |
| Konj. | Konjunktiv | maked. | makedonisch |
| Konjunkt. | Konjunktion | maniat. | maniatisch |
| Konjunktivbild. | Konjunktivbildung | maniot. | maniotisch |
| Kons. | Konsonant | männl. | männlich |
| kons. | konsonantisch | mantin. | mantineisch |
| Kons.-Gruppe | Konsonantengruppe | mäon. | mäonisch |
| kontrah. | kontrahiert | mask. | maskulinisch |
| koord. | koordiniert | m.-bret. | mittelbretonisch |
| kopt. | koptisch | md. | mitteldeutsch |
| kor. | korinthisch | mechan. | mechanisch |
| korean. | koreanisch | med. | medium, medial |
| Kor. | Korinna | mediopass. | mediopassiv |
| Kosef. | Koseform | Megalop. | Megalopolis |
| Kosen. | Kosename | megar. | megarisch |
| Kratin. | Kratinos | Menandr. | Menandros |
| kret. | kretisch | messap. | messapisch |
| kurzvokal. | kurzvokalisch | mess. | messenisch |
| kym. | kymäisch | metr. | metrisch |
| kymr. | kymrisch | miles. | milesisch |
| kypr. | kyprisch | Mimn. | Mimnermos |
| kyren. | kyrenäisch | m.-ind. | mittelindisch |
| Kyz. | Kyzikos | m.-iran. | mitteliranisch |
| | | mittelgr. | mittelgriechisch |
| lab. | labial | mittel- u. ngr., mngr. | mittel- und neugrie- |
| labiovel. | labiovelar | | chisch |
| Lallw. | Lallwort | mkret. | mittelkretisch |
| Ländern. | Ländername | m.-kymr. | mittelkymrisch |
| Langdiphth. | Langdiphthong | m.-lat. | mittellateinisch |
| langob. | langobardisch | mnd. | mittelniederdeutsch |

| | | | |
|---|---|---|---|
| Monatsn. | Monatsname | oberd. | oberdeutsch |
| Mosch. | Moschos | Obj. | Objekt |
| m.- u. n.-bret. | mittel- und neubre- | obl. | obliquus |
| | tonisch | od. | oder |
| Mus. | Musaios | Od. | Odyssee |
| | | ON | Ortsname |
| n. | neutrum, neutrisch | onomatop. | onomatopoetisch |
| n. | nomen | Opp. | Oppianos |
| nachhom. | nachhomerisch | opt., Opt. | optativus, Optativ |
| nachklass. | nachklassisch | opt. obl. | optativus obliquus |
| nachved. | nachvedisch | ordinal. | ordinale |
| Namenbild. | Namenbildung | Orop. | Oropos |
| Nas. | Nasal | orph. | orphisch |
| Nasalvok. | Nasalvokal | or. Sib. | oracula Sibyllina |
| nationalgr. | nationalgriechisch | osk. | oskisch |
| Nausikr. | Nausikrates | osk.-umbr. | oskisch-umbrisch |
| nax. | naxisch | osman. | osmanisch |
| n.-bret. | neubretonisch | osman.-türk. | osmanisch-türkisch |
| nd. | norddorisch | österreich. | österreichisch |
| ndd. | niederdeutsch | ostgr. | ostgriechisch |
| ndor. | norddorisch | ostion. | ostionisch |
| Nebens. | Nebensatz | ostkret. | ostkretisch |
| negat. | negatio | östl. | östlich |
| Neubild. | Neubildung | ostlit. | ostlitauisch |
| neuind. | neuindisch | ostlokr. | ostlokrisch |
| neuion. | neuionisch | ostsyr. | ostsyrisch |
| neuir. | neuirisch | ostthess. | ostthessalisch |
| neuiran. | neuiranisch | öt. | ötäisch |
| neumexikan. | neumexikanisch | Otr. | Otranto |
| neupers. | neupersisch | | |
| neut. | neutrum | palat. | palatal |
| neuthess. | neuthessalisch | pannon. | pannonisch |
| neutr. | neutrum, neutrisch | päon. | päonisch |
| nfrz. | neufranzösisch | pap., Pap. | papyri, Papyrus |
| nichtatt. | nichtattisch | parenthet. od. par- | parenthetisch |
| Nikandr. u. Nik. | Nikandros | enth. | |
| nilnub. | nilnubisch | Parm. od. Parmen. | Parmenides |
| nisyr. | nisyrisch | parth. | parthisch |
| n.-kymr. | neukymrisch | partic. | particula |
| nom. | nominativus | partit. | partitivus, partitiv |
| nom. ag. | nomen agentis | pass. | passivum, passiv |
| Nominalausg. | Nominalausgang | Passivbild. | Passivbildung |
| Nominaldekl. | Nominaldeklination | Patronym. | Patronymikon |
| Nominalkomp. | Nominalkompositum | Paus. | Pausanias |
| Nominals. | Nominalsatz | periphrast. | periphrastisch |
| n. pr. | nomen proprium | pers. | persisch |
| Nonn. | Nonnos | Pers. | Person |
| nord. | nordisch | pers. | persona, personale |
| nordar. | nordarisch | pers.-lat. | persisch-lateinisch |
| nordd. | norddeutsch | Personalend. | Personalendung |
| nordgr. | nordgriechisch | Personalpron. | Personalpronomen |
| nordion. | nordionisch | Personalsuff. | Personalsuffix |
| Normalgr. | Normalgriechisch | Personengebr. | Personengebrauch |
| norw. | norwegisch | persönl. | persönlich |
| npers. | neupersisch | pf. | perfectum |
| num. | numerale | Pf. | Perfekt |
| nwgr. | nordwestgriechisch | Pf.-fut. | Perfektfuturum |

| | | | |
|---|---|---|---|
| Pherekr. . . . . . . . . . | Pherekrates | pros. . . . . . . . . . . . | prosaisch |
| Pherekyd. . . . . . . . | Pherekydes | prosthet. . . . . . . . . | prosthetisch |
| Philod. . . . . . . . . . . | Philodemos | prothet. . . . . . . . . | prothetisch |
| Philol. . . . . . . . . . | Philolaos | Psell. . . . . . . . . . . . | Psellos |
| phok. . . . . . . . . . . | phokisch | psycholog. . . . . . . . | psychologisch |
| phönik. . . . . . . . . . . | phönikisch | ptc. . . . . . . . . . . . . | participium |
| Phot. . . . . . . . . . . . . | Photios | ptc.-Ausg. . . . . . . . | Partizipausgang |
| phryg. . . . . . . . . . . | phrygisch | Ptz. . . . . . . . . . . . . | Partizip |
| phthiot. . . . . . . . . . | phthiotisch | pun. . . . . . . . . . . . . | punisch |
| Pind. . . . . . . . . . . . | Pindaros | pun.-alat. . . . . . . . . | punisch-altlateinisch |
| pisid. . . . . . . . . . . . | pisidisch | pun.-lat. . . . . . . . . . | punisch-lateinisch |
| Plat. . . . . . . . . . . | Platon | Pythag., pythag. . . | Pythagoras, pytha- |
| Plotin. . . . . . . . . . | Plotinos | | goreisch |
| pl., Pl. . . . . . . . . . . | pluralis, Plural | | |
| plural. . . . . . . . . . . | pluralisch | qualitat. . . . . . . . . . | qualitativ |
| plusq., Plusq. . . . . . | plusquamperfectum, | quantitat. . . . . . . . . | quantitativ |
| | Plusquamperfekt | Qu. Sm. . . . . . . . . . | Quintus Smyrnaeus |
| Plut. . . . . . . . . . . . . | Plutarchos | | |
| PN . . . . . . . . . . . . . | Personenname | rätor. . . . . . . . . . . . | rätoromanisch |
| poet. . . . . . . . . . . . . | poetisch | recit. . . . . . . . . . . . | recitativum |
| Poll. . . . . . . . . . . . . | Pollux | Reduktionsvok. . . . | Reduktionsvokal |
| poln. . . . . . . . . . . . . | polnisch | redupl., Reduplik. . . | reduplicatio, Redup- |
| Polyb. . . . . . . . . . . | Polybios | | likation |
| pont. . . . . . . . . . . . . | pontisch | redupliz. . . . . . . . . . | redupliziert |
| Porphyr. . . . . . . . . . | Porphyrios | reduz. . . . . . . . . . . . | reduziert |
| Porphyrog. . . . . . . | Porphyrogennetos | refl. . . . . . . . . . . . . | reflexivum, reflexiv |
| portug. . . . . . . . . . . | portugiesisch | Reflexivpron. . . . . . | Reflexivpronomen |
| poss. . . . . . . . . . . . | possessiv,possessivus | regell. . . . . . . . . . . . | regellos |
| Possessivpron. . . . . . | Possessivpronomen | Rektionskomp. . . . . | Rektionskomposi- |
| postpos. . . . . . . . . . | postpositio | | tum |
| potent., Potent. . . . | potentialis, Potential | relat. . . . . . . . . . . . . | relativ, relativum |
| pr. . . . . . . . . . . . . . . | proprium | Relativpron. . . . . . . | Relativpronomen |
| praedic. . . . . . . . . . | praedicativum | rhegin. . . . . . . . . . . | rheginisch |
| praef. . . . . . . . . . . . | praefixum | rhein. . . . . . . . . . . . | rheinisch |
| praep. . . . . . . . . . . . | praepositio | rhetor. . . . . . . . . . . | rhetorisch |
| praes. . . . . . . . . . . . | praesens | rhod. . . . . . . . . . . . . | rhodisch |
| praes.-bildend . . . . | präsensbildend | rhythm. . . . . . . . . . . | rhythmisch |
| praes.-St. . . . . . . . . | Präsensstamm | Rückbild. . . . . . . . . | Rückbildung |
| praet. . . . . . . . . . . . | praeteritum | rumän. . . . . . . . . . . | rumänisch |
| praev. . . . . . . . . . . . | praeverbium | russ. . . . . . . . . . . . . | russisch |
| Präf. . . . . . . . . . . . . | Präfix | russ.-ksl. . . . . . . . . | russisch-kirchensla- |
| präidg. . . . . . . . . . . | präindogermanisch | | wisch |
| pränest. . . . . . . . . . . | pränestinisch | | |
| Präp. . . . . . . . . . . . . | Präposition | s. . . . . . . . . . . . . . . | siehe |
| Präs. . . . . . . . . . . . . | Präsens | sabin. . . . . . . . . . . . | sabinisch |
| Präsensausg. . . . . . . | Präsensausgang | sak. . . . . . . . . . . . . . | sakisch |
| Präsensbild. . . . . . . | Präsensbildung | sam. . . . . . . . . . . . . | samisch |
| Prät. . . . . . . . . . . . . | präteritum | samojed. . . . . . . . . . | samojedisch |
| Pratin. . . . . . . . . . . | Pratinas | Sapph. . . . . . . . . . . | Sappho |
| Präv. . . . . . . . . . . . . | Präverb | sard. . . . . . . . . . . . . | sardisch |
| preuß. . . . . . . . . . . . | preußisch | Satəmspr. . . . . . . . . | Satəmsprache |
| prien. . . . . . . . . . . . | prienisch | satəmsprachl. . . . . . | satəmsprachlich |
| privat. . . . . . . . . . . | privativum | Satzadv. . . . . . . . . | Satzadverb |
| procl. . . . . . . . . . . . | procliticum | sc. . . . . . . . . . . . . . | scilicet |
| proklit. . . . . . . . . . | proklitisch | Schlußkons. . . . . . . | Schlußkonsonant |
| pron. . . . . . . . . . . . . | pronomen | Schriftd. . . . . . . . . . | Schriftdeutsch |
| pronomin. . . . . . . . | pronominal | Schriftspr. . . . . . . . | Schriftsprache |
| | | schriftsprachl. . . . . | schriftsprachlich |

| | | | | |
|---|---|---|---|---|
| Schwachst. | Schwachstufe | Starkst. | Starkstufe |
| Schwachstufenvok. | Schwachstufenvokal | Stesich. | Stesichoros |
| Schwachvok. | Schwachvokal | stilist. | stilistisch |
| schwed. | schwedisch | stimmh. | stimmhaft |
| schweizd. | schweizerdeutsch | stimml. | stimmlos |
| Sekundärsuff. | Sekundärsuffix | Stoffadj. | Stoffadjektiv |
| selbständ. | selbständig | Strab. | Strabo |
| selin. | selinuntisch | Stützvok. | Stützvokal |
| semit. | semitisch | Stymph. | Stymphalos |
| Semon. | Semonides | Subj. | Subjekt |
| serb. | serbisch | subst., Subst. | substantivum, Substantiv |
| serbokr. | serbokroatisch | | |
| sg. | singularis, singularisch | substantiv. | substantivisch |
| | | südarab. | südarabisch |
| Sg. | Singular | süddor. | süddorisch |
| sigmat. | sigmatisch | südgr. | südgriechisch |
| sikyon. | sikyonisch | südital. | süditalisch |
| Silbenanl. | Silbenanlaut | südserb. | südserbisch |
| silb. | silbisch | südthess. | südthessalisch |
| Simon. | Simonides | suff., Suff. | suffixum, Suffix |
| singh. | singhalesisch | Suid. | Suidas = das Lexikon „Suda" |
| siz. | sizilisch | | |
| skr. | Sanskrit, sanskritisch | superl., Superl. | superlativum, Superlativ |
| slaw. | slawisch | supin. | supinum |
| smyrn. | smyrnäisch | syllab. | syllabisch |
| Sol. | Solon | syntakt. | syntaktisch |
| Sonderbed. | Sonderbedeutung | synthet. | synthetisch |
| Soph. | Sophokles | syr. | syrisch |
| soziolog. | soziologisch | syrak. | syrakusanisch |
| span. | spanisch | | |
| spart. | spartanisch | tar. | tarentinisch |
| spät | spätgriechisch | tauromen. | tauromenisch |
| spätaltgr. | spätaltgriechisch | teg. | tegeatisch |
| spätatt. | spätattisch | term. | terminus |
| spätep. | spätepisch | thas. | thasisch |
| spätgr. | spätgriechisch | themat. | thematisch |
| späthebr. | späthebräisch | Themist. | Themistios |
| spätion. | spätionisch | Theo. | Theo Smyrnaeus |
| spätlak. | spätlakonisch | Theogn. | Theognis |
| spätlat. | spätlateinisch | Theokr. | Theokritos |
| spät-ngr. od. spät- u. ngr. | spät- und neugriechisch | Theophr. | Theophrastos |
| | | ther. | theräisch |
| spez. | speziell | thesp. | thespiäisch |
| spir. | spiritus | thess. | thessalisch |
| Spr. | Sprache | Thom. Mag. | Thomas Magistros |
| Sprachf. | Sprachforschung | thrak. | thrakisch |
| Sprachgesch. | Sprachgeschichte | thrak.-illyr. | thrakisch-illyrisch |
| sprachl. | sprachlich | Thuk. | Thukydides |
| sprachvergl. | sprachvergleichend | trag. | tragici |
| Sprachw. | Sprachwissenschaft | trans., Trans. | transitivum, Transitiv |
| sprachwissenschaftl. | sprachwissenschaftlich | | |
| | | troz. | trozenisch |
| Sproßvok. | Sproßvokal | türk. | türkisch |
| st. | statt | | |
| St. | Stamm | u. | und |
| Stammbild. | Stammbildung | Übergangsl. | Übergangslaut |

uigur. . . . . . . . . . . . uigurisch
Umbild. . . . . . . . . . Umbildung
umbr. . . . . . . . . . . . umbrisch
Umgangsspr. . . . . . . Umgangssprache
umgek. . . . . . . . . . . umgekehrt
unbest. . . . . . . . . . . unbestimmt
unetym. . . . . . . . . . unetymologisch
ungeschr. . . . . . . . . ungeschrieben
ungr. od. ungriech. . ungriechisch
unkontrah. . . . . . . . unkontrahiert
unpers. . . . . . . . . . . unpersönlich
unredupl. . . . . . . . . unredupliziert
unregelm. . . . . . . . . unregelmäßig
unsilb. . . . . . . . . . . . unsilbisch
unterit. od. unterital. unteritalisch
urchristl. . . . . . . . . urchristlich
urgerm. . . . . . . . . . . urgermanisch
urgr. . . . . . . . . . . . . urgriechisch
urnord. . . . . . . . . . . urnordisch
urspr. . . . . . . . . . . ursprünglich

v.-att. . . . . . . . . . . . . vulgärattisch
ved. . . . . . . . . . . . . vedisch
venet. . . . . . . . . . . . venetisch
venez. . . . . . . . . . . . venezianisch
verb. . . . . . . . . . . . . verbum, verbalis,
verbal
Verbalabstr. . . . . . . . Verbalabstraktum
Verbaladj. . . . . . . . . Verbaladjektiv
Verbalausg. . . . . . . . Verbalausgang
Verbalbild. . . . . . . . Verbalbildung
Verbalend. . . . . . . . . Verbalendung
Verbalinf. . . . . . . . . Verbalinfix
Verbalkomp. . . . . . . Verbalkompositum
Verbalkompos. . . . . Verbalkomposition
Verbals. . . . . . . . . . Verbalsatz
Verbalst. . . . . . . . . Verbalstufe
Verbalsubst. . . . . . . Verbalsubstantiv
Verbalsuff. . . . . . . . Verbalsuffix
Verbalwz. . . . . . . . . Verbalwurzel
verdeutl. . . . . . . . . . verdeutlichend, ver-
deutlicht
vergl. . . . . . . . . . . . vergleichend
Verschlußl. . . . . . . . Verschlußlaut
vgl. . . . . . . . . . . . . . vergleiche
v.-lat. . . . . . . . . . vulgärlateinisch
voc. . . . . . . . . . . . . . vocativus
Vok. . . . . . . . . . . . . Vokal
vokal. . . . . . . . . . . . vokalisch
Vokat. . . . . . . . . . . Vokativ
Völkern. . . . . . . . . . Völkername
Volksspr. . . . . . . . . Volkssprache

volkssprachl. . . . . . . volkssprachlich
volkstüml. . . . . . . . . volkstümlich
vorausgeh. . . . . . . . . vorausgehend
Vordergl. . . . . . . . . . Vorderglied
vordor. . . . . . . . . . . . vordorisch
vorgr. . . . . . . . . . . . . vorgriechisch
vorgrammat. . . . . . . vorgrammatisch
Vorgriech. . . . . . . . . Vorgriechisch
voridg. . . . . . . . . . . . vorindogermanisch
vorurgr. . . . . . . . . . . vorurgriechisch
vulgärsprachl. . . . . . vulgärsprachlich

Wbuch . . . . . . . . . . . Wörterbuch
weibl. . . . . . . . . . . . . weiblich
weißruss. . . . . . . . . . weißrussisch
Weltspr. . . . . . . . . . . Weltsprache
westeurop. . . . . . . . . westeuropäisch
westgr. . . . . . . . . . . . westgriechisch
westion. . . . . . . . . . . westionisch
westlokr. . . . . . . . . . . westlokrisch
westsyr. . . . . . . . . . . westsyrisch
wgr. . . . . . . . . . . . . . westgriechisch
w.-ion. . . . . . . . . . . . westionisch
wissenschaftl. . . . . . wissenschaftlich
w.-kret. . . . . . . . . . . westkretisch
w.-lokr. . . . . . . . . . . westlokrisch
Wortausg. . . . . . . . . Wortausgang
Wortbed. . . . . . . . . . Wortbedeutung
Wortbild. . . . . . . . . . Wortbildung
Wortf. . . . . . . . . . . . . Wortfuge
Wortreg. . . . . . . . . . Wortregister
w.-osset. . . . . . . . . . westossetisch
wthess. . . . . . . . . . . . westthessalisch
Wurzelaor. . . . . . . . . Wurzelaorist
Wurzelw. . . . . . . . . . Wurzelwort
Wz. . . . . . . . . . . . . . . Wurzel
Wz.-ausl. . . . . . . . . . Wurzelauslaut
Wz.-bild. . . . . . . . . . Wurzelbildung
Wz.-determinativ . . Wurzeldeterminativ
Wz.-erweiterung . . . Wurzelerweiterung
Wz.-nom. od. Wur-   Wurzelnomen
zeln.
Wz.-präs. . . . . . . . . . Wurzelpräsens
Wz.-silbe . . . . . . . . . Wurzelsilbe
Wz.-wort . . . . . . . . . Wurzelwort

Xenophan. . . . . . . . . Xenophanes

Yagh. . . . . . . . . . . . . Yaghnōbī
žemait. . . . . . . . . . . . žemaitisch
zw. . . . . . . . . . . . . . . zwischen
zweisilb. . . . . . . . . . . zweisilbig

# I
## WÖRTER, SUFFIXE, LAUTE:
## GRIECHISCH

α aus idg. ă 338⁶. 339⁷f. 240f.
686⁷, 9; sekundär 338⁸; aus
Schwachvok. 341⁵·⁶; für
Nasalvok. 342, 3; für idg.
m̥ 342⁸. 343⁴. 708²; für idg.
m̥ n 56⁴. 440¹. 761⁵; für idg.
n 342⁷. 343⁴. 699⁵. 703²⁻³.
740⁴; -α- für idg. -n̥-767³;
α für n̥s 307⁷; α Schwachst.
zu η (:ω) 340 ³·⁴; als Über-
gangsl. 278 ⁴· ⁶· ⁷; wechselt
mit o 340²; assimiliert Vo-
kale 255⁶·⁷; assimiliert ε
256³; assimiliert α 256³; α
ndor. für ε 81²; α el. für ε
81². 92⁷; α bei ρ für ε nwgr.
92³; Schwanken zw. a- und
e-Laut 62⁷; α für· αι 266²;
α att. aus ᾱι 233⁵; α graph.
für αι = ε 835¹; α durch
Umfärbung des ε 212⁶; α
aus ε 338,1; α unterit. tw.
aus i(η) 95²; α durch o er-
setzt 440²; -α elidiert 403²;
α- prothet. 411⁶f.
ἀ- praef. 455⁶
α copulat. 433², 2
α intens. 433²
ἀ- privat. 56⁷. 343¹. 417, 1.
431³·⁴, 2 f. 635⁴. 644⁶. II
591¹. 599²· ³· ⁵. S. auch ἀν-
ἀ- (aus*sm̥-) 367⁴.433,3.440¹.
588¹, 7
α Kompos.-Vok. 438²
α kontrahierb. in Kompos.-
Fuge 397⁷
α in Wz. 680³, 2
ᾰ- St. 588²⁻562⁴; masc. auf
-ᾰ 560³·⁴
-ᾰ nom. voc. 1. decl. 561⁵;
nom. sg. böot. nwgr. 560³⁻⁵
-α nom. sg. m. 560¹, 1. 2
-ᾰ nom. voc. sg. m. 560⁵.
561⁶
-ᾰ nom. sg. f. 553⁵. 559⁶·⁷
-ᾰ voc. sg. lesb. 558⁵, 5
-α nom. sg. 1. decl. tsak. 586,
0
-ά f. 562⁴
-α gen. sg. m. hell. 561²
-α acc. sg. 547⁷. 549². 551⁵⁻⁶.
553³. 560, 2. 562⁷. 563²
-α acc. sg. f. ngr. 585⁷
-α nom. sg. f. (gen. -ας) ngr.
585⁷
-ᾰ voc. sg. m. 560⁵
-α Kosef. 561⁵
-α nom. acc. pl. n. 562⁷. 581³,
4.
-α adv. 622⁵. 632⁷; ngr. 621⁴
1*

α in Verbalwz. 685¹⁻²
-α zweisilb. Verbalst. 695⁴
-α Personalend. 657⁵. 659²
-α 1. sg. aor. act. 739⁸. 744¹⁻
746. 753⁶f. 778³. 814⁴·⁵.
815⁷; ngr. 753⁷. 763⁶·⁷
-α- in Aor.-St. 739⁵. 749³·⁴·⁶,2
-α 1. sg. pf. 662³. 767³
-α ipf. ngr. 753⁷
*-ᾰ 3. pl. (aus*-n̥t) 664²
-α adv. spät 550⁴
ᾰ interj. II 600³
ἀ (= ἄν) δέν ngr. II 593⁴
ἄ pron. II 611⁸; ἀ δὴ κακοῦρ-
γος II 404⁷
ᾱ 345²f.; urgr. 72². 434⁴;
dial. 81¹; Formen mit -
105⁸; bewahrt 370⁸; purum
att. 86¹; – Formen in Trag.
111¹·⁴; kontrah. aus αα
248⁶·⁷·⁸; – kontrah. ion. att.
aus ᾰε (ᾰē, ᾱη) 250⁴·⁵; ᾱ lak.
aus ᾱο 94¹; – aus ᾰε 682¹;
– äol. dor. aus ᾰε ᾱē 250⁵;
– aus αι 266⁵; – lesb. aus ᾱι
233⁴; – aus αιϝ 228⁸. 265⁸;
-ᾱ kypr. aus -ᾱυ 561, 2; ᾱ
nwgr. dor. böot. aus οα
250¹; ᾱ lesb. aus οᾱ 250²; ᾱ
aus ᾱο 250³. 682¹; ᾱ aus ᾱω
250³
ᾱ > ion. att. η 62⁷. 75⁵. 85⁶.
86¹. 121². 233²
ᾱ ion. att. für αιϝ 228⁸. 265⁸
ᾱ el. für urgr. η 92⁷
ᾱ in ᾱσ < -ανσ 287⁵
ᾱ in -αν- (< -ανσ-) zu η 287⁵
ᾱ metr. Dehn. 266⁴
ᾱ: ᾰ Abl. 770²; Abtön. 552⁵;
ᾱ: ω Abl. 770¹
-ᾱ- Wznom. 451⁴. 561, 6
ᾱ Kompos.-Vok. 438²
-ᾱ-Stämme 459⁵f. 553⁴; f.
473¹ ff.; m. 559⁸, 1. 560¹ f.
562. 839⁸
-ᾱ-Suff. 457² ff.; Sekundär-
suff. 460⁶f.
-ᾱ nom. sg. 558⁴
-ᾱ contr. f. (gen. -ᾱς) 562³
-ᾱ gen. sg. contr. lesb. dor. el.
561¹
-ᾱ gen. sg. (aus -ᾱυ) kypr.
561, 2
-ᾱ dat. sg. 558⁷
-ᾱ instr. sg. 549⁴. 550³. II
138⁴·⁷
-ᾱ du. voc. nom. acc. 554⁴.
557⁴·⁵
ᾱ in Verbalwz. 685³
ᾱ in aor. 675,3

-ᾱ- in conj. 792³
ᾱ demonstr. f. 304². 610⁵. II
35³·⁴
ᾱ relat. f. 303⁵. II 35³
ᾱ interj. 190⁵. 547³. II 600³,
2. 6. 601¹·⁴·⁵·⁶; ᾰ c. voc. II
60, 7; ᾰ ᾱ II 600, 4; ᾰ ᾱ ᾱ II
600, 4
ᾰ instr. sg. dor. 550³
αα > ᾱ 248⁶·⁷·⁸
*ἀα interj. 716⁴
ἀα 514²
ἀᾱ interj. II 600³
ᾰ ᾱ 14, 1. 190⁵. 262¹. 303 ³
ᾱᾱ 14, 1. 190⁵
ἀᾱτος 447, 2
ἀᾱγής 432¹. 452²
ἀάζειν Aristot. 716⁴
(ἄαθι) 613⁵. 628⁵. 632³
ααι > αι 249³
*ἀαίη 514, 3
ἀάκατος kypr. 587, 2
ἀάνθα dor. 348⁵. 520³
*ἀάρδω 685, 3
ἄασα hom. 655¹. 752⁴; -σεν
ὕπνος πρὸς τοῖσι II 513⁸
ἀασάμην 760⁶. 762⁴. II 241³
ἀάσθη-761⁴;-σθην760⁶.762⁴
-άᾱσι Ausg. pf. 665⁵
-αασκ- verba 711³. 712¹
ἀάσχετος 104⁴. 432¹. 681, 5
ἀᾱται 3. sg. 682⁶
ἄᾱται äol. 675⁴. 682⁶
ἄτη 501⁴, 8
ἄατος 102⁷. 502⁵
Ἀβαιόδωρος böot. 635³
Ἀβαῖσι loc. II 155¹
ἀβακέω 724³; ἀβάκησαν 754⁷
ἄβαλε (ἀβάλε) Alkm. 747,8.
799,4
ἀβαλής lak. 513, 6
ἀβάντασιν H. 567²
Ἄβαντες 526⁴
Ἄβαρις 637⁶
ἄβατος 449⁵. II 32³; ἄβατα
ἦν II 606³
Ἀβγαρ 323⁶
Ἄβδηρα 482⁶
ἄβεις 302⁴
ἀβέλτερος 535⁷; -ώτατος 535⁸
Ἀβεσαλών 487⁷
Ἀβια 162⁶
ἄβιος 433³
ἄβις 462, 4
ἀβλητήρ 531⁴; -ῆρες 433³
ἀβλοπές kret. 257². 342³.
760², 3
ἀβλοπία kret. 257²
-αβο- suff. 495⁵
ἀβοαί 433³

ἀβοᾱτί Pind. 499³. 623³·⁴
ἀβολαία 433³
ἀβολέω 433³
ἀβόος 225¹
ἀβούτης 432²
ἄβραχε ·ἤχησε H. 654⁶
ἀβρίξ 620⁶
ἄβρομος hom. 433⁴
ἀβρός 481⁵
ἀβροτάζω hom. 106². 344³. 706⁴; -άξομεν äol. 277⁶. 706⁴
'Αβρότονον f. II 37⁵·⁶
ἄβροτος 277⁵
῎Αβῡδος 508⁷
ἀβυρτάκη 61⁸
ἄβυσσος f. 321⁵. II 32⁴
ᾱβώρ lak. 349⁴. 834⁴
ἄγ: ἀγ γύαλα II 441²
ἄγ': ἄγ' εἶα II 558¹
ἄγᾱ 425³
*ἄγα pf. 766³
ἀγα- compos. 433 ⁵·⁶ f. 623¹. 632⁶. II 185, 2
ἀγ άασθαι 681²
ἀγάασθε 681²
ἄγαγ' imper. Ilias 749²
ἄγαγε II 341²
ἄγαγε/ο- 749, 1
ἀγαγεῖν 647⁵. 748⁴. II 258⁴. 261¹. 377⁸. 382⁷
ἀγαγέσθαι 749²
ἀγαγῆσαι hell. 749². 755, 4
ἀγάγηται 749²
'Αγαγλύτω kret. 257¹
ἀγαγοίην Sapph. 796³
ἀγάγοις 749²
ἀγάγων 749²
ἀγάγοχα dor. 260⁸. 766³
ἀγαγύρτην 423³
ἀγάγωμι 661⁵. 749²
ἀγάγων (= -ωσι) 666³
ἀγάγων 749²
ἀγάζειν Aesch. 734⁵
ἀγάζομαι Pind. 734⁶
'Αγάθαρκος ion. 262³
'Αγαθεστράτη 438³
'Αγάθη II 175³
'Αγαθήτυχος 637⁶, 4
'Αγαθοδαίμων 453, 5
Αγαθοκλεου 156³
ἀγαθόν II 174⁵; -ὰ ποιῶ τινα II 227³
'Αγαθόπους 638², 5
ἀγαθός 511, 2. 816⁵. II 180⁵; ὁ – 175¹; ὁ — ἀνήρ II 602⁴; ἀγαθὸς περὶ τὸν δῆμον II 504⁷; -πρός τι(να) II 512¹⁻²; – τέχνας II 85⁸; -οἱ II 40⁵; -οἱ ἐξ ἀγαθῶν II 463⁶
'Αγάθων (= ὁ 'Α.) II 25²
ἀγαθῶς 621²
ἀγαίομαι 676⁴. 681,5; ἠγαίεσθε 681, 5
ἀγακλεής: -ὲς ὦ M. II 61⁵

ἀγακτιμένη 433⁵
ἀγάλακτοι 433²
ἀγάλλεσθαι c. instr. II 168²
ἀγαλλιάεσθαι 732⁴
ἀγάλλω 725²
ἀγαλματοφώρᾱν acc. el. 451⁵. 563³
*ἀγαλός 725²
ἀγαλῶ fut. att. 785²
ἄγαμαι 433⁵, 7. 8. 680⁴. 681¹; ἀγάμεθα 681²; ἄγασθε 681¹; ἠγάμην681²; ἠγάσσατο hom. 761¹; ἠγάσατο 752⁴; ἠγάσθην att. 758¹; ἄγαμαι c. gen. 106³; – τινος c. gen. II 134¹; – τινός τι II 106⁶
'Αγαμεμνόνεος 466,3. II 177²; -μνοέην 107⁷, 3
'Αγαμέμνων 208⁵· ⁷· ⁸. 433⁵. 522⁵. II 66⁶; -μέμνονος 'Α-τρείδᾱο II 618²
'Αγαμέσμων att. 208⁴· ⁸
'Αγαμήδη 460⁴
ἄγᾱν 190². 343⁷. 621¹. II 413⁷. 416³. 428¹
ἀγανακτεῖν, c. instr. II 168²; – διά τι II 168³; – περί τινος II 168³; τὸ μὴ οὐχὶ – II 372²
ἀγανακτέω 726⁶
'Αγάνη II 175³
ἀγάννιφος 103⁷. 310⁷. 414². 450⁶
ἀγανός 490¹
ἀγαπά 2. 3. sg. ngr. (maniat.) 661, 1
ἀγαπαζέμεν II 377⁷; ἀγαπά-ζω 734⁴; -πάζεσθαι II 233¹
ἀγαπᾶν II 168³; – c. instr. II 168²; – ἀγάπην II 79⁶; τὸ – II 370⁴
ἀγαπατά II 606²
ἀγάπεσα ngr. 87⁴
ἀγάπη 39⁷. 460¹
ἀγαπήνωρ 433⁵
ἀγαπήσεις τὸν πλ. II 317, 3
ἀγαπητός: ὁ – μου II 119⁵
ἀγαπῶ c. infin. II 396³
ἄγαρρις w.-ion. 285³. 342⁵. 344². 450⁵. 505³
*ἄγαρσις 342⁵
ἀγασθη- 761⁴
'Αγασίγρατις arg. 257¹
'ΑγασιλέϜο 223³
ἀγασσάμεθ' ἐξερέοντες II392³
'Αγάσσας thess. 274³. 322⁴
ἀγάσσομαι hom. 784, 6
ἀγάστωρ 433²
ἀγάω 681, 5
'Αγβάτᾱνα 215, 2. 221, 1
ἀγγείλειε: ὃς – II 333⁶
ἀγγεῖον 470⁴
ἀγγελεύς 477¹
ἀγγελέω fut. hom. 785²
ἀγγελη- pass. 760²

ἀγγελθέντος II 401²
ἀγγελθη- 760²
ἀγγελία c. gen. II 132³
ἀγγελίης 470, 2
'Αγγέλιτος 504²
ἀγγελίω fut. dor. 785²; -ιοντι her. 242²
ἀγγέλλω 725². 746⁵. 771⁴. II 395⁷; ἀγγελλόντων imper. II 342⁷; ἤγγελον spät 746⁷; ἠγγέλθην, -λην 747¹; ἤγγελ-κε 775¹; ἤγγελμαι 771³; ἀγ-γέλλω περί τινος II 503¹; -τινὰ ὡς τεθνηκότα II 397³; – ὑπέρ τινος II 522²; ὃς ἀγγείλειε II 333⁶; ἐπὶ τοῖς ἠγγελμένοις II 390⁴
ἀγγέλλων II 296⁷
αγ'γελοι 231²
ἀγγέλοι 384³
ἀγγελος 435⁸. 483⁵. II 31⁵; – πρὸς τῇ κεφαλῇ II 513³
ἀγγελῶ fut. att. 785²
'Αγγνούσιος att. 214⁸
ἀγέ voc. sg. 798⁴. II 14,1
*ἄγε 3. sg. 661³
ἄγε 2. sg. imper. 798⁴. 800¹. II 14, 1. 228³. 245⁶· ⁷. 304³. 309⁶. 314⁴· ⁵. 339³. 340⁵. 341²; – plur. II 40¹. 609⁶; - partic. II 554⁵. 555⁴·⁶. 581¹. 583⁴·⁶·⁷. 601⁶; – ζεύ-ξατε II 610¹; ἀλλ' ἄγε II 583⁷; ἀλλ' ἄγετε II 583⁸f.; ἄγε δή II 245⁷. 315². 563⁴. 583⁷; ἀλλ' – II 563⁴; ἄγ' εἶα II 558¹; ἄγε τοίνυν II 583⁷
ᾱγέα κύκλον 203, 3
ἄγεθλα 533⁴
ἄγει imper. 804³
ἄγει (= ἄγρει) imper. dor. 804, 2
ἄγειν 293¹. II 170³. 261¹. 361⁷; – στρατόν 38¹. II 717; – τινὰ εἴς τινα II 459³; – τι-νὰ πρὸ δόμων II 506⁶; – τινὰ ὡς τὸν ὁμοῖον II 533; – ἐπὶ γάμῳ II 467⁶; intr. – ἐς II 459⁵; – ἐφ' ἑνός II 470⁴. S. auch ἄγω
ἀγείοχα böot. 260⁸
ἄγειρα (τι) ἀνά τινας II 441²
ἀγείρεσθαι 703³; ἤγρετο 648, 3. 742². 746⁵
ἀγείρω 292⁴. 433, 5. 715⁴. 746⁵. II 230⁶. 246⁵. 311⁵; -λαὸν κατ' 'Αχαιΐδα II 476⁵
ἀγέλάοι kret. 236⁷
'Αγέλαος 635⁵
ἀγέλαστος 503⁴
ἀγέλη 379⁶
ἀγελ ηδά 625⁶
ἀγεληδόν 626⁵
ἀγέμεν 806⁴. II 363³

*ἀγεμών 522, 7
ἄγεν II 383³
ἀγεννής: – τὴν ψυχήν II 85⁷
ἀγέομαι 304². 720³, 11
ἀγεόμενος 681, 5
ἀγερ- 746⁸
ἀγέραστος 503³. 514¹
ἀγέρεσθαι 715. 7. 746⁵
ἀγερέσθαι 715, 7. 746⁵
*ἀγερjω 715⁴
ἀγερμός 492⁴
ἀγέροντο hom.715, 7. 746⁴⁻⁵;
   – ὑπὸ ἄλσος II 530⁵
Ἀγερράνιος 274⁴
ἀγέρρω äol. 715⁴
ἄγερσις ion. 505³
ἄγες dor. 659⁶
ἄγες imper. H. 800¹
ἄγεσθαι γυναῖκα II 231⁴
ἄγεσκον Hdt. 711³
ἀγέτᾱς 500¹
ἄγετε II 245⁷; – c. conj. II
   315²; – partic. 583⁸f.
ἄγευστος 738, 4. 773³; – κα-
   ,κῶν II 103⁵
ἀγή [so] 460³
ἀγη- hom. att. 759²
ἀγηγέρατο hom. 766⁴
ἀγήγοχα 647⁵
ἀγήγοχα spät 289⁷
Ἀγηηίλας lak. 93⁵. 261²
ἄγημα 694
Ἀγῆναξ rhod. 250⁶
ἀγήνωρ 433⁵. 441⁴. 530⁶
ἀγήοχα 260⁸. 289⁷. 647⁵
ἀγήραος hom. 514¹
ᾱγής 513⁵
ἀγήσαιτο 681, 5
ἀγητός 502⁶
ἄγι sg. imper. lesb. 804²;
   ἄγιτε 804²
Ἁγία Τριάδα ngr. 597²
ἀγιάζω 289⁵
ἀγῑνέω 749²; ἀγῑνεον ion.
   hom. 655⁶. 696²; ἀγῑνήσω
   783²; ἀγῑνήσουσι(ι) 696²;
   ἀγῑνέμεναι hom. 696². 806⁴;
   ἀγινέειν τινὰ ὑπὸ δαΐδων II
   529⁸
ἄγιος 381². 466². 502². II
   173⁴. 242¹
Ἁγίς 636⁵
ἄγιτε imper. lesb. 804²
Ἀγίττας äol. 500, 9
ἀγιωσύνη 529⁴, 2
ἀγκάζοντο Ilias 655¹. 734⁵
ἄγκαθεν Aesch. 631, 5
ἀγκάλη 483⁶
ἀγκαλιάζονται ngr. II 235³
ἀγκαλίζεσθαι II 233⁴
*ἄγκας acc. pl. 631, 5
ἀγκάς hom.549¹.568⁷.631⁴,5
ἀγκάς·ἀγκάλας H. 631, 5
(*ἀγκάσε) 631, 5

*ἀγκάσι loc. pl. 631, 5
*ἀγκή 631, 5
*ἀγκίδ- 532³
ἄγκιστρον 532³
ἀγκλίνας ποτὶ γαίῃ II 513⁴
ἀγκλόν 483³
ἄγκοινα 272⁸; ἀγκοίνῃσι hom.
   475, 6
ἄγκος 292³. 340². 512¹
ἀγκυλομήτης 451⁷. 452, 1
ἀγκύλος 379². 485¹
ἀγκυλοχείλης 103³
ἄγκυρα 165⁴. II 470⁴; ἀγκύ-
   ραιν II 49⁶
Ἄγκυρα 161⁷
ἀγκών 309². 488¹. 631, 5
ἀγλαΐζω 735⁶; -ΐεῖσθαι hom.
   785⁵; ἀγλαΐζεσθαι II 170³
ἀγλαός 363⁷. II 182⁷; -ὰ δῶρα
   II 614¹
Ἀγλω- dor. 250²
ἄγλωσσος 78, 5
ἄγμα 141,1
ἀγμός 214⁸. 215¹. 492⁵
ἀγνεύω 732⁵
ἁγνίζω 289⁷
ἀγνοέω 472, 8; ἡγνοουσαν
   666²; ἀγνοῶ τι ἐπί τινος II
   470⁸
*ἄγνοϝος 472, 8
ἄγνοιαι II 43⁷
ἀγνοιέω: ἡγνοίησεν II 599⁴
ἄγνος 303⁶·⁷. 502². II 243¹;
   – τοὐπὶ τὴν κόρην II 473²
ἄγνυμαι 357¹; ἄγνυται 759².
   II 227⁷
ἄγνυμι 314². 696⁴. II 227⁶.
   260²; ἄγνυμεν 357¹; ἔαξα
   654¹, 2; ἄγνυμι νῆας ποτὶ
   σπιλάδεσσιν II 512⁶
ἀγνύς 510⁷. 525⁴
ἀγνώς 540⁴; – κακῶν II 108¹;
   ἀγνῶτες 425¹
ἀγνώσασκε Od. 711⁵. 733⁷
ἀγνώσσω spät 733⁷
ἄγνωστος 503¹. 738⁴
ἄγνωτος 432²
ἀγξηραίνω II 440⁷
ἄγομαι: ἡγαγόμην 749²; ἦγμαι
   j.-att. 766²; ἤχθε 2. pl.
   pf. 670³; ἄγομαι λαὸν ὑπὸ
   τεῖχος II 531³; – μῦθον
   διὰ στόμα II 453¹; – πρὸς
   οἶκόν τινος II 510¹; – ὑπ'
   ἐπίγνωσιν II 531²; ἀγόμενος
   ἄχθη II 388⁶; ἄγοιντο νήσου
   τῆσδε II 91⁷
ἄγον dor. 654⁷
ἄγοντε II 49, 4; – f. II 35, 1
ἀγορά 582³. II 476⁷
ἀγοράζω 735¹; – τί τινος II
   127⁶; – τῶν ὑ. Μ. νομῶν II
   92³
ἀγοράομαι 725⁵

ἀγορασία 469²
ἀγόρασις att. 271⁵
ἀγόρασσις böot. 271⁴. 505, 7
ἀγορατρός delph. 532¹
ἀγορεύειν 732⁵; – ἔπεα πτ.
   πρός τινα II 510⁷; ἀγορευέ-
   μεν II 381⁷; ἀγορευέμεναι
   hom. 806⁴; ἀγορεύω μετά
   τισι II 483³; ἀγόρευε ipf.
   652¹; ἀγορεύοις ἄν II 329⁶
ἀγορήν δε hom. 624⁶
ἀγορητής 500²·⁴
ἄγορος m. 582³
ἄγος 292⁵. 512¹
ἄγος 35, 1. 512³
ἀγός 459³; ἀγέ voc. 798⁴.
   II 14, 1
ἀγοστός 503⁶
Ἀγούστου 198⁸
ἄγραδε 619¹. 624⁶·⁷
ἀγράθεν·συνάγειν H. 703⁵
ἀγράνδις dor. 625²
ἀγράω 727, 1
ἀγρεθη- lesb. 761⁵
ἄγρει imper. 804, 2. II 584¹;
   ἄγρειτε II 579, 2; ἄγρειθ'
   804, 2
ἀγρεῖν II 273⁴; s. ἀγρέω
ἄγρεμι lesb. 232¹
ἀγρέσθαι 703³. 760⁶
Ἀγρέστας thess. II 183⁵
ἀγρεύομαί τι c. dat. II 146⁷
ἀγρευτής 500³
ἀγρέω (αἰρέω) 209⁸. 727¹, 1
ἀγριαίνω 733²
ἀγριάω 732³
ἀγριμέλισσα 837¹
ἄγριος 381⁶; f. II 32, 5;
   – ἔλαιος II 304⁴; ἀγριωτέραν
   τῆς Σκύλλης II 99⁴
*ἀγρίος 381⁶
Ἀγρίππας: – ὁ βασιλεύς II
   618⁵
*ἄγρο- 727, 1
ἄγροικος 383¹
ἀγροῖσι loc. II 154⁸
ἀγρόμενος 746⁵
ἀγρόν δε (hom.), ἀγρόνδε
   624⁶·⁷
ἀγρός 339⁷. 481⁴; ἀγροῖσι
   II 154⁸
ἀγρότερος hom. 534¹. II
   183⁵
ἀγρυμένη 698²
ἀγρυπνεῖν τι πρό τινος II
   506⁷; *ἐγρύπνει ipf. 656⁶
ἀγρώσσων Od. 733⁶⁻⁷
ἀγρώστης 452¹
Ἀγυαῖος ion. 200³
ἄγυια ion. 184¹. 383⁴. 473, 7.
   474⁴. 543³, 5. 767¹. II 408³
ἀγυιά 541³
ἀγύμναστος c. gen. II 108¹
ἀγύναικος nom. sg. 583²

ἀγύναιξ 449⁷. 583²
ἀγύναιος hell. 583³
ἄγνυος Aristoph. 583¹
ἄγυρις 351⁷. 462⁴
ἀγυρτάζω 706⁴. II 366⁷
ἀγύρτης 351⁷
ἄγχαρμος 69⁵
ἄγχε- 441, 3. II 548¹
ἀγχέμαχος 441⁴, 3. 631⁵. II 548²
ἀγχήρης II 548²
ἄγχι 400⁵. 515⁵. 538². ³. 622², 5. 630⁵. 632⁶. 633¹. II 547⁶·⁷. 548². ³; ἄγχι Ἕκτορος II 97⁶; ἄγχι c. dat. II 142⁴. 534²
ἀγχι- 632⁶
ἀγχίαλος II 548⁶
ἀγχιβαθής II 548¹
ἀγχίγαμος II 548⁷
ἀγχιγείτων II 548²
ἀγχίγυος II 548⁷
ἀγχίδομος II 548⁶
ἀγχιθάλασσος II 548⁷
ἀγχίθεος II 548⁶
ἀγχίθυρος II 548⁶
ἀγχίκρημνος II 548⁶
ἀγχίμολον hom. 626, 7. II 410⁵
ἀγχίμολος II 548¹
ἄγχιμος II 548¹
ἀγχίνοος II 548¹
ἀγχίξαι II 548¹
ἀγχίπλοος II 548⁷
ἀγχίπολις II 548⁷
Ἀγχίσης II 615³
ἄγχιστα II 547⁶·⁷
ἀγχιστΕδαν lokr. 627, 1
(*ἀγχιστέω) 627, 1
ἀγχιστῆες 476⁷
ἀγχιστί(ν)δαν lokr. 627, 1
ἀγχιστῖνος 491²
ἄγχιστον II 547⁶·⁷
ἀγχίστροφος II 548²
ἀγχίτοκος II 548⁶
*αγχjον 319⁶
ἀγχόθεν 630⁵. II 547⁶·⁷
ἀγχόθι 628⁴. II 547⁶. 548²
ἀγχόνη 490³
ἀγχορέοντα ἐν Λοφρούς II 459²
*ἄγχος gen. sg. (zu ἄγχι) 633¹
ἀγχόσε 629²
ἀγχοτάτω II 547⁶·⁷. 548⁴
ἀγχότερος 534⁴
ἀγχοῦ 621⁵. 630⁵, 5. II 547⁶·⁷. 548²·⁴; – c. dat. II 142⁵; – τῆς Τίρυνθος II 97⁶
ἄγχουσα 526¹
ἄγχω 297⁵. 309⁴. 338⁸. 339⁷. 684⁵. 685¹; – τινὰ ὑπὸ δειρήν II 530⁶

ἄγω 49². 338⁶. 340¹. 685¹. 723⁴. 749², 1. II 72, 1. 113¹. 164⁵. 258⁴. 311⁴. 353⁶; ἄξω fut. 787². II 265⁴. 292⁵; ἄξετε 749². 788², 3; – (imper.) II 291, 1; οὐκ ἄξετε II 292⁶; ἄξειν II 258⁴; ἀξέμεν 788². 806⁴; ἀξέμεναι 788². 806⁴; ἄξων II 295⁸; ἄξεσθε 788², 5; – (imper.) II 291, 1; ἄξα dor. 749, 1; ἦξα 654¹. 749², 1. 755⁴; ἤγαγον 749², 1. 755⁴; ἄξοντο Ilias 788³; ἄχθη 655⁶; ἄγω δῶρα c. dat. II 146⁵; – ὀρτήν c. dat. II 151³; – τι c. acc. II 111⁸; – τι ὑπὸ ζυγόν II 530⁵; – τινα c. dat. II 148⁴; – τινα πρός τινα II 510⁶; – τινά τινος II 130¹; – τινὰ ὑπ' ἀνδροκτασίης II 527, 3; intr. 459²; – ἐς ἡμετέρου II 120⁵; – εὐθὺς ἐπὶ Σάρδεις II 470¹; – μετά τινα II 485⁷; ἄγω conj. 661⁵; ἄγει 3. sg. 661¹·³; ἄγεις 2. sg. 661¹·²·³. 804³. S. auch ἄγειν
ἀγωγή 340¹. II 122³
ἄγωγις 76, 1
ἀγωγίς arg. 666, 10
ἀγωγός 423³
ἀγώμενος 681, 5
ἀγών 488¹. 552⁵; – περὶ ὅπλων II 502⁵; δραμέεσθαι ἀγῶνας II 76⁴
ἄγων II 387⁴. 388⁴; – ξεῖνον II 388³; ὁ – II 408⁷
ἀγωνίδαται Hdt. 655⁶. 672⁴. 773². II 240⁶
ἀγωνιεῦμαι Hdt. 785⁴
ἀγωνίζεσθαι II 161². 164². 233⁴
ἀγωνίζομαι 735⁶; – φόνον II 76³
ἀγωνίζω II 240⁵
ἀγωνίη: ἔχω δι' -ης II 452⁷
ἀγωνίξασθαι arg. 737⁷
ἀγωνιοῦμαι 785⁴
ἀγωνίσασθαι II 363⁴
ἀγωνιστέον II 623⁶
ἀγώνοις dat. pl. nwgr. 92³. 564⁸. 582³; – οἷς ἀ π. τίθητι II 641¹
ἄγωνος nom. sg. m. lesb. 458². 582³·⁶
ἄγωσι dat. pl. 569²
ἀδ': – ἔϝαδε kret. 839⁶. S. ἄδε
ἀδαής 513³·⁶; – τῆς θυσίης II 107⁸
ἀδαιτηι adv. kret. 623³
ἀδάκρυτος II 599⁴
ἀδάμᾱς ptc. 682¹

ἀδάμαστος 503¹
ἀδάματος 343⁷. 360³
ἀδανές 286⁶
ἀδάνω 699, 3. 701¹, 3. 748¹; ἀδάνοντα H. 699, 3. 700²
ἀδάξω 721³
-ἀδᾱς suff. 510¹·³
ἄδδαυον 331⁶
ἄδε adv. delph. 748, 1. 839⁶
-αδε adv. 624⁷
ἀδε/ο- 748¹
ἄδεα acc. sg. 474, 2. 573³
ἀδεαλτώhαιε el. 181¹. 217⁴. 307⁷. 797¹. 828³
ἀδεεῖ kret. 227⁶
ἀδεής hom. 227⁶; ἀδεής att. 252¹; ἀδεές 227⁶
ἄδεια att. 469⁵
ἀδείη ion. 469⁵
Ἀδειμάντω II 45²
ἄδειρεν· ἔδειρεν H. 654⁶
ἀδελεφοῦ 831⁶
ἀδελιφήρ lak. 278³
ἄδελφε voc. sg. 555¹. II 60¹; – ngr. 555¹
ἀδελφεή 252²
ἀδελφεός 261³. 295⁵. 300⁴. 433². 468, 2
ἀδελφή 62⁵. 568⁵. 731, 1. II 31³
ἀδελφιδέος 510²
ἀδελφίδιον 471²
ἀδελφίζειν 731, 1
ἀδελφίξαι Hippokr. 738, 2
ἀδελφός 62⁵. 261³. 295⁵. 433², 4. 468, 2. 568⁵. 823⁵. II 31³. 161⁴·⁵; ἀδελφώ II 47³; – δύο II 609⁴; ἀδελφοῖν II 49, 4
ἀδερφός 213¹·²; ὁ – μου ngr. II 200⁵
ἀδευφιαί kret. 212⁵
ἀδέψητος 721²
ἄδηκε ion. 649, 4; ἄδηκε ion. 767¹. 774⁶; ἀδηκώς 774⁴
ἄδηλον: – ὄν II 402¹; –, μή II 676⁴
ἀδήν 486⁷. 520⁵
ἄδην 304². 508⁷. 626³, 6. 755³
ἀδήρῑτος 727⁴
ᾅδης 164⁷
ἄδης ion. 250⁵
-άδης suff. 509³⁻⁶
-adi ngr. (kalabr.) 509, 1
*ἀδιαεχής 250⁵
ἀδιής 513⁶
ἀδικεῖ delph. 241⁴
ἀδικέντα ark. 729³
ἀδικέω: ἀδικῶ II 274⁴. 276³. 307⁴·⁶; – πολέμου ἄρχων II 393³; ἀδικεῖν II 73⁷. 400⁴; – περὶ τυραννίδος II 503²; τὸ ἀδικεῖν II 370⁴·⁸;

ἀδικοῦμαί τι ὑπό τινος II
80⁶; ἀδικεῖσθαι II 240³.
376⁴; τὸ – II 370⁴; ἀδι-
κούμενος II 391³; ἠδικηκώς
II 391³
ἀδίκη 497⁴
ἀδίκη f. ngr. 460⁴. 586³
ἀδικήεις 659, 3. 729, 3
ἀδικήκηι kret. 774⁵
ἀδίκημα: τὸ – ἐστι περί τινα
II 504²
ἀδικήμενος 729³
ἀδίκημι 718²
ἀδικητέον: – εῖναι II 410²
ἀδικήω 718²
ἀδικίη II 468¹
ἀδικῖμεν infin. böot. 806⁵
ἀδικοίη kret. 796, 2; -οίημεν
Eur. 796, 3
ᾱδῖοα 378⁶
-άδιον suff. 471²
-άδιος suff. adj. 467¹·²
-αδίς adv. 626⁶. 631³
*-άδjω verba 734³
ἀδμής 425,2; ἀδμητ- 451⁶
῞Αδμητος 636⁴
῞Αδμων 636⁴
ἀδνόν kret. 215⁷
ἀδνός 302⁸
αδνουμιον 208⁶
ἀδολέσχης 440⁵
ἄδομαι dor. 699⁶
-αδόν adv. 626⁵·⁶, 5
ᾱδονίς 830³
ἀδοξέω II 437⁴
ἄδος 508⁷
ἀδούσιος 525⁵
Ἀδραβυτηνός 259³
ἀδρανής LXX 694⁴
Ἀδρηστίνη hom. 465⁵. II
177³
*Ἀδρόμια 433³
Ἀδρόμιος 433³
ἀδρός 303⁶
ἀδροτής 528⁷
ἄδρυα kypr. 433²
ἀδρυάς 433³
ἄδυ: – φωνείσας II 77³
ἀδυνασίᾱ att. 270⁶
ἀδύνατά ἐστι II 606³
ἀδύς dor. 226⁵
*-άδω verba 734³
ἄδω: ᾄσω spät 782²
ᾱδών 830³
αδωναι 154⁵
ἀδωνιάζω hell. 735³
ἄδωρα 431⁵. II 623⁵
ἀδώτης 432²
ᾱε > ion. att. ᾱ, dor. nwgr.
böot. η 250⁴·⁵
αε böot. < αι 233³
ᾱ̄ε > dor. nwgr. böot. η
250⁴·⁵
ᾱε > äol. dor. ᾱ 250⁵. 682¹

ἀέ 550²
-αε dat. sg. böot. 558⁷
ᾱε (aus Kontraktion) 266³
ἄεδνον 433³
(*-αεεν infin.) 807⁴
ἀεθλεύειν 732⁵
ἀέθλια 105⁶
ἄεθλος 533³
Ἀέθων kor. 194⁶
αει > att. ᾱι 250⁸
ἀεί 236⁷; ἀεί (ᾰ) hom. 266²;
ᾱεί att. 266². 619, 4; ἀεί ΙΙ
269⁸. 336². 415⁶·⁷. 427⁷
ἀει- 632⁶
ἀείδεν 384²
ἀείδην II 360⁵
ἀείδω 257⁸. 347⁸. 684⁶, 11.
703¹. 754⁸. II 270⁴; – παρά
τινι II 494³; – τινί μετά
δαῖτας II 486, 2; – ᾠδὰν
ἀμφὶ ῎Ιλιον II 439³; ἀεί-
δειν ὑπ' αὐλητῆρος II 530¹;
– ἀμφί τινος II 438⁷; – τινά
ὑπὸ πτερύγων II 428¹; ἀειδέ
τινα κεραϊζέμεν II 297³; s.
ἤειδε
ἀεικής II 182⁷; ἀεικέα II
599⁴
ἀεικίζω 735⁶; ἀεικιῶ hom.
785⁵; ἀεικισθήμεναι hom.
806⁴
ἀείρας II 388⁴
ἀείρω 715⁴, 8; – ἀνὰ χ. c. dat.
II 145⁶; – ἐπί τι II 472²;
– νόσφιν II 540³; ἀείρεσθαι
703³; s. ἤειρα
ἀείς ptc. ion. att. 525³.
566²; ἀέντες 279⁴; ἀέντων
hom. 680, 4
ἀεισ- 754⁸
ἀεῖσαι II 161³
ἀεισι 3. pl. 664⁵. 680⁵
ἀείσομαι 781⁷
ἀείχλωρος 453⁴
ἀείω 685⁶
*ἄεκα 734⁵
ἀεκαζόμενος 734⁵
ἀέκασσα dor. 525⁴
(*ἀέκᾱτι) 550, 8
ἀέκητι 550, 8. II 552²·⁶, 3
ἀέκων 432¹. 449⁵. 525⁶. II
174². 385⁸; ἀέκοντος ἐμεῖο
II 405⁴. 599⁴
*ἀελής 283⁸
ἄελλα 483⁵
ἀελλής hom. (äol.) 283⁸
Ἀελλώ 478⁵
ἄελον kret. 483⁴
ἀελπής hom. 701⁷
ἀελπτέω hom. 726⁴
ἄελπτος 431⁵. 701⁷
ἄε(ν) ipf. 680⁵
*-αεν infin. 807³·⁴
ἀέντ- ptc. 680⁵

*ἄεντι 3. pl. 680⁵
ἀέξειν 706⁶
ἀεξήσω hell.-poet. 706⁷
ἀέξω 314². 700⁴. 706⁶; – τι
c. dat. II 147⁶
ἀέρ- f. m. 424³, 7
ἀέρας nom. sg. pap. 563³
ἀεργίη II 623
*ἀέρι 'früh' 424³. 622²
Ἀέροπες 426, 4
ἀέρρω äol. 715⁴; ἀέρρατε
imper. 715⁵
ἄερσα kret. 285¹; ἄερσαν
412²
ἀέρσω gramm. 782²
ἀερῶ fut. 785¹
-ᾱες nom. pl. el. 576, 2
ἄεσα hom. 314². 755¹; ἄεσαν
413⁵·⁶. 708⁴
ἀέσκω hom. gramm. 708⁴.
755¹
Ἀεσχρώνδᾱς böot. 194⁶
ἀετέα 433²
Ἀέτης 433²
ἄετμα 523⁷
ἀετός 265⁸. 266²·³
aftós ngr. 197²
-αw gen. sg. pamph. 561¹, 2
*αϝανέω 694⁴
*ἀϝάρδω 685, 3. 830³
ἀϝάταται lak. 223⁶
ἀϝεθλα ark. 223⁷
*ἀϝείδω 684⁶
*ἄϝεκα 550, 8
*ἀϝέκων 343¹. 432¹. 525⁶.
II 174²
*ἀϝέξω 706⁶
*ἀϝερμένος 766, 1
*ἀϝερτάω 705⁵
ἀϝέσαι 690³
*ἀϝεύδω 257⁸
ᾱϝϝ zu ᾱ(ϝ) 266²
ἀϝϝερύω 106⁵
ἀϝηδών 224⁵
ἀϝηντ- ptc. 525³
*ἄϝηντι 3. pl. 664⁵
ἄϝησι 694⁴
*αϝιδᾱ- 266⁴
*αϝj > αιϝ 272⁸
*αϝjετος 273¹. 356¹. 501²
*-αϝjω verba 686⁴
ἀϝλανέος el. 223⁷. 342³. 513⁵
ἀϝλάξ 620⁵
Ἀϝλῶνι kret. 197²
-ᾱϝο gen. sg. m. 560, 8
ᾱϝος 344⁶. 381². 409⁸. 410².
528³. 615³
*αϝρακτος 402, 8
*ἀϝρατος 310¹
ἀϝρηκτος 224⁵
ἀϝρήτευε arg. 198⁵. 654⁶
ἀϝτός kret. 197²
ἀϝυτάρ att. 197⁶. 223³. II
559⁷

αϜυτō nax. 197⁶
*ἄϜω 686¹
ἀϜώς 349⁴
ἄζα 476¹
ἀζαθός kypr. 88⁶; -θᾱι 209⁷
ἀζαλέος hom. 484²
ἀζάνεται 700²
Ἀζάρατος 636¹
Ἀζάρετος 502⁴
Ἀζάρητος 331⁴
-αζε adv. 625¹, 2
ἄζειν att. 716⁴
Ἀζειοί 218³
Ἀζέσιος 331⁴. 500, 2
ἄζετος 502⁴. 838⁶
ἀζετόω dor. 727². 838⁶
Ἀζζειοί 218³
Ἀζησία 331⁴
ἀζηχής hom. (äol.) 106³. 250⁵
ἀζμένως 217⁷
ἄζομαι 303⁶. 714⁶. II 229²
-άζομαι verba 734³⁻⁶ f.
ἄζοντα II 234⁵
Ἀζόσιος 331⁴. 500, 2
ἄζυμα II 43⁷; ἀζύμων 162⁵
ἄζω 331⁶. 703¹
-άζω verba 703¹. 717¹. 722⁴. 723². 731⁵. 734²·³⁻⁶, 2–9. 735¹⁻⁴. 736³·⁴. 784⁴. 785³·⁴. 815³. 816¹.; – st. -άννυμι 697⁶; – ngr. 736⁶
Ἀζωριασταί 66²
Ἄζωρος 331⁴
Ἄζωτος 153². 330². 458¹
*ἄhυπνος 219⁴
αη > dor. nwgr. böot. η 250⁴·⁵
(ἀή, s. αἰή)
ἄη ipf. 680⁵
ἀη- 680⁵
ἀηδιζόμην (*ἠηδιζόμην) att. 655, 2
ἄηδοι 480³
ἀηδονίς 465²
ἀηδώ 478⁵
ἀηδών 159⁷. 347⁸. 487¹. 529, 4
ἀήθεσσαν Ilias 724, 6
ἀήθεσσον ipf. Ilias 724, 6; – αὐτῶν II 107⁸
ἀήθης: -μάχης II 107⁸
αηι > att. ᾱι 250⁸
ἄημα 680⁵
ἀήμεναι infin. hom. 680⁵. 806⁴. II 362⁶·⁷
ἀήμενος 680⁵
ἄημι 279⁴. 314². 412⁵. 680³. 729⁴. 730²
ἀῆναι infin.680⁵.808⁴.II 226⁶
ἀήρ m. f. hom. att. 163⁶. 187⁵, 2. 243³. 569². II 37¹, 3. 4. 51⁶
ἄηρα dor. 715⁵; ἀήραντας250⁵
-αῆς 680⁵

ἄησι 680⁵. 781⁶. II 244, 2; s. ἄημι
ἄησις 680⁵
ἀήσυρος 482⁴. 680⁵
ἄηται 680⁵; ἄητο hom. 680⁵; ἄητον hom. 680⁵
ἀήτας hom. 680, 4
ἀήτη 501⁴, 9. 680⁵
ἄητος 502, 6
ἀήτω imper. 680⁵
Ἄθαββος delph. 317²
Ἀθαμᾶνες 78⁴. 79³. 343⁴
Ἀθάμαντι II 66⁶
Ἀθάνα 111¹
Ἀθανάδωρυς pamph. 438⁴
Ἀθαναέα kor. 194⁶
*Ἀθᾶνανςδε 330². 336⁸
ἀθανασία 469²
Ἀθανασία 158³
ἀθανατίζω 270⁶
ἀθάνατος II 32³; ἀθάνατος I 432¹; ἀθανάτη hom. II 38³, 3
Ἀθάνειον böot. 195¹
Ἀθανικέτα 636, 3
Ἀθανίχκει.636, 3
*ἀθαρϜᾱ att. 480⁷
ἀθάρη att. 480⁷
ἀθεεί ion. att. 549⁶. 623². II 155⁵. 414¹
ἀθελβάζω 684⁴
ἀθέλγω 684⁴
ἀθέλδεται 684⁴
ἀθεμίστιος 451⁴
ἀθέμιστος 357, 2. 503⁴
-ᾶθεν adv. 628³
ἀθερές H. 708⁶
ἀθερίζω 480, 4
ἄθεστος 432²
ἀθετέω 726⁵
Ἀθηνᾶ att. 236⁷. 248⁷. 562³; Ἀθηνᾶι 249³
Ἀθηνάᾱ 236⁷. 248⁷
Ἀθηναγόρας 413⁸
Ἀθηναείς 197⁷
Ἀθήναζε 330². 336⁸. 407¹. 625¹. II 68¹
Ἀθήναι 60, 2. 549⁷. 638⁵. II 52¹; Ἀθήναις dat. pl. 618⁶
Ἀθηναίᾱ 248⁷
ἈθηναιΕς ion. 243⁴
Ἀθηναίη 469⁶; – ἀκέων ἦν 585⁴
Ἀθηναῖος II 614⁵; ὁ – II 41⁷; -οι II 614⁶
Ἀθήνη 62²
Ἀθήνηθεν II 411⁸
Ἀθήνησι 559⁴. 618⁶. II 154³. 155¹⁻²; -ησιν II 57⁷. 411⁸
ἀθήρ 480⁷. 569²
ἀθήρα 480⁷
ἀθθυμοῦμαι c. gen. ngr. II 136⁷

ἀθλεύων πρὸ ἄνακτος II 506⁶
ἀθλέω 726³; ἀθλῶ 655²; ἤθλουν 655²
ἄθλον ion. att. 250⁵
ἀθλοφόρος II 704⁵
ἀθρέω 727¹, 1
aϑripus ngr. (lesb.) 586, 0; aϑripi voc. 586, 0; aϑróp gen. sg. 586, 0; aϑróp nom. acc. pl. 586, 0
*ἄθρο- 727, 1
ἀθρόᾱ 189³·⁴
ἀθροίζω II 230⁶; -ειν II 434¹; -εσθαι II 365⁴
ἀθρόος 261³
ἀθρόος 257⁴. 433³; – παρά τι II 494⁷
ἄθρωποι nom. pl. ngr. 383⁴
ἀθυμεῖν c. instr. II 168²; -ῶ πρὸς τὴν ἔξοδον II 512¹; –, μή II 675⁵; –, εἰ II 677
Ἀθυρ, ἀθύρ 155, 2. 585²
ἀθυρεύω 732⁶
ἀθύρω 714⁴
-άθω verba 703⁴⁻⁵, 1. 2
ἄθφος c. gen. II 131³
αι aus idg. ai 347⁵·⁶; – festgehalten 266³; – im Wechsel mit ι 347⁶; – Schwachst. zu Langdiphth. 347⁷·⁸; – aus *ασj 273²; – kret. aus αρ 348²; – vor Vok. wechselnd mit α att. 233⁶; αι (= ε) geschr. α 835¹; αι = ε in Ägypt. 233⁷; αι > böot. αε 233³; – zu ᾱ 266⁵; zu ᾰ 266²; αι > hell. ε 233⁶; αι > η (ει = ē) böot. 91². 235⁵; αι durch οι ersetzt ark. 348²; -αι elidiert 403⁴; -αι (=ē) thess. (Lar.) 809⁴, 2; -αι durch -ει ersetzt thess. 348²
ᾱι aus ααι 249³; – att. für αει, αηι 250⁸; – ion. att. für αιι 265⁸; ᾱι > lesb. ᾱ 233⁴; ᾱι > att. α 233⁵; ᾱι + ᾱι 266¹
-αι suff. 549⁴
-αι voc. sg. 558⁶
-αι dat. sg. 548⁴. II 138⁵
-AI dat. sg. 558⁷
-ᾱι dat. sg. 558⁷ f.
-αι nom. pl. 551⁵. 554³, 1. 558⁴. 559¹
-αι Personalend. 657⁵
-αι 2. sg. imper. aor. med. 750⁴. 808⁵⁻⁶
-αι infin. 548⁴. 750⁴. 805⁵, 2. 808⁷. II 358⁵. 362⁴
-αι- opt. 797¹
-ᾱι dat. loc. sg. 348⁸. 549³. 558⁴. II 138⁴·⁷. 154². 647³
-ᾱι Personalend. 658²

-ᾱϊκός suff. 498[1]
αἰχχούνα 216[6]
αἶλα kypr. II 578, 1
αἰλεθῆι kret. 257[4]. 727, 1
αῖλος kypr. 72[4]. 88[6]. 614[2]
αἰλότρια el. 272[8]
αῖλων kypr. 272[8]
αἷμα 523[2]; – τοὐμὸν πατρός
    II 180[6]; αἵματα II 43[2]
*αἱμάζω 736[3]
*αἱμαίνω 736[3]
αἱμακουρίαι 440[1]
αἱμάλωψ 426, 4
αἱμάροια 440[1]
αἱμάσσω 725[5]. 736[3]. 738[3];
    αἱμάξω Soph. 738[3]
αἱματίζω Aesch. 736[3]
αἱμάτιον 471[1]
αἱμι- lesb. 274[2]
-αιμι verba lesb. 729[2], 1
-αιμι 1. sg. opt. 813[5]
'Αἱμνῶ böot. 636[5]
αἱμοβαφής 440[2]
αἱμός 492[3]
αἱμωδός 566, 4
αῖμων „blutig" 522[4]
αῖμων „kundig" 522[4]
Αῖμων 636[4]
ἄιν 'immer' äol. 548[5]. 619, 4
ἄιν thess. 619[5], 6
-αιν gen.-dat. du. 554[4].
    557[4.5]
-αινα suff. 456[1.6]. 475[34]..
    488[5], 2
αῖναμαι kret. 693, 4
αἰναρέτη voc. sg. hom. 560[6]
αἰναρέτης 398[4]
αἰνεθη- 761[5]
Αἰνείας II 615[3]
αἰνεῖν II 282[3]; c. dat. II
    144[5]; – τινα πρὸ δίχας II
    507[1]; αἰνέω 682[5]. 694, 1;
    αἰνεῖσθαι II 170[3]; αἰνέσω
    753[3]; ἤινεσα, -χα, ἠινέθην,
    ἤινημαι 753[3]
Αἰνελένη 398[4]
*αῖνεμεν 1. pl. 753[3]
αἰνεπίκουρος 398[4]
Αἰνηΐας lak. 217[3]
αῖνημι 108[5]. 694, 1. 729[2]. 753[3]
αἰνήσω hom. Pind. 753[3]
αἰνητός dor. 753[3]
αἰνίζομαι hom. 694, 1. 736[1]
Αἰνιῆνες 196[2]
αἰνίσσομαι 733[5]
αἰνίττομαι 694, 1
Αἰνναῖος 263[8]
αἰνόθεν: – αἰνός 628[2]
    (*αινομαι) 693, 5
αἰνόμορος hom. 311[3]
αἰνοπαθής 513[3.6]
Αἰνόπαρις 453, 5
αἰνοπάτηρ 453, 5; αἰνόπατερ
    437, 2

αῖνος 489[2]; αἰνός τις ἀνθρώ-
    πων ὅδε II 623[3]
αἰνός 489[3]; αἰνόθεν – 628[2];
    αἰνὰ τεχοῦσα II 77[4]
-αιντο 3. pl. 671[4]
αῖνυμαι hom. 696[5], 9; αἰνυ-
    μένους τυρῶν II 102[6]; αῖ-
    νυτο 651, 6. II 81[5]
αἰνῦτο 795[5]
αῖνω ion. att. 314[2]. 680, 4.
    694[3]. 714[5]; ἦνα 694[4]
-αίνω verba 348[2]. 673[6]. 694[2.6].
    713[2]. 714[3.5]. 722[4]. 723[2].
    725[1]. 732[7] – 733[1-2]. 754[3].
    785[2]. 815[3].; – für -άνω
    699[4]; – ngr. 736[6]
αἰνῶς: – – II 700[2]
αἴξ (αἶξ) 37[7]. 57[5]. 347[5]. 377[8].
    417, 1. II 31[3]. 32, 1; – ἀπὸ
    δραχμᾶν χ' II 447[1]; s. αἴγες
ἀἴξασχε Ilias 711[5]
ἀἴξω fut. 782[5]
-αῖοι suff. ngr. 510, 2
Αἰολείεσσι thess. 840[1]
Αἰολῆς 79[1 f.]
Αἰολίη νῆσος II 177[2]
αἰόλλω 323[1]. 725[2]
αἰόλος 484[6]
Αἰόλοο gen. hom. 555[3]
Αἰόλου gen. 555[3]
ἄιον 651[6]
αἰονάω ion. 725[6]
-αιος suff. 425[3]. 466, 7.
    467[4-6], 5. 6. 7. 468[4], 4. 831[7]
-αῖος adj. II 179[4]
αἰπά 622[6]
ἄιπερ 'wie' II 647[3]
αἴπηεις 527[6]
αἰπόλος 298[7]. 398[8]. 439[5].
    459[2]; αἰπόλοι ἄνδρες II 614[6]
αἰπός 459[4]
αἰπύς 463[1]
-αιρ acc. pl. el. 559[2]
αῖρα 474[4]
*αῖρα 727, 1
Αἰραί 196[2]
*αιραιρηκώς 766[5]
*αιραίρηται 766[5]
αἰρεθές ther. 566[3]
αἰρεθη- 761[5]
αἰρεθήσονται Hdt. 763, 3
αἴρειν: – ἀγχύρας II 717[7];
    αῖρω 714[4]. 715[4], 8; – τινὰ ὑ-
    ψηλόν II 83[7]; αἴρεσθαι κέαρ
    πρὸς γυναικός II 515[2]; – τὸ
    πένθος ὑπὲρ τὴν ἀξίαν II
    519[7]; – ὑπὸ χύματος II 528[5];
    s. ἦρα, ἠρμένος
αἱρεῖν II 277[2]; – τινα c. gen.
    II 131[2]; – τι κατ' ἄκρας II
    480[7]; – προτὶ οἷ II 513[5]; –
    ὑπ' ἀνθερεῶνος δεξιτερῇ II
    527[6]; – Τροίην ὑπὸ χερσί
    τινος II 526[4]; – ὀδὰξ οὖδας

ὑπὸ χερσί τινος II 526[4];
    αἱρέω 209[8]. 727[1].746[4]. II 82[8].
    164[5]; αἱρῶ δίχας II 80[4]; αἱρή-
    σω fut. 746, 5. 783[2]. 785, 1;
    αἱρήσειν II 375[3.7]; s. ἤρησα,
    ἤρηχα
αἱρεῖσθαι (αἱροῦμαι) II 231[4];
    med. II 240[5]; – c. dat. II
    170[5]; – τινα πρό τινος II
    507[3]; – ἐπί τινι II 467[4]; –
    ἀξίνην ὑπ' ἀσπίδος II 527[3];
    αἱρεῖσθαί τι ἀντί τινος II
    443[4]; αἱρεῖσθαι δικαιοσύνην
    πρὸ ἀδικίας II 507[3]; – ὅρχον
    Τρωσίν II 155[5.6]; – ἄλλους
    πρός τινι II 514[1]; pass. II
    240[5]; s. εἱρέθη, ἡρέθη
αἱρείσθω koisch 801[6]
αἱρεόμενον ἐλέσθαι II 388[6]
αἵρεσις 159[7]. 162[5]
αἱρετέον ἐστίν II 150[2]. 409[7]
αἱρετιάω 732[2]
αἱρετίζω 706[5]
αἱρετικίζω 736[1]
αἱρετός 379[4]; αἱρετώτερον
    μᾶλλον II 185[3]
αἱρήσεσθαι Hdt. 763, 3;
    αἱρήσομαι 783[2]. II 292[4]
'Αιρος 431[5]
*αῖρω 727, 1
-αίρω verba 714[3.4]. 725[2]
-αις dat. pl. 554[3]. 559[5]
-αις acc. pl. lesb. 559[2]
-αις (= -es) für -αιος 472, 4
-αις nom. sg. ptc. lesb. 566[3]
αισ aus ανσ 62[8]
-ᾱις Personalend. 658[2]
αῖσα 88[4]. 280[2]. 321[4]. 347[5].
    474[4]. 696, 9. II 623[5]; κατ'
    αῖσαν II 478[8]
αἰσεῦμαι Theokr. 786[6]
ἀἴσηι Theokr. 786[6]
αἰσθάνεσθαι II 631[2]; αἰσθάνο-
    μαι 645, 0. 700[3]. 701, 4.
    704[1]. II 229[2]. 274[4]. 347[5].
    395[6]; – c. acc. II 107[1.2.4.5];
    – c. gen. II 106[3.4]. 107[3]; –
    τινὸς προσιόντα II 394[1]; –
    τινός τι II 106[5]; – ὑπό τινος
    II 227[3]; – διά τινος II 451[7]
ᾖσθε (θυμόν) hom. 703[5]
αισθε/ο- 748[3]
αἰσθέσθαι 713, 6
αἴσθησις περὶ τῶν γιγνομένων
    II 503[4]
αἰσθήσομαι 782[7]
αἴσθομαι 631[3]. 700[3]
αἴσθομαι fut. hyperatt. 780[5]
ἄισθων hom. 703[5]
-αισι dat. pl. 127[8]. 554[3].
    559[4.5]; – dat. pl. syrak. 559[5]
αἴσιμνος 524, 6
αἴσιμος 494[5]
Αἰσίοδος lesb. 274[2]

αἴσιος 270⁷
ἀϊσῖτος att. 619, 4
Αἰσκλαπιός 276³; -πιῶι arg. 276²
Αισκραος eub. 276²
-ἄϊσκω praes. 240²
ἄισος 829⁵
ἀίσσειν II 232⁷; ἀίσσω hom. 647⁴; – διά τι II 453²; –μετά τινα II 483⁵; ἀίσσεσθαι II 232⁷
ἀϊστάνομαι ngr. 205⁶. II 235⁴
αιστεα böot. 276²
ἄϊστος 56³. 306⁷
ἀϊστόω 727²
αἴσυλος 482, 6. 506, 3
αἰσυμνάω Eur. 731⁵; – c. gen. II 110²
αἰσυμνητήρ (nicht αἰσιμν.) 531³
αἰσυμνήτης 272³. 275⁷. 506, 3
Αἰσχίνη voc. II 61³
αἴσχιον τῶν ἄλλων II 99³
αἴσχιστον ἔργον II 617⁴
αἰσχίων 538⁴
αἴσχος 260⁶. 512⁵. 513¹
αἰσχρός 481⁶, 16. 538⁴. 539¹. II 181⁵·⁶; αἰσχρόν II 623⁵; – ἥν II 308⁴; –γάρ II 622¹; – ἥττον οὐδεμιᾶς II 98, 3; αἰσχρότερος 535⁷
Αἴσχρος 634⁶. II 175³
Αἰσχύλος 520⁵
αἰσχύνεσθαι (-ομαι) II 353⁵. 396². 711⁷; – c. instr. II 168²; – ἐπί τινι II 469³; αἰσχυνοῦμαι fut. 785²
αἰσχύνη τοῦ ἀνδρός II 121⁶; ἔχω τι δι' αἰσχύνης II 452⁶
*αἰσχυντέω 484⁴
αἰσχυντηλός 484⁴
αἰσχύνω 733³
(αιταρ) II 559, 3
αἴτᾶς dor. 500²
αἰτέο j.-ion. 252⁷
-αίτερος suff. 534²·⁴
αἰτέω 244⁷. 299⁷. 705⁶. II 82¹; αἰτῶ II 235, 2; αἴτεε 655⁵⁻⁶; αἰτοῦμαι II 235, 2. 343⁷; αἰτήσομαι II 292⁴; αἰτηθέντες χρήματα II 82²; s. ᾔτουν, ᾐτήσατο, εἰτήσατο
αἰτία 421, 3. II 479²; ἔχω τινὰ δι' αἰτίας II 452⁶
αἴτιαι subst. 383³
αἰτιάομαι 732²; αἰτιᾶσθαι II 381¹; – τινα c. gen. II 131²
αἰτιατική (term.) II 54¹·⁴, 3
αἰτίζω 705⁶. 706⁴
αἰτιῆται 190⁶
αἴτιος 270⁷; – c. gen. II 131³; – σύ (sc. τοῦ λέγειν) II 623⁶
αἰτοίησαν 796, 3
ἄιττω att. 266¹. 647⁴

Αἰτωλία: ἐν -αν ätol. II 455⁵
Αἰτώλιος 105⁶
Αἰτωλὸς γενεήν II 86³
αἰφνηδὶς 631⁴
αἴφνης 274¹. 625³
αἰφνίδιος 467². 625³
αἰχμαλωτίζω 706⁵; αἰχμαλω-τίσθη 652⁴
αἰχμαλωτίς 465²
αἰχμάλωτος 502⁵; -ώτους II 611⁶
αἰχμάσσουσι fut. Ilias 734⁴. 785⁴
αἰχμή 494². II 42²
αἰχμητά hom. 560¹
αἰχμητής: – τὴν ἔμεναι χεῖρας II 85⁴; αἰχμητᾶ du. hom. 557⁴
-αίω verba 676⁴⁻⁵. 686²·⁴. 714³
(*-αίω fut.) 787⁴
ἄιω 686²; – c. gen. II 107²; – c. gen. od. acc. II 106¹; – c. acc. II 107⁴; ἄιων ἀράων II 95³
αἰών 266³. 347⁸. 514⁴. 521³. (m. f.) II 37, 8; αἰῶ acc. sg. 514⁴; αἰῶνες II 44⁴
αἰωρᾶ 266³. 423⁴. 647⁵
-αιῶς für -αιέως 246¹
*ἄjερι 313³. 595². 622²
*ἄjαιστο- 313³
*-ἄjω verba 712⁶. 734, 2
-αχ- suff. 497¹⁻⁴
ἀκᾶ adv. Pind. 621, 2
ἀκᾷ 632¹
Ἀκαδημαϊκός 830⁶
Ἀκαδήμεια 830⁶
Ἀκάδημος att. 226⁴. 256³
ἄκαινα 475⁴, 6
ἀκάκητα hom. 500⁴. 560¹
ἄκακος 449⁶
ἀκαλαρρείτης 430⁴. 452³
ἀκαμαντομάχας 451⁴
ἀκαμαντοχάρμᾶν 526²
ἀκάμᾶς 526³
ἀκαμάτισσα f. ngr. 586⁴
ἄκανθος 510⁶
Ἀκαρνᾶνες 78⁴. 79³
ἄκαρος 433, 5
ἄκασκα Kratin. 621, 2. 632¹,1
ἀκασκᾷ Pind. 621, 2. 632¹
ἀκασκαῖος 632¹
ἄκαστος 503⁵
*ἀκατόν 592⁵
ἄκατος II 34, 2
ἀκάχημαι hom. 766⁵. 770⁵; ἀκαχήμενος 766⁵
ἀκάχησα 755³; -ησε 749²
ἀκαχήσεις h. Hom. 783⁴
ἀκαχίζω 289⁶. 736¹. 749³. 766⁵; ἤκαχον, -ε 749². 755³
ἀκαχμένος hom. 327⁷·⁸. 766⁵
ἀκαχοίμην 749²

ἀκάχομαι Qu. Sm. 749³; ἀκάχοντο 749²
ἀκειόμενος 724²
ἀκειρεκόμᾶς 442¹
*ἀκέλευθος 841⁶
ΑκενανολαϜος gen. 824³
ἀκέομαι 303⁶; -ονται 724²
ἀκέοντε 585⁴
ἀκέουσα 585⁴
ἀκερσεκόμης 442¹
ἀκέρως 379⁷. 835⁴
Ἀκεσίνης 42, 5. II 33²
ἄκεσις Hdt. 724²
Ἀκεσσαμενός 637⁴
ἀκέσσομαι 782³
Ἀκέστῖμος 263⁴
ἀκεστός 724²
ἀκεστρίδ- ion. 465²
ἀκεύω 728³
ἀκέων ptc. hom. 585⁴. 727¹. II 178⁶. 387²; – δαίνυσθε Od. 585⁴
*ἀκῆ instr. urgr. 727¹
ἀκήδεις hom. 724³
ἀκήδεσεν aor. 724³
ἀκηδέστως hom. 624²
ἀκηδέω c. gen. II 109³
ἀκήκοα att. 348⁵. 766³. 771⁴. II 287⁴
ἀκηκόη att. 652, 4
ἀκήκουα ion. (Hdt.) 775²
ἀκήκουκα ion. (Herodas)766³
ἀκήν 621¹. 632¹. II 414⁸
ἀκήρατος 502⁶, 7
ἀκήριος II 623⁵
ἀκήρυκτος 738⁷
ἀκής 513⁵
ἀκηχέαται 672⁵
ἀκηχέδαται 672⁵. 766⁵. 773,1
ἀκηχεδών 530¹
ἀκηχεμένη 766⁵
-άκι adv. dor. hell. 598², 2
ἀκιδνός 489⁴; ἀκιδνοτέρη εἶδος II 85⁶
-άκιν adv. lak. 598²
ἀκινάγματα 299⁵. 733, 4
ἀκινάκης 461². 562¹
ἀκινητίνδα 627²
ἀκιότατος(lies ἀκιώτατος)450⁶
-άκις adv. 597⁶–598². 620¹
ἀκίχητος 688⁷
ἀκιώτατος Hes. 450⁶. 571¹
ἀκκιοῦμαι 127⁸
ἀκκόρ spätlak. 216⁶. 218⁵. 317²
ἀκκουμβίζω 736⁶
ἀκκώ 339⁸. 478⁵
ἀκλάδες 507⁴
ἄκλαυτος II 242¹
ἀκλεής 252¹
*ἄκλουθος 841⁶
ἀκλουθῶ c. gen. ngr. II 137²
ἀκμάζω 735¹

ἀκμαῖος: -οι φύσιν II 42⁴
*ἄκμασι 440²
ἀκμήν 127⁸. 621, 1. 2. II 70¹.
   413⁷. 564³, 2
ἀκμηνός hom. 490³
ἀκμόθετον 440²
ἄκμων 339⁷. 355⁶. 356⁵. 381¹.
   522³·⁵ II 33⁶; ἄκμοσι dat.
   pl. 440²
-ακο- suff. 343⁵
ακ'ό tsak. 205¹. 317²
*ἀκόϜομεν 239⁶
ἀκοή 348⁵·⁶
ἀκοίμητος 163⁶
ἄκοιτις 355⁶. 385⁶. 452¹, 6
ἀκολασταίνω 733²; ἀκολαστα-
   νῶ 785²
ἀκόλαστος: – περὶ ταῦτα II
   504⁷
ἄκολος 484⁶
ἀκολουθεῖν II 160³. 272⁴
ἀκόλουθος 347³. 355⁸. 433².
   841⁶. II 160³
ἀκολούθως II 160³
ἀκόμα ngr. 127⁸. 278⁷. 621, 1.
   II 564³
ἀκόμη ngr. II 564³
ἀκομισία 469³
ἀκομιστίη hom. 469³
ἀκόνη 490³
ἀκονῖτεί ion. att. 549⁶. 623³
ἀκονίζω (-ειν) 735⁶. II 104⁸;
   – c. acc. II 105⁶; – τινός
   II 104⁶; – αἰχμαῖς II 166²
ἀκοπίαστος 838⁶
ἀκοπίατος 838⁶
ἀκόρετος 502⁴
ἀκόρητος: -ητοι αὐτῆς II 103²
ἄκορνα 491⁶
ἄκος 512¹
ἀκοστᾶ kypr. thess. 503³, 4
ἀκουάζεσθαι II 232⁷; -άζο-
   μαι 735¹
ἀκούειν (ἀκούω) 58⁵. 348⁴·⁶.
   426². 724⁴. 775²⁻³. 781⁷;
   ἀκούω II 274⁴·⁵·⁶. 379, 2.
   624⁵. 631²; ἀκούομεν 239⁶;
   ἄκουσα aor. 278³; ἤκουσα
   781⁷; ἀκοῦσαι II 364⁵·⁷;
   ἀκούσατε II 341⁶; μὴ ἀκου-
   σάτω II 343⁴; ἔστιν ἀκού-
   σας 813¹; ἀκούσομαι 781⁷, 5;
   τοῦ ἀκούειν II 361⁵; ἀκούειν
   ὀξύ II 77⁴; – c. abl. gen.
   II 94⁷.106⁶. 107²·³. (= περὶ
   τινος) II 105⁸; ἀκούσεται
   τῆς ἀρχῆς II 95⁴; ἀκού-
   σονταί ἔθεν II 95²; ἀκούω
   τευ (abl.) Ὀδυσσῆος (parti-
   tit.) II 106⁷; ἤκουσε Τισ-
   σαφέρνους τὸν κ. στόλον II
   95¹; ἀκούσεσθε ἐμοῦ τὴν
   ἀλ. II 95¹; ἀκούω τινός
   τι περὶ II 106⁷; ἀκούεις

μύθων II 95³; ἀκούω c. gen.
   neutr. II 107⁵; – c. gen.
   c. ptc. II 395⁶·⁷; – τινός
   λέγοντος II 394, 1; – ἀπό
   τινος II 446⁴; – c. dat. II
   145⁴; – c. acc. II 107¹·³·⁴;
   – τινά c. ptc. II 394⁵; – τι II
   107⁵; – τι πρός τινος II 514⁶;
   – αἴσχεα πρός τινος II 514⁶;
   – τι πρός τινος ὑπέρ τινος II
   522¹; – διά τινος II 451⁸;
   – διὰ τέλους II 450⁵; – 'dicor'
   II 378³·⁴; – κακῶς πρός
   τινος II 227¹; – περί τινος
   II 503¹·². ; ἀκούω, 2. sg.
   ἀκούς, ngr. 737¹; ἀκούεσθαι
   II 232⁷; εἰς τὸ ἀκοῦσαι
   II 370⁶; s. ἤκουσμαι
ἀκουέμεν II 366⁷
ἀκουή hom. 348⁵; ἀκουὴν
   μετὰ πατρός II 106⁷
ἄκουκα dor. 766³. 775³
Ἀκουμενός 637⁴
ἀκουόντεσσι Od. 564⁴
*ἄκουσα 348⁴
ἀκούσαις nom. sg. 287⁷
ἀκούσαντεν j.-kret. 551, 8
ἀκούσας: – ἤκουσα II 388⁷;
   – nom. abs. II 403⁵; ἔστιν
   ἀκούσας 813¹
ἀκουσθη- 761³
ἀκούσιος II 180³, 3
*ἀκούσjω 724⁴
ἀκουσόντων Hyperid. 782¹
ἀκούω: ἄκουσα ngr. 656⁸;
   – νὰ λένε ngr. II 384⁴; ἄκου-
   σες; ngr. II 282⁵. S. ἀκούειν
ἄκμητ-451⁶
ἄκρᾱ 417³, 4
Ἀκράγᾱς (m. f.) II 33, 2. 37²
ἀκραιφνής 514¹
ἀκρατής 513²
ἀκρᾱτίζω 706⁵
ἄκρᾱτος (ὁ) [οἶνος] II 175⁵;
   ἀκρᾱτέστερος 535⁴
ἀκρᾱχολος 398⁸. 439⁵, 7
ἀκρεμών 522³
Ἀκρηφείν 487³
ἀκρῑβής 193⁷. 513⁵
ἀκριβός ngr. 513⁴, 9. 586³, 2
ἀκριβόω 732¹
ἀκρίνας 465⁶, 5
ἄκρις 495²
ἀκριταγὼν 458⁴
ἀκρόᾱμα 38¹. 189³
ἀκροάομαι (ἀκροᾶσθαι) 348⁴.
   426². II 229². 232⁷; ἀκροᾶ-
   σαι 669¹; ἀκροασάμενος II
   390⁸; ἀκροῶμαι c. acc.
   II 107⁴; – τι II 107⁵; ἀκρο-
   ώμενοι τοῦ ᾄδοντος II 94⁷
ἀκροβυστία 397⁷
ἄκροθεν 628²
ἀκροκελαινιόων hom. 732³

ἀκρόπολις 427³. 428⁶. 447¹.
   449⁵. 453⁴·⁵, 5. II 33¹;
   ἀκροπόληι 572³
ἄκρος 340¹·². 481⁵. 837⁵;
   ἄκροις τοῖς δακτύλοις II 26⁶;
   ἄκρας νυκτός II 113³
ἄκρος n. 512⁵
ἀκροσαπής 513³
ἀκρουνοί 694
*ἄκρουσα- 348⁵
ἀκρωτήριον 470⁵; – ὁρῶν πρὸς
   Μέγαρα II 510⁵
ἀκτή: ἀκταί II 43⁴
ἀκτίς II 43⁵; – Ἀελίου II 62²;
   ἀκτῖνες II 43⁵
Ἀκτορίωνε II 48². 51, 1
Ἄκτωρ 531, 4
Ἀκύλας (Ακυλας) 158⁶. 162⁵
ἄκῡρος 481⁵
ἀκῡρόω 727, 2
ἀκωκή 339⁵. 423³
ἄκων ion. att. 250⁵. 343¹.
   432¹. 525⁶. 526¹. II 174².
   180³·⁷, 3. 385⁸. 405³·⁴. 408³;
   ἄκοντος τοῦ Γυλίππου II
   405⁴; ἔστι τινὶ ἄκοντι II 152³
αλ aus idg. ļ 57²
αλ delph. aus ελ 275³
ἀλ- 424⁴. 518, 3. 569³⁻⁴
Ἀλαβανδιακὸς σολοικισμός II
   595⁷⁻⁸f.
Ἀλαβάρχης 258⁷
ἀλάβαστ(ρ)ος 532⁵, 7
Ἀλάδδειρ kyren. 331⁷
ἄλαδε (ἄλα δε) Od. 624⁶
Ἀλάδημος 196³
ἀλαζών 487¹, 2
ἀλάθεια 272⁶
*ἀλάθεσja 272⁶. 348³
ἀλακάτη 434⁴
ἀλαλά interj. 339⁸. II 600⁴.
   620²
ἀλαλαγή 496⁴. 716⁴
ἀλαλαγμός 716⁴
ἀλάλαγξ 423³
ἀλαλάζω 716⁴; ἀλαλάξομαι
   716⁴. 781⁷⁻⁸; ἠλάλαξα Eur.
   716⁴
ἀλαλαί interj. 716⁴
ἀλαλή 716⁴
ἀλάλημαι 766⁵; -ται II 263⁴;
   -σο imper. hom. 799⁶; ἀλά-
   λησθε κατὰ πρῆξιν II 479⁴;
   ἀλαλήμενος 682⁶
ἄλαλκε 647⁶. 706⁷. 749³;
   ἀλάλκησιν 749³; – κ. ἥ.
   κρατός II 93²; ἀλάλκοις
   749³; ἀλαλκεῖν, -έμεν, -έμε-
   ναι 749³; ἀλαλκών ptc. 749³;
   ἀλαλκήσω Ap. Rh. 783⁴
ἀλαλύκτημαι 766⁵
ἀλαμπές 432³
ἀλαός 450⁶
ἀλαοσκοπιήν 103¹

ἀλαόω 727²
(ἀ)λαπαδνός 489⁴
ἀλαπάζειν: – πόλεις κατὰ
 Τροίην II 476⁵; – πόλεις σὺν
 νηυσί II 489⁷; ἀλαπάξω
 hom. 737⁷
ἄλας n. 518, 3. 582⁶
ἀλᾶσθαι: – περὶ νῆσον II 503⁷;
 – ὑπεὶρ ἅλα II 519³; ἀλώ-
 μενος νηΐ II 162²; ἀλᾶτο
 682⁶
ἄλασθαι infin. att. 190⁷. 740⁵,
 6. 753⁵
ἀλαστέω 726⁴
ἄλαστος 306⁷f. 502⁶
ἀλάστωρ 531⁴, 9
ἀλατίζω 736³
*ἀλγαλέος 258⁶. 484²
ἀλγεινός 489⁵
ἀλγεσίδωρος 444²
ἀλγεσίθῡμος 444¹
ἀλγέω (ἀλγεῖν) 724². II 229².
 368³; ἤλγουν μὲν ἤλγουν II
 700² ; – τοὺς πόδας II
 85³; – c. gen. II 112². 133⁵;
 – c. instr. II 168¹; – διά τι II
 168³; – ἐπὶ γῆς II 470⁵; – ἐπί
 τινι II 134²; – κλύων II 392⁶;
 – trans. II 134³
ἀλγινόεις 527, 12
ἀλγίων 539¹
ἄλγος 512¹ . II 88³; ἄλγεα II
 43⁵
ἀλγῡ́νω 733³
ἀλδ- 702⁶
ἄλδανε 702⁶; ἤλδανε 700²
ἄλδη 508⁷
ἀλδήσκοντος 700². 702⁶
ἀλδίσκάνω 702⁶
ἄλδομαι 700²
*αλδσος 285⁶
ἀλέᾱ 460²
ἄλεαρ 481². 519⁵
ἀλέασθαι 745⁵·⁶. II 366³, 2;
 ἀλέασθε imper. 745⁵; ἀλέαι-
 το opt. 745⁵; ἀλέηται conj.
 745⁵
ἀλεγεινός 512¹
ἀλεγίζω 706⁵. 736²; – c. gen.
 II 109¹
ἀλεγῡ́νω 733³. 736²
ἀλέγω 433, 5. 644⁴. 684⁶.
 II 108⁷. 455, 3; – c. acc.
 II 109⁴
ἀλεείνω 521⁴. 724⁵. 745⁵
ἀλεεύς 469⁵. 476, 5; ἀλεεῖς NT
 243³. 575, 5
'Αλεησοῖ amorg. 211⁵
ἀλέθω ngr. 705⁴
ἄλει 682⁴
ἀλεία 469⁵
ἀλέ(ί)ατα 519⁵
ἄλειμμα 280¹
ἀλεῖς fut. ion. att. 784⁵

'Αλείσιον 103³
ἄλεισον 516⁵
ἀλείτω 411⁸
ἄλειφα 520¹. 622⁶
ἄλειφαρ 520¹
ἀλειφθη- 759⁵
ἀλειφόβιος 430². 441¹
ἀλείφω 411⁸. 684⁶. 702⁴.754⁷.
 759⁵. II 230⁴; -ομαι λίπα
 μετὰ τοῦ γυμνάζεσθαι II 485⁴
ἀλειψ- 754⁷
ἀλεκτορίς 531, 2
ἄλεκτρα: – γηράσκουσαν II
 77⁴
ἄλεκτρον 434⁴
ἀλεκτρύαινα 475⁴. II 28, 1
ἀλεκτρυών m. f. II 28, 1
'Αλεκτρώνα 244⁸
ἀλέκτωρ 635². II 28,1
'Αλέκτωρ 335⁶. 531³, 4
ἀλέματος lesb. 263³
'Αλέξανδρος 79⁴. 154². 451²;
 – ὁ μέγας II 175³; – βασι-
 λεύς II 602⁴
'Αλέξεινος rhod. 263⁴
'Αλεξῖνος 635⁶
ἀλέξω (ἀλέξειν) 329⁶. 706⁷.
 II 72, 1; – c. dat. II 144⁷;
 ἀλέξασθαι 749³; τοῦ – II
 360⁷; ἀλεξέμεναι 749³; ἀλε-
 ξήσω fut. 706⁷. II 292⁵;
 ἀλέξομαι fut. 706⁷
-αλεο/ᾱ- suff. 484¹·²
ἀλέοντο ipf. Ilias 683⁴. 745⁵
-αλέος suff. 241³. 456⁶. 484¹
ἀλεποῦ ngr. 565, 2
ἀλέσεις fut. 784⁶
ἀλέσθαι 747¹
ἄλεσσι hom. 564⁴
ἄλεται conj. Ilias 740⁵. 751³.
 790⁴
ἀλέτης 499⁶
ἀλετρεύειν 732⁵
ἀλετρίβανος 263⁷. 438³
ἀλετρίς hom. 465². 530, 2
ἄλευ imper. Aesch. 797, 5
ἄλευαι imper. 745⁵
ἀλευάμενος 745⁵; – χ. ἡμέ-
 τερον II 243⁴
'Αλεύας thess. 224⁵
ἀλεύασθαι infin. 348⁶. 745⁵;
 s. ἠλεύατο
ἀλεύεται 683⁴. 745⁵. 780⁴
ἀλευόμενος Ilias 780⁴
ἄλευρο ngr. 520, 2
ἄλευρον 481². 519⁵; ἄλευρα
 519⁵
ἀλευρόττησις 320³. 504⁵
ἀλέω (ἤλουν) 682⁴
ἀλεώμεθα δι' ὁμίλου II 450⁷
ΑΛΕΩΝ 86⁸
ἀλεωρή II 357⁵
ἀλϜο- kypr. 223⁷; ἀλϜο̄ 479, 7;
 ἀλϜον 472⁶

ἄλη 682⁶
ἀλη- hom. 759⁴
ἀλήθεια 273⁸. 348³; τῇ -είᾳ
 II 167³
ἀληθές 380². 514, 1
ἀληθῆ λέγεις II 631⁶
ἀλήθην 682⁶
ἀληθής 513⁵
'Αληθιών 682⁴
ἀλήθω 682⁴. 703¹
ἀληθῶς: – ὡς II 626⁶; – ὄν-
 τως II 704³
ἄληκτος hom. 414⁵
ἀλήλεμαι 682⁴; ἀληλεμένος
 770⁴
ἀλήλεσμαι 682⁴
ἀλήλιμμαι 766³
ἀλήλιφα 766³
ἀλήμεναι infin. hom. 808⁴.
 II 375¹
ἀλήμων 522⁴
ἀλῆναι infin. Ilias 808⁴
"Αλης (gen. -λεντος) 566¹
ἁλής ion. 106³. 283⁸. 153³;
 – γενομένη II 403⁷
ἄλητα Ilias 740⁵
ἀλητεύω 732⁷
'Αλθαία 702⁶
'Αλθαιμένης 448⁵
ἀλθαίνομαι 703⁵
ἀλθεῖν Hippokr. 703⁵
ἀλθέσσω 733⁵
ἄλθετο (χείρ) hom. 703⁵
ἀλθήσκω Gal. 702⁶. 703⁵. 709³
ἀλθίσκω Hippokr. 703⁵. 709³
ἁλι- 461, 5. 518, 3
'Αλίαρτος 258⁷
ἅλιας adv. Hippon. 631⁴
ἁλίασσις (gen. -άσσιος) 505, 7.
 737⁷
ἀλίαστος 693²
ἀλίβαντες 526⁵
ἀλιβδύω 644⁷. 686, 4
ἀλίγκιος II 161⁴
ἁλιεύς hom. 476⁶
ἅλιζα maked. 69, 3. 473, 5.
 824⁴
ἁλίζω 736³
ΑλικαρναΤεων 318³
'Αλιλάτ 395³. 409⁵. 585²
ἁλιμέδων 526¹
-άλιμος suff. 494⁵, 5
ἁλιμῠρήεις 528¹. 593⁶
*ἁλιμυρής 528¹
ἁλῖναι H. 694⁵
ἀλινδόν· δρόμον H. 627³
ἀλίνδω 314². 684⁵. 685¹.
 754⁸
ἀλινεῖν (-ίνειν?) 694⁵
ἀλιννόν kret. 694⁵
ἄλινσις arg. (epid.) 287³.
 505, 8. 694³
ἀλίνω 411⁸. 695⁷. 773⁶
ἄλιξ 346⁵

ἅλιος äol. 250[5]
ἅλιος dor. 250[5]. 461[4], 5;
– 'Tag' II 438[6]
ἀλιόω 727[2]
ἄλιππα äol. 301[6]
ἅλις 620[3.4]. II 415[1.2]
ἀλῖσ- 754[8]
ἁλίσκομαι (ἁλίσκεσθαι) 227[1].
359[6]. 709[3]. 738[6]. 743[3]. II
164[4]. 227[5]. 273[4.5]. 277[2];
ἁλίσκεται 757[4]; ἁλίσκεσθαι
τὴν γραφήν II 80[6]; – c.
gen. II 131[2]; – ὑπὸ χερσίν II
526[3]; ἁλισκομένης τῆς ἁ.
Ἑλλάδος II 400[1]; ἁλίσκομαι
c. gen. II 131[5]; – c. ptc.
II 396[5]; s. ἡλισκόμην
ἁλίσκω spät 709[3]
ἀλιταίνω 747[4]; – ομαι 733[2]
ἀλιτε/ο- 747[4]
ἀλιτήμενός εἰμι c. dat. II 151[7]
ἀλιτήριος 467[4]
ἀλιτραίνω Hes. 733[2]; – εσθαι
842[3]
ἀλιτρός εἰμι c. dat. II 151[7]
ἀλίφατα lak. 278[3]. 518[1]
ἁλιῶς, -ῶν, -ᾱ(ς) 252[4]
*aljos urgr. 72[4]
ἀλκαθεῖν 749[3]
Ἀλκάθοος 438[5]
ἀλκάθω 703[4]
*αλκαλκε 647[6]
Ἀλκαμένης 438[5]
ἄλκαρ 518[6]
Ἀλκᾶς 461[5]. 636[5]
ἀλκή 425[3]. 459[7]. 584[6]. II 357[1]
Ἄλκηστις 464, 6. 504, 3.
837[5]
ἀλκί dat. sg. 424[4]. 584[6]
Ἀλκιβιάδης 636[1]
Ἀλκιμέδων 636[4]
Ἀλκιμένη gen. sg. kret. 579[6]
ἄλκιμος: – τὰ πολέμια II
85[8]; ἄλκιμα δοῦρε II 602[5]
Ἄλκιμος 636[4]
Ἀλκίππη 460[4]
*ἀλκμᾶ 494[2]
ἀλκμαῖος, – μᾱρές 494[2]
Ἀλκμᾶν 384[5]
Ἀλκμάων 494[2]
Ἀλκμέων 196[2]
Ἀλκμεωνίδαι II 45[4]
Ἀλκμήνη 494[2]; Ἀλκμήνας
acc. pl. II 45[4]
ἀλκτήρ 531[3]
ἀλκυόνεσσι 564, 1
ἀλλ᾿: s. ἀλλά
ἀλλά 614[2], 3. 621[3]. II 554[5.6].
555[4]. 556[1.4]. 565[3]. 569[4].
578[1-8]. 628[6]. 632[7]. 633[6].
688[4]. 691[3]; ἀλλὰ γάρ II
560[5.7]. 578[7]; ἀλλὰ γε II
561[4]. 578[3]; ἀλλὰ γοῦν II
585[5], 2; ἀλλὰ δή II 563[2];

ἀλλὰ μέν II 570[2], 1; ἀλλὰ
μὲν δή II 563[2]; ἀλλὰ μέν-
τοι II 582[1]; ἀλλά τε II
576[3], 4; ἀλλά τοι II 580[6];
ἀλλ᾿ II 578, 1; ἀλλ᾿ ἄγε II
583[7]; ἀλλ᾿ ἄγε δή II 563[4];
ἀλλ᾿ ἄγετε II 583[8]f.; ἀλλ᾿
ἄνα II 424[2]; ἀλλ᾿ ἄρα II
559[1]; ἀλλ᾿ ἄρα II 564, 5;
ἀλλ᾿ εἰ II 557[2]; ἀλλ᾿ εἶα II
558[1]; ἀλλ᾿ ἔμπας II 582[5];
ἀλλ᾿ ἤ II 578[6], 3; ἀλλ᾿ οὐδ᾿
ὡς II 597[5]; ἀλλ᾿ οὖν II
585[1]; ἀλλ᾿ ὦν II 584, 4
ἀλλᾶ lesb. 550[3]
ἀλλαγη- pass. ion. att. 760[2]
ἀλλάδδω kret. 734[2]
ἀλλᾱθεάδας delph. 311[1]
ἄλλαι adv. kret. kerk. 550[4].
622[1]
ἀλλᾶι dor. 384[4]. 618, 4
*ἀλλακjω 332[8]
ἀλλᾱλ- 260[3]. 446, 8
*ἄλλᾱλλα 260[3]
ἀλλαμήν II 578[3]
ἀλλᾶν gen. pl. f. dor. 609, 5
ἀλλᾶξ 614[3]. 620[5]
ἀλλᾶς 190[2]. 528[2]
ἀλλάσσω 332[8]. 614[3]. 725[5];
– τί τινος II 127[2.3]; ἀλλάσ-
σομαι (-σσεσθαι) II 231[4];
– τί τινος II 127[3]; s. ἤλ-
λαχα, ἠλλαξάτην
ἀλλά ττα 115, 1
ἀλλάττειν πόλιν ἐκ πόλεως II
464[3]
ἀλλαχῇ(ι) 614[2]. 630[4]
ἀλλαχθη- Hdt. 760[2]
ἀλλαχόθι 630[5]
ἀλλαχόσε 630[5]
ἀλλαχοῦ 725[5]. 760[2]
ἀλ(λ)Ε megar. 550[2]. II 163[4]
ἀλλέγω II 440[5]
ἀλλεῖ 549[6]. 614[2]
ἀλλέος ngr. 114[3]
ἄλλες acc. pl. f. 586[5]
ἀλλέως ngr. 114[3]
ἄλλη adv. 614[2]
ἄλληι adv. 614[2]. 622[1]
ἄλληκτος 310[5]. 414[2]; -ον
πολεμίζειν II 77[1]
ἄλληλα 260[3]
ἀλληλίζω hell. 614[2]
ἀλληλο- 614[2]; ἀλλήλοιν 446[5],
8. II 49, 4; ἀλλήλω f. 557[5];
ἀλλήλων 446[5], 8. 614[2]. II
198[5]
ἄλλην adv. 614[2]; – καὶ – adv.
II 69[6]
ἀλλήναλλος 614[2]
αλλΗΟν gen. pl. 186[1]. 245[8]
-αλλίς 484[1]
ἀλλοδαπός 604, 1. 610[1]. 614[2]
(*ἄλλοδις) 631, 4

ἄλλοθεν 614[2]. 628[2]; – ἄλλος
II 700[6]
ἄλλοθι 614[2]. 628[4]; – γαίης
II 114[5]
ἀλλοϊδέα 513, 5
ἀλλοῖος 609, 5. 614[3]
ἄλλοκα dor. 629[2]
ἄλλομαι 304[2]. 323[1]. 714[5].
740[5]. II 229[1]; ἄληται Ilias
740[5]; ἄλλομαι ὑψηλά II
77[4]; s. ἡλόμην, ἡλόμην
ἀλλοπολιᾱ 451[5]
ἀλλοπρόσαλλος 430[4], 3. II
517[4]
ἄλλος 72[4]. 323[1]. 339[8]. 461[4].
595[5]. 614[2.4]. II 98[4]. 179[2].
182[3]. 693[2]; ἄλλες acc. pl.
f. 586[5]; ἄλλο n. 409[1]. 600[2].
609[5]. II 34[2]. 173[4]. 427[2]; οἱ
ἄλλοι II 26[6]; ἄλλος ἄλλον
II 336[2]; – ἀντ᾿ ἐμοῦ II
443[3]; – ὑπὲρ τούτους II
520[3]; ἄλλος ἄλλο II 700[6];
ἄλλο τι II 629[3]; – – ἤ II
629[3]; ἄλλα τῶν δικαίων II
98[7]
ἄλλος ἄλλοιιν 446, 8
ἄλλοσε 271[7]. 614[2]. 629[2.3], 3
*ἄλλός ποτε 391[5]
ἄλλοτα lesb. 629[2]
ἄλλοτε 271[8]. 614[2]. 629[2]. II
649, 0; ἄλλοτε μὲν – ὁτὲ δέ
II 649, 0
ἀλλοῦ Koine, ngr. 630[5]
ἀλλουνοῦ gen. sg. ngr. 614[5]
ἄλλυ arkad. 88[6]. 182[4]
*ἄλλυ 631, 4
ἄλλυδις hom. äol. 182[4], 1.
385[5]. 614[2]. 625[2]. 631[4], 4
ἄλλυι adv. äol. 614[2]. 622[3]. II
157[6]
ἀλλῦς 199[8]
ἀλλύω II 440[6]
-άλλω verba 714[5]. 736[6]
ἀλλῶν gen. pl. m. n. dor.
556[3]. 609[5], 5. II 35[4]
ἄλλως 614[2]. 624[1]. II 414[7]
-ἄλμενος 740[5]
ἄλμη 494[2]
ἁλμυρός 482[4]
Ἅλμωνες 66[4]
Ἁλμῶπες 426, 4
ἅλξ 424[4]
ἀλο- 440[4]
-αλο/ᾱ- suff. 483[6].7f.
ἀλόγατα ngr. 515, 3
ἀλογέω c. gen. II 109[3]
ἄλογο(ν) ngr. II 36, 3; ἀλό-
γατα pl. 515, 3
ἀλόθεν 628[3]
ἀλοιάω 725[6]
ἀλοίην opt. hom. att. 743[3].
795[2]; ἀλοῖμεν 1. pl. 795[3];
ἀλοίην ἄν II 329[2]

ἀλοιμμός 492[4]
ἀλοιμός att. 280[2]. 492[4]
ἀλοίτης 461[2]
Ἁλόννησος 280[2]. 446[1]
ἁλόντ- ptc. 743[3]
Ἀλόπας acc. pl. II 45[4]
ἀλοργός ion. 253[2]. 310[4]. 449[4]
ἄλος 285[5]
ἁλοσύδνη 488[5]
Ἁλοσύδνη 520[5]; -ης gen. sg. 475[5]
ἀλοτρίβανος 263[7]
ἄλουα 479, 7
ἁλοῦμαι fut. att. Koine 714[5]. 785[1]
ἄλοχος f. 355[6]. 433[2]. II 32[3]; – δέσποινα II 614[7]; – Διομήδεος II 177[4]; ἀλόχου σᾶς σφαγείς II 6[5]
*ἀλπαλέος 484[2]
ἄλπαρ 484, 2. 518[6]
Ἄλπεις II 33, 2
ἄλπ(ν)ιστος 482[2]. 539[2]
ἅλς 304[2]. 339[8]. 408[8]. 517[5]. 569[5]. II 37[1], 5. 42, 3; οἱ ἅλες II 43[2]; ἅλεσσι dat. pl. hom. 564[4]
ἄλσις 285[6]
ἅλσις 285[6]
αλσο Ilias 740[5]
ἄλσος n. 285[6]. 513[1]
Ἄλτις 285[6]
ἆλτο hom. 196[2]. 653, 3; – λαθών II 301[2]. 388[4]. 392[5]; – ἐπὶ οὐδόν II 472[2]; – ἐξ ὀχέων II 463[3]
ἄλτο hom. 653, 3
αλτο hom. 740[5]. 751[2], 1. 790[4]
ἀλυίω äol. 686[4], 5
ἀλυκός 462, 7. 498[2], 6. 518, 3
ἀλυκτεῖ kret. 268[6]
ἀλυκτοπέδαι 453, 5
ἀλύξω fut. 708[4], 5; ἀλύξεις θράσους II 91[6]; ἀλύξει (κε) II 351[7]; ἀλύξετον μόρου II 91[6]; ἀλύξομαι 783[1]
ἄλυς 463[5]
Ἅλυς (phryg.) 68[7]. 304[2]. 498[2]
αλυσΕ du. att. 573[5]
αλυσει du. att. 573[5]
ἀλυσθαίνω 703[5]
ἄλυσις 743, 6
ἀλυσκάζω 700[2]. 735[1]; – πολέμοιο νόσφιν II 540[3]
ἀλυσκάνω 735[1]; ἀλύσκανε 700[2]
ἀλύσκω 700[2]. 783[1]; -ων hom. 708[4]
ἀλυσμός 493[3]
ἀλύσσω 700[2]. 708, 5. 717[1]. 735[1]
ἀλυστάζω H. 706[4]
ἀλύω 700[2]. 735[1]
ἄλφα 140[2]. 141[1], 3. 409[6]
ἀλφάβητον 141, 3. 453, 2
ἀλφάβητος 141, 3
ἀλφάδιον 471[2]
ἀλφάνω att. poet. 700[3]. 747[1]; ἦλφον 700[3]. 747[1]; ἄλφηι conj. altatt. 747[1]; ἄλφοι opt. 747[1]. II 323[2]
Ἀλφειός 468[4]. 837[5]
ἀλφεσι- 443[5]. 444, 1
ἀλφεσίβοια 348[3]. 577[5]; -αι 444, 1
ἀλφή 297[7]. 382[1]
ἄλφι 518[1]
ἀλφινία 518[1]
ἀλφιτο- 520, 3
ἄλφιτον 458[3]
Ἀλφιῶιος el. 518[1]
ἀλφός 495[6]
ἁλῶ conj. att. 743[3]; ἁλῶμεν 249[3]
ἀλωή 461[1]. 479[5], 7
ἁλώην 795, 3
ἁλωθῆναι LXX 709[3]. 763, 3; -θήσεται LXX 763, 3
ἁλώιην 795[1.3]
ἁλώμεναι infin. hom. 806[4]
ἁλῶναι infin. hom. ion. att. 359[6]. 709[3]. 743[3]. 808[4]. II 377[6]; s. ἥλων
ἀλώπᾱ lesb. 565, 2
ἀλωπεκέη 468[1]
ἀλωπεκῆ 565, 2
Ἀλωπεκῆθε 628[3]
ἀλωπεκιδεύς 510[2]
ἀλωπεκίς 565, 2
Ἀλωπεκόννησος 280[2]
ἀλωπεύω 565, 2
ἀλώπηξ 260[8]. 496[4], 4; – f. 565[6], 2. II 31[6]; – ἡ ἄρρην II 31[4], 4
Ἀλώπηξ m. II 37[4]
Ἀλωποκοννήσιοι v.-att. 255[6]
ἀλωπός 565, 2
ἅλως f. 461[1]. 479[5]. 480[2]. 558[1]; ἅλωι acc. pl. 585[3]
ἅλωσις 709[4]
ἁλώσομαι 709[3]. 738[6]. 743[3]. 782[6]; – φονεύς II 395[4]; ἁλώσεται 763, 3
ἀλωφός 495[6]
ἁλώω conj. hom. 743, 3. 782, 4
αμ aus idg. m̥ 56[4]. 342[7]
ἄμ- 'wir' dor. 600[5]. 601[2]
ἅμα 221[3]. 343[1]. 358[5]. 588[1]. 622[5]. 623[1]. II 160[1.3]. 161[6.7]. 298[6]. 435[3]. 583[4]; – c. gen. II 535[1]; – c. dat. II 534[5]f.; ἅμ' ἠοῖ II 435[2]; – – φαινομένηφιν II 391[1]; ἅμα c. ptc. II 535[2]; ἅμα ἄν II 535[2]; ἅμα κα II 535[2]; ἅμα – δέ II 534[6]; ἅμα μὲν – ἅμα δέ II 534[6]; ἅμα τε – καὶ II 534[6]. 535[1]; ἅμα τε – καὶ ἅμα II 534[6]; ἅμα τε – τε II 534[6]; ἅμα σύν II 534, 2; – – c. dat. II 491[2].
ἁμᾶ dor. 384[4]. II 534[5.6], 3
ἁμα- 632[6]
ἁμάδις 631[4]
ἀμάδρυα II 534[5]
ἁμαδρυάδες II 534[5]
ἀμᾰ́ειν 682[6]
Ἀμαζών 433[2]. 487[1]. 588, 3
ἀμαθαίνω 733[2]
ἀμαθής: – (ὤν) τὴν ἀμαθίαν II 86[1]; ἀμαθέστερον τῶν νόμων II 99[6]
ἄμαθος 261[3]. 511[1]
ἀμαθύνω 733[3]
ἀμάκις kret. 299[2]. 597[6]
ἀμαλάπτω 705[1]
ἀμαλδύνω 411[8]. 733[3]
Ἀμαλθίη 469[6]
ἄμαλλα 343[1]. 484[1]
ἁμαλός 363[7]
ἀμαμηλίς II 534[5]
ἀμάνδαλος 258[8]
ἅμαξα 329[6]. 475[6], 8; ἅμαξαι σίτου II 129[3]
ἁμαξᾶς 128[4]
ἁμαξιτός f. 457[7]. II 34, 3; – ἁ πὰρ τὸν δρυμόν II 495[3]
ἀμάομαι 722, 3
ἄμαρ 346[5]. II 39, 3
ἀμάρα lokr. 518[5]
ἁμαρεῖν H. 704, 9
ἁμαρτ- 704, 7
ἁμαρτάνειν n. II 371[3]
ἁμαρτάνω 700[3]. 706[4]. 782[6]; ἡμάρτανε 700[2]. 704[3]; ἥμαρτον 700[2]. 755[4]. II 262[3]; ngr. 'Verzeihung!' 764[2]
ἁμαρτήσομαι 755[4]; 782; ἁμαρτήσεσθαι 700[2]; ἁμαρτάνω ἁμαρτίαν II 75[5]; – ἔπη II 76[3]; ἁμαρτήσει ὁ ἀδ. καὶ ἀφήσω II 634, 1; ἁμαρτάνω τι περί τινα II 504[8]; – τινός II 104[6]; – τῆς ὁδοῦ II 323[3]; ἡμάρτηκε γνώμης II 93[1]; ἁμαρτὼν ὄρνιθος II 93[1]; ἁμαρτάνειν γνώμη II 167[2]; – πρός τινος II 516[7]; ἥμαρτον παραδούς II 301[3]
ἁμαρτε/ο- 748[3]
ἁμαρτή 385[3]. 550[2]. 622[4]
ἁμαρτηθη- 762[1]
ἁμάρτημα: -ήματα (τά) II 606[7]
ἁμαρτοεπής 442[3]
ἁμάρτοιν 1. sg. 660[1]
*ἁμάρτω 706[4]
ἁμαρτωλός 484[4]; – παρὰ πάντας II 183, 6; ὁ – II 175[1]
Ἀμάρυνθος 60[7]
Ἄμαστρις 153[5]

ἀμάσυκον II 534⁵
ἄματα ark. dor. 88⁴. 518⁵
ἀμάται (τέχναι) dat. II 38, 4
ἀμάτις tarent. 299². 597⁶
ἀματροχιά 452⁵
ἀμαυρίσκω Demokr. 710¹
ἀμαυρόω 710¹
ἀμαχεί 618, 4. 623²
ἀμάχετος 502⁴
ἀμαχητί hom. 623³
ἄμαχος 618, 4
ἀμάω (ἤμων) 682⁶
ἄμβη 460⁶
ἀμβλακίσκω 289⁷
ἀμβλήδην 626³. II 440⁵
ἀμβλισκάνω spät 709⁴
ἀμβλίσκω Plat. 709⁴
ἀμβλόω spät 709⁴
ἀμβλύς 363⁷
ἀμβλύσκω spät 709, 5
ἀμβλύτατα α. αὐτοῦ II 100⁶
ἀμβλυωγμός 733⁷
*ἀμβλυωπ- 733⁶
ἀμβλυωπής Theophr. 733⁶
ἀμβλυώσσω 733⁶
ἄμβλωσις 709⁴
ἀμβλώσκω spät 709⁴
ἀμβλώσω 709⁴
ἀμβλώω spät 709⁴
*ἀμβνίον 338¹
ἀμβολάδην 626⁵. II 440⁴
ἀμβολαδίς 631⁴
ἀμβολιεργός 444⁴, 10
Ἀμβρακία 210⁵
ἀμβροσία 469²
Ἄμβροσσος delph. phok. 182³. 275³
ἄμβροτε aor. Sapph. 700²
ἀμβρότην inf. äol. (lesb.) 277⁶. 700². 807²
ἄμβροτος 237⁸. 277³·⁵. 323⁷. 344²
ἄμβων 487⁶
αμε 'wir' ark. 602⁷
ἀμέ böot. 602⁷
ἄμε dor. ätol. phok. 602²
ἄμέ dor. 81⁶. 602⁷
-αμε 1. pl. aor. ngr, 763⁶
ἀμεϝύσασθαι aor. kret. 197⁵. 782¹
ἀμεῖ 549⁶. 617⁴
ἀμείβομαι II 80¹. 127²; ἠμείβετο 652¹; ἀμείψεται 669². 790⁴; – τινα II 72⁴; ἀμείβω 347¹. 411⁸. 684⁶; – τί τινος II 127¹·²; – τεύχεα πρός τινα II 510⁸f.; – ἐξ II 127³
ἄμεινον adv. 621³
*ἄμεινος 539⁴
ἀμεινότερος 535⁸. 539⁴
ἀμείνων 538³. 539⁴. 816⁵; ἄμεινον 539³; ἀμείνων παντοίας ἀρετᾶς II 85⁷; ἀμείνονι σεῦ II 98⁶; ἀμείνονες ἑωυτῶν

II 100⁷; ἄμεινον II 183⁴. 184, 4; – ἐστι ποιεόμενον II 393⁵; -όν ἐστι καθαιρεθέν II 393⁵; -όν ἐστί τινι πολεμοῦντι II 393⁸
ἀμ(ε)ῖξαι 411⁸
ἄμειπτο aor. 679, 1
ἀμείρω 702⁶. 715⁵
Ἀμείσσας 329⁴
ἀμείψεται 669². 790⁴
ἀμέλγω 412¹. 684⁴. 754⁷
ἀμέλει 619¹. II 584³
ἀμελέω (-εῖν) 724³; – c. acc. II 109⁴; – τι II 109⁵; – c. gen. II 109³, 1
ἀμελής: – μᾶλλον αὐτὸς ἑαυτοῦ II 100⁷
Ἀμέλιος 635, 6
ἀμελίου (δίκη) II 52¹
ἀμελξ- 754⁷
ἀμέν j.-kret. 96⁴. 551, 8. 605²
-αμεν 1. pl. pf. 750, 2. 767³, 7. 769³. 772¹
-αμεν 1. pl. aor. 744²
ἄμεναι infin. hom. 675⁴. 755³. 792, 8. 806³
ἀμενηνός 490⁴, 5
ἀμενηνόω 727²
ἀμέρα dor. 305⁶. 518⁵
*ἀμεργϳω 335⁸
ἀμέργω 411⁸. 684³. 754⁷
ἀμέρδω 335⁸. 684³. 702⁶. II 82⁵·⁸; ἤμερσα hom. 322¹
*ἀμέρζδω 335⁸
ἀμερθῆι hom. 761⁵; -ῆς αἰῶνος II 93⁵; ἀμερθῆναι 307⁴
Ἀμερίας 69, 1
Ἀμέριος 635, 6
ἀμερνός 489²
ἀμερξ- 754⁷
ἀμέρσαι 337⁸
ἀμερφές 514¹
ἀμές dor. böot. 81⁶. 602¹. 605²
ἁμέτερος dor. 608⁴
ἀμεύσομαι Pind. kret. 782¹
ἀμέων dor. 602³. 605²
ἀμή 617⁴
ἀμήν 124¹
-άμην 1. sg. aor. med. 744²
ἀμῆς 385⁴
ἄμητος 682⁶
ἀμηχανέω 731⁵
ἀμηχανής 513⁴
ἀμηχανόων Opp. 731⁵
*-αμι athem. verba 730⁵. 734³
-ᾱμι verba 728⁶. 729⁶·⁷. 730⁵. 739¹
ἀμιγής 513³
*ἀμῖϝᾶ 309⁶
ἀμιθρεῖν 268⁴
ἄμιλλα 343¹

ἀμιλλῶμαι: ἡμιλλήθην 653². 760⁴; ἀμιλληθέντα pass. 760⁴
ἀμῖν dat. pl. dor. 602⁴. 604²
ἄμῖν böot. (Aristoph.) 602⁴. 604²
ἄμιν dor. 602⁴. 604²
αμιραφι kypr. 551⁴
ἀμισθί ion. 623², 2
Ἀμισώδαρος 482³
ἀμιχθαλόεσσα 411⁸. 528¹, 1
*ἀμίχθαλος 528, 1
ἄμίων dor. kret. böot. 602³. 605²
ἀμμ- 'wir' äol. 600⁵. 604, 3
ἀμμά 423¹
ἄμμε hom. äol. (thess.) ark. 81⁶. 106⁴. 281⁸. 600¹·². 602²·⁷, 1. 605²
ἀμμείξας 398⁸. II 440⁴
ἀμμέουν thess. 90⁷. 602². 605²
ἄμμες hom. äol. (lesb.) 81⁶. 90⁴. 602¹. 605²
ἄμμεσι dat. lesb. (Alk.) 602⁴. 604³
ἀμμέτερος lesb. 608⁴. II 200⁷
ἀμμέων lesb. 602². 605²
ἄμμι hom. lesb. 405⁷. 406². 602⁴. 604², 3. 605³. 610¹
ἄμμιγα Soph. 622⁵, 7. II 440⁴
ἄμμιν hom. lesb. 405⁷. 406². 602⁴. 604². 605³. 610¹
ἀμμίς 339⁸
ἀμμισθωθη conj. herakl. 792⁶
ἀμμόνιον 470³
ἄμμορος 281⁷. 310⁶. 414²; – λοετρῶν II 103⁶
ἄμμος 328⁸. II 200⁷. 202, 1. (f.) 32, 4. (m.) 38²; – m. ngr. II 32, 4
ἄμμος adj. lesb. 608³·⁴
ἀμνάς 508³
ἀμνάσειεν 338¹
Ἀμνᾱτος 503¹
ἀμνησικακέω 726⁵
ἀμνηστέω 726⁵
ἀμνηστία 174⁶
ἀμνίον 338¹
ἀμνίς 465²
ἀμνοκῶν 449⁵
ἀμνός 295⁴. 332⁴. 489¹. II 32² (f.); -οὶ τοὺς τρόπους II 85⁵
ἀμο- 512⁷
*ἀμό- 343¹
-αμο- suff. 491⁸
ἀμογητί hom. 270⁵. 623³
(*ἄμοδις) 631, 4
ἀμόθεν 257⁴. 343¹. 588¹. 617⁴. 628²
ἀμόθι 617⁴
ἀμοῖ 617⁴
ἀμοιβάδιος 467²
ἀμοιβάς 508³
ἀμοιβηδίς 631⁴

ἀμοιβός 347¹; -οί hom. 459²
αμοιϜαν kor. 224, 6. 273¹
ἀμολγός 459³
ἀμόργη 363¹
ἀμορφέστατος 535⁴
ἆμος hom. 608⁴
ἆμος dor. II 650⁵
ἁμός II 203⁵, 1
ἇμός dor. böot. 281⁸. 588¹.
608³. II 200⁴. 202³·⁴·⁷, 2.
213²
-αμος suff. 493⁶f.
ἄμοτον 503²
ἀμοῦ 617⁴
ἀμπάζονται H. 716, 6
ἄμπαις lak. 263³
ἀμπάξαι lak. (H.) 716, 6
ἀμπέλι ngr. II 32, 4
ἄμπελος 483⁵. II 30⁵. 41⁵.
43³; -οι II 43³
Ἄμπελος m. II 37⁵
ἀμπέλος dor. 384²
ἀμπελωργικά her. 249⁶
ἀμπεπαλών hom. 647⁶. 748⁶.
755³
ἀμπερές s. διὰ δ' ἀμπερές,
διαμπερές
ἀμπεχόνη 261⁶. II 437, 1
ἀμπέχω 261⁶. 747, 3. II
429⁶. 437⁶, 1; ἤμπεσχον
747, 3; ἠμπειχόμην 656⁴
Ἀμπιθάλης 261⁸
ἀμπίθυρον tar. II 437, 1
ἀμπίσχειν 747, 3
ἀμπισχεῖν 747, 3
ἀμπισχνοῦνται 696, 5. 747, 3
ἀμπίσχω 261⁶. 262³. 747, 3.
II 83². 429⁶. 437, 1
ἀμπίσχων 747, 3
ἀμπισχων 747, 3
ἀμπλακήσομαι 709³
ἀμπλακίσκω dor. 709³. 748¹;
ἤμπλακον 709³. 748¹
ἀμπλακών Pind. Soph. 748¹
ἄμπνυε imper. Ilias 696, 2.
747³. 797, 5
ἀμπνύθη 761, 5
ἀμπνύνθη Ilias 761, 5
ἄμπνυτο 747, 6
ἀμπολάω: ἠμπόλων 725⁶; ἠμ-
πόληκα 766¹
ἄμποτες ngr. II 349⁸
Ἀμπρακία 210⁵
ἀμπταίην Eur. 742⁵
ἀμπτάμενος lak. 742⁵
ἄμπυξ 292⁸. 497⁵
ἄμπωτις 271². 346¹. 505²
*ἄμροτος 323⁷
*αμυ 613, 4
ἀμυγδάλη 484¹
ἄμυδις hom. äol. 182⁴, 1.
221³. 385⁵. 625². 631⁴, 4
Ἀμυθάων 521⁵
Ἀμύκλαι 483³; αις loc. II 155¹

Ἀμυκλᾶιδες 265⁸
Ἄμυνἇνοι 524⁴
ἀμύμων 524⁴. II 182⁸
ἀμυνάθω: -ετε 703⁴; -ου
imper. med. Aesch. 703⁴
ἀμυντέα 810⁶; -έ' ἐστί II
606³
ἀμύνω (-ειν) 694⁶. II 363².
382⁵; ἀμῦνέμεν II 364³;
ἀμυνῶ, ἤμυνα 694⁶; ἀμῦ-
ναι II 363². 375²; -εσθαι II
363²; - c. gen. II 144⁸. 145¹.
146². 149⁴. 170⁵; ἄμυνε Τρ.
νεῶν II 93²; ἀμύνεσθαι τοι-
αῦτα II 77⁶; - c. gen. II
130⁶; -όμενοι σφῶν αὐτῶν
II 93³; ἀμύνεσθαι περί τινος
II 502⁶; - περὶ π. II 366⁷;
τοῦ ἀμύνεσθαι II 361⁷
Αμυντου 156²
ἀμύξ 620⁶
Ἀμυρταῖος 634, 1
ἀμῦς adv. H. 622³
ἀμυσγελᾶν 833⁵
ἀμυσγυλᾶν 830⁴
ἀμύσσω 715¹
ἀμυστί Hippokr. 623³, 10
ἄμυστις f. 623, 10
ἀμφαγαπάζω 736, 3. II 437⁷
ἀμφαγαπάω II 437⁷
ἀμφαδά 626³
ἀμφάδην 626³, 2
ἀμφαδίην adv. hom. 621².
626³
ἀμφάδιος 467¹
ἀμφαδόν 626³
ἀμφαλλάξ 632⁸. II 437⁵
ἀμφαλλάσσω II 437⁷
Ἀμφαναί thess. 263⁴
Ἀμφαναξ 398⁴
ἄμφανσις kret. 505, 8
ἀμφάνω adv. kret. 632⁸
ἀμφαραβέω II 437⁶
ἀμφασίη hom. 270⁶. 432¹, 1
ἀμφαυξις II 437⁷
ἀμφαϋτέω II 437⁶
ἀμφαφόων hom. 719³
Ἀμφείδευς rhod. 263⁴
ἀμφελήλυθεν (nicht -ελελ-)
infin. kret. 769, 5. 807¹
ἀμφελόνη 436⁸
ἀμφεπονήθη Archil. 758¹
ἀμφεποτᾶτο Ilias 718⁸
ἀμφήκης II 437⁴
ἄμφην äol. 296³. 302¹
ἀμφηρεφής II 182⁸. 437⁶
ἀμφήριστος II 437⁷
ἀμφί 214¹. 387⁸. 405². 551¹·³.
622². II 68³. 82³. 268¹·⁸.
417⁷. 422¹·⁷. 423³, 2. 425⁴·⁵,
2. 432⁵. 433⁷. 436⁸, 1–439.
499⁶. 500¹; ἀμφ' II 422¹.
436⁸; ἀμφὶ τοῖο · περὶ σοῦ H.
609, 1; - τοὺς δισχιλίους

II 439⁴; - δείλην II 439⁴;
- ἠλίου δυσμὰς ἣν II 622¹;
οἱ ἀμφί τινα II 416⁶·⁷. 417¹;
οἱ ἀμφ' αὐτόν II 51⁵; ἀμφί
c. dat. II 167⁷·⁸; ἀμφὶ...
ἐκάλυψεν II 430⁷; ἀμφὶ περί
633². II 428⁶
ἀμφιάζω dor. hell. 244¹.
785⁶. II 429⁶. 437⁶
ἀμφίαλος II 419⁶. 423⁶. 437⁴
ἀμφιάνακτες 430, 3
Ἀμφιάραος 106¹
ἀμφιάσω fut. spät 785⁶
ἀμφιαχυῖα hom. 767¹. II 437⁶
ἀμφιβαίνω II 81³. 437⁵;
ἀμφιβέβηκα II 264, 2; -κας
II 73, 1. 419⁴; -βεβήκει II
437⁶; ἀμφιβαίνω c. loc. II
156, 4
ἀμφιβάλλω II 437⁶; -ομαι
τρίχα λευκὴν ἐκ μελαίνης II
463⁷
ἀμφίβασις II 357⁴
ἀμφιβέβηκα II 264, 2; -κας
II 73¹. 419⁴; ἀμφιβεβήκει II
437⁶
ἀμφίβιος II 437⁴
ἀμφίβληστρον att. 532³. 706⁵
ἀμφιβολεύς 477¹
ἀμφιβράγχια II 439⁵
ἀμφίβραχυς II 437⁴
ἀμφιβρότη 437¹
ἀμφίβροτος II 439⁵
ἀμφίβροχος II 437⁵·⁷
ἀμφιβώμιοι (σφαγαί) II 439⁵
ἀμφιγηθέω II 437⁷
ἀμφιγνοέω 726⁴. II 437⁴;
ἠμφεγνόησα 656⁴
ἀμφιγυήεις 528¹
ἀμφίγυος II 437⁴
ἀμφιδαίω II 437⁶
ἀμφιδάκρυτος II 437⁷
Ἀμφιδάμας II 437⁵
ἀμφίδασυς II 437⁵
ἀμφιδέαι II 49⁴
ἀμφιδεδίνηται πέρι II 430³
ἀμφιδείδιον II 490³
ἀμφιδέξιος II 437⁴
ἀμφιδημᾶ kret. 494²
ἀμφίδορος II 437⁵·⁷
ἀμφιδρυφής 513³. II 437⁶
ἀμφίδυμος Od. 589³
ἀμφιέζω II 437⁶
ἀμφιέλισσα 473⁶. II 34⁵. 437⁴
ἀμφιέννῡμι 697⁴. 785⁶. II
83². 429⁶. 437⁶; ἠμφίεσα
att. 656³; ἐμπεφιεσμένος,
-ιασμένος 650⁴
ἀμφιέπω II 437⁶
ἀμφίεσμα 523²
αμφιετει adv. amorg. 623,
13
*ἀμφιϜαχυῖα 767¹
ἀμφίζανε hom. 248⁶. II 437⁶

ἀμφιζβήτησιν 217⁷
ἀμφίζευκτος II 437⁶
ἀμφιθάλασσος 435³. 450¹. II 437⁴
ἀμφιθαλής 513, 4. II 437⁶
ἀμφιθέατρος II 437⁵
ἀμφίθετος II 426³. 437⁶
ἀμφιθέω II 437⁶
ἀμφιθηγής II 437⁶
ἀμφίθρεπτος II 437⁷
ἀμφίθυρος II 437⁴
ἀμφιίζομαι II 437⁶
ἀμφικαθέζομαι II 437⁶
ἀμφικαθίζομαι II 437⁶
ἀμφικαλύπτω II 353⁶. 437⁶; -καλύψαι II 381³; -καλύψας II 429¹; -κατὰ ῥάκος II 475⁶
ἀμφικάρηνος II 437⁴
ἀμφίκαρπος II 437⁴
ἀμφίκαρτος II 437⁷
ἀμφίκαυ(σ)τος II 437⁷
ἀμφικίονας (ναούς) II 437⁵
ἀμφικλινής II 437⁶
Ἄμφικλος II 437⁵
ἀμφίκομος II 437⁵
ἀμφίκροτος II 437⁶
ἀμφικτίονες 486⁸, 4. II 437⁷
ἀμφικτύονες [so]597,5.II 52¹
ἀμφικύπελλον 61⁸
ἀμφικύπελλος II 437⁴
ἀμφίκυρτος II 437⁶
ἀμφίλαλος II 437⁶
ἀμφιλαφής 772⁴. II 437⁷
ἀμφιλέγω II 437⁶; -λέγονται 669, 3
ἀμφιλειπής II 437⁶
ἀμφιλλέγω kret. 312¹. II 439⁷
ἀμφιλύκη 347³. 437¹
ἀμφίμακρος II 437⁴
ἀμφιμάντωρ 531, 4
ἀμφιμάχομαι II 437⁷
Ἀμφιμέδων II 437⁵
ἀμφιμέλαιναι hom. 435⁵
ἀμφιμέμαρπτε Ap. Rh. 773³
ἀμφιμέμαρφε Qu. Sm. 772³
ἀμφιμήτωρ 530⁴
ἀμφιμιγής II 437⁷
ἀμφιμυκάομαι II 437⁶
ἀμφιμωλεῖν II 437⁷
ἀμφινέμομαι II 437⁶
ἀμφιξέω II 437⁶
ἀμφίον 461⁴
*ἀμφίπαις 263³
ἀμφιπένομαι II 437⁶
ἀμφιπερί 633². II 428⁵·⁶, 5. 430²·³
ἀμφιπερικτίονες II 430²
ἀμφιπέριξ Hippokr. 632⁸
ἀμφιπεριστέφεται II 430²
ἀμφιπεριστρέφεται II 428, 6
ἀμφιπεριστρώφᾶ II 430²
ἀμφιπεριφθινύθει II 430²
ἀμφίπληκτος II 437⁶

ἀμφιπλήξ II 437⁶
ἀμφιπλίξ 620⁶
ἀμφίπολος m. f. 460⁶. II 32³. 436, 1
ἀμφιπονέομαι II 437⁶; ἀμφεπονήθη Archil. 758¹
ἀμφιποτάομαι II 437⁶; ἀμφεποτᾶτο Ilias 718⁶
ἀμφίπυλος II 437⁴
ἀμφίπυρος II 437⁴
ἀμφιρόν 481⁴
ἀμφιρρεπής II 437⁶
ἀμφιρύτη 72¹. II 457⁸; -νῆσος 72¹
ἀμφίρυτος II 242¹. 437⁶
ἀμφίς (hom.) 405². 551⁴. 631³. II 439⁵⁻⁷; - τινος II 439⁷; - ἔχω τι II 439⁶
ἀμφίσβαινα 475, 6. II 439⁶
ἀμφισβητέω (-εῖν) II 161². 439⁶; ἡμφεσβήτουν 656⁴; ἀμφισβήτει II 344⁴; ἀμφισβητοίησαν Aristot. 796, 3; ἀμφισβητῶ c. gen. II 131⁵; - τινί (περί) τινος II 131³
ἀμφίσγονοι II 439⁷
ἀμφίσκωμοι II 439⁷
Ἄμφισσα 472¹
ἀμφίσταμαι II 437⁶
ἀμφίστομος II 437⁴
ἀμφιστρεφής II 437⁶
ἀμφιστρόγγυλος II 437⁵
ἀμφίστροφος II 437⁶
*ἀμφίσχω 262³
ἀμφίσωπος II 439⁷
ἀμφιτάπης II 437⁴
ἀμφιτίθημι II 437⁷
ἀμφιτιμῆται ion. 242⁸. 791, 9
ἀμφίτομος II 437⁶
ἀμφιτρής 543, 1. II 437⁶; -ητ- 451⁶
ἀμφιτρομέω c. gen. II 109²
ἀμφίφαλος II 437⁴
ἀμφιφορεύς hom. 263³
*ἀμφιφορος 477²
ἀμφιφύα II 437⁷
ἀμφιφῶν 675, 8. II 437⁶
ἀμφιχάσκω II 437⁷
ἀμφιχέω II 437⁷; -χέεσθαι II 277²
ἀμφίχρυσος II 437⁴
-αμφιῶ fut. j.-att. 785⁶
ἀμφοῖν m. f. 557⁵. 589⁴. II 47, 2. 49, 3
ἀμφορεᾶφόρος 452³
ἀμφορείδιον 471, 4
ἀμφορεύς att. 263³. 477². II 436⁸. 437⁴
ἀμφορίσκος 542¹
ἀμφοτεράκις 597, 8
ἀμφοτερεῖ 549⁶
ἀμφοτέρηι adv. att. 550⁴
ἀμφοτερίζομαι 735⁶
ἀμφοτερο- compos. 589⁴

ἀμφοτερόπλουν Dem. 589⁴
ἀμφότερος 595⁵. 614⁴. II 47, 8; -οι II 47, 8. 50¹, 1; -αι II 609²; -αισι dat. pl. lesb. 559⁵; ἀμφοτέρω 48, 3. 182³. 589⁴.; ἀμφοτέροιν f. II 35, 1; ἀμφότερον n. hom. 589⁴. II 87. 617⁷; ἀμφότερα II 617⁷
ἀμφοτέρωθε Orph. 628³
ἀμφοτέρωθεν hom. 589⁴. 628⁵. II 437³
ἀμφοτέρωθι att. 628⁵. II 437³
ἀμφοτέρωσε 589⁴. 629². II 437³
ἀμφουδίς 631⁴
ἄμφω 339⁸. 557¹. 589⁴. 601⁴. 614⁴. II 47⁴, 8. 48⁵; - neut. II 50³; τὰ - II 49, 4; - c. pl. II 49³, 3; ἀμφοῖν 557⁵. 589⁴. II 47, 2. 49, 3
*ἀμφωδίς 631⁴
ἀμφώδων II 437⁴
ἀμφῶες 520³
*ἀμφωϜαδις 631⁴
ἄμφωτος II 437⁴
ἀμώιεν 682⁶
ἀμωλεί kret. 623²
ἄμωμος II 623⁵
ἆμῶν dor. 602³
ἀμῶς 617⁴
αν aus idg. ῃ 56⁴. 342⁷
ἄν, ἄν praep.82⁴.259⁸.II 439⁷; ἂν ῥόον II 441¹
ἄν partic. 82⁴. 85⁸. 88⁵. 128⁶. 641⁵. II 7³. 123. 151·⁷. 23². 302⁶. 304³·⁴. 305⁵·⁶, 1. 2. 3. 306¹·³, 1. 309¹·²·⁶. 336¹. 387⁶. 555³·⁴·⁷. 556, 2. 558¹·², 2. 3. 684⁸. 703¹; - c. fut. II 352²·³·⁴; - c. potent. II 324⁸f. 326²·³·⁷. 329⁵⁻⁸; - c. ptc. II 407³·⁵; ἅμα ἄν II 535²; ἐπεὶ ἄν II 306³, 2 ἄν (ἄν) 128¹. 402⁸. II 306³, 3. 685¹, 1; - spätgr. lI 685¹; - ngr. II 304⁴. 306, 2. 351³. 685¹
ἀν- privat. 343¹. 431⁴. II 439⁷. 599²·³·⁵. S. auch ἀ-privat.
-άν suff. in Völkern. 487⁴
-αν acc. sg. 3. decl. 563²·³
-ᾶν acc. sg. f. 554⁴. 559⁶
-αν f. -α acc. sg. 586⁴
-an acc. sg. ngr. 585⁷
-αν 3. pl. Personalend. 665²; - dial. 665⁶, 5; - pf. hell. Koine 666³, 7. 767⁴, 8. 779²; - aor. 744³; - aor. ngr. 763⁶
-ᾶν acc. sg. 554⁴. 558⁴
-ᾶν gen. pl. lesb. 559²
-ᾶν gen. pl.lesb. dor. 81⁶. 559²

-ᾱν 1. sg. praet. 669, 8
-ᾱν inf. ion. att. lesb. 727².
807⁴. (aus -αεεν)
ἀν' praep. II 439⁷
ἀνά praep. 275⁷. 387⁸. 622⁵.
II 68³. 268³. 418¹. 419⁴.
422². 426¹. 430⁴. 432⁵. 433¹
439⁷, 2. 3–441; – κράτος II
441¹; – λόγον II 441³·⁶;
– νηὸς ἔβην II 430⁷. 441⁴;
– πᾶν ἔτος II 441³; – πρεσ-
βύτατα II 441⁴; –στρατόν II
433¹; ἀν' II 439⁷; ἀνα-
compos. II 440⁴⁻⁷
ἀνα- (= ἀ- priv.) 432, 2
ἄνα 'auf!' 388¹. II 341⁷.
421⁵. 424¹·². 444². 620³;
ἀλλ' ἄνα II 424²; ἄνα ἄντα
632⁷
ἄνα voc. sg. 74¹. 409². 565⁶
ἄνᾱ f. Alkm. 460²
-ᾱνα aor. 754⁴; -ανα aor. ngr.
764¹
ἀναβαζμούς att. 217⁶
ἀναβαίνω (-ειν) 811⁸. II 440⁴;
– ἐπί II 431³; – ἐπί τι II
472²·³; ἀναβῆθι ... καὶ ἀπό-
δοτε II 610⁸; ἀνεβήσετο
788³; ἀνεβεβήκει II 288⁷
ἀναβάλλω II 440⁵; -λλεσθαι
II 231⁶
ἀνάβασις: τὴν -ιν ποιεῖσθαι
811⁸
*ἀναβασσαράω, -έω 726, 2
ἀνά...βασσαρήσω Anakr.726,2
ἀναβεβαμένω pass. 770²
ἀναβέβροχεν Ilias 759²
ἀναβέβρυχεν 759²
'Αναβησίνεως 245⁶
ἀναβιβάζω II 440⁷; -βιβά-
σομαι 781⁸; ἀναβιβάζουσι
ἀναβιβάζοντες II 388, 4
ἀναβιόω hell. 709¹; -βιώσο-
μαι 709¹; ἀνεβίων 709¹;
ἀνεβίωσεν 127⁷
ἀναβιώσκομαι 709¹. 756¹
ἀναβλαστάνω II 440⁷
ἀναβλέπω II 440⁴; – c. dat.
II 139⁷. 140¹
ἀνάβλησις II 426³; – κακῶν
II 121⁴; –λύσιος II 356⁷, 4
ἀναβρόξειε Od. 759²
ἀναβροχὲν (ὕδωρ) Od. 759²
ἀναβρύχω II 440⁴; ἀναβέβρυ-
χεν 759²
ἀναβρώσκων H. 708⁶
ἀνάγαιον 632⁶
ἀναγέγραπται 812³; ἀναγε-
γραμμένοι εἰσί Aeschin.
812³; ἀναγεγράφονται Archi-
med. 768¹
ἀναγής 512¹
ἀναγιγνώσκω 756¹. II 440⁶;
ἀναγίνωσκε II 341⁶; ἀνα-

γνώσεται (sc. ὁ γραμμα-
τεύς) II 621²; ἀνέγνων 756¹,
1; ἀνάγνωθι II 341⁵; ἀνα-
γνῶναι II 283³; ἀνέγνωσα
ion. (Hdt.) 755, 9. 756¹
ἀναγκάζομαι: ἀνηγκάζετο 656²
ἀναγκάζω 734, 8. II 83³
ἀναγκαίη 469⁶
ἀναγκαῖος II 178¹; ἀναγκαῖον
II 620⁶. 622¹; – ἦν II 308⁴
ἀνάγκη 734, 8. II 620⁶. 622¹;
– φυλάττεσθαι II 623⁵
ἀνάγκηι adv. 622¹
ἀναγνώθω ngr. (dial.) 705⁴
ἀναγνωρίζω ngr. II 279⁶
ἀναγνώστης 162¹
ἀναγράψαι 238⁴·⁷
ἀναγραφήμειν infin. rhod.
807⁶
ἀναγραφησεῖ fut. pass. dor.
92¹. 763⁵
ἀναγράφω (-ειν) II 281⁴.
434¹; -φόντōν II 342⁴;
-γράψαι att. 808⁶; -γραφάν-
των II 342⁴; ἀναγράφειν τι
ἀπό II 434⁶
'Αναγυράσιος 527, 4
ἀνάγω II 440⁵; – χορὸν ὑπὸ
φορμίγγων II 530¹; ἀνήχ-
θην att. 760⁵
ἀναδεδειχοίας 765, 2
ἀναδενδράς 508, 3
ἀναδέρκομαι II 440⁴
ἀναδέχομαι II 440⁵
ἀνὰ δύο 598⁶ f.
ἀναδύομαι II 440⁶; ἀνάδυ II
340, 1; ἀνέδυ ἁλός II 92²;
ἀνεδύσετο 788²
ἀνάεδνος 412². 432, 2
ἀναείρω II 440⁶
ἀνάελπτος 432, 2
ἀνα-Γαλ- 314²
ἀνάζω tar. 734². 737⁷
ἀναθ-: ἀνέθαλον LXX 748²
ἀναθαρσέω II 350⁸
ἀνάθεμα 165²; II 176⁷
ἀναθέντω imper. Achaia 802²
ἀναθέσαντες 742¹
ἀνάθεσις II 490⁴
ἀναθηλήσει Ilias 720³. II 440⁶
ἀνάθημα 360⁷. II 426³
ἀναθῆναι infin. ark. 808³
ἀναθήσω: ἀναθήσουσιν II
245⁵. 620⁸
ἀναθρώσκω II 440⁴
ἀναδείην II 599⁴
ἀναιδής 514¹
ἀναιερεῖ 194⁷
ἀναίμακτος Aesch. 738³
*ἄναιμι 623³
*ἄναιμος 450⁶
ἄναιμος 450⁶. 494⁴
ἀναίμων 449³
ἀναιμωτί hom. 623³

ἀναίνομαι 693, 5; ἠναίνετο
hom. 656³. 693, 5; – c. ptc.
II 396⁵; ἀναίνετο μηδὲν ἐλέ-
σθαι II 598³
ἀναιρερημένος Thasos 766⁵
ἀναίρεσις c. dat. II 153⁶
ἀναιρέω (-ῶ) II 259⁴. 440⁵;
ἀναιρηκότα Hdt. 766⁵
ἄναιροι kret. 256³·⁴
ἀναιροῦμαι: ἀνελέσθαι II 362¹
ἀναίσθητον (τὸ) II 175²
ἀναισιμοῦσθαι II 152⁵
ἀναΐσσω II 440⁴
ἀναισχυντέω: ἠναισχύντουν
655⁷
ἀνακαίω II 440⁵
ἀνακάλυπτε II 228³
ἀνάκανδα lak. 632²
ἀνάκαρ Hippokr. 632²
ἀνακάς H. 632²
ἀνάκεικε ark. 775³
ἀνάκειται 775³
ἀνακέκαυκε 775³
ἀνακεράννυμι II 440⁶
ἀνακηκίω hom. 727⁴. II 440⁴
ἀνακκάδδεν 745¹
ἀνακλίνω II 440⁶
"Ανακοι att. 582⁶; τοῖν 'Ανά-
κοιν II 47³; 'Ανακοῖν gen.
du. gramm. 582⁶
ἀνακοινέο 252⁸
ἀνακοινόω: ἀνακοινῶσαι II
368²
ἀνακόλουθον II 704⁶
ἀνακόπτω II 440⁶
ἀνακουφίσαι κ. βυθῶν II 92²
ἀνακράζω II 440⁵
ἀνακραμάσαι 752, 5
ἀνὰ κράτος II 441³
ἀνακραύγασμα 128²
ἀνακρίνειν II 268³
*ἄνακτ voc. sg. 565⁶
ἀνάκτεσι hom. 564⁴
ἀνακτῆσαι spätgr. 205, 2
ἀνάκτοιν II 49³
ἀνακτόριος II 177¹
ἀνάκτορον 460⁷
ἀνακυμβαλιάζω II 440⁵
ἀναλαβεῖν II 296⁷
ἀνᾱλίσκω att. 314². 709⁴. II
429⁶; -ειν τι πρὸς ἃ μὴ δεῖ
II 512⁵; ἀνήλισκον 127⁷
ἄναλκις 425¹. 450⁴. 454³.
464³·⁴
ἀνὰ λόγον II 441³·⁶
ἀνάλογος 430, 5. 436⁶. II441⁶
ἀνᾱλόω 709⁴; ἀνάλωσα 709⁴;
ἀνᾱλόω 709⁴
ἄναλτος 285⁶. 339⁷. 503².
702⁶
ἀναλφάβητος 141, 3
ἀνάλωθη- 764¹
ἀνάλωσα, ἀνηλώσω 709⁴; ἀνη-
λώσας, ἀνηλώσωσιν 656⁵

2*

ἀναμαιμάει 676². II 440⁷
ἀνάμεινον II 422⁶
ἀναμεμ(ε)ίχαται 771⁷
ἀνάμεσα 'ς ngr. II 483, 2
ἀνὰ μέσον 619³. 625³. II440².
483, 2
ἀνάμεστος II 440³
ἀναμεταξύ 619³
ἀναμετρήσαιμι II 440⁶
*-ἀνᾱμι verba 700⁶
ἀναμίγνυμι II 440⁶
ἀναμιμνήσκω II 82⁴. 440⁶;
ἀναμιμνησκομένους II 403²;
ἀναμιμνήσκω τινά c. gen.
II 108⁴; – τι II 108⁵; – τινά
τινος II 82⁵; ἀναμιμνήσκε-
σθαί τινος II 82⁵
ἀναμίξ 620⁶
ἀναμνημίσκω 269⁵
ἀναμορμύρεσκε 711²
ἀναμορμύρω II 440⁵
ἄνανδες kypr. 632²
ἀνανεόω: ἀνενεώθην 3. sg.
764⁶
ἀνανεύω II 440⁵
ἀνὰ νηὸς ἔβην II 430⁷. 441⁴
ἄναντα 625³. 632⁷. II 440⁴.
441⁷
ἄναντες adv. II 441⁷
ἀνάντης II 440⁴. 441⁷
ἀναντής 632⁸
ἄναξ 30³. II 385, 1. 618⁵;
*ἄνακτ voc. 565⁶; ἄνα voc.
74¹. 409². 565⁶; ἀνάκτοιν
II 49³; ἀνάκτεσι hom. 564⁴;
ἄναξ c. dat. II 153⁶; – c.
loc. II 169²; – ἀνδρῶν II
615². 618⁶. 692⁵; – – 'Ἀγα-
μέμνων II 615³·⁶; – ἐνέρων
'Αϊδωνεύς II 615³; – πάν-
των II 615²; – Πουλυδάμας
II 615⁴
ἀνάξας πεσήματος II 92²
ἀναξιβρέντᾱς 838⁵
'Αναξίμανδρος 481, 12
*ἀναο(ε)ιγ- 653, 10
ἀναοίγεσκον 653, 10
ἀναπάγω II 429⁵
ἀναπάλλω II 440⁵
ἀναπαρείς 759⁶
ἀναπαύω II 440⁷
ἀναπείθομαι II 283⁶
ἀναπεμπάζομαι att. 734³, 4
ἀναπετῶ fut. 784⁶
ἀναπηδάω II 440⁴
ἀνάπηρος II 440³
ἀναπίμπλημι II 440³·⁵
ἀναπίπτομαι II 235¹
ἀναπλέω (-εῖν) II 300³. 440⁴;
– ἄνω II 536³
ἀνάπνευσις 505⁴
ἀνάπνευστος 263⁷. 432¹
ἀναπνέω (-εῖν) 747³. II 380¹.
440¹

ἀνάποινον II 599⁴
"Αναπος 66⁴
ἀναπτήσεται Aeschin. Plat.
742⁵; ἀνεπτόμεθ' Aristoph.
742⁵
ἀνάπτοιτο Plat. 742⁵
ἀνάπτω II 440⁷
ἀναπυνθάνομαι II 440⁶
ἀνάπυστος II 440⁶
ἀναραιρηκότα el. 766⁵
ἄναρε du. el. 568³
ἀναρεψαμένη 684⁴
'Αναριάκαι 432³
ἀναρίθμητος 587, 1
ἀναριχᾶσθαι II 440⁷
ἀναρπάζω II 440⁵
ἀναρριπτέειν ἀγῶνας II 76⁴;
ἀνερρίπτουν 705, 1
ἀναρρίπτω II 440⁵
ἀναρριχάομαι (-ᾱσθαι) 719³.
II 440⁷
ἀνασαοίζεσθαι 250⁶. 736⁵
ἀνασεύομαι II 440⁴
ἀνασῖ 194²
ἀνάσιμος II 440³
'Ανασίφορον 255⁷
ἀνασθένων (ἀναδοθ-) 208³
ἀνασπάω (-ᾱν) II 440⁵; –
λόγους ἀμφί τινι II 438⁶
ἄνασσα II 385, 1
ἀνασσείασκε 711⁵
ἀνάσσω 319³. 725⁴. 737⁷. II
109⁶. 110¹·³; ἤνασσε, ἐάνασ-
σε 654¹; – c. gen. et dat. II
110⁴; – c. dat. (loc.) II
168⁹.169²;-ῖφι II 166³;-ἔν
τισι II 457⁸; – μετά τισι
II 483³
ἀνασταδόν 626³
ἀνάσταμα 523⁶
ἀνάστατος: – γίγνομαι ὑπό
τινος II 529³
ἀναστενάχω II 440⁵
ἀνάστημα 839¹
ἀναστήσειεν II 638³
ἀναστρέφω II 440⁵; – ἐπί τι
II 472⁴; ἀνεστρέφησαν j.-
lak. 759⁴
ἀναστροφή II 420²
ἀνασυντάσσω II 429⁵
ἀνασχήσομαι II 265⁸
ἀνασώσασθαι II 93⁸
ἀνατεθέκαντι phok. 665⁴.775³
ἀνατεθήκατι (nicht ἀντα-)
rhod. 664¹
ἀνατεί 623³
ἀνατέλλω II 440⁵; ἀνατελῶ
Koine 785¹; ἀνατέλλω ἐξ ἠ-
θέων II 463²
ἀνατίθεμαι: ἀνατεθῆναι σκῦλα
πρὸς ἱεροῖς II 513¹; ἀνεθέτεν
(-την) 612¹. 613¹. 708⁵
ἀνατίθημι (-τιθέναι) II 440⁷;
ἀντίθεντι 3. pl. böot. 664⁴,

9; ἀναθήσουσιν fut. II 245⁵.
620⁸; ἀνέθην 741⁵; ἀνέθε
böot. 722⁵. 741⁵; ἀνέθΕκεν
185⁸; ἀνέθηκε 768⁵. II 707⁸;
ἀνέσηκε lak. 93⁵. 205³; ἀνε-
θήκατε 127⁷; ἀνέθηκαν tar.
741⁷; ἀνεθείκαιν thess. 664⁴;
ἀνέθησαν amorg. 742¹; ἀνέ-
θεσαν II 612². 708⁵; ἀνέ-
θεαν böot. 665⁶. 741⁴; ἀνέ-
θειαν böot. 242⁴; ἀναθέσαν-
τες 742¹; ἀναθέντω imper.
Achaia 802²; ἀνθέντω τι
ὑπὸ τὸν ναόν II 531⁴; ἀνα-
θῆναι, ἀνθῆναι infin. ark.
803³; ἀνατεθέκαντι phok.
665⁴. 775³; ἀνατιθέναι τι
ὑπέρ τινος II 521⁵
ἀνατλῆναι II 440⁵
ἀνατολή 295⁶; κατὰ τὴν -ήν
II 478⁶; ἀνατολαί II 43⁵.
52¹
ἀνατρέπω II 440⁵; – τι c.
instr. II 165⁵
ἀνάτριχος II 440⁴
"Αναυρος 444, 6
ἀναυτά tar. 625³
ἀναφαίνω II 440⁵; ἀναφῆναι
II 296³
ἀναφανδά 626³
ἀναφανδόν 626³
ἀναφέρω II 440⁵
'Ανάφη 95⁷
ἀναφῆναι II 296³
ἀναφλασμός 493⁴
ἀναφλύω II 440⁴
ἀναφράζομαι II 440⁶
ἀναχάζομαι II 440⁶
ἀναχέω II 440⁷
ἀναχωρέω (-εῖν) II 440⁶; ἀνχ-
ρέει II 313⁷; -είτω II 342⁷;
-ῆσαι II 381²; ἀναχωρεῖν
ἐπὶ πόδα II 472⁴
ἀναψῦχή 460, 3
-ανάω verba 694¹. 699⁴. 700
⁵⁻⁶. 720⁵
'Ανβλεᾱτος 210⁴
ἀνγραψάνθω imper. böot.
802²
*ἄνγρεμι thess. 231⁸
ἄνδα· αὕτη kypr. 613⁵. 626,8
ἀνδαιθμός 493¹
ἄνδανον 699⁶. 701¹. 748¹.755³;
ἐάνδανον (ἐήνδανον) 654³;
– c. dat. II 143⁸. 155⁴; s.
ἤσατο
ἀνδαποδῶ hell. 795¹
ἄnde tsak. 213⁶
ἀνδεξάμενοι ποὶ τὸ 'Α. II
516, 1
'Ανδερέαν 831⁶
ἄνδηρα 482⁶
ἀνδίκτης 747⁵
ἄνδιχα 598², 4

ἀνδιχάζω 598²
ἀνδρ- 568⁴; s. ἀνήρ
ἀνδραγαθέω 726⁵
ἀνδραγαθία 439³. 446⁵
ἀνδρακάς 599¹. 630⁴. II 474, 7
ἀνδράποδα 440, 1; ἀνδραπό-
δεσσι dat. 440, 1. 582⁶;
ἀνδραπόδοις dat. 582⁶
ἀνδραποδίζω: ἠνδραπόδισαν
655⁶; ἠνδραποδισάμην 655³;
ἀνδραποδιεῖται pass. Hdt.
756⁶; – εὖνται 785⁴
ἀνδραποδισμένους 655⁶
ἀνδράποδον II 36, 3; s.
ἀνδράποδα.
ἄνδραρι acc. pl. 585, 4
ἀνδράριον 471²
ἄνδραρις acc. pl. 585, 4
ἄνδρας nom. sg. spätagr. ngr.
586⁴; – kappad. 585, 4
ἀνδραφόνος altatt. 102¹. 440¹,
1
ἀνδρέα ngr. 194, 1
Ἀνδρέας 438³
Ἀνδρείμουν thess. 194⁴
ἀνδρεῖος: ἀνδρειότερον ποιή-
σειεν αὑτοῦ II 100⁷
ἀνδρεϊφόντης 452, 7
ἀνδρεφονικόν m. acc. 438²
ἀνδρεφόνος dor. 438²
ἀνδριάς 526³·⁴, 6. II 36⁵
ἀνδριᾶς j.-att. 383³. 566, 3
ἁ(ν)δριῶνα pamph. 242⁴
ἀνδρίον 568⁷
ἀνδριστέον II 409⁶
ἀνδριστί Aristoph. 623³
ἀνδρόγυνα agr. 453¹
ἀνδρόγυνον ngr. 453¹. II 12⁶
ἀνδρόγυνος 454²
Ἀνδροκλείδη acc. v.-att. 561³
ἀνδροκτασίη hom. 270⁶
Ἀνδρομάχη 634⁶; s. auch
Ἀνρομάχη
Ἀνδρομέδη 460⁴
ἀνδρόμεος 379⁶. 449³, 8; -εα
κρέα 56⁷
-ανδρος Wortausg., compos.,
Namen 451². 526⁵. 533⁵.
568⁴. 637⁷
ἀνδρόσαιμον 446¹
ἀνδρόσακες 514²
ἀνδροτής 214⁷. 385³
Ἀνδρότιμος 635⁵
ἀνδρόφθορος II 178¹
ἀνδρῶν 488²·⁵; -ῶναν acc.
rhod. 563³
-ανε 3. pl. aor. 763⁶
ανεαν pamph. 665, 5
ἀνέβα imper. ngr. 804⁵; τὸ –
καὶ κατέβα II 27⁵
ἀνεβαίνω ngr. 656⁶; ἀνέβη,
ἀνέβηκε 764⁵
ἀνεβεβήκει II 288⁷
ἀνεβήσετο 788³

ἀνεβίων 709¹
ἀνεβίωσεν 127⁷
ἀνεβοκατεβαίνει ngr. 645¹
ἀνέβραχε II 440⁵
ἀνέγνων 756¹, 1
ἀνέγνωσα 755, 9. 756¹
ἀνέδην 626³
ἀνέδυ ἁλός II 92²
ἀνεδύσετο 788³
ἀνεέργω II 440⁶
ἀνέθαλον LXX 748²
ἀνέθē böot. 722⁵. 741⁵; ἀνέ-
θεαν böot. 665⁶. 741⁴; ἀνέ-
θειαν böot. 242⁴
ἀνεθείκαιν thess. 664⁴
ἀνέθEκεν 185⁸
ἀνέθεσαν II 612². 708⁵
ἀνεθέτēν (-την) II 612¹. 613¹.
708⁵
ἀνέθηκαν tar. 741⁷
ἀνεθήκατε 127⁷
ἀνέθηκε 768⁵. II 707⁸
*ἀνέθην 741⁵; ἀνέθησαν
amorg. 742¹
ἀνείδεος 514²
ἀνειμένως Thuk. 624²
ἄνειμι II 422, 1
ἀνεῖνται att. 770¹
-ανειρα suff. 474⁵
ἀνειργουμένων pap. 721⁴
ἀνείρετον 502³
ἀνείρομαι II 440⁶
ἀνειρωτάω II 440⁶
ἀνεῖται (ὁ νόμος) II 287⁷
ἀνέκαθεν 628³. 632⁸
ἄνεκας (ἀνεκάς) 383⁴
ἀνέκραγον Od. 748²
ἀνεκτά II 599⁴
ἀνεκτῶς hom. 624²
ἀνελέν kyren. 807¹
ἀνελέσθαι II 362¹
ἀνέλκω II 440⁵
ἀνέλλην 432³
ἄνελον imper. syrak. 803⁴
ἀνελΟσθō 3. pl. lak. 802², 2
ἀνέλπιστος 432¹
Ἀνεμοίτας böot. 752, 9
ἄνεμος 226, 1. 309¹. 339⁷.
340²·⁶. 362¹. 493⁶. II 33².
173⁵
ἀνεμοσκεπής 514¹
ἀνεμώλιος 37⁶. 259². 484⁵;
ἀνεμώλια βάζειν II 366⁵
ἀνεμώνη 491⁴
ἀνεμώνιος 259²
ἀνένεικα hom. 744⁴; -νείκατο
Ilias 744⁵
ἀνενεώθη 3. sg. 764⁶
ἀνενίνκαι[so]knid. 275⁵. 745¹
ἀνέξεσθαι II 376⁵; ἀνέξομαι
II 265⁸. 293¹; – ἀεργόν II
395²
ἀνεξίτηλος 705⁵
ἀνεπάην 716, 6

ἀνεπίθετος 378⁶
ἀνεπιρρώννυμι II 429⁵
ἀνεπτόμεθ' Aristoph. 742⁵
ἀνέρ-; s. ἀνήρ
ἀνερασθῆναι c. gen. II 105⁵
*-ανερjα f. 474⁵
ἀνερρίπτουν 705, 1
ἀνερύω II 440⁵
ἀνέρχομαι II 440; –ἐν c. dat.
II 461²
-ἄνες 78³·⁴, 1
ἀνέσαιμι 782, 4
ἀνέσει Od. 782, 4
ἀνέσηκε lak. 93⁵. 205³
ἄνεσις 505⁵
ἀνεστάκουσα 540⁵
ἀνεστεασι 687, 5
ἀνέστη II 428³
ἀνεστρέφησαν j.-lak. 759⁴
ἄνεται 642⁴. 696, 10
ἀνέτω Soph. 696, 10
ἄνευ 432³. 620¹. II 360⁷.
421². 427⁵. 533³. 535⁴–536
ἄνευθε hom. 627⁵. II 535⁵·⁶·⁷
ἄνευθεν hom. 627⁵. II 535⁵·⁶·⁷
ἄνευν arg. (epid.) 405³·⁵·
620¹. II 535⁴, 2
ἀνευρίσκεσθαι ἐπὶ κακῷ II
468¹
ἄνευς el. 405³..620¹. 535⁴, 2.
536²
ἀνέχομαι II 396²; ἠνειχόμην
656⁴; ἀνασχήσομαι II 265⁸;
ἀνέξομαι II 265⁸. 293¹;
ἀνέξεσθαι II 376⁵; ἀνέχο-
μαί τινα c. praedic. II 395²;
– c. gen. II 134⁶; – c. inf.
II 396⁴; – ὁρῶν II 393¹;
ἀνέξομαι ἀεργόν II 395²;
ἀνέχομαί τινος c. ptc. II
394¹
ἀνέχω II 440⁵; ἀνεχ' ἵππους
II 440⁶; ἀνέχω χεῖρας c.
dat. II 145⁶; – – τινι II
162⁶
*ἀνεψιά 433³
ἀνεψιαδοῦς att. 510²
ἀνεψιός ion. att. 270⁶. 381⁶.
433³. 466⁵
ἄνεω 550², 5
-ανέω fut. 724⁵
ἀνέω:γα 653, 10. 772³; -γε
653, 10. II 227⁸
ἀνεωιγνύμην 653, 10
ἀνέωιξα 653, 10
ἀνεώιξεται 783⁴. II 289²
ἀνέωιχα j.-att. 772². II 227⁸
ἀνέωνται Hdt. 770¹
ἀνϜείπηι kret. 791, 5
*ἄνϜεται 642⁵
*ἄνϜρητεύω 732, 6
*ἄνϜω 699, 1
ἀνhελόμενος her. 219²
ἀνhεῶσθαι her. 770¹

ἄνηβος 454³
ἀνήγατος ngr. (maked.) 431, 7
ἀνηγκάζετο 656²
ἄνηθον 510⁶
ἀνήκεστος 431, 5. 724²
ἀνηκέστως II 415⁴
ἀνήκοισαν kyren. 288²
ἀνηκότων kyren. 768²
ἀνηκουστέω (-εῖν) 726⁴; – c. dat. II 145²; – τῶν λόγων II 95⁴; ἀνηκούστησε πατρός II 95³
ἀνηλεής 431, 5
ἀνήλισκον 127⁷
ἀνήλωμα 656⁵; – c. dat. II 153⁷
ἀνηλώσας 656⁵
ἀνηλώσωσιν 656⁵
ἀνήνεμος 431, 5
ἀνηνεχυῖαν 541, 1
ἀνηνίκαμες dor. 744⁵
ἀνήνοθε(ν) 766⁴. 777³
ἀνήνυστος 696, 10
ἀνήνωρ 431⁵
ἀνήρ 57³. 724. 277². 355⁵. 412¹. 480⁷. 568³·⁴. II 31³. 614¹·⁵; ἄνερ voc. sg. 568⁴; ἄνερ Ilias 568³, 2; ἀνέρα, ἄνδρα 568³; ἄνδραν hell. 563³; ἀνέρος 568³, 2; ἀνδρός 277². 568³; ἀνδρὸ Σίμου att. 230⁵; ἀνέρι, ἀνδρί 568³; ἀνέρε, ἄνδρε du. 568³; τοῖν ἀνδροῖν II 48, 4; ἀνέρες 104¹. 568³; ἄνδρες 568³; – voc. II 61¹·²·⁴·⁵; ἀνέρας, ἄνδρας 568³; ἀνδρῶν 568³; *ἀνδρασί 583, 1; ἀνδράσι 342². 568³; ἀνδρεσ(σ)ι 564³·⁴·⁵·⁶. 568³; ἀνδροῖς 564⁸; ἀνήρ (ὁ) ἀγαθός II 602⁴; – ἄρχων II 614⁵; – βασιλεύς II 176²; – Βιήνωρ II 614⁸; ὁ – (ὁ) αὐτός II 211⁴; – ἔλεν ἄνδρα II 233⁷; – ὅδε II 25, 8; – ὅδε (= ἐγώ) II 210⁴; – κατ' ἄνδρα II 477³; – μεθ' ὅπλων II 485²; – μενέχαρμος II 623⁶; – προφήτης II 614⁷; – Φανοτεύς II 614⁸; ἀρχός – βουληφόρος II 614⁶; δύ' ἀνέρε II 48⁵; ἄνδρα κατά 630⁴; ἄνδρες Ἀθηναῖοι II 613⁸; – δικασταί II 614⁵; – νομῆες II 614⁶.618²
ἀνήρ 402⁵; ἄνδρες 402⁵
ἀνηρείψαντο 103¹
-ανης suff. 426⁴
ἄνηστις 431, 5
ἀνήφθω II 342⁸
ἀνήχθην att. 760⁵
ἀνθ' (= ἀντί) II 441⁶; – ἡμέρας II 442⁴; – οὗ att.

II 443³; – ὧν 'dafür daß' II 640⁷; – ὧν II 661⁴·⁵
Ἀνθαδών böot. 530²
ἀνθέλιξ II 442³
Ἀνθεμίδης 509⁵
ἀνθέντω τι ὑπὸ τὸν ναόν II 531⁴
ἀνθέριξ 497⁴
Ἀνθεστηριών 488²·⁵; *– μην 488⁵
ἀνθέω (-εῖν) 724²; – τὰ κράτιστα II 77⁴; – c. dat. II 110⁷
-ανθη aor. 761⁶
ἀνθῆναι infin. ark. 808³
ἀνθηρός 282¹. 482⁵
Ἀνθίλοχος att. 204⁴. 257²
ἀνθιστάνειν 698³
ἀνθίστασθαι c. dat. II 141⁴·⁶
ἄνθος 297⁴. 339⁸. 512¹
ἀνθρηδών 529⁷
ἄνθρωπος 328². 408⁴. 426, 4. 635, 4. 836⁷. II 22, 3. 23⁷. 31⁵. 471²; ἄνθρωπε voc. II 61²·³; ἀνθρώποι 384³; ὁ ἄνθρωπος II 42¹; ἄνθρωπος ἱερός II 65⁸; – ὁδίτης II 614⁷; – ὑφάντης II 614⁷; *ἄνθρωπός τις 391⁵; ἄνθρωπος τῆς μπιστοσύνης ngr. II 122⁴; οἱ ὑπὸ τὸν ἥλιον -οι II 530⁶; ἀνθρώπους ὑπογραμματέας II 614⁷
ἄνθρωπος att. 402⁵
ἀνθρωπώ f. dor. 478⁵
ἀνθύπατος II 443⁷
ἀνθυπο- II 442⁴
ἀνῖα 309⁶; s. ἀνίη
ἀνία dor. 361, 1
ἀνιάζω 734⁴; – c. instr. II 168¹
ἀνιᾶσθαι: – c. instr. II 167⁸; τὸ – II 370³
ἀνιγρόν 299⁷
ἀνιδρωτί hom. 623³
ἀνίει ἐπιών II 393²
ἀνιέναι II 92⁴
ἀνίεμαι: ἀνεῖται (ὁ νόμος) II 287⁷; ἀνεῖνται att. 770¹; ἀνέωνται Hdt. 770¹
ἀνίεσκε Hes. 711²
ἀνίη 472⁶
ἀνίη ipf. 688¹
ἀνίημι II 283⁷; ἀνίει ἐπιών II 393²; ἀνιεῖς 2. sg. 687³; ἀνιείης 687²; ἀνίη ipf. 688¹
ἀνῖπρέστερον 535⁴
ἀνίησκε 711²
ἀνίκα dor. 629⁵. II 652²·³
ἀνίκητος 501⁵. II 174¹. 242²
ἄνις praep. megar. 620¹. 622². II 535⁵, 3. 536¹
ἄνισος 432¹. 829⁵

ἀνίσταμαι (ἀνίστασθαι) II 162⁶. 297⁴. 440⁴; ἀνισταίμᾶν 662¹. II 330⁵; ἀνίστω, καὶ ... ἰδώμεθα II 610¹; ἀνίσταμαι c. dat. II 150⁶; – c. loc. II 169³; – ἐπὶ δόρπον II 472⁸; – ὑπὸ ζόφου II 527⁴
ἀνίστημι (ἀνιστάναι) II 350⁷. 440⁴; ἀνίστεασι 687, 5; ἀνέστεασι 687, 5; ἀνέστη II 428³; ἀναστήσειεν II 638³; ἀνίστημί τινα χειρός II 130¹; – τινος II 131⁸; – ὑπό τινος II 226⁸
ἀνιχνεύω (-ειν) 732⁵. II 440⁶
*-ανjω 348²
ἀνκλημένας kret. 743¹
Ἀνναῖος 468⁵
ἀννανεώσεις 238³
Ἄννας nom. sg. f. 562¹
ἀνέθηκε 238²
ἀννέφελος 103⁷
ἀννήλους ngr. 259¹
Ἀννίβᾶς 585³; -α gen. sg. 561²
Ἀννίχερις 153¹
ἀννίοιτο kret. 323²
ἀννίς 339⁸
ἄννις 423¹
-άννῡμι verba 697⁴
-ᾱνο- suff. 490³·⁴
ἀνόγον 3. pl. kypr. 777³
ἄνοδ(α) ark. 625, 1
ἀνόδων 431, 5
*ἀνόειγε 653, 10
ἀνοητότατος μάλιστα II 185³
ἀνόθηρον 431, 5
ἀνοιᾶ 469⁵
ἀνοίγετε für sing. II 554, 3
ἀνοιγη- pass. 760²
ἀνοίγνῡμι 653, 10. II 429⁶; ἀνοίγνυνται II 227⁸; ἀνεωιγνύμην 653, 10
ἀνοιγοκλεῖ ngr. 645¹
ἀνοίγω 250⁷. 653, 10. II 227⁷. 429⁶. 432². 440⁶; ἀνώιγω 653, 10; ἀνοίγεται II 227⁸; ἀνοίξω fut. 782⁵; ἀνῶιξα dor. 653, 10; ἀνέωιξα 653, 10; ἀνέωιγα 653, 10. 772³; –γε 653, 10. II 227⁸; ἀνέωιχα j.-att. 772³. II 227⁸; ἀνεώιξεται 783⁴. II 289²; ἅτε οὐκ ἀνοιχθεῖσαν II 391⁸
ἀνοιμωκτεί Soph. 623³
ἀνοῖσαι ion. (Hdt.) 721⁶. 752, 9
(ἄνοιτο hom.) 696, 10
ἀνόκαιον 632²
ἀνοκωχή 423³, 3
ἄνομαι 228³; ἀνόμενον ἔτος 696, 10

ἀνονδόκως 632[2]
ἀνόπαια adv. 621[3]
ἀνόπι adv. 619[6], 8
ἀνόπιν adv. H. 619[5], 8. 625[3]. II 540, 3
ἄνοπλος 432[1]
ἀνοράξαι kret. 733, 4; -ξαντι kret. 733, 4
ἀνόρνυμι II 440[6]
ἀνορούω (-ειν) II 164[6]. 440[6]; – c. loc. II 169[3]; ἀνόρουσ' ὑπὸ χάρματος II 528[5]
-ᾱνός (< lat. -ānus) 395[4]
ἀνοσίjα kypr. 312[6]
ἀνόστεος (Bed.) 38[1]
Ἀνουβίων 313[5]
ἀνουτητί hom. 623[3]
ἄπανσιν II 647[4]
Ἀνρομάχη277[4]; s.Ἀνδρομάχη
ανσ > αισ 62[8]; -ανσ- > -ᾱν- > -ην- 282[7]
-ανς acc. pl. 3. decl. 397[1]
-ανς acc. pl. ā-decl. 554[4]. 558[4]. 559[2]. 563[2.4]
*ἄνσθμα 337[4]. 523[7]
-ανσις suff. 505[5], 8
ἀνστάς hom. 337[1]
ἀνσχεθεῖν ὑπὸ κύματος ὁρμῆς II 528[3]
*ἀντ- 621[1]
ἀντ' II 441[6]; – εὖ πάσχω II 422[4]; – εὖ ποιεῖν II 422[3.4]
-αντ-Stämme 567[1]
-αντ-Namen 567[1]
-αντ- ptc. 750[4]
ἄντα 621[1]. 625[3]. 632[7.8]. II 68[6]. 441[7], 1. 548[7]. 549[1.3.4.5]; – μευ II 97[2];ἐς ἄντα 619[1]. II 441[7]
ἀνταγοράζω II 442[7]
ἀνταγορεύω II 442[7]
ἀνταγωνίζομαι II 442[7]
ἀνταδικέω II 442[6]; ἠντεδίκει 656[4]
ἀντάδω II 442[6]; ἀντάσομαι II 442[6]
ἀνταείρω II 442[7]
-ανται 3. pl. pf. 672[3]
ἀνταιδέομαι II 442[6]
ἀνταῖος 467[6]. II 549[2]; ἀνταίαν (sc. πληγήν) 77[1]
ἀντακάς · σήμερον H. 630, 4. 632[3]
ἀντακές · σημεῖον H. 630, 4
ἀντακούω II 442[6]
ἀντακρωτήριον II 442[3]
Ἀνταλκίδας II 471[2]
ἀνταλλάσσω II 442[8]; – τι c. instr. II 166[1]; -άσσομαί τί τινος II 127[3]
ἀνταλλές H. 630, 4
ἀντάμα ngr. 623[1]
ἀνταμείβομαι II 442[6]
ἀντᾶν c. dat. II 141[4.5]

ἀντανα- compos. II 442[4]
ἀντανάγεσθαι II 279[4]
Ἄντανδρος II 443[5]
ἀντανεμία II 442[4]
ἄνταξ H. 620[6]
ἀντάξιος II 442, 2. 443[6]; – c. gen. II 126[3]
ἀνταποδιδῶσσα 238[2]
ἀνταποδώσομεν II 422[6]
ἀντάποινα II 443[6]
Ἀντάραδος II 443[5]
ἀνταρκέω II 442[7]
ἀνταρκτικός II 443[5]
ἀντάσαις, s. ἀντάω
ἀντάσομαι II 442[6]
(ἀντατεθήκατι s.ἀνατεθήκατι)
ἀντάω 726[1]. II 549[2]; ἤντεον hom. 242[8]; ἀντάω c. gen. II 97[4]; – τοῦ ἀνέρος II 97[3]; ἀντάσαις ἁλώσιος II 97[3]; ἀντάω c. dat. II 141[4.5]; – τινά τινι II 97[8]
ἀντεγγράφω II 442[8]
ἀντεγκαλέω II 442[6]
Ἄντεια 475[2]
ἀντεικάσομαι 781[8]
ἀντεῖπον II 442[7]
ἀντεκπλέω II 442[7]
ἀντελάζυτ(ο) 698[2]
ἀντεμβιβάζω II 442[8]
ἀντεμπίμπλημι II 442[6]
ἀντενεπίμπρασαν τὰ ἱρά II 442[8]
ἀντεράω II 442[6]
ἀντερείδω II 442[7]
ἀντερέως II 442[6]. 443[7]
Ἀντέρως II 442[4]
ἀντεσθαι 722[7]
Ἀντεσφόρος 261[7]
ἀντετάφη II 442[7]
ἀντετόρησεν Ilias 747[1]
ἀντετοῦς lak. II 443[4]
ἀντέχω II 442[7]; ἀντίσχεσθε II 442[5]
ἀντήλιος 220[7]. II 443[5]
ἄντην II 68[6]. 441[7]
Ἀντήνωρ II 443[6]
ἄντηστιν 450[4]
ἀντηχέω II 442[6]
ἀντί 270[4]. 339[8]. 387[8]. 622[2]. II 99[8]. 268[1]. 417[7], 2. 421[6]. 422[3]. 432[5]. 441[6], 1.2.3–443; ἀντ' II 441[6]; ἀντ' εὖ πάσχω II 422[4]; – – ποιεῖν II 422[3.4]; ἀνθ' II 441[6]; – ἡμέρας II 442[4]; – οὗ att. II 443[3]; – ῶν 'dafür daß' II 640[7]; ἀνθ' ῶν II 661[4.5]
ἀντι- compos. II 97[4]. 429[3.4]
-αντι 3. pl. Personalend. 665[3]
ἀντία adv. 621[2]. II 549[3]; – c. dat. II 534[3]

ἀντιάαν 807[4]
ἀντιάζω (-ειν) 734[5]. 735[5]; – σε II 97[8]; – μάχαν II 97[7]; ἀντιάζω τινά τινι II 97[8]; – c. dat. II 141[4.5]; – πρὸς κάλαμον II 512[3]; ἀντιάζων τὸν στρατόν II 97[8]
ἀντιάνειρα 474[1]. II 443[6]
ἀντιάω (ἀντιᾶν) 727[3]. 732[2]; ἀντιάσω II 291[6]; -ιάω c. gen. II 87[2]; ἀντιάσας τάφου II 97[4]; – c. dat. II 141[4.5]; ἀντιάσαις ὀργαῖς II 97[7]
ἀντιβαίνω II 442[7]
ἀντιβάλλω II 442[5]
ἀντιβασιλεύς II 443[7]
Ἀντίβασις m. PN 637[6]. II 37[4]
ἀντιβίην adv. hom. 621[2.3]. II 442[3]
ἀντίβιον adv. hom. 621[2]; – μάχεσθαι II 442[3]
ἀντίβιος 451[3]; -ίοις ἐπέεσσι II 442[3]
ἀντιβλέπω II 442[5]
ἀντιβοάω II 442[6]
ἀντίβοιος II 443[6]
ἀντιβολέω (-ῶ) II 442[5]; – c. gen. II 97[5]; – c. dat. II 141[5]; – πρὸς παίδων II 516[7]
ἀντιβολήρ lak. 576, 1
*ἀντίβολος II 97[5]
Αντιγονος 156[2]. II 443[6]
ἀντίγραφον (pl. -α) II 43[3]
ἀντιγράφω: -γεγραφεν inf. pap. 807[5]
ἀντιδίδωμι II 442[8]; ἀντιδούς ἔσομαι II 266[4]
ἀντίδικος II 441, 5. 442[7]
Ἀντίδιος 301[1]. 832[6]
ἀντίδοξος II 442[4]
ἀντίδουλος II 443[6]
ἀντιδούς: – ἔσομαι II 266[4]
ἀντίδωρα 159[6]
ἀντιδωρεά II 442[8]
ἀντιδωρέομαι II 442[8]
ἀντίδωρον II 442[8]; -α 159[6]
ἀντίζυγος II 442[2]
ἀντιθάπτομαι: ἀντετάφη II 442[5]
ἀντιθεντι 3. pl. böot. 666[4], 9
ἀντίθεος 436[6]. II 443[6]
ἀντίθρρος II 442[3]
ἀντίθυρον II 442[5]
ἀντικάθημαι II 442[5]
ἀντικαθίζομαι II 442[5]
ἀντίκειμαι II 442[5]
ἀντίκεντρον II 443[6]
Ἀντίκιρρα II 443[6]
ἀντίκλεις f. II 442[4]
ἀντίκραγος II 443[6]
ἀντικράζω II 442[6]

ἀντίκριος II 442⁴
ἀντικρύ II 548⁷. 549¹
ἄντικρυς 620³, 4. 632⁵. II
416⁴. 548⁷. 549²·⁶
ἀντικρύς ngr. 631⁵
'Αντίκυρα II 443⁶
ἀντικύρω II 442⁵
αντιλαβεν infin. pap. 807⁵
ἀντιλάζυμαι: ἀντελάζυτ(ο)
698²
'Αντίλαξις 637⁶
ἀντιλέγω (-ειν) c. dat. II
144⁵;– μή II 598⁴;–ὡς οὐ
II 598⁵; – τι c. dat. II 147¹;
ἀντιλέγων (= -ωσι) 666³;
ἀντεῖπον II 442⁷
ἀντιλίβανος II 443⁶
ἀντιλλαβέσθαι thess.   654, 5
ἀντιλογία c. dat. II 144⁵
'Αντίλοχος II 443⁶
ἀντίλυρος κανᾱχά II 442³
ἀντιμάχεσθαί τινι II 431³
'Αντιμαχηστύς 597, 6
Αντιμαχου 156³
ἀντιμέτωπος II 442³
ἀντίμηνα II 443, 5
ἀντίμισθος II 443⁶
ἀντιμυκάομαι II 442⁶
ἀντίνοος II 442⁴
ἀντίνωτος II 442³
ἀντίξους 426⁴
ἀντίον II 534³. 548⁷. 549¹·³·⁴;
– c. gen. II 141, 1. 435³;
– Μενελάου II 97²; – ἐλ-
θέμεναι c. dat. II 148⁴
ἀντιόομαι att. 727³
ἀντίος 270⁴. 451³. 461⁴, 3.
II 179⁴. 442¹; – c. gen. II
141, 1; – ἐμεῖο II 97²;
ἀντίοι γυναικός II 97²;
ἀντίος c. dat. II 141⁵
'Αντιόχεια 161⁵. 162⁶. 163²
'Αντίοχος 154². 156². 161⁵
ἀντιόων: – ταύρων II 97³;
ἀντιόωσαν λέχος II 87². 97⁷
ἀντίπαις II 443⁷
ἀντίπαλος ὑμεναίων II 97⁴
ἀντιπαραθέω II 442⁵
ἀντιπαράκειμαι II 442⁶
ἀντιπαρακελεύομαι II 677³
ἀντιπαραπλέω II 442⁵
ἀντιπαραστρατοπεδεύομαι II
442⁶
ἀντιπαρατάσσεσθαι ὑπὸ τῷ
τείχει II 526⁸
ἀντιπαρεξάγω II 429⁷
'Αντιπᾶς 128⁵
ἀντιπάσχω: ἀντιπεπονθέμεν
syrak. 806³
ἀντιπαταγέω II 442⁶
'Αντίπατρος 634³. II 443⁷
ἀντιπεπονθέμεν syrak. 806³
ἀντιπέρα II 548⁷. 549⁶. II
442³

ἀντιπέραι' ἐνέμοντο II 442⁸
ἀντιπέραν 621¹. 632⁸. II
548⁷
ἀντιπέρας 621¹. II 442³. 548⁷.
549²·⁵
ἀντιπέρηθεν II 549²·⁶
ἀντιπέρην ion. II 442³
ἀντίπηξ 425¹
ἀντιπιφάσκω H. 710²
ἀντίπλευρος II 442²
ἀντιπλήξ: -ῆγες ἀκταί II
442⁷
ἀντιπλήσσω II 442⁷
ἀντίπλοια II 442⁷
ἀντίπνοια II 442⁷
ἀντιποιέω (-ῶ) II 81². 442⁶,
3; -οῦμαι II 161²; -εῖσαι
669¹; -οῦμαι c. gen. II
131⁵; -εῖτη c. gen. böot.
II 131²; -οῦμαί τινί τινος
II 131³
ἀντίποινα II 443⁶
ἀντίπολις II 442⁴
'Αντίπολις II 442⁴
ἀντιπολιτεία II 442⁷
ἀντίπορθμος II 442²
ἀντιπορνοβοσκός II 442⁴
ἀντίπορος II 442²
ἀντίπους II 442³
ἀντιπριᾶηται conj. delph.
792⁶
ἀντίπροικα II 443, 5
ἀντιπρόσωπος II 442³
ἀντίπρωρος II 442³
ἀντίπυλος II 442²
ἀντίπυργος II 442³. 443⁶
ἀντίρησις 311³
ἀντίρριον II 443⁶
ἀντίρροδος II 443⁶
ἀντίρροπος II 161⁴·⁵
ἀντίς ngr. 631⁵
ἀντίσποδον II 443⁶
"Αντισσα 472¹
'Αντίστασις m. PN  II   37⁴
*ἀντιστείχω II 442⁶
ἀντίστερνον II 442³
ἀντιστοιχέω II 442⁶
ἀντίστοιχος II 442⁶
ἀντίστομος II 442³
ἀντιστράτηγος II 442³
ἀντιστρατοπεδεύομαι II 442⁵
ἀντίστροφος τῆς γυμναστικῆς
II 97⁴
ἀντισύγκλητος II 442⁴
ἀντίσφην II 442⁴
ἀντίσχεσθε II 442⁵
ἄντιτα ἔργα hom. II 442⁶
ἀντιταμίας II 443⁷
ἀντίταυρος II 443⁶
ἀντίτεχνος II 442⁷
ἀντιτίθημι II 442⁵
ἀντίτιμος II 443⁶
ἀντιτίνω II 442⁶
ἀντίτιτος II 442⁶

ἀντίτομος II 442⁷
ἀντίτονος II 442⁷
ἀντιτορέω II 442⁵; ἀντετόρη-
σεν Ilias 747¹
ἄντιτος II 441, 3
ἀντιΰπαρχος 159⁷
'Αντίφαρις 736, 5
ἀντιφάρμακον II 442⁴
'Αντιφᾶς 526³
ἀντίφελλος II 443⁶
ἀντιφέρεσθαι II 364¹. 442⁴;
– μάχη II 170²
ἀντιφερίζω (-ειν) 736, 5. II
161⁴. 442⁴
ἀντίφερνος II 443⁶
ἀντιφθέγγομαι II 442⁶
ἀντίφονος II 443⁶
'Αντίφονος II 443⁶
"Αντιφος II 443⁶
ἀντιφωνέω II 442⁶
ἀντίφωνος II 442⁶
ἀντίχειρ II 443⁵
ἀντίχορδος II 442³
ἀντίχριστος II 442⁴, 3
ἀντιψάλλω II 442⁶
ἄντλον 324³
ἄντλος 533⁴
ἀντοδύρομαι II 442⁶
ἄντοροι her. 218, 2
ἄντροθε 628³
ἀντροκύ att. 632⁸
ἄντρον 532²
ἄντρωπος kret. 204⁴
ἄντυπος II 441, 3
ἀντῳδός II 442⁶
ἄντωμοι II 442³
'Αντωνεινος 158⁷
ἀντωνυμία (term.) 599⁷. II
14⁴·⁵. 443⁶
ἀντωπός II 442³
ἀντωρύομαι II 442⁶
ἀνυδρία 432³
ἄνυδρος 381⁵. 431⁵. 432²
ἀνύεσθαι II 232⁵
ἀνυμέναια II 77⁴
ἄνυμες Theokr. 696⁵
'Ανύντας hell. 257⁴
ἄνυον dor. 653²
*ἄνυοντι 3. pl. 699²
ἀνυποδησίαι χειμώνων II 115¹
ἀνυπόδητος II 182⁵
ἀνύσας 'endlich einmal' II
390⁸
ἀνυσθη- spät 761⁶
ἄνυσις 505². 696, 10. II
357¹·³·⁵; – αὐτῶν II 121⁵
ἄνῦτο hom. 696, 10
ἀνύτω 705⁴
ἀνύτω att. 696, 10. 704³, 5
ἀνύω 696, 10. 699¹. 752⁴.
II 283⁷; ἄνον dor. 653²;
ἤνυον 696, 10; ἤνυσα 696,
10. 699²; ἤνυσεν 653²; ἤνεσα
696, 10; ἀνύσας 'endlich

einmal' II 390[8]; ἀνύεσθαι II 232[5]; ἀνυσθη- spät 761[6]; ἤνυτο 642[4].696[5]; ἀνῦτο hom. 696, 10; ἄνυε πράττων II 392[4]; ἀνύω τι ἔκ τινος II 463[8]; – χάριν τινί II 468[4]

ἀνύω att. 304[2]. 696, 10. II 72, 1; *ἀνύοντι 3. pl. 699[2]; ἤνυκα Plat. 696, 10; ἠνυσάμην 653[2]

ἀνφοτάροις lokr. 274[7]

ἀνχōρέει II 313[7]

ἄνω 550[2]. II 415[6]. 440[3]. 533[3]. 536[3]–537; – κάτω στρέφειν II 613[1]; οἱ ἄνω II 416[1]; τὰ ἄνω II 416[1]

ἄνω- compos. 632[6]

ἄνω verb. 698[2]; ἦνον 696, 10

-άνω verba 690[6]. 691[3]. 694[6]. 699[4]. 700[4.6] f. 725[1]. 785[3]. 816[6]; ngr. 691[5]

-ᾱνῶ fut. 785[2.3]

ἄνωγα pf. 678[5]. 766[2]. 770[1]. 772[2]. 783[6]. 816[4]. II 289, 1 440[7]; ἄνωγε 767, 10. 777[3.4]; ἄνωγεν hom.767, 10; ἄνωγμεν h. Ap. 770[1]; ἀνώγετον 2. du. hom. 767, 10; ἀνώγηι conj. hom. 790, 7; ἀνώγομεν conj. 790[4], 7; ἄνωγε imper. Eur. 799[1], 3 *ἄνωγ-e imper. 799, 3; ἀνώγετε 799[2.5]; ἀνωγέτω Od. 767, 10. 799[2]; ἀνώγεα hom. 777[4]. II 767, 10; ἀνώγει 767, 10. 777[4], 9; ἠνώγεα 777[4], 9; ἠνώγει 656[3]. 777[4], 9; ἠνώγεον 768, 0. 778, 4; ἠνώγη 777, 9

ἀνώγαιον 632[6]

ἀνώγειον II 537[2]

ἀνωγέμεν infin. 767, 10. 806[3]. 808[2]

ἀνώγεον (τὸ) II 537[2]

ἀνώγω 88[4]. 106[7]. 767[6], 10. 777, 3. 783[6]. II 286[7]; ἄνωγον 767,10.777[3.4], 9. II 289, 1; ἤνωγον 777[3.4], 9; ἀνώγουσ(α) Hdt. 767, 10; ἀνώξω 783[6]; ἀνώξομεν 790, 7; ἄνωχθε 663[2]. 671[1]; ἄνωχθι imper. 799[2]. 3. 880[5], 8; ἄνωχθε 799[2.5]. 800, 8; ἀνώχθω 799[2]. 800, 8. II 342[7]

ἄνωθα her. 628[6], 3

ἄνωθε 628[3], 3

ἄνωθεν 628[3],3. II 440[3].536[3.7]. 537[1]

ἀνωθέω II 440[5]; ἀνωθεοίη 796[5]; ἀνῶσαι 752, 9

ἀνοῖγεν 653, 10

ἀνοῖξα dor. 653, 10

ἀνωιστί hom. 623[3]

ἄνωκται H. 770[1]

*ἀνώκτω imper. 800, 8

ἀνωμαλής 513[4]

ἀνώμαλος 398[2]

ἀνωνυμεί 623[2]

ἀνώνυμος 431, 5. 524[4]

ἀνώξω Od. 783[5]; ἀνώξομεν 790, 7

ἀνῶσαι 752, 9

ἀνωτάτω II 440[3]. 539[6.7]

ἀνώτερος 534[3]. 535[2]

ἀνωτέρω 624, 3. II 440[3]. 536[6]. 537[1]; – τῶν μαστῶν II 98[6]

ἄνωχθε 663[2]. 671[1]

ἄνωχθε imper. Od. 799[2.5]. 800, 8

ἄνωχθι imper. Ilias 799[2], 3. 800[5], 8

ἀνώχθω imper. Ilias 799[2]. 800, 8. II 342[7]

ἆξα dor. 749, 1

ἄξειν II 258[4]

Ἄξεινος Πόντος 193[3]

ἀξέμεν infin. hom. 788[2]. 806[4]

ἀξέμεναι hom. 788[2]. 806[4]

ἄξεσθε, ἄξετε; s. ἄγω

-αξέω fut. dor. 785[4]

ἀξῆς 786, 7

ἀξία; ἀξίας 'im Werte von' II 122[5]

Ἀξίερος 62[4]

ἀξίνη 465, 4. 491[3]. 515[6]. II 48, 4

ἀξίοισι praes. lesb. 729[2]

ἀξιόλογος: -γώτατον τῶν προγεγενημένων II 100[3]

ἀξιόμαχος II 161[4]

ἄξιος 466[4]. II 623[6]; – c. gen. II 125[6]. 126[7.8]. 127[1]; – λόγου II 126[4]; – ἀκοῦσαι II 378[4]; – θαυμάσαι (Thuk.) 806[1]. II 228[4]. 241[6]. 364[5]; ἄξιον II 623[5]; ἄξιόν ἐστιν II 602[4]; – – c. dat. II 144[2]; ἄξιον ἦν II 308[6]

ἀξίοσι ark. 729[3]

ἀξιοχρείονα acc. sg. 558[1]

ἀξιόχρεως 451[1]

ἀξιόω (-ῶ, -οῦν) 727[3]. II 308[8]. 704[2]; ἠξίουν II 354[2.3]; ἠξίωκα II 287[8]; ἀξιόω c. gen. II 126[8]; ἀξιοῦσθαι τοῦ ἴσου II 125[6]; – παρά τινι II 494[5]; μὴ ἀξιωθήτω II 343[4]

ἀξιώμενα 729[3]; – ὑπό τινι II 526[7]

ἀξίως c. gen. II 126[7]

ἀξίωσις: τὴν ἀφ' ἡμῶν -ιν II 446[4]

ἀξονήλατος 440[4]

ἄξοντο Ilias 788[3]

ἄξυλος 433[4]

ἄξω etc.; s. ἄγω

-άξω fut. dor. 785[4]

αο 240[5]; – als αυ 247[8]; – wechselt mit εο 242[8]. 243[1]

-αο gen. sg. m. thess. böot. 560[6], 8

ᾱο (: ηο) dial. 81[2]

ᾱο kontrah. zu ᾱ 94[1]. 250[3]

-ᾱο gen. sg. m. hom. äol. 241[7]. 555[3]. 560[6], 8

ἄοδμος 398[5]. 431[5]

ἄοζος 431[5]

ἀοῖ II 158, 3

ἀοιδᾶν gen. pl. Eur. 559[3]

ἀοιδάων gen. pl. m. Xenophan. 559[3]

ἀοιδέστατον 535[4]

ἀοιδιάω 732[2]

ἀοιδός 347[8]. 459[2]. II 31[5]

ἀοιδοτέρα 536[1]

ἄοκνος 241[6]. 396[7]. 398[5]

ἀολλής [so] hom. äol. 106[2]. 283[8]. 735[6]

ἀολλίζω 735[6]

-άομαι II 232[4]

-ᾰον- Ausg. hom. 521[5]

Ἄονες 486[8]

ἄορ 424[4], 11. II 65[6]

ἀόρβιτος 431[5]

ἀόριστος (term.) 805, 1. II 249[1.3.4], 1. 4

ἄορον kypr. 412[5]

ἀορτή 70[5]

ἀορτήρ hom. 531[5]

*ἄορτο 769, 12

ἄος 512[3]

ἄος adv. 528, 3; s. ἧος, ἕως

ἄος 314[5]

-αος suff. adj. 472[6]. 473[1]

-αος gen. sg. ᾱ-decl. m. thess. 561, 3

ἀοσσῆσαι c. dat. II 160,1

ἀοσσητήρ 298[5]. 318[3]. 433[3]

ἀοτοί ion. 197[6]

-άουν gen. pl. thess. 559[2]

ἄουτος 431[5]

ἀπ 82[4]. 265[5]. 404[1]

ἀπ' 144[41]; s. ἀπό

ἀπαγγέλλεσκε hom. 711[2]

ἀπαγγέλλω: -ων II 296[8]; ἀπαγγεῖλαι II 364[2]; ἀπαγγέλλειν τι πρός τινα II 510[6]; – τι διὰ λόγου II 452[1]; -ομαι c. ptc. II 396[4]

ἀπάγελος kret. II 444[4]

ἀπαγορεύω II 445[3]

ἀπάγχω II 445[4]; -άγχεσθαι II 233[3];–ἔκ τινος II 434[5]

ἀπάγω II 445[1]; ἀπάξοντι her. 786[5]; ἀπάξειν II 295[6]

ἀπαγωγή 398[4]

ἀπάδω II 445[2]

Ἀπαθηναῖοι 435[6]

ἀπαθής 449[4]; – πρὸς ἀστῶν II 514[8]

ἀπαί II 444²
ἀπαίδευτος c. gen. II 108¹
ἀπαιρεθέω II 82⁶
ἄπαις 429², 2
ἀπαίσιος II 448⁴
ἀπαιτῶ (-τεῖν) II 82¹. 278²
ἀπάλαλκε imper. 749³
ἀπάλαμνος 524⁴
ἀπαλγέω: -ῆσαι II 445³
ἀπαληθεύω II 445⁴; -εῦσαι II 381³
ἀπαληθήσεσθαι 709³
ἀπαληθήσεσθον fut. 703⁵. II 351⁵
ἀπάλθομαι II 445⁴
ἀπαλλαγή: – ἀπὸ τοῦ σώματος II 95⁸;– τοῦ βίου II 95⁸
ἀπαλλακτέον τινός II 409⁷
ἀπαλλάσσω: ἀπήλλαξε 655⁶; ἀπαλλάγηθι att. 759⁵; ἀπαλλάχθητον 759⁵; ἀπηλλαγμένος 655⁶; – nom. abs. II 403⁷; – ἔσομαι II 290²; ἀπαλλαγμένος 655⁶
ἀπαλοιάω II 445⁴
ἀπαλὸς πρὸς τῷ νέῳ II 514¹
ἀπαμείβετο 652¹
ἀπαμύνασθαι II 364⁴
ἅπᾶν hom. 566, 3; ἅπᾶν att. 566, 3
ἀπαναίναμαι hyperpoet. 693, 5
ἀπαναίνομαι 693, 5; ἀπηνήναντο 693, 5
ἀπάνευθε(ν) 632⁸. II 419⁴.535 ⁵.⁶.⁷. 536¹
ἀπανθέω II 445³
ἀπανθῖσαι II 379⁷
ἀπάνθρωπος II 444, 8
ἀπαντήσομαι 781⁸
ἀπαντικρύ 632⁸; – τῆς Ἀττικῆς II 97⁴
ἀπαντίον Hdt. 632⁸
ἀπαντῶ: -ῶμεν ἡδονάς II 97⁸; ἀπαντήσομαι 781⁸
ἀπανύω II 445⁴
ἀπάνω ngr: – c. gen. II 137³; – στὰ βουνά II 615, 5
ἀπάνωθεν LXX 632⁸
ἅπαξ 159⁸. 343¹. 358⁵. 400⁸. 588¹. 597⁶. 620².⁵.⁶.⁷; – λεγόμενα, – εἰρημένα 36²; – τοῦ ἐνιαυτοῦ II 114⁷; s. εἰς ἅπαξ
ἁπαξάπας 620⁷
ἁπαξαπῶς 620⁷
ἀπάξειν II 295⁶
απαξοντι her. 786⁵
ἄπαξος 598³
ἀπαππαπαῖ II 600, 3
ἀπαρέμφατος f. (term.) 805, 1. II 302⁶
ἀπαρέσκω II 431⁵. 445²; – c. dat. II 144¹; ἀπαρέσκομαι II 445⁴

ἀπαρθένευτος 432, 2
ἀπαρκτίας II 448⁴
ἀπαρνηθῆναι II 364³
ἀπαρτάω 705⁵
ἀπαρτί Hdt. 632⁸f.
ἀπαρτίζω 735⁵
ἀπαρχάς II 466²
ἀπαρχή II 694¹
ἅπας 433³; ἅπᾶν 566, 3
ἀπασπροῦ ngr. 20⁷
ἄπαστος 306⁷
ἀπατάω II 445⁶; -ῶ (τινα) κλέμμα II 80³; ἠπατημένη φωτός II 93⁵
ἀπάτερθε(ν) Ilias 633¹. II 537³.⁴.⁵
ἀπατεών ion. att. 521⁵
ἀπατηλός 484⁴
ἀπατιμάω II 445⁵
ἀπάτωρ- 449³
ἄπᾶτος kret. II 444⁴; -ον ἔμεν ἄγοντι kret. II 393⁸
Ἀπατούρια ion. att. 344⁵. 433³. 479, 9. II 43⁷
Ἀπατούριος 637⁵
Ἀπάτουρον 479, 9
ἀπάτωρ 449³. 542, 3
ἀπαυδάω II 445¹.³
ἀπαυράω τι c. dat. II 146⁶; ἀπηύρων 740, 5. II 82⁵.⁷.⁸. 166³; ἀπηύρας 740, 5; ἀπηύρα 653³. 684, 7. 740, 5
ἀπαυρίσκομαι Hippokr. 709, 3
ἄπαυστος c. abl. II 96³
ἀπαυτίκα hell. 427⁷
ἀπαυτός μου mngr. 614, 1
ἀπάφησα Qu. Sm. 749; -σε σπät. 710³
ἀπαφίσκω hom. 710³. 749³. ἤπαφε 749³
ἀπάφοιτο aor. 710³. 749³
ἀπαφός 423²
ἀπέβη etc.; s. ἀποβαίνω
ἀπέβλισε aor. 723⁵
ἀπεγνωκώς: -ότες εἰσί μή II 598⁴
ἀπεγράψανθο böot. 672⁴
ἀπεδήμησα 656¹
*ἀπέδοαν ark. 665⁶
ἄπεδος 433³
ἀπέδρᾶν 781⁷
ἀπέδῦσε 755⁶
(ἀπεδώκανσι ark.) 765, 5
ἀπέθανε II 252⁴. 260⁷. 268⁶. 269³
ἀπέθνησκε II 257, 2
ἀπειθέω 724³
ἀπειθῆναι infin. ark. 729³. 808⁴
ἀπειθής c. dat. II 145²
ἀπεικότως II 414⁵
ἀπειλευθερουσθειν    infin. thess. 809³

ἀπειλέω II 445⁶; ἀπειλήτᾶν äol. 667¹; ἀπειλήτην hom. 667¹. 729²; ἀπειλήσω II 292²; ἀπειλῶ ἀπειλάς II 75⁵; – ἐλκέμεν II 296⁶; ἀπειλοῦμαι pass. II 240⁷
ἀπειλθείοντες böot. 771⁴
Ἀπείλων kypr. 272⁸
ἄπειμι 'absum' II 444⁶
ἄπειμι 'abeo' II 445¹; – γῆς ὑπὸ ζόφου II 530⁵; ἄπεισι II 420³; – γῆς II 91⁸
ἄπειπε 390⁸
ἀπεῖπον II 445¹; ἀπειπεῖν II 445⁴; – μή II 598⁴
ἀπειράκις 598¹
ἀπειργάσθω II 343¹
ἀπείργω: ἀπεῖργεν μή II 598⁴
ἀπειρέσιος 106, 3
ἀπείρηκα II 445³; – συσκευαζόμενος II 393⁴
Ἀπειρικός 497, 7
ἄπειρον (τὸ) II 175¹
ἄπειρος 450⁶. II 180⁷; – τινος II 105³
ἄπειρος 434⁴
ἄπεισι 3. sg. II 420³; γῆς II 91⁸
ἀπέκ II 429⁷
ἀπεκαίνυτο 698¹
ἀπεκατεστάσαμες 656⁴
ἀπέκγονος II 444³
ἀπεκεῖ II 428¹
ἀπεκεῖθεν spät 633¹
ἀπέκιξαν böot. 688, 5
ἀπεκλελάθεσθε II 429¹
ἀπέκναισα att. 676³
ἀπεκρίθη Koine 761¹
ἀπεκρινάμην att. 761¹
ἀπέκταγκα 127⁷. 775⁴
ἀπέκταμεν Od. 740⁴
ἀπεκτάνη Gal. 760¹; -κτάνθη 760¹
ἀπέκτατο hom. poet. 740³.⁴.⁵. 747⁶. 757¹. 760⁶. II 237⁷
ἀπέκτεινα II 269³
ἀπέκτονα 769⁴; ἀπεκτόνατε (τιμωρίαι) II 80⁴
ἀπέλαμπε II 621²
ἀπελᾶΟνται conj. lokr. 241⁴. 792⁶
ἀπέλαυσα 781⁷
ἀπελαύνω (-ειν): – σὺν τῷ στρατῷ II 489²; -ομαι II 350⁷
ἀπελεγμός 492⁵
ἀπελευθερεσθές thess. 566⁴; -σθένσα 90⁶. 275¹
ἀπελεύθερος 421⁵
ἀπελευθερούσθειν thess. 729³
ἀπελευθερωμένος 656⁷
ἀπελήλυθα 769³. II 288²; -θε 769³; -ληλύθαμεν att. 769³
ἀπελθεῖν ὑπὸ τὰ δένδρα II 530⁵

ἀπελίπαμεν 753⁷
ἀπέλλα 343⁷. 433, 5
'Απελλαῖος 195⁶
'Απελλαϙρυϙις pamph. 414¹
ἀπέλλω lesb. 283⁸. 693⁴
'Απέλλων 637, 5; 'Απέλλω acc. lak. 569⁷
*ἀπελο- 'Kraft' 447²
ἀπελογησάμην 656¹
ἀπέλου 682, 7
ἀπελπίζομαι ngr. II 235⁴
ἀπελύθην 3. pl. kret. 664⁶
ἀπέμεσσεν 682⁴
ἀπεμφερής II 444⁵
ἀπέναντι Koine 633¹. II 548⁷. 549².⁶
ἀπεναντίον Hdt. 633¹. II 548⁷
ἀπεναρίζω II 445⁵
ἀπένεικας hom. 744⁴
ἀπενέστερος 535⁴
ἀπεντεῦθεν Polyb. 633¹. II 428¹
ἀπέξ II 429⁷
*ἀπεράσω 686¹
ἀπεράω 686¹
ἀπεργάζομαι τοῦ ἀργυρίου II 128²
ἀπερείσιος 106, 3. II 182⁷
ἀπερυθριάω II 445³
ἀπερύκω c. dat. II 146³
ἀπέρχομαι (-εσθαι): – ἤσση II 162⁷; – καθ' ἕνα 477⁵; – c. dat. II 143¹
ἀπερωεύς 477¹
ἀπεσθίω II 445³
ἀπέσκλη att. 743², 3; s. ἀποσκλαίη
ἀπεσσεῖται 786¹
*ἀπέσσοϜε 769, 4
ἀπεσσοῦᾱ lak. 743⁴
ἀπέσσουε pf.lak.743,10.769,4
ἀπεσσυα 743, 10
ἀπεσσύθη 743⁴
ἀπέσσουτο 743⁴
ἀπέσταλκαν 666³
ἀπεστάλκαντι phok. 665⁴
ἀπεστάλκες LXX 767⁴
ἀπεστέρηκε τῶν πατρώων II 93⁷
ἀπέστη II 299⁸
ἀπέστιχον 747⁴
ἀπεύχομαί τι c. dat. II 147⁴
ἀπέφατο H. 740⁴, 4. 757¹
ἀπεφθος 706⁷
ἀπεχθαίρω 700². II 445⁴
ἀπεχθάνομαι 700³; -νεαι 700²; -νεῖται spät 785³; ἀπεχθε/ο-748³; ἀπήχθετο 700²; ἀπεχθέσθαι 746⁵; ἀπεχθήσομαι 782⁷
ἀπέχομαι: ἀφέξομαι II 291³·⁴. 292³; ἀπεχόμενος τῶν ἀδίκων II 93⁶; ἀπεχομινος ark. 275⁴; – ἀπὺ τοῖ ἱεροῖ II 447⁷

ἀπέχω II 268, 2. 279⁷; –παρά τινος II 497⁸; ἀπέχι πάντα περὶ παντός II 502³; ἀπέχω τι c. dat. II 1146⁴; ἀπέχει τῶν ἀργυρείων II 93⁶; ἀπόσχῃ Ἰλίου II 93⁷
ἀπέψᾱ 675⁴
ἀπήγησιν 221¹
*ἀπηϜερτ 740, 5
*ἀπῆϜρα hom. 740⁵. 798, 9
*ἀπῆϜρα 653³. 740, 5
ἀπῆϜρᾶν 740, 5
*ἀπῆϜρασε 740, 5
ἀπήλαυον 654⁵
ἀπηλιώτης 439³. 543⁷
ἀπηλλαγμένος 655⁶; – nom. abs. II 403⁷; – ἔσομαι II 290²
ἀπήλλαξεν 655⁶
ἀπήμων II 599⁴
ἀπήνη 490⁴. 838³
ἀπηνήναντο 693, 5
ἀπηνής 513⁴. II 444³. 505, 6
ἀπήστελκε 650¹
ἀπηῦρον (nicht -ηυ-) 740, 5
ἀπήυρων hom.740,5.II82⁵·⁷·⁸. 166³; ἀπηυρας 2. sg. hom. 740, 5; ἀπηύρα 3. sg. hom. 653³. 684, 7. 740, 5
'Απία, Απηγα 209⁵
ἀπιατες lokr. 525, 5. 674⁴
'Απιδανός 530³
ἀπιε thess. 791, 8
ἀπιέναι II 368⁴. 398⁴; – ὑπέρ τινος II 521⁶; s. ἄπειμι
ἀπίησι 687⁵
ἀπιθέω 514¹. 724³; ἀπίθησε II 599⁴; – ἀγγελιάων II 95⁴
ἀπικνέομαι II 114¹; – c. dat. II 162⁴; ἀπίκεο ἐς τοσοῦτο τύχης II 459⁷; ἀπίκατο Hdt. 772⁶; ἀπίξεαι II 244⁷; ἀπικέσθαι II 378¹; ἀπικομένων 'Αθηναίων II 399⁷; – τῶν Περσέων II 398⁷
ἀπίλλειν 37⁶
ἀπίμεν inf. delph. 806⁴
ἀπινύσσω 725³
ἀπίξεαι II 244⁷
ἄπιον II 30⁴
ἄπιος 461⁴. II 30⁴
Ἄπις 155, 2
'Απισάων 521⁵
ἀπιστεαται, -ατο 687, 5
ἀπιστέω (-εῖν) 726⁴; – μὴ εἶναι II 598⁴; -εῖσθαι ὑπό τινος II 240⁸
ἄπιστος φίλων II 95⁴
ἀπίστως II 415⁴
ἄπιχθυς II 444⁵
ἀπλακών Eur. 748¹
ἄπλατος dor. 743¹
ἄπλετος 502³
ἁπλῆ (-αῖ) 251²

ἀπληγίς 598, 9
ἄπληστος c. gen. II 110⁸
ἁπλοῒδας hom. 598, 9
'Απλοκύων 637⁶
ἁπλόος 343¹. 598⁴·⁵
ἁπλός ngr. 586, 1. 598⁴. 840⁷
ἁπλοῦς 427³. 588¹
ἁπλῶς 624²; – εἰπεῖν II 663⁸
ἄπνευστος 696, 2; intr. II 242²
ἄπο 291². 339⁸. 381². 387⁷. II 423³·⁴. 425³. 426². 427⁵. 428⁶. 430³. 444¹·³·⁴. 446²·³; (= ἄπεστι) II 423, 3. 444³; ἄπο αἱρέο imper. 799, 9; ἄπο δος 391¹
ἀπό 551¹.II 268²·³. 269².411⁴. 418¹. 420¹. 421². 425³·⁵·⁶. 4. 5. 426¹·². 428⁶. 430³. 432⁵. 433⁷·⁸. 434⁶. 444¹–448. 508⁵; ἀπ' II 444¹; ἀπο (ἀπ') c. gen. II 237⁶. 434⁷; ἀπ' αἰῶνος II 446²; ἀπ' ἀμφοτέρων II 437³; ἀπ' ἀντιπάλου II 447²; ἀπ' ἀρχᾶς II 447⁵; ἀπὸ τοῦ αὐτομάτου II 447²; ἀπ' αὐτόφι II 427⁷; ἀπὸ βοῆς ἕνεκα II 428⁷; – γλώσσης II 447²; – δειρῆς II 434⁵; ἀπ' ἐμοῦ 600⁶; – οἴκου εἶναι II 446⁸; ἔστιν ἀπὸ Λέσβου II 94³. 706⁵; ἀπ' οὗ II 447⁵. 653⁴; ἀπὸ παλαιοῦ 619³; τὸ ἀπὸ τοῦδε II 447, 2; – προσώπου II 42⁵; – πρώτης II 70³; – σκοποῦ II 446¹; – σπουδῆς II 447²; οἱ – τινος II 416⁷; τὰ – τινος II 417²; ἀπό c. dat. ark.-kypr. II 435⁷; ἀπὸ νόσφι(ν) II 540, 1; ἀπὸ c. acc. II 436². 448³; ἀπὸ λοιγὸν ἀμῦναι II 426⁴; ἀπό c. acc. ngr. II 136⁴. 446⁵·⁶; ἀπό c. nom. ngr. II 419, 1; – πλούσιος ἔγινε ζ. II 446, 6; ἀπό beim pass. ngr. II 523⁴; ἀπό verdeutl. den partit. II 116⁷; ἀπὸ δύο ngr. 599¹; ἀπό c. adv.: ἀπ' ἄρτι NT 633¹; ἀπὸ πρωτῆεν LXX 628³; – τηλόθεν (τηλόθι, τηλοῦ) 633¹; – Τροίηθεν II 446²; – ποῦ ngr. 628⁴; ἀπὸ π. τὰ χρ. ἄγων II 426⁵; ἀπὸ πατρὶ ... δόμεναι II 426⁴
ἀπο- II 429⁴. 431⁵. 432². 441¹ff. 599⁵
ἀποαιρεῖσθαι δῶρα κατὰ στρατόν II 476⁵
ἀποαιρέο imper. hom. 252⁷. 799⁶
ἀπόβᾱ 676, 1. 688²

ἀποβαίνω (-ειν) II 283⁴. 307⁷; ἀπεβήσετο 788³; ἀπέβη impers. II 621⁸; ἀπόβᾱ 676, 1. 688²; ἀποβαίνω ἐπὶ χθόνα II 472³; ἀποβήσομαι ἵππων II 91⁸; ἀπέβη τὸ πρᾶγμα II 621⁸

ἀποβάλλω 656¹

ἀποβασιλεύς 435⁵. II 444⁵

ἀπόβασις τῆς γῆς II 121⁵

ἀποβηματίζω II 448⁶

ἀποβιόω II 445³

ἀπόβλεπτος μετά τισι II 483⁴

ἀποβλέπω πρός τινα II 510⁴; – πρὸς τοὺς λόγους II 510⁵; ἀποβλέψας nom. abs. II 403⁷

ἀποβλῆι conj. Kos 743¹

ἀπόβρεγμα 206, 1

ἀποβρίζω II 445⁴

ἀποβώμιος II 448⁴

ἀπόγειος II 448⁴

ἀπόγεμε kypr. 679¹. 684³

ἀπογιγνώσκειν II 92⁴

ἀπογκέω 726⁵

ἀπόγλουτος II 444⁴

ἀπογράφω ἐμαυτόν c. ptc. II 394⁷; ἀπεγράψανθο böot. 672⁴

ἀπογυιόω II 445⁶

ἀπόδᾱμος II 448⁵

ἀποδάττασθαι kret. 320⁵

ἀποδεδήμηκα 766¹

ἀποδεδόανθι 3. pl. 770²

ἀποδεδόσθαι (τοῦ) II 361⁵

ἀποδέδρακα II 264⁵

ἀποδείγνυσθαι eretr. 210, 1

ἀποδείκνυμι II 445⁴; ἀποδείξεω delph. 786⁴; ἀποδείκνυμί τινα γέλωτα II 83⁷; – πρὸ τούτō II 507¹; -δείκνυσθαι ἀπό τινος II 446⁵

ἀπόδειξις: -δείξιας acc. pl. 573⁴

ἀποδειπνέω II 445³

ἀποδειροτομήσω 644⁷

ἀποδεκατεύσει conj. kyren. 661⁶

ἀποδέξεις 697¹, 3

ἀποδέχομαι: -δέξασθαι II 364⁵; -δεχθέντα ἔργα II 408⁶

ἀποδέω 594⁴. II 92⁷

ἀποδημέω 656¹. 766¹. II 448⁵; ἀπεδήμησα 656¹; ἀποδεδήμηκα (*ἠποδήμηκα) 766¹; ἀποδημεῖν κατ᾽ ἐμπορίαν II 479⁴

ἀπόδημος 376³·⁷. 378⁸

ἀποδίδομαι (-οσθαι) II 231⁶; ἀποδόσθαι II 127⁴·⁵. 226⁵. 233³; ἀποδίδομαί τι c. gen. II 126²·³; – ἄμεινον II 125, 2; – ὑπὸ κήρυκα II 531⁸; (τοῦ) ἀποδεδόσθαι II 361⁵

ἀποδιδοῦμεν in thess. 687³.f. 806⁵

ἀποδιδρασκίνδα 627²

ἀποδιδράσκω 742⁶. 781⁷; ἀπέδρᾱν 781⁷; ἀποδρᾶναι 702⁴; -δρᾶς 742⁶; -δρᾱσομαι 781⁷; ἀποδέδρακα II 264⁵

ἀποδίδωμι (-διδόναι) II 353⁶; *ἀπέδοαν ark. 665⁶; (ἀπεδώκανσι ark.) 765, 5; ἀποδεδόανθι 3. pl. 770²; ἀποδιδῶσι 3. pl. 688³; ἀποδώσειν II 375⁷; ἀπόδος 391¹. 799². II 420³; ἀποδόντω imper. 802²; ἀποδōναι II 383¹; ἀποδοῦναι 808, 3. II 296⁵. 382¹·⁶; ἀποδιδόναι ἐπὶ τὴν τράπεζαν, – ἐπὶ διηκόσια II 472⁶

ἀποδινωντι her. 696, 3

ἀποδίς 598²

ἀποδοκεῖ II 445²

ἀποδοκιμάζω II 445²

ἀποδοκιμῶ fut. Hdt. 785³

ἀποδόμεναι c. acc. dat. II 146⁵

ἀποδόμεν ἔς τι II 459¹

ἀπόδοσίς τινος c. dat. II 146⁷

ἀποδόσσαι el. 205⁴. 809⁵

ἀπόδου 390⁸

ἀποδοῦσθαι delph. 688, 4

ἀποδοχμόω II 445⁶

ἀποδρέπεν infin. Hes. 807¹

ἀποδρῆναι ὑπὸ τὴν νύκτα II 532²

ἀπόδρομος kret. 436⁷. II 444⁴

ἀποδρυφθῆναι πρὸς πέτρησι II 512⁶

ἀποδυτήριον 456⁴, 4

ἀποδύω (-ειν) II 284, 2; ἀπέδῡσε 755⁶; ἀπόδῡθι 800⁴

ἀποδωει conj. böot. 793⁶

ἀποδωσευντ(α)ι rhod. 786⁵

Ἀποδωτοί 66³

ἀποείκω II 445⁵; ἀπόεικε κελεύθου II 91⁸–92¹

ἀπόειπε 390⁸; ἀποϜειπάθθō II 344²

ἀπόερσε hom. 285². 684, 7. 740⁵

*ἀπόϜερσε hom. 740⁵

*ἀποϜρᾶς 653³

*ἀποϜρο̄τ- (: -Ϝρατ-) ptc. 740, 5

ἀποζώννυμι II 432²

ἀπόησε el. 654⁶

ἀποθαίνω ngr. 764⁴

ἀποθάνει (= -ηι) her. 791, 1

ἀποθανεῖν, -νέομαι; s. ἀποθνήσκω

ἀποθανετέον Aristot. 810⁷

ἀποθαρρέω II 449⁵

ἀποθαυμάζω II 445⁴

ἀποθεν 628³

ἀπόθεος II 444⁴

ἀποθεόω II 445⁶

ἀπόθερμος II 444⁵

ἀπόθεστος Od. 755¹

ἀπόθετος 434⁷

*ἀπόθη imper. 800³

ἀποθήκη 741, 8. 800³

ἀποθνήσκω (-ειν) II 228². 260⁸. 262, 3. 268⁶·⁷. 278⁸. 279¹. 429⁶. 445⁵; τὸ -ειν II 369, 5; τοῦ – II 361⁶; -ει II 252⁵. 257, 2. ἀπέθνησκε II 257, 2; ὁ -ων II 275¹; ἀποθανέομαι 784²·⁴; -οῦμαι II 226⁷. 257⁵, 2. 268⁷; ἀπέθανε II 252⁴. 260⁷. 268⁶. 269³; ἀποθάνηι 661⁶; -ει conj. her. 791, 1; ἀποθανεῖν II 257⁵, 2. 262¹. 281⁷. 368²; ἀποτέθνασαν Od. 770³. 777¹; ἀποτεθνηώς II 269¹; ἀποθνήσκειν θανάτῳ II 166⁴; – ὑπέρ τινος II 522¹; – ὑπὲρ τῆς πόλεως 521³; – πρὸ Σπάρτης II 506⁸; – ὑπό τινος II 227¹. 529³; – c. dat. II 148⁵·⁶; ἀπέθανον ἄνδρες πρὸς ο´ II 512⁴; ἀποθανόντος ἑκάστου II 398⁷

ἀποθρεκτά 502⁶

ἀπόθριξ 435³. II 444⁴

ἀπόθρονος II 448⁵

ἀποθύμιος II 446¹. 448⁴

ἀποθύσκειν H. 708³

ἀποθύσσει H. 782³, 1

ἀποικίζω: ἀπώικισε 654, 3

ἄποικος 430³. 450⁶. II 448⁵

ἄποινα 431, 6. II 22⁵. 175¹; II ἔργων II 617⁵; – εὐ. ἔργων II 617⁵; – υἱος II 130⁷

ἀποινάω 726¹

ἄποιος 616, 5

ἀποίσειν Ilias 752, 9

ἀποίχομαι (-εσθαι) II 268⁴; – ὑπὸ νύκτα II 532²

ἀποκάειν II 363⁵

ἀποκαθέστησεν 220⁴

ἀποκαθεύδω II 445¹

ἀποκάθημαι II 445¹

ἀποκαθίστημι: ἀποκαθέστησεν 220⁴; ἀπεκατεστάσαμες 656⁴; ἀποκαθιστάοντες delph. 688, 4

ἀποκαίνυμαι: ἀπεκαίνυτο 698¹

ἀποκάμνω II 396²

ἀπόκειμαι II 444⁶

ἀποκεκόψονται II 289⁴

ἀποκεκρίσθαι (τὸ) II 369, 6

ἀποκέκρουμαι 773³

ἀπόκεντρος II 448⁵

ἀποκηδεύω II 445³
ἀποκηδέω II 445²
ἀπόκηρος II 444⁴
ἀποκηρύσσω II 445⁴
ἀποκινήσασκε Ilias 711⁵
ἀπόκλᾱρος II 444⁴
ἀποκλᾱς ptc. 676¹. 742⁶
ἀποκλῆσαι: τὸ μὴ – II 371⁷
ἀπόκλησις c. gen. II 135⁷
ἀπόκλῑμα 156⁴
ἀπόκλωμα 676¹
ἀποκναίω, ἀπέκναισα att. 676³
ἀποκολλῶ II 432²
ἀποκόπτω: -κόψω II 293⁴; -κεκόψονται II 289⁴; ἀποκόπτω τι ἐπί τινι II 466⁷
ἀπόκρεως 515⁴
ἀποκρῑά ngr. 515⁴
ἀποκρίνομαι II 348⁸. 525¹; ἀπεκρῑνάμην att. 761¹; ἀπεκρίθη Koine 761¹; ἀποκρίθη ngr. 764⁴; ἀποκριθῆμεν infin. arg. 806⁴; τὸ ἀποκρίνασθαι II 371⁵; τὸ ἀποκεκρίσθαι II 369, 6; ἀποκρίνεσθαι pass. II 240⁴; ἀποκριθεὶς εἶπεν II 301³; ἀποκρίνεσθαι ψήφισμα II 76⁴; – πρός τινα II 510⁷; – ὑπέρ τινος II 521⁷
ἀποκρούω: ἀποκέκρουμαι 773³
ἀποκρύπτασκε 711⁴
ἀποκρύπτεσκε 711⁴
ἀποκρύπτω II 83¹. 445⁵; – τί τινι ἀσμένῳ II 152³
ἀποκτείννυμι 697²
ἀποκτείνῡμι 697²
ἀποκτείνω II 259³. 445⁵; ἀπέκτεινα II 269³; ἀποκτεῖναι II 375⁶; ἀπέκταμεν Od. 740⁴; ἀπέκτονα 769⁴; ἀπέκταγκα 127⁷. 775⁴; ἀπέκτατο hom. poet. 740³·⁴·⁵. 747⁶. 757¹. 760⁶. II 237⁷; ἀπεκτάνθη 760¹; ἀπεκτάνη Galen. 760¹; ἀποκτείνειν ἐν προφάσει II 458⁵; τὸ μὴ ἀποκτεῖναι II 371⁸; ὡς ἀποκτείνῃ II 391⁶; ἀποκτείνειν ἑαυτόν II 236, 2; – τινὰ μετά τινος II 484⁶; ἀπεκτόνατε τιμωρίαν II 80⁴
ἀποκτίννυμι 697²
ἀποκωλύσειν II 295⁷
ἀπολαγχάνω II 445²
ἀπολάμπω: ἀπέλαμπε II 621²; ἀπολάμψοιτο II 337²
Ἀπόλαξις eretr. 505³. II 444, 5
ἀπολαύω 686⁴. 781⁷. II 246⁶. 429⁶; ἀπήλαυον 654⁵; ἀπολαύσομαι 781⁷; ἀπέ-

λαυσα 781⁷; ἀπολαύω c. gen. II 109³; – τινός II 103³; – τι ἀπὸ II 103⁴; – τι τοῦ βίου II 103⁴
ἀπολείπω 594⁴; ἀπελίπαμεν 753⁷; ἀπολιπών II 389⁴; ἀπολέλοιπα II 264⁵; ἀπολείπομαι II 347⁵; – τινός τινος II 101²
ἀπολέσκετ(ο) Od. 711⁵·⁷
ἀπολέσθαι II 342⁸
ἀπολέω 784⁵
ἀπολήγω II 445⁵
ἀπόληξις II 444, 5
ἀπολῑ dat. 464³
ἀπολιθόω II 445⁶
Ἀπολλᾶς 128⁵. 637¹
Ἀπολλοδότου 156²
Ἀπολλόδωρος 440, 4; ὦ -ε II 60, 5
Ἄπολλον voc. 569¹. II 62⁴
Ἀπολλοφάνης 440, 4; -ου 156²
ἀπόλλυμαι (-υσθαι) II 276⁴. 280³. 348⁵·⁸. 377⁷. 383⁴. 399¹; pass. II 240⁷; ἀπολλύοιτο II 345⁴; ἀπολούμενος II 296¹; ἀπωλόμεσθα 670²; ἀπόλοιτο II 345³; ἀπολέσθω II 342⁸; ἀπόλωλα II 287¹; ἀπολώλη her. 778¹. II 288⁵; ἀπολωλεν infin. koisch 807¹; ἀπωλώλη plusq. att. 250³; ἀπώλετο ἄν II 254⁶. 328⁶. 347⁸; ἀπόλοιτο ἄν II 347⁸; ἀπολοιτό κεν II 254⁷; ἀπόλυσθαι ὄλεθρον II 75⁴; – μόρον II 75⁸; – c. dat. II 170⁶; – ὀλέθρῳ II 166³; – ῥίγει II 167⁷; – ὑπὸ λιμοῦ II 528⁷; – πρὸς ἁμπλακημάτων II 515⁴; ὡς ἀπολουμένης II 402⁴
ἀπόλλυμι II 353³. 429⁶; -λλύει 127⁷; -λλύᾱσι Thuk. 698⁴; -λλῦσι Hdt. 698⁵; ἀπολέω 784⁵; ἀπολώλεκα 775²; ἀπόλλυμί τί τινος II 128¹; – τι ὑπό τινος II 529⁴
Ἀπόλλων 62²ᶠ. 635², 1. II 701⁶; Ἄπολλον voc. 569¹. II 62⁴; Ἀπόλλω acc. 127⁸. 569⁷; Ἀπόλλωνι ἄνακτι II 615²
Ἀπολλωνιασταί 735³
Ἀπολλωνίδης 413⁸. 509⁵
Ἀπολλώνιος 637¹·⁵. II 177²; – ὁ καὶ Ἰ. II 567, 5
Ἀπολλω(νο)φάνης 263¹
ἀπολνῶ ngr. 737¹
ἀπολογέομαι: ἀπελογησάμην 656¹
ἀπολογίττομαι 331⁶. 414³

ἀπόλογος II 285⁸
ἀπόλοκρον lokr. II 444⁵
ἀπολούω II 445¹
ἀπολῡμαίνομαι 724⁵·⁶
ἀπόλυτα (term.) ngr. 587⁴
ἀπολύω: – τῆς αἰτίας II 93⁷; -ομαι II 351⁶; – c. gen. II 127⁶; ἀπελύθην 3. pl. kret. 664⁶
ἀπολῶ ngr. 737¹
ἀπολωβᾶσθαι pass. II 240⁴
ἀπολωτιεῖ H 82⁶
ἀπομάζιος II 448⁴
ἀπομαίνομαι II 445³
ἀπομανθάνω II 445²
ἀπόμαχος II 448⁵
ἀπομείρομαι Hes. 715⁵
ἀπόμελι II 488⁶
ἀπομηνίω II 445⁴
ἀπομιμνήσκομαί τι II 108⁴
ἀπόμισθος II 448⁵
ἀπομισθοῦν τι ἐπὶ ἔτη II 472²
ἀπόμνυμι (-νύναι) II 282³; -νύω Pind. 698⁶; ἀπώμνυον hom. 698⁵; ἀπομνύναι τινὰ πάρ τινα II 495⁶
ἀπόμορφος II 448⁵
ἀπόμουσος II 444⁴
ἀπομούσως II 415⁴
ἀπόμυιος II 444⁴
ἀποναϝε lak. 652, 1
ἀπονέμεσθαι II 231⁶
ἀπονέομαι II 445⁵; ἀπονέεσθαι 104¹
ἀπονίπτεσθαι 704⁴
ἀπονοστέω II 445⁵; -νοστήσειν II 375⁸
ἀπονόσφι(ν) hom. 633¹. II 540²·³, 1
ἀπονοσφίζομαι II 540, 1
ἀπονοσῶ II 445³
ἀπόξενος II 444⁴, 6. 448, 2
ἀποξηραμμένη 773⁶
ἀποξυλόω II 445⁶
ἄποξυς 424⁵. 686³
ἀπόπαλαι 619³
ἀπόπαξ 620⁵
ἀποπάρδαξ 842⁴
ἀποπαρδε/ο- 747⁶
ἀποπατήσεται 782¹
ἀποπαύω II 445⁵
ἀπόπειραν ποιεῖσθαι II 78⁴
ἀποπέμπειν II 278⁶; – ἐπὶ γῆς αἴτησιν II 473¹
ἀποπεράσσει conj. äol. 790⁴
ἀποπέρδομαι 782⁷; -περδήσομαι 782⁷; -παρδε/ο- 747⁶
ἀποπετήσει fut. att. 742⁵
ἀποπέφευγα II 264⁵
ἀποπίνω II 445³
ἀπόπισθεν spät 633¹
ἀποπλεῖν ἐς II 459²; -πλεῖν κατὰ πόλεις II 477⁴
ἀποπλῡνεσκε hom. 711²

*ἀπόποινα 431, 6
ἀπόπολις II 444[4]
ἀποπρᾶτίζομαι 706[4]
ἀποπρίω imper. 743[5]
ἀποπρό 'fern weg' II 428[6].
   429[7]. 505[4]
ἀποπρο- II 505[5]
ἀποπροέηκε II 429[2]
ἀποπροελών II 429[2]. 430[1]
ἀπόπροθεν II 543, 3
ἀπόπροθι 628[4-5]. 633[1]. II
   543, 3
ἀποπροΐημι: -ῑει II 429[2];
   -έηκε II 429[2]
ἀποπρολιπών II 429[3]
ἀπόπροσθε II 543[5], 3
ἀπόπροσθεν 633[1]. II 543[5], 3
ἀποπροφέρων II 428[6]
ἀποπρωΐ gloss. 633[1]
ἄποπτος II 444[3]
ἀποπυρίας II 448[4]
ἀποπυρίζω II 284[1], 1
ἀποπῦτίζω 706[4]
ἄπορα II 606[2]
ἀπορέρηκται 649[4]
ἀπορέω II 93[1]; -ρεῖν τῷ πράγ-
   ματι II 167[7]
ἀπόρνυμαι II 445[5]
ἀποροαί 35, 1
ἄπορος II 323[3]; – ἐπὶ φρό-
   νιμα II 473[2]; ἀπορώτερος
   λῆψις 536, 2
ἀπόρουσε δείσας II 301[1]
ἀπορραίω II 82[5.8]
ἀπόρρητος 227[5]; ἀπόρρητον
   πόλει II 617[5]
ἀπορροή 460[5]
ἀπόρροια 128[2]
ἀπορροφῶ τοῦ οἴνου II 103[3]
ἀπόρρυμα 164[2]
-απός 295[4]. 604[1], 1
ἀποσαρκίζω 736[4]
ἀποσάττω II 432[2]
ἀποσεύομαι II 445[1]
ἀποσήπομαι: ἀποσεσηπότες
   τοὺς δακτύλους II 85[1-2]
ἀπόσιτος 435[3]. II 444[4.5],
   7
ἀποσκήψατε II 343[3]
ἀποσκλαίη opt. 743, 3; s.
   ἀπέσκλη
ἀπόσκοπος II 446[1]. 448[5]
ἄποσος Plot. 616, 5
ἀποσπάω II 82[6]
ἀποσταδά 626[3]
ἀποσταδόν 626[3]. 632[5]
ἀποσταλᾶμεν infin. el. 806[4]
ἀποστάνομαι 698[3]
αποστασειται rhod. 786[4]
ἀπόστασις: -σιν ἀφίσταμαι
   II 75[4]; -σις c. abl. II 95[7]
ἀποστατέον II 308[6]
ἀποστατέω 705[6]; -στατήσει
   705[6]

ἀποστάτης 705[6]
ἀποστείλων (= -ωσι) 666[3]
ἀποστείχω: ἀπέστιχον 747[4]
ἀποστέλλω: -λλοίσας ther.
   288[3]; -στείλων 3. pl. aor.
   conj. 666[3]; ἀπέσταλκες LXX
   767[4]; ἀπέσταλκαν 666[3]; ἀπε-
   στάλκαντι phok. 665[4]; ἀπο-
   στέλλειν ὀργῇ II 162[6]; –
   τινὰ ἀπαγγέλλοντα II 296[8];
   ἀποστέλλεσθαι ἀπό τινος II
   446[5]
ἀποστερέω (-ῶ) 709[3]. II
   82[5.7.8]. 445[5]; ἀποστερή-
   σονται II 82[6]; ἀπεστέρηκε
   τῶν πατρῴων II 93[7]; ἀπο-
   στερούμαί τινος διά τινα II
   453[7]
ἀποστηθίζω II 448[6]
ἀποστῆναι II 365[6]
ἀποστιβής II 448[6]
ἀπόστολος 162[4]
ἀποστοματίζω II 448[6]
ἀποστράτηγος II 444[5]
ἀποστρέψαι 274[7]
ἀπόστροφος 402[8]
ἀποστρυθἔσται lak. 205, 4
ἀποσυλᾶται II 82[6]
ἀποσυμβαίνω II 445[2]
ἀποσυμβουλεύω II 445[2]
ἀποσυνάγω II 445[2]
ἀποσυνάγωγος II 448[5]
ἀπόσχη Ἰλίου II 93[7]
ἀποσχίζω II 445[1]
ἀποταυροῦσθαι II 445[6]
ἀπόταφος II 444[4]
ἀποτέθνασαν 770[3]. 777[1]
ἀποτεθνηώς II 269[1]
ἀποτειννυέτω hell. 697[2]
ἀποτεινύτω kret. 697[2]
ἀποτείσω II 292[2]; -τείσει
   conj. äol. 790[4]; -τείσεται
   (κε) II 351[7]
ἀποτέλειοι II 448[4]
ἀποτελῶ II 431[5]
ἀποτέμνειν II 363[5]; -τέμνομαι
   τὴν κεφαλήν II 85[1]
ἀποτέρω 534[3]
ἀποτετεικεν infin. phok. 807[1];
   ἀποτετεῖκεν ὑπὲρ τὰν πόλιν
   II 520[3]
ἀποτετραμμένοι ἐγένοντο II
   407[7]
ἀποτευγμένως 652[3]
ἀποτῆλε Anth. P. 633[1]
ἀποτίειν II 268[2]
ἀποτίθημι II 445[1]; -τίθεμαι
   II 231[6]; -τίθεσθαι τὰ ἱ.
   αὐτῶν II 236[3]
ἀποτιλῶ fut. 785[2]
ἀποτῑμάω 731[4]
ἀποτιννύτω att. 697[2]; s.
   auch ἀποτειν(ν)-

ἀποτίνω II 282[6]; -τίνοι κα
   II 330[6]; -τίνοιαν 663, 9;
   -τινόντω imper.Achaia802[2];
   -τινέμεν II 381[7]. 382[6];
   -τείσω II 292[2]; -τείσει conj.
   äol. 790[4]; -τείσεται (κε)
   II 351[7]; ἀποτίνειν ὀβολὸν
   ὑπὲρ προβάτου II 521[7]
ἀπότισις 43[2]. 378[6]. 421[3].
   435[1]. 505[2]
ἀπότιτθος II 448[5]
ἀποτμήγουσι 702[4]
ἀπότμηται 767[1]
ἀποτολμάω II 445[5]
ἀποτρέπειν: -τρέψειν II 296[5];
   ἀποτετραμμένοι ἐγένοντο II
   407[7]
ἀπότροφος II 444[3]
ἀποτυγχάνω II 431[5]. 445[2];
   – τοῦ σκοποῦ II 104[4]
ἀποτύψωνται II 445[3]
ἀπ' οὗ II 447[5]. 653[4]
ἀποῦ ngr. 87[4]
ἄπουν n. Plat. 565, 3
ἀπουράμενοι Hes. 740[5], 5
ἀπουρᾶς 224[4]. 385[5]. 653[3].
   740, 5
ἀπουρίζω 736[1]; -ρίσσουσιν
   Ilias 740, 5. 785[5]
ἄπουρος II 448[5]
ἀπόφαγα ngr. II 268, 2. 395[7]
ἀποφαίνω II 445[4]
ἀποφάναι 812[1]
ἀπόφασιν δοῦναι 811[8]
ἀποφέρω 390[8]; -φέρεσθαι II
   377[1]
ἀποφεύγω II 426[6]; -γει II
   420[3]; -φύγοι II 388[6];
   -πέφευγα II 264[5]; ἀπο-
   φεύγειν τι παρ' ὀλίγου II
   496[6]
ἀπόφημι II 445[4]
ἀποφθάρηθι att. 759[5]
ἀποφθίνω II 445[5]; -φθίσθω
   imper. 740[3]. II 344[1]; -νειν
   c. dat. II 148[5]
ἀποφθινόντῶν pl. imper. gort.
   802[4]
ἀποφορά II 357[2]. 620[5]
ἀποφράς 507[4]
ἀποφύλιος II 448[4]
ἀποφώλιος II 448, 1
ἀποχάζομαι II 445[5]
ἀποχειρόβιος 446[5]
ἀποχειροβίοτος 446[5]. II 448[5]
ἀπόχειρος 430[3.4]. II 448[5]
ἀποχρεῖ 'es genügt' 675[5]
ἀπόχρεμμα 323[4]
*ἀπόχρεμμα 323[4]
ἀποχωρῶ (-εῖν) II 73, 1;
   -χωρῆσαι II 378[1]; -χωρῶ
   c. dat. II 162[4]; – ὑπό τινος
   II 529[3]
ἀποψέ Ap. Dysk. 633[1]

ἀπόψε ngr. 631⁶
ἀποψηφιεῖσθαι II 376⁵
ἄππα 422⁷
ἄππε[ῖσαι] thess. 265⁵; ἀππει-
σάτου 316⁷
Ἀππελῆς 268³
ἄπρακτος II 704²
ἄπραχτος τῆς ἀγάπης ngr.
II 136⁴
ἀπρεπές c. dat. II 144³
ἀπριάτην adv. hom. 621², 4.
743⁵. II 38⁴, 5. 599⁴
ἀπρικτόπληκτος 437⁶
ἀπρίξ 620⁶. II 704³
ἀπροβούλευτος II 181⁵
ἀπροσώπως II 244³
ἀπροτίμαστος II 105⁷
ἀπτερέως 513⁴
ἀπτήν 487³·⁴
ἄπτομαι (-εσθαι) II 230³.
283⁴; ἅψομαι II 291⁶; ἅψατο
655⁶; – γενείου χειρί II
130¹; ἅψασθαι γούνων II
365³; – σίτου II 130²; –
τῶν πρὸς τὸν πόλεμον II
512²; – τι ἀπό τινος II 434⁵
ἄπτω 704⁶. 705, 5. II 230³
ἀπύ ark. kypr. pamph. lesb.
thess. 89¹. 90⁷. 182⁴. II
444¹. 447⁷; – c. dat. (loc.)
82⁵. 88³
ἀπυδεδώκανσι ark. 765, 5
ἀπυδόας ptc. ark. 665⁶. 741⁴.
745⁶. 746¹
ἀπυδοσμός 493³
ἀπυδῶναι ark. 732, 3
ἀπύειν τινὰ πρὸ δόμων II 506³
ἀπυλιμπάνω 699⁶
ἀπυλιῶναι ark. 732, 3
ἀπύρε(κ)τος 428, 1
ἄπυρον II 490³
ἀπύρωτος Ilias 731⁷
ἀπυσεδομίν[ος] 301³
ἄπυστος 306⁷. 307². 325³.
347⁴. 810⁷. II 241⁸
ἀπυτειέτω ark. 301³
ἀπφά 316². 422⁷; ἄπφα 339⁸
ἀπφῦς 316². 423¹. 464¹
ἄπωθεν 628³. II 444³
ἀπωθέω (-εῖν): ἀπωσέμεν II
365⁶; ἀπώσω τι c. dat.
II 146⁴; -εῖσθαι II 231⁶; –
πὰρ νηῶν πρὸς τ. II 497⁴;
– τινα ἔθεν II 236¹; – τινα
κατὰ μόνας II 478¹; – τὴν
ναυμαχίαν II 79⁸
ἀπώικισε 654, 3
ἀπώλετο usw.; s. ἀπόλλυ-
μαι
ἀπωλώλη; s. ἀπόλλυμαι
ἀπώμνυον, -υε 698⁵
ἀπωσέμεν II 365⁶
ἀπωτάτω II 444³
ἀπωτέρω II 444³

αρ (aus ͜ρ) 57². 342³·⁴·⁵·⁶.
747⁵
αρ > kret. αι 348²
ἄρ 622⁷. II 556, 2. 558³·⁴, 4.
559⁵·⁶; ἐπεὶ ἄρ δή II 660⁶
ἄρ’ II 558³·⁴
ἄρ’: ἄρ’ οὐ II 564, 5. 629⁴;
ἄρ’ οὖν II 564, 5
-αρ suff. 518⁴, 6. 519¹; (gen.
*-νος) 582⁶
ἄρα 622⁷. II 424⁷. 553⁴·⁵.
555³. 556¹·⁴, 558³·⁴, 4. 11.
559¹⁻⁴. 564, 5. 570². 633⁶;
ἀλλ’ – II 559¹; – γε II
559¹. 561⁴; – δή τοι II 559³;
– τοι II 559²; ἐπεὶ ἄρα II
660⁶
ἄρα 402³. II 555⁶. 558, 5.
564⁶, 5. 578³. 628⁶, 3; ἀλλ’
– II 564, 5; ἀρά γε II 561,
4. 564, 5; – δή II 564, 5;
– μή II 564, 5. 629⁴·⁵; ἀρ’
οὐ II 564, 5. 629, 4; ἀρ’
οὖν II 564, 5
ἀρᾷ 188, 2; ἀρῶμαι ἀράν II
75⁴
ἀρα- II 185, 2
ἀραβάσσειν 315⁵
Ἄραβες 425²
ἀραβέω 726², 5
ἄραβος 726, 5
ἄραδος 508⁷
Ἄραδος 153²
*ἀραϜά 188, 2
ἀράζειν 315⁵
ἀράζω 736²
Ἀραhῖνος 94⁵
Ἀραίας gen. sg. m. ON
megar. 560⁴
ἀραιός 468⁴. 539, 3
ἀραιρηκώς Hdt. 766⁵
ἀραίρηται Hdt. 766⁵
ἀράμεναι infin. 681⁴
ἄραμος 493⁶
ἄραντας att. 753⁵
Ἀράντισιν maked. 837⁴
ἀράομαι 188². 725⁶, 8; ἄραο
imper. lesb. 729²; ἀράασθαι
c. dat. II 147³; ἀρήσασθαι
II 374⁷; ἀρῶμαι ἀράν II 75⁴
Ἄραρ 569⁴
ἄραρα 646⁵. 766²; ἀραρεῖν
646⁵; ἄραρῃ conj. hom.
749²; ἄραρον hom. 749²;
ἀραρυῖα 766²; s. auch ἄρηρα
ἀραρίζω 736²
ἄραρον 423²
ἀραρινοί 423²
ἄραρις 423²
ἀραρίσκω 646⁵. 749². II
558⁴; ἀράρισκε hom. 710³,
6. II 227⁶; s. ἦρσα
ἄραρον hom. 749²; ἤραρον
749³. 710³. II 227⁶

ἀραρυῖα 766²
ἀραρών ptc. hom. 749²
ἄρας ion. att. 250⁵; s. ἄραν-
τας
*ἀράσι dat. pl. 357³. 486².
568⁶
ἀράσοντι fut. her. 362. 683³.
784⁷, 7
ἀράσσω 310³. 715²
ἄρατρον kret. (gort.) 362².
532². 683³
Ἀράτυος lokr. 362². 506⁶.
683³
ἀράχνης m. Hes. 561⁴
ἀραχοντος eleus. 278⁶
ἀράω 683³
ἀρβάκις 598¹
ἀρβόν 496¹
ἀρβύλη 61⁸. 306³
ἀργαδεῖς 476, 4
ἀργαλέος 258⁶. 484²
ἀργᾶς (gen. -ᾶντος) dor.
250⁵. 528¹
Ἄργε (= -ē = -ει) loc.
argiv. 192¹. II 155¹
Ἀργεῖος (-εῖοι) 73⁷. 77⁵. II 45³
ἄργειτε imper. Antim. 268⁸.
804, 2
Ἀργεϊφόντης 452, 7
Ἄργεννον 86⁵
ἀργεννός äol. 106⁴. 281⁸
ἀργέντινος 490⁶
Ἄργεσσα 499, 3
ἀργεύομαι 732⁶
ἀργηστής 500, 1
ἀργη/ετ- hom. 499², 3. 565⁶;
ἀργής 499², 3; ἀργῆτι 270⁵
ἀργι- 293¹. 339⁷. 447⁶
ἀργιβρέντᾱς 838⁵
ἀργικέραυνος 447³·⁶
ἄργιλος 68⁵. 483⁴
ἀργινόεις 527⁵, 12
ἀργιόδους 447⁶
ἀργιόεις hom. 527⁵, 12
ἀργίπους 447⁶
Ἄργισσα 499, 3
ἄργμα 523³
ἀργμένον 769, 10
Ἀργόλᾱς 484⁵
Ἀργοναῦται 439⁵
*ἄργος n. 512⁵
Ἄργος m. Od. 635², 2
Ἄργος n. II 33, 2; ἐν -ει 615⁷
ἀργός 260². 432¹. 447⁶. 481⁵.
II 182⁸
ἀργουρίω böot. 182¹
*ἄργρός 447⁶
ἀργυράφιον 289⁶
ἀργύριν 472²
ἀργύριον 163⁶
ἀργύρΟν gen. sg. kypr. 88⁶.
555, 6
ἀργυρόπεζα 330². 341⁵. 449,
3. 473⁶. 837²

ἄργυρος 293¹. 339⁷. 482⁵,
12. 491⁵. II 34, 4
ἀργυροῦς 553⁶
ἀργύρροι 274³
ἀργύρ(ρ)ος äol. 472²
ἀργύρυ pamph. 182⁸
ἄργυφος 495⁵, 11
Ἀργώ 635², 3
ἀργῶ (ἤργησα) 655²
ἄρδεσκε II 278⁴
ἀρδεύω 732⁶⁻⁷, 7
ἀρδηθμός 493²
ἄρδην 626³, 6. II 416, 1.428¹;
εἰς ἄρδην 626, 6
Ἀρδηττός 61³
ἄρδις 462⁵, 6
ᾰρδμός 492⁴, 5
ἄρδω 685², 3. 830³; ἦρσα
(nicht ἦρσα) Hdt. 685²
ἀρεάν 195³
Ἀρεδείκης 444⁴
ἀρέζω ngr. 736⁷
Ἀρέθουσα, -θούσηι 526¹. 703³
*ἀρέθω 703³
ἀρειάω Hippokr. 732²
ἀρειή 469, 3
Ἀρειθύσανος 446³
Ἀρειμάνιος 446³
Ἀρειοπαγίτης 446⁵
ἀρειότερος 539⁵
ἀρείων 434, 1. 538³, 11. II
184²·³
Ἀρείων 637⁴
*ἄρενα acc. sg. 568⁶
ἀρέπυια 411⁷. 704⁵; Ἀρε-
πυῖᾱ II 49, 2; Ἀρέπυια
278⁷. 734⁴
ἀρέπω 684⁴
Ἄρες Ἄρες 421, 1. II 700¹
Ἄρες voc. sg. 421, 1. 576⁴.
II 700¹
ἀρέσαι 708⁴
ἀρέσθαι 747¹. II 296⁶. 365⁵
ἄρεσκος 541⁶
ἀρέσκω 682⁵. 708⁴. 712¹; -ει
τινά, – τινί II 73⁵; ἀρέ-
σκοντ' ἔστι II 408¹; ἀρέ-
σκοντές ἐσμεν II 408¹;
ἀρέσκειν c. dat. II 143⁸;
ἀρέσκομαι II 73⁵; – c. dat.
II 143⁸. 146⁸. 168¹; ἀρέσαι
708⁴; ἀρέσω praes. ngr.736⁷;
ἀρέσσομαι hom. 708⁴; ἀρέ-
σομαι att. 784⁶
ἀρέσμιος 493, 10
ἀρεστός 708⁴; – c. dat. II
143⁸
ἀρεστῶς c. dat. 143⁸
ἀρετὰ περὶ τὰν τέχναν II 504⁷
ἀρεταλόγος 452³
ἀρετάω (-ᾶν): – ὑπό τινι II
525⁶ – ὑπό τινος II 528²
ἀρετή 501², 2. 528, 5. 708⁴;
-αί II 43⁶

Ἀρέτη 420⁵
Ἄρετοι mess. 478, 8
Ἀρευπαγιτῶν 194, 1. 197, 2
Ἄρευς nom. sg. böot. lesb.
576⁴
*ἀρέω 727, 1
Ἄρεως; s. Ἄρης
ἀρϜᾶ̆ 188, 2. 472⁶
*ἀρϜάομαι 188²
ἀρή hom. ion. 188, 2. 228³.
462¹
ἀρήγω (-ειν) 685⁴. II 375⁸;
τοῦ ἀρήγειν II 360⁷; ἀρήξω
II 292⁷; ἀρήγω c. dat. II
144⁷; – μάχῃ II 170²
ἀρηγών 411⁷. 485⁴. 487¹; -ὼν
θεά II 385¹
ἀρηικτάμενος hom. 102²
Ἀρηίφατος 446³
ἀρήμεναι infin. hom. 806⁵
ἀρημένος 770⁴; -ον ὑπὸ γήρᾳ
II 526⁵
ἀρήν 357³. 486²·⁷. 568⁶. 840²;
ἀρνός gen. sg. 568⁶, 5; *ἀρέ-
να acc. sg. 568⁶; ἄρνα 568⁶;
ἄρνε du. II 48⁵;* ἄρηϲι dat.
pl. 357³; ἀρνάϲι spät 357³.
568⁶; ἄρνεϲϲι hom. 568⁶
ἄρηρα II 227⁶; ἀρήρει 777, 11;
ἀρήρηι ion. hom. 766²;
ἀρηρώς hom. 540, 1; ἀρηρός
540²; s. auch ἄραρα
ἀρηραμένος Opp., Qu. Sm.
767, 5
ἀρήρεχα spät 708⁴
ἀρηρέμενον Ap. Rh. 766²
ἀρηρόμενον hom. 766⁴
ἀρηρομένος hom. 683³
Ἄρης hom. att. 462¹. 576⁴;
Ἄρες voc. 576⁴; Ἄρες –
421, 1. II 700¹; Ἄρηος gen.
hom. 576⁴; Ἄρεως gen. att.
576⁴; – πάγος II 177⁷; Ἄρευς
nom. sg. böot. lesb. 576⁴;
Ἄρην, Ἄρη acc. 576⁴
ἀρής nom. sg. pap. 568⁶.
569⁶
ἀρήσασθαι II 374⁷
ἀρητεύω arg. 732⁶, 6
Ἀρήτη II 66³
ἄρθεν intr. Ilias 760⁶
ἀρθμέω 726³
ἀρθμός 493¹
ἄρθρον 533². II 14⁴·⁵
ἀρι- 434², 1. 632⁶
Ἀριάγνη 208⁶
Ἀριάδνη 208⁶. 215⁷. 434².
489⁴
Ἀριαῖος 468⁵
Ἀριάννη att. 215¹
Ἀριαπείθης 206²
ἀριγνῶτες 451⁶
ἀρίγνωτος μετ' ἀνθρώποις II
483⁴

ἀριδείκετος 434². 502³; – ἀν-
δρῶν II 116⁶
ἀρίζηλος 483⁵
ἀριθμέω (-εῖν) 587⁴. 726³.
730⁷. II 122⁷. 123⁴; -έοντο
655⁶; -ήϲεται 263⁷
ἀριθμητικά (term.) 587, 1
ἀριθμός 493¹. 587⁴. 710, 6.
II 86²; -ῷ II 167⁴; -οῦ
δηλωτικά (term.) 587, 1
ἀριθμός att. 257³
ἀριθμοστός 596²
Ἀρίμοις 495¹
Ἀριο- 438, 1
-άριος suff. 455, 2
Ἀρίσβας 526⁴
ἄρισσος 338²
ἄριστα adv. superl. 621³
Ἀρισταγόρας 636, 1
Ἀρίσταιχνος koisch 215⁸
ἀρισταν 'frühstücken' 736⁵.
774, 1; ἠρίστηκα, -στᾱμεν
Kom. 774, 1; ἠρίστηται II
239⁶
Ἀρίσταρχος 162⁵
Ἀρίσταρχος (τὸ) II 25³
Ἀριστέας att. 562³
ἀριστείᾱ 539⁶
ἀριστεῖα n. pl. 596⁵
Ἀριστείδαρ gen. sg. m. lak.
560⁴
Ἀριστείδης 201⁶
ἀριστεῖον 539⁶
ἀριστερά (ἡ) II 175⁵
ἀριστερᾶς adv. 621⁴
ἀριστεραχόθεν böot., Koine
630⁵
ἀριστερός 379⁴. 533⁶. 537⁴;
-ᾶς χειρός II 112⁵; ἡ -ά II
175⁵
ἀριστερόφιν Ilias 550⁷
ἀριστεύειν 732⁴. II 374⁷;
– μετά τινα II 486⁵
ἀριστεύεσκε hom. 711²
ἀριστῆες 539⁶; -ήεσσι hom.
564⁵
Ἀριστηίδης 201⁴. 636¹
ἀριστηίον ion. 241⁶
ἀριστῆν Hippokr. 730³
Ἀριστῆς rhod. 250⁷. 562³
ᾰριστίζειν 736⁵
ἀριστίνδας lak. 627²
ἀριστίνδην 627²
Ἀριστογίτονος 193⁴
Ἀριστόθοενος 194⁶
Ἀριστοκλέα nom. sg. m.
dryop. 560⁴
Ἀριστοκράτεις böot. 580⁵
ἄριστον 313³. 357⁴. 359¹.
426². 622². 775, 7
ἀριστοπόσεια 473, 1
ἄριστος 434, 1. 538³, 11.
816⁵; – ἐπ' ἰθύν II 473²; –
ἐνὶ Θρήκεσσι II 155⁶; –

Ἀχαιῶν II 100⁴;-οι ψυχήν
II 42⁴; -ος εἶδος II 85⁷;
– τῶν αἰτίων II 606⁵; ἐνείκη
ἄριστα ἑωυτῆς II 100⁶; –
πεποίηταί σοι πρός τινος
II 514⁶; ἀρνειὸς . . .μήλων
ὄχ' ἄριστος II 606⁴
Ἄριστος 637⁴
Ἀριστοτέληρ 254¹
Ἀριστοφάνᾱς acc. pl. Plat.
580, 1. II 45⁵
Ἀρίφρων 285³
ἄριχα 498⁴
Ἀρίων 521, 3
*-αρϳω 324⁵. 342³
Ἀρκαδία 469¹
Ἀρκαδίη 461²
Ἀρκάθθι kret. (gort.) 320⁶.
566¹
Ἀρκάς 507, 7; -άδες 79²
Ἀρκασίδης 301³
Ἀρκεθέωρος 261⁷
Ἀρκεσίλαος 516⁷
Ἀρκεσίλεως 245⁶
ἄρκεσις πρός τινος II 514⁵
ἄρκευθος 510⁷
Ἀρκεφῶν ätol. 261⁷
ἀρκέω (-ῶ, -εῖν) 721⁵. II 352²;
ἀρκέσω 782³; ἤρκεσα 655³;
ἀρκῶ μένων II 393²; ἀρκοῦν
ἐστιν II 408¹; ἀρκεῖν c. dat.
II 146²⁻³; ἀρκεῖσθαι II 168¹;
ἀρκεσθη- 761³
ἄρκος 326²
ἀρκούδα f. ngr. 326². II 32, 4
ἄρκτος 49⁵. 326².⁴. 342³. 381¹.
II 31⁵
ἀρκτύλος 485². II 36⁵
Ἄρκτων νῆσος 280³
ἄρκυς 436⁵; -ῦς nom. pl.
Xenoph. 564¹
ἅρμα att. 306¹. 523⁷; – τινὸς
μέτα II 486²; ἅρματα II
43⁴; ἁρμάτεσσι lesb. 564³;
ἐν ἄρματα Pind. II 455⁵
ἁρμαλιᾱ 469⁶, 6. 483⁷
Ἁρμαπίας 364⁸
ἄρματα pl. ngr. 515, 3
Ἁρμάτεσσι kerk. 564⁴
ἁρματροχιή 440¹
Ἀρμενιακός 153³
Ἀρμένιον 68, 1
ἄρμενος 335⁸. 524⁷. 751². 760⁶
ἄρμένος dor. 766, 1
ἁρμογή Koine 734²
ἁρμόδιος 467, 4. 734, 2
ἁρμόζω (-ειν) ion. att. Pind.
734², 2. 775²; – c. dat. II
148⁴; -όσω fut. 734²; ἥρμο-
κα 734². 775²
ἁρμοῖ 467, 4. 549⁶. 734, 2
(*ἄρμοιϳω) 734, 2
ἄρμοξα dor. 734²
Ἁρμοξίδαμος ach. 734²

ἁρμός 306¹
ἁρμόσδω Theokr. 734²
ἁρμόσσον Hippokr. 734²
ἁρμοσταί att. 82²
ἁρμοστήρ lak. 734²; -ῆρες 82²
ἁρμόστωρ Aesch. 734²
ἁρμόσυνοι 529⁵
ἁρμόττω (-ειν) att. 127⁸. 734²,
1. 737⁶; – c. dat. II 144³
ἄρμωλον 484⁴
ἄρνα acc. sg. 568⁶
ἀρνακίς 263³
ἀρνάσι dat. pl. 357³. 568⁶
ἄρνε II 48⁵
ἀρνειός 229⁵. 335⁸; – .. μή-
λων ὄχ' ἄριστος II 606⁴
ἀρνέομαι (-οῦμαι, -εῖσθαι) 57⁵.
696, 5; ἀρνήσατο hom. 761¹;
ἀρνοῦμαι c. ptc. II 396⁶;
– ἀμφὶ βόεσσι II 438⁵;
– ὅτι οὐ II 598⁵; ἀρνοίμην
ἄν II 329³
ἄρνεσσι dat. pl. hom. 568⁶
ἀρνεώς 477⁵
Ἄρνη böot. thess..60, 2. 489³
ἀρνί ngr. 471¹
Ἀρνιάδᾱς kerk. 335⁸
ἀρνίον 471¹. 568⁷
(ἄρνοις pap.) 565²
ἄρνον acc. sg. 568⁶
*ἀρνόνακος 263³
ἀρνός gen. sg. 568⁶, 5
*ἄρηϙσι 357³
ἄρνυμαι 746, 5. 785². II 260²;
-ύμενος hom. 696³. 747²;
ἀρνύσθην hom. 696³; ἄρνυσο
Sapph. 696³; ἀρνῦσο II 321³,
1; ἀρούμαι 785¹⁻². II 293¹;
ἀρόμην aor. 696³; ἠράμεθα II
243³; ἀροίμην II 322⁴; ἄροιτο
II 236¹; ἀρέσθαι 747¹. II
296⁶. 365³;-τι c. dat. II 151²
– τι παρά τινος II 497⁷; –
τιμὴν πρός τινος II 514⁵
*ἄρνῡμι 363²
ἄρξαι, ἄρξω; s. ἄρχω
ἄρξασθαι, ἄρξομαι; s. ἄρχομαι
-ᾱρο- suff. urgr. 482⁵·⁶
*ἄροϝαρ 520¹
ἀρόμεναι infin. (υ–υυ) Hes.
683³. 806⁵
ἀρόμην; s. ἄρνυμαι
ἄρος 512³
ἀροσ-; s. ἀρόω
ἀρόσιμος 683³
ἄροσις hom. 683³
ἀροσμός 683³
ἀροτήρ 683³
ἄροτος 683³
ἀροτριάω 732⁴
ἄροτρον 291². 532². 683³
ἀρουαλις 158⁴
ἀροῦμαι poet. 785¹⁻². II 293¹
ἄρουρα 475¹. 520¹. 683³

a·ro·u·ra·i kypr. 194³
ἀρόω (-ῶ, -οῦν) 309¹. 362².
683³. 815³; ἀρόωσιν 683³;
ἀρόσσω fut. 717¹. 784⁷; ἀ-
ρόσω spät 784⁷; ἤροσα
752⁴. 784⁷; ἀρόσηις 683³;
ἀροσθη- 761⁴; ἠρόθην Soph.
761⁵
ἁρπαγή 734⁴
ἁρπαγίστατος 127⁷
Ἅρπαγος 152⁶
ἁρπάζω 734³; -άσαι ion. att.
737⁶; ἥρπασα 734⁴. 737⁶;
ἥρπαξε 734³; ἁρπαζομένων
II 408⁶; -άσομαι att. 734⁴;
ἁρπασθη- att. 760²; ἁρπα-
σθεισέων II 408⁶; ἁρπαχθη-
Hdt. 760²; ἁρπαγη- pass.
Koine 760²; ἁρπάζειν αἶγα
ὑπὸ κυνῶν II 527³
αρπακτῆρες 734⁴
ἁρπαλέος 484², 2
Ἁρπάλυκος 399¹
ἁρπάμενος hell. poet. 681⁴.
734⁴
ἅρπαξ 498²; -γίστατος 127⁷
ἁρπάσαι, ἁρπασθη-; s. ἁρπά-
ζω
ἅρπασμα 127⁸
ἁρπάσομαι; s. ἁρπάζω
ἁρπᾶται fut. Koine 785³
ἁρπαχθη- 760²
ἁρπεδών 529⁷
ἄρπεζα 473, 5
Ἁρποκράτης 155, 2
ἅρπυια 541³
Ἅρπυιαι 734³
Ἄρπυς 463⁵
ἀρ(ρ)αβάσσειν 315⁵
ἀρραβών 153³. 316¹. 488¹;
-ῶνες ngr. II 43, 5
ἀρ(ρ)άζειν 315⁵
ἄρρατος 310¹. 450⁶
ἀρρέγονος 831²
ἄρρεκτος 502, 8
ἄρρεν (γένος) II 28³
ἄρρενος nom. spät 582⁶
ἀρρέντερος 535²; -ον ark.284⁷
ἀρρενωπός 447¹
ἀρρήδην H. 626³
ἄρρηκτος 227⁵. 310¹. 322⁷.
502, 8
ἄρρην 284⁷. 322. 486⁷; – ngr.
285⁴; -εν (γένος) II 28³;
ἄρρενος nom. spät 582⁶;
ἀρρέντερος 535²; -ον ark.
284⁷
ἄρρητος 227⁵; ἄρρητ' ἀρρήτων
II 116⁶. 700⁵
ἀρρηφόρος 439, 2
Ἀρ(ρ)ίφρων att. 285³
ἀρριχάομαι II 440⁷
ἄρριχος 498⁴
ἄρροος 414²

ἀρρωδέω (-εῖν) ion. 255⁷. II 440⁷⁻⁸
ἀρρωδίη ἐστί τινι II 433⁴
ἀρρωστέω: ἠρρωστήσαμεν II 243⁷
ἀρρώστιες [so] ngr. II 43, 5
ἄρρωστος τῆς πύρεξις ngr. II 136⁴
ἄρσα hom. 760⁶; ἄρσασα c. gen. II 112²
ἀρσενικός ngr. 285⁴
ἄρσετε Ap. Rh. 782²
ἄρσην hom. 284⁷. 342³; -εν 580⁶
ἄρσης j.-lak. 284⁷. 569⁶
ἄρσια delph. 579³
ἄρσιος 270⁵
ἄρσις 285³. 505, 4
*ἄρσνηϝός 335⁸
ἄρσος 513¹
Ἄρταμις 82⁴. 256⁴; -άμῑ arg. 464⁴
Ἀρταμίτης ngr. 121⁴
Ἀρταμίτιος 270⁶
ἄρταμος 426³
Αρταυαζδου 154⁸
Ἀρταφρένης 42, 5
ἀρτάω 705⁵; -τήσω 705⁵; ἄρτηται 655⁶
ἀρτέβη 181, 1. 364⁸
ἀρτεμής 513⁵
Αρτεμιδωρου 156²
Ἀρτεμίρια eretr. 218⁵
Ἄρτεμις 62². 833⁴
Ἀρτεμισιών 488⁴
Ἀρτεμίσκος 542³
ἀρτέμων 522³
ἀρτέομαι 706¹
ἄρτι 270⁴. 271⁷. 622². II 158⁶. 269⁸. 281⁸. 558⁴
ἀρτιάκις Plat. 840⁷
ἀρτιέπεια hom. 543³
ἀρτιεπής hom. 442⁷, 6. 735⁵
ἀρτίζω 735⁵
ἀρτιμαθής κακῶν II 108¹
ἀρτιμελής att. 735⁵
ἄρτιος 270⁴. 451³. 461⁴
ἀρτίσκος 542²
ἀρτίφρων 735⁵
ἀρτίχειρ att. 735⁵
ἀρτοκόπος 298⁸
ἀρτόκρεας 453, 2
ἀρτοπόπος 298⁸
ἀρτόπωλις 464⁵
*ἄρτος n. 512⁵
Ἀρτύλας 441⁶
ἀρτῦνος 488⁶, 5. 489². 491⁴. 733⁴
ἀρτύνω hom. 727⁶; -νέω hom. 785²; ἀρτυνθη- 761⁶
ἀρτύς 506⁵
ἀρτύω 706¹. 727⁵; ἀρτύσει her. 791, 1; ἀρτῦθη- att. 761⁶

ἀρύβαλλος 61⁸. 645, 1
Ἀρύμβας 231⁷
ἄρυσος 516⁷
ἀρύσσω 717¹
ἄρυστις 504⁴
ἀρυτήμενοι lesb. 704³
ἀρύτω 704³
ἀρύω 644, 4. 686³; -ύουσαι H. 732, 6
ἀρχαϊκός 266¹
ἀρχαῖος II 693². 704²; s. auch τἀρχαῖον
ἀρχαιότροπα τὰ ἐ. πρὸς αὐτούς II 99, 1
Ἀρχάνα [nicht Ἀχράνα] 831³
ἄρχε (= -ει) 192¹·³
ἀρχε- 444³
Ἀρχεάνασσαν 195³
Ἀρχέβιος 636⁴
Ἀρχέλαοι 36⁵
Ἀρχένεως att. 451, 1
ἀρχέπολις 425⁶
Ἀρχερατικῆς hell. 245²
ἀρχέτᾱς 500¹
ἀρχεύω(-ειν) hom. 732⁵; - c. dat. II 169²
-αρχέω verba 731⁶
ἀρχή: ἀρχὴν ἄρχειν II 75²; οὖ τὴν – II 70³; ἀρχὴ ἐς γῆν καὶ ϑ. II 460⁴; ἀπ' ἀρχᾶς II 447⁵; μιᾶς ἀρχῆς ngr. II 136⁵; ἀρχήν adv. 621¹
ἀρχηγέτευ gen. 248³
ἀρχῆθεν 628²
*ἀρχήλια 413⁷
-άρχης 451⁵
ἀρχι- 444³
Ἀρχίας 636⁴
ἀρχιέρεως nom. 458². 477⁵. 557, 2
ἀρχιίατρον 202⁶
ἀρχιιερέα 202⁶
ἀρχιπρουρός II 505, 2
ἀρχιτεκτονέω 731⁶
Ἀρχιφάει dat. II 468⁸
ἄρχμενος 678⁶. 685, 4. 814²
ἄρχομαι (-εσθαι) II 396³; ἄρξεται conj. kyren. 790⁴; ἄρξονται fut. pass. 756⁶; ἠρξάμην II 261³; ἄρξομαι σέο II 94⁴; ἀρξάμενου τοῦ χώρου II 94⁴; ἄρξομαι ἀπό, ἐκ II 94⁴; ἄρχεσθαι ὑπό τινι II 526¹; – ὑπό τινος II 529⁷; ἄρχομαι λέγων II 393³; ἀρχόμενος, ἀρξάμενος 'anfangs' II 390⁸
ἀρχοντιάω 731². 732³
ἀρχοντικώτερος II 184, 2
ἀρχός 459³; – ἀνὴρ βουληφόρος II 614⁶
ἀρχωανία 438, 1
Ἀρχύλος 636⁴
Ἀρχύτα äol. 560¹

ἄρχω (-ειν) 685², 4. II 277⁴. 281⁴. 361⁴; τὸ ἄρχειν II 370⁴; ἄρχων voc. ptc. 565, 4; ἄρξαι II 261³. 365³; ἄρξω II 265⁴; ἄρξειν II 295⁷; ἄρχω c. gen. II 109⁶. 110 ¹·³; – πολέμου II 232⁵; – τινός c. dat. II 151². 169³; – c. dat. II 169¹·²; – πρό τινων II 506⁵; – χαλεπαίνων II 393² ἄρχων (ὁ) II 42¹; ἄρχον voc. 565, 4; ἄρχοντε f. II 35, 1; -ες adj. II 408¹
ἀρῶ fut. ion. att. 250⁵. 715⁴. 785¹
ἀρωγή: ἐπ' ἀρωγῇ II 467⁶; ἀρωγὰν πολέμων II 617³
ἀρωγοναύτης 454¹
ἀρωγός 459²
ἄρωμα 523⁵
ἀρῶμαι; s. ἀράομαι
ἀρώματον hell. 521²
ἀρώμεναι (= -όμμ-) inf. 362². 806⁵, 10
ἀρωραῖος 362²
ἀρώσιμος 683³
ἀρώσω fut. 784⁷
ἄς (< ἄφες) ngr. 793³. II 349⁸; – c. conj. 804⁵; – βγάλω, – ἰδοῦμε 314⁶; – εἶναι II 319⁴; – μή II 596²
ᾱς äol. 528³
ᾱς (= ἕως) dor. (her. böot.) 245⁵. 250³. 305⁶. 528³. 629⁶. II 650⁵
ᾱς τινας, s. ὅστις
-ᾰς suff. collect. f. 508³. 596⁵⁻⁶, 7 f. 599²
-άς suff. adj. 507⁵, 5 f.
-άς Verbaladj. 810⁴
-ας suff. n. 511⁴. 514¹⁻⁵, 6 f. 516²
-ας acc. pl. 3. decl. 579¹. 580¹
-ας (gen. -ατος) 582⁵
-ας acc. pl. 549³. 551⁵⁻⁶. 533³; 562⁷
-ᾱς acc. pl. dor. 559²
-ας (gen. -α) m. ngr. 585⁶. II 38³
-ᾱς (gen.-ᾱ, pl. -ᾱδες) m. ngr. 128⁴
-ᾱς suff. m. 461²
-ᾱς nom. sg. m. 85⁷. 560 ⁵·⁶f. 561⁴, 6. 562¹
-ᾱς acc. pl. ion.-att. 559²
-ᾱς gen. sg. m. böot. nwgr. 558⁴. 560³⁻⁵
-ᾱς gen. sg. f. 549²
-ᾱς Koseform 128⁵
-ᾱς suff. hypok. 526³
-ᾱς unkontrah. m. 461⁵·⁶·⁷, 6
-ᾱς m. att. 562²
-ᾱς (gen.-ᾱ) m. 561². 562⁴
-ᾱςgen. sg. f. 382⁴. 549². 554,1

-ᾱς (gen.-ᾱδος) 586⁶
-ᾱς m. (gen. -ᾱτος) 565, 1
-ᾱς acc. pl. pron. ion. att.
  606²
-ας 2. sg. aor. 744²
-ας 2. sg. pf. 662⁴. 767³
-ας adv. 631⁴
ἄσᾱ 516⁵
-ασα aor. 816⁸
-ᾱσα aor. 754³·⁴. 817¹
-asa aor. ngr. 764⁴
ἄσαι 755³; – ῎Α.αἵματος II 103²
῎Ασαμβος w.-kret. 205⁵
ἀσάμενοι lesb. (liter.) 729²
ἀσάμινθος f. 61⁶. 458¹. II 34, 2
ἄσαμο f. unterital. 95². 458, 1
ἄσᾱμος 322³
ἀσαυτ- 259⁷; ἀσαυτῦ böot.
  199³
ἄσβεσθε· διέφθειρε kret. 654⁶
ἄσβεστος 503¹. II 599⁴
῎Ασβηλος 483³
ἀσβόλη II 32, 4
ἄσβολος 440⁴
᾽Ασγελαίων (τῶν) 276³
᾽Ασγελάτᾱς 276³
᾽Ασγελάτης (᾽Απόλλων) 95⁷
ἀσεβέω (-εῖν) 724³. II 73⁷;
  – περὶ ξένους II 504⁸
Ασεδωδ s. Ασηδωθ
ἄσειν fut. Ilias 755³. 782⁴;
  – κύνας δημῷ II 103²
ἄσεκτος 329²
ἀσελγέω 724³
ἀσελγής 513⁵
ἄσεσθε Ilias 782⁴
Ασ(η)δωθ [so]153²
ἀσήμαντος 773⁵
ἀσήμι(ο)ν 154⁷
-ᾱσθαι infin. Ausg. 809³
ἀσθενέω 724³; ἀσθενήσαντος
  αὐτοῦ II 400²
ἀσθενής: τὸ -ὲς τῆς γνώμης
  II 180⁶; ἀσθενέστερον ἑαυ-
  τοῦ II 100⁷
ἄσθμα 337⁴. 523⁷
ἀσθμαίνω 724⁵
-ασι 3. pl. aor. ngr. 666, 8.
  763⁶, 6. 779³
-ασι 3. pl. pf. 270⁴. 767³
-ᾱσι dat.- loc. pl. 558⁴. 559⁴.
  II 154³
-ᾱσι 3. pl.Personalend.665³,5
᾽Ασιάδης 509⁴
ἄσιγμος ᾠδή 5, 3
ἄσιλλα 308¹
ἀσινέας Od. 580¹
᾽Ασίνη 66⁴. 491²
ἀσινῆν acc. sg. 579⁴; -ῆς acc.
  pl. Od. 580¹
asini tsak. 309⁶
-ᾱσιον suff. 471³, 5. 526, 6
-ᾱσιος suff. adj. att. 308⁶.
  466⁶, 11

3*

ἄσις 307⁵. 462⁵. 506²
-ᾱσις suff. 739²
*ασj > αι 273²
-ᾱσκ- verba 711³. 712¹
᾽Ασκαλαπιόδουρος thess. 267⁷.
  278⁶
ἀσκάλαφος 495⁵
᾽Ασκαλπιός (nicht -πίος) kret.
  (gort.) 267⁴·⁷. 278⁵
ἀσκαρίζω 412⁷
᾽Ασκᾶς 337⁷
ἀσκεθής 340⁶·⁷. 341³. 513⁶
ἀσκελέως hom. 624²
ἀσκέρα 61⁸
ἀσκερίσκα pl. 542¹
ἀσκέω: ἤσκηται hom. 766²;
  ἠσκημένα n. pl. II 611⁷
ἀσκηθής 88⁴.280⁴.340⁶. 565,2
᾽Ασκηπιάδης 337⁷
ἀσκητέον II 410²
᾽Ασκληπιάδης 509⁴
᾽Ασκληπιός [so] 509⁴
ἀσκός 307⁴. 541⁶. 839⁴
*ἄσκω 'atmen' 632, 1
-ασμα suff. 524¹, 2
ᾆσμα ᾀσμάτων II 700⁵
-ασμαι pf. att. 773⁶
᾽Ασμάχ 836²
*ἄσμε 281⁸. 605⁵
ἄσμενος 343⁷. 524⁷. 678⁶.
  749, 3. 751⁷. II 408³; ἔστιν
  ἐμοὶ ἀσμένῳ II 152³
῎Ασμητος att. 208⁴
*ἄσμορις 310⁶
*ἄσμορος 281⁷
-ᾱσομαι fut. att. 785⁴
ἀσπάζομαι (-εσθαι) 433, 5.
  II 80¹. 233⁴. 277²; – ἐκ
  τῆς ψυχῆς II 463⁴; ἀσπασά-
  μενοι ὕστατα II 77⁵
ἀσπαίρω 343⁷. 412⁷. 714⁴.
  II 455, 3
ἀσπακάζομαι 417, 1. 644²
ἀσπάλαθος 510⁶
ἀσπάλαξ 412⁷
ἀσπαλιεύς 476, 5
ἀσπάραγος 362⁴
ἀσπαρίζω 736²
ἀσπάσιος 466⁵
ἀσπαστότερον πρὸ ἐλευθερίης
  II 100¹. 507³
῎Ασπενδος 303²
ἀσπερμεί, -ί, -οί adv. 623³
ἄσπερμος 338³
ἄσπετος 300³. 502³
ἀσπιδιώτης hom. 500⁵, 7
ἀσπιδοφέρμων 522⁵
ἀσπίθιον 329²
ἄσπιλος 69⁵
ἀσπίς 507³. II 42³, 2. 65⁶;
  ἡ – II 42²
᾽Ασπληδών 530²
ἀσπονδε adv. 623, 2
ἀσπονδεί 623²

ἀσπονδί (ασπονδι) äol. dor.
  450⁵. 623²
ἀσπορέω: ἠσπορηκυῖα 655²
ἀσπουδεί 623²
ἄσπρις 495²
ἄσπρον 152⁵
ἄσπρος 152⁵
ἄσσα 319⁴. 413⁵
ἄσσα n. pl. hom. ion. 319³.
  581³, 3. 616⁵
*ἄσσα 'οὖσα' 678¹
-ασσα suff. 473⁷. 474¹
ἀσσέως· ἐπὶ σοῦ H. 605, 6
*ασσι dat. pl. her. 525⁴. 567²
-ασσι dat. pl. her. 564⁷. 567²
ἄσσιστα dor. 538². II 547⁶.
  548⁵
ἆσσον ion. 287⁷. 319⁶. 538³,
  4. II 547⁶·⁷. 548³·⁴; – τύμ-
  βου II 97⁶; εἰς ἆσσον II 428¹
ἀσσοτέρω 539⁵. II 547⁶·⁷
᾽Ασσύριος 466⁴, 6
-ασσω verba 716⁷. 733⁴⁻⁵
-άσσω fut. hom.779⁸. 784³·⁴·⁶
ἄσσω II 72⁷; – κατ᾽ ἴχνος II
  478⁴; – ὑπὸ λύπης II 528⁶
᾽Ασταγόρας thess. 636, 1
ἀστακός 257⁷. 497¹
ἀστακτεί, -τί Soph. 623³
ἀστᾶς epid. 336⁸
ἀσταφίς 836⁴
ἄσταχυς 463⁵
ἄστεα hom. ion. 573⁴. 581²
(ἄστει du.) 573⁵
ἀστεΐζομαι 736⁴
ἀστεῖος 466²
ἀστεμφής 333⁴. 692⁶
ἄστεος gen. 572, 3
ἀστέρ- 424³
ἀστερίσκος 542²
ἀστεροπή 360¹
ἀστέρου pap. 278⁸. 579, 7
ἄστεως gen. sg. 127⁸. 572³.
  573¹
ἀστϜός 227, 2
ἄστη 251⁸. 273⁴·⁵
ἀστήρ 57³. 412⁷. 424³. 530⁵,
  3. 569¹, 1. 581⁵; s. ἄστρα,
  ἀστράσι, ἀστέρου
-αστής suff. 456⁶
ἀστικός 498²
῎Αστιν 226³
ἄστιος 466²
ἄστρα 581⁵
ἀστραγάλη ion. 458¹
ἀστράγαλος 518²; -οι 627³
*ἀστράκτω 705, 3
ἀστραλός 483⁵
᾽Αστράμψυχος 42, 5
ἀστραπή 360¹. 426²
ἀστράπτω 325⁷. 705¹, 3; -ων
  nom. abs. II 403⁵; -ει II
  271, 3; -ει Ζεύς II 621⁴
ἀστράσι dat. pl. 569¹, 1

*ἀστράσσω 705, 3
ἄστρις 518²
ἄστριχος 498⁴
ἄστρον 458³. 581⁵. II 37³;
 -α 581⁵
ἀστρωσίαι II 115¹
ἄστυ 227². 381¹. 463⁴. II
 24²; ἄστεος 572, 3; -εως
 127⁸. 573¹; (ἄστει du.)
 573⁵; -εα 573⁴. 581²; -η
 251⁸. 573⁴·⁵. 581, 2
ἀστυνόμος 439⁴
Ἀστυόχεια 105⁵
Ἀστυπάλαια 95⁷
ἄσυλε, -λεί, -λι adv. 623²·⁴, 2
ἀσυνέτημι lesb. 680, 3
*ασυτος 613⁷
ἄσυχα voc. adj. 558, 4
ἀσφαλίζω 128²; -ζεσθαι ἑαυ-
 τούς II 236³
ἄσφε, -ι lesb. 601⁷
ἀσφοδελός 420⁵
ἀσφόδελος 420⁴. 483⁵
ἀσχαλάω (-άαν) 725². II
 376⁸; -άᾳ μένων II 392⁶;
 -άω c. gen. II 1335; -ᾱν
 c. instr. II 168²
ἀσχαλεῖ att. Koine 785¹
ἀσχάλλω 725²
ἄσχετος 432². 502³
ἀσχήμων II 181⁵
ἄσχιστος 432²
ἀσχολέω 726⁵
*-άσω verba 739¹
-άσω fut. 784³·⁴·⁶. 785⁴.
 815⁷
ἄσω spät 782²
Ἀσωπός 426, 4
ἀτ (= ἀπ) thess. 265⁵. 316⁷.
 407⁶
*ἀτ (= lat. at) II 559⁵
-α[τ] 3. pl.Personalend.657⁶.
 665². 744³
ἄτα, ἄται; s. ἄτη
ἄτα tar. 348⁵
-αται 3. pl. Personalend.
 med. 657⁵. 671²·³·⁵, 2. 672¹;
 – pf. 771⁷. 812³
ἀτάκτως ἐρριμμένα II 611⁷
ἀταλὰ φρονέοντες II 611⁵
ἀτάλαντος 433³. 526, 1. II
 160³
ἀταλάφρων 452³
ἀτάλλω 725²
ἀταλός 483⁷, 9; -ὰ φρονέ-
 οντες II 611⁵
ἀτάλυμνος 524⁶
ἀτάρ II 556¹. 558, 5. 559⁴·⁵·⁶.
 569⁴. 633⁶; ἀτάρ .. γε II
 559⁵; ἀτάρ γε II 561⁴;
 – δή II 559⁵; – ὅμως II
 559⁵; – οὖν II 559⁵; – τε
 II 576³
(*ἀτάρ att.) II 559⁴

ἀταρπιτός 502⁵. II 34, 3
ἀτάσθαλος 452, 4. 483⁷
ἄτε 629, 5. II 386, 3. 576³.
 646⁸; – c. ptc. II 391⁸; –
 παῖς ὤν II 405³; – c. gen.
 abs. II 399²; – ὑμνητάς
 II 404⁷; – φιλοχρημάτους
 II 405¹
ἄτε instr. dor. 550³
-ατε 2. pl. aor. 744². 763⁶
ἀτέθαι ὑπὸ τõι μεμφομένõι
 II 526⁶; ἀτὲθ(θ)αί τι ὑπέρ
 τινος gort. II 521⁶
ἄτειν acc. sg.m. kilik.-gr. 123⁷
ἀτειρής 284³. 286³
ἀτελέη ion. 236⁷
ἀτελει adv. kret. 623, 13
ἀτέλεια ἐν τὸν ἄ. χρόνον II
 460⁷
ἀτέλεστος 578, 3; – c. gen.
 II 108¹
Ἀτέλη voc. ark. 579⁶
ἀτελής II 249²·⁴; – kypr.
 563²; -ήν kypr. 563². 579⁵
ἀτέμβω 684⁴; -ομαι 333⁴;
 -ονται νεότητος II 93⁵
ἀτενής 433⁴. 514¹
ἀτενίζω 514¹
ἀτέοντα, -ες 705⁶
ἄτερ 385⁵. 614³. 631¹. II
 533³. 537³⁻⁶, 1. 2. 3. 559⁴
*ἀτέρ 385⁶
ἀτέραμνος 286³. 360³. 524⁴
*ἀτερϜής 286³
ἄτερθα äol. II 537³
ἄτερθε(ν) 631¹. II 537³·⁴
ἀτεροῖον H. 609, 5
ἄτερος (I) dor. 588². 614³
ἄτερος (II) byz. 614⁴
ἄτερπος 450, 4
ἀτέρυι adv. 622³
-άτεσσι dat. pl. nachhom.
 564⁵
ἀτεχνῶς II 414¹
ἄτη 248⁷. 501⁴, 8; ἄτα du.
 II 49⁵; ἄτας ὕπερ II 521⁴;
 ἄται ματρῷαι λέκτρων II
 180⁶
ἀτῆς art. = τῆς 614⁵
-άτης suff. ngr. 543⁴
-άτης suff. 500⁴, 5
Ἀτθίς 60, 2. 316³
Ἀτθόνειτος thess. 90⁷. 316⁸
ατι (ἄτι) = ἄσσα gort. 581³,
 3. 616⁶
-ατι 3. pl. Personalend.
 343⁵. 657⁵; – 3. pl. pf. 664¹.
 767³
ἀτίει 432², 3. 644, 3. 686, 2.
 II 599⁴
ἀτίετος 502⁴
ἀτῑμάζω 730⁷. 734⁶; – τι
 ἔπη II 79⁷; -εσθαι πρός
 τινος II 514⁷

ἀτῑμάω 727³. 730⁷. 731⁴.
 734⁶; ἠτίμασεν II 599³;
 -ᾶσαι 727³; -ήσει κε II 351⁶
ἀτῑμία II 617³
ἄτῑμος 454³. II 599⁴; -οι
 τὰ σώματα II 85⁶; -ος
 ἀτιμίαν II 85⁸; -ος c. gen.
 II 126⁶; – c. dat. 151⁸; -ον
 εἶναι ἔκ τινος II 463⁵
ἀτῑμῶσαι att. 727³
Ἀτιντᾶνες epir. 66³. 204⁵
ἀτιτάλλω 648⁴
ἀτιτάλτας kret. 500¹. 648⁴
*ἄτϳα 343⁴
Ἀτλᾱγενέων 526²
Ἄτλᾱς 412⁷. 433, 2. 526, 1
ἀτμήν 522³
ἀτμός att. 493²
-ατο 3. pl. Personalend.
 657⁵. 671²·³·⁵, 2. 672¹;
 plusq. med. 771⁷. 812³
-ᾱτοι suff. ngr. 510, 2
ἄτοπον (τὸ) II 175²
-άτορας suff. ngr. 531, 6
ἀτός 199¹. 614⁵. II 236, 2
ἄτος 102⁷. 502⁵, 6; – πολέ-
 μοιο II 103²
-ατος Ausg. von Ordinal.
 503⁶·⁷
-ατος suff.superl.534².II 183³
-ᾱτος suff. ngr. 503⁵
ἄτρακτος 299⁷
ἀτραπός II 34, 3
ἈτρεϜίδης 104²
Ἀτρέϊ dat. hom. 576²
Ἀτρεΐδᾱ dor. hom. 557⁴.
 561³. II 49¹, 1; – μενέτην
 καὶ δῖος Ὀ. II 611¹
Ἀτρεΐδαι 421⁴. 509, 1. II
 45⁴; – τε II 60, 4
Ἀτρεΐδη voc. II 60⁵
Ἀτρεΐδης 241²
Ἀτρεϊῶν 536, 1
ἀτρεκής hom. 299⁷. 514¹
ἀτρέμα 405². 516². 620²
ἀτρέμας 405². 516². 620². 623²
ἀτρεμ(ε)ί att. 623²
ἄτρεστος 328⁵. 685⁵
Ἀτρεύς: -έϊ dat. hom. 576²
Ἄτρευς lesb. 383⁵
ἀτριάκαστος H. 503⁴. 597¹
ἄτριχος 38¹
Ἀτρόμητος 635⁶
ἀτρύγετος 502⁴. 838⁶
ἄττα 'Väterchen' 230³. 315⁵.
 339⁸. 422⁷. 560⁵
ἄττα neut. pl. pron. 128².
 319⁴. 413⁵; – τοιάδε, –
 ποιεῖν Plat. 616⁵
ἄττα neut. pl. pron. att.
 319³. 616⁵
ἀτταγᾶς 461⁶
ἀτταγήν 487³
ἀτταλαττατά II 601¹

ἀττάμιον el. 331⁶
ἀτταπαττατά II 600⁴
ἄττᾱσι imper. spätlak. H.
93⁵. 205¹. 216⁵. 317¹. 336⁸.
800⁴
ἀττᾱταί II 600⁴
ἀττέλαβος (-τελαβός) 383⁴
Ἀττική 316⁸; ἡ – II 24²
Ἀττικιστί 623³
Ἀττικός 60, 2; -οί 79¹
ἀτύζομαι (-εσθαι) hom. 714⁶,
9; – ὑπὸ καπνοῦ II 528⁴;
– περὶ καπνῷ II 501⁵;
ἀτυχθείς 714⁶
ἀτυχέω 724³; -χήσουσι τοῦ
δήμου II 93¹
ἀτυχής 513³
αυ aus idg. au 347⁵·⁶; – aus
ευ 126³. 348²; aus αο 247⁸;
– wechselt mit υ 347⁶·⁷;
– Schwachst. zu Lang-
diphth. 347⁷·⁸; αυ > αο
248¹; αυ > αv 233⁷; αυ >
ω 828⁸
ᾱυ aus ᾱο 248²; ᾱυ > ᾱ
233⁸; -ᾱυ > kypr. -ᾱ 561, 2
αῦ 347⁵. 613⁷. II 555². 556,
2. 559⁷⁻⁸f. 569⁴. 578³. 633⁶;
αῦ γε II 561, 2; – πως 388⁷;
– τε 629, 8; αῦθις –; – πά-
λιν αῦθις II 560¹
αὖ- 82⁵. II 448⁶
αὖ- demonstr. pron. 611³·⁴
-αυ gen. sg. ark. 88³.
560⁶f.; -ᾱυ > kypr. -ᾱ
561, 2
αῦ αῦ Aristoph. 313, 1
αὖα äol. 349⁴
αὐαίνω 842³; ηὐάνθην 635²
Αὐάμερος ther. 198⁵
αὐαργέτας ther. 198⁵
αὔασις 153¹
αυάταν 224⁵
αὐγά 159⁵·⁸
αὐγάζομαι 734⁵
αὐγάρια 159⁸
Αὐγείας II 615³
αὐγεῖν 731⁷
αὐγή 296⁴; -αί II 43⁵
αὐδάζομαι 734⁵
αὐδάω 725⁶; ηὔδᾱ 655⁶.
729³; -δήσας II 408⁷; -δα-
σθαι II 233¹
αὐδήσασχ' Ilias 711⁵
αὔδω 478⁵
αὖε 'rief' 686¹
αὐειρόμεναι Alkm. 236⁶. 715⁴
αὔελλα 224⁵
αὐερύω 106⁵; αὐέρυσαν hom.
222⁶. 224⁴
αὔηρ 224⁵
αὐθάδης 513³; – φρενῶν
II 132⁸
αὐθαμεραν ark. 621³

αὖθε thess. 638¹
αὐθέκαστος 398⁴. II 211⁶
αὐθέντης 154⁶. 159⁶. 260⁶.
263⁸. 304². 500¹
αὐθημερά adv. 621³
αὐθημερ(ε)ί 623²
αὐθημερόν 618⁵, 4. 621³.
623²
αὐθήμερος 618, 4
αὖθι 405³. 598².620¹. 628¹·⁴.
629³
αὖθι· αὐτόθι 613⁵
αὖθιν rhegin. 405³. 598².
620¹. 629³
αὖθις 405³. 598². 620¹. 629³.
II 427⁷. 559⁷. 633⁶; – αὖ
II 560¹
αὐίαχοι 224⁵
αὐίδετος 502⁴
αὐιδέτω 224⁵
avjí ngr. 197²
αὐκά kret. 81⁵. 96⁴. 212⁵.
348²
Αὐκλίεια ark. 198⁵
αὐλαϜυδός 223⁶
αὖλαξ 224⁴. 412². 424⁴, 9
αὐλεία 258²
αὔλειος f. 457⁷
αὐλῆν infin. ach. 807⁴; s.
αὐλῶ
Αὐλήριος 268⁵
αὐλημρον 224⁴. 412²; -α 314⁴
αὐλήτης 500⁴
ΑΥΛΗΤΡΙΣΠΕΣΟΥΣΑ
148, 1
αὐλίζομαι 735⁶; – c. dat. II
162¹
Αὖλιν acc. 464⁴
αὖλις 385⁶. 464³
αὐλός 267³
αὐλῶ ἔξοδον II 76³; s. αὐλῆν
αὐλών 488³
*αυξιος, voc. -ι 804, 1
αὐξίτω imper. 804, 1. 842⁶
αὐξομειόομαι hell. 645²
αὐξύνω spät 700⁴
αὔξω 347⁵. 363⁷. 700⁴. 706⁷;
ηὖξον 655⁶; αὔξω τινὰ μέ-
γαν II 83⁸
αὖοι πῦρ 686³⁻⁴
αὐονή 490³
αὖος 347⁷. 348⁴; αὖος 220¹.
304³
ἄυπνος 219⁴. 241⁶. 431⁵
*ἄυπνος 219⁵
*αυρα 632²
αὐρᾱ 444, 6. 461¹. 481³
αὔρηκτος 224³
αὐρι· ταχέως 621², 6. 622²
αὐριβάτης Soph. 622²
αὔριο: τὸ – ngr. II 27⁵
αὔριον 282⁴·⁷. 349⁴. 381⁶.
621². II 70¹; ἐς – II 427¹·⁶.
460⁶

αῦς dor. 613⁶
-αυς nom. sg. 565, 1
αὐσαῖς dat. pl. 516⁵
*αυσανθα 520³
*αυσατα 348⁵
αὐσαυτο- dor. 607⁴, 5. 613⁶;
-όν 199³; -οῦ II 193⁶.
197³; αὐσαυτῶ dor. 445⁷
αὔσιος hom. 614¹
αὐσόν 516⁸
*αυσρ- 282⁴. 349⁴
αὐσταλέος 220¹. 304³
αὐστηρός 220¹. 347⁷. 482, 14
αὔσω 782³
αὐσωτόν delph. 199³
αυτ (für iran. aft) 233⁷
αὐτᾱ f. 611³
αὖται 610⁵. 611⁴
αὐταμαρόν lokr. 621³
αυταμεριν gort. 631²
αὐτανίδας H. 632²
αὐτάρ 629³. II 556¹·⁴. 558,
5. 559⁵⁻⁷. 569⁴. 633⁶; – τοι
II 580⁶
Αὐταριᾶται 66⁵
αὐταυτ- 267³. 607, 5; αὐ-
ταυτό- 613; αὐταυτοῦ II
197³; αὐταυτᾶς 446⁵, 7
αὖτε 388⁷. 613⁷. 629³. II
559⁷. 633⁶
αὐτέ 'du da' ngr. 612⁵
αὔτει ipf. hom. 706¹; αὔ-
τησα Nonn. 706¹
αὐτεῖνος ngr. 614⁵
αὐτεῖς böot. 195¹
αὐτή usw.; s. αὐτός
αὔτη 279⁶. 611³; αῦται 610⁵.
611⁴; αὕτη ἀρίστη διδα-
σκαλία; – δίκη ἐστί II 606⁶
ἀυτή 706¹
αὐτηγί 611⁷. II 561, 3
αὐτηί 202⁷. 400³. 611⁶
αὐτῆμαρ 591, 2. 621¹. II 70³
αὐτημερόν ion. 621³
αὐτί ngr. 520⁴
αῦτι Gramm. 620¹. 629, 9
αὐτίκα 629⁵. II 414⁵·⁶. 415⁷.
427⁷; τὸ – II 70³
αὖτιν kret. (gort.) 405³.
620¹. 629³. 631²
Αὔτιππος 68³
αῦτις ion. att. 620¹. 629³.
II 559⁷
αὐτίτης οἶνος 613⁶
ἀυτμή hom. 493². 522²
ἀυτμήν 522²
αὐτό II 35². 211⁸; – τοῦτο
att. II 211⁸; – ἑαυτό Plat.
607⁴
αὐτο- 427, 4; – compos.
427, 4. 613⁶
αὐτό- refl. 607¹. 613⁶
(*αὖτο) 611⁴
αὐτοβοεί 623², 8. 632⁵

αὐτοδίδακτος 710[2]
αὐτοετεί 623[2]
αὐτόετες 513, 3. 514, 1. 621[2.3]
αὐτόθεν 628[2]
αὐτόθι 628[4]
αὐτοκασιγνήτω II 49[2]
αὐτόκερας 516[3]
αὐτοκρασία 160, 5
αὐτοκράτωρ 263[6]. 831[2]
αὐτολεξεί 623[2]
αὐτόματος 343[2]. 503[2]; -ται hom. II 38[4], 4
αὐτομολῶ (-εῖν) 394[4]; – κατά τινα II 477[2]; – παρά τινος II 497[6]
αὐτόν neut. sg. 610, 0
αℲτον pamph. 197[3]
αὐτόν II 196[4]; – (= ἐμαυτόν) II 197[5]
αὐτόνα, -νε acc. ngr. 614[5]
(αὐτονί) 613[6]
αὐτόνομος II 196[4]
αὐτόνος ngr. 614[5]
αὐτονυχεί 623[3]
αὐτονυχηδίς 623[3]
αὐτονυχί 499, 5. 620[1]. 623[2]
αὐτονυχιδίς 631[4]
αὐτονυχίς 620[1]. 623[3]. 631[3]
αὐτός 607[1]. 613[5.7]. 614[1], 1 a. II 25[5]. 187[4.5]. 190, 2. 191[4], 1. 196[4-7]. 208[6]. 211[2-8], 1. 212[1]. 244[4]. 614[4]; – 'dieser' NT etc. 614[5]; αὐτέ 'du da' ngr. 612[5]; αὐτό II 35[2]. 211[8]; αὐτοῦ 'eius' 613[5-6]. II 192[6]. 193[2.3.4]. 205[1-3]. 209[2]; – demonstr. 602[6]; – anaphor. II 191[7]. 207[2]; -refl. II 206[7.8]; – ἔθεν epid. 605[1-2]; αὐτῶ gen. refl. dor. 607[5]; αὐτῶι τ' ἐμοί Hdt. 607, 1; αὐτόν 613[5.6]; – μιν II 195[2]; αὐτον encl. 613[5]. 840[8]; αὐτήν 613[5]; αὐτόν neut. 610, 0; αὐτῶ f. II 35, 1; αὐτῶν II 192[6]; αὐτοί ἐσμεν att. II 211[8]; αὐτοῖς II 164[3]f.; – ἀνδράσι(ν) II 160[1]. 164[4.5]; – ἵπποις II 164[7]. 165[1], 1. 211[5]; ὁ αὐτός 613[5]. II 161[6], 3. 211[5]; – mgr. 613, 8; αὐτὸς ἕκαστος II 211[6]; – ἔφα dor. II 211[7]; αὐτὸς αυτ- II 197[2]. 198[2]; αὐτὸς αὐτοῦ 607[4], 5; αὐτοί ὑπ' αὐτῶν II 196[7]; αὐτὸς τοῦτο att. II 211[8]; αὐτὸς πρὸ Ϝι' αὐτὸ kret. 607[4]; – – Ϝιαυτῶ II 507[1]; αὐτὸς αὐτ- II 197[7]; – αὐτοῦ II 700[6]; – καθ' αὐτοῦ Aesch. 607[4]; – ὑφ' αὐτοῦ II 193[6];

αὐταί ἐν ἑωυτῇσι ion. 607[4]; αὐτὸ ἑαυτό Plat. 607[4]
αὗτός att. II 211[4]
αὐτοσαυτ- II 196[8]; αὐτοσαυτό- 613[6]; αὐτοσαυτοῦ II 197[3]; αὐτοσαυτῶ dor. 445[7]
αὐτός δα 614[5]
αὐτόσε ion. att. 629[2]
*αυτοσhαυτ- II 196[8]
αὐτοσχεδά 626[3]
αὐτοσχεδίηι 626[3]
αὐτοσχέδιος 467[1]
αὐτοσχεδόν 626[3]
αὐτότατος 536[1]. II 184[4]
αὐτότερος II 197[4]
αὐτοῦ adv. ion. att. 621[5], 10
αὗτοῦ att. II 193[5]. 195[4]; αὗτῶν II 195[5]
αυτουτα dor. 267[2]. 607[4], 5
αὐτοφαρίζω 449, 4
αὐτόφι Ilias 551, 6
αὐτόφιν Ilias 550[7]
αὐτόχειρ 542, 3
αὐτοχειρί 623, 8
αὐτοχειρίᾱι 623, 8
αὐτόχθων 46, 1
αὐτοψεί 623[2], 8
*αὐτοῦ 621, 10
αυτωντα dor. 203, 4. 267[2]
αὗτως 314, 2. 614[1]. II 211[5]. 212[2]. 414[1]
αὐτωσ- dor. 203, 4
αὐχάττειν II 448[6]
αὐχήν 296[3]. 355[6]. 486[7]. 838[1]
αὐχμός 493, 4
αὐχοῦμαι 655[3]
αὔω 347[5]. 348[4]. 706[1]. II 226[5]; αὖοι πῦρ 686[3-4]; αὔσω 782[3]
αὔω (= ἰαύω) Nikandr. 686[4]
αὔω·ξηραίνω Hdn 723[2]
-αύω verba 686[1.3-4]
αωορος spätgr. 560, 8
αὔως lesb. 224[5]. 349[4]. 514[2]
ἀφ' II 444[1]; – ἑαυτοῦ II 447[3]; – ἧς II 447[5]; – ὅτου II 653[3]; – οὗ II 447[5]. 640[7]. 653[3]; – οὕπερ II 653[3]
ἄφαιμος II 446[3]; -οι 436[6]
ἀφαιρείμενος nwgr. 642, 2
ἀφαιρετέω Ion 705[6]
ἀφαιρέτεσθαι II 295[6]
ἀφαιροῦμαι II 82[5.7]; – ngr. II 83[4]; -ῖσθαι arg. 94[5]. 193[4]; -είμενος nwgr. 642, 2; -ήσεσθαι II 295[6]; ἀφαιροῦμαί τι c. dat. II 146[6]
ἀφαιρῶ II 82[7]
ἄφακος II 30[5]
ἀφάλλομαι πήδημα II 76[1]
ἀφαμαρτάνω II 104[8]. 431[5]; ἀφάμαρτε 704[3]
ἀφαμαρτοεπής 442[2]

ἀφαμιώτας kret. 500[5]
ἀφανδάνω II 431[5]; -ει II 445[2]
ἀφᾶνεῖ 694[4]
ἀφανῆται kret. 724[3]
ἀφανίζω II 164[5]; -ομαι II 353[3]; – κατὰ τῆς θαλάσσης II 480[4]
ἄφαντος 773[5]
ἄφαρ 519[2]. 620[4]. 624, 5. 630[6]
ἀφάρτερος 534[3]
ἀφάσσω 682[6]. 717[1]. 733[4]; ἄφασ(σ)ον imper. 682[6]
ἀφέη, ἀφέηι; s. ἀφίημι
ἀφέθη 656[7]
ἀφέθην infin. lesb. 807[7]
ἀφειδήσαντε f. II 35, 1
ἀφειδοῖεν τοῦ βίου II 92[6]
ἀφεῖς 2. sg. LXX 688[3]
ἀφεκάς Nikandr. 630[3]
ἀφεκτέον ἂν εἴη II 409[6]
ἀφέλαι kret. 754[1]
ἀφελής 513[5]
ἄφεμα 523[6]
ἀφεμένω f. II 35, 1
ἄφενος 278[7]. 343[7]. 512[7]
ἀφέντης ngr. 260[6]
ἀφέξομαι II 291[3.4]. 292[3]
ἄφες imper. 390[8]; – ngr. 764[2]; – c. conj. II 316[1.2]; – ἐκβάλω, – ἴδωμεν NT II 314[6]
῎Αφεσις 637[6]
ἀφεσταίη 770[3]
ἀφέσταλκα Koine 649, 1
ἀφεστήρ 365[5]. 531[4]
ἀφέσω fut. 742, 1
ἀφέταιρος kret. II 444[5]
ἀφέτην 741[3]
ἀφεύω 219[5]. 656[3]
ἀφέωκα 345[8]. 770, 1. 775[1], 12
ἀφέωνται 770[1]
ἀφή 460[2]; περὶ λύχνων ἀφάς II 504[5]
ἀφηλικέστερος 535[4]
ἀφήνω ngr. II 279[6]; -ηκα, ἄφηκα 764[1]; ἄφησα 742[1]. 755[5]
ἀφήσω; s. ἀφίημι
ἄφθα 327[1]
ἄφθιτον κλέϜος 42[4]. 56, 4
ἀφιγμένος, s. ἀφικνέομαι
'Αφιγναῖος att. 208[6]
ἀφίεσθαι II 42[4]. 231[6]; ἀφέθην infin. lesb. 807[7]; ἀφοῦ imper. 390[8]. 799[3]; ἀφέωνται 770[1]
ἀφίημι: ἀφίει II 419[4]; -ίομεν 688[3]; -εῖς 2. sg. LXX 688[3]; ἠφίει 656[4]; ἀφήσω fut. 742, 1. II 293[1]; ἄφησα spätgr. 755[5]; ἀφέτην 741[3]; ἀφέη 741[5]; ἀφέηι conj. hom. 741[5]. 792[5]; ἄφες

imper. 390⁸; – ngr. 764²;
ἀφέωκα 345⁸. 770, 1. 775¹,
12; ἄφες c. conj. II 316¹·²;
– ἐκβάλω, – ἴδωμεν II 314⁶
ἀφικάνω II 259⁷
ἀφικνέομαι: ἀφικνοῦμαι II
114¹·³; ἀφικνΕμένων 643,
2; ἀφίκευσο 669¹, 2; ἀφίκατο
772⁶; ἀφίκου imper. 799³;
ἀφικέσθαι II 296³; ἀφιγ-
μένοι εἰσί 812³; οἷον ἀφιγ-
μένος II 391⁸; ἀφίκτο εἰς
II 239⁸; ἀφικνεῖσθαι εἰς ἀγῶ-
να II 161²; ἀφικέσθαι εἰς
φόβον II 255⁴. 261³; -ικνεῖ-
σθαι ἐπὶ Θράκης II 434⁸;
ἀφίκετο ἐπὶ τέρμα II 472⁵;
-ικνεῖσθαι παρά τι II 495¹;
-ικνεῖται ὡς Περδίκκαν II
533⁷; -ικνεῖσθαι ἑαυτῷ διὰ
λόγων II 452⁴
ἄφικτον 299⁷
ἀφικτρός 481, 16
ἀφίλεσαν (= ἀφεῖλον) 666²
ἀφίνω ngr. 644⁴. 688⁵; s.
ἀφήνω
-αφιον 471³, 6. 7. 551⁴
ἀφιπποδρομᾷ 836⁸
ἀφιππολαμπάδι 836⁸
ἀφίσταμαι II 445¹; ἀπέστη
II 299⁸; ἀποστῆναι II 365⁶;
ἀφίστατο κινδύνων II 92⁶;
ἀφίστασθαι τῶν Ἀθηνῶν
II 93⁶; ἀφέστηκα II 287⁷;
ἀφεσταίη 770³; ἀφεστηκότα
ἦν II 407⁷
ἀφιστάνειν 698³
*ἀφίχατο 772⁶
ἄφλαστον 503³
ἀφλοισμός 493³
ἀφνειός c. gen. II 111¹
ἄφνος 343⁶
ἀφνός· ἐξαίφνης H. 624, 5
ἀφνύει, -ύνει H. 728¹
ἄφνω 405². 520²·⁵, 6. 624, 5
ἄφνως 405². 624, 5
-αφο- suff. 343⁵. 456², 2.
495⁵·⁶
ἀφόβωι φρενί 624³
ἀφόβως II 415⁵
ἀφόνιτρον 260⁴
Ἀφορδίσιυς pamph. 267⁴
Ἀφορδίτα 267⁴
ἀφορεῖ 623²
ἀφοῦ imper. 390⁸. 799³
ἀφοῦ coni. ngr. 615³
ἀφόων hom. 719³
ἀφόωντα 682⁶
ἀφραδέω 724³
ἀφραδίη 468⁶
ἀφράδμων 522⁴
ἀφραίνω 725¹
ἀφρέω 726³
Ἀφροδῖταρίδιον     471³,     9

Ἀφροδίτη 62⁵. 156⁵; Ἀ-
att. 257³
ἀφρονέω hom. 731⁶; -ῶ 655²;
ἠφρόνουν 655²
ἀφρόνιτρον 260⁴
ἄφροντις c. gen. II 109³
ἀφροντιστέω c. gen. II 109³
ἀφρός 412⁷
ἀφός 212²
ἀφροσύνη II 41, 5
Ἀφρώ 478⁵
ἄφρων 355⁵
ἀφύδιον 199⁶
ἄφυζα 474⁴
ἄφυζε hom. 703¹
ἀφυῆς τὸ σῶμα II 85⁷
ἀφύξειν II 295⁵
ἀφυξῶ Theokr. 786⁶
ἀφυσγετός 501³
ἀφύσσω 644⁴, 4. 717¹. 725, 6;
– τι c. dat. II 151²; -εσθαι
II 238⁶; ἠφύσσετο πίθων
II 94⁵
ἀφυστερήσιεν II 338³
ἀφύω 644, 4. 686³
ἀφῶ praes. spät 688³. 737¹
ἄφωνος II 701⁴
ἀφωντεύς 477, 2
Ἀχαία 80²
Ἀχαϊα 162⁶
Ἀχαιαί 460, 4
(*ἈχαιϜᾶ) 795
*ἈχαιϜικός 265⁸
Ἀχαιϝοί 77⁵. 79⁴·⁶
(*ἈχαιϜῶς nom. pl.) 79⁶.
556². 824⁶
Ἀχαιία 469¹
Ἀχαιιάς 508⁴
Ἀχαιίη ion. 266³
Ἀχαϊκός att. 265⁸. 266¹
Ἀχαιμένης 448⁶
ἀχαίνη 491¹
Ἀχαιός ion. 266³; – ἀνήρ
II 45³; Ἀχαιοί 77⁶. 79³.
80¹·². II 45³. 52¹
ἀχανής 433⁴
ἄχαντος ion. 269¹
ἄχαρι 542, 4
ἀχαρίστερος 535²·⁶
ἀχάριστος 735⁵
ἀχαρίστως: ἔχειν τινὶ ἀχαρί-
στως πρός τινα II 514⁷
*Ἀχαμάζε, -ᾶζε 625¹
Ἀχαρναί 491⁶
Ἀχάρναι 831³
Ἀχαρνῆζε att. Hdn. 559².
625¹
Ἀχαρνῆθεν 625¹
ἄχαρνος 491⁶
ἀχαρνώς 558¹
*ἀχαχίζω 736¹
ἄχερδος 508⁷. II 305
Ἀχέρων 67²
*ἄχευμι 696⁴

ἀχεύω 696⁴. 841⁸
ἀχέω II 72⁷; – c. gen. II
133⁴; ἀχέων ptc. 724²
ἄχην 487⁴, 6
ἀχήσομαι 782⁶
ἄχητι· λυπήθητι H. 800⁵
ἄχθη (von ἄγω) 655⁶
ἄχθομαι 703⁵. 704³. 723⁴.
II 229²; ἀχθέσομαι Koine
784⁶. II 265⁸; ἀχθεσθη-
761³; ἀχθεσθήσομαι II 265⁸;
ἀχθομαι ἐλεγχόμενος II 392⁶;
– τινα c. ptc. II 395¹;
ἕλκος II 87³; – c. dat.
II 87³. 134²·³; – c. instr.
II 168²; – τινος ὄντος β.
II 394¹; – περί τινος II 168³;
– ἐπί (περί) τινος II 134²
ἄχθος 511¹; – γυναικῶν II
122²
ἄχι 'wo' dor. 550³. 624⁴.
II 163³. 647³
Ἀχιλλεύς 477⁴, 1; -εους
kor. 197⁵; ὦ Ἀχιλεῦ II
60, 4. 61, 1
Ἀχιλλήιος δόμος II 177²
ἀχλύνομαι Qu. Sm. 728¹
ἀχλύς 495⁴
ἀχλύω (ἤχλῦσε) poet. 727⁵
*ἄχναμι 716⁶
ἀχνάσδημι lesb. (Alk.) 693,
4. 696⁴. 716⁶
ἄχνη 327⁶
ἀχνηκότας ätol. 206³, 1.
696²
ἄχνυμαι 693, 4. 696⁴. II
229²; – c. gen. II 133⁴;
– περί τινι II 501⁵; ἀχ-
νυνθέντι Anth. P. 761⁶
ἀχνύς 495⁴
-αχο- suff. 343⁵; 498⁵
ἄχολος 344³
ἄχομαι 685¹
ἄχος 512¹; – μοι περί τινος
II 502⁷
-αχος suff. 498⁵
Ἀχράνα s. Ἀρχάνα
ἀχρεῖον ἰδών II 77³
ἄχρειος 383¹
ἀχρήιος 468³
ἄχρηστος II 704²
ἄχρι 405¹. 450⁵. 840⁸. II
313³. 487, 7. 533⁴. 549⁷,
2f. 637⁶. 658⁴·⁵·⁷; – εἰς
II 428⁷. 550³; – ἐς II
550³; – ἧω II 653⁶; – κα
II 658⁶; – οὗ II 550³·⁴.
640⁶. 653⁵·⁶·⁷. 657⁶
ἄχρις 405¹. 620⁴. II 487, 7.
549⁷, 2f. 637⁶. 658⁴·⁵·⁷;
ἐπί II 550³
ἄχροι adv. kerk. 549⁷. 622³
ἀχυρμιαί 469, 8
ἄχυρον 482⁵

ἄχυρος (ἀχυρός) 383⁴
ἄχωρ 519⁴
ἄψ 329⁴. 620⁵. II 461⁵.
　481, 6. 508⁵
ἀψ- 632⁶
ἄψατο 655⁶; ἄψασθαι γού-
　νων II 365³
ἄψερον Alk. 630, 6
(*ἀψευδείων) 662²
ἀψευδήων conj. ark. 88³.
　660³. 661⁵, 3. 662¹⁻². 729⁴;
　– ἄν II 318³
ἀψεφές 329³
ἀψίνθιον 61⁵. 510⁶
ἄψομαι II 291⁶

ἀψόροος 632⁷
ἄψορρος 438, 1
ἄψος 513¹
-αw gen. sg. f. 561¹
αω wechselt mit εω 242⁸.
　243¹; αω > εω 243²
ᾱω > ᾱ 250³
ἄω 686¹
-άω verba 673⁶. 682⁶ f. 712,1.
　713¹. 718¹·³·⁴, 4. 722³. 723².
　725⁵·⁶, 2f. 729⁶. 730⁴⁻⁵.
　731¹⁻⁵. 734⁵. 737¹. 739¹.
　754⁴. 814⁷. 816¹; – verba
　wechseln mit -έω 728⁵; –
　und -έω gemischt 729¹

-άω fut. hom. 779⁸. 784²⁻⁴·⁶, 2
-ᾱω verba 717²⁻³. 728⁶.
　730³·⁴, 3. 814⁷
-άων gen. pl. 81⁶. 240⁷.
　241⁷. 554³. 558⁴. 559²·³
-ᾱων gen. pl. pron. f. 609³
ἀωρεί 623²
ἀωρίαν att. 70³
ἀωρόνυκτον 623, 4
ἄωρτο Ilias 769, 12
αως böot. II 650, 3
ἀώς: τὰ ποτ' ἀῶ τοῦ Ἀχε-
　λώιου II 96⁷
ἀωτέω 705⁶; -ῶ ὕπνον II 76¹
ἄωτον 501⁴

# B

β aus idg. b 290⁸ f.; – aus gʷ
　293⁸ ff. 295². 685⁴; – als
　Übergangsl. 277¹; β und δ
　wechseln 293⁸; β vor ε
　295⁷; β äol. vor palatalen
　Vok. 300¹; – spirantisch
　233⁶; – für Ϝ 205⁵. 834⁴; –
　für lat. ϙ 208¹. 233⁸; β und
　π wechseln 207⁵. 293⁸; β:ν
　> spätgr. μ:ν 257⁴; βγδ
　maked. für mediae aspir.
　297¹; βγδ stimmh. Ver-
　schlußl. im Ngr. 210²
βᾱ 'hah' II 600⁴
βᾱ (für βασιλεῦ) Aesch. 423,2
βᾱ- Verbalst. 673³. 742².
　743³. 776, 2
-βα imper. [βαίνω] 676, 1.
　742, 3
-βα Ausg. pf. act. 771⁶
βαβάζω 291⁴. 647⁴. 716⁵
βαβαί interj. 716⁵. II 600⁴
βαβαῖ 291⁴
βαβαιάξ 620⁷
βάβαλος kyren. 95⁶. 423, 7
βαβίζω 716⁵
βαβράζω 647⁴
βαβύζω 716⁵
Βαβυλῶνας acc. pl. II 45, 2
βαβύρτας 500⁶
Βαγουέ 162⁵
βάδην 626³
βαδίζειν II 360⁵; βάδον βα-
　δίζειν 626⁶
βαδιοῦμαι 785⁴
βαδίσαι (τὸ) II 366¹
βαδιστέον II 240¹
βάδομαι 225¹
βάδον βαδίζειν 626⁶
Βᾱδρόμιος dor. 250²
*βᾱεναι 808⁴
*βάετε imper. 676¹
*-βαετις 270⁸
-βαζος 153⁵

βάζω 291⁴. 708². 715³. 754⁷.
　II 260³; – τινά II 81¹; ἀνε-
　μώλια – II 366⁵
bázo (μπάζω) ngr. II 456, 3
βαθέα 194, 1. 474, 2
βαθεῖαν [so] II 81, 2
βαθη- 758²· 761⁵; s. ἐβάθη
βαθίων 538⁴
βαθμός 493¹
βᾱθόεντι ptc. lesb. 250².
　729²
βᾱθόέω lesb. 252⁷
βάθρακας ngr. 269¹
βάθρακος ion. 121³. 269¹
βαθυδίνης II 38³
βαθύλειμος 338³. 450⁶. 522¹
βάθυλλος 485³
βαθύνω 733³
βαθυοργή 453⁴
βαθύς 463¹. 538³·⁴; – πλοῦ-
　τος II 26⁴, 5; βαθυτάτη
　ἑωυτῆς II 100⁶
βάϊ interj. ngr. II 601⁴
Βαία 66⁴
Βαιάκη 66⁴. 67³
βαίητε 2. pl. opt. 794, 3
βαιλεῖ Νάβι lak. II 618⁵
βαιλέος lak. 217⁴; – Νάβιος
　II 618⁵
βάϊν n. 582⁷
βαίνιμεν infin. böot. 806, 9
βαίνομαι II 225⁸
βαῖνον II 278⁷, 3
βαίνω (-ειν) 272⁸. 295⁵. 309⁵.
　343². 707³. 714⁵. 756¹. 815³.
　816¹. II 72, 1. 225⁷. 228².
　277³; – c. abl II 91⁵; –'c.
　dat. II 149². 162⁶; – c.
　instr. II 167⁷; βαίνει ἄπο II
　430⁴; – διὰ πόντον II 453²;
　βαίνω ἐπί τι(να) II 472²·⁷;
　–κατ' ἀντιθύρων II 479⁶; –
　κατὰ δαῖτα II 479⁴; – κατὰ
　νῆας σὺν τοῖς ὅπλοις II 489⁶;

– νόμον II 78²; – παρὰ θῖνα
　II 495²; – περί τινι II 501²;
　– ὑπὲρ οὐδοῦ II 520⁶; – ἀμφί
　τινι II 438²; ἀνὰ νηὸς ἔβην
　II 430⁷. 441⁴; βαίνω ἐπὶ
　νηυσί II 466⁷; – ἐπὶ πύργον,
　ἐπὶ πύργων II 470²; – μετ'
　ἴχνια θεοῖο II 486²; – παρὰ
　κρουνούς II 495⁴; – πρός τι
　ἀμφί τινος II 438⁷; s. βήσω,
　βήσομαι, ἔβαν, ἔβην, βέβᾱκα,
　βέβαμεν, βέβηκα, (ἐ)βεβήκει,
　ἔβᾱσα, βεβηκώς, βεβαώς, βε-
　βώς, βῆ(-θι), βήμεναι, βῆναι
　βάιον n. 154⁶. 209⁶. 582⁷
βαιός II 491⁵
βάϊς f. 582⁷
Βαισατρεῦ 192⁴
(βαῖτε 2. pl. opt.) 794, 3
βαίτη 291⁵
βαίτῡλος 291⁵. 485²
βακ- 776, 1
ΒακεύϜα böot. 197⁴
Βάκις 708²
βακόν· πεσόν H. 748²
*βακσκω 708²
βάκτρον 291³. 532³
βακχάω 726, 2
Βακχέβακχον 450, 1
Βακχέχορος 450, 1
βάκχος 316³
βαλανεύς 476⁶
βαλανηφόρος 438⁶
βάλανος 57². 295⁵. 343⁷. 489,
　10. II 305
βαλβίς 465⁴
βάλε imper. 799². II 251, 1;
　– κατ' ἀσπίδα II 476⁷
βάλε 747, 8. 799, 4; – c. opt.
　II 320⁵. 321⁵; βάλε δή, βάλε
　747, 8
βαλε/ο- 746⁴. 747⁶
βαλεῖν 357². II 277¹·³; – βέλος
　II 261⁵; – τινα II 261⁵

βαλέω 784⁴
βαλικιώτας kret. 225¹. 495³
βαλιός 68, 3. 291⁵. 472⁵
Βαλίος 635²
βάλλ' ipf. II 64⁸
βάλλ': – ὄνυχας 264⁵; – οὕτως
 II 341⁶
βάλλαι kypr. 268⁴. 483, 3
βαλ(λ)άντιον 231⁵
βάλλε (βάλλ') 651⁶. II 251, 1.
 341²; s. βάλλ'
(βαλλέω Hdt.) 720, 13
*βάλλημι 693, 9
βαλλήν 487³
βαλλήσω 693, 9. 783²
βαλλητύς 291⁵. 506⁶, 11
βαλλίζω 291⁵
βάλλις 462⁶
βάλλομαι (-εσθαι) II 277⁴; –
 οὐλήν II 79⁴; – προτὶ γαίη
 II 513⁴; – χερσὶν ὑπὸ Τρώων
 II 526⁴; s. ἐβάλην, -ονθο,
 ἔβλην, ἔβλητο, βλῆτο, βλήμε-
 ναι, -νος, βλῆσθαι, βέβλημαι
 βάλλονσι dat. pl. kret. 322¹.
 566²
βάλλ' ὄνυχας 264⁵
βάλλω (-ειν) 125¹. 295². 693³,
 9. 714⁵. 743¹, 2. 747⁶. II 81,
 2. 164⁵. 260³. 434¹. 691, 5;
 – τι c. loc. II 156¹; – c. instr.
 II 166¹; – ἀμφ' ὀχέεσσι II
 438³; – διά τινος II 450⁴; –
 κατὰ πέτρης II 480⁵; – στέρ-
 νον δουρὶ ὑπὲρ μαζοῖο II
 520⁶; – τινὰ παρὰ μαζόν II
 495⁵; – τινὰ ποτὶ πέτρας II
 510¹; – τινὰ ποτὶ πέτρῃ II
 513⁴; – τι ποτὶ γαίῃ II 513⁴;
 – τινά τι II 81³; – τινὰ ὑπὸ
 γναθμοῖο II 527⁶; – τινὰ
 μετ' ἔριδας II 484³·⁴; – τοῦ
 σκοποῦ II 104⁴; – φάρος
 ἀμφί τινα II 439¹; – φιλό-
 τητα μετά τισι II 483³; –
 δάκρυ κατ' ὄσσων II 480⁵; –
 δάκρυ πρὸς ἀνδρὸς εὐγενοῦς
 II 515²; ἔβαλε φάμενος II
 301²; s. auch βάλλε, βάλε,
 βαλεῖν, βαλέω, βάλλομαι
βαλμός 492⁴
βάλοισθα 662²
(*βάλομαι) 722²
βαλόντε II 50²
βᾶλός 268⁴
-βαλος = phön. ba'al 458³
βάλσαμον 494¹
Βάλτη II 86²
βαλών 360⁴; -όντε II 50²
βάμβα syrak. 829⁷
βαμβαίνω 291⁴. 647²
βαμβραδών 530¹. 835¹
-βᾶμι 676, 1
*βαμjω 272⁸. 343²

βᾶν att. 566, 3
βανᾶ f. böot. 56⁵. 296². 343³.
 582⁷, 3
βάναυσος 259³. 516⁷
βανῆκες nom. pl. böot. 296².
 582⁷
*βανjω 343²
βάννεια lak. 225³. 323²
βαννί tsak. 225³
βάνω ngr. 764⁴
βαξ- 754⁷
βάξις 708²; – c. gen. II 132³
βαπτίζω 706⁵
βαπτισθῆναι Lukas 806, 1
βάπτω (-ειν) 704⁶, 13. 705, 5.
 759⁶; ἔβαψε 652, 8; βάπτειν
 ἔγχος πρὸς στρατῷ II 513³;
 – ἑαυτόν II 284³
βαράγχια 278⁶
βάραγχος 278⁶. 831⁷
βάραθρον 295². 343⁷. 362⁵
βάρβαρος 787, 5. 291³. 339⁸.
 423². II 32⁴
βαρβαρόφωνος 5²
βάρβιτος 62¹. 257⁴
βαρδῆν 277⁶
βαρεῖα 376⁵. 474¹; – προσωι-
 δία 373⁷
βαρέως φέρειν II 168³
βᾱρίβᾶς 424⁶
βᾶρις 464³
βαρίσκω ngr. 712²
βαρίστω ngr. 705³
βάριχοι 225¹. 498⁴
Βάρμιχος böot. 495³
βαρνάμενος kerk. att. 277⁶.
 693¹
βάρος 512³
βαρύθει hom. 703⁵
Βαρυθένης kret. 216⁶
βαρύνεσθαι c. instr. II 168²
βαρυνθη- 761⁶
βαρυντικοὶ Αἰολεῖς 383⁵·⁶
βαρύνω (barino) 184¹
βαρύνω 733³
βαρύς 295⁵. 342⁴. 380⁷. 463¹;
 s. βαρεῖα
βαρύτερος 538, 12
βαρύτης 373⁷. 375⁴
βαρύτονα 375⁷
βαρυτόνησις 383⁵
Βας nom. sg. f. 562²
βάσανο n. sg. II 32, 4. 38²;
 βάσανα n. pl. 582, 1
βάσανος 490². 582, 1. 838²
βασεῦμαι Theokr. 786⁶
Βάσης ngr. 637¹
βασιλᾶες el. 575³
βασιλέας ngr. 576³
βασιλέϝος kypr. 223⁶. 575²
βασίλεια f. 473⁶. 474⁵
βασιλεία II 471²; βασιλεύο-
 μαι -αν II 80⁵
βασίλειον 470⁴

βασίλειος II 177¹
βασιλέοιν gen. du. Aesch.
 575⁵
βασιλέος dor. nwgr. 244³. 246²
βασιλες (= -ηίς) 201, 2
βασιλεύειν: – ἴσον II 77³;
 μετὰ τὸ – II 370⁵
βασιλευέμεν II 366⁵
βασιλεύομαι βασιλείαν II 80⁵
βασιλεύς 30³. 62¹. 193¹. 477⁴,
 1. 2. 485¹. 575⁶. II 24¹, 1.
 618⁵; – ngr. 576³; -έᾶ acc.
 dor. nwgr. 244³. 246²;
 -λεια acc. att. 193²; οἱ βασι-
 λεῖς II 51³; βασιλεὺς Ἀλέξ-
 ανδρος II 613⁷. 618⁵; – βα-
 σιλέων II 700³·⁴·⁵, 2; βασι-
 λέως βασιλέων μεγ. Ἀρσ.
 II 613⁷; βασιλέως στοά II
 177⁷; ὁ βασιλεὺς Ἡρῴδης
 II 618⁵; βασιλεὺς Πτολε-
 μαῖος II 618⁵; βασιλέος ἐλ-
 θόντος ἐς Ἐλ. Ψαμμήτίχου
 II 618⁵; s. βασιλᾶες, -λεῖος,
 -λέοιν, -λέος, -λεύων, -λεω(ι)ν,
 βασιλῆ, -ληα, -λήεσσι, -λῆος,
 -λῆς
βασιλεῦσαι II 261⁶; s. ἐβασί-
 λευσε
βασιλεύτατος II 176⁵
βασιλεύτερος 536¹. II 18⁴.
 176⁵. 184⁴
βασιλεύω (-ειν) 732⁴·⁷. II 251,
 1; – c. gen. II 110²; ἐπὶ
 Κύρου βασιλεύοντος II 391²;
 s. βασιλεύειν, -λεῦσαι, ἐβασί-
 λευσε
βασιλευων gen. pl. 156³
βασιλεω(ι)ν gen. du. Aesch.
 575⁵
βασιλη 485¹
βασιλῆ acc. j.-dor. 121³. 250⁷
βασιλῆα lesb. 241⁸. 576²
βασιλῆα pol. Μυκήνης II 618⁶
βασιλήεσσι lesb. 564³
βασιλήϊος ion. 241⁶
βασιληος 241⁷
βασιλῆς acc. pl. Soph. Hdn.
 575, 2
βασιλικός 477³
βασιλίνδα 627²·³
βασιλίς 477³. II 31²
βασιλίσκος 542²
βασίλισσα 317⁷. 475⁵
βασιλjάς usw. ngr. 576³
βασιλjώς gen. sg. ngr. 576³
Βάσιλλος 315⁶
βάσιμα ἦν II 606³
βάσις 157⁶. 343². 504⁵
βασκαίνω 700⁵. 725³
βάσκανος 291⁵. 490²
βασκα(νο)σύνα 263¹
βάσκε imper. 'geh' 707³, 2.
 708². 799¹; βασκέτω 801⁴

βάσκειν H. 708²
βάσκω 328³. 357³. 776². 816¹.
II 225⁷; -ωσι 664³
βάσομεν conj. Pind. 790⁴
Βάσσα 474, 6
βᾶσσα 474³
βάσσων 538³, 7
βαστά 838⁷
βασταγη- pass. 760²
βαστάζω 706⁴; – μάχας πρὸ
χειρῶν II 506⁵
βασταχθῆναι II 240²
βαστοῦσα ngr. 652⁴
Βάσυλλος 206⁴
βάταλος 484¹
βᾶτε imper. 676¹, 1. 742, 3
-βατέω 731⁶
βάτην hom. 742, 3
βάτθρα ther. 237⁵
βάτις 271⁵
βάτον II 304
*βάτος n. 512⁴
βάτος 503⁵. II 304
βατός 343²
*βατταλολογῶ 263²
βατταρίζειν 315⁵
βαττολογεῖν 263²
βάττος 291⁴. 477, 2
Βάττος kyren. 637⁶
βαύ 224, 5. 291⁵. 313, 1. II
599, 2; βαύ 716⁵
βαῦ 224⁶, 5
βαυβῶ 478⁴
βαύζω 716⁵
βαυκός 496⁴
Βαῦλις 66⁴
βαῦς Hdn 585, 2
βαῦσδω dor. 716⁵
Βαῦστα 70⁴
βαφεύς 476⁶
βαφη-, βαφθη- 759⁶
βάφκουμαι ngr. (pont.) 712³
βάφω ngr. 705³
βάψαι: εἰς – II 366¹
*βάω 676¹
ββ 317²
βγάλλω ngr. 237⁷. 323⁷
*βδαλjω 342⁴
βδάλλω 342⁴. 714⁵
βδαλοί 326⁸
βδάλσις 285⁶
βδαροί 326⁸
βδεῖν 326⁷
*βδελja 474²
βδέλλα 325⁴. 474²
βδέλλιον 325²
βδελυ- 495⁴
βδελύκτροπος 263⁴
βδέλυξ 497⁵
βδελυρος hell. 383³
βδελυρός att. 326⁷. 383³. 482⁴
βδελυχρός 498⁵
βδένυμαι 685⁶. 697⁴
βδένυμι 697⁴

βδέσα 685⁶
βδέσμα 685⁶
Βδεῦ voc. sg. 576, 5
βδελύσσομαι 725⁴
βδέω 335⁷. 336⁴. 685⁵⁻⁶. II
229¹; s. auch βδεῖν, βδέσα,
ἔβδευσα
βδόλος 326⁷. 364². 459¹
βδύλλω 736⁶
*βεβᾶ pf. 775⁶
βεβάασι 665⁵. 770²
βέβαιος 383². 540³
*βεβαῖος 383²
βεβαιοῦσθαι σφᾶς αὐτούς II
236²
βεβαίως II 414³
βέβᾱκα 742⁴. 770². 774, 1.
775⁶. 776²; -κε776¹. II264⁴;
s. βέβαμεν, βεβάᾱσι
βέβᾱλος 483⁴
βέβαμεν 649². 774, 1
βεβάμεν infin. hom. 806³.
808²
βεβάναι infin. 774⁶. 808⁵
βεβαρημένος 724²
βεβαρηώς 724². 771⁴
βέβασαν 3. pl. 665⁷. 770².
774². 777¹·⁵
βεβᾶσι att. poet. 248⁷. 774⁶
βεβαυῖα 770, 3
*βεβαυσιος 540³
βεβαῶτ- 770²
βεβαῶτα περὶ τρόπιος II 502⁴
βέβηκα II 225⁷. 228². 264⁴,
2; -κας 774²; -κε 774². II
252⁵. 263⁵
βεβήκει 774². 775⁵. II 288⁴
-βεβήκηι 774²
βεβηκυῖα att. 541²
βεβηκώς 814⁴
βέβηλος 434⁵
βεβίηκα II 264⁶; -κε 774⁴
βεβίωκα 675⁴; βεβιωκυῖα μετ'
ἀληθείας II 485⁴
βεβιωμένα (τὰ) II 240⁶
βεβίωται II 226⁴
βεβλαβότος arg. 772⁷
βεβλαμμένος νόου II 93⁵
βεβλάστηκα 649⁴. 738⁵. 816⁶
βέβλαφα 772¹·⁴
βεβλάφθαι 809³
βέβλειν, βεβλέσθαι H. 768¹
βέβλεφα 772¹
βέβληαι II 81⁵
βεβλήαται hom. 672¹
βεβλήατο 3. pl.hom. 672¹.772²
βεβλήκει plusq. Ilias 774³, 3.
777⁵, 11. II 288⁸. 289¹
βεβλήκειν hom. 405⁸
βεβλήκοι hom. att. 774³. 796¹
βέβλημαι 649³. 770⁴·⁵. 774³;
βέβληται 761⁷
βεβλῆσθαι 809³
βέβλοφε hell. 640⁷

βέβλοχα 772¹
βεβλωκώς 277⁵. 649⁴
*βέβολα 771⁵
βεβολήατο Ilias 719⁴
βεβολημένος hom. 719⁴. 771⁴.
II 81⁵
βεβόσκηκα 708²
βεβούλευνται 671⁶
βεβουλεῦσθαι II 264⁴
βεβούλημαι 770⁵
βεβραμένων 277⁵
βέβρῑθε 703². 770⁶; -θε ὑπὸ
λαίλαπι II 526²
βεβρίθει 777, 11
βέβρῡχε 683², 2. 771³. II
263². 287³
βεβρύχει Od. 777, 11
*βέβρωθα 2. sg. 662⁵
βεβρώθοις 2. sg. opt. 662⁵, 8.
703². 767⁴
βέβρωκα 708⁶. II 258²; βεβρώ-
κοι Hdt. 795⁶; -κώς hom.
774⁴, 5
βέβρωμαι Aesch. 708⁶; -ται
295⁶. 360⁵. 770⁴. II 226²;
– conj. ion. 793¹; βεβρῶσθαι
809³
βεβρώσεται Od. 783⁴
βεβρῶτες Soph. 774, 5
βέβυσμαι 773⁴; -σται 649, 3;
-σμένος c. acc. II 111²
βεβώς ptc. 774⁶; -ῶσα 540⁶
Βεελζεβούλ 162⁴
βέηι Ilias 780⁴
Βεῖδυς delph. 225¹
βείκατι H. 225¹. 591³
βειλόμενος böot. 284¹. 300².
693⁴, 10
βείομαι Ilias 780⁴
βείραχες 225¹
Βειτυλῆ lak. 224²
*βεjεσομαι 788, 1
βεκάς H. 225¹. 630³
βελασῆται lak. 786⁷
(βελασσεται lak. H.) 786⁷
*βελεαρ 300⁶
*βελεμα n. 520⁵. 523, 5
βέλεμνον 360⁴; 459¹; -α 520⁵.
523, 5. 524²
βέλεσσιν dat. pl. hom. 580¹
βέλλειτει thess. 90⁸. 300².
669³
Βελλεροφόντης 62². 452, 7
βέλλομαι 82⁵
βελλόμενος thess. 284¹. 693⁴
βέλος 295⁷. 360⁴. 459¹. 512²
II 65⁵; βέλεσσιν dat. pl.
hom. 580¹
βέλτερος 535⁷, 1
βελτιόεσθαι 732¹
βέλτιον adv. 539, 4
βέλτιον γίγνεσθαι II 280³·⁴
βελτίων 270⁷. 291³. 538³; –
ἑαυτοῦ II 100⁷; βελτίω

έαυτῶν II 100⁸; βελτίων
οὐδενός II 98, 3; βελτίονες
μηδενός II 98, 3; βελτίων
τὴν γνώμην II 85⁸
βελτιώτερος 539⁵
βελφῖν- lesb. 300²
Βελφοί lesb. thess. böot. 89⁶.
300²
βέμβιξ 291⁴
βέμβλωκεν 277⁵. 649⁵
βεμβράς 507, 7
βεμόλητο · ἐφρόντισε Η. 768¹
Βενδῖν acc. 465⁴
βενεοι el. 181, 2
Βενζῖς 331⁴
βένθος 512, 4
béno ngr. 277⁵. 323⁷. II 456,3
βέντιστος dor. 213⁴
βέομαι 780⁴. 788, 1. II 265⁷
βέρδηι kret. 224⁷. 716¹
βέρεθρον 263¹. 533²
Βερενικεία II 177⁴
Βερ(ε)νίκη 259⁶. 267⁷
βέ(ρ)θρον 260⁵
βερνώμεθα lak. 693, 13
Βέροια 162⁶
Βέσβικος 183⁷
Βέσσα ngr. (chiotisch) 186,3
βεττόν 216⁶
βεῦδος 512³
βέφυρα böot. 298⁸
βέωμεν conj. Hdt. 792⁶
*-βϜᾶ 301⁶
*βzδεῖν 326⁷
(*βzδεσσω) 685⁶
*βzδέω 335⁷
βῆ 377⁸. 385². 651⁶. II 480⁴;
 – μετά τινα II 483⁵·⁶·⁸;
 – ἀίξασα II 301²; – ἰέναι
 (ἴμεν) II 359⁸. 362⁶; – δ' ἴμεν
 II 632⁸
βῆ Naturlaut 291⁴. II 599, 2
βηβη 176⁶
Βηθανία 162⁴
βῆθι 800⁴
Βηθφαγή 165²
βῆι conj. 792⁶
βήλημα mess. 283⁸
βήλυρρος 156⁵
βήμεναι hom. 806⁴
βῆναι hom. ion. att. 808⁴.
 II 234¹; s. ἔβην
βήξ m. 424², 3. 716²
βήομεν conj. hom. 792⁵
βηράνθεμον 225¹
βήρυλλος 156⁵
Βήσαζε 625¹
βῆσαι II 234¹; s. ἔβησα
-βῆσαι intr. pap. 755, 9
βήσασθαι II 225⁸
(βήσατο Ilias) 755, 8
βήσετο Ilias 755, 8. 788³.
 II 225⁸

βήσομαι fut. 714⁵. 763, 5.
 782⁴. 788, 1. II 225⁸
βῆσσα 321⁵
βήσσω (-ειν) 119². 716².II71⁸
βήσω 788, 1. II 225⁸
βῆτα 140². [bäta] 141, 6.
 409⁶
βητάρμων 442, 6
βήτην hom. 742, 3
βῆτον conj. hom. 792⁶
βήττειν 119²
βήω conj. hom. 792⁵
βι aus idg. $g^wi$ 300⁶·⁷; βι äol.
 301²
βία 300⁷. 302⁶. 425². 459⁶.
 469³. 558, 2. II 15⁸; βίᾳ c.
 gen. II 688⁴; πρὸς βίαν II
 511⁸
βιάζομαι (-εσθαι) 734⁴. II
 240³.276⁵;–ὑπό τινος II529⁷
βιάζω II 240⁵; βιάζετε Od.
 734⁴
βίαιος 426¹. 467, 6
βιαιότερον II 414²
*βίᾱμαι 734⁴
Βίᾱν, Βίαντα acc. sg. 582⁵
βιάομαι 734⁴
Βίας 526². 566⁴. 582⁵
βιάσομαι att. 734⁴
βιᾶται fut. pass. att. 785³
βιβάζω 300⁶. 734³
βιβᾶι 689⁸
*βιβᾱμι 676¹
βίβαντι lak. 689⁸
βιβάς 649³. 689⁸. 703, 8. II
 225⁷; μακρά – 703, 8
βιβᾶσθων (μακρά) 703⁵, 8
βιβάσκω 707, 1. 2. 4. 710².
 756¹. 842¹·²
*βίβᾱτι 676, 1. 689⁸
*βίβᾱτο 689⁸
βιβλίον 256². 471³
βίβλος 471³
βιβρώσκω 295². 300⁶. 361².
 649³. 708⁶. 710². 743². II
 226²; s. ἔβρων, ἔβρωσα, βέ-
 βρωκα
βιβῶ fut. att. 785³
βιβῶν 676, 1. 689⁸
βιδυοι lak. mess. 224⁶. 540³
βίετος kret. 501, 4
βίη c. gen. II 122¹; –'Ηρα-
 κληείη II 122¹. 177²; ἔστι –
 φρεσίν II 155⁴
βιηθείς pass. Hdt. 760⁴
βιήσατο hom. 760⁴. II 82⁶
βιήσεται conj. hom. 668². 790⁴;
 -σεται 734⁴
βίηφι 550⁶. 551¹. II 172⁶·⁷, 2
βῖκας 334³
βῖκος 61⁸; – ῥητίνης II 129³
βί(μ)βλινος 231⁷
*βινάω 694²
βινεσκόμην Aristoph. 711⁴

βῑνέω 300⁷. 694², 2. 696³;
 βῑνήσω fut. 783²
βινητιάω 732³
βίομαι fut. hom. 300⁶; βιό-
 μεσθα h. Ap. 780⁴, 8
(*βίον infin.) 803, 2
βίος (= βίᾱ) 7⁴
βίος m. 300⁶. 425³. II 41⁵.
 75⁷. 803, 2; – ὁ καθ' ἡμέραν
 II 477⁶; βίον ζῆν II 700⁷
βιός m. [so] äol. 6, 3. 300⁶.
 819⁴. II 32, 4
βιός n. ngr. 512⁴
βιοτεύω παρά τινα II 496¹
βιοτή II 34, 4
βιότης 528, 1
βίοτος 300⁷. 501³, 4; – τᾶς
 ἡσυχίας II 122³. 129⁵
βιοῦμαι II 226⁴; ἐβιώσαο Od.
 755⁶; s. βιώσομαι
βίοω 675⁴; s. βεβίωκα, βιώ-
 σαι, ἐβίωσα, βιώσω
Βΐππος 636²
βιππάζω dor. 268⁶
Βίτουλα ngr. 224²
βιώιην 795³
βιῶναι 9⁴. 300⁷. 675, 6. 808⁴.
 II 366⁵; s. ἐβίων, βεβίωκα
βίωρ lak. 217⁴. 225¹. 410⁴
βιῶσαι II 281⁴; s. ἐβίωσα
βιώσιμα n. pl. II 606³
βιώσομαι 675⁴. 743³. 781⁷.
 782, 2; βιωσόμενος II
 295⁸
βιώσω 782, 5
βιώτω II 344¹
βλ- 277⁵
βλαβ- 772¹
βλάβεν 759⁵
βλαβερός 482¹
βλάβεται hom. 684². 685².
 704⁴. 723⁴. II 237²
βλαβέων gen. pl. 579, 4
βλάβη 257². 460¹. 582³. II
 614²
βλαβη- pass. hom. 760²
βλαβήσομαι Plat. 763³
βλάβομαι c. dat. II 148⁴; s.
 βλάβεται
βλάβος n. 342³. 460¹. 512³.
 582³; βλαβέων gen. pl.579,4
βλαβύσσω 735⁵
βλάβω ngr. (thess.) 704, 10
βλαδαρός 277⁴. 342²
βλαδύς 463²
βλαισός 516⁶
βλακικῶς 624²
βλάξ 277⁴. 360³
βλαπ- 257². 772¹
βλάπτομαι (-εσθαι) c. instr.
 II 167²; s. βλάβομαι, βλάψο-
 μαι, ἐβλάβην, ἔβλαβεν, ἐβλά-
 φθην, ἔβλαμμαι, βεβλαμ-
 μένος, βεβλάφθαι

βλάπτω 277[4.5]. 704[5]. 772[4]; –
τινά II 72[3]; -ει έαυτόν II
230[1]; -ω τινά μετ' άνοκωχῆς
II 484[6]; -ειν παρά τὴν έαυ-
τοῦ ἀμέλειαν II 497[3]; -ουσι
κελεύθου II 93[4]; s. βλάψω,
ἔβλαψα, βέβλαφα, βεβλα-
βώς
βλάπω kret. 704[4]
βλάσαμον 831[3]
βλαστάζειν H. 706[4]
βλαστάνεσκε Soph. 711[3]
βλαστάνω 277[4]. 700[3]. 704[3], 8.
816[6]; – φύσιν II 76[2]; s. ἐβλά-
στησα, ἔβλαστον, -ηκα,
βεβλάστηκα, βλαστήσω
βλαστάω LXX 700[3]
βλαστε/ο- 748[3]
βλάστεσκε 711[3]
βλαστέω Theophr. 700[3]
βλάστη Soph. 700[3]
βλαστήσω fut. 816[6]
βλαστός Hdt. 700[3]
βλάσφημος 260[6]. 440[7]
βλαύτη 61[8]
βλαφθέντ- hom. 759[5]
βλαφθη- att. 759[5]; βλαφθῆ-
ναι II 363[8]; ἐβλάφθησαν Ilias
759[5]
Βλάχοι 135[5]
βλάψομαι Thuk. 763[3]
βλεαίρω H. 724[6]
βλέθρα böot. 207[5]
βλείης: αἴ κα – Epich. 743, 2
βλεῖο Ilias 743[1]. 795, 2
βλείς Epich. 743, 2
βλεμεαίνω 440[4]; -ων 733[1];
-ειν περὶ σθένεϊ II 501[6]
*βλεμεσαίνω 733[1]
βλέννα 322[7]
βλέννος 322[7]. 833[3]
βλέπειν: τοῦ – II 372[5]; τὸ
μὴ – II 371[7]
βλέποντας ngr. 805[4]
βλέπος 512[2]
βλέπου ngr. (dial.) 355[3]
Βλέπυρος ion. 263[4]
βλέπω att. 299[1]. 684[4]. 737[4].
815[2]. II 77[2]; -ει 640[7];
-ειν κάρδαμα II 76[6]; -ειν
πρὸς μεσημβρίαν II 510[5];
– φιλοφρόνως πρός τινα II
510[5]; βλέπω κ' ἔρχεται ngr.
II 13[6]; – φόβον II 76[6]; s.
ἔβλεψα, βέβλεφα, βλεψ-,
ἔχω ἰδωμένη
βλέφαρα 299[1]; βλεφάροιιν
II 48[1], 2
βλεψεισθαι epid. 786[4]
βλέψομαι 781[7]
βλέψον II 341[4]
βλη- 747[6]
βλήδην 626[3]
βλήεται conj. hom. 792[5]

βληθη- 761[7]
*βλήθω 706[5]
βλῆ(ι)ο Ilias 795, 2
βλῆμα 346[4]. 360[4]. 523[4], 5
βλήμεναι hom. 743[1]
βλήμενος 743[1]. 757[5-6]
βλῆρ äol. 300[6]. 360[4]. 519[5]
βλῆσθαι 743[1]. 809[3]
βληστρίζω ion. 706[5]
βλητίζω 706[4]
βλῆτο Ilias 757[1]. II 237[7]; s.
ἔβλητο
βλητός 761[7]
βλῆτρον 532[3]
βληχάομαι 291[4]
βληχάς 508[1]
βληχή 460[3]
βληχρός 277[4]. 498[5]
βλήχων att. 299[1]. 479[4]
Βλίαρος ON 638[4]
βλῑμάζω 492[2]
βλιστηρίς (χείρ) Anth. P.
723, 8
Βλιστίχη 280[7]. 723, 8
*βλιστός 'mellītus' 723, 8
βλίττω 277[3]. 320[7]. 518[1].
723[5], 8.
βλογιά ngr. 43[3]
βλοπ- 760, 3
βλοσυρός 272[4]. 482[4]
βλοσυρῶπῐς 463[6], 5
βλύζω 714[6]. 717[1]
βλύσσω spätgr. 717[1]
βλυστάνω 700[3]
βλύω 686[3]
βλωθρός 277[4]. 361[2]. 704, 8
βλωμός 492[2]
βλώξω fut. 708[6]. 783[1]
βλώσκω 277[3]. 360[5]. 361[2].
743[2].747[1].783[1]; s.βεβλωκώς,
βέμβλωκεν, μέμβλωκα
-βλώσκω 774[3]
*-βμ- 327[3]
*-βν- 327[3]
βο- compos. 577[4-5]
-βο- suff. 495[4.5]. 496[1]
βόα acc. sg. 577[3]
βοάαι hom. 683[2]
Βοάγριος lokr. 439[4]
βοαθέω dor. 252[7]
βοαθησιω, -σιοντι gort. 786[4]
βοαθόεω ätol. 252[7]
βοάθοια ätol. 252[7]. 469[5]
*βοᾱθοῖᾱ 469[5]
βόαρχος adj. att. 577[5]
βόας acc. pl. 577[3.4], 10
βοάσομαι 781[8]
βοάω (βοᾶν) 683[2]. 719, 9.
761[4]. 807[4]; βοᾷ II 80[2];
βοᾷ βοᾷ II 700[2]; βοάω c.
dat. II 147[3]; – κραυγῇ II
166[5]; – παρ' ὄχθαις II 493[5];
s. ἔβωσα
βόδι (nicht βώ-) n. ngr. 577[5]

Βοδμίλκας 208[5]
βόε du. 565[4]. 577[3]. II 47[3].
48[5]
βοεικός 498[1]
βόειος 577[5]
βόες nom. pl. 577[2.3]
βοεύς 577[5]
*βοϜᾱθοϜος 450[1]
*-βοϜjα 348[4]
*-βοϜjος 467[5]. 577[5]
βοή: βοὴν ἀγαθός II 85[7].
86, 2
βοηγενής poet. 577[5]
βοήθεια 469[5]; – c. dat.
II 144[8]
βοηθέω 726[4]; -θῶ 252[7];
-θῶν II 391[3]
βοηθῆσαι: τὸ μὴ – II 371[1]
βοηθήσας: -σάντων ὑμῶν II
400[2]; οἱ βοηθήσαντες II
616[6]
βοηθητέον εἶναι II 409[6]
βοηθός 252[7]. 450[1]
βοηλασίη 398[2]. 439[5]
βοήσας 254[3]
Βόθις ark. 192[3]
βόθρος 262[3.4]. 481[3]
βόθυνος 262[3.4]. 491[4]
βοΐ dat. sg. 192, 1. 562[4].
577[2]
βοῖ interj. 600[4]; αἰβοῖ – II
600[4]
βοΐδιον 577[5]
Βοΐδιον (ἡ) II 37[6]
Βοιδίων II 37[6]
βοιηθῶ 195[4]
βοικίαρ el. 207[8]. 225[1]
βόϊκος 577[5]
βοιός ion. 195, 3
*βοιος 300[7]
-βοιος 467[5]
Βοτᾱκος 542[2]
*Βοιωτ 503[4]
Βοιωτία: ἡ – II 24[2]
Βοιωτίδιον II 602[8]
Βοιώτιος 466[4]
Βοιωτοί 66[3]. 79[1]. 90, 1. 91, 1.
503[4]
Βοκόπια rhod. 577[5]
βόλβιτος 260[8]
βολβός 291[4]. 423[2]. II 30[5]
βΟλΕμενος pamph. 728[7]
βόλεστε v.-att. 205, 4
βολέω 719[4]. 721[5]
βολίμι ngr. 257[5]
βόλιμος 257[5]
βολίς 465[1]
βόλιτος 260[8]
βόλλα lesb. 284[1]
(*βολνομαι) 284[1]
Βολόεντι kret. 226[1]
βόλομαι 825. 721[5]. 722[2]
βόλος 458[7]
*βολσομαι 284[1]

βόλυβδος att. 257[5]
βόλυνθος 510[6]
βολῶν (= ὀβολῶν) 75[4]
βομβεῖν κατὰ ῥόον II 478[5]
βόμβος 291[5]. 423[2]
(*βομέω) 720, 12
βονά kypr. 275[6]
βοο- compos. 577[4]
βοόκλεψ 439[5]
βοός gen. sg. 192, 1. 577[3]
*βοόσπορος 577, 8
βορά 360[5]
βόρβορος 423[2]. II 39[4]
βορβορυγή 496[5]
βορέας 163[7]. 295[4]. 461[3], 2.
462, 1; πρὸς -αν τῆς πόλεως II 96[6]
Βορεάς f. 635[1]
Βορειάς f. 508[4]
*βόρειος 461[3]
βορῆς ion. 249[1]
Βορθαγόρας arg. 225, 1
Βόρθιος kret. 224[7]; Βορθίω 226[1]
βορίαις lesb. 461, 2
βορίας gort. böot. 461, 2
worise ngr. (Chios) 226, 1
βόρμαξ 257[5]
βορός 459[4]
βορρᾶς att. 274[4]. 562[3]
βορσόν el. (= Ϝορθόν) 205[4].
226[2]. 829[1]
βοσίν dat. pl. 577[4]
βόσις 708[2]
βοσκέονθ' Od. 710[5]
βοσκή 541[5]. 708[2]
βόσκημα 708[2]
βοσκήσω fut. 708, 3. 783[2];
-σεις 708[2]
βοσκός 459[4]. 541[5]
βόσκω 541[6]. 707[4]. 708[2];
– ngr. 712[2]; s. βοσκήσω,
ἐβόσκησα, βεβόσκηκα
Βοσπορᾶνός hell. 189[8]
Βόσπορος 577, 8
βόστρυχος 302[4]. 498[4]
βόσω fut. gramm. 783[2]
βοτάνη 289[2]. 490[2]
βοτανιοῦμεν 785, 3
βοτείων Kallim. 706[1]
βοτήρ 355[5]. 708[2]
βότικα ngr. 278[4]
*βοτις 289[2]
βοτρεύς 478[1]
βοτρυδόν hom. 626[4]
βοτρυμός 492[3]
βότρυς m. 463[5]. 495[4]
βότρυχος 217[2]
βστύπōι 577, 7
βοῦ gen. sg. Aesch. Soph.
192[3]. 577[3]
βοῦ voc. Choirob. 577[3]
βου- compos. 434[3]. 577[4]
βουαγετόν lak. 577[5]

βουβῆτις her.250[5].270[8]. 505,2
βούβοτος 708[2]
βούβρωστις hom. 504[6]
βούδι n. ngr. 577[5]
βούδιον spätgr. 577[5]
βούεσσι böot. 564[3]. 577[4]
Βουζύγης 577[4]. 635[6]; -αι 562[1]
βουηθός 254[4]
βουθήλεια 439[4]
βουθός 254[4]
Βούκατια delph. 270[6]. 592, 6
Βουκάτιος delph. 270[6]. 577[4]
Βουκάττει 636, 6
βουκκίζω 736[6]
βοῦκλεψ 425[1]
βουκολέεσκες hom. 711[2]
βουκολέω hom. 726[4]; -ῶ
II 73[2]
βουκολιαξῆι Theokr. 786[6]
βουκόλος 298[7]. 426[5]
βούλαι 119[3]. 669[2]
βουλαία 258[2]
βουλαμένων 754[2]
βουλαυόντων delph. 198[5]
βουλαχεύς 263[3]
βούλει119[3].127[7].668[2].II318[5.6]
βουλεία 258[2]
βούλεσαι ngr. 668, 3
βούλευ imper. Theogn. 797,5
βουλεύειν 732[5]. II 371[6]
βουλευθῆναι II 240[5]
βουλεύεσθαι (-εσθαι): – περί
τινος II 503[1]; – ὑπέρ τινος
II 522[3]; – κατά τινος II
480[2]; – πρὸς τὴν ξυμφοράν
II 511[8]; – πρὸς τὸ παρεόν
II 511[7]; -ονται κατὰ σφᾶς
αὐτούς II 477[6]; s. βεβουλευ-, βουλευθῆναι, βουλεύσασθαι, -σοιτο, -σόμεσθα
βουλεῦσαι II 362[2]
βουλεύσασθαι II 363[8]
βουλευσέμεν hom. 806[4]
βουλεύσοιτο II 337[2]
βουλευσόμεσθα 670[2]
βουλευτήριος 467[4]
βουλευτής 154[6]
βουλεύω II 300[3]; – ἐς μίαν
(sc. βουλήν) II 708[4]; –
τι πρὸς λύχνον II 510[4]; –
τινὶ περὶ φόνου II 502[7];
βουλὴν -εύειν II 75[4]; s.
βουλεύειν, -λεῦσαι, -σέμεν,
-λαυόντων
βουλέωνται conj. 792, 9
βουλή 284[1]. II 41[3]; -λῆ
(= -λῆι) 655[4]; βουλή c. gen.
II 129[3]; βουλὴν βουλεύειν
II 75[4]
βούλη II 318[5]
βουληθείης: ὁπόταν – II 338[3]
βουληθη- Hdt. att. 762[1]
βουλήσομαι 783 , – c. infin.
II 294[4.5]; – ποιῆσαι II 294[5]

βουληφόρος: ἀρχὸς ἀνὴρ – II
614[6]
βουλοίατο 750[3]
βουλοίμην κε II 330[2]
*βουλολαχεύς 263[4]
βούλομαι 284[1]. 295[2]. II 227[5].
229[2]. 259[3]. 308[8]. 330[1], 1;
βουλόμεσθα 670[2]; βουλόμενος II 391[3]; βούλομαι c.
infin. 810[1]. II 291[2]. 293[5.7].
365[5]; – εἰς τὸ βαλανεῖον II
293, 1. 708, 1; – τι ἀντί
τινος II 443[3]; ὡς βουλόμενος
II 391[7]; s. βόλομαι, βούλη, βούλει, βούλαι, βούλευ,
ἐβουλόμην, εἰβουλόμην,
ἠβουλόμην, ἠβούλω, βουλέωνται, βουλοίμην, -λοίατο,
βουλαμένων, βουλήσομαι,
βουληθη-, βουληθείης, βεβούλημαι
βουλόμαχος 442[3]
βουλυτόν δε hom. 624[6]
βοῦν acc. sg. 577[3], 6. 7
βουνόμος 439[5]
βουνός 347[3]. 489[1]
βούδα 217[4]
βούπρηστις 504[4]
Βοῦρα 66[4]
βουρβουρίζω ψεῖρα mgr. II
111, 3
*βοῦς (ou) 577, 7
βοῦς 192, 1. 279[6]. 295[5].
377[8]. 564[2].575[2].577[2.3], 5. 7.
585[3]. 731, 1. II 31[3.5];
βοῦ voc. Choirob. 577[3];
βοός gen. 192, 1. 577[3]; βοῦ
gen. 192[3]. 577[3]; βοῖ 192, 1.
562[4]. 577[2]; βοῦν acc. 577[3],
6. 7; βόα 577[3]; βόε du.
565[4]. 577[3]. II 47[3]. 48[5];
βόες nom. pl. 577[2.3]; βοῦς
564[2]. 577[4]; βοῶν gen. pl.
577[2.4]; βουῶν böot. 577[4];
βόεσσι dat. 564[5]. 577[4];
βουσί 577[2]; βοσίν 577[4];
βούεσσι böot. 564[3]. 577[4];
βόας acc. 577[3.4], 10; βοῦς
564[2]. 577[3], 10; s. βῶς
βουσός 450[1]
βουστάνη 489[2]
βουστροφηδόν 141[2]. 626[5]
Βουτάστρατος 637[7]f.
βούτης 577[5]
Βουτρωτός 66[3]
βουφονέω 726[4]
Βουφονιών 577[4]
βουῶν gen. pl. böot. 577[4]
βοῶν 577[5]
βοῶν gen. pl. 577[2.4]
βοῶπις 571[1]
βοῶπις 426, 4. 439[5]. 577[4]
βοώτης hom. 500[5]
βρ- 277[5]

βρά·ἀδελφοί Η. 65, 2. 568, 3
βραγχιάω 732³
βραδινός lesb. 225²
βραδίων 538⁴
βράδος 128²
βραδύνω: μὴ βράδυνε ΙΙ 343⁵
βραδύς 342². 538⁴
βραδύτερα 624²
βραδυτής 382⁴. 528⁶; -τῆτες ΙΙ 43⁷
βράζω ngr. 715⁴
βραθυ 278⁸
βραΐδδει el. 331⁶
βράιδον lesb. 225²
vráka tsak. 779, 1
βράκεα lesb. 225²
βρακεῖν·συνιέναι Η. 302⁷. 342⁵. 747⁶. 755³
βράκετον 502⁴
Βραμαγαρα 156, 2
Βράμις böot. 225²
Βρανίδας böot. 225²
βράξαι 302⁷. 755³
βράπτω Η. 704⁶
Βρασίδας καὶ τὸ πλ. ἐτράπετο ΙΙ 611²
βράσσων 538³, 6
βραστός ngr. ΙΙ 410⁷
βρατάνει (= F-) Η. 700⁴, 3
βρατάνη 225¹. 489⁶
βραττίμης 61⁸
βραυκανάομαι 700⁶
βραῦκος (-εῦ-) kret. 198⁶
Βραυκῶνι loc. ΙΙ 155¹
βραχη- 760¹
βραχίων 538⁴; -ίονες ΙΙ 44, 2
βραχμᾶνες 156, 2. 487⁴
βραχύς 277⁴·⁵. 342². 463¹. 538³·⁴, 6
βράψαι 277⁴
βρέ 'he!' ngr. 547⁴. 585¹. ΙΙ 16⁴
βρεγμός 206, 1
Βρεισάδας 510¹
βρεκεκεκέξ ΙΙ 620²
βρέμω (-ειν) 684⁴. 719⁴, 11. ΙΙ 232⁶; – ὑπὸ σκότῳ ΙΙ 527²; βρέμεσθαι ΙΙ 232⁶
βρένθος 510⁶
βρενταί 500³
βρές το ngr. ΙΙ 250, 1
βρέσκω ngr. 709, 2
*βρέσσων 538, 6
βρέτας 514⁵
βρέφος 295⁴
βρέχει ΙΙ 621⁵
βρεχη- 760¹
βρεχμός 492⁴
βρέχω 684⁴; -χει ΙΙ 621⁵; ἔβρεξεν (κύριος) ΙΙ 621⁴
βρήτωρ lesb. 225²
βρῖ 837¹
βρῑ- 755¹

βριάει 683¹
βρίαρός 482², 5. 703²
Βρίγες 65¹. 67³·⁷
βρίζω 'schlafe' 648, 1. 716⁴
βρῑθ- 755¹
βρῖθος 511¹, 4
βρῑθύς 462⁶
βρίθω 350⁵. 363⁴. 703²; – c. gen. ΙΙ 110⁷; s. βέβρῑθα
Βριληττός 61¹
βρῑμάομαι 725, 9
βρίμη 725, 9
βρῑμός 494³
βριμοῦσθαι c. dat. ΙΙ 144⁵
Βρῑμώ 494⁴
βρινδεῖν 703¹
βρῑσ- 755¹; s. ἔβρῑσα
βρῑσάρματος 451, 1
βρίσδα lesb. 352³
Βρισεες (= -ηίς) 201, 2
βρίσκω ngr. 709, 2. 712²; s. βρέσκω
βρίστω ngr. 705³. 709, 2
βρόγχος 510⁷
βρόδον lesb. 225, 2. 344, 2
βρομέω 719⁴, 11. 726, 5. ΙΙ 222, 3
Βρόμιος 719, 11
βρόμος 458⁶. 459³. 719, 11
βροντᾷ (Ζεύς) ΙΙ 621⁴
βροντή 256⁵. 277⁷. 324³. 362⁸
Βρόντης 561⁴
βρόταχος 831³
βροτήσιος 466⁵
βρότος 501⁴
βροτός 277³. 344², 1. 385⁴. 502, 1. ΙΙ 174⁵; – αὐδήεσσα ΙΙ 32⁴
βροῦκα kypr. 198⁶
βροῦκος kypr. 88⁸. 198⁶
βρούχετος kypr. 182²
βροῦχος ion. 198⁶
βροχέως lesb. 344¹
βρόχθος 510⁷. 759³, 2
βρόχος 207⁴. 459¹
βροχύς 89⁶
Βρόχυς ΙΙ 175³
Βρύαξις 318⁴
βρυγμός 206, 1. 492⁵
βρυκεδανός 530²
βρύκω 702⁵
βρύλλω 736⁶
βρύξ 351⁷
βρύον 458⁶
βρύσας 686³
βρυτανεύω phok. 207⁵
βρυτανήιον kret. 207⁵
βρύτηρ äol. 222, 4
βρῦτος 68⁶
βρῡχανάομαι 700⁶
βρῡχάομαι 291⁴. 683². 771³. ΙΙ 263²; s. ἐβρυχήσατο, βέβρυχε
βρυχή 683²

βρύχω 295⁴
βρύω 686³; – c. gen. ΙΙ 110⁷; βρύσας 686³
βρῶ conj. ngr. 709, 2
βρώζω 708⁷. 716⁷. ΙΙ 226²
βρωθη- Hdt. 762¹
*βρωθρά pl. 362⁵
-βρώς 425, 2. 514⁴
βρῶσις 343⁷
βρώσομαι hell. 708⁶
βρωτός 360⁵. 361¹
βρωτῦς 506, 7. 8; -τύν acc. sg. 571²
*βση- 743, 1
βῦ 291⁴
βύας 224, 5. 291⁴. 313, 1. 461². 716⁵
βύβλος 141³, 4. ΙΙ 34, 4
Βύβλος 153²
βυβός 423². 496¹
βῦζα f. Nikandr. 474⁴. 716⁵
Βυζάντιον 66⁵
βυζάνω ngr. 259³. 701⁴
Βύζας 66⁵. 526⁴
Βυζ(ζ)άντιοι 218³
βύζην adv. 281⁸. 330². 626³
Βύζηρες 569⁴
βυζόν·πυκνόν Η. 472, 3. 626, 3
βύζω 716⁵·⁷; s. ἔβυξε
βυθός 296³
βυκάνη 490³
βύκτης 291⁴. 500¹
Βύλιππος 300². 636¹
βυλλά 322⁵. 483⁴
βῦνέω 281⁸. 692²·³; *βῦνεσω 281⁸
*βυνσοντι 3. pl. 692³
βύπτειν Η. 704⁵
βύρμαξ 257⁵
βύραξ 285⁶
Βύσβικος 183⁷
*βυσδην 330². 347³
*βυσδω 716⁷
Βύσιος (μήν) 307⁷
*βυσλα 322⁵
Βυσναῖοι 833¹
*βυσνέω 281⁸
βύσσος 152⁸
βυσσός 296³. 321⁵
βύσσω 782³
βυστός 503¹
βύστρα 281⁸
*βύσω 692³
βύσω, βύσω 782³
βυτθόν 216⁷
βύττος 291⁴
βύω 347³. 686⁴. 692³; s. βέβυσμαι
βῶ: βῶσιν conj. hom. 792⁶
βώδι s. βόδι
Βώδων thess. 300²
βωθέω ion. 252⁷; -θῆσαι 249⁷

βωλευσᾱνται conj.ark. 792³,4
βῶλος II 32, 4
βόμβᾱξ 497⁴
βωμολόχος 429⁶
βωμονίκης 429⁶
βωμός 492²
Βωμός: Ζεὺς – 492, 2
βῶν acc. sg. dor. 200⁷.
346³. 577², 7
βῶν gen. pl. Hes. 577⁴

βῶξ 377⁷
βόρθακος 831³
Βωρθέα lak. 224⁶
Βωρθεία lak. 226²
Βωρσέα spätlak. 205³
βῶς dor. 346³. 424². 577³;
βῶν acc. 200⁷. 346³. 577³, 7
βώσεσθε Ap. Rh. 782, 5
βωσθη- Hdt. 671⁴

βῶσιν conj. hom. 792⁶
*βώσομαι [βόσκω] 708, 3
βώσομαι ion. 781⁸
βωστρέω hom. 706⁵; -εῖν
II 381³
*βώσω (βόσκω) 783²
βωτάζειν H. 706⁴
βωτιάνειρα 106⁶. 271³. 289⁶.
424⁵. 442⁷, 6. 448². II 34⁶
-βώτωρ 708²

# Γ

γ aus idg. g 291⁶f. 292².
293⁶; – aus ĝ 291⁶f. 292⁵;
– aus labiovel. 298⁶; – vor
μ, ν 214⁸. 215¹·³⁻⁵; – spi-
rantisch 209³·⁴. 233⁵; –
ngr. 209¹; – (= j) 312⁷;
– eingeschoben 209⁴·⁵; –
intervokal. geschwunden
209²; – restituiert 215³; –
parasitisch 125⁴·⁵; – zu
κ 829³
-γ- suff. 496⁴·⁵
γ in Präsensbild. 702⁴
γ' (= γε) II 561¹
γα dor. el. böot. 627, 4. II
561¹, 1
γᾶ 425³. 562³; γαῖ nom.
pl., γῶν gen., γᾶς acc.
562³; γαῖν δυοῖν Aesch. 557⁵
γᾶ- 111¹. 438⁶
-γα 1. sg. pf. 771⁶
γαβαθόν 209³
γαγγαλιάω 647²
γαγγαλίζω 213⁷. 259¹. 647²
Γάγγης II 33²
γάγγραινα 259¹
γαδεῖν 223²
(*γᾶϜα) 245⁷
*γᾶϜαθέω 703⁴
*γᾶϜεθέω 703⁴
γάζα 154⁷
γαθέω (-έειν, -εῖν): γά-
θησα Pind. 703⁴; γαθέω
περὶ πλέγματι II 501⁵;
– περὶ ψυχάν II 503⁷; s.
γέγᾱθι
γαῖα 273¹. 473⁶, 4. II 33³;
γαιάων hom. II 51⁶
γαιάϜοχος 223⁵
ΓαιάϜοχος lak. 315¹; ἐν -όχō
II 120³
γαιάων hom. II 51⁶
γαιήοχος 385⁵. II 701⁶
γαϊκόν (κρίμα) 838⁴
γαίνεται H. 697, 1
-γαιος 451¹
γαιων herakl. 247⁸. 488³
γαίων κύδεϊ 714³. II 166³
γᾱκίνᾱς dor. 438⁶

γακού 333⁶
γακτός 501⁴
γακυπώνης 693, 8
γάλα 278⁴. 409². 518³. 520, 2.
II 41⁵; γάλατος 211⁴; γά-
λαξι II 43³
γαλαθηνός 423⁵. 452². 489³
*γαλακτ 520⁶
γαλακτ- 424⁴. 515⁴
Γαλαξαύρη 444, 5
γαλάξια 518³
*γαλασνός 514³
γαλατᾱς 518, 4
Γαλάτεια 518, 4
γαλατμόν 449⁴
*γαλγαλίζω 259¹
γαλέη 298⁸
γαλεώτης 500⁵
γαλῆ 462, 1; -ῆν 394³
γαλήνη 360³; γαλήνης gen.
II 113²
γαληνός342⁴·489⁶·514³;γαλήν'
ὁρῶ 394³
γάλι 223¹. 462⁵
γάλλοι 223²
Γάλλος 161⁶. 231²
γαλοιός 278⁷
γαλόως hom. 68⁵. 480³
γάλως att. 480³
γαμβρή 460⁴
γαμβρόζουμ ngr. (nordgr.)
606⁵
γάμελα delph. 483²
γαμετή 720, 12
γᾱμέτρᾱς dor. (herakl.) 250³.
451⁵
γαμέω (-έειν) 720, 12. II
272⁵; γαμήσω fut. spätgr.
720, 12; ἔγημα 720, 12.
755⁵; γῆμαι II 362⁸. 363³;
ἐγάμησα aor. 720, 12. 755⁵;
ἐγαμήθην 720, 12; γεγάμη-
κα 709³. 720, 12. 774⁵;
γεγάμημαι 720, 12; γαμεῖ
γάμον II 79⁵; γαμεῖν γάμω
II 166⁴; – γάμους c. dat.
II 151⁸; – τινα λέχος II
79⁷; ἔγημε θυγατρῶν Ἀ.

II 102⁶; γῆμαί τινα ἐπὶ τα-
λάντοις II 468²
Γαμίλιος 483²
γαμίσκομαι hell. 709³
γάμμα 140², 4
γαμματίζω 736³
γάμορος 111²
γάμος 459⁴; -μοι II 43⁵;
– ngr. II 43, 5; s. γαμέω
γαμφηλαί 484³
γαμψός 516⁶
γαμψῶνυξ 450⁶
γάνα f. dor. 296². 582, 3
γανάω 693, 4
γάνος n. 512⁵
γανόω 732¹
γανόωντες hom. 694¹
Γανύκτωρ 531, 8
γάνυμαι 693, 4. 697¹. 703⁴. II
229²; -ται 694¹; γανύσσε-
ται fut. 697¹. 737⁵
γανύσκομαι spätgr. 708⁵
γαοργεῖμεν infin. thess. 729³.
806⁵
γάρ 388⁴·II424⁷·553⁴·⁵·555³·⁶·
556⁴. 558, 5. 560¹⁻⁷, 2. 5.
561⁴·⁵. 570². 629⁶. 631⁶.
633⁶. 706²·⁵·⁶; γὰρ ἄρα att.
II 560³; γὰρ δή II 563²;
γὰρ οὖν II 585¹·⁶; γὰρ
ῥα hom. II 560³; γάρ τε
II 576³; γάρ τοι II 580⁶;
ἀλλὰ γάρ II 560⁵⁻⁷. 578⁷
γαργαίρω 423². 646⁵. 647².
717². 725²
γαργαλίζω 647²
γάργαλος 647²
*γαρ-γαρ 646⁵. 717²
γάργαρα 292⁴. 423². 646⁵.
II 39⁴
γαργαρεών 423²
γαργαρίζω 423². 647²
*γαργαρϳω 646⁵. 647². 717²
γάργαρος 423²
γαργάρται H. 423²
Γαργηττός 61¹
γαρρούμεθα 299⁸
γάρσανα kret. 284⁸. 516⁵
ΓαρυϜόνες, -νης 223³. 314⁸

γᾶρυς 463⁵
γᾶς ἔντερον unterital. 95². 210⁶. 427²
γάσος 516⁸
γάσσα 516⁵
γαστήρ 530, 2. 568⁴. 839²; γαστῆρσι Hippokr. 568⁴; γαστράσι Dio C. 568⁴
γάστρᾱ 461¹
γάστρη hom. 532⁵
γαστρίον 568⁷
γάστρις 462, 3
γαστρίστερος 535⁶
γατάλαι 223²
γατρός (= ἰατρός) 209⁶
γαυγίζω ngr. 223, 2. 313, 1
Γαῦδος 207⁵
γαυνάκης 38, 5
γαυριάω 732³; – c. instr. II 168²
γαυροῦσθαι c. instr. II 168²
γαυσός 516⁶
γβάλλω ngr. 323⁷
γγ für ʋg 231⁶; – kret. < zg 216⁶
*-γγjω verba 714⁶
γδουπέω 718, 3
γδοῦπος 325²
γδύνω ngr. 701⁴
γε 627, 4. II 14, 1. 424⁷. 553⁵. 554³. 555²·³·⁶·⁷. 556¹·⁴, 2. 561¹⁻⁵, 1–6. 570². 571⁶. 631⁶. 703¹; γε ἄρα II 559¹; γε δή II 562⁶. 563²; γε μέν II 569³, 2. 570²; γέ τοι att. II 580⁶; γ᾽ ἂν οὖν att. II 585⁵; γ᾽ οὖν II 585¹, 3; ἀλλά γε II 561⁴. 578³; εὖ γε II 628⁴
γέαι nom. pl. ion. 473, 4. 562³. II 51⁶
γέαρ 223²
gebome = γεύομαι 198⁴
γεγάασι 3. pl. 767, 7. 769²
γεγάατε 2. pl. 767, 7
*γέγᾶθε 800⁵
γέγᾶθι kret. 800⁵
γεγᾶκα pf.dor.hom.364¹.740⁴
γεγᾶκειν infin. Pind. 774, 1; – Φοίβου II 94¹
γέγαμεν 356⁷. 357¹. 358⁶. 767³. 774, 1.; s. γεγάασι, -άατε, γέγονα
γεγάμηκα Hdt. att. 709³. 720, 12. 774⁵; γεγάμημαι att. 720, 12; s. γαμέω
γεγαὼς ὑπὸ Τμώλῳ II 526⁷
γεγαῶτ- 767, 7
(*γεγενα) 765, 1
γεγένᾱμαι hyperdor. 770,8
γεγενημένος: -ης τῆς μάχης II 398⁷; ὡς αἴτιον γεγενημένον II 402⁷; τὰ γεγενημένα περί τινος II 503³

γεγενῆσθαι II 376²
γεγένηται 643⁷. 738⁵; -νηνται 770, 8
γεγέννηκα 774⁵
γέγευμαι 333⁷. 773³; s. ἐγέγευντο
γέγηθα 720⁴. 770⁶. II 264³; -θε 703⁴. II 263²
γεγήθει 777, 11. II 288³
γέγλανται H. 770, 9
*γέγνα(ν) 3. pl. 777¹
*γέγνε/οντ 777¹
*γέγνηνται 770, 8
γέγονα 339²·³. 358⁶. 367⁵. 662⁴. 737³. 767³. 812⁵. II 258³; -νε 390². 767, 7. 769²; *γεγόνε 390²; γεγόναμεν att. 419⁵. 767³. 769³; -νασμεν 773⁵; γέγοναν 666³; γεγόνατι ätol. 664¹; γεγόνασι ἐκ τ. τῶν γυναικῶν II 94³; s. γέγαμεν, -γατε, -γάασι, γίγνομαι
γεγόνει inseldor. hom. 767⁶, 7. II 286⁷; γεγόνουσαν 765,2
γεγονεῖα att. dor. 273². 474⁵⁻⁶, 4
γεγόνειν infin. rhod. 807¹
γεγονέναι 808². II 378²·³; – ἐς δέον II 460⁵; – ὑπό τινι II 526⁶
γεγονώς 812⁵; -ότοις dat. pl. 564⁸; -νὼς ἔτη .. II 70²; – ὑπὲρ τὰ στρατεύσιμα ἔτη II 520²; τὰ περί τινα γεγονότα II 504⁷
γεγράβανται arg. 672³. 727⁷
γέγραμμαι 772⁴; -πται 811⁶; -φθε 670³; γεγράφαται 772⁴. 773⁸. 811⁶; γεγράφθωσαν imper. Archimed. 802⁵; γεγράφθαι 335⁶; γεγραμμένος 814⁶; -ον II 402¹; γεγραμμένην εἶχες 812⁸; γεγραμμένον ἐστί 811⁶; -νος (ἦι) 812²; -νοι εἰσί 779⁴. 811⁶; II 17¹. 223⁵. 244⁴; γέγραπται δι᾽ αἰνιγμάτων II 452²; s. ἔγραμμαι, -ττμαι, γεγράβανται
γέγραφα 771¹. 779³. II 264⁵
γεγράφηκα hell. 775¹, 1
γέγραφφα 207². 316³; -φφώς 772⁶
γεγράψεται 783⁴; -ψαται 3. pl. her. 773⁷⁻⁸. 774¹. 783⁶
*γεγρετο 648, 3. 748⁵
γεγριφώς H. 720⁴. 772¹
γεγύμνακα 775²
γέγωνα 768². 816⁴; -νε(ν) 102¹. 770⁵. 777³·⁵. II 264³; -νε imper. Aesch. 799¹; γέγωνε βοήσας II 388²; s. ἐγεγώνεον

γεγωναμένοις dat. pl. lak. 770, 8
γεγωνεῖν Ilias 768, 1; τὸ μὴ οὐ – II 372²
γεγωνείτω Xenoph. 768, 1
γεγωνέμεν infin. hom. 768, 1. 806³
γεγωνέοντες ion. 768¹
γεγώνευν Od. 768, 1
γεγωνῆσαι Aesch. 768, 1
γεγωνήσω Eur. 768, 1
γεγωνητέον Pind. 810⁶. II 240¹
γεγωνίσκω Aesch. Thuk. 710³
γεγωνός m. att. 768, 1
γεγωνός n. spät 768, 1
γεγωνώς 768, 1
γεγώς: γεγῶσα 540⁶; γεγώς εἰμι, – ἢν 812⁵; – ἀπὸ πατρός II 94¹
γέεννα 124¹
γεινάμενοι (οἱ) II 45¹. 408⁸; s. ἐγεινάμην
γείνατο trans. 715, 13; s. ἐγεινάμην
γείνομαι 715⁶, 13. 756, 1. 842³
γεισήπους 438⁶
γεῖσον 62¹. 516⁸
γεῖσος n. 512⁴
γείταινα 485⁵. 486⁴
γειτνέω 486⁴
γείτονας, -τόνου, -τόνοι ngr. 579, 7
γειτονεύω 486⁴
γειτονέω 731⁶
γειτονία 486⁴
γειτονιάω 486⁴
γειτοσύνη 486⁴
γείτων 485⁵. 486⁴, 3. 487¹; γείτω acc. 536, 3. 558¹; γείτονες νότῳ II 155²; s. γείταινα
γέκαθα kret. 223²
Γέλα f. II 33, 2
γέλα (= εἴλη) 461¹
*γελᾱ- 682, 3
γέλαιμι lesb. 274². 729², 1; γέλαις 2. sg. 729²·⁵; γέλαι 3. sg. 659⁶. 729²
γελαῖσα äol. 90²; γελαίσ[ας ἱμέροεν II 77³
*γέλαμα 524, 3
*γέλᾱμι 682¹·², 3
γέλαν 223²
γελᾱνής 513⁴
γελαφής 519⁴
γελαρος 68⁵
Γέλας m. II 33, 2
γελασθη- 761³
γελασῖνος 491³
γέλασμα 524², 3
γελάσομαι att. 784⁶
γέλασος 516⁷
γελαστός ngr. II 410⁷

γελάω (-ῶ, -ᾶν) 273⁸. II 282²; γελώντων imper. II 344²; ἐγέλασα 752⁴; γελάσαι 360³; γελάω c. acc. II 109⁴; – c. dat. II 145³; – c. instr. II 167⁶⁻⁷. 168¹; γελᾶν ἀχρεῖον II 77¹; – ἡδύ II 75¹; γελάσασα ἔφη II 388²; γελάσαι ἐκ τῶν ἔ. δακρύων II 464⁴; γελᾶν ξὺν τῷ θεῷ II 489³; – ἐπί τινι II 467⁵
*γελάω 682², 3
γέλγις 465⁴. 510⁷; γέλγιθες 260⁴
*γελγλιθες 260⁴
γελειέμαι pass. ngr. II 241⁴
Γελέων 243¹; Γελέοντες 243¹. 526¹. 682, 3
γέλλαι 223²
Γελλώ 478⁶, 7
γελοιάω 732²
γελοίιος 467, 5
γέλοιο ngr. 514⁴
γελοῖος 467⁵, 5. 514²; γελοιότερον II 184⁵
γέλοιος 383¹
γέλος äol. 514³, 4
γελῶ c. gen. ngr. II 136⁷
*γέλωρ 519⁴
γέλως 57⁵. 514³. 647⁵
*γελώσjω 724⁴
γελώω 724⁴
γεμᾶτος c. acc. ngr. II 111³
γεμίζω 717⁵. 736²; – ngr. II 83⁵
γέμμα ion. 140²; γέμματα 223²
γέμος 512²
γέμω 684³; – c. gen. II 110⁷; – c. acc. II 111³
γεν epirot. (= γε) 405⁵
γενάμενος ngr. 754¹. 811⁴
γενεά 187⁶; γενεὰ καὶ γενεά II 700³; γενεαὶ ἀνθρώπων II 129²
γενεή 187⁶
γενέθλη hom. 533³; – ἐξ αἵματος II 463⁵
γενειάδες II 43⁵
γενειάσκω 708⁵
γενειάω 731⁵
γένειον 470⁵
*γενέομαι 782, 11
γενεσέοιν gen.-dat. du. Plat. 573⁵
*γένεσθαι II 260, 2
γενέσθαι 746³·⁴. 809⁴. II 258³. 260, 2. 296⁶. 361³·⁴. 362²·⁸ 364². 367⁴⁻⁷. 368³⁻⁵. 375³·⁸. 376³. 378²; τοῦ γενέσθαι II 360⁷. 361⁵. 372⁴; – ἐσθλῶν II 94¹; – ἔπη διὰ ψευδῶν II 452²; s. ἐγενόμην
γενέσθω 801⁶. II 342⁸
4 H. d. A. II, 1, 3

γενέσια II 43⁷
γενέσιος 466⁴
γένεσις: -ιν τοῦ ἀφροῦ II 96¹; -ιν ἐκ τοῦ ἔρωτος II 96¹
γενέσκετο Od. 711⁵
γενέτειρα hom. 381⁷
γενέτης m. 477³. 500¹. 561⁴·⁵
γενέτωρ 340⁶. 360⁴. 531, 10
γενή 460¹
-γένη gen. dat. voc. 579⁶
γενηθήσεται 762¹, 1
γένημα 231⁵. 523⁴
-γένην acc. sg. 579⁶
γενήσομαι 782⁷. II 258³; γενήσεται 643⁷. 738⁵; γενησέται Archimed. 786⁶
γένηται II 310⁷. 312³; γένητοι 669³
γενική (πτῶσις) II 54¹·³, 2
γέννα 315⁶. 421, 3. 475⁶, 9; – πέμπτη ἀπ᾽ αὐτοῦ II 447⁵
γεννάδας 190⁵. 315⁶. 475, 9
γενναῖος 274⁵. II 701⁵; – εἰμι c. dat. II 152²
*γενναμι 694¹
Γεννάοι thess. 236⁷
γέννατο äol. 756¹
γεννάω 265⁴. 694¹, 1; ἐγέννησεν II 285⁶; ἐγεννήθην 762¹; γεγέννηκα 774⁵
γέννημα 231⁵
γεννήσαντες (οἱ) II 45¹
γεννητής, γεννῆται 500⁴
*γενοᾶτο 348⁷
γενοίμην II 346⁴; γένοιτο II 321³. 322¹·⁸. 713⁷; – ngr. 797⁵; γένοιτυ kypr. 182⁴; γένοιντο 671⁶; γενοίατο 348⁷; γενοίμην ἄν II 328³; γένοιτο ἄν II 327²·⁸. 329²; ἵνα γένοιτο II 323³. 333⁵; ὅπως – II 323⁴
γένοισαν 666²
γένομαι fut. hyperatt. 780⁵; – ngr. 640, 3. 690²
γενόμενος 746, 4. II 389⁴; -ον II 402²; γενόμενοι ἦσαν Thuk. 812⁶; γενομένης ναυμαχίας II 398⁷; γενόμενον αὐτίκα II 390⁷; τὰ γενόμενα ἐξ ἀνθρώπων II 463⁷
γένος 314. 292⁸. 304⁴. 309². 339². 355⁶. 356³. 358⁶. 360⁴. 362⁷. 380⁸. 419⁷. 511⁷. 553⁷. 578⁷. II 29³. 86³; γένο Σ-230⁵; *γενεσος, -hος 20⁴; γένεος 14⁶. 20⁴. 219⁶. 240². 249⁷. 554¹; γένευς, -ους 249⁷; γένει dat. 348²; τῷ γένει du. II 48, 4; γένεα 14⁶. 581¹; γένη 250⁶. 581¹; γενέων gen. pl. 378⁶; γένεσι dat. pl. ion. att. 321⁴; γένος ἀνθρώπων II 608⁷

γενοῦ imper. 746³. 764³. 798, 4. 799, 2
γένου imper. ngr. 764³
γέντα 501⁴
γέντο ᾽faßte᾽ hom. 102¹. 324². 678⁶. 679¹. 684³. 720, 12. 740⁶. 746⁴
γένυς 293⁶. 381¹. 463⁵. II 29³. 335⁵; γένυος gen. sg. 585⁵; γενύων gen. pl. 244⁸; γένυσσι dat. hom. 549¹. 571³; γένυσι 571³, 3; *γένῦσι hom. 571³
γένωμαι; s. γένηται, γένητοι
Γεοποθρος 197, 2
γέρα n. pl. hom. 209, 1. 516². 579, 4. 581⁴, 5
*γερα- 682, 5
γέρᾳ dat. 515²
γέραα 583⁶
γεραιός 360². 468⁴
γέραιρα 475¹
γεραίρω 725²
Γεραιστός 663. 503⁵
γεραίτερος 534⁵, 8
γέρανος 292⁴. 486⁴
γεραρός 516²
γέρας 514⁵, 7
*γέρασι loc. 534, 8
γεράσμιος 493, 10. 515¹
Γεραστός 663. 276²
Γερβανικός 259³
γέργερα 292⁴. 423²
γεργέριμος 423²
γεργέρινος 423²
γέργερος 423²
γεργυρα s. γοργυρα
γέρεα 243²
γέρην 486⁴·⁷
Γερόνθραι 533³
γέροντας ngr. II 410⁸
γεροντία 270⁷
γεροντίας 270⁷
γεροντιάω 732³
γεροντοδιδάσκαλος 439⁶
γέρος ngr. 458³
γερός ngr. 586³
γερουσία 270⁷
γερουσίας 270⁷. 470²
γερράδια 467¹
γέρρον att. 284⁸. 516⁵
γέρυς 463²
γέρων 56⁶. 525⁶. 566⁴. 810, 3. II 176³. 185¹. 408³; γέρον voc. sg. 408⁷. 565⁶. II 59⁶. 60, 3; γέρων γέρων εἴ II 700¹; γέρων ἀνήρ II 614⁶; γέρον φίλε II 614; γέρων ἱππηλάτα II 615⁵
γερωχία 218, 1
γέσμα 524²
γέτορ 223²
γευθμός 493¹
γεύμεθα 679, 6. 685⁶

γευνῶν H. 267³
γεύομαι 198⁴. 293¹. 347⁴. 348⁴.
685⁶. 738, 4. 755¹. II 234²;
– τινός (τι) II 103⁴·⁵; γεύ-
σομαι 782³·⁵. II 291⁵; γέ-
γευμαι 333⁷. 773³; s. ἐγέ-
γευντο
γευσ- 755¹
*γευσθμός 493¹
*γεύσομαι praes. 738, 4
γευστός 685⁶
γεύω 685⁶. II 234²; γεύσω
II 80³; γεύω τινά τι(νος)
II 103⁵·⁶
γέφυρα ion.-att. 298⁸; γέφῡραι
559⁶
γεφύρωσεν Ilias 731⁷
γεω- 438⁶
γεωδαισία 676³
γεωμέτρης 189⁵. 451⁵; -τρα
voc. sg. 560⁶
γεωμετρῆσαι τὸν ἀέρα II 73³
γεωργός 447, 4; κατὰ γεωρ-
γόν II 42⁴
*γϜ 332²
γῆ 30³. 245⁷. 562³. II 33⁴.
51⁶. 470⁵; γῆ loc. II 154⁸;
s. γᾶ
γη- 111¹. 438⁶
γηγενής 46, 1
*γήγορα 648²
γῆθεν 628²
γηθέω (-εῖν) 720⁴. II 263².
395¹; ἐγήθεεν hom. poet.
703⁴; γηθήσει 703⁴; γήθησε
703⁴; γηθῆσαι κεν Πρίαμος
Πριάμοιό τε παῖδες II 329⁴.
610⁷; s. γαθέω, γέγαθι,
γέγηθα, γεγήθει
γήθομαι spät 703⁴
γῆθος 128². 511²
γηθόσυνος 703⁴; – κῆρ II 85⁶
γήθω spät 703⁴
*-γηιος 451¹
γήλοφος 438⁶. 453⁴
γῆμαι II 362⁸. 363³; – τινα
ἐπὶ ταλάντοις II 468²; s. γα-
μέω
*γην- 694, 1
*γηννᾱμι 694¹
*γηὂργός 447, 4
γηρα- 682, 5
γηραλέος 516²
γηράντ- ptc. 682³, 5
γήρᾱς ptc. 682¹
γῆρας 356⁵. 360². 514⁵, 7.
II 65¹
γηράσκω 707². 708⁵. 781⁶.
II 72, 1; γηράω Xenoph.
708⁵; γηράσομαι 708⁵. 781⁶;
γηράσκει ὄγχνη ἐπ᾽ ὄ. II
156⁴; s. ἐγήραν, ἐγήρασα
γηρείς ion. 743, 12
γηροβοσκός [so] 440⁵. 541⁶

γηροτροφεῖν II 73⁵
γία 223²
γιά praep. ngr. c. acc. II 171¹
γιὰ νά, γιανά ngr. II 384⁴.
678³
γίγαρτον 423⁶
γίγᾱς 423⁶. 526⁵. 566⁴
Γίγας 62²
γιγγίς 275⁵. 423⁶
γίγγλυμος 423⁶
γίγγρᾱς 423⁶
γίγνομαι (γίγνεσθαι) 31⁴.266⁵.
309². 357³. 358⁶. 648².
690¹·². 713, 13. 746⁴. 812².
II 72, 1. 126⁶·³. 123³·⁶.
124⁶. 227⁵. 229¹. 272³·⁶.
273⁴. 276⁴·⁵. 281⁴. 347⁵.
348⁷. 353³. 367². 399²;
γίγνεται 640⁵. 643⁷. II 366²·³.
515³. 608⁴. 623¹; τοῦ γίγνε-
σθαι II 371⁴; τῷ γίγνεσθαι
II 360⁴. 371⁴; εἰς τὸ γί-
γνεσθαι II 371⁴; γιγνόμενος
356⁷; γιγνόμενα II 241⁷; τὰ
– II 426⁴; γενηθήσεται 762¹,
1; γίγνεσθαι ἀγορὴν παρὰ
θύρησι II 493⁴; – ναυμα-
χίην ὑπὲρ Μ. II 520⁷;
–φίλον παρὰ κρητῆρι II 493⁵;
– ἀριπρεπέα c. loc. II 155⁵;
γίγνομαι προστάτης τινὸς
ὑπό τινος II 227³; γίγνεται
πάχναι etc. II 612⁴; γί-
γνεσθαι c. abl. II 94¹; γί-
γνονται Δαρείου II 94¹; γί-
γνεσθαί τι ἀπό τινος II 446⁴;
– ἔκ τινος II 463⁵; – ἐξ ὀφθαλ-
μῶν II 463²; – διὰ χρό-
νων II 451³; – διά τινος II
452⁸; – διὰ στόμα II 453²;
γίγνεταί τινι ἡδομένῳ 152³.II
618⁷; γίγνεσθαι παρὰ νύκτα
II 496⁶; – πρὸς τῆι θύραι
II 513⁵; – πρὸς τῷ σκοπεῖν
II 513⁶; – τινι πρὸς τῆ καρ-
δίᾳ II 148⁶; – ὑπό τινι II
434⁴. 525⁶; – ὑπό τινα II
434⁴. 530⁸; – ὑπὸ τύχη II
526¹; – ἀμφὶ κρίσιος II 438⁸;
– ἀντί τινος II 443²; – ἐπί
τινι II 467⁵; – ἐπὶ τὴν ἔω II
473³; – κατὰ τοῦτο τοῦ
λόγου II 476¹; s. γίνομαι,
ἐγίγνετο, ἐγενόμην, γενοί-
μην, γενοῦ, γενόμενος, γέ-
γονα, γέγαμεν, γεγένᾱμαι,
-νημαι, γεγονώς
γιγνώσκω 292⁶. 643⁷. 707³,
3. 709¹. 710². 781⁷. 816⁷. II
72, 1. 396¹; γνώσω 781⁷;
γνώσομαι 781⁷; γνωσθη-
761³; γνώω conj. 743². 792⁵;
γνῶ conj. 249³. 651⁶. 792⁶.
793¹; γνώεις conj. hom.792⁵;

γνοῖς conj. hell. 793¹; γνῶι,
γνῶις conj. 792⁶; γνώηι
conj. 792⁵; γνώομεν conj.
792⁵; γνῶμεν 792⁶; γνώωσι,
γνώουσι hom. 792⁵; γνῶντι
conj. delph., γνῶσιν hom.
792⁶; *γνόην 348⁷; γνοίην
opt. 348⁷. 743²; γνώιην
795³; *γνοιής 390²; γνοίης
390²·⁵. 795²; *γνωιμεν 1. pl.
opt. 795²; γνοῖμεν 795²;
γνῶθι 800⁴; γνώτω 801⁴;
γνώμεναι infin. 743². 806⁴.
II 363¹. 631³; γνῶναι infin.
808²·⁴. II 360³. 364²; μέχρι
τοῦ γνῶναι II 371²; γνοῦναι
808²; γνοντ- ptc. 743²;
γνόντες 279⁴; γνοίης ἄν II
244⁷. 329²; γιγνώσκω τὸ
πὰρ ποδός II 498⁴; γνῶθι
σαυτόν II 339, 3; τὸ – – II
25⁴; γιγνώσκω παρὰ τοσοῦ-
το II 496⁸; – c. gen. II
106²·³; – τι c. dat. II 149⁴;
– ἀσπίδι II 167³; – c. ptc.
II 396⁷; s. auch ἔγνον, ἔγ-
νων, ἔγνωκα, ἔγνωσα, ἐγνώ-
σθης, ἔγνωσμαι
(γιγνώσκω) 710¹
γιζί f. Diosk. 585³
ΓιλικαϜι, -Ϝος kypr. 573, 1
γιλλός 323³
Γίλλος II 175³
γιμβάναι H. (γ = Ϝ) 223².
692⁵
(*γινϜομαι) 698, 2
γινιούμενον böot. 698¹
γινόμενον gort. 215¹·⁴·⁶
γίνομαι (γίνεσθαι) 127⁷.215⁴·⁶.
283⁴. 648². 697, 5.698¹, 2.
715, 13. 814⁷. II 272⁵·⁶.
362⁸. 383⁴. 689⁷; – ngr.
650⁴. II 235⁴; ἐγενήθην
j.-att.,Koine 762¹;-θη 738⁵;
γίνεσθαι πρός τινος II 515³.
516²; γίνομαι ζ. ἀπὸ πλού-
σιος ngr. II 446, 6; γίνεσθαι
εἴς τι II 460¹⁻²; γίνεται
Ζωπύρου II 94¹; γίνεσθαι
c. gen. II 125¹; – πολλοῦ
ἀργυρίου II 125¹; – τινι
ὑπὲρ κεφαλῆς II 520⁶; –
μετὰ φρεσί II 484³; γινό-
μενα ταῦτα II 402³
γινύειται thess. 90⁷. 669³.
698¹
γίνυμαι thess. böot. 698¹, 2;
γινυμέναν thess. 698¹; – ἐν
τάνε II 460⁵
γίνυτη böot. 698¹
γίνώσκω 127⁷. 215⁴·⁶. 707³,
3. 709¹. 710². II 277². 366⁵
γίξαι 223²
γίο·αὐτοῦ H. 223². 603³. 605¹

γιόμα ngr. 163⁶
Γιούχτας ngr. 182²
γίς 223²
γίσγον 223²
γισχύς 463⁷
*γj 319². 330⁴. 367¹; γj > σδ 272⁴
*-γjω verba 734¹. 737⁵
γκρεμίζω ngr. 695, 1
*γλᾱ- (: γελα-) 682, 3
γλάγος hom. 257². 515⁵. 518³
γλαινοί 347⁷. 676⁴
γλαχκόν 315⁷. 518, 4
γλάκος 257²
*γλακτ- 515⁴
γλάμυξος 831²
Γλαῦκος ion. 197⁶
γλάσσα 86⁶. 340⁴. 474⁴; γλασσᾶς gen. 359⁴. 474⁴
γλαυκιόων hom. 732³
Γλαύκιππος 218, 2. 306¹
Γλαυκλέης 263⁷
*Γλαυκοχλ- 263⁷
Γλαῦκος 380³. 634⁶
γλαυκός 459⁴
γλαύκωμα 157⁸
γλαῦξ(γλαύξ) 377⁸.378⁴.384¹; γλαῦκ' Ἀθήναζε II 156, 2
γλαφυρός 482⁴. 685³
γλάφω 685². 770, 9
γλάχων dor. böot. 299¹
Γλεόντων φυλῆι 682, 3
γλέπω dor. 109⁷. 299¹
γλευκισμός 198⁷
γλεῦκος 347⁴
γλεῦξις 505⁴
γλέφαρον dor. 109⁸. 299¹
γλήγορα ngr. 258⁷
γλήν 584, 6
γλήνη 584, 6
γλῆνος 360³. 512⁷. 676⁴
γλήχων ion. 299¹
γλί 837¹
γλία 702⁵
γλίσχρος 328⁴
γλίσχρων 487⁵
*γλιχ(ε)σρο- 328⁴
γλίχομαι 685³. 702⁵; ἐγλιξάμην 685³; γλίχομαι c. infin. II 361³·⁵; γλιχόμεθα τοῦ αὐτοῦ II 130³
γλιχός 685³
γλοιός 702⁵
γλουκού 182²
γλουρος 68⁵
Γλοῦς kar. 562³
γλουτός 501⁴, 10. 577, 11; -ώ II 47, 4
γλυκάδα, γλυκάδι ngr. 509¹
γλυκάδιον 467²
γλυκαίνω 289⁶. 733²·³
Γλυκέριον 471¹. II 375·⁶
γλυκερός 483¹

γλυκερώτερος 534, 11; -ον ἧς γαίης II 98⁶
γλυκέως gen. spät (hyper-att.) 572, 8
γλυκῆα neut. pl. Herod. 581, 2
γλύκιστος 536⁴
γλυκίων 534, 11. 536⁴. 538⁴. II 184²
*γλυκjων 536⁵
γλύκκα 317¹
γλυκκός 317¹. 472⁵
γλυκός ngr. 586³
γλυκυμή 494, 3
*γλυκυμος 494, 3
*γλυκύνω 733⁴
γλυκύπῑκρον 453²
γλυκύς 327². 347⁴. ˙463¹. 538⁴; -ύν acc. sg. 573³; γλυκύτερος 535⁷; ὁ – II 185⁴
γλυκύτης hell. 382⁸
γλύκων 487⁵
γλύξις 505⁴
γλύσσων 536⁵. 538³
γλυτώνω ngr. II 268, 2
γλύφω 357². 640⁶. 643³. 673³. 685²·³. 751⁵; γλύφων 673³; γλύψω fut. 782⁹; ἔγλυφε 640⁶; -ψα 751⁴
γλώντας att. 214⁶. 231⁷
γλῶσσα 319³·⁴. 359⁴. 474³·⁴; γλώσσαε τοῦ λαοῦ (term.) 133³; ἔχω διὰ γλώσσης II 362². 452⁷
γλωσσᾷ 384⁶. 474⁴
γλωσσογράφοι 33⁶
γλῶττα 319³·⁴
γλῶχες 424³
γλωχίν 340⁴. 465⁵
γμ 327⁴; γμ aus χμ769,6;–aus χμ 206, 1;–macht Position 237⁶; – zu μμ assimiliert 215²
γν macht Position 237⁶; γν- festgehalten 215⁴; – aus δν 208⁶; – aus κν 210, 1. 769, 6
γναθμός 492⁴
γνάμπτω 684⁵. 705¹
γναφαλλόγος 265⁴
γνάφαλλον 484¹
γναφεῖον 414⁶
γνέφαλλον 414⁷
γνέφω II 268, 2
γνήσιος 346⁴. 381⁶
γνησίως II 415⁸
-γνητος 361⁵. 782, 11
Γνίφων 334⁴. 414⁶
*γνόην 348⁷
γνοίην opt. 348⁷. 743²; γνοίης 390²·⁵. 795²; – ἀν II 244⁷. 329²; *γνοίης 390²; γνοῖμεν pl. 795²; s. γιγνώσκω

γνοῖς conj. hell. 793¹
γνοντ- ptc. 743²; γνόντες 279⁴
γνοῦναι infin. 808²
γνόφαλλον 414⁷
γνόφος hell. 208⁶. 417, 1
γνύξ 620⁶
γνυπετεῖν 357⁵. 358⁶
γνύπετος 438¹. 450, 4
γνω- 742². 743³, 4
γνῶ conj. 249³. 651⁶. 792⁶. 793¹; γνῶις 792⁶; γνώεις 792⁵; γνώηι 792⁵; γνῶι 792⁶; γνώομεν 792⁵; γνῶμεν 792⁶; γνῶωσι, γνώουσι 792⁵; γνῶντι, γνῶσιν 792⁶; γνώιην 1. sg. opt. 795³; *γνωιμεν 1. pl. 795²
γνῶθι 800⁴; γνώτω 801⁴; γνῶθι σαυτόν II 339, 3; τὸ – – II 25⁴
γνῶμα 523⁵
γνῶμαν el. 181¹
γνώμεναι infin. 743². 806⁴. II 363¹. 631³; s. γιγνώσκω
γνώμη ἔς τι II 460³; κατὰ γνώμην τὴν ἐμήν II 479¹; γνώμην ποιεῖσθαι II 277⁵; ἔχειν γνώμην περί τινα II 504⁸;– – ὑπέρ τινος II 522²
-γνωμονέω verba 731⁶
γνώμων 522⁴
γνῶναι infin. 808². 808⁴. II 360³. 364²; μέχρι τοῦ – II 371²
γνωρίζουνται ngr. II 235³
γνώριμος 494⁵, 6. 495¹
*γνώρων 494, 6
γνωσθη- 761³
γνωσιδίκα ark. 443, 7
γνωσιμαχέω 443⁴, 7
γνῶσις 292⁶. 505⁵
γνώσκω epir. 707³, 3. 709¹
γνώσομαι 781⁷
γνωσούμενον (τὸ) 786⁷
γνωστός 333¹. 641, 1. 773⁴
γνώσω 781⁷
γνωτός 360⁴. 361⁵
γνώω conj. 743². 792⁵
γοάσκεν hom. 711³
γοάω 683². 719, 9. 721⁶. 747¹. 781⁶; γοάοιμεν hom. 683²; γοωμένην II 80²; γοήσομαι 781⁷. 782⁶
γόγγρος 423³
γογγύζω 647³. 736⁶
γογγύλλω 647³. 725²
γογγύλος 423³. 485²
γόγγυσος 516⁷
γοδᾶν 223²
γοεδνός 489⁴. 683²
γοερός 683²
γοήμεναι infin. 683². 805⁵; – c. dat. II 149⁴
γόης 499²

4*

γοῖδα 223²; s. Ƒοῖδα
γοίδημι äol. 223². 680⁶
γοινάρυτις 270⁸
γοιναῦτις 504⁴
γοιρος = γῦρος 157⁵
*γομέω 717⁵
Γόμορρα 154⁵. 162, 3
γόμος 458⁶
γομόω 717⁵
γόμφιος 381⁸
γομφίος 381⁸. 466³
Γομφιτοῦν thess. 250⁴
γόμφος 293¹. 309². 381¹. 459¹
γόνα n. sg. ngr. 520, 2
γόνα n. pl. ngr. 515, 3. 520, 2
γοναιεῖς 575, 5
γονάρ 508³
Γονατᾶς 461⁶
γόνατο n. ngr. 520, 2
γονεύς 477²; γονῆς nom. pl.
  att. II 45¹; -εῖς acc. pl.
  127⁷; -εῖσι dat. pl. spätgr.
  564²; -έϋς dat. pl. böot.564⁸
*γονƑα n. pl. 581²
*γονƑατα 520⁶
*γονƑοϲgen.sg.363⁷.463⁴.572²
γονή 459⁶. 460¹⁻⁴. II 34, 4;
  γονῆ γενναῖος II 700⁶
γόνƑα äol. 228⁵
Γόννος ON 638⁴
Γονόεσσα 528²
γόνος 359². 362⁸. 458⁶. 553⁷.
  II 34, 4; γόνοιο gen. sg. 554¹;
  γόνος κύκνου II 614²
Γοντρυνίοι 258⁸
γόνυ 293¹. 355⁷. 358⁶. 359².
  381¹. 463⁴, 2. 518². II 39⁴.
  42³. 44⁴; γουνός gen. sg.
  358⁶. 572²; γούνατος 520⁶;
  γόνατα 520⁶; γούνατα 114²;
  s. γοῦνα
γόον ipf. 252⁷. 683². 721⁶.
  747¹. 781⁷
γόος 459¹. 683²; γόοις δεσ-
  πόταν II 74¹
Γοργείη 479⁵, 5. II 177⁵
γοργιάζω 753³
Γοργόνα ngr. 479⁴
Γοργόνη 479⁴
γοργύρα 255⁸
γόργυρα 423³
Γοργώ 479⁴, 4
Γοργών 479⁴
Γορδίειον ON 638⁴
[Γο]ρογοῦς att. 278⁵
Γορτύναθεν kret. 628³
γόρτυξ 223²
Γόρτυς kret. 207⁵
γοῦν II 560²·³.561⁴·⁵.585¹·³⁻⁵,
  2. 3. 631⁶; ἀλλὰ – II 585⁵, 2
γοῦνα ion. 228³. 581²; s.
  γουνάζομαι
γουνάζομαι 734⁵; -άσομαι
  785⁴; -άζομαί τινα γούνων

II 130²; – σε πρός τινος II
  516⁶
γούνατα 114²
γούνατος gen. sg. 520⁶
γουνόομαι (-οῦμαι) 734⁵. II
  270⁴
γουνός m. 472⁵
γουνός gen. sg. (γόνυ) 358⁶
  [nicht γοῦ-]. 572²
γρᾶ·φάγε H. 800⁴
Γραδανορέεσσι lesb. 564³
*γράε imper. 800⁴
Γρᾶες 80⁶. 583, 3
γράθμα arg. 523⁷
γράθματα 317⁴
γραῖα 474². 574⁶
γραΐδιον att. 574⁵
γραιƑ- 574⁵
γραίης gen. sg. Od. 574⁶
γραῖκες 496, 5. 583, 3
Γράϊκες 80⁷; Γραῖκες 583, 3
Γραϊκή 80⁶. 583, 3
γραικίτης 838⁵
Γραῖκος 80⁷
Γραικός 583, 3; -κοί 80⁷.
  497, 7
γραίνω 714⁵
γράμμα 256⁵
γραμματεῖος (= -ῆƑος) böot.
  241⁸
γραμματεύς c. dat. II 153⁶
γραμματική 498²
γραμμένος ngr. 779⁴. 814⁶;
  ἔχω γραμμένο ngr. 130³
γρανματεύοντος 232¹
γρᾶο barb. 574⁵
*γρασ-e imper. 800⁴
γράσθι 'iss' kypr. 678⁴. 800⁴
*γράσκω 708⁵
γράσμα 260⁸
*γράσομαι 708⁵
γράσος 321⁴. 516⁷
γράσσμα arg. 321⁸. 524¹
γράστα 80⁷
*γραστήρ 530, 2
γράστις 504⁵
*γράσω 686¹
γραῦς 377⁸. 480, 8. 574⁶, 4.
  575². II 31²; γραῦ voc.
  att. 574⁵; γραός gen. sg.
  574⁵; γραῖ, γρηΐ dat. sg.
  574⁵; γράες nom. pl. 574⁵;
  γραῶν gen. pl. 574⁵; γραῦς
  acc. pl. 574⁶, 4; γραῦς
  γυνή II 614⁷
γραφεῖον II 53, 1
γραφεύς 476⁶
-γραφέω verba 726⁵
γραφη- pass. 759⁶
-γράφηκα pf. 775, 1
γραφης nom. sg. ark. 575⁶
γραφθετι ngr. (pont.) 764⁴
γραφθη- pass. 759⁶

γράφομαι (-εσθαι):γραφήσεται
  756⁵; γραφῶ,-φῇς,-φη conj.
  792⁶; γράψαι imper. 804¹;
  γραφῆναι 808⁴. II 240⁵;
  γράφομαι γραφήν II 75⁵. 79⁶;
  – c. instr. II 167⁷; – γραφὰς
  τραύματος II 131⁶; – νό-
  μους II 231³; γράφομαί
  τινα c. gen. II 131²; – –
  πρὸς τοὺς θεσμοθέτας II
  510⁷; – τινος II 124³; s.
  γραφ(θ)η-, γέγραμμαι, ἔ-
  γραμμαι, ἔγρατται, ἤγρατται,
  ἐγέγραψο, γεγράψεται
γράφος n. 512³
γράφουντερ εἶνι tsak. II 270, 3
*γραφσμα 321⁸. 524¹
γράφτω ngr. 705³
γράφω (-ειν) 333¹. 357².
  685². 751⁵. 759⁶. 817².
  II 122⁷. 123³. 281⁸. 350⁸.
  434¹; γράφομες ngr. (pont.)
  662, 9; γράψω fut. 782⁵.
  815⁷; γραφοῦμες Archim.
  786⁶; θὰ γράφω -ψω ngr.
  130³. 789⁴; γράψαμε ngr.
  652⁴; γράφε II 250, 5;
  γράψον II 250, 5; γράψε
  Koine, ngr. 803⁶; τοῦ (=
  ὥστε) γράψαι II 372⁵;
  γράφω μετὰ μέλανος II
  485⁶; – τι διά τινος II 452¹;
  – νόμους II 221³; – νό-
  μον περί τινος II 503⁴; s.
  γέγραφα
γραψάμενοι (οἱ) II 409¹
γράψει: ἔχω – ngr. 130³
γράψιμο mngr. 494⁶. 809⁷.
  II 13³. 384¹
γράω 339⁸. 686¹. 714⁵. II
  72, 1
Γρεκύ bulg.-gr. 80⁸
γρηγορῶ (-εῖν) hell. 768², 1.
  II 286⁷
*γρητ- 648, 3
γρηῦς hom. ion. 360². 480⁴.
  574⁵
γρικιστί 80⁸
Γρικούς 80⁸
γρῖνος 223²
γριπεύς 477, 2. 772¹
γριφάομαι 683¹
γρομφάζω 735²
γρόμφαινα [so] 735²
γρόμφις f. 462, 3
γρόνθος 324³. 510⁶
γρόππατα äol. 317³·⁵
*γρόπφατα 317⁵
γροφέες arg. 241⁵
γρόφω 685²
γρῦ interj. 716⁵
γρύζω 716⁵, 5; -ξω 716⁵;
  -ξομαι 781⁸; ἔγρυξα 716⁵
γρυκτός 716⁵; -όν ἐστι II 150¹

γρυμπάνειν H. 699[7]
γρύπτω 705[1]
γρυσμός Agathokl. 716[5]
γρώνη 489[1]
γρῶνος 489[1]
*γσ 332[8]
Γύαρος 482[3]
Γυγάδας 509[7]
Γύγεα acc. Hdt. 561[3]
γυγλυμος 423[6]
γύης m. 461[2]. II 33, 2
γυιός 421[5], 3
γυιόω 727[1]; γυιώσω fut.
  hom. 782[5]; -σειν II 375[4];
  γυιόω ἵππους ὑφ᾽ ἅρμασιν
  II 525[4]
Γύλιππος 636[1]
γυλλός 483[3]
γυμνάζεσθαι: τοῦ – II 361[6];
  γυμνάζεσθαι ἀπὸ σκελῶν
  II 447[1]
γυμνάζω (-ειν) 775[2]. II
  234[3]; γεγύμνακα 775[2]; γυμ-
  νάζω τὸ σῶμα σὺν πόνοις II
  490[7]; – ἐμαυτόν II 235[7]
γυμνασία 271[5]. 469[2]
γυμνασιαρχέω 726[5]
γυμνασιάρχης 726[5]
γυμνάσιον 470, 4; γυμν- 256[7]
γυμνηλός 484[4]
*γυμνήστερος II 184, 3

γυμνήτης 499[2]
γυμνῆτι 270[5]
γυμνόομαι: ἐγυμνώθη Ilias
  760[3]; γυμνοῦσθαι c. dat.
  II 148[4]; γυμνώθη ῥακέων
  Od. 760[5]. II 93[5]
γυμνός 43[3]. 259[2]. 380[8]. 489[2].
  830[7]; – c. abl. II 96[3]
γυμνόω: -οῦσι τὰ ὀ. τῶν
  κρεῶν II 93[5]
(*γυναϜικ-) 583[3]
γυναι- 583[2]; s. γυνή
γυναικ- compos. 583[1]
γυναῖκα f. gloss., ngr. 563[3.6].
  582[8]. 586[2]. II 38[3]
γυναικάνδρεσσι Epich. 453,
  2. 564[5]
γυναικεῖος 583[1]
γυναικόπαιδα ngr. II 12[6]
γυναιμανής hom. 439[5]. 583[1]
γύναιον att. 315[6]. 583[1.3]
γύναιος Od. 583[1]; -α δῶρα
  II 177[1]
γύνανδρος m. 453[1]. 583[1]
γυνή 296[2]. 459[6]. 558, 2.
  582[7-8]f. 585[3]. II 31[3]. 614[5];
  – mgr. 582[8]; *γυναικ voc.
  sg. 583[1]; γύναι 74[1]. 409[2].
  558[6]. 565[6]. 582[7]. 583[1.2]. II
  59, 2; γυναικός gen. 582[7].
  583[1.2], 1; γυναῖκα acc.

582[7]; γυναῖκες nom. pl.
  347[5]. 582[7]; γυναίκες 384[1];
  γυναιξί dat. pl. 583, 1;
  γυναίκαις 565[2]; γυναίκοις
  gloss. 565[2]; γυναῖκες acc.
  pl. j.-lesb., Koine 563[6];
  γύναικο barb. Aristoph.
  583[3]; γυνὴ ἀλετρίς II 614[6];
  – δέσποινα II 614[6-7]; –
  παρθένος II 614[7]; – ταμίη
  II 614[6]; – χερνῆτις II 614[7]
γυννάσιον 256[7]
γύννις m. 315[6]. 462, 3. 464[6].
  582[8]
Γυνόππαστος böot. 296[2]. 301[7]
γῦπ- 424[4]
γῦπε II 49[1]
γύργαθος 511[1]
γυρεύω c. gen. ngr. II 136[5]
γυρός 481[4], 10
γῦρος 157[5]. 481[4], 10
γύρου adv. ngr. 622[1]
γύρω adv. ngr. 622[1]; γύρω
  ᾽ς II 437[3]
᾽γώ 604[1]
γώ ngr. 606[4]
γῶν II 585[5]; s. γοῦν
γῶν gen. pl. von γῆ 562[3]
γωνία 358[6]. 518[3]
γωρυτός 827[5]

## Δ

δ aus idg. d 290[8]f.; – aus
  idg. gᵂ 293[8]f. 295[2.5]; – vor
  o, α 295[6]; – mit τ vertauscht
  207[5]; – spirant. 238[3]; –
  als Übergangslaut 277[1];
  Wegfall von -δ 279[8]. 409[1.2];
  δ + σ > σσ 366[8]
-δ- suff. 507[2], 2ff.
-δ- in Präsensbild. 702[6], 9f.
δ᾽ s. δέ
δᾶ 302[8]
δα- hom. (= διά) II 448[6]
-δα adv. Ausgang 625, 1.
  626[2.6], 7. 8f. 627, 4
-δᾱ- suff. von Patronym.
  509[2]f.
δαβελός lak. 94[1]. 483[4]
δαβῆ H. 714[3]. II 227[7]
Δαβίδ 208[1]
δαγκάνω 364[1]. 699[5]
Δάγκλη 331[7]
δαδ- 841[1]
δαδύσσεσθε 647[4]. 841[1]
δαεγώ H. 769, 1
Δάειρα att. 474, 3
δάεν Pind. 748[6]
δᾶερ voc. Ilias 568[2]
δαέρ[α] acc. sg. 568[2]

davelé tsak. 94[1]
*δαϜεσνός 489[5]
*δαϜjω 273[1]. 714[3]
*δαϜός 472[5]
δαη- hom. 758, 2. 759[3]
δαήμεναι infin. hom. 757[7].
  806[4]; – πολέμοιο II 107[7]
δαήμων ἕν τινι II 458[3]
δαῆναι 710[2]. 780, 6. 808, 2.
  842[2]. II 234[2]; s. auch δαή-
  μεναι, ἐδάην, δαήσομαι
δᾶηρ hom. 266[2]. 347[5]. 568[2.3];
  δᾶερ voc. 568[2]; δαέρι dat.
  568[3]; δαέρα acc. 568[2];
  δαέρων 266[3]. 568[2]
δαήσομαι 748[6]. 759[3]. 763, 5.
  782[6]; δαήσεαι Od. 763, 2;
  – c. gen. II 106[4]
δῆται aor. 748[1]. II 227[7]
δαί II 563[2], 3. 570[7]
δαΐ dat. f. ep. 424[4]. 575[2].
  578[5]. 584[6]. II 52[1]
δαῐδ- att. 465[1]
δαιδάλεος 468[2]. 484[3]. 837[8]
δαιδάλλω 647[4.5], 4. 6. 725[2]
δαίδαλος 423[4]
δαιδήσσουσι 647, 5
δαιδύσσεσθαι 647[4]

δαίεται 748[1]; – ἦτορ τινί (Τί)
  ἀμφί τινι II 438[5]
*δαιϜερ hom. 568[2]
δαιϜήρ 266[2]. 347[5]. II 31[3]
*δαιϜρί 568[2]
δαΐζω 472[5], 7. 736[2], 4. 771[3];
  δαΐξαι χιτῶνα περὶ στή-
  θεσσι II 501[2]
*δαιδ- 465[1]
δαῖμον voc. 569[1]
δαιμονάω 731[5]
δαιμονή 524[5]
δαιμόνιε ξείνων II 116[6]
δαίμων 522[3], 9. 569[1.2]. II
  40[6]; δαῖμον voc. 569[1];
  δαίμοσι dat. pl. 569[2]
*δαινυϜῖτο opt. 795[5]
δαίνυμαι (-σθαι) 706[1]. II
  277[1]. 363[1]; -νυαι Od. 792,
  5; -νυνται 671[5]. 698[5]; -νυτο
  -νῦτο hom. 795[4-5], 4; -νυντο
  671[5]. 698[5]; -νύατο hom.
  671[4]. 795[5]; δαίνυσθαι μεθ᾽
  ὑμῖν II 609[6]
δαίνυμι (-νύναι) hom. 696[5],
  9. 706[1]; δαίνῦ imper. 800[4];
  δαινύναι γάμον (τάφον) II
  76[3]

δαίομαι 676³. 702⁴; s. δαίεται, δεδαίαται
Δαῖρα 474, 3
δαιρα acc. sg. 568²
δαιρι (δαιρί) dat. sg. 266³. 568²
δαίρω 684, 1. 715, 9
δαίς 499³; – c. gen. II 129²
δᾷς 266¹. 377⁷. 379⁸
δαίσασθαι II 362¹
δαίσω fut. 676³. 783²
δαίτηθεν 552¹. 628³
δαιτικλυτός 446²
δαιτρεύειν 732⁵
δαιτρόν 531⁵. 532⁵, 2
δαιτρός 531⁵. 532, 2. 676³
δαιτυμών 522³; -μόνεσσι 564,1
δαΐφρων 447⁶; – voc. 567, 2
δαίω 273¹. 359⁷. 714³. II 227⁷; δαίσω 676³. 783²
δάκε Ilias 747⁶. II 81, 2
δακέειν 747⁶. II 361⁸
δακέθῡμος 442¹
δακεῖν 770³
δακη- pass. spät 760¹
δακκύλιος böot. 266⁶. 317²
δακνάζου Aesch. 693³
δάκνω (-ειν) 693³. 747⁶. 781⁶. II 226³. 701⁵; ἔδηξα spät 755⁴; s. auch ἔδακον; δάκε 747⁶. II 81, 1.; δακέειν 747⁶. II 361⁸; δακεῖν 770³; δακη- pass. 760¹; s. auch δέδακε, δέδηχα, δέδηγμαι
δάκρυ 197³. 292⁸. 309². 339⁸. 495⁴; δάκρυα 581²
δακρύειν II 261². 704²; τὸ μὴ – II 372¹
δακρύζω ngr. 736⁷
δακρύεις 527⁴
δακρυόεν γελάσασα II 77³
δάκρυον 458³. II 41⁵
δακρυόφιν 550⁶. II 172⁶
δακρυπλώων 675⁴
δακρῦσαι II 261²
δακρυσίστακτος 446²
δακρῦσαι: ἐδάκρυσα 754³; δακρῦσαι II 261²; s. δεδάκρυσαι
δακτύλιος περὶ τῇ χειρί II 500⁷
δακτυλίσκος 542¹
δάκτυλος 266⁶
δαλάγχαν maked. 319⁷.475,1
*δαλδαλjω 647⁵
δᾱλέομαι H. 720³
Δαλικκώ böot. 636⁵
δ᾽ ἀλλά II 578⁶
Δαλφικόν delph. 212⁶. 275³
Δαλφοί nwgr. 92³; -οῖς delph. 275³
δαμάζω nachhom. 734³. 761⁴; s. δαμάσαι, -σσαι, -σω, -άω

δαμάλης 484⁵
δάμᾱρ 409⁷. 451, 3. 519². 566, 1
δάμαρς Hdn. 566, 1
*δάμαρτ 566, 1
δάμαρτ- hom. 425². 451⁶
*δαμαρτς 409⁷
δαμάσαι 360³.362⁶; s.ἐδάμασα
δαμάσασθαι II 364⁶
δαμάσθη 759⁴
δαμασθη- 761⁴·⁶
Δαμάσιππος 516⁷
Δαμασπία 153⁵
δαμάσαι äol. hom. 752⁵
δαμάσσεται II 352¹
δαμάσω LXX 784³·⁶
Δᾱμάτερ 190⁵
*Δᾱμᾱτερ 386⁵
Δαμάτερσι(ν) rhod. 567⁶, 8. II 51¹·³
Δᾱμᾱτηρ 422⁶
Δαμάτρᾱς gen. 568¹
Δαματρεῖα 194²
Δαματρία ngr. 121⁴
Δαματριυς pamph. 182⁴. 312⁶
δαμάω fut. 784³·⁶
Δαμέας 438³
Δαμένης delph. 263⁵
δαμευέσθō ἐνς ᾽Αθ. II 459, 2
δαμευΟσθΟν (= -όσθων) imper. lokr. 802⁶
δάμη Ilias 757⁶
δαμη- hom. poet. 759⁴. 761⁶
Δαμήδης 263⁴
δαμήετε conj. hom. 792⁵
δαμήμεναι infin. Ilias 757⁶. 806⁴. II 364⁶
Δαμήν 355⁶
δαμῆναι Ilias 757⁶. II 149⁵, 6. 296³. 363⁷. 364⁶. 377⁶; – ὑπὸ δουρί II 526⁴; – ὑπὸ χερσί τινος II 526³; – ὑπ᾽ αὐτοῦ δορί II 526, 3; – ὑπό τινος τόξοισιν II 529, 2; – νηυσὶ μετά τινων II 484²; – μετὰ κύμασιν II 484³; s. auch ἐδάμη
δαμήω conj. hom., -ήῃς, -ήετε 792⁵
Δαμία 422, 2
δαμιεργός 252⁸. 253⁸
δαμιοργοί arg. 312⁷
δαμιοεργός 252⁸
δαμιοργός 253¹
δαμιουργός phok. 120, 2. 249⁶
δαμιοέμεν böot. (spät) 729⁴
δαμιώοντες böot. (spät) 729⁴
δᾱμιοργός 253¹
Δαμμάτερι thess. 567⁶
Δαμμάτρειος thess. 238²
δαμνᾱ- 693, 1. 841⁸

δαμνᾶι hom. 694¹
δάμναμαι (-σθαι) 357¹. II 150, 2; -σαι hom. 668⁵; -ται 669². 693¹. 759⁴; δάμνασθαι ὑπό τινι II 526⁵; s. δεδαμναμέναν
δάμνᾱμι 643, 1. 659⁶. 691¹. 695⁴; δάμνᾱ 3. sg. 659⁶. 694¹; δάμναμεν 357¹. 643¹. 691, 4; δάμναντι 3. pl. 664⁶; δάμνᾱ imper. lesb. 798⁵; δάμνάμεν infin. 691, 4, δαμνάτω 801³; s. auch ἐδαμν-, δάμνημι
δαμνᾷς 389⁸. 525⁴. 691, 4
δάμνασκε 711²
δάμνει 693¹
*δαμνεντ- ptc. 525⁴
*δαμνε/οντι 664⁶
δάμνημι 642⁶. 693, 1. 695¹. II 260²; -ησι 693¹; δάμνημι ὑπὸ χερσί τινος II 526, 2; s. auch δάμνᾱμι
δάμνηται conj. 693¹
δάμνονται spät 693⁴
δαμόθιος lak. 270⁶
Δαμοθέρρης kor. 284⁸
Δαμόθοινος böot. 183⁷
Δαμοκέρτης äol. 267⁵
Δᾱμόκερτος lesb. 275²
Δαμοκρέτω lesb. 274⁶. 275¹
δᾱμος 492². 676³; s. δῆμος
Δᾱμος ngr. 121⁴
Δαμοσθένειος äol. 89⁸
δαμοσιοῐᾱ opt. el. 729⁴. 795²
δαμόσιος dor. 270⁶
δαμοσιῶμεν infin. 729⁴
δαμοτέλην lesb. 579⁵·⁶
δάμυ loc. böot. 195¹
Δάμων 355⁶
Δάμωνους argol. 182⁴
Δάν Aristoph. kret. 577²
δᾱν dor. 618⁵
-δᾱν adv. dor. böot. 626²·⁶f.
*δανᾱ- 693, 1
ΔαναFοί 79⁶
Δανάη 188, 1
Δαναοί 775. II 45³
δάνας 488⁶
δανείζεσθαι II 231⁴
δανείζω (-ειν) 735, 6. II 231⁴; -νείσω fut. att. 785⁶; -νειῶ Koine 785⁶; δανείζειν ἐπὶ δραχμῇ II 468²
*δανείίζω 735, 6
δάνειον 470⁴
*δάνη f. 488⁶
δανιῶ fut. Koine 785⁶
δάνος 340⁸. 488⁶. 512⁷, 7
δᾱνός 489⁵
-δανός suff. 530¹·²
-δάνω verba 842¹
δάξ Opp. 620⁶
δάξομαι ion. 781⁶

δάος 512³
δαπανάω Hdt. att. 700⁵
δαπάνη 489⁶. 700⁵
δάπανος adj. 700⁶
δαπάνυλλα kerk. 485⁴
δάπεδον 358⁵. 426³
-δαπός 426⁴. 604¹, 1
δάπτω 702⁴. 704⁶
δ' ἄρα II 559¹·², 2
δαράτα delph. 362⁴
δάρατος thess. 69⁴. 362⁴
δάρδα 423³
δαρδαίνω 842¹
δαρδάπτω 260⁴. 647³. 705¹
Δαρεεικός 196⁷
Δαρεῖος 153⁵. 193³. 445².
  II 471²
δάρειρ lak. = δάρις 506²
δαρη- pass. 759⁶
δαρῆναι 759⁶
Δαρης 194¹
Δάρης 499³
δαρθάνω 648, 1. 700³. 704¹.
  747⁵; ἔδραθον hom. 700³
δαρθη- 759⁶
Δαρικός 196, 2
δάρις 462⁵. 506²
δάρματα 274⁷
δᾱρόν 111². 482⁵
δᾱρός 57⁵
δάρσις 505³
δαρτός 342⁵
δαρχμά el. 215⁸
δαρχνά gort. 216²; -άν 215⁸
δασάμενος μοίρας II 79³
δάσασθαι II 363⁷
δασάσκετο Ilias 711⁵
δασέα (term.) 207²
δασέων ion. 474, 2
*δαση- 758, 2
*δασῆναι 842²
δάσκιος 330³
δασμολογεῖν τοὺς νησιώτας
  II 73⁴
δασμός 321⁸. 492². 493³·⁴
δάσος 512⁵
δασπλῆτις 451⁶, 4. 566, 5
δασσ- 755¹
δασσάμενοι ἐφ' ἡμέας II 472¹
δάσσασθαι hom. 321⁵
δασυντικοί (Attiker) 87⁴.
  220³
δασύς 307⁵·⁶. 308⁷. 342, 3.
  370³·⁴. 463¹
-δαται 3. sg. Ausg. 672⁴
δατέν· ζητεῖν H. 706¹
δατέομαι 676³. 702⁴. 703².
  705⁶. 718⁴
δατῆθθαι gort. 242²
δατήριος 467⁴
Δᾶτις: Δάτιδος μέλος II 234⁷
δατισμός II 234⁷
*δατκυλος 266⁶
-δατο 3. sg. Ausg. 672⁴

*δατρός 419⁵
*δατσπλῆτις 451, 4. 566, 5
*δατυς 307⁶
Δατύς delph. 307⁶
δαύακες 224⁵
Δαυ(ε)ιδ 154⁵
δαυλός 307⁵. 485²
Δαυνιοτειχῖται att. 199⁴
*δαῦς nom. 578⁵
δαῦτε 402². 629³; s. δηῦτε
δαῦτος 614⁵
δαύχνα 296³
δαύω 686¹
δάφνη 61⁷. 489³
δαφοινεός 468²
δαφοινός 330³. II 449, 7;
  – ἐπὶ νῶτα II 472¹
Δαχιναβαδης 204⁶
δαψιλής 513⁴, 7. 700⁶
δαῶμεν conj. hom. 792⁶
δδ 317²; – böot. dor. für ζ
  81⁴. 91³. 331⁶; – aus γj
  δj 272⁴. 367¹
-δδω Präsensausg. 735¹
δέ 'aber' 624⁵. II 14, 1. 68⁶.
  424⁷.   553⁴·⁵.   555²·³·⁴.
  556¹·³.  562¹⁻⁵.  569⁴,  4.
  628⁶.  629⁶.  632⁷·⁸,  2.
  633¹·²·⁶.  634³.  688⁴.  706²;
  δ' II 562¹; δ' ἀλλά II 578⁶;
  δ' ἄρα II 559¹·², 2; δ' οὖν
  II 585¹. 586²; δέ γε II
  561⁴. 562³. 563²; δὲ καί II
  567⁴; δέ τε II 575, 3.
  576³, 4; ἅμα – δέ II 534⁶;
  ἅμα μὲν – ἅμα δέ II 534⁶
δέ partic. 624⁵, 9. 625¹·². II
  171⁵·⁷
*δέα altatt. 515, 3
δέαλος 363⁴. 681, 6
δεάμην H. 681²
δέαρ (gen. δέατος) Soph.
  519¹
δεά[σε]τοι ark. 681, 6
δέατα 515, 3
δέαται 680⁴. 681¹·²; δέατ(αι)
  681¹
δέατο 88⁴. 363⁴
δέατοι conj. ark. 681². 792³
*δε-αυρο 632²
(*δέβαμεν) 649²
*δέβυται 649, 3
δέγμενος 678⁶, 7. 769, 6; s.
  ἐδέγμην
δέδαε (nicht δέδαα) 710, 3; δέ-
  δαε(ν) Od. 748⁶; δεδαεῖν 748⁷
*δέδαϜα 770²
δεδάηκα 748⁶. 759³; -κας,
  -κε 774³
δεδαηκότες Od. 774⁴; – ἐσό-
  μεσθα II 407⁶
δεδαημένος h. Hom. 768³
δεδαίαται c. gen. II 112²
δεδαίατο 770⁴

δεδαϊγμένος 771³
δεδαισμένος 773⁴
δέδακε 748⁷
δεδάκρῡσαι 771⁴
δεδαμναμένᾱν gort. 693²
δεδαμοσιευκὼς ὑπὲρ τὰ κ'
  ἔτη II 520²
δέδαρμαι 769⁵
δέδασται 698¹. II 239³. 287⁴
δεδαυμένος 770²
δεδαώς pf. Od. 748⁶. 759³.
  768³. 774⁴
δέδεγμαι 771²; -γμένος 769, 6
δεδέημαι 770⁵
δεδεημένη εἴη II 335⁶
δέδειγμαι att. 769, 6
δεδείκελος H. 710³
δεδείπνηκα hom. 765⁶; -πνή-
  κειν Od. 774⁴; -κει 777⁵;
  -κώς 812⁵
δέδειχα 772¹
δέδεκα 775³
δέδεμαι 770³; -ται 676².
  783⁵. II 264¹
δεδεμένος II 240³; – τι II 81⁵
*δεδενϜώς 541, 3
δέδεντο ἐξ ἐπιδιφριάδος II
  95⁶
δέδεξο imper. hom. 799⁶
δεδέξομαι Ilias 783⁴
δεδέσθω 688³
δέδεχθε imper. h. Ap. 799⁵
*δέδϜιθι 800⁵
*δέδϜιμεν 347¹. 649ⁱ. 777, 5
*δεδϜίσκομαι 710, 5
*δέδϜοια pf. 347¹. 769²·³.
  774³. 782¹. 783⁷. II 316⁷; -ε
  777, 5; s. δέδϜιμεν, δέδϜιθι
δέδηα 714³. 770²; -ε 578⁵.
  748¹. II 227⁷
δέδηγμαι 755⁴. 770³
δεδήει hom. 777, 11
δεδήσεται att. 783⁵. II 289⁶
δέδηχα Babr. 772¹
δεδηχώς 770³
δέδια att. 769³. 774⁶; δέ-
  διμεν 649¹. 769³, 8; δε-
  δίᾱσι(ν) 227⁶. 665⁴. 769²;
  δέδια περί τινος II 502⁷;
  s. δεδιέναι, δείδια, δεῖσαι
δεδίδαχα 737⁴. 771⁴⁻⁵
'δεδίει Plat. 795, 6
(δεδιείη Plat.) 795, 6
δεδιέναι att. 808²
δεδιήιτημαι 766¹
δεδίξομαι 710, 5
δεδιός (τό) II 409²
δεδισκόμενα 648, 2. 710³;
  s. δειδισκ-, ἐδεδίσκετο
δεδίττομαι att. 710³, 5. 717²;
  s. δεδίξομαι
*δεδίωκα 702⁵
δεδίωχα 702⁵. 772¹
δέδμᾱται 360³. 761⁶

δέδμητο II 238⁴; – ὑπ'
αὐτῷ II 525⁷; s. ἐδέδμητο
*δέδοα pf. 313³. 769²; s.
εδεδοεε
δεδόανθι böot. 665⁵
δεδόᾱσι att. 241⁴
δέδογμαι 718³; δεδογμένα
II 408²; -ον αὐτοῖς II 402¹;
δέδοκται 771³. II 239⁷; –
τλήμονες φυγαί II 608⁴;
s. δεδόχθαι
(δεδοϝας lak.) 769, 4
δέδοικα 702⁵. 769, 8. 774⁶;
δέδοιγμεν, δεδοίκαμεν 767,
6; δέδοικα μή II 323⁶.
354⁶. 675⁵·⁶·⁷; – εἰ II 677¹;
– ὅπως μή II 676³, 1; –
(τι) περί τινι II 501⁴; s.
ἐδεδοίκη, δεδοίκω
δεδοικήσω syrak. 783⁶
δεδοίκω siz. 648¹. 767⁵.
783⁶
δεδόκχθαι 238⁴
δέδομαι 770²; δέδοσαι 668⁴;
δέδοται 642¹. 669³. 768⁵.
816⁵⁻⁶. II 238⁶; δεδόμεθα
642³; s. ἐδέδοσο, δεδόσθαι
*δέδομεν böot. 665⁵
δεδομένον (= -χμ-) 215²
δεδομημένους 719, 5
δέδορκα 353⁶. 541¹. 746, 1.
769⁴. II 258⁴; -ρκε 390⁵.
647⁷, 1. II 264²
δεδόσθαι 809⁴
δεδοσθειν infin. thess. 809³
δεδούλωνται, ἐδεδούλωντο
671⁴
δεδουπότος hom. 718³. 771³
δέδοχε; s. ἐδεδόχεσαν
δεδόχθαι II 383³
δεδόχται 211³
δέδραγμαι 771¹
δεδραγμένος 769, 6; – κόνιος
II 129⁷
δέδρᾱκα 774⁵, 7. 775²; s.
ἐδρήκατε
δεδρακέναι II 375⁵
δεδρᾱκώς 812⁵
δέδρᾱμαι 770⁵
δέδρομα II 258⁴; -με 747⁶
δέδρομαι 769⁴
δεδρόμᾱκα II 258⁴
*δεδυῖα 770, 3
δέδυκα 775⁴. II 227⁷. 287⁵;
-κε 774³. 775⁴
δεδυνησμένος 773⁴
δεδυστύχηκα att. 765⁷
*δέδω 775⁵
δέδωκα 770². 774⁵, 6. 775⁵.
816⁵; -κε 768⁵. 775⁵; δε-
δώκαμεν 775⁶; δέδωκαν
σπätgr. 779². II 621¹
δέδωκεν infin. kalymn. ni-
syr. 807¹, 1

δέδωχε arg. 772⁵
δεδώωσα böot. 540⁶. 770²
δεηθη- 762¹
δέηι conj. 685⁷
δεῆσαν II 402³
δεήσοι 780, 1
δεήσομαι II 292⁴; δεήσεται
δορυφόρων II 92⁷; δεησό-
μενος ὑμῶν II 388³
δεῆσον: ὡς – II 401⁷. 402²
δεθεὶς δεσμόν II 80⁵
δεθεῖ (δεθῇ) infin. aor. ngr.
809⁶. II 242⁴; ἔχω δεθεῖ
779⁴. 809⁶. II 384¹
δεθη- Hdt. 761⁴
δεθήσεται 783⁵
δεῖ impers. 685⁷. 752, 3.
II 72⁴. 73⁶. 304³. 348⁷.
378⁷. 410¹. 620⁶. 621⁸; –
μέ τινος II 92⁷; ἐὰν δεῖ
791, 6; s. ἔδει, δέηι, δέω,
δεῆσαν, -σον
δεῖγμα 769, 6
δείδεκτο 103²
δειδέχαται 239⁶. 354³. 697³.
772⁴
δείδια 769³; -ιε 777³, 5.
II 288²; δείδιμεν 227⁶.
347¹. 769². II 243³; δεί-
διτε 769²; δείδιθι 769².
800⁵. II 340⁷; s. δέδια
δείδιμεν infin. 769². 806³
δειδιότ- hom. 769³
δειδίσκετο Od. 710³
δειδισκόμενος 697³
δειδίσσομαι (-εσθαι) 710³, 5.
775, 4. 782¹. II 377⁵
δείδοικα 774³, 4. II 287³; –
μή II 323⁵
δειδυῖαν 839³
δείδω hom. 313³. 347¹. 769².
774, 4. II 263⁵; –
μή τι πάθησιν II 10⁵.
316⁷; – μὴ οὐ II 675⁵;
– μὴ εἶπεν II 354⁴; s.
δεῖσαι
δείελος 105⁴. 348⁶. 483⁵
δεικανόωντο 697³
δείκελον ion. 483²
δεικές 513⁵
δείκηλον 484³
δεικνύειν 698⁶
δείκνυμαι: δεικνύμενος 697³;
s. δέδειγμαι
δείκνυμι 41². 657³. 696⁴.
697¹. 751⁴. 754⁷. II 272¹.
395⁷; δείκνῡ 3. sg. 659⁷.
698⁶; δεικνύᾱσι 698⁵. II
245⁵; δείκνυμι c. ptc. II
396⁷; s. δεικνύς, ἐδειξ-,
δέδειχα, δεικνύω, δειξ-
δεικνυοίμην att. 795⁵
δεικνύοντ- ptc. 698⁵

δεικνύς 566². 698⁵; -νῦσι
dat. pl. 566²; -νῦσα f. 287⁵
δεικνύω 698⁶; -ύει Hes. 698⁶;
-ύοιμι att. 795⁵; δείκνυε
imper. 698⁶
(*δεικσεσjαν 3. pl. opt.) 797⁴
δεικσιων 786⁴
*δεικστε 799⁵
*δεικστον imper. 799⁵
δεικτέον II 410²
δείλαιος [nicht -ός] 236⁶; –
c. gen. II 134⁵
δείλᾱτα 228⁵. 519⁵
δείλετ' lokr. II 313⁷
δείλετο Od. 723³
δείλη 348⁶. 483⁵
δειλιάω 732²
δείλομαι lokr. 295²; δείλετ'
II 313⁷
δειλός 483⁴, 5
δεῖμα 522⁶
δειμαίνω 724⁶; -νεις δὲ τί
II 628, 1; -νω περί τινι
II 501⁴
Δείμᾱς 526, 5
δειμενε thess. 486, 1
Δείμος 492³. II 37⁵
δεῖν infin. 249⁸. 594⁴;
πρὸς φάραγγι II 513⁵
δεῖν (ὁ) syrak. 612⁴
δεῖνα 612³·⁴; gen. 612³
Δεινάκων 417, 1
δεῖνας (ὁ) ngr. 612⁴
δεῖνας acc. pl. 612⁴
δείνατι dat. sg. gramm. 612⁴
δείνατος gen. sg. gramm.
612⁴
δεῖνες nom. pl. 612⁴
δεῖνι dat. sg. 612⁴
ΔεινοδίκΗΟ nax. 245⁸. 635⁴
Δεινομένης 635⁴; -μένεος 248¹
δεῖνος gen. sg. 612³·⁴
δεινός 38². 301⁴. II 182³·⁷;
– μάχην II 85⁸
δεινότατον II 617⁶
δεινότατος σαυτοῦ II 100⁶
δείνων gen. pl. 612⁴
δεινῶς II 414⁸
δειξ- 754⁷
δεῖξαι infin. 808⁵·⁶
δειξαι- 641⁷
δειξαίμην 796⁶; δείξαιντο 671⁶;
δειξαίατο 3. pl. 796⁶
δείξαιμι 796⁶; -αιμεν 796⁶.
797³; -ειαν 797⁴
δείξει conj. 790⁴
*δεῖξι imper. 803⁸
*δείξιμεν 1. pl. opt. 797³
δείξοι att. 796¹
δεῖξον imper. 803⁴; δείξατε,
δείξατον 799⁵; δειξάτων 802⁷
δείξω fut. 787⁴
δείξω conj. 661⁵. 787¹; -ωμεν
642²

δειομένη H. 780⁶
δεῖος hom. 243⁴
Δειπάτυρος epir. H. 576, 8. II 615²
δειπνείᾱς opt. ark. 795, 1
δειπνεν infin. koisch 807³
δειπνέω 726³. 736⁵; s. δεδείπνηκα
δειπνήσαντες II 390⁵
δειπνηστύς 506⁶
δειπνίζω (-ειν) 736⁵. II 278⁶
δεῖπνον 274¹; ἐπὶ -ου II 471³
δειράς ion. att. 285⁸. 507⁶·⁷, 6. 508⁶
δειρή ion. 223⁷. 228²
δειροτομέω 726⁴. II 73²; -μήσω 644⁷
*δειροτόμος 644⁷
δείρω 684⁴. 715⁵
δείς 426, 1. 588, 4
δεῖσα 517¹
δεῖσαι II 400³. 675⁶·⁷; – φόβῳ II 166⁴; – περί τινι II 501⁴
δείσας: -αντες II 387, 1; δείσασα πρός τινι II 513⁵
δεῖσθαι: πρὸς τὸ – II 370⁵
δείσομαι hom. 783⁷; -σεται 782¹
δείσω: μὴ δείσῃς II 344⁵
δείχνυντε(ς) Alk. 696, 8
δείχνω ngr. 699³
δείχτω ngr. 705³
*δέjω 676²
δέκα 14⁸. 73¹. 343⁴. 591³. II 693²; ἑπτὰ καὶ – 594²; s. δέκο
δεκαδάρχης 596, 7
δεκαδάρχος 596, 7
δεκαδεύς 596, 7
δεκαδικός 596, 7
δεκαδιστής 596, 7
δέκα δύο her. 594⁵
δεκαδύο ngr. 445⁷
δέκα εἷς her. delph. 594⁵
δέκα ἕν pap. 594⁵
δεκάζω 735²
δεκάκις 597⁶; – τε καὶ εἴκοσι 591, 6
δεκακισχείλιοι 593⁴
δέκα μία pap. 594⁵
δεκᾶν att. 735²
δεκαναϊᾶ 783³
δεκανός 71³. 490². 591²
δεκάπαλαι 589, 5. 592, 4
δεκάπρωτος 427⁴. 596, 6; ὁ – II 42, 3
δεκάς 496⁵. 498, 13. 596, 7; – μνηστήρων II 129³
δεκατέτορες acc. pl. f. delph. 563⁵. 594⁴
δεκατεύω 596⁴
δεκάτη f. subst. 596⁴. II 175⁵
δέκατος 503⁷. 596³; – πρῶτος 596³

δεκατός kyren. 595, 4
δέκα τρεῖς, δεκατρεῖς 594⁴; ngr. 445⁸
δεκάφυιος Kallim. 598⁵
δέκαχα att. 598³
*δεκα *χειλα 593⁴
δεκάχ(ε)ιλοι Ilias 593⁴
*δεκάχειλον 593⁴
δεκαχῇ 598³
Δεκέλεια 475²
Δεκελεικός 498¹
*ΔεκεληϜικός 498¹
δέκετθαι kret. 216⁶
*δέκμενος 678, 7
δεκνύμενος hom. 697³, 7
δέκνῦμι ion. 697¹, 3
δέκο ark. 88⁶. 344³. 591³
δέκομαι 333¹. 684⁵
δέκοτος ark. lesb. 344³ (nicht -τός). 591³, 5
*δέκοτον 260⁵. 830⁸
δέκτο 260⁵. 335⁶. 336⁴
δέκων gen. lesb. Chios 86⁵. 590⁴
*δελδίλjω 647³
δελεάζω 519⁵. 735²
δέλεαρ 360⁴. 519⁵
δέλετρον 519⁵. 532⁴, 5
δέλευρα 519⁵
δελήτιον 519⁵
δέλλις 510⁷, 6; -ιθες 295⁷
δέλλω ark. 295². 693, 9
δέλος 519⁵
δέλτα 140². 141¹
δέλτος II 34, 4
δελφακίνη II 36⁵
δέλφαξ 497¹
Δελφικός II 182⁵
δελφίς 465⁵. 569⁶
Δελφοί 549⁷. II 43, 3; -οῖς loc. II 155²; s. Δερφοί
δελφύα 463⁶
δελφύς 463⁶. 516³
*δέλφων 497¹
(*δεμ-) 752, 6
δέμα 523⁶
δέμας 360³. 514⁵. 606⁷. II 52¹. 78². 85⁶. 86⁵. 551⁶; – c. gen. II 122²
δεμβλεῖς 277⁴
δεμελεῖς arg. 513, 11
δεμέλω· ἔχω – ngr. 779⁴
δέμνια 470³. 523, 3
*δεμνυῖα 541, 3
*δεμς 547⁸. 548¹. 568⁷
δέμω 277⁵. 358⁵. 684³. 723⁴
δέν n. 'etwas' 426, 1. 588, 4. II 593⁴
δέν 'nicht' ngr. 408³. II 591¹. 593⁴. 629⁵
δενδίλλω 647³
*δενδρεϜον 583⁴
δενδρεὸν 472⁵. 583³⁻⁴; δενδρέωι 583⁴; δένδρεα 583⁴;

δενδρέων 583⁴; δένδρεσι 583³·⁴
δενδρήεις 527³·⁴, 4. 5. 583⁴
δένδρον n. att. 583³·⁴. II 30⁵
δένδρος n. ion. dor. 583⁴
δένδρος m. spät 583⁴
δενδρύφιον 471, 7
δενδρύω 259¹. 647³. 686³
δεννάζω 735²
δέννος 295⁵. 322⁸
δένομαι ngr.: -εσαι 669²; δένου 659¹; ἐδέθηκα 659¹; s. ἔχω δεθεῖ
δένοντας ptc. ngr. II 13⁴
δένω ngr. 659¹. 701⁴. 753²; δένε 659¹; νὰ δένω, νὰ δένετε 793³; s. ἔδενα, ἔδεσα, ἔχω δεμένο (δέσει)
δέξαι imper. 803⁷. II 235¹
δέξαι (= δέξασθαι) II 235¹
δεξαμενή 380⁴. 420⁶. 525¹
Δεξαμένη 525¹
δέξασθαι II 282³. 283⁴. 296⁴·⁷. 381³
δεξί (τὸ) II 175⁵
δεξιά adv. ngr. 621⁴
δεξιά (ἡ) II 175⁴; -ὰν διδόναι II 24²; ἐν (ἐπὶ) δεξιᾷ II 112, 4
δεξιά (τὰ): ἔχων τὰ -ὰ τοῦ κ. πρὸς τῷ ποτ. II 513¹; ἐν δεξιᾷ, ἐπὶ δεξιά, πρὸς δεξιά II 112, 4; ἐκ δεξιῶν II 43⁵⁻⁶
δεξιᾶς adv. 621⁴
δεξιολάβος 429⁶
δεξιός 291². 472⁵, 6; -ᾱς χειρός II 112⁵
δεξιοῦσθαι II 175⁵
δεξιόφιν 550⁶·⁷
δεξίς ngr. 586³
δεξιτερός 58⁴. 533⁶, 7; ἡ -ή II 175⁴
Δεξιφάνης 448⁷
δέξο imper. hom. 799⁶
δεξουνται ther. 786⁵
δεξύς ngr. 586³
*δέξω 718, 2
Δεξώ m. att. 478⁶. II 37⁴
δέομαι II 343⁷. 704²; δεήσομαι II 292⁴; δεδέημαι 770⁵; δέομαι c. abl. II 92⁶; – mit zwei Gen. II 92⁷·⁸; – c. infin. II 367⁴. 368²; δεήσεται δορυφόρων II 92⁷; δεησόμενος ὑμῶν II 388³; s. δεῖσθαι
δέομαι: δεθήσεται 783⁵; δέδεμαι 770³; -ται 676². 783⁵. II 264¹; -ντο II 95⁶; δεδέσθω 688³; δεδεμένος II 81⁵. 240³; δεδήσεται 783⁵
δέομεν att. 240²
δέον II 623⁵; acc. abs. II 401⁷; – ἐστί att. hell. 813³; τὸ δέον 676²

Δεονῦος 464¹
δέος 251⁴. 313². 512²; δέους
gen. sg. 249⁷. 252³. 579⁴;
δέος c. acc. II 74¹
δέπᾱ hom., ion. 248⁷
δέπας 61⁸. 514⁵; δεπάεσσι
564⁵
δέπαστρον 532⁵
δέρας 514⁵
*δερδρύω 647³
δερεθρον 301³; -α 88⁶
δέρες nom. pl. = δαέρες 568²
Δέρεσε tsak. 295²
δερϜά ark. 223⁷
δέρϜᾱ 472⁶
δέρϜη 188³
δέρη att. 295⁵
δερίαι 299⁸
δεριάω 732⁴
Δέρκετος 502³
Δερκετῦ gen. 464¹
Δερκετώ 268⁷. 479³
δέρκομαι 73⁴. 292⁷. 353⁶.
684³. 746, 1. 747⁵. II 72, 1.
227⁵. 232, 3. 398⁴; -εται
II 258⁵; δέρκομαι πῦρ II
76⁶; – ἀσφαλὲς διά τι II
454¹; – ἐπὶ χθονί II 466⁶; s.
δρακεῖν, ἔδρακον, ἐδέρχθην
δέρμα 578⁵
δερμύλλω 736⁶
δέρνω ngr. 701⁴
δέρξατο 755⁴
δέρομαι: δέδαρμαι 769⁵
δέρρις att. 115, 1. 285³. 322⁸.
505³, 4
δέρσω 782²
δέρτρον 260⁵. 532⁴
Δερφοί 213²
δέρω 684¹·², 1. 715⁵, 9. 759⁶.
841⁶⁻⁷; δερῶ att. 785¹
*δές (> δός) 800³
-δες (-ðes) plur. Ausg. ngr.
585⁷. 586²·⁵
δέσε ngr. 659¹. 764²; δέστε
ngr. 764²
δέσει infin. aor. ngr. 809⁶.
II 17¹. 242³; ἔχω – 779⁴;
θὰ ἔχω δέσει II 298⁵
δέσετε: νὰ – ngr. 793³
δέσις 505⁵
δέσμη II 42³
δεσμός 493³. 523, 3
δέσου ngr. 659¹
*δεσποδjω 734²
δεσπόζω ion. att. 734²; – c.
gen. II 110³; – c. acc. II
110⁵
δέσποινα 274¹. 473, 1. 559⁷
δεσποινίς 133⁷
δεσπόνησιν 'dat.' ion. 559⁴
Δεσπόνησιν 529⁴. II 51⁴
δεσποσύνη 529⁴
δέσποτα att. 560⁶. II 59, 2

δεσπότειρα 474, 3
δεσποτεύω 732⁷
*δέσποτνja 274¹. 473, 1
δεσπότης 291¹. 446⁴. 451⁵.
547⁸. 548¹. 561⁶, 5; δεσπότεα acc. Hdt. 561³
δέστε ngr. 764²
δέσω: νὰ – ngr. 659¹. 793⁴
δετός 340⁷. 676²
δέτρον 260⁵
Δεῦ voc. sg. 576, 5
(*δευ adv.) 595⁵
δεύαται 302⁷
δευήσεαι ἐσθῆτος II 92⁷
δεύκει 685¹
Δεύνυσος ion. 283³
δεύομαι 348⁶. 432, 6. 595⁴·⁵.
745, 4
δευος 156⁴
δεῦρε att. 632¹·²
δευρεί 632¹
δευρί Aristoph. 632¹
*δε-υρο 397⁷. 632²
δεῦρο 397⁷. 612¹. 630, 6.
632¹·². II 16². 314⁴·⁵. 315².
339³. 427⁷. 620³; δεῦρ' ἄγε
II 583⁷; δεῦρο ἴτε Aesch.
632¹; δεῦρο τοῦ λόγου II
114⁶
δευρυ äol. (Hdn) 632¹
δεύρω Ilias (Hdn) 632¹
Δεύς böot. lak. 91³. 331⁶.
414³. 576⁵; Δεῦ voc. sg.
576, 5
δεύτατος hom. 595⁴
δεῦτε 632¹. 804³; – ngr. 632².
II 16². 314⁴. 315². 339³.
411⁶. 579, 2
δευτέρα (ἡ) II 175⁵
δευτεραῖος 596⁴
δευτερεῖα n. pl. 596⁵
δευτερεύω 596⁴
δεύτερον 598². II 706⁴; – τοῦ
ἔτους 596⁵; τὸ – 597, 8
δεύτερος 595⁴. 614⁴; – αὐτός
595¹; δεύτεροι ἐμεῖο II 98⁶;
δεύτερον οὐδενός II 98⁶;
δευτέρω ἔτει τούτων II 98⁶
δεύω äol. hom. 685⁶·⁷. 752³;
δεύει impers. 685⁷; δεύσω
685⁶; s. ἔδευσα, ἐδεύησα
δέφυρα kret. 298⁸
δέφω 298⁸. 684⁵. 706⁷. 721²;
δέψω 298⁸. 706⁷; δέψει 721²
δέχαται 3. pl. hom. 671³.
678⁶,7. 683⁶. 767¹. 772⁴
δέχε imper. altatt. 797, 5
δέχθαι hom. 809³. II 374⁶
*δέχθε 671³
*δέχθο 336⁴
*δέχθω 772⁴
δέχνυμαι 697³
δέχομαι (-εσθαι) 333¹. 684⁶.
II 307⁶. 381⁶; τοῦ δέχεσθαι

II 361⁶; δέχομαι παρά τινος
II 497⁷·⁸; – τί τινος II 127⁷;
– ἀντί, πρό II 127⁸; – τι c.
dat. II 169⁴·⁶·⁷; – τινα ὡς
πολέμιον II 405¹; – – ἀμφ'
ἀρετᾷ II 438⁶; – κακὸν ἐκ
κακοῦ II 464²; s. ἐδεξάμην,
δέξαι, δέξασθαι, δέδεγμαι,
δέδεξο, δέδεχθε, δεδέξομαι,
δεδεγμένος
δεψεῖ Hdt. 721²
δεψήσας Od. 721²
δέψω 298⁸. 706⁷; δέψει 721²
δέω 'binde' 251⁴. 676². 685⁷.
688⁶; δέω ἐξ II 434⁵
δέω 'ermangele' att. dor.
685⁷. 752³; – c. abl. II 92⁶;
– πολλοῦ c. infin. II 92⁷;
s. δεῖ, δέηι, δῆι, ἐδέησα,
δεῆσαν, -ῆσον, -ήσοι, δεύω
δϜ 314⁵. 332²; δϜ- 301⁴·⁵
*δϜά f. 'Weile' 618⁵
*δϜᾶν 618⁵
*δϜεεος gen. sg. 252³
*δϜεjελός 483, 5
*δϜεjεσ- (nicht -οσ-) 489⁵
δϜέjος 251⁴
ΔϜεινίας 347¹; -ία gen. kor.
223⁷. 301⁴
*δϜεινός 710³
ΔϜΕνίας 192¹
δϜίς· δύναμις H. 301⁵. 495, 5.
693, 5
*δϜῖσ- 489⁵
*δϜίω 681, 2
δή 612¹. II 185². 553⁴. 555¹·².
³·⁶, 2. 562⁵⁻⁶, 1. 7 f. 570².
571⁶. 578³. 629⁶. 633⁶. 703¹;
δὴ ἄρα II 559¹; δὴ αὖτε
II 563⁵ (s. δαῦτε); δὴ γάρ
II 563²; δὴ γε II 563¹·²;
δὴ μάλιστα II 563⁵; δὴ οὖν
II 585²; δὴ που II 580¹;
δή τις II 213, 1. 563⁴·⁵; δὴ
τοίνυν II 582¹; δὴ ὦν II
563²; ἀλλὰ δή II 563²;
ἀλλὰ μὲν δή II 563²; ἀλλ'
ἄγε δὴ II 563⁴; ἐν δὲ δὴ
II 422²·³; ἐπεὶ δή II 658⁷;
ἐπεὶ ἀρ δή II 660⁶
δῆγμα 364¹. 769, 6
δηγμός 492⁵
δήδεκτο hom. 648⁹. 686, 7
*δηδεσκ- 710³
*δηδεσκόμενος 697, 3
δηδέχαται hom. 239⁶. 354³.
647¹. 648². 697³, 3; δηδέχατο 648². 686, 7
δηδίσκετο Od. 648², 2. 710³
δηδισκόμενος 648², 2. 697, 3
δηθά 629¹
δῆθε II 563, 4
δῆθεν 629¹. II 553⁵. 563², 4
Δῆθος 331⁶

δηθύνω 733[3]
δῆι dor. 685[7]; s. δεῖ
δηιάσκον Ap. Rh. 711[4]
Δηίθρασης 448[7]
Δηιόκης 153[5]
δήϊος 578[5]; δηίοιο 244[3];
    δήϊον πῦρ 466[2]
δηιοτής 385[3]. 528[6]
δηιτώμην 245[1]
δηκανόωντο hom. 700[5]
δηλαδή II 563[2]
δηλήσεταί κε II 351[6]
δηλήσηται conj. 791[2]
Δήλια (τὰ) II 614[1]. 618[6]
δήλομαι dor. 82[5]. 284[1]. 295[2];
    δηλόμενος 693[4], 10
δηλομήρ el. 525[2]. 569[6]
δηλονότι II 554[7]. 590[1]. 706[3];
    s. δῆλος
δῆλος 363[4]. 483[5]. 681, 6;
δῆλον II 622[1]. 623[5]. 631[3];
    – τινι II 166[2]; δῆλός εἰμι
    δρασείων II 393[5]; δῆλός
    ἐστιν ὡς δρασείων II 397[2];
    δῆλός εἰμι ἐπιβουλεύων II
    393[5]; δῆλον ποιῶ c. ptc. II
    396[7]; δῆλα γέγονε II 606[3];
    δῆλά ἐστιν ἀγαθὰ ὄντα II
    611[7]; δῆλον ὅτι II 554[7]. 590
    1.2. 696[8]; δῆλον (sc. ὄν) II
    405[1]; δῆλον ὄν II 401[7]
Δήλω loc. II 155[1]
δηλῶ (-όω) II 395[7]; δηλοῖ II
    621[8]; δηλώσας II 296[8];
    δηλῶ τι(να) c. praedic. II
    395[2]; δηλῶ c. ptc. II 396[7].
    397[1]; – τινι τινος 106[8];
    ἐδήλου ὡς ἐκπεμφθείη II
    297[7]; δηλωθέντος ὅτι II 401[1]
δήλωμα c. instr. II 166[6–7]
Δημαγένης att. 439[2]
δημαγωγεῖν II 73[3]
Δημάδης att. 579, 6
δημηγορεῖν πρὸς ἡδονὴν (χά-
    ριν) II 512[5]
Δημήτηρ, -τερος, -τρος 567[6];
    Δήμητερ 386[5]
Δήμητρα, -αν spät 568[1]
Δημητριάς 508[4]
Δημήτριος 154[2]
δημιοργός ion. 253[1]
δημιουργός att. 253[1]; – τινος
    c. instr. II 166[6]
*δημοβορός 379[4]
δημοβόρος 379[4]; – βασιλεύς
    II 65[8]
δημόθεν hom. 245[1]. 628[2]. II
    171[8]
δημοκόπος 298[8]
Δημοκόων 721[6]
δημοκρατίη 469[6]
δημοκρατούμενος: -μένην II
    408[2]; -ούμεναι II 408[7]
δημον ἐόντα 245[1]. 559[7–8]

δῆμος 186[1]. 376[3]. 378[8]. 553[6].
    II 608[8]; δήμου 553[6]; ὁ δῆμος
    ὁ τῶν Ἀθηναίων II 26[6]; – –
    ὁ Ἀθηναίων II 692[5]
δημός 492[2]; -οῦ 553[6]
Δημοσθένης: -η att. 250[6];
    Δημοσθένης Δημοσθένους II
    177[4]. 692[5]; – – Παιανιεύς
    II 618[4–5]; Δημοσθένης ὁ
    Δημοσθένους II 21[4]
δημοσίᾳ II 163[5]
δημόσιος 57[4]. 466[4]
δημότερος II 183[5]
δημοτικόν (term.) 634[7]
δημώδης γλῶσσα 133[3]
δήν hom. poet. 618[5], 3. 619[5].
    621[1]. 693, 5. II 70[1]. 413[7].
    415[3]
δην- 632[6]
-δην adv. 626[2]f.
Δῆνα acc. sg. kret. 577[1]
δήναιος 618, 3
δηνάριον 156[4]
δήνεα ion. 286[2.7]. 307[7]. 512[1]
δήξομαι Eur. 693[3]. 781[6]
δηοῦν c. dat. II 170[5]
δήπου II 563[2]
δήπουθε II 563, 4
δήπουθεν II 563, 4. 580[1]
δηράς kret. 285[8]
δηριάασθον hom. 727[4].II 607[2]
δηριᾶσθαι II 233[4]
δηριθ- 761, 5
δηρινθήτην Ilias 727[5]. 761, 5
δηρίομαι (-εσθαι) 727[4]. 761,5.
    II 233[4]
δηριόντων 727, 7
δῆρις 462[4]; δῆριν θήτην 727[5]
δηρίσομαι 782[5]
δηρίττειν H. 727[4]
δηριώντων Pind. 727, 7. II
    234[5]
δηρόν adv. 621[2]. II 70[1]. 77[1]
δηρὸν χρόνον hom. 621[2]. II
    70[1]
-δης 302[8]
δῆσαι infin. aor. 809[6]; – κε-
    λεύθου II 93[2]; – ἐπὶ θανάτῳ
    II 467[7]
δήσασθαι πέδιλα II 231[2]
δησάσκετο Ilias 711[5]
δῆσαν ἐνὶ δεσμῷ II 458[4]
δήσας Hes. 566[3]
δῆσεν 685[7]. 752, 3; s. ἔδησα,
    -σεν
δῆσον, δήσατε 764[2]
δήσω 782[5]
δῆτα II 556, 2. 563[2], 5
δητός 838[6]
δῆὖτε 402[2]. 629[3]. II 563[2.5];
    s. δαῦτε
δηχθη- 760[1]
δήω fut. 780[4], 6. 816[4]. II
    265[5]. 273[3]. 292[6]

Δηώ 478[5]. 636[6]
Δηωίνη 478, 1
δι (= δι) 206[6]. 233[8]
δι- compos. 447[7]. 589[2],3.
    II 449, 1
Δί dat. sg. 248[5]. 576[6]
Δι- compos. 577[2]
διά praep. 104[1]. 387[8]. 551[1].
    622[5]. II 69[3]. 268[3]. 425[5].
    427[2.3.5]. 432[5]. 433[4.7].
    448[4–54]; – c. gen. II 178[2].
    237[6]; – c. acc. II 167[8]; διὰ
    βίας II 452[2]; διὰ βίου II
    451[2]; διὰ βραχέων II 452[2];
    δι᾿ ἐλάσσονος II 451[2]; δι᾿
    ἔτους II 451[1]; διὰ κενῆς att.
    II 175[6]; διὰ μέσου II 705, 1;
    διὰ νυκτός II 451[1.2], 1; δι᾿
    ὀλίγου II 451[1]; διὰ παντός
    II 450[7]; διὰ πλείστου II
    451[2]; διὰ πολλοῦ II 451[2];
    διὰ σιγῆς II 452[2]; διὰ τα-
    χέων 625[5]; διὰ τέλους II
    450[5]; διὰ τοσούτου II 451[2];
    διὰ χρόνου II 451[3]; δι᾿ ἅ
    II 661, 3; διὰ τί II 454[3];
    διὰ τοῦτο II 454[3]; διὰ ταῦτα
    II 672[6]; οὐδὲν δι᾿ ἄλλο II
    427[2]; διὰ τὸ ἵνα mgr. II
    384, 1; ἐπιγίγνεσθαι διὰ
    νυκτός II 451[1]
δια- 272[5]. II 429[4]
δία acc. sg. kret. 576, 7
δῖα 229[6]. 576, 7; – voc. 559[7];
    δῖα γυναικῶν II 101[6].
    116[5]; δῖα θεάων 559[7]
Δία acc. sg. att. 576[6]
*Δῖα II 119[6]
-δια adv. 626[2]
διάβα ngr. 676, 1
διαβαίνειν (τοῦ) II 361[5]
διαβαίνω II 308[1]. 347[4]. 450[3];
    s. διαβέβηκα
διαβάλανα 589, 3
διαβάλλεσθαι II 161[2]; – ἔς
    τινα II 459[2]
διαβάλλω (-ειν) II 804[1]; –
    τινὰ πρός τινα II 510[7]
διαβᾶτε ngr. 676, 1
διαβατήρια θύειν II 76[5]
διαβέβηκα ἐν II 434[3]; δια-
    βεβηκότος Περικλέους II
    400[2]
διαβειπάμενος kret. 207[8].224[7]
διαβέτης lak. 224[6]
διαβητίζομαι 706[5]
διάβολος 158[4]. 165[3]
διαβύνεται Hdt. 692[3]
διαγελάω: διεγέλα arg. 682[2]
διαγίγνομαι (-εσθαι) II 255[4].
    268[3]; – c. ptc. II 392[2]. 450[3]
διαγιγνώσκω II 450[2]; – περί
    τινος II 502[8]
διάγκυλος 589, 3

διαγλαύσσω Ap. Rh. 725⁴
διαγνόντω imper. 802⁴; -γνόν
τωσαν 802⁷
διαγνώμη τῆς ἐκκλησίας II
122²
διαγνώτω imper. 802⁴
διάγυιος 589, 3
διάγω 189⁴; διῆγε 189⁴; διά
γω μετά τινος II 484¹; – τὸ
γῆρας διὰ πένθους II 452⁸
διαγωνίζομαι (-εσθαι) II 450²;
– ἔν τινι II 458³
διαγώνιος II 454⁵
διὰ δ' ἀμπερές II 426⁵. 449, 5
διαδέξειε lesb. 797¹
διαδέξιος II 449⁵
διαδέρκομαι II 450³
διαδέχεσθαί τι c. dat. II 169⁷
διαδηλέομαι II 450¹
διάδηλος II 449⁵
διάδημα 154⁷
διαδίδουσι Hippokr. 687⁵
διαδιδράσκω II 449⁷
διαδικάζομαι (-εσθαι) II 233⁵.
283⁶
διαδόντō imper. lokr. 802²
διαδοχή c. dat. II 169⁷
διάδοχος c. dat. II 169⁷
διάδρᾱ imper. H. 798⁴
διάδω II 450²
διαέριος II 454⁵
διαϜειπάμενος kret. 745³
διαζεύγνυμί τί (ἀπό) τινος II
431⁴. 432²
διάζομαι 706¹
διαζώνη 836⁵
διάη ipf. 680⁵
διάησι 680⁵
διάθεσις (ῥήματος) II 222, 4
διαθέω II 450²
διαθεῶμαι c. gen. II 106⁴
διαθήκη 159⁴
διαθρύπτω II 443⁶
διάθυρα II 454⁵
διαί II 448, 4. 451⁴
δίαιθρος II 449⁴
δίαιμος II 449⁴
διαίνω II 283²
διαιρέω II 449⁷; s. διελεῖν,
διελών, διέλωμεν
δίαιτα 300⁸. 301¹. 421, 3.
475⁶
διαιτάω 705⁵, 7
διαιώνιος II 454⁵
διακάρδιος II 454⁵
διάκειμαι κακῶς ἀπό τινος II
446⁵; – πως ὑπὸ τῆς νόσου
II 528⁴
διακείρω II 450¹
διάκεισθον II 607²
διακεκρίδαται 672⁴; διακέ
κριντο 672⁴
διάκενος II 449⁵
διακέρσαι II 365⁶

διακινδυνεύειν μετὰ τοῦ νόμου
II 484⁶; – ὑπέρ τινος II 522¹
διακλάω II 449⁶
διακναίεσθαι II 164⁵
διακνόντων her. 414⁷
διάκοιλος II 449⁵
διακονέοντες lesb. 729⁵
διακονέω 726⁵; -ῶ II 277⁵
διακονία c. dat. II 144⁸
διάκονος 158⁴. 165³. 434⁴.
460⁶. 719⁵. II 450, 2
διακορεύω II 450¹
διακορέω II 450¹
διακόρισται 767¹
διάκορος II 449⁴
διακόσια (ὁ) ngr. 595, 1
διακοσία ἵππος Thuk. 593²
διακοσιάκις 598¹
διακοσιάπρωτος 596, 6
διακοσιαστοῦ pap. 596, 4
διᾱκόσιοι att. 593¹
διακοσιοντάκις H. Suid. 594¹.
598¹
διᾱκοσιοντάχους Strab. 593⁷
διᾱκοσιοστός 596²
διακοσμέω (-ῶ) II 80¹. 450¹
διὰ κοσμηθέντες II 449, 4
διάκοσμος II 449⁶
Διακρῆς att. 837⁷
διακριβόω II 450²
διακριδόν 626³. 632⁵. 694⁵.
II 450¹
διακρίνω II 348⁴. 450¹; -νέει
hom. 694⁵; -κριθήσεσθαι
Hdt. 763, 3; -κρινθῆτε 694⁵;
-κρινθεῖτε opt. Ilias 795²;
s. διακεκρίδαται, διέκριθεν
διάκριοι II 454⁵
διάκτορος 424, 6
διακωλύω: – τινά παραβαίνον
τα II 394³; διακωλύσει opt.
ark. 660³. 797¹·³; – kret.
797, 2
διάκων 487²
διαλαγχάνεν II 115⁴
διαλανθάνω II 450³
διαλγής II 449⁴
διαλέγομαι (-εσθαι) II 160⁴.
233⁵. 353⁶. 450²; διελεγέ
σθην II 609²; διαλεχθῆναι
Hdt. att. 760, 1; διαλέγο
μαί τινι ὑπὲρ πράγματος II
522³; – ὑπ' αὐλόν II 531⁷;
– ἐπ' ἑωυτῶν II470⁶; διαλε
γομένων ἡμῶν II 398⁷
διαλείπω II 449⁷
διάλεκτος f. 457⁷
διαλέλετται kym. 316⁸
διαλεξεισθαι Kos 786⁴
διάλευκος II 449⁵
διαλεχθῆναι 760, 1
διάλιθος II 449⁴
διαλλάττειν II 160⁴
διάλληλος II 454⁵

διαλογή 460⁵
διάλογος 31³. 460⁵
δίαλος 363⁴
διαλύσιαν opt. gort. 797³·⁴
διαλυσίεσσι lesb. 564³
διαλύω II 449⁷
διαμάω II 449⁶
διαμείβομαί τί τινος II 127²
διαμείβω τί τινος II 127²
διαμελετῶμαι II 353⁷
διαμένειν c. dat. II 143⁴
διαμερίζεσθαι τὰ ἱ. ἑαυτοῖς
II 236³
διάμεστος II 449⁵
διαμετρέω II 449⁵·⁶
διάμετρος f.152²·³.430⁶.II449⁴
διάμησε 682⁶
δίαμμος II 449⁴
διαμνημονεύω c. gen. II 108⁴
διάμοιος 273¹
διάμορφα II 449, 6
διαμπάξ 620⁵. II 449³
διαμπερές 513³. 620⁵. II 449³;
s. διὰ δ' ἀμπερές
διαμυδαλέος II 449⁵
διαμφάδην II 449³
διαμφίς II 449³
διαμφισβητέω II 449³
διάνδιχα 598². 4. 633³. II
449³
διᾱνεκής hell. 189⁸. 190⁶
διανεμηθέντων imper. Plat.
802⁶
διανέμω II 79³
διάνοια 469, 5
δίαντα II 449³
διανταῖος II 449³
διανύω II450³; διήνυσε διδοῦ
σα II 392³
διάξηρος II 449⁵
διάξυλον II 449⁶
διαπάλη II 449⁶
διαπαρθενεύω II 450¹
διὰ πασῶν (ἡ)427¹
διάπειρα II 449³
διαπειρῶμαί τινος II 105³
διαπέμπω II 449⁷; – τινά
παρὰ τὰ χρηστήρια II 498⁸f.
διὰ πέντε 375⁶
διαπεπολεμήσεται II 289⁵
διαπεπολεμησόμενον Thuk.
783⁵. II 402⁴
διαπερᾶν διά τινος II 451⁴
διαπέρθω II 450¹; -πέρσαι
II 380⁸
διαπεφύσηται II 287⁷
διαπίμελος II 449⁴
διαπίνω II 450²
διάπλεως II 449⁵
διάπλους 460⁵
διαπόντιος II 454⁵
διαπορθέω II 450¹; διαπορθή
σας Ilias 720¹. 755³

διαπόρφυρος II 449⁴
διαπράσσομαι τὰ ἀμφὶ τὸ ἄρι-
στον II 439³; διαπράξασθαι
II 296⁴
διαπράσσω II 450³
διαπρέπω II 450¹
διαπρήσσω II 450³; – c. gen.,
acc. II 111⁷
διαπρό 'ganz durch' II 429⁷,
2. 449³. 450⁵. 505⁴
διάπροθι II 449³
διαπρύσιος 466⁴, 8. II 449⁶.
505³
διαπτοιέω II 449⁶
διαπτύσσω II 449⁷
διαπυκτεύειν II 161²
διαπύλιον II 454⁵
διάπυρος II 449⁴
διαπυρπαλάμησε(ν) 430⁴, 4.
726¹
διαρπάζω II 449⁶; -άσαι II
363⁶
διαρραίω II 449⁶
διαρρήδην II 450²
διαρρίπτασκε 711³
διαρρίπτω II 450³
διαρταβία 589, 3
Δίας nom. sg. ngr. 133⁷. 577²
Δίας acc. pl. 577¹
διάσημος II 449⁵
διασκεδαννύηται 792⁴
διασκεδάννῦται conj. Plat.
792⁴
διασκιδνᾶσι 3. pl. 695³
διασκίδνημι II 449⁷
διασκοπέω c. gen. II 106⁵
διασκοπιάομαι II 450²
διασκορπίζω II 449⁷
διασπασθήτω II 343¹
διάσπιλος II 449⁴
διασσᾶν 320³
διασσεύομαι II 450³
διάστεμα 523⁶
διαστέομαι 706¹
διάστημα II 449⁶; διαστήμα-
τα 396²
διαστήσαιντο 706¹
διαστήτην 651⁶. II 419³
διαστολή 396²
διαστύλιον 589, 3
διάστυλος II 454⁵
διασύρω τινός τι II 106⁴
διασφάγ- 424⁴
διασχίζω II 449⁷; s. δια-
σχίσθη, διεσχισμένος
διασώζω II 450³; διεσεσώκει
II 288⁵
διασωπάσομαι 245¹
διατάσσομαι: διετετάχαται
Thuk. 812³
διὰ τάφρον ὀρύξας II 450²
διατελείω: διετέλειε äol. 724, 3
διατελέω (-εῖν) II 255⁴. 268⁴.
450³; διατετέληκεν pap. 775,

5; διατελῶ c. ptc. II 16².
392².⁴, 6; – μαχόμενος II
392⁴; s. διατελόντι
διατελόντι arg. 253²
διατετρανέεις Hdt. 785²
διατηρεῖν II 375⁷
διατίθημι II 449⁷; – τινά πως
II 223, 0
διατινθαλέος II 449⁵
διατμήγω II 449⁷; s.διέτμαγον
διατοξεύομαι II 450²
διατρέχω II 450³
διατρίβω (-ειν) II 83²; – c.
gen. II 112²; – ἡμέρας περὶ
Π. II 503⁷⁻⁸; – περὶ τὴν θή-
ραν II 504³
διάτριχα II 449³
διατρύγιος II 449⁴, 6
διατρυφὲν ξίφος Ilias 759²;
-ἐν ἀμφί τινι II 438²
διαττᾶν att. 320³. 413⁵
διαττάω 676²
δίαττος 320³. 421, 3. 460⁶
διαυχένιος II 454⁵
διαφαίνομαι II 450³
διαφάσσειν 302¹
διαφαύσκω 347⁷
διαφέρομαι (-εσθαι) II 161².
233⁵; – c. gen. II 131⁵;
– τινι II 161³; – ἀμφί τινος
II 438⁸; – τινί (περί) τινος
II 131³
διαφερόντως II 415¹
διαφέρυσα kilik. 183⁶
διαφέρω (-ειν) II 93⁷. 450¹;
– c. dat. II 170⁶; – τῶν
ἡλικιωτῶν II 93⁷; – τὴν φύ-
σιν II 85⁴; -ων ἐπὶ πρᾶξιν II
473²; ἐλάθομεν ἡμῶν αὐτῶν
διαφέροντες II 392⁵
διαφεύγειν παρ' ὀλίγον II
496⁷; τοῦ διαφεύγειν II 372⁴
διαφθαρῆναι II 296⁷
διαφθείρομαι (-εσθαι) II 284
1.⁴; – c. dat. II 148⁵; s.
διεφθαρμένος, διέφθορα
διαφθείρω (-ειν) II 276⁵.284¹.
450¹; – τινὰ πρὸ μοίρας τῆς
ἐμῆς II 506⁸
διαφθερέεται Hdt. 756⁶
διαφθέρσει Ilias 782²
διαφιλοτιμέομαι II 450²
διάφορα περί τινος II 502⁵;
-ἀν ἔχειν II 161²
διαφορέω II 450³
διάφορος II 161²; – c. abl. II
96³
διαφράζω II 450²
διαφυγετῖν H. 706²
διαφυγὼν ἔσομαι II 255⁵. 266⁴
διαφύσσω II 449⁶
διαφωνέω II 450¹
διαχειρίζειν II 454⁶
διὰ χειρὸς ἔχειν II 450, 3

διαχλευάζων II 389⁸
διάχλωρος II 449⁵.
διαχρῆσθαι II 167⁵
διάχρυσος II 449⁴
διάχυλος II 449⁴
διαχωρέω: διεχώρει κάτω
αὐτοῖς II 621³
διαψηφίζεσθαι περί τινος II
502⁸
διβάλανα 589, 3
ΔιδαίϜων kor. 273¹
διδακτός 737⁴; – c. gen. II
119³
διδάκτωρ 531³
διδάξασθαι (τὸ) II 370³
διδάσκαλος 483⁷. 710². 737⁴.
II 31⁵
διδασκέμεναι II 363³
διδασκῆσαι Hes. Pind. 710².
752³
διδάσκομαι (-εσθαι) 748⁶.
II 82⁴. 232⁵; – τι παρά τι-
νος II 497⁸f. 498¹; δι-
δασκόμενος πολέμοιο II 107⁷;
διδάσκομαι ἐσθλῶν ἀπ' ἐσθλά
II 446³; – προτί τινος II 514⁶
διδάσκω 707⁴, 1. 710². 748⁶.
771⁵. 783¹. 814⁷. 842².
II 82³. 234²; διδάξω 643⁷.
708, 5. 710². 737⁴. 783¹.
816⁷; s. ἐδίδαξα, δεδίδαχα,
διδασκῆσαι; διδάσκω c. gen.
II 126¹; – τινά τι c. dat. II
151⁴; – διθύραμβον, – δρᾶ-
μα II 82³; – περί τινος
II 503²; – τινὰ περί τινος
II 82⁴; – τινὰ μετά τινος
II 484⁵; μὴ διδασκέτω II
343⁴
*δίδαται 3. pl. 671⁷
*δίδατι 664⁶. 686⁶
διδαχή 423⁵. 737⁴
διδαχθέντες ἦσαν 813³
διδέᾱσι 3. pl. 688⁶
δίδει äol. 688⁶
διδεῖναι infin. H. 808³
διδεντ- ptc. delph. 688⁶
διδέντων imper. 688⁶
διδέουσα delph. 688⁶
διδέτωσαν Milet 688³
δίδημι 340³. 688⁵·⁶. 814¹;
δίδη ipf. 688⁶
δίδην infin. H. 688⁶
δίδι 'gibt' 688⁵
*διδjᾱμαι 689⁶
*δίδμεν 686⁶
διδόαμεν 665⁴
διδόᾱσι 665⁴
δίδοι 3. sg. äol. 687⁴·⁵·⁷
δίδοι 2. sg. imper. 804³·⁴, 3
διδοῖ 3. sg. 687⁴·⁵. 688¹·³.
II 313⁷; ἒ θυγατρὶ – gort.
II 621¹
διδοῖεν 687²

διδοίην 794⁵·⁶
διδοῖμεν 794⁶
διδοις 687, 3
διδοῖς 687³·⁵. 688³
διδοῖσθα 687³
*δίδοισι 3. pl. äol. 687⁴
*δίδοιτε 2. pl. opt. 804⁴
διδοῖτε 687². 804⁴, 4
δίδομαι II 284³; -σαι 668⁴;
   -ται 642¹; διδόμεθα 642³;
   δίδοσθε 670⁴; διδόαται 672²;
   δίδονται 671⁷; δίδοσθαί τί
   τινι II 498²; – ἀπό τινος
   II 446⁵; – τι χερσίν II 156¹;
   s. auch ἐδιδόμην, ἐδόμην,
   ἐδόθην, δέδομαι
διδόμεν infin. 806³. 808, 4.
   II 383⁶
δίδομεν 686⁶. 794⁵
διδόμειν infin. rhod. 807⁶
διδόναι 82¹. 808⁴. 811⁸. II
   259⁵. 278⁶. 279⁴. 283³; –
   ἀπό II 447⁴; – παρ' ἑωυτοῦ
   II 497⁸; – χάριν ποτί τινος
   II 514⁵; τὸ δίκην διδόναι
   II 366⁶
*διδοντι 3. pl. 687⁴
διδόσθω 3. pl. kerk. 801⁶
διδότω 794⁵. 801³
δίδου ipf. 687³
δίδου imper. 687¹. 799³
διδοῦμεν 688³
διδοῦν infin. 687⁶. 808¹
διδοῦναι 687³. 808, 4
διδοῦντι ptc. 688³
δίδους 688³
διδούς ptc. 525³. 566²; δι-
   δόντες II 391³; διδοῦσι dat.
   pl. 566²; διδόντος τοῦ νό-
   μου II 398⁶
διδοῦσι 3. pl. ion. 665¹.
   687⁴·⁵; – ἀποδόμενοι II 388⁷
δίδραγμον 206, 1
διδράσκω 710²; s. ἔδραν
δίδραχμον 451¹
διδυμάτοκος dor. 438⁶
διδυμάων 521⁵. 589³; δι-
   δυμάονε παῖδε II 49²
Διδύμοιυν (τοῖς –) du. ark.
   557²
δίδυμος 156⁵. 258³. 589³;
   διδύμω Eur. 589³; διδύ-
   μᾶι χερί Pind. 589³
Δίδυμος 162, 2
Διδυμοτειχῖται 439²
Διδύμω (τὼ –) ark. II 47⁴
διδώσκω 756¹
*δίδω 3. sg. äol. 687⁴, 3
δίδω imper. ion. att. 798⁵.
   799³
δίδω conj. praes. 688⁴
δίδω (= δίδωμι) ngr. 688⁵.
   783, 2

διδῶ conj. 688⁴. 792⁶; δι-
   δῶις conj. 792⁶; διδώηι
   conj. hell. 793¹
δίδωθι imper. 687¹. 800⁵
διδώιην, -ώιησαν hell. 795¹
διδωις 688³
διδῶις opt. 795¹
δίδωμι 354⁸. 359⁴. 646⁷.
   686⁶, 8. 687². 737³. 794⁵.
   816⁵. II 72, 1. 226⁵. 272¹·⁵.
   284⁷. 307⁸; δίδως 20³. 659⁵.
   δίδωτι 91³. 92¹. 270⁴. 648⁵;
   722⁶. II 270⁴; δίδωσι 270⁴.
   687⁵; δίδοντι 3. pl. 665¹;
   δίδωμι c. dat. II 170⁵; – τινι
   c. infin. II 139⁷. 146⁵; –
   ἐργασίαν 40¹; – τινι χάριν
   ἀντί τινος II 443²; – ὑπ'
   ἀνάνκας II 528³; – καὶ
   λαμβάνω ὅρκους c. infin. II
   296⁵; δίδωμι δίκην ὑπό τινος
   II 227²; s. auch διδόναι
   usw., δίδω, ἐδίδουν (-ων),
   ἔδιδον, ἔδωκα, ἔδομεν, δέδωκα
   usw.
δίδων infin. kyren. 807⁴;
   δίδων lesb. 807⁷
διδῶναι infin. 687³. 808, 4
διδώσειν Od. 873¹, 2
διδῶσθαι äol. 687²
διδώσω II 265⁴. 266³; δι-
   δώσομεν Od. 783², 2
δίε 'er floh' 681¹, 2. 742³.
   755³; – περί τινι II 501⁴
διέ thess. 69⁵. 244². 330³.
   622⁵. II 448⁷
διεγγυάομαι II 127⁶
διεγέλα arg. 682²
διέδην 626³
Διεί (= Διί) 548². 576⁶, 9
Διει- compos. 577²
διείδομαι II 450²
διείλεγμαι 650¹
διεῖπον II 450²
διείρομαι II 450²
Διειτρέφης 87¹. 548³
διέκ II 429⁷. 450⁵
διεκί (= διότι ,dass') thess.
   299². 616⁵. II 644²·³
διέκριθεν Ilias 694⁴. 761⁶
διελεγέσθην II 609²
διελέγην 3. pl. kret. 664⁶
διελέγχειν II 365⁴
διελεῖν μέρη II 79²
διελθεῖν περί τινος II 503²
διελκυστίνδα 627²
διέλωμεν δύο μέρη II 79³
διελών τοῦ π. τείχους II 102⁷
δίεμαι 680⁴. 681, 2. 3. 702⁵;
   δίενται 681¹, 2; – πεδίοιο
   II 112⁴
διεμοιρᾶτο hom. 726¹
δίενος 424³
ΔιΕνυσος ion. 283³

διέξ II 430¹. 449³
διεξ- II 430²
διεξαγνηκέναι lak. 696²
διεξελαύνειν κατὰ τὸ προά-
   στιον II 476⁷
διεξελθὼν διά τινος II 450⁴⁻⁵
διεξερέομαι II 450²; -ερέεσθε
   II 429². 430¹
διεξηχέναι (διεξήειν) 674, 10
διεξιέναι διεξόδους II 75⁸
διεξίμεναι II 429². 430¹. 450³
διεπράθετο Od. 747⁵
διέπτη Emped. 742⁵
διέπω II 450¹
διεργάζομαι II 450³
διέργω II 449⁶
διερός 301¹. 482¹
διέρραγκα 775⁴
διέρχομαι II 450³; s. διελ-
   θεῖν
διερωτᾶν II 350⁷. 630⁸
Διεσ- 547⁷. 576, 6
Δίες nom. pl. 577¹
δίες 'Tage' kret. 576, 7
διεσεσώκει II 288⁵
δίεσθαι hom. 681¹, 2. II
   365³; – σταθμοῖο II 91⁷
Διεσκουριάδεω thas. 547⁷
Διεσκουρίδου prien. 547⁷
διεσσείλθεικε böot. 775¹
Διέσται 66²
διέστηκεν ἀ. πλούτου II 93⁶
διεσχίσθη Ilias 714⁶. 760⁴
διεσχισμένος ἔσομαι II 290²
διέσχον ἀλλήλων II 93⁶
διετέλειε äol. 724, 3
διετετάχατο Thuk. 812³
διέτης 383¹. 514, 1
διετίτρη, -τρων 689⁵
διέτμαγον 702⁴. 748². 759⁴;
   -εν 702⁴. 759⁴; – λᾶος ὑπὸ
   ῥιπῆς II 528³
διεττημένης γῆς 320³
διευλαβεῖσθαι τιθέμενοι II
   389¹
διεφθαρμένος II 468⁷; – τὴν
   ἀκοήν II 81⁵; -οι τοὺς
   ὀφθαλμούς II 85¹; δια-
   φθαρμένος ἔσομαι II 289⁸
διέφθορα 769⁴. II 222, 4.
   223². 287⁶; -ας 759⁴. II
   228¹
διέχειν II 279⁷. 694⁷
διέχω II 450²; διέσχον ἀλλή-
   λων II 93⁶
διεχώρει κάτω αὐτοῖς II
   621³
ΔιϜειθέμιϜος kypr. 572⁵.
   573, 1
ΔιϜείθεμις kypr. 88⁷. 223⁶.
   548
ΔιϜείφιλος kypr. 548²
*διϜές 547⁷
*διϝί: ἐν – 567, 7

ΔιϜί arg. pamph. 223⁶. 358⁴. 576⁶
ΔιϜίδωρους pamph. 182⁴
*διϜιος 576, 7
*διϜjα f. 229⁶. 474². 576, 7
*διϜjος 266². 273⁶. 472¹. 576, 7
ΔιϜονουσίου pamph. 182²
ΔιϜός gen. sg. 552⁴. 576⁶
δίζα 417, 1
δίζε 735⁵
δίζεσθαι, -ζόμεσθα, δίζονται 689⁷
δίζημαι ion. poet. 330³. 689⁶. 729⁴; δίζηαι 688². 689⁷. ΙΙ 257⁷; δίζηνται 671⁴; ἐδιζήμην, ἐδιζησάμην 689⁷; δίζησθαι, διζήμενος 689⁷; διζημένη ΙΙ 388²; διζήσομαι 689⁷; διζησόμεθ(α) ΙΙ 258, 1
δίζως 558¹. 598⁵
διῆγε 189⁴
διηγήσασθαι ΙΙ 364⁴
διηγοῦμαι 189⁴; -γοῦντο ὅτι πλέοιεν ΙΙ 297⁶
διηέριος ΙΙ 454⁵
διήιτησεν 656²
διηκόσιοι ion. 593¹
-δίην adv. 626²
διηνεκής 513³. ΙΙ 450³; s. διανεκής
διήνεμος ΙΙ 449⁴
διήνυσε διδοῦσα ΙΙ 392³
διήρεσα Od. ΙΙ 450² (διε-ρέσσω)
διήρης 598⁵
δίηται ΙΙ 310⁶; - λαοφόρον καθ' ὁδόν ΙΙ 478⁴
δίθροος 598⁵
διθύραμβον, pl. -α 582⁷
διθύραμβος 62¹. 301¹. 591, 7
Διί dat. sg. 576⁵·⁶. 577¹; Διὶ φίλος ΙΙ 182⁸
Διι- compos. 577²
δια pamph. 89¹. 312⁶. ΙΙ 453³
δίδρος ΙΙ 449⁵
δικνέομαι ΙΙ 450³; διίξομαι ΙΙ 291³
διπετής 452, 6
διίσταμαι: διαστήτην 651⁶. ΙΙ 419³; διαστήσαιντο 706¹
διστέον Eur. 810⁶. ΙΙ 410¹
διίστημι ΙΙ 449⁶; διιστάναι ἡμῶν ΙΙ 93⁷; διέστηκεν ἀ. πλούτου ΙΙ 93⁶
διισχυρείω Hippokr. 789¹
διισχυριοῦμαι 789¹
δίφιλος 102⁶
Διὶ φίλος ΙΙ 182⁶
Διίφιλος 386⁵
δίκα 292⁷
Δίκα PN 636⁵

Δίκα voc. sg. lesb. 558⁵
δικάδδω kret. 331⁶; - c. gen. ΙΙ 131¹
δικάδω; s. δικάδδω
δικάζομαι (-εσθαι) ΙΙ 161².³; - δίκην, κατηγορίας ΙΙ 231⁸; - ποί τινα ΙΙ 510⁸; - (pass.) c. gen. ΙΙ 131⁴
δικάζω (-ειν) ΙΙ 231⁸; - δίκας, γραφάς ΙΙ 231⁸; - τινά c. gen. ΙΙ 131²; τοῦ - ΙΙ 369, 4; s. auch ἐδίκαζε, -ξα, -σα, -σσα, δικάσω
Δικαίας gen. sg. m. akarn. 560⁴
δίκαιον: δίκαιόν ἐστιν ΙΙ 308³; δίκαιον ἦν ΙΙ 307⁴; δίκαιόν ἐστι πρός τινος ΙΙ 516³; δίκαιον εἶναι παρά τινι c. infin. ΙΙ 494⁴
δίκαιος 348⁷. ΙΙ 623⁶; δίκαιαι nom. pl. 559¹; δικαίων gen. pl. f. 382⁸. 559³. 585⁵; δίκαιος ὑπέρ τινα LXX ΙΙ 520³
δικαιόω: -ώσω ΙΙ 292²
δικαίτατα lesb. 534, 7
δικαχσιε 3. sg. opt. kret. 842⁶
δίκαν adv. c. gen. ΙΙ 551⁶·⁷
δικᾶν fut. 785³
δικανικός 497⁶, 10
δίκαος 400¹
δίκᾱς 836⁵
(δικασαμεν infin. ark.) 806, 10
δικάσασθαι ΙΙ 296⁴
δικασόμενοι 785³
δικασπόλος 239⁵. 337³. 452, 4
δικασσέω kalymn., koisch 738¹. 786⁴
δικαστά voc. sg. 560⁶
δικαστήρεσσι pamph. 564⁴
δικαστρίοιν ΙΙ 50⁴
δικαστής: ὁ - ΙΙ 42²; δικαστά 560⁶
δικάσω fut. hom. 785⁴
δικάως lesb. 236⁷
δίκελλα 475, 2. 588, 3
δικε/ο- 747⁵
δίκη 459⁷. 587, 2; - δικαία ΙΙ 700⁵; δίκην αὐτὴν καλοῦσιν ΙΙ 606⁷; δίκη ἀμφί τινος ΙΙ 438⁸; δίδωμι δίκην ὑπό τινος ΙΙ 227²; τὸ δίκην διδόναι ΙΙ 366⁶; δίκας γίγνεσθαι παρά τινι ΙΙ 494⁴
δίκη ΙΙ 162⁷
δίκην adv. 621¹. ΙΙ 78². 430⁴. 551⁶·⁷
δίκησι 'dat.' altatt. 559⁴
δικίδιον 471²
Δικκώ 315⁶
δικλίδ- 425¹

δικλίς 507³
*Δικλιτ 268⁷
(*δίκνῦτι) 697, 3
δικός μου ngr. ΙΙ 205⁶
*δικόσιοι 593¹
δίκραιρος 583, 5
δικρόᾱ 189³
*δίκσκος 541⁶
*δίκσκος 840⁶
δίκταμνον 494¹. 524⁶
δίκταμνον 494¹
δίκτυον 460⁷
δικῶ fut. 814⁸
δίμνεως att. 451¹
δίμοιρον 599²
δίνε ngr. ΙΙ 257⁶
δινέμεσκ' Hes. 696²
δινεύεσκ' hom. 711²
δινεύω 696¹
δινέω hom. att. 696¹, 3. 726, 6
δίνη 696, 3
δινήσας hom. 696²
δίννημι äol. 696, 3
δίννηντες lesb. 729²
διννο- 515⁶
Διννομένη(ι) lesb. (Alk.) 579, 5
δίννω äol. 696, 3
δῖνος 696, 3
δίνω ngr. 688⁵. 701⁴; δίνε ΙΙ 257⁶
δίξοος 598⁵
διξός ion. 319³. 322². 598³
δι' ὅ ΙΙ 454³
διό att. ΙΙ 661⁸
Διο- compos. 445⁶. 577²
Διογένειν böot. 579⁵
διογενές ΙΙ 63, 4
διογενέτωρ 531⁴
Διοηικέτα lak. 409⁶
Διόθεν 577². 628³. ΙΙ 171⁸. 172¹
διοικεν infin. ther. 807³
διοικέω: ἐδιοίκουν 656²; διώικησε 656¹
διοιστεύω ΙΙ 450³
διοιχνέω ΙΙ 450³
διοίχομαι ΙΙ 422⁶
Διοκλητιανός 155³
Διοκρενές 275¹
διόλλυμι ΙΙ 450¹
διόλου 625³
δίομαι hom. 681, 2. 686¹·³
δίομβρος ΙΙ 449⁴
Διομήδη καλλιπάρηος ΙΙ 615⁵
Διομήδης 154¹. 439⁵; -ου 156³
δίον aor. 681, 2
Δῖον ὄμμα ΙΙ 177²
Διονούσιος böot. 183⁴
διοννύς H. Eustath. 555²
Διοννύς 637¹
Δίονους pamph. 182⁴
*δίονται 681, 2

διονῦς 'Weibischer' 555²
Διονῦς 637¹; -νῦ voc. 555².
637¹
Διονυσαλέξανδρος 453, 4
Διονύσια (τὰ) κατ' ἀγρούς II
476⁵
Διονύσιος 637¹
Διονυσιφάνης 448⁷
Διόνυσος 283³
διόπερ II 661⁸. 662, 0
διοπή 437¹
διοπτεύω II 450²
διοπτήρ II 450²
διορύττειν τι ὑπὸ μάστιξι II
527²
-διος suff. adj. 467¹ff., 1
Διός gen. sg. 576⁵·⁶, 6. 577¹;
Διὸς τέκος II 603²; –
Ἄρτεμις II 119⁶; – βάλα-
νος II 692⁵; – ἔνδον 625⁵;
Διὸς δ' ἐτελείετο βουλή
II 706⁵; Διός γε διδόντος
II 399¹
Διοσ- compos. 577²
δῖος 266². 273⁶. 472¹, 1.
576, 7. II 182⁷
Διοσβάλανος 446¹
Διόσδοτος 386⁵. 427². 445⁶.
453⁵. II 6⁵. 119⁴
Διοσερῖται ion. 275²
Διόσθεος 183⁸
Διοσῖρίτης 427⁴
διοσκέω 541, 7
Διοσκορεῖον 427⁴
Διόσκοροι 385⁵. II 692⁵
Διοσκόρω II 47³
Διόσκουροι 427². 445⁶
*διόσκω 541, 7. 708³
Διοσξεινιασταί (*-άζω) 452³
Διοτηρος 190⁶
διότι II 645³. 646⁵. 661⁵·⁶·⁷
Δίου αἰπὺ πτολίεθρον II 121⁷
διούο böot. 400³. 589⁶
δίπας nom. sg. kypr. 578⁴
διπήχη Xenoph. 573⁴
δίπλα ngr. II 582⁸
διπλάδιον 467³
διπλάδιος 598, 10
διπλάζω 598⁴
δίπλακι 424⁵
δίπλαξ hom. 598, 8
διπλάσιος 466⁵. 598⁵. II 98⁴
διπλασίων 536, 3. II 98, 2
διπλεῖ adv. kret. 237⁵. 549⁵.
622². II 155⁵
διπλειαν (ταν) kret. 598⁴
διπλειδι lokr. 598⁴
*διπλή 598, 10
διπλῆ (ἡ) II 175⁶; διπλῆν
(πληγήν) II 77, 2. 88²
διπληγίς 598, 9
διπλῆι adv. dor. 550⁵. 622¹
διπλήσιος ion. 598⁵, 10; –
ἑωυτοῦ II 98⁷

διπλός hom. 598⁴
διπλοῦς II 98⁴
Δῖπολίεια 248⁶. 430³, 2. 576⁶
δίπους 381⁵
*diptjāsjō 724⁴
δίπτυχα acc. sg. 598⁵
δίπτυχος 598⁵
διρέσιος gort. II 449, 1
Δίρκη 239¹
Δίρφυς 61, 1. 239¹. 352⁸. II
33, 2
Δίρφωσσος 61¹
δίς 301⁵. 350¹. 587, 1. 597⁶.
II 449¹; – τόσος II 98⁴;
– τόσως ἀδελφῆς II 99¹;
– τῆς ἡμέρας II 114⁷
*δίς, *δισ- (*dis-) = διά II
448⁷. 449, 1
-δις adv. 625²; -δίς 631³
Δίς nom. 576⁶f.
*δισα (> διά) II 449¹
δισθανής 513³
*δισθε (< *διδθε) 670⁴
Δισί dat. pl. 577¹
δισκευθήσεται ἅλμα II 80⁶
δισκέω 726³. II 161³
δίσκος 260⁵. 541⁶. 747⁵
δίσκουρα 446, 2
δισμύριοι 594⁶
δίσομαι fut. 783, 2
δισσάκις Arat 598¹
δισσαχοῦ 598³. 630⁵
δισσός 472¹. 598³·⁴. 840⁶
*δι(σ)σχιδjω II 449, 1
δίσταγμα Philod. 738³
διστάζω 735², 1
*διστε 686⁶
*διστος 735, 1
δισχιλίαν τριακοσίαν ἵππον
Xenoph. 593²
δισχίλιοι 593⁵. 594⁶. 598²
δισχίλιοις Ilias 593, 2
δίσω fut. 783, 2. II 265⁴
Δῖσωτήρια att. 430³, 2. 446³.
452⁴. 576⁶
διτταχοῦ 598³
Διύδοτος böot. 182³
διφάσιος ion. 466⁵. 598⁵
δίφατον· διφάσιον H. 598⁵
διφθέρα 326⁶. 351⁴. 536³
δίφθογγοι (term.) 169⁵
Δίφιλος 386⁵. 427². 576⁶
δίφρος 301⁵. 357⁴. 358⁵. 447⁷.
449⁴
διφυής 598⁵
δίφυιος 598⁵
δίχα 598², 5. 619². 624⁶.
630⁴·⁵. II 415¹·². 537⁶f.
δίχαδε Plat. 624⁶. 625, 2
διχάζω 598²
διχαιόμενος 676⁵
διχάς 'Hälfte' Arat 597²
διχάω 598². 726²
διχή·spät 598²

διχῆι adv. 598³. 619². 622¹.
630⁴
διχθά 598³, 7. 629¹
διχθάδιος 467¹·³. 597². 598³
διχθάς f. Mus. 597²
*διχθjος 322². 329⁶. 598³·⁴
*διχjος 598³
διχο- compos. 630⁵
διχόβουλος II 537⁸
διχογνωμέω II 537⁸
διχόθεν 619². 630⁴. II 537⁸
διχόμηνις II 537⁸
διχόμηνος 598³
διχορρόπως II 537⁸
*διχός 630⁵
διχοστασία II 537⁸
διχοῦ adv. 598³. 619². 621⁵.
630⁴
διχόφρων II 537⁸
διχρονία 587, 2
διχῶς 619². 630⁴. II 537⁸
δίχως ngr. II 538²
δῖψαι H. 754⁷
δίψαισι 3. pl. 664⁵
διψακός 381⁸
δίψακος 381⁸. 497¹
διψάρα 326⁶
διψάω 724⁴
δίψη 476⁴
διψήω c. gen. II 105⁴·⁵
δίψος 512⁴
*διψτέρα 351⁴
*δίω 681, 2
διωγμός 492⁵
διάδυνος II 449⁴
διώκησε 656¹
διωκάθω 703⁴
διώκομαί τι c. instr. II 165⁵;
– θανάτου II 131⁶; διώ-
ξομαι 781⁷
διωκτέον II 410²
διώκω (-ειν) 681, 2. 3. 702⁵,
5. 767⁶. II 362⁷; διώκετον
3. du. 667²; δίωκε II 341⁴;
διώξω 781⁷. II 292⁶; δι-
ώκω τινά c. gen. II 131²·⁴;
– – πρὸς πόλιν II 510¹; –
περὶ ἄστυ II 504¹; – πρὸς
ἠῶ II 515⁸; – περὶ θ. II
131⁷; – τινὰ γραφήν II 804¹;
s. δεδίωχα
διωλύγιος II 449⁶
δίωμαι II 314⁶
Διῶν gen. pl. 577¹
Διώνη 584. 479⁴, 3. 491⁴, 3.
577²
Διώνυσος 281⁸. 283³
δίωξις II 357⁴
διώξομαι 781⁷
διώξω 781⁷. II 292⁶
διωρισμένον II 402²
διώρισται τῆς τ. α. τέχνης II
93⁸
διώττας kret. 316⁸

διώχτω ngr. 705³
*δj 330²·³·⁴.367¹; δj > σδ 272⁴
*δjα 330³. 351³; *δjα- 330³·⁴
*δjᾱτός 689⁶
δjo gen. δjunón ngr. (lesb.) 589, 0
*-δjω verba 734¹. 737⁵
*δλ 323³. 327²
δμ 208⁴, 2. 332⁴; δμ > μν 208⁵·⁷; δμ > νμ > μν 208⁷
δμᾱθη- hom. poet. 761⁶
δμᾱτός 343⁷. 346⁴. 761⁶
δμηθῆναι ὑπό τινι II 526⁵
δμηθήτω 759⁴
Δμήτωρ 531, 4
δμωιαί 473, 1; δμωαί γυναῖκες II 614⁶
δμώς hom. 480³
δν 208⁵·⁶; δν > μν 208⁸
δνοπαλίζω 645, 1; -ίξω II 291⁸; -ίξεις 785⁵
δνόφος 208⁵. 417, 1
δνόψ 327⁵
*δησυλος > δαυλός 307⁵
δό ngr. (maniot.) 800³
-δο/ᾱ- suff. 508⁶, 5f.
δοάν Alkm. 618⁵
δοάσσατο 363⁴. 681, 6. 755, 2
δόγμα c. gen. II 132¹
δΟεναι kypr. 808, 3
Δοεσστός epir. 182³
*δ(ο)Fά 618⁵
*δοFεν infin. 808⁷
δοFεναι kypr. 25². 56⁷. 88⁷. 223⁶.315¹.808²·⁷,3.6.8.809,1 (*δοFναι) 809²
δοθείην 795²
δοθεῖμεν infin. thess. 806⁵
δοθη- 761⁴
δοθῇ: νά – ngr. II 240²
δοθῆμεν infin. thess. 806⁴⁻⁵ (*δοθι imper.) 800, 3
δοθιήν 487³
δοιαί· οὐκ ἀποφορά II 620⁵
δοῖδυξ 647⁵
δοιέτης 589, 3
δοιῆι 348⁴. 385³; ἐν – 589²
δοίην 794⁴·⁵. II 321³. 322⁵·⁷; δοῖ opt. 795¹; δοῖμεν 794⁴; δοίητε 2. pl. opt. 794, 3; (δοῖτε) 794, 3; δοίησαν 794, 3; δοίης ἄν II 329⁴
δοιός 380⁸. 589²; -οί 589²; -οῖς 565¹. 589²; -οῖσι 589²; -ούς 589²·³; -ώ 589². II 49¹
δοῖς conj. hell. 793¹
δοιώ 589². II 49¹
δοκάζω 735²
δοκέει (-έῑ) lokr. 241⁴. 729⁴
δοκεῖ 738⁷. 771³; – μοι II 706³; – τινι II 401⁴
δοκεῖν: ἐμοί – II 378⁵. 379¹·²; – παρά τινι βεβουλεῦσθαι II 494⁴

5 H.d.A. II, 1, 3

δοκεύω 735²
δοκέω (-ῶ) 192³. 718³. 719⁴; – μοι, ἐμοί – II 193⁸; s. ἔδοξα, -ξε
δοκήσω fut. 739¹
δοκικῶ 644³
δοκιμάζω 735². II 396¹; – τι πρὸ τοῦ χρῆσθαι II 507⁵
δοκιμασία 469³
δοκίμοιμι 274². 687, 3
δοκίμοισι dat. pl. 556, 4
δοκίμωμι äol. 659⁶. 729². 814²
δοκοίησαν Aeschin. 796, 3
δοκός 459³. II 34, 2
δοκοῦν acc. abs. II 401⁷. 402²
Δολιχίστη 539¹
δολιχός 278²·³. 297⁴. 360⁷. 413¹. 420⁴. 539¹
Δόλοπες 66³. 426⁴; -λόπεσσι 564⁴
δόλος 459¹, 2
δολοῦν πρὸς γυναικός II 515²
δολοφρονέω 731⁶
Δολφοί 205⁶
δολφός 295⁶
*δολχός 278³
δῶμα ark. II 313⁶
δόμειν infin. rhod. 807⁶
δόμεν infin. 408⁶. 806³, 4. 808⁷. II 154³. 296³. 363². 374⁷
δόμεναι 56⁷. 82¹. 806³, 4. 808⁶, 8. II 382²
δομέοντι ptc. H. 719, 5
*δομέω 719, 5
δομή hell. poet. 719, 5
δόμημα 719, 5
δόμην infin. mkret. 807⁵·
δόμησις 719, 5
δόμορτις lesb. 271². 451, 3. 464, 6. 504, 3. II 307⁷
δόμος 338⁶. 358⁵. 381¹. 458³. II 32, 4; δόμοι II 43⁴; δόμος Ὀδυσῆος II 177⁴
*δον II 120²
-δόν adv. 626²f. II 242²
ΔΟΝΑΙ, δõναι altatt. 82¹. 808³. 809²
δονακῆα 477²
δονέω 720, 6
-δονος 450, 4
*δόνς σκον 711⁶
δόξα 516⁵. 821⁴. II 486⁶; – τῷ θεῷ II 170⁷; – ἄρμασιν II 166⁶; – πρὸς ἀνθρώπων II 514⁸
δόξαν n. ptc.: δόξαν αὐτοῖς II 402²; – ταῦτα II 402³. 608¹; δόξαντα ταῦτα II 402³. II 608¹
Δοξαπατρῆς mgr. 634³⁻⁴. II 170⁷

δόξις 505⁶
δόξω fut. 718³, 2
δόρατα 520⁶
*δορFα n. pl. 581²
*δόρFατα 520⁶
*δορFος gen. sg. 363⁷. 463⁴
δορήιος poet. 468²
Δορθαννας 66⁴
δορί 288³
Δορίσκος 541, 6
δορκ- 424³
δορκάζω 735²
δορκάς 508²
Δορκάς II 37⁴
δορός 459³, 4
δορπέω 726³
δόρπον 459²
δόρυ 381¹. 463⁴, 2. 518². II 42², 2. 65⁶
δορύκαι 831²
δορυσσόος 450, 4
δορυφορέω II 73³
-δος Ausg. 509¹
δός imper. aor. 687¹. 800¹·². II 14²; – ngr. 764²; δότω 801³
δός μου ngr. II 257⁶
δόση conj. 742¹
Δοσι- 443⁴
δόσις 357⁶. 504, 2. – c. dat. II 146⁷
δόσκε 711⁷. 741³. 813⁴; δόσκον 711⁴·⁶. II 278⁴
δόσμουτε ngr. 418⁸, 3
*δοσναι 809²
δότειρα II 31¹
-δοτέω 731⁶
δοτήρ 355⁶. 380⁷. 381³. 530⁶; – τινος c. dat. II 146⁷; δοτῆρες ἐάων 57, 0. 823²
δοτική II 54¹. 139²
δοτός 340⁷. 357⁴·⁶. 359⁴
*δοτρός 419⁵
δότω 801³; – ἔνδον ἐόντων II 103¹
δότωσαν 802⁵
δοῦ 741⁴
δούδω 'ich gebe' ngr. (kret.) 809, 1
δουῖν Korinna 589¹
δουλείᾱ τῶν κρεισσόνων II 121⁶
δουλεύγω ngr. (dial.) 125⁵. 209⁵
δουλεύεσθαι ὑπό τινι II 526¹
δούλευμα 523⁴
δουλευτέον 811¹. II 410²
δούλη 460³
δούλιος II 178¹
δουλίς 127⁷. 465²
δουλιχόδειρος hom. 438⁴
δοῦλος 62⁵. 483⁴. II 176⁵
δουλότερος ion. 536². II 176⁵
δουλόομαι (-οῦμαι): δεδούλωνται, ἐδεδούλωντο 671⁴;

δουλοῦμα. c. dat. II 147¹;
– πρός τινος II 514⁷
δουλόω (-ῶ) 791⁶; δουλοῖς δου-
λοῦν 828⁶: conj. δουλῶμεν,
-ῶτε, -ῶσι 791⁵; δούλου
imper. 799¹
δουλώη delph. 729⁴
δουλώσειν II 362²
δούμην infin. m.-, j.-kret.
688, 4. 807, 4. 809, 1
δουμος kleinas.-gr. 123⁷
δοῦν (τὸ) (= δέον) 251⁵.
676²
δοῦναι 808²·³, 3. 809². II
259⁵. 362²
δοῦνᾰν (= δοῦναι ἄν) 402⁵
δουπέω 718³·⁵, 3. 719⁴. 726,
5. 771³; δούπησα 747¹;
-σε 718³; δεδουπότος 718³.
771³
δοῦρα 581²
δοῦρας 514⁵
δοῦρε hom. 565⁴. II 48⁵. 50²
δούρειος 468²
δουρηνεκής II 255²
δουρίκτητος 446²
δούριος 468²
δουρός ion. 228²
δούς ptc. 525³. 566²; δοῦσι
dat. pl. 566²
δόχμια adv. 632⁷. II 69⁶
δοχμός 302⁷. 340⁶. 494³
δοχμόω 727²
δρᾰ̄- 743³
δράγδην 626³
δραγμεύειν 732⁵
δραγμός 492⁵
δραθε/ο- hom. 747⁵
δρᾶθι imper. 798⁵
δραίην 795¹; δραῖμεν 795²
δραίνω 675, 7. 714⁵; -νεις
694⁴
*δραιός adj. 494³
Δράιππος 424⁵. 445¹
δραῖσι 3. pl. äol. 675⁴, 7
δραιώμη 494³
*δραjω 675, 7
δρακ- 424⁴
δρακε/ο- 747⁵
δρακεῖν 341⁶. 357⁶; s.ἔδρακον,
δρακών
δρακείς Pind. 759³; -κέντες
εὐφρόναν 757⁷
δρακονθόμῑλος 439⁶
δρακοντόμαλλος 439⁶
δράκος 512³
*δρακονᾱ 216²
δράκων 526¹
δρακών 757⁸. 759³
δραμε/ο- 747⁶
δραμεῖν 769⁴. II 72, 1.
258⁴; δρόμον δραμεῖν II
75⁶; – ἀγῶνας II 76³; s.
ἔδραμον

δραμέομαι 785¹; -έονται ἀγῶ-
νας II 76⁴
δραμέτην II 609³
δράμις 69⁴. 495³
δράμομαι fut. hyperatt. 780⁵
δραμοῦμαι 785¹
δραμῶ fut. spät 785¹
δρᾶν 781⁷. II 366⁵; – τι εἰς
κέρδος II 460²; – μετά
τινος II 484⁶; τὸ δρᾶν II
365⁷, 3. 371⁵·⁶
δρᾶνος H. 694⁴
δραξών 517²
δράομαι; s. δέδραμαι
δρᾱπέτᾱς 500¹
δραπετεύειν II 360⁶
δρᾱπέτης 289³. 702⁴
δράπων 487¹
δραπών Pind. 747⁶
δράσαντα ptc. pap. 755⁴
δρασείων att. 789¹
δρᾱσθη- 761³
δρᾱσμός 493³
δρᾶσον imper. 803⁶, 3.    II
344³·⁵
δράσσομαι 715¹; s. δέδραγμαι
δραστέον II 409⁷
δράστις 506³
δρᾱσω 781⁷. II 291³·⁴
δρατός 342⁵. 357⁴. 502⁵
δρᾱτω 801⁴
δραχμή (nicht δρά-) 327⁷.
494³; -έων gen. pl. ion.
251⁵; δραχμή ἀργυρίου II
129³; δραχμαὶ ἡυπὲρ ἡε-
κατόν II 519⁷
δραχνάς lyk. 215⁸
δραχουμή ngr. 278⁸
δράω (δρῶ) 675⁴, 7. II 307⁶;
– τι c. dat. II 151⁸; s.
δραίην, δρᾶν, δρᾶσον usw.
ἔδρᾱσα, ἔδρησα, ἐδρήκατε,
δράομαι
*δρέμω 718⁶
δρεπάνη 489⁶
δρεπανηφόρος 438⁶
δρέπεσθαι περὶ χάρματι II
501⁶
δρέπτω 704⁴
δρέπω 684⁴. 704⁴. 747⁶
*δρῆναι (> δαρῆναι) 759⁶
δριμύς 463². 495⁴
δριμύσσω spät 733⁵
δρίος 352⁴. 512⁶
δρίς 495, 5
δρίφος syrak. 268⁸
*δροϜιτᾱ (?) 504, 1
δροϜόν 463, 6
δροίτη 504², 1
Δροκύλος arg. 267⁵
δρομάασκε Hes. 718⁶
δρομαδάριος 508, 1
δρομάς 507⁶, 5. 508¹. II 242¹
δρομάω 718⁶; s. δεδρόμᾱκα

δρομεᾰνς acc. pl. 563⁴
δρομέσι dat. pl. Kallim.575,4
δρομιάφιον kret. 471, 6
δρομίσσω gramm. 733⁵
δρόμος 458⁷. II 258⁴; – ngr.
II 32, 4; δρόμον δραμεῖν II
75⁶; – θεῖν II 700⁷; δρόμος
περὶ τοῦ παντός II 502⁵
δροπός 459²·⁴
δρόπωσι conj. äol. 747⁶
δρόσο ngr. II 38²
δρόσος 308⁴. 417, 1. 517¹.
II 32, 4. 34, 1
δρόσος n. ngr. II 32, 4
δροτής 57³. 344³. 385³; δρο-
τῆτα 277³
Δρύᾱς 526, 5. 566⁴
Δρυΐδαι 509, 3
δρύϊνος 241⁶
δρυϊνών altatt. 488¹
δρυμός 494⁴. 581⁵; δρυμά n.
pl. 581⁵
δρυοκολάπτης 439⁵
δρύοψ 426, 4
Δρύοψ 397⁶. 439⁴
δρυπεπής, -πετής 295⁷. 298⁵
δρῦς 291². 350⁶. 378¹. 463⁶.
II 304⁴·⁵. 37¹, 2; δρυός 244⁷;
δρύα acc. sg. 571²; δρῦς
acc. pl. 571²
δρύτη 504²
δρυτόμος hom. 439⁴
*δρυτός 503²
Δρύτων 503². 637², 2
δρύφακτος 260³. 335³
δρύφρακτος 260³
δρύψελον 517¹
*δρυών 488²
δρώ; s. δράω
δρώιην Soph. 796²; δρώιη-
μεν Eur. 796, 3
δρωκτάζεις H. 706⁴
δρωμᾶ H. 718⁶. 719¹
δρῶν ἦν II 407⁸
δρώπτω 705²
δρώψ 57³. 277³. 568⁴
δσ > σσ 366⁸
δυ᾽ 588⁶
δῦ 651⁶; – εἴς τι II 458⁸f.
δυάζω spät 589, 3
δύαι δύκι Aesch. II 700¹
δυάκι Hdn. 598¹
δυάκις Aristoph. 598¹
δύανδρες 589, 3
δύας f. thess. 589²
δυάς 597²
δύβρις 495²
δυγοι delph. 331⁶
δύε lak. 589². II 47, 1
δυειδής 589, 3
δυεῖν 196². 588, 9. 589¹
δύεσθαι τεύχεα περὶ χροΐ II
500⁷
δύεσιν äol. 589². II 47, 1

δύεσσι 589²
*δυϜανᾶ f. 700, 4
δυϜάνοι kypr. 700⁴, 4. II
322⁶. 335⁷; – ἀπὺ ται ζαι
II 447⁷
δυϜάνω 700, 4
δύϜε akor. eretr. 87³. 92⁵.
589². II 47, 1
δύϜο 87³. 223⁴. 588⁶
δύη 359⁷. II 81⁵; s. δύαι
δύη 3. sg. opt. 199⁶. 795⁵
-δυη- 759, 1
(δυήμερον) pap. 589, 3
δύϑι 800⁴, 6
δυϊκός 588,3;–ἀριϑμός II40,1
Δυμᾶνες 79¹
Δυμάνς arg. 569⁶
Δυμβραῖος 206⁵
δύμεναι infin. hom. 806⁴
*δύμις 495, 5
*δυνᾶαι urgr. 793, 1
δυνΑΕται conj. thess. 792⁶
δῦναι infin. 808⁴. II 382⁶
δύνᾱι 668³
δύναιτο 794⁶. 795⁴
δύναμαι (-σϑαι) 693², 5. II
229³. 304³. 347⁵. 348⁵. 352²;
-σαι 668³·⁵; δυνάμεσϑα 670,
3; δύναμαι c. infin. II 365⁵;
οὐ – σιγᾶν ὑπὸ τῆς ἡδονῆς
II 528⁶; s. ἠδυνάμην, ἐδυνά-
ϑη, ἐδυνήϑην, δεδυνησμένος
δύνᾱμαι conj. 792³, 7. 793²
Δυνάμει dat. sg. 672, 2
δυνάμενος II 391⁵; -μένη ἦν
II 407⁸
δύναμις 495³, 5
δυναμοστόν 596²
δυνασείται Archimed. 786⁶
δυνασϑη- 761⁴
δύνᾱσις 495, 5
*δυνάσομαι 762²
δυνατόν 264⁸
δυνατός II 623⁶; -ώτεροι
αὑτῶν II 100⁷; – ὑπέρ τινα
II 520²
δυνδεκάτη Η. 596³
Δυνδυμενη (= Δινδ-) 256²
δυνέαται 672²
δυνεώμεϑα conj. Hdt. 792⁶, 9
δύνηαι conj. Ilias 792⁶.793, 1
δυνηϑήσομαι Dio C. 762²
δύνηι 668³. 792⁷
δυνήσομαι 737⁴. 762². 783²;
– πείσειν II 295⁷
*δυνῖτο 795⁴
δύνωμαι hell. ngr. 693⁴, 5. 14
δύνω 696². 698². 728¹. 756¹.
II 230⁵; – χιτῶνι περὶ χροΐ
II 500⁷; – ἐν τεύχεσσιν II
434²
δύνωμαι 792⁷. 793²
δύο 57⁵. 400³. 588⁶, 9. 589²,
1. II 48⁴·⁵. 49¹·²·⁴⁻⁶, 4.

182³; – ngr. 589². II 46⁵;
– gen. 588, 9; – c. pl. II
46, 5. 49⁶, 4; – c. pl. et du.
II 49²; δύ' ἀνέρε II 609⁴;
δύο ἀνέρες II 609²; δύο
δοῦρε hom. II 48⁵; – νεανί-
σκω II 609⁵;–παῖδε II 48⁵;
– βολές, φορές ngr. 598²; –
χιλιάδες 593⁵; – μερῶν,
μοιράων 599²; – σὺν πέντε
II 488, 2; – τῶν πέντε 599²
κ' οἱ δυό μας ngr. II 50¹;
δύο δύο hell., ngr. 599¹.
II 700³; ἀνὰ δύο 598⁶ f.;
δύο καὶ δέκα 594²
δύο 'zweimal' 598²
δυόδεκο ark. 594¹
δυοειδής 589, 3
*δύοι n. 'zwei' 589¹
*δυοιϜιν 557⁴
δυοῖν du. 557²·³·⁴. 589²
δυοῖν gen. dat. du. 557⁵.589¹,
2. II 49³·⁶, 4. 50⁴; δυοῖν
ϑάτερον II 46, 5. 617⁷;
δυοῖν ἡμερῶν II 181⁶
δυοίοις du. el. 557³. 589¹
*δυοιους 557⁴
δυοῖς gort. dor. 565¹. 589¹
δυοῖσι Hdt. 589¹
δύο καὶ δέκα, δυοκαίδεκα 594²
δυοκαιδέκατος Hippokr. 596³
δυοκαιδέκων Alk. 594²
δυοκαιπεντακοστόςArchimed.
592, 3
δύομαι II 227⁷; – ὑπὸ κῦμα
I-I 530⁴
δυόμισυ pamph. 599³
δυοποιός Aristot. 589, 3
δυοστός 596²
δύπτω (ἔδυψα) hell. poet. 704⁵
δύρομαι 714⁴, 7
Δυρράχιον 311⁸
δυσ- 417, 1. 432⁴·⁵·⁶. 455⁸.
632⁶. 644⁶.II 185, 2. 599³·⁴⁻⁵
δὺς κατὰ τῆς γῆς II 480⁴
δύσαγνος 432⁵
δυσαής 187⁵. 513, 6
δυσαήων 424⁶
δυσανδρία 432⁵
δυσάνωρ 432⁶
δυσαποκατάστασις 432⁶
δυσαρεστέω; s. δυσηρέστουν
δυσαριστοτόκεια 428, 4
δυσβράκανος 704⁶
δυσγενής 432⁵
δύσγω Η. 704⁵. 708³
δυσδαίμων πρὸ γυναικῶν II
507¹¹
Δυσελένα (so) 398⁴.432⁵
δύσεο indic. 756²; imper.
788². 804⁴
δύσερως 382⁸. 392⁶. 429²
δύσετο 756².788²·³;–δ' ἥλιος
788⁴; – κατὰ κῦμα II 478⁶

δυσήνεμος 447²
δυσηρέστουν 656²
δυσθενέω 432⁵
δύσθεος 432⁵
δυσθνήισκων 432⁶
δυσί(ν) dat. 588, 9. 589².
II 47, 2
*δύσις (= δύνᾱσις) 495, 5
δύσις 505⁵
δύσκεν Ilias 711⁵
δυσκλέᾱ hom. 243⁷
δύσκολος 292³
Δύσμαιναι lak. 475⁴
δυσμεναίνω 733¹
δυσμενέων 724³
δυσμενής 356⁵. 380⁷. 381³.
513². II 174⁵; -έα acc.
381¹; -έσιν dat. pl. 580¹
δυσμή 493¹; -αί II 43⁵. 52¹
δύσμητερ 432⁴. 437, 2
δυσοίζω Aesch. 716⁵
δύσομαι 782⁴
δυσόμενος Od. Hes. 788⁴⁻⁵
Δύσπαρις 432⁶
δυσπέμφελος 423³. 483⁵
δύσομαι 788⁴
*δυσσροια 311⁷
δύστανος 398⁷
δύστηνος 338². 489¹. II 614³
δυστοκεύς 432⁶
Δύστος 66³
δυστυχέω (-εῖν) 724³. II
376¹; – c. dat. II 151⁸;
– ἔς τι II 460³; s. ἐδυστύ-
χουν, δεδυστύχηκα
δυστυχής 432⁵; δυστυχεστάτη
ἐμοῦ II 100²
δυσφιλής 513⁴
δυσφορεῖν κακοῖς II 168¹
δυσφρόνη 490³
δύσφωνα γράμματα 5, 3
δυσχεραίνω 733¹
δύσχιμος 297⁵. 358⁴
δύσχιστος 338²
δυσώνυμος 397⁸. 398²
δυσωπέω: ἐδυσώπουν 656²
δυσωρέω 726⁴
δύτᾱ 838⁵
δύω 'zwei' 314⁷. 350². 557¹.
589¹·², 0,1. II 48²·⁴·⁵; –
υἱέες II 609²
δύω verb. 686³. 696². 728¹.
756¹. II 83². 227⁷. 230⁵; s.
δέδυκα, δύομαι
δυώδεκα 445⁷. 449⁴. 594¹;
– ϑεοί 592, 4
δυωδεκάβοιος Ilias 592, 4.
594, 2
δυωδεκάδρομος Pind. 594, 2
δυωδεκαϜέτης gort. 592, 4.
594, 2
δυωδεκαϜετια kret. 242²
*δυωδεκαῖος 594, 2
δυωδεκᾶτς delph. 594, 2

5*

δυωδεκάμηνος 592, 4
δυωδεκαμήχανος 592, 4
δυωδεκάπαλαι 592, 4
δυωδεκάπλοας dor. 458⁴
δυωδεκάπυλος Hdt. 594, 2
δυωδεκατεύς (Monat) 594, 2. 596⁴
δυωδέκατος 594, 2. 596³
δυώδεκο ark. 591³
δυωδέκων 86⁷
δυῶν ion. dor. 589¹·²
δώ 'hier' ngr. 622⁴
δῶ 358⁵. 377⁷. 385². 424¹. 569⁵. 584⁷, 6. 834⁶; pl. χρύσεα δῶ Hes. 569, 5
δω- (: δο-) 741¹
δῶ conj. hell. 793¹; δο (= δῶι) hell. 795¹; δῶσι hom. 792⁶. 793²
δῶ (δέω) c. gen. II 95⁵
δώδεκα 301⁵. 381¹. 445⁷. 452⁶. 589¹. 594¹
δωδεκαῖς 266¹
Δωδεκάνησος 135, 1
δωδεκάπαλαι 589, 5
δωδεκάς Plat. 597²
δωδέκατος 594, 2. 596³
δωδεκήις att. 594, 2
Δωδώνη 66³
Δωδῶνι loc. II 155¹
δώη conj. delph., δώησι hom., δώηισι 792⁶·⁵
δώιην hell. 795¹
δῶις, δῶισι conj. hom. 792⁶
δῶκε II 277¹·³; δῶκαν 3. pl. 741³
δώκοι opt. akypr. 742¹. 764, 1. II 335⁷
δώκω kypr. 702⁵

δώκω conj. ngr. (dial.) 742². 764², 1
*δωμ 524, 5
δῶμα 524³, 5. 584⁷, 6. 834⁶. II 313⁸; δώματα II 43⁴
Δωμάτηρ 364⁸
*δωμάω 719, 5
*δωμέω 719, 5
δωμήσαντες 719, 5
δώμησις H. 719, 5
δωμητύς H. 719, 5
δωμός 331⁶
-δών suff. 529⁶, 3 f.
δῶναι infin. ark. hell. 688⁴. 808²·³
*δωντ- ptc. 525³
δώνω ngr. 688⁵. 701⁴
δώμεν conj. hom. 792⁵
*δῶρα τε 389¹
*δωρά τε 391⁵
δωρεά att. 236⁷
δωρεακός 497⁷
δωρεάν adv. 621¹. II 87¹. 413⁸. 617⁸
δωρειὰς τῇ πόλει II 146⁸
δωρέομαι (-έεσθαι) 726³. II 735. 234⁴. 272²; δωρεῖσθαί τι παρά τινος II 498²
δωρέσθαι infin. kyren. 253⁷. 807³
δωρέω II 234⁴. 240⁵
δωρήματα c. dat. II 146⁷; – νερτέρων II 121⁶
δωριάζω 735⁴
Δωριέεσσι Theokr. 564⁵
Δωριεῖς 636⁶
Δωριῆς 79¹·²
*δωριίζω 735⁴
Δωρίμαχοι 79²

Δωρίς 824⁵. II 31²
δωρίσδω Theokr. 735⁴
δῶρον 291². 345⁴. 377⁴. 481³; δῶρα II 43⁴. 623⁵; – c. dat. II 146⁷
Δωροφέα 205, 3
δωρύττομαι Theokr. 733⁵
*δως 'inj.' 800²
δώς f. 'Gabe' 449³. 722⁵
Δώς 422, 2
δωσέμεν II 375⁴
δωσέμεναι II 295⁶
δωσέω 787, 11
Δωσι- 443⁴
δωσίδικος 271³
(*δῶσκε) 711⁷
δώσομαι 782⁴
δώσω 308⁷. 660⁴. 737³, 782⁴. 787³, 7. 816⁶. II 291³·⁷. 292¹. 638¹·²; – ngr. 764²; – κε II 351⁵
δώσων 525³. II 296¹
*δωτ- 752⁵
δωτῆρες ἑάων 823². II 121⁴, 3
δώτης 500²
δωτι- 442⁷
δωτίνη 465, 5. 506². 521³
δωτίνην adv. 621¹
*δωτίνος gen. 465, 5
Δώτιον 289²; – πεδίον 364⁸
δῶττις 270⁸
δώτωρ 355⁶. 356⁵. 381¹·³. 449³. 456⁴. 530⁶. 569¹; δῶτορ voc. 569¹
δώω conj. 240². II 351, 4; δώωσιν hom. 792⁵
δώω (= ζῶ) 331⁶. 675³
δωῶ fut. H. 781¹

## E

E 86⁸. 94⁶. 102⁷
ε 340 f. 686⁷, 9. – aus idg. e 338⁶; – aus Schwachvok. 341⁵; – in d. Wz. 680³, 2. 684²; – vor Liquid. 684²⁻³; – vor Verschlußl. 684⁵⁻⁶; ĕ-Ablautreihe 358¹;ε:η Abl. 770²; ε:o Abl. 578⁷. 642⁸; Schwanken zw. a- und e-Laut 62⁷; ε wechselt mit η und Null 339¹; ε offen im El. 274⁸; – erhalten vor Vok. im SW-Böot. 91⁴; – att. für η 103³. 248³; – att. für αι 233⁸; – hell. aus αι 233⁶·⁷; E kor. für ει 94⁶; ε arg. für echtes ει 94⁵; E für unechtes ει 102⁷; ε für εε 253⁶; – für εο 253³; e ngr. dial. für agr. η 87³;

ε > α ndor. 81²; ε > ᾰ 338, 1; ε > el. α 92⁷; ε bei ρ > nwgr. α 92³; ε vor o, ω, α > ει (= e) 242⁵; ε > ι 242³; ε > η 228². 248⁸; ε vor Vok. > ι 242¹ ff. 350⁸; ε vor ungleichem Vokal unsilbisch 244⁶·⁷; ε in -μεν- > ι ark. 275⁴; ε assimiliert Vokale 255⁶; – färbt α um 212⁶; – assimiliert α 256¹; – assimiliert bei α 256³; – verloren in vok. Dreiergruppe 252⁷; – als Hilfsvok. 278⁶·⁷; – als Gleitl. 212⁷; ε kontrahierbar in Kompositionsfuge 397⁷; ε + ε(ι) kontrah. 242²; e + i kontrah. im Ngr. 830⁴; ε als themat. Vok. 642³. 841¹·⁶;

ε/o Stämme 457³·⁴·⁵, 3; ε- als prothet. Vok. 411⁶f.; ε Reduplikationsvok. 423⁴. 765³; – Kompos.-Vok. st. o 438²; -ε wird elidiert 403²
E Abkürz. für 100 220⁶
E imper. (von εἶμι) delph. 798, 8
E 'wo' kret. II 647³
ἐ (= ἐκ) att. 336⁵; – Φιαλίας mess. 408¹
ἔ (ψιλόν) 140⁵, 6
ἔ interj. II 600³; ἒ ἔ II 600, 4
ἒ interj. ngr. 38². 457⁵. II 61⁶, 5
ἔ interj. II 601, 2
ἑ acc. pron. anaph. encl. 607⁵. II 190³·⁴, 1. 4. 191³. 194⁴·⁵; refl. 607⁵; ἑ αὐτόν II 191⁶

ἔ acc. pron. anaph. 226⁴.
603². 607¹·⁶, 1. 613⁵. II
199²·³; refl. 600⁶. 601⁸. II
194⁶. 195¹; – αὐτόν 607¹; –
αὐτήν II 195³
ἔ ἔ interj. II 600, 4
ἐ- 'is' II 208⁶
ἐ- syllab. augm. 651²
ἐ- st. Reduplikation 649⁵
ἐ- partic. II 563⁵
-ε voc. sg. 554⁶. 555¹·²
-E nom. sg. böot. 636⁴
-ε du. (nom. acc. voc.) 549³.
562⁷. 565²⁻⁵
-ε Personalend. 657⁵; *-ε
3. sg. praes. 791³; -ε 3. sg.
praet. indic. ngr. 764²; -ε
3. sg. aor. 744³. 749⁴. 750⁴.
763⁶; -ε 3. sg. pf. 662³. 767³.
776, 1. 777⁴, 11; -ε 3. sg.
plusq. 777³; -ε 2. sg. imper.
ngr. 659¹. 764²; -ε 2. sg.
imper.aor. 803⁶, ngr. 804⁴⁻⁵
ε: o konjunktivbild. II 309³
εα 240⁵·⁶; – aus εϜα 228⁷;
– dor. aus ηᾶ 244³; εα > η
250⁵·⁶; εα > dor. η 562².
579, 4
εᾱ ion. att. aus ηᾶ 245⁵;
-εᾱ (= ε̥ᾱ bzw. jᾱ) 245⁸;
εᾱ > η 247¹
ἔα interj. 798⁵, 12. II 600⁴;
ἔα ἔα II 600, 4
ἔα (von ἐάω) 682²·³. II 315
⁷·⁸; (= ἐᾶ) 660, 1
ἔα 'ich war' (< ἦα) 659⁴.
677³. 746¹. 778⁶; 3. sg.: –
ἀμφὶς ἐκείνων II 439⁷
ἔα el. (= εἴη)92⁷. 236⁸. 677⁴;
– κε (= εἴη ἄν) II 330⁶
-εα acc. sg. m. f. 575⁴. 579¹
-εα nom. acc. pl. n. 579²
-εᾱ Ausg. f. 472⁶
-εᾱ adj. f. att. 562³
-έα acc. sg. ion. att. 551⁵.
575³
-εᾶ acc. sg. att. (< -εέα)
579³
-εα 1. sg. plusq. 776⁵. 777⁵.
778²·³·⁶
(ἐάγαγον delph.) 654⁶
ἔαγε Hes. 759². II 227⁷
ἐάγην 314². 653⁴. 759²; ἐάγην
654¹; ἐάγη ἀμφίς II 439⁶
ἔαδε ion. 228⁷. 649, 4. 654³.
755³
*ἐάδηκε 649, 4
ἔαδον 701¹
ἐαδότα 748, 1. 770, 5
ἐᾶι (= jᾶι) 682²
ἐάκουσα aor. ngr. dial. 654⁶
ἐάλην aor. pass. 716, 1
ἐάλωκα 709⁴. 775¹; s. auch
ἥλωκα

ἐάλων 245⁶. 653⁴. 709³. 743³;
-ω pass. 757⁴; ἐάλω 654²
εαμε (= ἐὰμ μή) att. 230³
ἐάν 82⁴. II 306³, 3. 312⁴. 319³.
631³. 687⁶; ἐάν II 685¹, 1;
ἐάν τις 82⁴. II 568⁶. 692⁴;
ἐὰν ἄρα II 559¹; ἐάνπερ II
688⁷
*-εαν 3. pl. plusq. 778²
ἐᾶν II 353⁴. 381⁸; τὸ – II
371⁶
ἐάνασσε 654¹
ἐάνδανον 654³
ἐᾱνός hom. 680, 1
ἐάνπερ II 688⁷
-έανς acc. pl. kret. 575⁴
ἐάντε – ἐάντε II 633⁶
ἔαντο · ἦσαν Η. 678³
ἔαξα 654¹; -ε 654¹, 2
ἐαοτῶν ion. 203⁴
ἔαρ 219⁶. 241³. 251⁴. 342³.
424⁴. 518⁴; ἦρος gen. 251⁴;
ἔαρος 'im Frühling' II 398³;
ἔαρ γινόμενον II 404³
ἔαρ 'Blut' 731, 1
ἐαρημένος ark. 766⁵
ἐαρίδρεππτος 446²
ἐαρίζω 518⁴
ἐάρτερος 518⁴. II 183⁵
-εας acc. pl. 575⁴. 579²
-έας acc. pl. 575⁴. 579⁶
-εᾶς acc. pl. 563⁵
-εας 2. sg. plusq. 776⁵.
778 ¹·²·³·⁶
ἔᾱς 'warst' Hdt. 677³
ἐᾶς (= ἐᾶν) vor Σ II 383²
ἔασα (ἐάω) 752⁵; -ε 652⁴
ἔασα ark. lokr. (οὖσα) 678²
εασει her. (-άσει, -ασεῖ) 786⁵
ἐᾶσθαι II 240³
ἔασι 'sunt' hom. ion. 665³.
677²; -σιν ἐπὶ χθόνα II 471⁷
ἐάσομεν Hdt. 682²
ἔασον Hdt. 682². 752⁵. II
315⁷
ἔασσα dial. (= οὖσα) 343⁴.
381⁶. 473⁷. 525⁴
*ἔασ(σ)α aor. 752⁵
ἐάσσω 784, 6
ἐασφόρος 440, 8
ἔαται hom. 671³. 679⁵; -το
679⁵, 4.; s. ἥμαι
ἔᾱτε 'eratis' Hdt. 677³
ἐατέον II 409⁸; -τέος ὁ πλοῦ-
τος II 409⁸
*ἐατjᾱι 320⁵
ἐατοῦ 203³
ἑαυτ- 607³. 614². II 198¹.
199, 1. 2; ἑᾱυτ- 607³
ἑαυτό acc. n. att. 607⁴
ἑαυτό: τὸν – μου ngr. 606⁷.
II 193⁷. 202¹
ἑαυτὸ Erythr. 607, 3
ἑαυτοῖ ion. (Orop.) 607, 3

ἑαυτόν att. II 196⁴; (=
σεαυτόν) II 197⁵·⁶
ἑαυτότης 529¹
ἑᾱυτοῦ att. II 193². 195⁴;
ἑαυτοῦ607²⁻³.ΙΙ196².206⁵·⁶;
τὰ – 607, 3; ἔχειν τι δι'
ἑαυτοῦ II 451⁵
ἑαυτούς II 196²
ἑαύτω lesb. 607, 4
ἑᾱυτῶι att. 203³; ἑαυτῶι 402⁵
ἑᾱυτῶν att. 607². II 195⁵;
ἑαυτῶν 607². II 193⁶. 195⁷.
ἐάφθη 653, 5. 761²
ἐάω (ἐᾶν) 682³. II 353⁴. 381⁸;
ἐάσσω 784, 6; εασει 786⁵;
ἐάσομεν 682²; ἔασα 752⁵;
-σε 652⁴; εἴᾱσα 653¹. 752⁵;
εἴασε 752⁵; ἔασον 682². 752⁵.
II 315⁷;ἐᾶσθαι II 240³; ἐάω
c. infin. II 365⁵
ἐάων hom. 476³⁻⁴; δοτῆρες –
57, 0; s. δωτῆρες
ἐβάθη 302⁸
ἔβαλα aor. 753⁷
ἔβαλε φάμενος II 301²
ἐβάλην 760, 4
ἐβάλονθο böot. 672⁴
ἔβαν 673⁴. 742⁴; – 3. pl.
664⁵, 5. 742, 3
*ἔβᾱντ 664⁵
ἐβᾶσα trans. 742⁴
ἐβασίλευσε II 249, 6. 252, 2
ἔβαψε 652, 8
ἐβδέμᾱ akor. delph. 92⁵. 595⁵
ἐβδεμαῖον epid. 595⁵
ἐβδεμάται arg. 595⁶
ἐβδεμήκοντα delph. her. 278³.
595⁶; s. ἡεβδ-
ἔβδεμος dor. 278²·³. 494⁵.
596, 3
ἔβδευσα 685⁶
*ἔβδμος 595⁶
ἐβδομάζω LXX 734, 4
ἐβδομαῖος II 179³; -αῖα Chios
596⁴
ἐβδομάκις Kallim. 597⁶
ἐβδομάς 593, 4. 597²·⁴
ἐβδόματος hom. 503⁷. 596¹
ἐβδομήκοντα att. 592², 4.
595⁵. 597²
ἐβδομηκοντάκις LXX 598¹
ἐβδομηκοντούτης 249⁶
ἐβδομηκοστόδυος Plut.596³⁻⁴
ἐβδομηκοστοτρίτος 439³
ἔβδομος 278³. 333³. 381⁵.
595⁵; ἑβδόμαις πύλαιςAesch.
592, 4
ἐβεβήκει 774². 777⁵, 11
ἔβενος 152⁸. 155⁸. 488, 7.
II 34, 4
ἔβην 742⁴. 755⁶, 9. 814³. II
225⁷; ἔβη 3. sg. 764¹. II
252⁵; ἐβήτην 742, 3; ἔβη-
σαν 665⁷. 742, 3; ἔβησα

ἐγκονέω II 457⁵; – νέουσαι 719⁴, 11
ἔγκοτος adj. II 457¹; – m. subst. II 457³
ἐγκότραφος für ἐγκρότ- 268⁸
ἐγκρᾶσι- 443⁵
ἐγκρατής II 457¹
ἐγκρεμίζω ngr. 695, 1
ἔγκτασις dor. 185⁴. 271⁴. 505³
ἔγκυαρ 519⁶
ἐγκύμων 543²
ἔγκυος II 457¹
ἐγκυρέω τινός II 104⁴
ἐγκύρω(-ειν) c. dat. II 141⁴·⁶; ἐνέκυρσε hom. 753⁴
ἔγκυτα lak. 352⁸. 518⁷
ἐγκυτί 357⁷. 620¹. 625⁴
ἐγκυτίς 619². 620¹. 631³
ἐγκωμιάσομαι 782¹
ἐγκώμιον c. dat. II 153⁶; – κατά τινος II 479⁶
ἐγλείπειν hell. 335⁷
ἐγλιξάμην 685³
ἔγλυφε 640⁶; -ψα 751⁴
εγμαλοτον (= αἰχμαλώτων) 132, 1
ἔγμεν· ἔχειν H. 678⁴, 5. 806³. 809¹
ἔγνοια ngr. 215³
ἔγνον 3. pl. 279⁴. 664⁵
ἔγνωκα 649⁶. 774⁵. II 287⁶; ἐγνωκὼς ἔσομαι II 290²; ἐγνωκότεν j.-kret. 551, 8
ἔγνων 743². 4. 781⁷. 816⁷; ἔγνω II 285³; -σαν 3. pl. 665⁷. 743²; ἔγνων 3. pl. byz. 664, 5; *ἔγνωντ 664⁵; ἔγνως ἄν II 328⁶; ἔγνω ἄν II 347⁶
ἔγνωσα trans. 781⁷
ἐγνώσθης 762⁴; -θη 641, 1. 738⁴; ἔγνωσθεν 3. pl. 664⁵; *ἔγνωσθηντ 664⁵
ἔγνωσμαι 773⁴; -σται 641, 1. 738⁴; ἐγνωσμένοι εἰσί 812³
*ἐγὸν φέρω 604, 2
(ἐγοργοπίασκεν H.) 711³
ἐγοργωπίασκεν H. 711³
ἔγραμμαι 649⁶
*ἐγρᾶν 708⁵
ἔγρασφεν 87⁶. 266⁷
ἔγραττται kret. 316⁸. 650¹; – c. gen. II 131¹
ἔγραφα ngr. 656⁸. 739, 2; θὰ ἔγραφα II 350¹
ἐγράφη 756⁷; -φτη ngr. Otr. 764⁶
ἔγραψα 652⁴. 656⁸. 750⁵. 751⁵. 771¹; – ngr. 739, 2; -ψες 753⁸; ἐγράψη kret. 326⁶; ἐγράψατο 751⁵
ἔγρε- 442¹; ἐγρέσθαι 748⁵; ἔγρεο 748⁵; ἔγρετο 103³.

648², 3. 746, 8. 748⁵; – ἐξ ὕπνου II 463⁴; – παρά Ἥρης II 497⁵; ἔγροιτο 748⁵; ἐγρόμενος 748⁵
ἔγρεσι- 648, 3
ἔγρη 743²; ἔγρης· ἠγέρθης 648, 3
ἐγρήγορα 648². 3. 766⁴. 800, 8. II 227⁷; ἐγρήγορθι imper. 800, 8; ἐγρήγορθε 663². 767⁴. 799⁵. 800, 8; ἐγρηγόρει 768, 1
ἐγρήγορθαι 800, 8; ἐγρηγόρθᾶσι 665⁴. 800, 8
ἐγρηγορόων 540, 4. 768, 1
ἐγρηγορτί 623³
ἔγρηνται· ἤρηνται 649⁶. 656⁶
ἐγρήσσω 648, 3. 709⁴. 717¹; -σ(σ)οντ- hom. 648, 3
ἐγρίπησαν 720⁴
ἔγρυᾶι conj. kyren. 743⁴, 11. 792³
ἔγρυξα 716⁵
*ἐγρύπνει ipf. statt ἠγρ- 656⁶
ἐγρυπνεῖ 656⁶
ἐγυμνώθη Ilias 760³
ἔγχαλκος II 456, 6. 457²
ἐγχάσκω II 457⁵
(*ἐγχεϜjω) 685⁷⁻⁸
*ἐγχέϜω 685⁷⁻⁸
ἐγχειβρόμος 452⁴
ἐγχείη 469, 3; -είηι 685⁸
ἐγχεικέραυνος 452⁴
ἐγχειρέω 726¹
ἐγχειρίδιον 471, 4
ἐγχειρίδιος 467²
ἐγχειρίζω II 456¹. 460⁸; – ἐμαυτόν τινι διὰ πίστεως II 452⁵
ἐγχειρίθετος 446³
ἔγχελυς 463⁵. 495⁴; -έλυας 571¹; -έλυσι 571, 3
ἔγχεον imper. 803⁴
ἐγχεσίμωρος 355⁵·⁶. 449³
ἐγχέω II 457⁴; ἔγχεον imper. 803⁴; ἐγχέω c. gen. II 128¹
ἔγχος 512², 2. II 65⁵
ἐγχρίω 686⁴
ἔγχυλος II 457¹
ἔγχῦμος II 457¹
ἐγώ 7⁴. 293⁶. 600¹·³·⁵·⁷, 4. 602¹. 604¹, 2. II 187³·⁸. 188¹·², 1. 189¹·². 561, 2. 628⁴; – ngr. 604⁴; – εἰμι (= ἐγώ) 600⁷; ἡ ἐγώ II 25³; ἐγὼ πέλας (sc. εἰμί) II 404³; – μὲν οὐδέν II 631⁶; – καὶ σὺ πολλὰ εἴπομεν II 612⁶; – καὶ ἡ γραφὴ λέγει II 612⁵; – καὶ ὁ σὸς πατὴρ ἑταίρω ἦμεν II 612⁶; ἐγώ τοι II 581³; s. auch 'γώ, ἐμέο (ἐμοῦ), ἐμοί, ἐμέ
ἔγωγα lak. 606²

*ἔγῶγε 383²
ἔγωγε 80⁵. 383². 606². II 188¹. 555². 561³; ἔγωγέ σοι II 631⁶; s. ἐμοῦγε, ἔμοιγε, ἐμέγε
ἐγῶιμαι 402⁴
ἐγωισμός ngr. 493, 9. 604, 2
ἐγωιστής ngr. 604, 2
ἐγών 600⁵. 602¹. 604¹, 2. II 188, 1; ἐγών γα dor. 606³
ἐγώνη 600². 604, 2. 606³. II 187⁷. 564, 4
*ἐγώ (οὐ)χί II 592, 2
ἐδ- 754⁸. 768⁶
ἔδαεν Ap. Rh. 748³
ἐδάην 748⁶. 758, 7; – φυήν 757⁷
ἔδακον 693³. 755⁴. 781⁶
ἐδάκρῦσα 754³
Ἐδαλιέϝι, -έϝες kypr. 575²
Ἐδάλιον 181, 2. 364⁷
ἐδάμασα 752⁴, 6; -σσα 693¹
ἐδάμη 693¹. 757⁶; -μητε 643²
ἐδάμνᾱ hom. 694¹
*ἔδαμναν 665²; ἐδάμνασαν 665⁷
ἔδαμνον H. 693¹
ἔδαμο lokr. (= ἐκ δ-) 408¹
(*ἐδάρᾱν) 758⁴
ἐδάρην att. 758⁴
ἐδατεῖτο 698¹
ἔδαφος 495⁶. 513¹
ἔδδεισεδδὲ 406⁴
ἔδδεισεν hom. 227⁶. 317²
ἐδδίεται kret. 317²
ἐδδίηται kret. 331⁷. 408¹
ἐδέατρος (-τρός) 69⁵. 532, 1. 824³
ἐδέγμην 751³
ἐδεδίσκετο 710³
ἐδέδμητο II 288⁴ (εδεδοεε lak.) 769, 4
ἐδεδοίκη altatt. 778¹
ἐδέδοσο 668⁵
ἐδεδούλωντο 671⁴
ἐδεδόχεσαν Dio C. 772¹
ἐδέησα 685⁷. 752³
ἐδέθηκα ngr. 659¹
ἔδεθλον 261³. 533³
ἔδει II 308³·⁶; – c. infin. II 353⁷·⁸; ἔδει ἄν II 309¹·²
*ἔδει, *ἐδείκοστ 3.sg. aor. 750⁷
ἐδείδιμεν 769⁷. 776⁷; ἐδείδισαν 769². 777¹
*ἐδείκμεν 750⁷. 751¹
ἐδείκνυον ,-υε 698⁶; ἐδείκνυσαν 667¹; ἐδεικνύοσαν 666¹
*ἐδείκοσαν 751¹
*ἐδείκοσμεν 665⁷
*ἐδείκοστ 3. sg. aor. 750⁷
*ἐδείκτε 2. pl. aor. 750⁷ 751¹
*ἔδειξ 2. sg. aor. 750⁷
*ἔδειξα 3. pl. 665²

ἔδειξα 750⁷. 751⁴. 787¹; -ξε 641⁶. II 285⁵; ἐδείξαμεν 642⁴; ἔδειξαν 3. pl. 665². 750⁷
ἐδειξάμην 669⁶; att. ἐδείξω dor. ἐδείξᾱ 668³; ἐδείξατο 751⁵; *ἔδειχμεν 750⁷;*ἔδειχ-θε 750⁷; ἐδείξαντο 665². 672³; *ἐδειξατο 3. pl. 665²
ἔδεισα 782¹; -σε 755³
ἔδελε ark. 693, 9
ἔδενα ngr. 659¹; θὰ - 789⁵; ἐδένουσου 669²
ἐδεξάμην δέ του II 94⁵; ἐδέξατο παιδὸς κύπελλον II 94⁵
ἐδέρχθην Soph. 758¹
ἔδεσα ngr. 659¹. 753²; ἐδέσασι ngr. (dial.) 666, 8
ἐδεσθῆναι 775, 7; -σθήσεται 780³
ἔδεσκε hom. 711²
ἐδεστέος 775, 7
ἐδεστής 500²
ἐδεστός 503²
ἐδεύησα 685⁷. 752³
ἔδευσα 685⁶
*ἔδϝαρ 301⁵
ἐδήδαται 766, 5
ἐδήδεσται 775, 7
ἐδήδεται 766, 5. 775, 7
ἐδήδοκα 775³; ἐδηδοκοίη 795⁶, 8
(*ἐδηδοκjην) 795, 8
ἐδήδοται 766, 3. 5. 775³. II 237⁴
ἐδηδώς 541¹. 766²·⁴. II 263, 1
ἔδηεν Et. m. 780⁴
ἐδήλου ὡς ἐκπεμφθείη II 297⁷
ἔδηξα spätgr. 755⁴
ἔδησα 752²; -σεν ἐμεῖο II 92⁶
ἐδητύς 506⁵, 6
*ἐδϑλον 839³
ἐδίδαξα 737⁴. 752¹; -αν II 285³
*ἐδίδατο 3. pl. 672¹
ἐδιδόμην 669⁶; ἐδίδοσο 668⁵. 669⁵; ἐδίδετο 688³; ἐδί-δοντο 671⁷
ἔδιδον 687, 2; - 3. pl. 665¹
ἐδίδουν 688¹; -δους 687³. 688¹, 3; -δοὺ 20³. 687³. 688¹. II 248⁵; ἐδίδουν 3. pl. (687, 2) 688¹·³
ἐδίδων 687, 2. 688²; ἐδίδως 687⁴. 688, 3
ἐδιζήμην, ἐδιζησάμην 689⁷
ἐδίκαζε aor. 320⁶
ἐδίκαξα dor. 81⁸. 92¹; -ξε kret. 738¹
ἐδίκασα 321⁶; -σε 320⁶; -κά-σαμεν ark. 662, 9. 737⁷. 806, 10; ἐδικάσθησαν 665⁷

ἐδίκασσα 321⁶
ἐδικός μου ngr. II 205⁶
ἐδῖνεν = ἰδεῖν infin. 808³
ἐδιοίκουν 656²
*ἔδμᾶν 761⁷
ἔδμεναι infin. hom. 678⁴. 780⁵. 806³
ἔδνον 227¹. 489¹
ἐδνόομαι 727¹
ἔδοαν 745⁶
ἐδόθην 762⁴; -θης 762, 3
"Εδοκος 199³
ἔδομαι fut. att. 678⁴. 780²·⁵. 791³. II 226². 258³. 265²·⁷. 290⁸. 309⁷; - πύματον μετά τισι II 483⁴
ἔδομεν aor. 814³
ἐδόμην 669⁶. 741⁴; ἔδου 741⁴; ἔδοτο 67, 1. 669⁴. 741⁴. 816⁵
ἔδοξα 718³; -ξε 738⁷. 739¹
ἔδος 748. 304¹. 380⁸. 515⁵. II 52¹
ἔδοσα spät- u. ngr. 666². 742¹. 755⁵ s. auch ἔδωσα
ἔδοσαν 3. pl. 665⁷
ἐδούκαεν thess. 664⁴
ἔδουκε 907
ἐδοῦμαι hell. 780⁵. 784⁵; ἐδούμεθα mkret. 807, 4
ἔδρᾱ 481⁴. II 356, 2; ἔδραν ἔχειν πρὸς δόμοις τινός II 512⁷; ἔδρας θοάζειν II 76⁷
ἔδραθον hom. 700³
ἔδρακον 746, 1. II 258⁴; -ε 641⁸. 755⁴
ἔδραμον 755³. 781⁶
ἐδρᾶν 742⁶. 755⁴; ἔδραν 3. pl. 664⁵
ἔδρανον 491²
ἔδρᾶσα att. 675⁴
ἐδρήκατε 774, 7; s. ἐτρήκατε
ἔδρησα aor. ion. 675⁴
ἐδριάομαι 732²
*ἔδυα 659⁴
ἔδῦν 659⁴; ἔδῦ 743². 755⁶
ἐδῦνᾶ äol. 521⁴
*ἐδυνάθη 762²
*ἐδυνασάμην 762²
ἐδυνάσθην II 612¹; -σθη 762¹⁻²
ἐδυνέατο 672²
ἐδυνήθην att. 762²
ἐδύνησα- 762²; -σάμην 762²
ἐδύνω 668³·⁵
ἐδυστύχουν 656²
ἔδω (-ειν) 20³. 678⁴. 684⁵. II 72, 1. 226¹. 258². 259³; ἔδοι 794, 2; ἔδουσι μῆλα οἰνόν τε II 710²
ἐδώ 'hier' ngr. 622⁴
ἐδωδή 423³
ἔδωκα 741³·⁶, 8. 744⁴. 775⁵. 814⁵. 816⁵; - ngr. 764¹;

-κε hom. 768⁴; ἔδωκεν II 248⁵; ἐδώκαμεν 775⁶; ἐδώ-καν 741³; - ngr. 779²; ἐδώκαιν delph. 664⁴
ἐδώλιον 483²
*ἔδων (-ως, -ω) 741⁴ -εδών suff. 529⁷, 3. 530¹
ἔδωσα spät- u. ngr. 755⁵. 814⁶; -σεν 742¹; s.auch ἔδοσα εε > η 248⁸. 653². 730²; εε > ει (ē) 248⁸
ἐέ acc. 603². 607¹; - refl. 600⁶. 601⁸. II 195¹; - αὐτόν 607¹. 608, 0. II 195³ -εε 3. sg. plusq. 776⁵. 777, 11. 778¹·²·³
ἔεδνον 227¹. 338³; ἔεδνα 412² (*-εεεν infin.) 807⁴. 809²
εέϝος 260⁸
εει > ion. att. ει 249³·⁴
*ἔει conj. 'sit' 677, 10
ἐείκοσι 104². 412². 591⁴; -ιν 405⁷
ἐεικόσορος 398⁴; -νηῦς II 180⁷
ἐεικώς 767, 2; s. εἴκω
ἔειξε 654¹
ἔειπα 745³
ἔειπον 1. sg. hom. 654¹. 745²·³; - 3. pl. 745²; ἔειπέ οἱ φθίσθαι II 296³
ἔεις (= εἷς) 104⁵. 241². 287⁴. 588, 1
ἐεισάμην 781⁶; ἐείσατο 654¹, 1. 754⁸; ἐεισάμενος 654, 1
ἐέλδομαι 412¹. 701⁶, 5; -έσθω II 342⁸
ἐέλδωρ 519³. 701⁶
ἐέλμεθα hom. 759⁴. 767¹; ἐελμένος 771²
ἐέλπομαι 701, 4; -ετο 654, 4
ἐέλσαι 285². 412¹
*ἔεμαι 775³; ἐέμην 741⁴
*ἔεμεν aor. 686⁷. 741⁵
ἔεν 'erat' 677³, 6. 7. 8
*-εεν Ausg. infin. 807²·³·⁴·⁷. 809²
-έεν Ausg. infin. 642, 2
ἐέο gen. sg. 574⁷; ἐέ' αὐτοῦ 609¹
ΕΕΟ (= εηο) 605⁴
ἐέργαθε, -θον 703⁴
ἐέργνυ hom. 697². 771²
ἐέργω 228⁶. 412¹. 684³. 767¹; -ει 697³. 771⁷; - ἀμφίς II 439⁶; -η μυῖαν παιδός II 93²; ἐεργόμενοι πολέμοιο II 93⁴
ἐέρδον 654¹; ἔερσα 475⁶. 476²
ἐερμένος 771²
ἐέρση hom. 285¹. 412²
ἔερτο hom. Hdt. 715⁵
-εες nom. pl. 571⁶·⁷. 579², 4; ion. (Hdt.) 575⁴; ' - (< -εjες, -εϝες) 552⁴

-εες nom. pl. 575⁴, 2
ἐέσσατο 653, 2
ἐέσσατο hom. 654¹
ἔεστο 767, 4
ἐεχμένη H. 771²
εϝ (Schreibung) 87³
*εϝαδε kret. 654³
ἐϝανάσσαντο 653⁴
ἐϝάσσαντο arg. 737⁷
*ἐϝε gen. 604³
*εϝέϝικτο 289⁶
*εϝεθ- 654³
(*εϝειδεα) 778⁶
ἐϝείκοσι 104²
*ἐϝεκ- 622, 1
ἔϝεξε kypr. 653⁴. 684⁶. 717⁶. 751⁵
εϝεργάσατο arg. 653⁴
*ἐϝέργω 228⁶. 702⁴; ἔϝερξα kypr. 653⁴. 716¹
-εϝες nom. pl. 571⁶·⁷
*-εϝέσομαι fut. 786²
*ἔϝεστο 767, 4
*ἔϝευπον 745²
*ἔϝϝαδε 106⁵. 224, 4. 654³
Εϝϝηθιδαι thess. 224, 3
Εϝθετος kor. 197²
*ἐϝιδον 746, 2; ἔϝιδε II 258²
*ἐϝίκοσι 412². 591³
ἐϝίσ(σ)η 104²
*-εϝjω verba 477⁶. 478¹. 728²
εϝο 223⁴; –> εο, εω 228⁷
*εϝοίκεον 655³
ἐϝράγη 224³
*ἐϝρέθη 654⁴
ἐϝρητάσατυ kypr. 669³
-εϝων gen. pl. 571⁷
ἔζεαι hom. 716, 3
ἔζεινεν 693²
*ἔζεινον 693²
ἔζελον ark. 746, 4; -ε 693, 9. 746, 7
ἔζεσα 685⁵
ἔζεσκε Hes. 711⁴
ἔζεσμαι 773⁴
ἔζεσσε 752⁵
*ἔζετο 652, 5
ἔζομαι (-εσθαι) 716¹. II 234²; ἐζόμην 652, 5. 716, 3. 748⁴. 756²; ἔζετο 652, 5. 748, 4. II 258³; – c. gen. II 112²; ἔζετο λιασθείς II 301⁴; ἐζομένω ἄμφω II 617¹; ἔζοντο τοίχους II 76, 1; ἔζομαι ἐπὶ θρόνον II 472³; – ἐς θρόνους παρά τινα II 494⁸; – ἀμφὶ κλάδοις II 438³⁻⁴; ἐζόμενον ζυγόν II 76, 1
ἔζευγμαι 412⁷. 649⁵; -γμένος II 182⁴
ἔζευξα 751⁴·⁵
ἐζεύχθης 762³

ἔζηκα 675⁴
ἔζην 675, 5; -ης, -η 675³; *ἔζητε, ἐζῆτε 675³
ἔζησα 675⁴. 755⁴
ἐζύγης 762³
*ἐζύγμᾶν, *ἐζύγμεθα, *ἔζυξο, *ἐζύχθης 762³; *ἔζυκτο 763³
ἔζωκα süddor. 675⁴. 774⁵
ἔζωμαι 697, 8. 770⁶. 773³; -σμαι 333⁸. 649⁵. 773³; ἔζωται, ἔζωσται 773³; ἔζωσθε 670³·⁴
ἔζωσα 755⁴
*εηεμεν 219⁴
*εηεπόμην 219⁴
*εηερπον 653¹
*εηεχον 219⁴
*εηικ- 744, 8
ἐή interj. II 600³
ἔη 'sit' äol. 677⁴
ἔη 'sit' II 312⁶
ἔηγα ion. 770³
εηι > ηι 249³
ἔηι, ἔησι 'sit' 677³
ἔηις 'sis' 791²
ἔηκα 653². 741³·⁵. 744⁴; -ε 303⁷
ἔην 'eram' 677³, 7
ἐήνδανον hom. 654³
ἔηος gen. sg. 574⁶·⁷; s. ἐύς
ἑῆο(ς) (= σοῦ, ἑαυτοῦ) II 198³. 206¹
ἑῆς gen. sg. 610³; vgl. ἧς 'suae'
ἔης 'cuius' 104³. 610²⁻³. 615¹
ἔης 'sis' 791²
-έης nom. pl. att. 575⁴, 2
ἔησθα 2. sg. 677³
ἐήσθην 654³
*ἔθαρε 362⁷
ἐθαύμασα 738⁷
ἔθεαν ark. böot. 664⁴. 745⁷
ἐθέθην 204⁴. 257². 649²
ἔθειαν böot. 665⁶
ἐθεῖν H. 724²
ἔθειρα 474⁴
ἐθείρηι hom. 715⁶, 12
ἔθεκα ngr. 753². 764¹
ἐθελαχρῖβής 442⁵
ἐθέλεχθρος 442⁵
ἐθελήσω 683, 3; -ήσοι II 337³; ἐθελήσω c. infin. II 294⁴; – ἐπιχειρήσειν II 295⁷
ἐθελο- 442³
ἐθελοντηδόν 623³. 626⁵
ἐθελοντήν adv. 621¹, 3
ἐθελοντήρ 481¹, 1. 531³
ἐθελοντής II 175³
ἐθελοντί Thuk. 621, 3. 623³
ἐθέλχθης Od. 760³
ἐθέλω 300⁴. 434⁵. 648, 3. 684³, 3. 817¹. II 225⁷.

226⁵. 330¹, 1. 491⁵. 593⁵; -μι 661⁵; -λ ησθα 662⁴; -λοις II 330⁴; ἐθέλησα 752³. II 226⁵; s. auch θέλω, ἤθελον, ἠθέλησα, ἠθέληκα, τεθέληκα, ἐθελήσω; ἐθέλω c. infin. II 266⁵. 291². 293⁶·⁷. 365⁵; ἐθέλοιμι κεν II 330²; ἐθέλων: καὶ οὐκ – II 389⁴
ἔθεμεν 741²·⁶
ἐθέμην: ἔθεο 762³; ἔθεσο 669¹; *ἔθεσο 762³; ἔθου 668³. 669⁵. 741⁴; ἔθετο 741²; ἔθεσθε 670³
ἔθεν 3. pl. dor. 81⁷. 665⁶. 741⁴
ἑθεν gen. pron. anaph. encl. 607⁵. II 190³, 4
ἔθεν gen. epid. hom. 603³. 605¹. 628². II 171⁶. 172¹·²·³, 1
*ἔθενε ipf. 746, 3
*ἔθεντ 3. sg. 'schlug' 746, 3
ἔθεσα spät- u. ngr. 666². 742¹. 753². 755⁵. 764². 814⁶
ἔθεσαν 665⁷
*ἔθεσσα aor. (ποθέω) 753³
ἔθευσα 685⁶
ἔθη 741⁵
ἔθηκα 741²·⁵·⁶. 744⁴. 775⁵. II 262³; ἔθηκε 56⁵. 297³. 651⁶; ἔθηκαν 3. pl. 741²; ἔθηκε ἄλγεα II 261⁶
ἔθηλα Ael. 748²
*ἔθην 741¹. 763¹; -ης, -η 741¹
ἐθῆναι 257⁴
ἔθησα spät- u. ngr. 755⁵
(*εθι imper.) 800, 3
ἔθιαν 665⁶
ἔθιγον 699⁶. 755⁴. 781⁶; -ες 800, 2
ἐθίζω 736². II 82³; εἴθιζον 654³
ἐθινῶν 278⁸
ἔθιξα spätgr. 755⁴
ἔθλασα 676¹
*ἔθλον 533³. 839³
ἐθμή, -οί 492³
ἔθνος 162⁷. 512⁷, 6; τὰ ἔθνεα II 607⁶
ἔθνος m. II 38², 2
ἔθορον 708⁶; -ρε 360⁴
ἔθος 226⁶. 261³. 511²
*ἔθος 226⁶
ἔθρεξα 747⁶
ἔθρεψα 756¹
*ἔθρην 782⁶
ἐθρίς 314¹ [so, nicht ἔ-] 495². 838⁴
ἐθρύβην, ἐθρύφθην 759²
ἔθρωξα 708⁶
ἐθύνεον Hes. 696²
'Εθύωνος 199²

ἔθω 703[4]; -ει H. 720, 9; -ων 703, 4. 720, 9. 723[3], 3
-έθω verba 703[3–4], 1.2
ἐθώκατι dor. H. 664[1]. 775[1]
ει aus idg. ei 346[8]f.; – diphth. 90[2]. 287[8]; – (: ι) Ablaut 350[2.3]; – vor Kons. 684[6]f.; – unecht 86[8]. 90[2]. 642, 2; – geschr. Dehnung von ε 104[1]; – att. 228[4.6]; – aus εϊ, εῖ 247[8]; – j.-att. aus att. ηι 241[6]. 655[4]. 668[2]; – [Ausspr. i] 91[2]. 233[7]; – [= ẹ] böot. thess. aus η 90[7]. 91[2]. 233[4]; -ει [-ẹ] st. -ηι 668[2]; – ion. att. aus εει 249[2.4]; – [= ẹ] aus ε vor ο ω α 242[5]; – [= ẹ] böot. aus αι 233[5]; – ει thess. für -αι 348[2]; ει aus *εσj 273[2]; – > arg. böot. (att. vereinzelt) ῑ 233[3]; – > att. arg. kor. ẹ 233[2.3]
εἰ- Reduplik.-Silbe 249[6]
-ει (-E alt) hypok. böot. 580[5]
-ει (= -η) nom. sg. in Namen böot. 558, 3. 636[4], 3
-ει dat. sg. 548[2.3]. 549[3]. 558[7]. 572[4], 2. 573[1]. 579[3]. 839[5]
-ει loc. sg. 549[4]. II 138[4]
-εϊ dat. sg. 572, 2. 579[2]
-ει Verbalend. 657, 4. 658[2]
-ει 3. sg. 660[4]; – indic. et conj. 791, 6; – praes. 841[3]; – conj. 791[3.5]
-ει 2. sg. imper. act. 803[2]. 804[2–3]
-ει 3. sg. plusq. 768[1]. 776[5]. 777[4.5], 11. 778[1.2], 2
-ει Ausg. adv. 549[5]. 550[4]. 618[4]. 622[2]
-εί adv. 622[4]. 623[2.3.5], 3. 13
-εῖ dat. sg. j.-att. ion. wgr. 575[3]
-εῖ Personalend. 658[2]
*εἰ 'da' loc. sg. n. II (557, 1) 564[1]. (683, 2)
εἰ partic. 82[4]. 88[4]. 128[6]. 549[6]. 613[4]. II 2, 3. 305[5]. 336[1]. 557[2.3], 1. 628[7]. 630[5.7]. 631[3]. 635, 3. 637[6]. 676[8]. 682[1.2.3]. 683[4.5], 2. 684[8]. 687[8]. 711[3]; – 'wenn, ob' c. conj. II 313[5–6.7]; – c. opt. II 320[5]. 321[1.2.4]. 322[4.5]. 327[4.6], 1. 335[3]; – c. potent. II 324[2.5]; – ἐκβάλοι II 630[8]; θαυμάζω εἰ II 646[5]; ἀλλ' εἰ II 557[2]; εἰ ἄρα II 559[1]; εἴ γε II 561, 3; εἴ γ' ἄρ II 560[3]; εἰ γάρ II 304[3]. 330[4]. 345[4.8]. 354[1]. 557[2.3]. 560[3]; – c. opt. II 320[6]. 321[5]; εἰ δέ κα c. opt. II 327[6.7]; εἰ δ' ἄν II 306, 2; εἰ δὲ μή II 710[2]; εἰ – εἴτε II 688[2]; εἰ καί II 567[4]. 688[5.6]; – – οὐ δώσει II 593[3]; εἴ κε II 306, 2. 312[4]. 682[3]. 684[7]; εἴ κεν ep. II 685[1]; εἴ κ' II 683, 1; εἰ μή II 595[4]; – – ἄρα II 689[2]; – – διά τι(να) II 454[2]; εἰ οὐ II 593[3]. 595[4]; εἴ περ II 572[1–5]. 688[7]; s. εἴ περ; εἴ τι(ς) ἄν nachklass. II 214, 1. 692, 2
εἰ- (: ἰ-) 'gehen' 674[1]; s. εἶμι, ἰέναι
*εἰ 'bist' 659[5]. 660[4]
εἶ Buchstabenname (E) 140[5]. 377[8]
εἶ 'wirst gehen' 659[3], 5
εἶ 'geh!' 639[5]. 643[5]. 798, 8. 804[2]; s. auch εἰ δέ, εἰ δ' ἄγε
εἶ 'du bist' 102[1]. 240[2]. 659, 5. 677[1]
εἶ conj. (= ᾗι) lokr. 677, 10
εἶ 'wo; wie' dor. nwgr. 549[5]. 628[5]. II 647[1.2]. 714[6]
-εία f. Ausg. 469[4–5]
-εια f. Ausg. in Namen 475[1.2]
-εια neut. pl. 581, 2
-εια 1. sg. opt. 796[7]. 797[1]
-εῖα suff. f. 474[6], 2
εἶα partic. 'wohlan' 547[3]. 716[5]. II 558[1], 1. 600[4]; ἄγ' –, ἀλλ' –, ὦ – II 558[1]; – δή, – ὦ II 558[1]
*εἶα 752[5]
εἶα interj. II 600[4]
εἰάζω 716[5]
Ειακκοβου 196[8]
εἰαμενή 525[1]
-ειαν 3. pl. opt. 796[6.7]
εἶαρ 408[8]. 518[5]
εἰ ἄρα II 559[1]
εἰαρινός hom. 490[5], 7
εἰαροπῶτις 518[5]
-ειας 2. sg. opt. 796[6.7]. 797[1]
-είας Ausg. m. 461[3]
-είας Ausg. m. hom. (< -έας) 562[3]
εἴᾱσα j.-att. 653[1]. 752[5]; -σε 752[5]
εἴασκον hom. 711[3]
εἴαται 3. pl. hom. 671[3]. 679[5]; -το 3. pl. plusq. 671[3]. 679[5]
εἴατ(ο) [ἕννυμι] Ilias 767, 4; s. εἷμαι
εἰβουλόμην 654[5]
εἴβω 309[2]. 684[6]
εἴ γ' ἄρ II 560[3]
εἰ γάρ II 304[3]. 330[4]. 345[4.8]. 354[1]. 557[2.3]. 560[3]; – c. opt. II 320[6]. 321[5]
εἴ γε II 561, 3
εἶδα spät-, byz., ngr. 753[7]. 764[1]. 779, 2; s. auch εἶδον
εἰ δ' ἄγε imper. hom. 798, 8. 804[2]. II 314[5]. 557[4.5], 2. 558, 1. 583[7]; εἰ δ' ἄγετε II 557[5]
εἰδάλιμος 494[5]
*εἴδαλος 494[5]
εἰ δ' ἄν II 306, 2
εἶδαρ 227[6]. 301[5]. 519[6]
Ειδασσαλα 152[6]
εἰ δέ imper. (von εἶμι) hom. 798, 8. 804[2]. II 557[4], 2
εἰδείην 778[5]. 790, 6. 795[5], 6. II 330[3]; -ης 795[5]; -η 794, 2. 795[5]; εἰδεῖμεν 246[7]. 778[6]. 795[5]; -εῖτε 795[5]; -εῖεν, -είησαν 795[5]; εἰδέησαν 795, 5; εἰδείην ἄν II 329[1]. 330[5]; s. οἶδα, εὖ οἶδα
εἰ δέ κα c. opt. II 327[6.7]
εἰ δὲ μή II 710[2]; εἰδεμή(ς) ngr. II 687, 1
εἰδέναι 540[6]. 757[7]. 758, 7. 808[2.7], 6. 8. II 362[2]. 375[6]. 631[2]; – τι παρὰ τῆς βασάνου II 497[5]; τὸ μή – II 369, 6; s. auch οἶδα (εὖ οἶδα), ᾔδειν, εἰδείην, εἰδήσω (*ειδεσθαι) 809[5]
Εἰδεσίλεως 444[1], 3. 635[5]
εἴδετε conj. 790[4]
εἰδεχθὴς ἀπὸ τοῦ προσώπου II 447[3]
εἰδέω 778[5]. 790, 6. 795[6], 6. II 311[5]
εἴδη τοῦ ὀνόματος (term.) 587, 1; – παραγώγων II 183, 4
εἴδη 3. sg. ipf. (οἶδα) 778[5], 5
*εἴδημι 680[6]
-ειδής suff. 418[6]. 426[4]
εἴδησα 783[1]; εἰδῆσαι infin. 755[4]. 778[5]; εἴδησον imper. 755[4]
εἰδήσω fut. 778[4]. 783[1], 1; -σειν II 375[5]; s. εἴσομαι, οἶδα
εἰδήσωσιν conj. Kos 755[4]
εἰδίω 226, 3. 713, 6
εἰδοί f. spätgr. 554[6]
εἴδομαι (-εσθαι) 654, 1. 684[6]. 692, 1. 809[5]. II 161[4.5]; -εται 747[3]. 754[8]
εἴδομεν conj. 769[3]. 790[4]
Εἰδομένη 525, 2
ἔϊδον 659[4]
εἶδον 228[7]. 654[1]. 747[3]. 781[5]. 816[3.4]; – πρὸ πόλιος II 506[3]; εἶδες ἄν II 244[7]

εἰδός; s. εἰδώς
εἶδος 226, 3. 512¹. II 250,8;
s. εἴδη
εἰδότης 529²
εἰδυῖα; s. εἰδώς
εἰδύλλιον 471³
εἰδώ 478⁴
Εἰδώ 478⁶
εἴδω conj. 540⁶. 765⁴. 769¹.
  790, 6; εἴδομεν 769³. 790⁴;
  -ετε 790⁴
*εἴδω ⁷13, 6
εἰδῶ conj. nachhom. 769².
  790, 6
εἴδωλον 483²
εἰδώς 304⁴. 356⁶. 360¹.
  380⁸. 540²·⁴·⁶, 6. 765⁴.
  769¹·². 779³. 814⁴. II
  389²·³; εἰδός 304⁴. 540¹;
  εἰδυῖα 540⁶. 769²; εἰδὼς
  μήδεα θεῶν ἄπο II 446³;
  εἰδότας, ὅτι II 403²; ὡς
  τοὺς θεοὺς εἰδότας II 402⁷.
  403¹
εἰδώσης mgr. 540, 5
  -ειε 3. sg. opt. 796⁶·⁷. 797¹
εἶεν 3. pl. 663⁵. 664⁴. 794, 3;
  s. εἴην
εἶεν interj. II 557⁵. 558, 1
εἰέν interj. 219⁴. 303⁴. 547³
ειερακαρίου 196⁸
  -ειες äol. (lesb.) 241⁸. 243⁵
  -έιες nom. pl. (= -έες) att.
  575⁴, 2
  -εῖες nom. pl. 575³
  -ειη-: -ει- opt. 794²
εἴη opt. (εἰμί) 674³, 5
εἴηι conj. (εἰμί) 677, 10. II
  323, 1
εἴηι opt. (= εἴη) (εἰμί) 793, 3
  (εἴημι) 674⁴
εἴην 186². 273²·⁸. 346³. 641⁶.
  659⁴. 677⁴. 794³, 2. II
  321⁷. 322²·⁵·⁶. 323²·³·⁵·⁶.
  638⁴; εἴης 677⁴. II 322², 2.
  638³; εἴησθα 662⁴. 677⁴;
  εἴη 677⁴. II 321³. 328¹.
  713⁷; εἴΕι gort. 674³;
  ΕΙΕ gort. 674²; εἴητον
  667². 794, 3; εἴημεν 419⁶.
  794, 2; εἴησαν 665⁷. 677⁴.
  794³; εἶεν 663⁵. 664⁴. 794,
  3; εἴην ἄν II 328⁷·⁸. 329⁷;
  εἴη ἄν II 330¹; εἴης κε II
  329⁴; εἶε κα II 330⁶
  -είην opt. 758⁴
ειϜ aus *εϜj 272⁸
εἴϜαρ 350⁴. 519². 621¹. 630⁶.
  II 70¹
εἶθε 628¹. 747, 8. II 304³.
  305⁵. 345³⁻⁸. 346¹·³·⁴.
  349⁴·⁵. 561, 2. 564⁴; – c.
  opt. II 320²·⁵. 321¹·⁵; –
  c. conj. II 316⁵; – c. ipf.

354¹; – ἐγενόμην II 346⁴;
  εἴθ᾽ ἀπώλετο II 345⁵·⁷;
  εἴθ᾽ ὤφελ(λ)ον II 346¹·²·³
εἴθην 653²; s. ἵεμαι
εἰθίδαται Hippokr. 773²
εἴθιζον 654³
*εἰθύς 348³. 350⁴
  -ειι dat. sg. lesb. 575³
εἰκ ark. 404⁶. II 313⁶.
  568⁴. 683², 1
εἶκα, -ας (pf.) 745, 2. (765, 3).
  767, 1
εἶκα att. 775³
εἰκάζω (-ειν) 735², 2. II
  161⁴·⁵; εἴκαζον 654²; εἰκά-
  σαι II 378⁶. 379²; εἰκάζω
  c. instr. II 167³; εἰκάζων
  nom. abs. II 403⁶; εἰκάζω
  ἀπό τινος II 447²
εἰ καί II 567⁴. 688⁵·⁶; – – οὐ
  δώσει II 593³
εἰκάς 227¹. 597¹
εἰκάσαι; s. εἰκάζω
ἐικάσδω lesb. 241². 289⁶.
  735³
*εἴκᾱσι 665³. 773⁷
*εἰκαστός 344⁵
εἴ κε II 306, 2. 312⁴. 682³.
  684⁷; εἴ κεν II 685¹; εἴ κ᾽
  II 683, 1
εἴκελος II 161⁴
εἰκέναι 541¹. 735³. 769².
  808²
εἰκῆι adv. 622¹, 1. II 413⁸
εικθυιν 200³
*ἔικμεν 769³
εἰκοιστος lesb. 90⁴. 274⁷.
  276¹·⁴. 596²
εἰκόναν acc. sg. f. 563³
*εἴκονστος 276⁴
εἰκός 540². 580⁶. II 623⁵;
  εἰκότα pl. 581¹; εἰκός c.
  dat. II 144²; – ἦν II 308⁴;
  – ἔχειν II 296⁷; s. auch
  εἰκότερον, εἰκώς
  -εικός suff. adj. 498¹
εικοσα- compos. 591⁵
εἰκοσάκις 598¹, 1
εἰκοσάπρωτος 596, 6
εἰκοσάς spätgr. 597¹
εἴκοσι 82³. 270⁴. 292⁷.
  344⁴·⁵. 381⁷. 412¹. 426².
  591³. II 176¹; – ngr. 591,
  6; εἴκοσιν 405⁷. 591⁴, 6;
  ειϝοσιν ephes. 591, 6; εἴκοσι
  μυριάδας καὶ πρὸς χ. 594³
  ἐίκοσι 412². 591⁴
εικοσιένα ngr. 594, 3
εἰκοσιετής 591⁵
*εἰκοσίκις 598¹, 1
εἰκοστός 344⁴·⁵. 379⁶. 381⁴.
  596²·³; s. auch εικοιστος
εἰκότερον 534, 2. 536¹. 540⁴
εἰκοτολογέω 439⁶

εἰκοτολογία 541³
εἰκότως 534, 2. 541³. 624².
  779³. II 414⁵; – c. dat.
  II 144²
ἔικτο 346⁸; ἔικτον 357¹.
  767². 769¹; ἔικτην 767².
  776²
εἰκυῖα; s. εἰκώς
εἴκω 'weiche' 654². 684⁶.
  767, 2; εἶκον ipf. 654²;
  εἶκε 745, 2; εἴξω 782⁵.
  783⁶; εἴκω c. dat. II
  140⁴·⁶⁻⁸.144².146¹⁻².149²;-
  τῆς ὁδοῦ II 91⁵; – πολέ-
  μου II 91⁶; – ὑπ᾽ ἀρότρῳ II
  526⁴
εἴκω dor. 292³
εἰκώ f. 478⁵; – acc. 479, 4
εἰκών 161¹. 346⁸. 487¹; s.
  auch εἰκόναν
εἰκώς 540⁶. 541¹. 767¹.
  769¹·². II 174¹⁻²; εἰκυῖα
  δέμας II 85; s. auch εἰκός
εἴλα 1. sg. aor. 753⁷
  -ειλα aor. 753⁵
εἰλαπινάζω 734⁵
εἴλαρ 314⁵. 519⁶
εἴλαφα dor. 781⁴; s. auch
  εἴληφα
εἰλεός 183⁸
εἰλέω 283⁸. 693, 11. 720⁵;
  εἰληθη- 762¹
εἴλη 412¹
εἴληθι H. 689, 2
εἰλήλουθα 347². 358⁴. 704¹.
  737³. 747⁵. 771¹. II 287³;
  -θας 767³; -λούθει 777, 11;
  εἰλήλουθεν 767². 769³;
  -λουθώς 769³; s. ἐλήλυθα
εἴληφα 261³. 310⁵. 649²·⁷.
  772⁴. 781⁴. II 288¹; -ες
  NT 767⁴; s. λαμβάνω
εἴληφα 257³
εἴληχα 650¹. 699⁵
εἴλιγξ 498³
εἰλικρινής 448¹
εἰλίπους hom. 444³, 8
εἰλίσσω 412¹
εἰλιτενής 448¹
εἴλιττον 654¹
εἰλίχατο 771⁷
*εἴλκεον hom. 721¹
εἴλκω 653, 4
εἴλκυκα 775⁴
εἴλκυσα 721¹, 2. 755⁵, 6.
  II 258⁵, 6
εἴλλω 716, 1
εἴλομαι hom. 283⁸. 693⁴, 11
εἷλον 653¹. 746⁴. 754⁵; -εν II
  285⁴; εἷλε κεν II 347³; ἑλεῖν
εἴλυμα 523²
εἴλυμαι 649⁷; -ῦται 770⁴
εἰλυόμην ἄν II 350⁶
εἰλυσπᾶσθαι 645¹

εἰλύσω fut. hom. 693, 11
εἰλυφάζω 645¹. 734, 5; -ει
645¹
εἰλυφόων 645¹
εἵλχθην spätgr. 721²
εἵλω 769⁴
εἵλως 499³
εἷμα 281⁷. 339². 380⁸. 523²
εἷμαι ngr. 678³. 813⁸; εἶσαι
678³; εἶναι 3. sg. 678³·⁴.
II 423⁶; εἵμεθα 678³; εἶ-
σθε 678³; ἤμουνα 1. sg.
ipf. 678³; εἷμαι δεμένος
ngr. 779⁴. 812⁴
εἷμαι 649⁵. 767, 4. 773⁴.
775³; s. ἕννυμι und ἵεμαι
εἱμαρμένη f. 524⁷. II 175⁵.
408³
εἱμαρμένος ion. 277⁵
εἱμάρσην II 31, 4
εἵμαρται 281⁷. 282⁸. 310⁶.
649²; -το 769⁴. 777, 2
εἱματανωπερίβαλλος 450⁶
εἵμεθα; s. εἷμαι
εἵμειν rhod. agrig. 678¹
-ειμεν 1. pl. plusq. 776⁵.
778¹, 2
εἶμεν 'esse' böot. dor. nwgr.
ach. 281⁷. 806³. 808⁵; –
ἐν ὑδρίαν II 459¹
εἶμεν 1. pl. indic. 'sumus'
Heraklit 677, 1
εἶμεν 1. pl. opt. (εἰμί) 346³.
677⁴
*εἶμεν 1. pl. opt. (εἶμι) 674, 5
εἰμέν 'sumus' 677¹
εἵμεν 1. pl. aor. (ἵημι) 219⁴.
653². 741⁴; – opt. 741⁴; s.
ἵημι
-είμενος 642, 2. 728, 4
εἱμένος Od. 767, 4
εἰμές 'sumus' dor. 677¹; s.
εἰμί
εἰ μή II 595⁴; – ἄρα II 689²;
εἰ μὴ διά τι(να) II 454²
εἵμην, εἷσο, εἷτο indic. opt.
741⁴
*εἵμην opt. 741⁴
εἰμί 192³ (EIMI). 281⁷. 322⁶.
389⁶. 676⁶–678. 677¹. 737³.
781⁶.812².II 16²(copulativ).
65³·⁴. 72, 1. 223². 270⁶.
271⁵. 694⁷; – c. gen. II 112³.
133¹; – πόντο (loc.) II
154⁸; – ἐν ἀξιώματι ὑπό
τινος II 227³; – (πάρος,
πρότερον) II 274¹·²; s. auch
εἶναι, εἶν, εἴμεν, *ἔσμι, ἔσι,
ἐσσί, ἔστι, ἐστί, ἐσμέν, ἔστε,
ἐστέ, εἰσί, ἔω, ἴσθι, ἔστω,
ὄντων, εἵμαι, ἦα (ἦν, ἦεν),
ἦι, εἷσθα, ἔσομαι
εἶμι 95⁶. 347¹. 643¹·³·⁴. 659³.
674¹·⁵. 737². 780²·³. 781⁶.

II 162⁶. 225⁷. 226¹. 259¹.
265²·⁵·⁶. 273². 292⁶; εἰ
659⁸, 5. 674¹; εἶσι, dor.
εἶτι 674¹; εἶσι 3. pl. 674, 2;
εἰ imper. 639⁵. 643⁵. 798, 8.
804² (s. auch εἰ δ'ἄγε);
εἶμι πρὸς Ὄλυμπον II 509⁷;
– μετά τινα(ς) II 485⁶·⁷.
483⁵; – μετὰ μῶλον Ἄρηος
II 484⁴; – ἀμφοτέρας χειρός
II 112⁶; – διὰ βασάνου ὑπό
τινος II 227³; – γάρ.. II
706⁵; – φράσων Hdt. 813¹;
s. auch ἰέναι, ᾖα, ᾖα,
ᾖμεν, ᾖτε, ᾖτην, ᾖσαν,
*εἶμεν, εἶσθα, εἴω
εἰν praep.274².II 120².455,1;
s. auch εἰνί
εἶν = εἶναι 'esse' ion. 87².
678¹. 808¹, 1
ἕτν dat. sg. böot. kor. 603⁴.
604², 5
(εἶν Kallim.) 588, 1
-ειν acc. sg. m. 636, 3
-εινAusg. infin. 643, 2.805⁵,
2. 806¹. 807¹⁻²
-ειν 1. sg. plusq. j.-att.,
pap. 776⁵. 778¹·², 2
-εῖν verba 727²; ion. att.
807²·³·⁴; aus *-εεν 807³;
aus *-έξν (-εεεν) 807⁴
εἰνα- ion. 591¹, 2
εἰνάετες hom. 591¹, 1. II 70¹
εἶναι 678¹. 806, 5. 808⁵. II
122⁶·⁸.123¹⁻³·⁶⁻⁸.124¹·²·⁵·⁷·⁸
258³. 272⁶·⁷. 277³·⁶. 279⁷·⁸.
280¹. 361⁴. 366². 367²·⁴⁻⁸.
374¹·⁸. 375⁴·⁶. 376¹·³.
377³. 378²·³. 381⁶. 382³·⁶·⁸.
383². 400³·⁸. 623².
624³⁻⁴; – abundierend II
379⁵; – c. dat. II 143²⁻³·
⁴⁻⁵. 143⁶⁻⁷, 1. 149²; – τινα
ἀγαθόν II 708³; – μέγιστον
Κυκλώπεσσι II 155⁶; – τοῦ
πονηροῦ κόμματος II 123²;
– ξύμφορον II 377³; – τινι
ἀχθομένω II 152⁴; – τινι
ἡδομένω II 152⁴; – ἀμφίς
II 439⁶; – τινα ἀμφίς II
439⁷; – ἀνὰ πρώτους II
441¹; – ἀντὶ λουτροῦ II 443³;
– ἀπὸ δρυός II 446³; – ἀπ'
οἴκου II 445⁸; – ἀπὸ δεί-
πνου II 447⁵; – ἀπὸ θυμοῦ
II 446¹; – τινι ἀπὸ θυμοῦ
II 446¹; – ἀπονόσφιν τινός
II 540³; – εἰς Ταρσόν II
461²; – ἔκ τινος II 434⁵;
– ἐκ Τάφου II 463⁵;
– ἔν τινι II 458²; – ἐν
ἐλπίδι ἀναλαβεῖν II 296⁷;
– ἐν αὐτῷ II 457⁷; – δι'
ἡσυχίης II 452⁷; – διὰ φό-

βου II 452⁸; – τί τινι δι'
ὄχλου II 452⁷; – διά τινα
II 453⁶; – ἐπί τινος II 471²;
– ἐπί τινι II 467⁴·⁵; – ἐπὶ
τοῖς ὄρεσι II 466⁷; – ἐπὶ
ταῖς πηγαῖς II 467¹; – δί-
καιον ἐπί τινι II 468⁴;
– ἐπί τινα II 472¹; – κατά
τι II 479³; – κατὰ πᾶσαν
τὴν γῆν II 476⁶; – μετά
τινος II 484⁷; – μετά
τινων II 484¹; – ξύμμα-
χον μετά τινος II 485¹;
– παρά τινος II 498³⁻⁴;
– παρά τινι II 494²·³;
– σοφὸν παρά τινι II 494⁴;
– παρά τι II 495⁶; – τι
παρά τι II 497¹; – παρὰ
τὴν ὁδόν II 495⁶; – παρ'
ὀλίγον II 496⁸; – γελοῖον
παρά τινα II 496¹; – περί
II 502¹; – περὶ πάντων II
501⁸f.; – νόον περὶ βροτῶν
II 502³; – μάντιν περὶ θνα-
τῶν II 502²; – κρατερὸν
περὶ ἄλλων II 502¹; – φέρ-
τατον περὶ Ἀχαιῶν II 502²;
– τινι περὶ πότου II 502⁸;
– τινι περὶ πολλοῦ II 503⁵;
– ἀγῶνα περί τινι II 501³; –
περί τινα 504⁴; – σύν τινι
II 489⁵; – πρό τινος II
507³; – τι πρός τινος
II 516³·⁴; – πρὸς τῶν
οὐδαμῶν II 515³; – πρὸς
ἰατροῦ σοφοῦ θρηνεῖν II
515²; – τι πρὸς τῆς δόξης
II 515³⁻⁴; – πρός τινος εἶναι
φίλον II 515²; – τί τινι πρὸς
εὐσεβείας II 515³; – πρὸς
τοῦ τρόπου τινὸς ἀποδιδόναι
II 515⁴; – τι πρὸς τρόπου
'zweckmäßig' II 515, 1; –
τι πρὸς λόγου II 515⁴; –πρὸς
Βορέαο II 515⁶; – πρὸς θα-
λάσσης II 515⁶; – ἐξ 'Α.
τὰ πρὸς πατρός II 514³; –
πρός τινι II 513³; – πρὸς
τῷ τείχει II 513¹; – πρὸς
τῷ ὄρει II 513²; – πρὸς τοῖς
ὤμοις II 513³; – πρός τινι
ἔργῳ II 513⁶; – πρὸς τῷ
ἀποδημεῖν II 513⁷; –πρὸς τῷ
λόγῳ II 513⁶; –πρὸς ἀσχολίαι
II 513⁷; – πρὸς τῷ δεινῷ λέ-
γειν II 513⁶; – τινα πρὸς
πολλοῖς (neut.) II 513⁷;
– πρός τινα II 511²; – πρὸς
ἕω II 512⁴; – πρὸς τὴν
θάλασσαν ἐπὶ τῆς γῆς II
510⁴; – πρὸς γυναῖκας II
512⁴; – πρὸς ἡμέραν II 512⁸;
– δίκην πρός τινα II 511²;
– ὑπὲρ τῆς κώμης II 520⁸; –

ὑπὲρ ἥμισυ αὐτῶν II 519⁷; – ὑπὲρ ἄνθρωπον II 520¹; – ὑπὲρ μ' ἔτη ἀφ' ἥβης II 520²; – βάθιστον ὑπὸ χθονός II 527⁶; – ὑπ' ἀγκῶνος II 527⁷; – ὑπό τινι II 434⁴. 525⁶·⁷; – ὑπ' 'Ιλίω II 526⁷; – ὑπό τινα II 434⁴. 530⁸. 531¹; – δασμοφόρον ὑπό τινα II 530⁸; – ὑπὸ τὸν 'Υμηττόν II 531⁵; – ὑπ' ἠῶ II 530⁶; – ὑπὸ ἐξουσίαν II 531²; – ὑπὸ τὸν ὅρκον II 531²; – ὑπὸ ἀροσμόν II 531². Siehe auch εἶμεν, εἰμί
εἶναι (τὸ) II 369, 1. 371¹·³; τοῦ – II 361⁶. 369, 5. 371³; τῷ – II 360¹·³⁻⁴; τὸ μὴ – II 372¹; τὸ μὴ οὐ – II 372²; τὸ εὖ – II 12⁴; τὸ νῦν – II 378⁷
εἶναι 3. sg. praes. 'est' mngr. 678³·⁴. II 423⁶
εἶναι infin. aor. 808³; s. ἵημι
-εῖναι infin. pap. 807, 2
εἶναιν infin. 808³
εἰνάκις ep. 591¹. 597⁶
εἰνακόσιοι ion. 591¹
εἰναλίδῑνος 446³
εἰνάλιος 104¹
εἶναν acc. sg. m. 588, 5
εἰνάνυχες hom. 499, 5 [nicht -ές]. 591¹, 1. II 70¹
εἰνάπηχυς Lykophr. 591¹
εἰνάς f. Hes. 591¹. 597²
εἰνάτερος gen. 568²; εἴνατερ voc. Hdn. 568²; εἰνατέρες hom. 303⁶ [nicht -άτερες]. 568²; -τέρων 568²; s. ἐνάτηρ
εἴνατος 228³. 591¹
εἵνεκα II 552³·⁴
εἵνεκεν II 552³·⁴
εἰνήκοντα Od. 591, 2
*εἰν' ἦμαρ 591, 2
εἰνί praep. 274². 388¹. II 455, 1; s. εἰν
εἴνιξαν böot. 744⁵
εἰνοσίφυλλος 442⁶
εἴνυμι ion. 284¹. 312². 322⁶
εἰξ- 754⁷
εἴξᾱσι att. 665³. 773⁷
εἴξασκε Od. 711⁵
εἴξω att. (zu ἔοικα) 782, 6
εἴξω (zu εἴκω) 782⁵. 783⁶
εἶο gen. sg. pron. hom. 603³. 605¹·⁴, 5. II 198³ (= ἐμαυτοῦ)
εἴοισαν 3. pl. thess. 677⁴
εἴομεν conj. [εἶμι] 674³; s. εἴω
-εῖον suff. 470⁴
-ε(ι)ος suff. adj. 467⁴⁻⁵, 5. 468¹⁻⁴, 1
-εῖος suff. adj. att. 468²

-εῖος gen. sg. böot. thess. lesb. 575²
εἶος hom. 241⁷. II 312⁸; s. ἧος
εἰ οὐ II 593³. 595⁴
εἶπα 739⁸, 2. 744⁴. 745²·³·⁴, 2. 814⁵; – ngr. 745³; εἶπας 745²; εἶπαν 3. pl. 745²; – ngr. II 245⁵; εἴπασιν 666, 8; εἴπασαν 666¹; εἰπάτω, εἴπατε imper. 745²
εἶπαι infin. 745³. 808⁶
εἴπαις ptc. Pind. 745³
εἴπασαν; s. εἶπα
εἴπασιν; s. εἶπα
εἴπατε, εἰπάτω; s. εἶπα
εἰπέ imper. aor. att. 382⁷. 390¹. 745². 799². II 304⁵. 341³·⁴; – ngr. 764². 804⁵; εἰπέτω 801⁴; εἰπέ μοι II 304. 584³; s. εἶπον imper., εἶπα
εἰπεῖν 257⁸. 258¹. 744, 4. 745²·³. 748⁴. II 10². 258³. 363².364².377¹.378¹.381²·⁴. 602⁴. 631²·³. 700⁸; – μοι II 379, 1; – πρός τινα II 510⁶; – εἰς ἀγαθόν II 460²; – πρὸς ὃν θυμόν II 510⁶; – τι παρὰ μοῖραν II 497²
εἰπέμεν 745². 806⁴. II 362⁶. 382²
εἰπέμεναι 745². 806⁴. II 381². 382²; – μοι, Τρῶες II 620⁶
εἴ περ II 572⁵. 688⁷; εἴπερ II 567, 2. 572¹. 688⁵·⁶; εἴπερ ἄν II 306, 2; εἴπερ τε II 574, 1; εἴ πέρ τε II 576³
εἴπεσκε 711⁵, 4; -εν II 278⁴
εἰπέτην 667³
(*εἰπέτ κε) 711, 4
εἰπέτω; s. εἰπέ
εἴπησι(ν) II 310⁶. 311⁶
εἴπια ngr. 656⁸
εἴποιμι 745². II 304⁵
εἰπόμην att. 219⁴. 653¹
εἶπον 654¹. 744⁴. 745¹. II 282³; εἶπε 745². II 276⁶, 2 (s. auch ἦιπε); εἴπομεν 745²; εἴπετον II 612²; εἰπέτην 667³; εἶπον 3. pl. 745²; εἶπον δι' αἰδοῦς II 452²; εἶπον ἄν II 348¹; εἶπεν ἄν II 350⁸; εἶπε πῶς.. ngr. II 384⁴; s. ἔειπον, εἶπα
εἶπον imper. 745³. 803⁴
εἴπω conj. 745². 791³; εἴπωμι 745²; εἴπηις, εἴπεις 791³; εἴπηι, εἴπει 791³; εἴπησι(ν) II 310⁶. 311⁶
εἰπών ptc. 745². II 10². 389²; – nom. abs. II 403⁵; εἰπόντος Δημοτίωνος II 399⁷; – αὐτοῦ II 400²; s. εἴπαις ptc.

εἶρ 424⁵
εἶρα aor. 715⁵; εἶραι 753⁵
εἰράνα 189⁷
Εἰράνη 190⁴
Εἰραφιώτας 495⁶
Εἰραφιώτης 285⁸. 471, 6
εἰργαζόμην 654¹
εἴργασμαι 654¹. 656⁷; -σται 769, 10. 812⁷; εἰργασμένα 760⁴; – ἐστίν II 244⁴
εἰργμός 492⁴
εἴργω (-ειν) 412¹. II 83³; – c. dat. II 146³; -εσθαι λιμένων II 93⁴; – ὥστε μή II 598⁴
εἰρέβαδε H. 624⁷
εἰρέθη [zu ῥηθῆναι] 654⁴
εἰρέθη [= ἡιρέθη] 655⁴
εἰρεθύρη ion. 286¹. 442²
εἴρεκα pf. 775, 5; s. auch εἴρηκα
εἴρεον ipf. Hippokr. 721¹; s. ἤρεον
εἴρερον 482¹
εἴρεσθαι II 381²
εἰρεσίη 469²
εἴρηκα 649⁷. 715⁵. II 258³; εἴρεκα 775, 5; εἴρημαι 257⁸; -ται II 239⁷. 258³; εἴρηται ion. 250⁶. 672²; εἰρημένον II 402¹; -ος εἴη II 323⁶; εἰρήσθω II 343¹; εἰρημένος ἔστω II 342⁸. 407⁷
εἰρήν lak. 285⁸
εἴρηνα 476²
Εἴρηνα voc. sg. lesb. 558⁵
Εἰρήνα 190⁴
εἰρήνη 189⁷. 490⁴; – ἀφροδισίων II 96²
Εἰρήνη 638²
εἰρήσεται 783⁵. II 289⁴; -σόμενος 783⁵
εἴρηχα 772⁵
εἴριον 470⁴
εἰρμός 492⁴, 6
εἴρομαι II 274¹
εἶρος ion. 228². 512⁷
εἴρουι thess. 907⁷; s. ἤρως
εἴρπον 653¹
εἴρπυσα 755, 6
εἰρύαται 671⁵. 681, 1; -το 671⁵. 681, 1. 812⁴; εἰρύαται θέμιστας πρὸς Διός II 515¹¹
εἴρυμαι 649⁷; –υται 770⁴; -ῦτο 681, 1; -υντο 681, 1; εἰρυμέναι ἔσαν 812⁴; εἴρυσθαι 681, 1
εἰρύμεναι 681⁴
εἰρύομαι 412¹; s. εἰρύσαισθε
εἴρυσα 654¹. 752⁴. II 258⁵; -σε 721²
εἰρύσαισθε ἄν II 327⁸; – ὑπὲρ θεόν II 519⁶

εἰρύσσασθαι II 366[4]
εἴρυσσε φᾶρος κὰκ κεφαλῆς
  II 479[7-8]
εἴρω(-ειν) 304[4]. 715[5]. II 366[6]
εἴρων 487, 9
εἰρωτάω hom. 705[5]
εἰς (ἔς) praep. 82[5]. 620[1]. II
  68[2]. 268[2]. 427[2.3.4.7]. 428[1.7].
  431[4]. 432[5]. 454[6]. 455[1.6];
  – lesb. II 455, 9; – ngr. II
  68[3].171[2];–c.gen.II 120[1.4.5];
  – c. acc. II 58[5]. 434[1];
  – τι c. adj. II 108[2]; – c. acc.
  = dat. II 139[1]; εἴς με
  600[6]; (εἰ)ς τοὺς φίλους
  ngr. II 140[4]; – ἐμαυτοῦ
  II 120[4]; – τοῦ τὸν τόπον
  II 643[1]; – νέωτα 424[1];
  – ὄλεθρον II 707[7]; – ὦπα
  619[1]. II 441[7]; – – ἰδέσθαι
  II 456[2]; εἰς ἅπαξ 427[7].
  460[1]. 472[7]; – ἄρδην 626, 6;
  – ἆσσον II 428[1]; – νῦν II
  419[4]; – ὄββδην 626, 6; – ὄκε
  630[1]; – ὅ κε(ν) II 640[7], 2.
  641[2.7]. II 653[1.2]; – ὅσον
  II 653[1]; – ὅτε II 427[7]. 460[6];
  – ὅ τε II 653, 2; – ὅτε κεν
  II 653[2]; εἰς τοὐπίσω II 540[6]
εἰσ- compos. II 429[5]
εἰσ- (: εἰδ-) 754[8]
εἰς 'bist' hom. ion. 659[5], 5.
  677[1]; (– hell.) 841[2]
-εἴς suff. 465[3]
εἴς ptc. 'seiend' gramm.678[2]
-εις (gen. -ιος) 580[5]. 636, 3
(-εις gen. sg.) 572[2], 4
-εις nom. pl. 571[5.7]; – dor.
  575[4]; – aus -εες att. 553[4]
-εις dat. pl. böot. 556[4]
-εις acc. pl. 563, 2. 571[5.7].
  572, 6. 575[4]
-εις 2. sg. Personalend. 657,
  4. 658[2]. 660[4]. 661[2]
-εις 2. sg. plusq. 776[5]. 778[1.2],
  2
-εις 2. sg. conj. 791[3.5]
-εῖς nom. pl. att. 563[5]. 564[1].
  575[4], 2. 579[3]. 580[1]; – acc.
  pl. 563[5]. 564[1]
-εῖς 2. sg. Personalend. 658[2]
εἶς 'wirst gehen' 659[5]. 674[2]
εἷς lesb. 287[8]
εἷς 287[4]. 343[1]. 358[5]. 377[8].
  408[6.7]. 569[5]. 588[1]. II 185[2];
  – ngr. (pont.) 588[2], 5;
  (= τις) 588[5]. II 27[2]; (=
  πρῶτος) LXX 595[4];–c.par-
  tit. II 116[2.3]. 118[2]; εἷς
  τις II 215[7]; εἷς καὶ εἰκοστός
  att. 596[3]; εἷς μοῦνος hom.
  588[4]; εἷς μόνος ἀπὸ.. παίδων
  II 447[4]; εἷς οἷος hom. 588[4];
  s. εἶναν, hE ξ

εἶσα 653[1]. 666[2]. 756[2]. 782, 4;
  εἶσαν 741[4]; εἷσεν ἄγων II
  299, 1; εἷσέ μ' ἐπὶ βουσί II
  467[3]; εἷσέν μιν ποτὶ ἑρκίον
  II 510[2]; εἷσάν τινα ἐπὶ
  σκέπας II 472[5]
εἰσαγείωχχεν 772[7]
εἰσάγω (-ειν) II 457[5]; – τινά
  c. gen. II 131[2]; s. ἐσαγαγεῖν
εἰσαεί 619[3]; s. ἐσαεί
εἶσαι ngr. 678[3]; – τοῦ ὕπνου
  II 137[1]
εἰσακούσατε II 609[7]; s. ἐσα-
  κούω
-εισαν 3. plusq. 776[5]. 778[1.2],2
εἰσαναβαίνω (-ειν) II 300[8].
  428[1]. 457[4]; εἰσενέβην II
  429[6]; -οι hom. II 428[2];
  -ειν Ἴλιον ὑπ' Ἀχαιῶν II
  529[1]
εἰσανάγουσι II 429[1]
εἰσανιδών II 429[1]
εἰς ἅπαξ II 427[7]. 460[1]. 472[7];
  εἰσάπαξ 598[2]. II 460[1]
εἰς ἄρδην 626, 6
εἰς ἆσσον II 428[1]
εἴσατο aor. 747[3]. 757, 1;
  – φωνὴν υἱέϊ II 85[4]
εἰσαῦθις Aristoph. 619[3]
εἰσαφιένναι τινὰ πρὸ ἡμέρας
  II 507[5]
εἰσαφίκανε(ν) II 429[1]; -ες II
  429[3]
εἰσαφικέσθαι δόμον Ἄιδος
  ὑπὲρ μοῖραν II 519[6]
εἰσβαίνω II 457[4]; – c. loc.
  II 157[1]
εἰσβάλλω II 457[5]
εἰσδέχομαι c. gen. II 112[3]
εἰσδύω II 457[4]
εἶσε ark. 301[3]
εἴσειμι II 457[5]
εἰσελάω II 457[5]
εἰσελθεῖν ἐν c. dat. II 461[3];
  – ὑπὸ τὴν στέγην II 530[6];
  τοῦ – II 372[5]
εἰσενέβην II 429[6]
εἰσενεγκοῦμεν spätgr. 784[5]
εἰσενέθηκε II 429[6]
εἰσέπτατο πέτρην ὑπ' ἴρηκος
  II 529[2]
εἰσέρχομαι (-εσθαι) II 73[1];
  – c. dat. II 142[7]; – c. loc.
  II 157[1.2]; s. εἰσελθεῖν
εἰσέτι 619, 3
εἰσεφρούμην, εἰσέφρουν 689[5]
εἴση 104[2]
εἶσθα 'gehst' hom. 662[4].
  674[2]
εἶσθε ngr. 678[3]
εἰσθρώσκω II 457[4]
*εισι 2. sg. 'wirst gehen'
  (εἶμι) 659[3]. 674[1]
εἶσι 'sie gehen' 674, 2

εἰσί 222[2]. 270[4]. 663[4]. 676[6].
  677[1]; -σίν II 623[2]; – αὐτῶν
  II 102[3]
-εἶσι dat. pl, von -εύς spät
  575[5]
εἰσιαίτω 674, 8
εἰσιέναι II 363[7]; – ὑπαὶ πτε-
  ρύγων II 528[1]; – εἴς τινας
  II 459[3]; – τοὺς τυράννους II
  76[4]
εἰσιέτω 674[4]
εἰσίημι II 457[4]
εἰσίθμη 492, 12. II 457[5]
εἰσίοντο 3. pl. ipf. 674[5]
.εἰσίουσιν 674[5]
εἰσκομίζομαι c. loc. II 157[1]
ἐίσκω 260[5]. 289[6]. 357[3]. 648[1].
  708[2]. 710[3]. 735[3]; -ειν II
  161[4]; ἤισκε 653, 8; s.
  ἔοικα, ἤικτο
εἰσμέτρηκεν 652[3]
εἰς νέωτα 424[1]; s. ἐς νέωτα
εἰς νῦν II 419[4]
-εἶσο indic., opt. 741[4]; s.
  εἴμην
εἰς ὄββδην 626, 6
εἴσοδος II 457[5]
εἰσοίσω II 291[4]
εἰς ὅ κε II 640[7], 2. 641[2.7].
  653[1.2]; εἰς ὄκε 630[1]; εἰσόκε
  629[6]. II 653[1]
εἴσομαι 346[8]. 781[6]. 783[1.7].
  II 226[1]; -εται 756[6]; εἰσό-
  μενος 788, 1; εἴσομαι μή II
  354[6]; s. εἰδήσω, οἶδα
  (εἶσον) 653, 2
εἰσόπιν 625[3]. II 540[5]. 541[2]
εἰσοπίσω II 427[6]. 540[5.6]
εἰσορῶ (-ᾶν) II 364[8]; – τινα
  c. partit. iI 394[5]; -όων II
  392[7]; s. ἐσοράω
εἰς ὅσον II 653[1]
εἰς ὅ τε (ὅτε) II 427[7]. 460[6]
  653, 2; εἰς ὅτε κεν II 653[2]
εἰσπέτομαι: εἰσέπτατο πέ-
  τρην ὑπ' ἴρηκος II 529[2]
εἰσπιφράναι 688[5]. 689[5.6]
εἰσπνήλᾱς lak. 484[6]
εἴσπνηλος lak. 483[5]
εἰσπραξάντων II 342[4]
εἴσπραξις ἔσται παρά τινος II
  498[2-3]
εἰσαγωγή att. 238[2]
ἔίση 104[2]
εἰσσπάω 289[8]
εἴστε εἰς delph. 629[5]. II 533[5]
εἰστεκότα 841[2]
εἰστήκειν 653[1]
εἰστήληι 276[4.5]; -λην 276[5]
εἰστίθημι II 457[5]
εἰστίων 654[1]; εἰστία ὁ. τῶν
  λόγων II 103[3]
εἰς τοὐπίσω II 540[6]
εἰσφορά II 616[2]

εἴσφρες (= εἰσπρόες) 402⁷
εἰσφρέσθαι 689⁵
εἰσφρέω: εἰσέφρουν, -εφρού-
μην 689⁵
εἰσφρῆναι H. 689⁵
εἰσχέω II 457⁴
εἴσχηκα 650¹
εἴσχυον hell. 655¹
εἴσω 550², 7. II 455⁴.456³.
546⁷·⁸. 547 ¹⁻⁴, 1. 2
εἰς ὦπα 619¹. II 441⁷; – ἰδέ-
σθαι II 456²
εἰσωποί 426, 4. 434, 5
εἶτα 613⁴. 629³. II 300⁴·⁵.
411⁵. 564¹. 569⁴. 628⁶. 633⁶
*εἶται 'erit' 788, 0
εἶται 767, 4
Εἰταῖος 195⁷
εἴτε: εἴτ᾽ οὖν II 585¹; εἴτε –
εἴτε II 573⁵. 630⁷. 631³.
633⁶. 688²; εἴτε – εἴτε ἄρα
II 559²; εἴτε ἄρα – εἴτε II
559²; εἰ – εἴτε II 688²
*εἶτε II 564¹
εἶτε 741⁴ (ἵημι)
-ειτε 2. pl. plusq. 776⁵. 778¹
-εῖτε 2. pl. opt. aor. pass.
794, 3
εἶτεν 629³, 6. II 564¹
εἴτην 3. du. att. 677⁴. 794, 3
(εἴην)
εἰτήσατο 655⁴
εἴτι kyren. 659³
εἴ τι(ς) ἄν II 214, 1. 569¹.
692, 2
-εῖτο indic., opt. 741⁴
-εῖτο opt. 688²
εἴφαγα ngr. 656⁸
εἶχα δέσει ngr. II 298⁵
εἴχεται · οἴχεται H. 721⁶
εἶχον 219⁴. 653¹; -ε 766, 3;
εἴχέτην 667²; εἰχόν με ἀνε-
λεῖν mgr. II 350³; εἶχε
δὲν εἶχε ngr. II 583, 2
εἴω indic. 674⁴
εἴω conj. (εἶμι) 674³. 790⁴;
(ε)ἴομεν 674³. 790⁴
-είω verba 724¹⁻². 728²⁻³.
789¹⁻²; – el. für -εύω 92⁴
(*-είω fut.) 787⁴
εἴωθα 261³. 282¹.649².703,4.
II 264⁴; – c. infin. II 365⁵;
εὐέθωκεν H. (lesb.) 654³.
775¹; εἴωθες Hyperid. 767⁴;
s. ἑώθεα
*εἴωθα 261³
εἴως 103³. 528, 3. II 313¹.
650⁶, 4. 651¹·²
ἐκ praep. 407³. 409⁵. 551¹.
II 268²·³. 422². 425³, 5. 6.
427⁵. 428⁵. 430⁵. 433⁶·⁷.
461⁴, 1–464; ἐκ II 461⁴;
ἐξ II 434⁶·⁷; – c. gen. II
434⁶·⁷; – c. gen. einer Per-

son II 120⁴; – διδασκάλων
II 464⁸; ἐκ τῶν γειτόνων
II 464⁷·⁸; – δεξιᾶς II 112,
4; – τοῦ ἀρίστου 'gleich
nach dem Frühstück' II
464⁴; – τοῦ προφανοῦς II
463⁵; – μήνιος II 464¹; –
παντὸς τρόπου II 464¹;
– τοῦ 335⁶. IJ 464³; – τού-
του II 464³; – τοῦδε I 619³;
– τῶνδε II 464⁴; – νέου II
464³; – τῶν γειτόνων II
464⁷·⁸; – γενετῆς II 464³;
ἐκ .. βῆ II 430⁵; τὰ ἔκ τινος II
417²; ἐκ- II 429⁵; s. auch
ἐγ, ἐξ, ἐς, ἐσσ, ἐχ
ἔκ (= ἐξ) 335⁶; – ποδῶν 590⁵
ἐκα- 632⁶
Ἑκάβη 439, 8. 496¹
*ἐκᾱβολ- 440, 0
εκαδι dat. sg. 597, 4
ἐκάεργος 439, 8
ἐκάην aor. 714³
ἐκάθᾱρα att. 753⁵
ἐκαθέζετο 652, 5. 656³
ἔκαθεν 628³. 630³. II 538³
ἐκάθευδον 656³
ἐκάθητο 656³; ἐκάθηντο 680¹
(ἐκάθθηκε äol.) 656⁴
ἐκάθιζον 656³
ἐκάθικα ngr. 764²
ἐκάθου ipf. 680²
ἐκαίνυτο 698¹
ἐκάλεσα 752⁴
εκαλια · πόρρωθεν H. 630, 4
ἔκαλος 484³
ἔκαμα ngr. 693, 6
ἔκαμνον 663⁵
Ἔκᾱροι (ἐν –) 181, 2
ἑκάς 630³. II 415¹. 474, 7.
538³⁻⁴, 1. 2; (*ἑκάς τις) 630,
4; – χρόνου II 114⁶
ἑκάς Kallim. 630³
ἔκασσα f. kyren. 473⁷
*ἕκασστος 630, 4
ἑκαστάκι megar. 598²
ἑκαστάκις kerk. 598²
ἑκαστάτω 630³. II 538³·⁴;
– τῆς Λ. II 114⁵
ἑκασταχῆι 630⁴
ἑκασταχόθι 630⁵
ἑκασταχοῖ 630⁵
ἑκασταχόσε 630⁵
ἑκασταχοῦ II 43⁶⁻⁷
ἑκαστέρω 534³. 630³. II 538³;
s. ἑκάς, ἑκαστάτω
ἑκάστοθι Od. 628⁴
ἕκαστος 226⁴. 587, 1. 614⁴.
630³, 4. II 693²; -οι II
182³; -ος ἑλὼν δέπας II
616⁷; – ὄιν δώσουσι II 616, 3;
ἕκαστα διακοπιᾶσθαι 630,
4; s. ἥκᾱστος, Ϝέκᾱστος
ἑκάστοτε 629². II 336²

ἑκατ- 525, 5. 678⁴
ἑκατάλαβα 656⁸
ἑκατέβη 656⁴
ἑκατεράκις 598²
ἑκάτερθε(ν) 627⁵
ἑκάτερος 595⁵. 614⁴. 630³, 4;
ἑκατέροιν II 48, 4; -τέρων
II 102³
ἑκατέρω II 48, 4
ἑκατέρωθεν Hdt. att. 628¹
ἑκατέρωθι Pind. Hdt. 628¹.
II 437³
ἑκατέρωσε Xenoph. 628¹
Ἑκάτη 439, 8
ἑκατηβόλον 102⁵
ἑκατηβόλος 439, 8. 593, 3
ἕκᾱτι 111². 528, 5. 550, 8.
622². II 558⁶⁻⁷
ἑκατόγγυιος 593⁷
ἑκατογκάρηνος Aesch. 593⁷
ἑκατόγχειρ Pind. 593⁷
ἑκατόζυγος 336⁸. 593⁷
ἑκατόμβη 301⁶. 357⁴. 426⁵.
450⁶. 577⁵. 593⁷; – ταύρων
II 129²
Ἑκατόμνως 638¹, 3
ἑκατόμπεδος 341⁵. 449, 3.
593⁷
ἑκατόμπυλος Θήβη 593¹
ἑκατόν 49³. 55⁷. 56⁴. 343⁴.
380⁸. 592⁴·⁵, 7. II 176²;
– ἕνας '101' ngr. 594, 3;
s. ἕκοτον, ἑκοτόν
Ἑκατονβούοις arg. 577⁴
ἑκατὸν *βοῶν II 176²
*ἑκατόνzdυγος 593⁷
ἑκατόνζυγος 337¹. 593⁷
Ἑκατόννησοι 386⁵. 593¹
ἑκατονστάτηρον gort. 337¹.
593⁷
ἑκατοντα- 437⁶
ἑκατονταετηρίς 593⁷
ἑκατονταέτης 593⁷
ἑκατοντακάρηνος 593⁷
ἑκατοντάκις spätgr. 594¹.
598¹
ἑκατοντάλαντος att. 593⁷
ἑκατονταπλασίων 536, 3. 593⁷
ἑκατοντάρχης Hdt. 593⁷
ἑκατόνταρχος Xen. 593⁷
ἑκατοντάς Hdt. 594¹. 597²;
-άδες ἓξ καὶ δεκὰς 596, 7
ἑκατοντάφυλλος 593⁷
ἑκατοντόπυλος 593⁷
ἑκατοντόργυιος Pind. 593⁷
ἕκατος 439, 8
ἑκατοστεύω 596⁴
ἑκατοστή f. (sc. μερίς) II 175⁶
ἑκατοστήριος 596⁴
ἑκατοστιαῖος 596⁴
ἑκατόστομος Eur. 593⁷, 3
ἑκατοστός 596²
ἑκατοστύ (-στή) f. ngr. 597⁴
ἑκατόστῡλος 593⁷, 3

ἑκατοστύς Xenoph. 597⁴
ἑκατόφυλλον gloss. 593, 3
ἑκατώρυγος 593, 4
ἑκατῶρυξ 263⁷
ἐκαύθην 714³
ἔκαυσα 714³. 745⁴. 781⁷
ἐκβάζω II 462⁵
ἐκβαίνω II 462⁴
ἐκβάλλω (-ειν) II 223². 224⁵.
  462⁵; – τι ἔν τινι II 458⁵;
  -ομαι ἀμφὶ ψάμαθον II
  439¹; s. ἐκβεβληκότες εἶχον,
  ἐγβάλλω
ἔκβασις II 357¹·³. 462¹
'Εκβάτανα 215, 2. 221, 1
ἐκβεβληκότες εἶχον 812⁷
ἐκβλήσκεσθαι mgr. 709¹
ἐκβλώσκω II 462⁵
ἐκγδοθῇ 238⁴
ἐκγεγάαντο Anth. P. 767, 7
ἐκγεγάασθε 767, 7
ἐκγεγάμεν infin. 767, 7. 806³
ἐκγεγάονται fut. 767, 7. 783⁶
ἐκγεγάτην hom. 767, 7. 769².
  776⁷
ἐκγεγαυῖα 541². 767, 7
ἐκγελάω (-ᾶν) 317². II 462⁵
ἔκγελως II 462²
ἐκγίγνομαι II 462⁵; ἐκγε-
  νέσθαι II 382⁸; ἐξεγένοντο
  Διός II 94¹
ἔκγονος 317². II 462¹; s.
  ἔσγονος
ἐκγράφω 317³
ἐκδαβῆι lak. H. 758²
ἐκδανειζέσθω kerk. 801⁶
ἐκδεδωρίδαται Hdt. 672⁴, 6.
  773²
ἔκδεια II 462²
ἐκδεχόμενος τὴν ἀρχήν II
  617¹
ἐκδέχομαι II 462⁵
ἔκδηλος II 462¹
ἐκδηλόω II 462¹
ἔκδημος II 464⁶
ἐκδιαβάντες II 429¹. 462⁷
ἐκδιδάσκω II 82³; -ομαι II
  83⁷; ἐκδιδαχθείς c. gen. II
  119³
ἐκδίδωμι (ἐκδιδόναι) II 272¹.
  462⁴; ἐξεδώκατε 127⁷;
  ἐξέδετο LXX 688³; ἐκδιδοῖ ἡ
  λίμνη ἐς Σ. ὑπὸ γῆν II 530⁷
ἐκδίκει τὴν ἐκδίκησιν II 341,2
ἔκδικος 159⁶. II 464⁷
ἔκδιψος II 462³
ἔκδοσις 335⁸
ἐκδοτήρ: ἐγδοτέρσι 567, 8
ἐκδύνω II 230⁵. 462⁵; -νο-
  μαι II 230⁵
ἐκδύω II 83². 230⁵; ἐκδῦμεν
  opt. 795⁵; ἐκδύομαι II 230⁵.
  462⁵; ἔναρα ἐκδῦσαι 736¹
ἐκε- demonstr. 613¹·², 2

ἐκέατο 679²
*ἐκεενος 613¹
ἐκεῖ 200¹. 613², 4. 622². II
  157⁶·⁷, 4. 413⁵. 563⁵; τὰ
  ἐκεῖ II 416¹
ἔκειεν kypr. H. 752, 4
ἐκεῖθεν 613². 628²
ἐκεῖθι 613²
ἐκείνινος 491¹. 613²
ἐκεινονί II 209³
ἐκεῖνος 613¹·⁴; (= ὁ δεῖνα)
  612⁵. 613¹. II 179². 208⁶.
  209²·³·⁷. 210¹·⁴·⁷. 413⁵; –
  ngr. 614⁴; -νοῦ 614⁵; s.
  κεῖνος
ἔκεινто 679², 4
ἐκείνως 624¹
ἐκειός (ekjós) ngr. 614⁵
ἔκειρα 751⁴
ἐκεῖσε 629²
ἐκεκεύθει Od. 777, 11
ἐκεκήδει H. 770³
ἐκέκλετο 673⁴. 748⁵
ἐκέκραγον LXX 784¹; -ξα
  LXX 784²
ἐκεκρᾱτηρίχημες Soph. 772, 3
ἐκέκριντο 671⁶
ἐκέρασα 752⁴
ἐκέρδηνα 754⁴
ἔκερσα 751⁴
'Εκεσθένης arg. 261⁷
ἐκεύθανον hom. 699⁷, 5
*ἔκευς, *-ευτ 745⁵
'Εκέφυλος delph. lak. 261⁷
ἐκεχειρία 261⁶. 441⁵
ἐκεχήνη altatt. 778¹
ἐκέχυντο II 288⁶
ἐκζέω c. gen., dat., acc. II
  111⁶
ἐκη- 632⁶
ἔκηα aor. ep. hom. 245⁶.
  349². 714³. 744⁴. 745⁴·⁵.
  781⁶; -ας, -ε 745⁵
ἐκηβόλος 439, 8
*ἔκηϝα aor. ep. hom. 349².
  714³
ἐκήρυξα 738⁷. 754³; -ε II
  621¹; ἐκηρύχθην 738⁷
ἔκητι 550, 8. 623⁴. II 552²·⁶
*ἔκηυς, *ἔκηυτ 745⁵
ἔκθαμβος II 462³
ἔκθανον II 268⁷
ἐκθεῖμεν opt. 794⁶
*ἔκθειμεν opt. 794⁶
ἐκθεῖος 437¹
ἔκθερμος II 462³
ἔκθλιψις 402⁸
ἐκθνήσκω II 462⁶; ἔκθανον
  II 268⁷
ἔκθορε imper. att. 799²
ἐκθός arg. 630². II 538⁴
ἐκθρός 210⁸
ἐκθρώσκω II 462⁵; ἔκθορε
  imper. 799²

ἐκίατο 681². 703⁴
ἔκιξα dor. 688, 5
ἔκιον 703⁴
ἐκίρνᾱ Od. 695²
ἐκίχεις 688, 5
ἐκίχης 688, 5
ἔκιχον 749¹; -ες 688, 5;
  -εν 688⁷
ekjós ngr. 614⁵
ekjú tsak. 94¹
ἔκκ delph. 231, 1. 238⁴
ἐκκαθαίρω II 462⁶
ἐκκαθεύδω: ἐξεκάθευδον II
  462³
ἐκκαίδεκα ion. att. 590⁵.
  594²
ἐκκαιδεκάς spätgr. 597²
ἐκκαιδέκατος 596³
ἐκκακή ' ὧδε H. 613, 2. 632³
ἐκκαλέω (-εῖν) II 462⁵; – ἐξ
  II 700⁸
ἐκκαλύπτω II 462⁵; s. ἐκκε-
  καλυμμένος
-εκκας in Namen 636⁵
ἐκκατέπαλτο II 429, 1
ἐκκατιδών Περγάμου II 428,1
ἐκκεκαλυμμένος II 182⁴
ἐκκεκομμένος τὸν ὀ. II 85²
ἐκκεκρουμένος 773³
ἐκκλησία 162⁴. 163³. 270⁶.
  315²
ἐκκλησιάζω: ἠκκλησίαζον,
  ἐξεκκλησίαζον 656¹
ἐκκοιτέω II 461⁷
ἐκκοιτία II 461⁷
*ἔκκοιτος II 461⁷
ἐκκόπτομαι τὸν ὀφθαλμόν II
  84⁷; ἐκκεκομμένος τὸν ὀ. II
  85²
ἐκκπρᾶξαι 238⁴·⁷
ἐκκραγγανομένων 699⁷
ἐκκρούω: ἐκκεκρουμένος 773³
"Εκκτωρ 238⁴
ἐκκυβιστᾶν ὑπὲρ ξιφῶν II 521²
ἐκκυκλέω 726⁵; -κλήθητι 760,6
ἐκκυλίνδομαι ἐπὶ στόμα II
  473³
ἐκκυνέω II 461⁷
ἔκκυνος II 461⁷
ἔκλαγξα hom. 699⁷; -αν
  692⁷. 748². 754⁵; ἔκλα-
  γον aor. 692⁷
ἔκλαε 781⁷; -εν 747²
ἔκλαμπρος II 462³
ἐκλανθάνω II 108⁴; -ομαι II
  462⁶
ἐκλαπῆναι Aristoph. 759⁶
ἔκλασα 676¹. 752⁴; ἐκλάσθη
  761⁴
ἔκλαυσα 714⁴. 754³
ἐκλάχοι II 323³
ἐκλέγομαί τι πρὸς τρόπου
  II 515⁴
ἔκλεεν 747, 5

ἐκλείπειν τὸν βίον πρὸ τῆς εἰμ. II 507⁶; ἐγλείπειν 335⁷
*ἔκλειτ 761, 6
ἐκλεκτὸς κυρίου II 119⁴
ἐκλέλαθον Ilias 748⁷; – κιθαριστὺν αὐτόν II 108⁵
ἐκλεπυροῦν II 462⁶
ἐκλέπω 759⁶
ἔκλευκος II 462³
ἐκλέφετο 704⁵
ἐκλέψασαν 3. pl. aor. 666¹
ἐκλήγω δακρυρροοῦσα II 393²
ἐκληθάνει II 462⁵
ἐκλήϊσα hom. 727⁴
(ἐκλήϊσσα) 727⁴
ἐκλησία 231¹
ἔκλησις II 357⁵. 462¹
*ἐκλίη 761, 6
ἔκλιμος II 462³
ἔκλῖνα 752¹. 761⁶; -ε 739⁷; -αν 694⁴; -ίθη 694⁴; -ίνην 714¹; -ίνθη 694⁴
ἐκλιπεῖν II 365⁴
ἐκλογιζούσθω imper. kerk. 802²
ἔκλογος 460⁵
ἐκλύομαι ἐκ τοῦ σώματος II 433⁶
ἔκλυον 642⁴. 664¹. 674⁵. 740³. 781⁶
ἐκλυτόω II 268, 2
ἔκλων 676¹
ἔκμαγη- 759⁶
ἔκμηνος 335⁸
ἐκμυζάω II 462⁵; -μυζήσας 721³
ἐκνᾶσ- 675²
ἐκνεύω II 268, 2
ἐκοᾶμες· ἠκούσαμεν dor. H. 721, 10
ἐκοῖσα kyren. 95⁶. 288³
Ἐκολίνη für Εὐκ- 199²
ἔκομεν· ἠσθόμεθα H. 721⁶, 10. 740⁶
ἐκομιξάμεθα böot. 738¹
ἑκοντηδόν 623³
ἑκοντήν adv. 623³
ἑκοντής II 175³
ἑκοντί adv. 623³
ἐκόρεσα 752⁴, 7
ἔκοτον '100' lesb. 220⁶
ἑκοτόν ark. 81³. 88⁶. 344³. 592⁴; s. ἑκατόν
ἑκούσιος 525⁵. II 180³, 3
ἔκπαγλα adv. 621². 632⁵
ἔκπαγλος 260². 483³. 484⁶. II 242¹
ἔκπαλαι hell. 619³. II 428¹. 462³
ἐκπαλής II 462²
ἐκπάλλω II 462⁵
ἔκπαππος II 464⁶
ἔκπεδος ion. att. 335⁶
ἐκπείπτομεν 690, 3
6 H. d. A. II, 1, 3

ἐκπέμπα conj. el. 792, 4
ἐκπεπλῆχθαι II 299⁵
ἐκπέποται II 237⁴. 462⁵
ἐκπεράω τι ὑπ' ἐγκεφάλοιο II 527⁶
ἐκπέρθω II 462⁶; -ρσει 782²; -ρσειν II 296⁵. 365⁶; -ρσαι II 365³. 419³
ἐκπέρυσι II 462³
ἐκπεσεῖν s. ἐκπίπτω
ἐκπέταλος II 462²
ἐκπετήσιμος II 462⁶
ἐκπέφαται II 462⁶
ἐκπεφευγοίην att. (Soph.) 795⁶
ἐκπιέζω II 428⁴
ἔκπικρος II 462³
ἐκπίμπλημι II 462⁵
ἐκπίνομαι; -πέποται II 237⁴. 462⁵; ἐκπίνεσθαι ὑπὸ χθονός II 529⁶
ἐκπίπτω (-ειν) 324⁷. II 223². 224⁵; ἐκπείπτομεν 690, 3; ἐκπεσεῖν 757⁴. II 366⁵; -πεσσεῖν 238³; ἐκπίπτειν c. dat. II 148⁵; – ὑπό τινος 757⁴. II 226⁸. 529³; ἔκπεσε δίφρου II 91⁸; ἔκπεσέ οἱ χειρός II 136, 1
ἐκπλαγῆναι s. ἐκπλήσσω
ἐκπλεῦσαι II 296⁵
ἔκπλεως II 462²
ἐκπλήγνυσθαι att. 697³
ἐκπλήσσω II 462⁶; ἔκπληγον, -εν 759⁵; ἐκπλαγῆναι att. 759⁴; ἐκπεπλῆχθαι II 299⁵; ἐκπλαγεῖσα θυμόν II 85³
ἔκπλουν ποιεῖσθαι II 279²
ἐκπλώσαντες κατά τι II 479⁴
ἔκπνοος II 462²
*ἔκ ποδῶν 389⁴
ἐκποδών 389⁴. 618⁷. 625⁴. 632⁴. II 420⁴. 464⁸
ἔκποθεν II 462³
ἐκποιῶ τι c. gen. II 128⁴
ἔκπους att. 591⁵
ἐκπρεμνίζειν II 462⁷, 3
ἐκπρεπής II 462¹; – ἐν πολλοῖσι II 155⁶; ἐκπρεπεστάτη εἶδος II 85⁷
ἔκπρηξιν II 462¹
ἐκπροκαλεσσαμένη II 429².·³. 462⁷
ἐκπρολιπόντες II 429². 462⁷
ἐκπτήσεται 742⁵
ἐκπυνθάνομαι II 462⁵
ἔκπυρος II 462²
ἔκπωμα II 462²
ἐκρατηρίχθημες 772, 3
Ἐκράτους 199²
*ἐκρέμαα aor. 751¹
ἐκρέμα(ο) 681¹; ἐκρέμω 681¹
ἐκρέμασα 752⁴; ἐκρεμάσθην 763⁴

ἐκρερευκώς 649⁴
ἐκριζοῦμαι pass. II 241³
ἔκρῑν II 461⁷
ἔκρῑνε 640, 4; -νον 3. pl. II 245⁴. 621¹; -ναν 694⁵; ἔκριννα lesb. 694⁵; ἔκρινναν ark. 281³
ἔκριξα Ael. 716³
ἐκρύβην NT 737⁶
ἔκρυβον Lukas 760, 2
ἔκρυθμος II 464³
*ἔκρύς II 30, 5
ἐκσαόω II 462⁶
*ἐκσῆFαι 745, 4
ἐκσημαφόρος 39⁶. II 464⁷
*ἐκσῆσαι, ἐκσῆυσαι 745, 4
*ἐκσ κακοῦ 336⁵·⁶
ἔκσκευος II 461⁷
*ἔκσλυσιν 312¹
ἐκσπονδος II 464⁶
*ἐκστός 323⁷. 326⁷. 336⁴. 630, 3
*ἔκστρ- 631¹
*ἔκστραˣ 326⁷
ἐκστρεφον II 341⁴
ἐκσχίζω agr. 736⁶
ἐκσῴζω II 353⁴
ἔκτᾱ 651⁶. 739⁷. 740⁴·⁵, 3. 754⁵
ἐκτάδην 626³
ἐκτάδιος 467¹
ἔκταθεν 760⁶
ἐκτάθης 762, 3
ἔκταμεν 357¹. 697², 6. 740²·⁴; ἔκτατε 740⁴; ἔκταν 3. pl. 740⁴
ἔκτανε 739⁷. 754⁵; ἔκτανον 660, 4. 740⁴
ἐκτᾶσᾱ Theokr. 668, 4
ἔκτατο 357¹
ἐκτείνω II 462⁶
ἔκτεισις II 357⁴
ἐκτελέω (-ῶ, -εῖν) II 268⁴. 431⁵. 462⁶; -έεσθαι II 375⁸; -έω τι ὑπ' ἀνάγκης II 528³
ἐκτελής II 462²
ἐκτέμνω II 284⁶; -ομαι II 164⁶
*ἔκτεν 3. pl. 343². 357¹. 739⁷. 740⁴. 798, 9
ἐκτενής 514¹
ἐκτεύς 477². 596⁴. 599²
ἔκτημαι 412⁷. 649⁶
ἐκτίθημι II 462⁵; ἐκθεῖμεν opt. 794⁶
ἔκτικα 649⁶
ἐκτιμασέντι kyren. 253³ 663⁴, 4. 786⁶
ἔκτιμος II 461⁷
ἔκτισα, -σσα 674⁵
ἔκτοθε 630²
ἔκτοθεν 628³. II 538⁵. 539¹·³
ἐκτόθεν II 427⁷

ἔκτοθι 628⁴. 630². II 538⁵·⁶.
539²
ἐκτόπιος II 464⁶
ἔκτοπος II 464⁶
Ἕκτορ; s. Ἕκτωρ
Ἑκτόρεος hom. 106³. 275².
II 177²
ἐκτός 323⁷. 326⁷. 335⁶. 630²,3.
II 463¹. 538⁴f.; – c. gen.
II 435²
ἔκτος 335⁶. 596¹, 1; ἕκτη
ἐπὶ δέκα att. 594³
ἔκτοσε 629, 3. 630². II 538⁷, 4
ἔκτοσθε 619². II 463¹
ἔκτοσθεν 630². II 538⁵·⁷
ἔκτοτε 619³. 632⁴·⁷
ἐκτότε II 428¹
ἐκτράνιος 335⁶
ἐκτρέπεσθαι II 73, 1
ἐκτρέφειν τι εἴς τι II 460²
ἐκτρῖψαι ὑφ' ἕν II 532¹
ἐκτρῶι 743²
ἔκτυπε hom. 747⁴
ἔκτυπος II 462²
*ἐκτυπόω II 462²
ἔκτυφος II 462²
Ἕκτωρ 637⁴; Ἕκτορ voc.
II 60⁵
ἐκύδανον 700¹
ἐκύησα att. 709²
ἔκυθον 699⁷
ἐκυλίσθη 761³
ἐκυρᾷ 304⁶. 381⁴. II 30, 5
ἐκυρή 460³
ἐκύρησα 721³. 753⁴
ἔκυρος 304⁶. 381³. II 30, 5
ἔκυρσα hom. Hdt. 721³.
753⁴. 782²
ἔκῦσα aor. (κύω) 709²
ἔκυσσα hom. 692²
ἐκφαίνω (-ειν) II 272². 462⁵;
-εσθαι ὑπὸ βλεφάρων II
527³
ἐκφάσθαι II 381⁵
ἐκφερομυθέω 442⁴
ἐκφέρω (-ειν) II 364¹. 462⁴
ἐκφεύγω (-ειν) II 273⁶. 426⁶.
462⁴; -φεύξειν pap. 781, 5;
ἐκφυγεῖν II 269¹. 388⁶;
ἐκπεφευγοίην att. (Soph.)
795⁶; ἐκφεύγω πρός τινος
II 515⁵
ἐκφεφόρτισμαι 649²
ἔκφημι II 462⁵
ἐκφθίνω II 462⁶
ἐκφλῆναι aor. Eurip. 714⁵
ἐκφλύζω 699⁷
ἐκφλυνδάνω Hippokr. 699⁷
ἐκφλύσσω 699⁷
ἐκφλύω 699⁷. 714⁵
ἐκφοβῆσαι (τὸ) II 371⁶
ἐκφοβήσειν (τὸ) II 369, 6
ἔκφοβος II 462³
ἐκφοβῶ II 80¹

ἐκφορά II 620⁵
ἐκφόρηγα (= -ρια) hell. 312⁷
ἐκφούγιν pisid. 183⁶
ἐκφρέντωσαν imper. 689⁵
ἔκφρες imper. 689⁵
ἔκφρων II 461⁷
ἐκφυγεῖν II 269¹. 388⁶
ἐκφύω II 272⁵
ἐκχέω II 462⁴
ἐκχθέματα 238⁴·⁷
ἐκχρηγή 212⁴
ἔκχταν koisch 211³
ἐκχυμοῦν II 462⁶
ἐκχύννεσθαι περὶ πολλῶν II
503⁷
*ἔκων 721, 10
ἑκών 227¹. 380⁸. 525⁴·⁶. 566⁴.
678⁴. 816³. II 174². 180²·⁷,
3. 405³·⁴. 408³. 552, 2;
– ἀέκοντα II 700⁶; – εἶναι
II 378⁷. 379⁴; – εἶναι οὐ
II 378⁵; οὐχ ἑκόντος ἐμοῦ
II 405⁴; ἑκόντα κακά II
180⁷
ελ > delph. αλ 275³
ἐλα- 769, 7
ἔλα (-ᾶ) 798, 12; – imper.
ngr. 681, 10. 804⁵. II 16⁵.
341⁷; ἐλάτε pl. ngr. 804⁵;
s. auch ἐλάτω
ἐλᾶ att. 562³
ἐλάα att. 195⁵. 266²
ἐλάαν II 362⁸. 381³
ἐλάβεσκε 711⁵
ἔλαβον 654⁴. 699⁴. 737⁴.
781⁴; ἐλάβοσαν 666¹; s.
ἔλλαβε, λαβεῖν
ἐλάγχανον 699⁵
*ἐλάγχjων 319⁶
ἐλάζυτο 698²
ἐλάη 266³
ἐλαηρός 482⁵
ἐλαθη- 761⁵
ἔλαθον 748⁷; ἐλάθομεν ἡ.
αὐ. διαφέροντες II 392⁵;
ἔλαθον ἐσελθόντες II 392⁴;
s. ἔλλαθον, ἐλέλαθον, λαθεῖν
ἐλαθρός 303¹
ἐλαία 266³. 314⁵. 461². 562³.
II 30⁴
ἐλᾶιδας acc. pl. 266¹
ἐλά(ι)διον 266¹
Ἐλαιεαν 194⁶
*ἐλαιϜᾶ 266²
*ἔλαιϜον 266²
ἐλαίη ion. 266³
ἐλαίινος 266³
ἐλάϊνος 266¹
ἐλαϊνοῦς 468¹
ἔλαιον 458⁵. 470⁵. II 30⁴
ἐλάκησα 708². 748¹
ἔλακον aor. ep. 708²
*ἔλαμαι 681³
ἔλαμι 72⁴. (682¹)

ἐλαμβάνεσαν 666²; -οσαν 666¹
ἔλαν 254³
ἐλᾶν 266³; – τινα c. abl. II 91⁷
ἐλάνη 256¹
ἐλᾶντι fut. Kos II 258⁴
ἐλᾶς, -ᾶν f. 248⁸
ἐλάσας: ἐλάσαντες II 258⁴
ἐλασᾶς 461⁷
ἐλάσασκε(ν) 711⁵. II 278³;
-ε σκήπτρῳ II 166¹
ἐλάσσαι 752⁵
ἐλασσόω 732¹; -οῦσθαι II
363³
ἐλάσσω 250¹
ἐλάσσων ion. att. 287⁷. 319⁶.
536⁶. 538²·³, 4. 539, 4;
-ονες acc. pl. m. ach. 563⁵;
ἐλάσσων οὐδεμιᾶς II 98, 3;
ἐλάσσω τοῦ πατρός II 99⁵;
s. auch ἐλάσσων
ἐλαστρέω hom. 706⁵
*ἐλάσω fut. 767, 7
ἐλάτε 2. pl. imper. ngr. 804⁵
ἐλάτονος 318³
ἔλαττον: – τῆς ἀξίας II 99⁶
ἐλαττονάκις 598¹
ἐλάττων οὐδενός II 98, 3;
s. ἐλάσσων
ἐλάτω imper. koisch 681⁴.
II 258⁴
ἐλαυθέραν delph. 198⁵
ἐλαυνέμεν II 363²
*ἐλαυνjω 283⁶. 521⁴
ἐλαύνω 283⁶. 521⁴, 4. 733⁴;
ἤλασα 749, 1. 752⁴. 769, 7;
ἐλαύνειν ἵππους περὶ νεκρόν
II 504¹; – (ἵππον) II 71⁷.
707⁶; – τῷ ἵππῳ II 165⁶;
– τι διά τι II 453¹; – τι
ὑπὸ σποδοῦ II 528¹; – μῆλα
ὑπὸ κόπρον II 530⁴; – ὄγμον
κατ' ἄρουραν II 476⁵; –
κατὰ πόδας τινός II 478⁴;
– .πέρα ὅρου II 541⁷;
– κατ' ἄκρης II 480⁷⁻⁸;
s. auch ἔλα, ἐλάαν, ἐλᾶν,
ἐλᾶντι, ἐλάσας, ἐλάτω, ἐλάω,
ἐλῶν
*ἔλαυς 733⁴
ἐλαύτατον 521, 4. 534, 11
Ἐλαφηβολιών 438⁶
ἐλαφηβόλος ἀνήρ II 614⁶
ἐλαφῖνα ngr. II 32, 4
ἐλάφιον 471, 6
ἔλαφος 284². 381⁷. 486⁴.
495⁵. II 31³·⁵
*ἔλαφός 302⁴
ἐλαφρός 302⁴. 411⁸. 481⁵, 15;
-ότερος πόδας II 85⁵
ἐλάχεια 379⁵
*ἐλαχϜος 302⁴
ἐλάχιστος 539⁵
ἐλαχιστότερος 539⁵
ἐλαχίστου II 308¹·²

ἔλαχον 699[5]. 748[5]. 781[6]; -ε
τειχοποιός II 624[4]
*ἔλαχρος 302[4]
ἐλαχύς 298[7]. 302[4]. 463[2].
538[2]
ἐλάω 72[4]. 767, 7. 784[6]; s.
ἐλάαν, ἐλᾶν, ἐλᾶντι, ἐλῶ,
ἐλῶν
ἔλδομαι 314[2]. 701[6], 5. 702[6];
– τινος II 105[2]; – τι II
105[6]; ἔλδεσθαι πεδίοιο διὰ
ῥωπήια II 453[1]
ἐλε- (ἐλο-) 673[3]. 746[4]
*ἔλε- (ὀλε-) 747[1]
ἔλε(ν) II 638[1.2]; ἔλε τινὰ
κόμης II 130[2]; s. ἑλεῖν,
εἷλον
ἐλεαίρω (-ειν) 724[6]. II 277[3].
396[3]
ἐλεᾶς 461[6]
ἐλεατρός 532, 1
ἔλεγον: -ε II 276, 2; -ες
ngr. II 309[2]; ἐλεγέτην 667[3];
ἐλέγοσαν 661[1]; ἔλεγε (sc.
ὁ κριτής) II 621[2]
Ἐλεγξῖνος 635[6]
ἔλεγος 458[5]
ἐλεγχέες hom. 513[5]
ἐλεγχθη- att. 761[5]
ἐλέγχιστος 539[1]. II 176[6]
*ἐλεγχίων 538, 4
ἔλεγχος 458[3]. 539[1]
ἐλέγχω 684[4], 10; -ων nom.
abs. II 404[1]
ἐλεδώνη 529[7]
ἐλεέω (ἐλεεῖν) 726[3]; – c.
gen. II 133, 3
*ἔλεϝαρ 724[6]
ἐλεημοσύνη 529[4]
Ἐλείθυια 257[8]
ἑλεῖν 807[2]. II 296[7]; – τινα
διά τινα II 453[4]; – κῦδος
ὑπὲρ Διὸς αἶσαν II 519[6];τοῦ
ἑλεῖν II 361[5]; s. auch
εἷλον, ἧλον, ἔλε, ἔλεσκον
ἔλειπον 640, 2; ἐλείπομεν
641[7]; s. λείπω
ἔλειπτο aor. 679, 1
eléison ngr. 179, 2
ἔλειφθεν pass. 759[2]
ἔλειψα 755[5]
*ἐλέκσμαν 762[6]
ἐλέλαθον 748[4]
ἐλέλειπτο hom. 777[2]
ἐλελεῦ interj. 716[5]
ἐλελεῦ interj. 716[4]. II 600[4].
601[2]. 620[2]; ἐλελεῦ ἐλελεῦ
II 601[2]
ἐλελίζω 648[1]. 716[4]; ἠλέλιξα
716[5]; ἐλελίζετο ὑπὸ βρίμης
γλαυκώπιδος II 528[5]
ἐλελίχθων 444[1]
ἐλελύζω (= ὀλολύζω) lesb.
716[5]
6*

Ἑλένα 476[1]
ἐλέναυς 442[1]
ἐλένη 256[1]
Ἕλενος II 66[3]
ἔλεξα 751[4]
ἐλεδρέοντος 726[5], 10
ἐλέπτολις 442[1]
ἐλέσθαι II 363[1]
ἔλεσκον 711[5]
ἐλεσπίς 507[3]
ἔλεστειν infin. aor. 809[4]; s.
ἑλέσται
ἑλέστω lokr. 205[6]
ἐλετή 502[3]
ἕλετο II 82[5]; – ὅρκον ἐμεῦ
II 94[5]
ελετρυϝονα unterital. 256[1]
ἑλέτω 801[4]. II 342[7]
ἔλευ imper. 799[6]
Ἐλευθύνια lak. 217[4]. 256[4]
ἐλευθ- 674[5]
Ἐλευθενναῖος 323[2]
ἐλευθερεσθείς thess. 736[5]
ἐλεύθερη adj. f. ngr. 586[3]
ἐλευθερία 422, 1. 469[1]; -ας
ἧς κέκτησθε II 641[1]
ἐλευθέριος 466[3]
Ἐλευθερολάκωνες 453[4]
ἐλεύθερος 411[7]. 482[1]. II
178[1]; – ἐκ δούλου II 463[7];
– c. abl. II 96[3]; τοὺς ἐλευ-
θέρους II 46, 1; s. auch
ἐλευθερώτερος, ἐλούθερος,
ἐλύθερος
ἐλευθερῶ II 259[3]; ἐλευ-
θερώθησαν τυράννων II 93[4]
ἐλευθερώνω spätgr. 697[5]
ἐλευθέρως II 415[5]
ἐλευθερώτερος II 184[6]
Ἐλευθήρ 481[1]. 569[3]
ἐλεύσαν Ibyk. 747[5]; s. ἤλευσα
Ἐλευσινάδε 624[6]
Ἐλευσῖνι loc. II 155[1]
Ἐλευσίνια II 43[7]
Ἐλευσινόθε 628[3]
Ἐλευσίς 465[5]; -σῖνι loc.
II 155[1]
ἐλεύσομαι 347[2]. 358[4]. 737[2].
747[5]. 782[4]. II 292[6]; -σε-
σθαι ἐς θέρος II 460[5]; –
παρὰ ναῦφιν II 497[4]
Ἐλευσύνιος kret. ther. 256[4]
ἐλεφαίρομαι 724[6], 11
*ἔλεφαρ 724[6]
ἐλέφᾶς 526[3]; -αντες II 497[5]
ἐλέχθην 760, 1; -θης 762[5.6];
-θη 762[6]
*ἔλεχθο 763[6]
*ἐλέχμαν 762[6]
ἔλεψεν II 82[8]
*ἐλϝαρ 314[5]
ἔληνον 654[4]
ἐληλάδατ(ο) 672, 8. 773, 1;
– ἐς μυχόν II 459[6]

ἐλήλαται att. 766[4]; -το hom.
777[2]
ἐληλέατ(ο) 672, 8
ἐλήλεγμαι 214[8]
ἐληλέδατ(ο), -δετ(ο) 672, 8
ἐλήλυθα 704[1]. II 258[4]; ἐλή-
λυθμεν 357[1]. 769[3]; ἐλη-
λύθαμεν 767[2]; s. auch
εἰλήλουθα
ἐληλύθεε 652, 4. II 288[4.7]
*ἐληλυθῄην, pl. *-θῖμεν 795[6]
ἐλήλυμεν att. 704[1]. 769, 7;
-υτε 769, 7
ἔληξα Herod. 748[1]
ἐλη(ρ)τούργησεν 257[6]
ἔλησα 755[6]
ἔληται II 312[8]
ἔλθατε, -θάτω 753[7]
ἐλθέ 390[1]. 746[3]. 747[4]. 799[2].
II 339[5]; ἔλθετε 379[6]. II
339[5]; *ἐλθέτε 379[6]; s.
ἔλθατε
ἐλθεῖν 746[3]. II 258[4]. 382[6];
– διά τι II 452[8]; – δι' ἀπεχ-
θείας II 452[3]; – ἐκ πολέ-
μοιο II 463[4]; – ὀφθαλμοῖο
διαπρό II 450[5]; – εἴς
τι(να) II 459[3.4], 2; – ὥς
τινα II 533[7]f.; – ὡς ὑμᾶς
II 533[7]; – ἐπί τι II 473[1];
– ἐπὶ νῆας II 472[5]; – ὑπὸ
νόον τινός II 531[3]; – ὑπὸ
Ἴλιον, ὑπὸ Τροίην II 531[3];
– ὑπὸ τὴν ῥάβδον II 530[6];
– ἀμφὶ Δωδώνην II 439[1];
– διά τινος II 450[4.5]; – εἰς
φόβον II 255[3]; – εἰς ἔχθος
II 255[4]; – ὑπὸ σπλάγχνων
ἐς φάος II 527[4]; – σὺν
ἵπποισιν II 489[6]; – ἄγγελον
σὺν ἀγγελίῃ II 489[7]; –
παρὰ τοὺς νόμους II 495[2];
– παρά τινα II 494[8]; – μετά
τινα II 486[4]; – ὑπὲρ ἄγαν
II 518[4]; – ὑπὲρ πόντον II
519[3]; – ἐπὶ τὸ ἔσχατον
ἀγῶνος II 472[6]; – ἐπὶ
πᾶν II 472[6]; – παρ Διός
497[5]; – παρὰ μικρὸν II
496[6]; – – c. infin. II 496[7];
– παρ' οὐδέν c. infin. II
496[7]; – παρὰ τοσοῦτον κιν-
δύνου II 496[7]; s. auch
ἦλθον, ἤλυθον, ἐλθέμεν, ἔλ-
θω, ἐλθέ
ἐλθεῖν (τὸ) II 370[4]; τὸ μὴ
οὐκ – II 372[2]
ἐλθέμεν ἐς ὀφθαλμούς τινος
II 459[4]; – τιν' ἔπι II 472[7]
ἐλθέμεναι 747[4]
ἐλθετῶς kypr. H. 800[1]. 801[3].
803[1.2]. 836[2]. II 339[6]
ἔλθοιμι 747[4]
ἔλθω 747[4]

ἐλθών 746³. 747⁴; – ἐκ II
463³; -όντες (anacol.) II
617¹
ἐλίγαινον Ilias 733¹
Ελιεζερ 154⁵
ἑλικῶπις II 182⁸
ἑλίκωψ 426, 4
ἑλινύες 495⁴
*ἐλινῦμι 693²
ἐλῖνύω 693², 4; – ἐργαζόμενος
II 393³
ἕλιξ 497⁵
ἔλιπον 640, 2. 643⁴. 651³.
755⁵; ἔλιπε 56⁵; ἐλίπομεν
641⁷; -ετε 663¹; ἔλιπες
ἔλιπες II 700²
ἑλίσσω 725⁴. 771⁷. II 72⁷;
s. εἱλίσσω, ἑλίττω; ἑλίσσε-
σθαι περί τινι II 501².³
ἑλιτόμην aor. ipf. 746³
ἑλίτροχος 444⁴
ἑλίττω: εἴλιττον att. 654¹
ἑλιώνας ngr. 488⁵
ἑλκαίνουσι dat. 700⁵
ἑλκανῶσα H. 700⁵
ἕλκε ipf. 721¹
ἑλκέμεν II 375⁴
ἑλκεσι- 443⁵. 444¹
ἑλκεσίπεπλος 441². 444, 1.
445⁴
ἑλκετρίβων 441⁴
ἑλκεχίτων 441².³. 445⁴
ἑλκέω hom. 718⁴; ἕλκεον,
εἵλκεον 721¹; ἑλκήσω 718⁴;
-ήσουσ(ι) 721²; -ήσουσιν II
352¹; ἕλκησε 721²; ἑλκή-
σωσιν 721²; ἑλκηθείσας
721²; ἑλκηθη- 762¹
ἑλκηδόν Hes. 626⁴
ἑλκηθμός 721¹
ἑλκησ- s. ἑλκέω
ἕλκομαι (-εσθαι) II 272⁴;
ἕλκεο II 251, 1; εἵλχθην
spätgr. 721²; ἕλκομαί τι
c. dat. II 151³; – χειρί II
166¹; – τι ἔκ τινος II 463³;
– ὑπὸ χερσὶν Ἀχαιῶν II
526⁵
ἕλκοντε f. II 35, 1
ἕλκος 511⁷. II 79².³. 82²; –
ὕδρου II 119²
ἑλκόω 732¹
ἑλκυστάζω hom. 706⁴. 755, 6
ἑλκύω: εἵλκυσα 721¹, 2. 755⁵,
6. II 258⁵, 6; εἵλκυκα 775⁴;
ἥλκυκα 653, 5; ἑλκυσθη-
Hdt. 761⁴; ἑλκύσθην Hdt.
721²
ἕλκω 684⁴. 721¹. 755, 6. II
258⁵. 353⁶; ἕλκε ipf. 721¹;
εἵλκον 653, 5; ἑλκέμεν II
375⁴; εἵλξα 755⁵; ἕλξα,
-ξω 721²; ἕλκω πεδίοιο II
112⁴

ἑλλά lak. 78³. 323³. 481⁴.
483³
ἕλλαβε hom. 310⁵·⁸. 654³.
700¹. II 81, 1; s. ἔλαβον
ἐλλάβετ(ο) Od. 748¹
ἔλλαθι pf. äol. (lesb.) 281⁷.
686, 7. 689, 2. 800⁴, 7
ἔλλαθον 654³; -ε 310⁸; s.
ἔλαθον
ἐλλάμψεσθαι Hdt. 781⁷
Ἕλλᾱνες 78³·⁴
Ἑλλᾱνοδίκας 441, 3
Ἑλλανοζίκαι 78¹
Ἑλλάς 77⁶. 80⁶; -άδι loc.
II 154⁸
ἔλλατε 684, 7
ἔλλαττον 238³; s. ἔλαττον
ἐλλεδανοί hom. 530¹
ἐλλείπω: – τινός II 101²; -ει
τινός II 101²; s. ἔλλιπον
ἔλλετε 684, 7
ἔλλευκος 435⁴
Ἕλλην 78¹·⁵·⁶. 122⁵, 1; –
ngr. 824⁶; ὁ – II 41⁷; –
γῆ II 176⁴; – φόνος II
178¹; – εἴ καὶ ἡμεῖς II
612⁵; Ἕλληνες 77⁵·⁶. II
45³; (– 'Kolonisten') 78, 4;
τὰ τῶν Ἑλλήνων II 177⁴;
s. Ἕλλανες
ἑλληνίζω (-ειν) 118, 1. 736³
Ἑλληνικός 824⁶; -ἡ δύ-
ναμις II 182⁴; ἡ -ή II
175⁷; τὸ -όν II 174⁶; τὰ
-ά II 177⁴
Ἑλλήνιον 78¹
Ἑλληνιστί 623³
Ἑλληνοταμίας 446, 3
Ἑλλησποντιακαὶ πόλεις II
182⁴
Ἑλλήσποντος 446¹
ἐλλιπής c. abl. II 96³
ἔλλιπον 654³; -ε 310⁸
ἔλλιστες Hdn. 632³
ἔλλοβος II 457²
ἐλλόγιμος ἔς τινα II 459²
Ἕλλοι 78²
Ἕλλοπες 78²; Ἕλλοπες 426, 4
Ἑλλοπίη 78²
ἐλλός 284². 323³. 486⁴. 495⁵
ἔλλυσις kret. 312¹. 398⁷
ἐλλύτας thess. 500²
Ἑλλωτίς 78²
ἔμιγξ 498³
ἔλμινς 287³. 495³. 510⁶. 566²
Ἐμμωδαμ 163¹
*ἐλνός 495⁵
ἔλξα aor. spätgr. 721²; -ξω
fut. Aesch. 721²; οὐχ ἔλ-
ξετε II 292⁷; s. ἕλκω
-ελο/ᾱ-Ausg. 483⁴·⁵
ἔλογχα spät poet. 649⁶
ἐλόεσα 752⁴
ἔλοιμί κεν II 329²

ἑλόνσι dat. pl. kret. 566²
ἕλος 304¹. 511⁷; s. Ἡέλει
ἐλούεον 682⁴
ἐλούθερος kret. 194⁴
ἐλούστηκα ngr. II 238²
ἔλπει verb. caus. hom. 701⁶
Ἔλπει f. 464³
Ἐλπήνωρ hom. 441⁴. 701⁷
Ἐλπίδιος 467³
ἐλπίζω 72⁴. 330². 701⁷. 735,
4. 771³. 775²; ἤλπιζε 654²;
ἐλπίσω, ἐλπιῶ 739¹; ἤλ-
πισα 739¹. 754³; -κα 739¹.
775²; -σται 771³; ἐλπίζω
ἐλεῖν, δέξασθαι II 296⁷
ἐλπίς 701⁷; – ἐστι c. infin. II
296⁶; ἐλπίδα ἔχειν c. infin.
aor. II 296⁶
ἐλπίσαι 159⁷
ἔλπομαι 314². 701⁶·⁷. 702⁴.
769⁴; ἔλπετο (ἤλπετο) 654,
4; ἔλπομαι ἀρέσθαι II 296⁶
ἐλπωρή 701⁷. II 623⁵; –
ἰδέειν II 296⁶
ἔλσαι285²;–τινάc.dat.II139⁶
ἐλσούς acc. pl. 516⁶
Ελτυνιουσι dat. pl. kret.
575⁵, 4
ἐλυ- 769, 7
ἐλυθ- 674⁵. 704¹; ἐλυθεῖν
358⁴; – μετά τινα II 486³;
– ὑπὲρ ὦμον II 519⁴; – ἐφ'
ὑγρήν II 471⁸; s. ἤλυθον
ἐλύθερος 199³
ἐλύμος 494¹
ἐλύσθη II 471⁷
ἐλυσθη- 761⁴
ἔλυται 681³
ἔλυτρον ion. att. 532²
ελυψα (ἔλυψα) pamph. 209⁷.
323³
ἔλφος kypr. 221, 2
ἐλῶ fut. 749, 1; ἑλῶν 266³;
s. ἐλάω
ἐλῶ fut. 746, 5. 785, 1
ἐλώγη dor. (H.) 719¹
ἔλωι 162⁵
ἔλωμαι II 311⁵. 313⁵·⁶; -ηται
II 312⁸
ἑλών: ἑλόνσι dat. pl. kret.
566²; ἕλῃ ἔχει II 10⁵;
– – γέρας 812⁷; – δουρός
II 129⁸; ἑλόντα Βρ. χειρός
II 129⁷
ἕλωρ 519³
ἑλώρια 105⁶. 470³
*ἑμ- 367⁴. 588¹
*ἔμ n. 343¹
ἐμά; s. ἐμός
ἐμάθησα 682⁶
ἐμάρναο 668²
ἐμᾶς ngr. 606⁴
*ἐμάτιον 401⁸
ἐματόν 203³

ἐμαύται lesb. 607, 4
ἐμαυτῆι, -ήν II 196¹
ἐμαυτό: τὸν - μου ngr. 606⁷.
  II 25, 6
ἔμ' αὐτόν hom. 607¹. II 195³
ἐμαυτός 607⁴
ἐμαυτοῦ att. 607². II 193².
  195⁴. 206³·⁴; τά - 607, 3
ἐμαυτῶι 613⁵
ἐμαύτωι lesb. 607, 4
ἐμαχεσσάμην 721¹
ἔμβᾱ 676, 1
ἐμβάδοιν II 48, 1
ἐμβαδόν 626³
ἐμβαίνω 277⁵. 323⁷. II 456¹.
  457⁴; ἔμβᾱ 676, 1; ἔμβη
  676, 1. 799³; ἐμβεβῶσι
  conj. 774⁶; ἐμβεβαυῖα 541².
  770²; ἐμβαίης ἄν II 329³;
  ἐμβαίνειν ἐν II 455⁴. 457⁴;
  - εἰς II 457⁴; s. ἐνέβηκα
ἐμβάλλω II 456¹. 457⁴;
  ἐμβαλεῖν II 376⁵. 378²;
  - c. loc. II 156⁷; μήτε
  ἐμβάλλετε II 343⁵; ἐμβάλ-
  λειν εἴς τινας II 459³; – χει-
  ρὸς πίστιν II 121⁶; s. ἐμ-
  βεβλήσθω
ἔμβαροι 543²
ἐμβάς f. 507⁴
ἐμβασιλεύω II 457⁴
ἐμβατεύω 732⁷
ἐμβεβαυῖα 541². 770²
ἐμβεβλήσθω II 343¹
ἐμβεβῶσι conj. 774⁶
ἔμβη dor. 676, 1; – imper.
  799³
ἐμβλευσαντες (= -βλέψ-) 198²
ἔμβληθρον 532, 4
ἐμβολαδὶς 631⁴
ἐμβραμένη dor. 277⁵. 649⁵
ἔμβραχυ att. 619¹. II 419³.
  420⁴. 426⁶. 456²
ἐμβρῖθής II 457¹
ἔμβρυον 450⁶
ἐμβύω: ἐνεβύσαμεν Aristoph.
  755²
*ἐμε gen. sg. 604³. 605¹·⁴.
  608, 5. II 614⁴
ἐμέ 57³. 388³. 412⁷. 600¹·⁶.
  600⁵·⁶. 601¹·⁸. 602². II
  14, 1. 15⁸. 189²; τὸν - II
  25⁴; ἐμέ refl. II 193⁸. 194¹·²
ἔμ(ε) hom. 604, 3
ἐμέ γε II 187¹. 561²; ἐμέγε
  hom. ion. att. 606², 1.
  II 555²
(ἔμεγε) 606, 1
ἔμεθεν gen. 552, 2. 602².
  605¹·⁵. 628². II 557. 170²⁻⁴.
  171⁶
ἐμεθη- 761⁵
ἐμέθυσα LXX 708⁵
ἐμέθω gramm. 682⁴. 703³

ἐμεί, *ἐμεῖ acc. dor. (Ap.
  Dysk.) 604, 5
ἐμειδίᾱσα 654⁴
ἔμεικτο 751⁴
ἔμειν Dodon. 678, 1
ἔμεινα 285². 763⁷
ἐμεῖο gen. hom. 273². 602³.
  604⁴. 605⁴, 5. II 201³. 206¹
ἐμεῖς, ἐμᾶς ngr. 606⁴
ἐμείχθης 751⁴
ἐμέλησε 752⁴
ἐμέλλησα 715⁶
ἐμέμηκον plusq. 748⁴. 776⁴
ἐμέμικτο hom. 771²
ἐμέμνηντο 671⁴
ἐμεμύκει hom. 777, 11
-εμεν 1. pl. pf. 767⁴
-εμεν 1. pl. plusq. 776⁵.
  778²·³, 1
ἔμεν (= εἶναι) 104². 283¹.
  678¹, 1. 806, 5. II 367⁷;
  s. ἔμμεν
ἔμεν el. II 383²
ἐμέν spätgr. ngr. (pont.)
  606⁴
ἐμέν 1. pl. Kallim. 678, 1; s.
  ἐμι
ἐμένα ngr. 604, 7. 606⁴; –
  με ngr. 606⁵
ἔμεναι infin. 283¹. 806, 5;
  s. ἔμμεναι
-έμεναι infin. 642, 2
ἔμεννα lesb. 285²
-εμενος Ausg. ptc. 642, 2
ἐμενοῦ ngr. (dial.) 606⁴
ἐμέο gen. ion. hom. 602³.
  604⁴. 605¹·⁴, 5; *- dor.
  605¹; s. ἐμεῖο, ἐμίο, ἐμίω
ἐμέος gen. dor. 602³. 605¹·⁴,6
ἐμέσσω 725³
ἐμέσω 682⁴
ἐμετιάω 732³
ἐμετός 502³; ἔμετος 680⁴
ἐμεῦ gen. sg. ion. 602³. 604⁴.
  605¹
ἐμεῦς gen. dor. 602³. 605¹
ἐμέω 724. 222⁶, 5. 260⁸.
  340⁶. 341³. 680⁴. II 72, 1.
  226³; ἐμέων 682⁴; ἤμεον,
  ἤμουν ipf. 682⁴; ἐμέω
  fut. 784⁵; ἐμῶ, ἐμέσω fut.
  682⁴; ἤμεσα 680⁴. 682⁴.
  752⁴; ἐμήμεκα 766³
ἐμεωυτοῦ ion. 607². II 193².
  195⁴
ἐμή s. ἐμός
ἐμήμεκα 766³
ἔμην kret. 283²
ἐμήνα trans. 770³
-εμήνατο hom. 785²
ἐμήνῑσα 754³
Εμι, ἐμί (ēmi) att. arg. 94⁵.
  192¹

ἐμι 'sum' thess. 678, 1
*ἐμί dat. sg. (zu *ἔμς)
  610²
*ἐμίᾱ 743⁴. 746¹
ἔμιγεν 3. pl. 664⁵; ἐμίγησαν
  665⁷
εμιθωσε ark. 217³
ἐμίν dat. dor. phok. kret.
  602⁴. 604². 607²; – γα dor.
  606³. II 561³; – αὐτῶι II
  195⁴
ἐμίνη dat. tar. 606³
ἐμινύθει 721²
ἐμίο gen. dor. 602³. 605¹
ἐμισγέσκοντο 652, 3
ἐμίσθωσα 752³
ἐμίω gen. dor. 602³. 605¹
ἐμίως gen. dor. 602³
ἔμμαθεν 654⁵; -ες 747⁶
ἔμμαλλος II 457²
ἔμμᾱνις 495, 8; -άνιας acc.
  pl. 573⁴
ἐμμαπέως 747, 7
ἐμμάσαι H. 755²
ἐμμελετᾶν II 423²
ἔμμεν infin. 283¹. 678¹, 1.
  806³, 5. 808⁵. II 375⁸
ἔμμεναι 82¹. 283¹. 678¹, 1.
  806³, 5. II 366⁷. 367⁸.
  368¹. 374⁷; – ἐπὶ γᾶν II
  471⁷⁻⁸; – λελασμένον II
  376³; – πρόμος ἐκ πάντων
  II 463⁴; – περὶ ἄλλων II
  502¹; – ἀφειὸν περὶ πάν-
  των II 502²; s. ἔμεναι
ἐμμένω c. loc. II 156⁶
ἐμ μέσω pap. 625⁴
ἔμμητρος II 457²
ἔμμι, ἔμμι, ἐμμί 146⁴. 281⁷.
  322⁵. 659³. 677¹
ἔμμιλτος II 457²
ἐμμόραντι 310⁶
ἔμμορε 310⁶. 649⁵. 747¹.
  769⁴. 777, 2. II 264⁴; –
  τιμῆς II 103⁶
*ἔμμορθαι 649³
ἐμμόρμενος, -ον 277⁵. 281⁷
ἔμμορος: -οι τιμῆς II 456³;
  ἔμμορός εἰμί τινος c. dat.
  II 151⁷
ἔμμοχθος II 457¹
ἐμμυέομαι s. ἐνεμυήθης
*ἐμνᾱῖσα 710¹
ἐμνᾶσα 751⁷
ἐμνήσατο 760⁶
ἐμνωβελ[ίω] böot. 280⁴
ἐμνώοντο hom. 730³
-εμο- Ausg. 491⁸
ἐμοί dat. 388³. 602⁴. 604², 4.
  II 186⁷·⁸; – δοκῶ II 193⁸;
  – δοκεῖν II 378⁵. 379¹·²
ἐμοὶ αὐτῶι hom. 607¹. II
  195³; – αὐτῇ II 195³
ἐμοί γε II 187¹

ἔμοιγε 383². 606², 2. II 561³
*ἐμοῖγε 383²
ἐμοῖο 609¹
ἔμολον 708⁶; -ε 360⁵
*ἔμορστε 704, 9
ἔμορτεν H. 704, 9
ἐμός (-ή, -όν) 600¹. 608³. II 63³, 3. 182⁷. 200³·⁴·⁵. 201⁴. 202³·⁴, 2. 203¹⁻³; (= ἐμέο) II 614⁴; – voc. 608⁵; ὁ – ἀδελφός II 200⁵; ἡ ἐμή (γνώμη) II 175⁵; ἐμόν II 35³; – ngr. (dial.) 606⁵; τὸ ἐμόν II 175²; τὰ ἐμά II 175¹; τὸν ἐμὸν αὐτοῦ II 614⁴; τὰ ἐμὰ αὐτοῦ 607, 3
*ἔμος adj. poss. 608⁴
-εμος suff. 493⁶
ἐμοῦ gen. (ἐγώ) 600³·⁴·⁶. 602³. 605¹. II 186⁷. 193⁴; – πέλας (sc. ὄντος) II 404⁸; – refl. II 194¹; ἐμοῦ γε 606²
ἐμοῦς (= ἐμοῦ) dor. böot. syrak. 602³. 605, 1
ἐμοῦσα 682⁴
ἔμπᾰ adv. 620⁵. II 582³·⁷
ἐμπάζομαι 734⁵. II 108⁷. 109¹; – c. acc. II 109⁴
ἔμπαιον 236⁶
ἔμπαιος 467, 6. 620⁵
ἔμπαις 435⁴
ἔμπαλιν att. 619¹
ἔμπαν 620⁵. II 582³
ἔμπᾱς 620⁵. II 390². 582³⁻⁷; ἀλλ' – II 582⁵
ἐμπάσσω c. acc. et gen. II 111⁵
'Εμπέδδει 636, 3
'Εμπεδδίχα 231⁵
'Εμπεδίουν (nicht -πετδ-) thess. 231⁵
ἔμπεδον adv. II 87⁵
ἐμπέδου: ἠμπέδουν 656¹
'Εμπεδώ 636⁴
ἔμπειρος II 457¹; – τινος II 105³
(εμπελα selin.) 798, 11
ἔμπελα imper. H. 681⁴. 798⁵
ἐμπελαδόν Hes. 626³; – c. dat. II 142³
ἐμπελάζω (-ειν) II 456¹; – c. dat. II 141⁴; ἐμπελασθῆναι κοίτης II 97⁶
ἐμπέλιος II 457²
ἐμπεπήχεσαν 758⁷
ἐμπεποίηκα 766¹
ἔμπεσε imper. att. 799²
ἐμπευκής II 457²
ἐμπεφιασμένος, -φιεσμένος 650⁴
ἐμπεφύηι conj. Theogn. 774⁶; ἐμπεφυυῖα 541, 4
ἐμπήγνυμι: ἐμπεπήχεσαν 758⁷
ἔμπηρος II 457³

ἔμπης ep. 426². 620⁴·⁵. 626¹. II 390¹·². 582³. 583⁵. 688⁴
ἐμπιεῖν II 363⁵. 422⁶; – καὶ φαγεῖν II 708⁴
ἔμπικρος 435³. II 457²
ἐμπίμπλημι 689². II 431⁵; ἐμπιμπλει 3. sg. 689²; *ἐμπιμπλεισι 3. pl. 689²; ἐμπίμπληθι hom. 800⁵; ἐμπίμπλημι c. acc. II 111³; – c. acc. et gen. II 111²; -πίμπλαμαι c. gen. II 111²; s. ἐμπίπλημι ἐμπίπλαμαι, ἐμπλήμην, ἔμπληντο, ἐμπλησθήσομαι, ἐμπλήσθητι
ἐμπίμπρημι 689²; – c. gen. II 111⁴; s. ἐμπιπρῶν
ἐμπιπάσκομαι 710²
ἐμπίπλαμαι ὑπισχνούμενος II 393²; s. ἐνεπλήμην
ἐμπίπλημι II 457⁴; -πιπλείς 689²
ἐμπιπρῶν 689²
ἐμπίπτω 256⁵; ἔμπεσε imper. 799²; ἐμπίπτειν c. dat. II 149⁴; – c. loc. II 156⁷. 157¹
ἔμπλαστρον hell. 532³
ἐμπλέγδην 626³
ἔμπλειος 436³
ἔμπλεος c. gen. II 110⁸
ἐμπλήγδην 626³
ἐμπλήίμην opt. 795²; -πλῆιτο 795³·⁴; *ἔμπληιτο 795⁴
ἔμπλην 436, 2. 625³. II 457³. 542³. 547⁶·⁷. 548²·⁶
ἔμπληντο 671⁴
ἐμπλησθήσομαι μισῶν II 393²
ἐμπλήσθητι 760, 6
ἐμπνέω (-εῖν) c. gen. II 128, 3; – ὀδμῆς II 128⁷, 3
ἔμπνῦτο 761, 5. 797, 5
ἐμποδών 389⁴. 625⁴. II 120⁶. 415¹; – σχεθεῖν II 296⁵
ἐμποιέω, ἐμπεποίηκα 766¹
ἐμπολά II 479³
ἐμπολάω, -λᾶν 766¹; – τὸν πρὸς Σάρδεων ἤλεκτρον II 514³; ἐμπολόωντο Od. 725⁶
ἐμπορεύεσθαι II 364²
ἐμπορίζειν τι μετὰ πυρός II 485⁵
ἐμπόρφυρος II 457²
"Εμπουσα 526¹, 2
ἔμπυος II 457¹
ἔμπυρρος II 457²
*ἔμππᾱσις 301⁸
ἔμπρασι tsak. 185⁴
ἐμπρίατο 743⁵
ἐμπρός ngr. 633, 1
ἔμπροσθα äol. dor. (her?) 628⁶. 633¹
ἔμπροσθε II 543⁶·⁷. 544¹; –πρὸ τῆς ἀκροπόλιος II 506³

ἔμπροσθεν 633¹. II 427⁷. 543⁶·⁷. 544¹; – c. gen. II 435³
ἐμπροσθίδιος II 543⁷
ἐμπρόσθιος II 543⁷
ἐμπροσθο- II 543⁷
ἐμπροσθότονος II 543⁷
ἐμπυριβήτης 452⁴
*ἔμς 343¹. 358⁵
ἐμῦ j.-böot. 602⁴
ἐμύησα aor. 721⁴
ἐμῦθολόγησα 655⁷
ἔμυξε aor. Menandr. 716⁵. 721, 4
ἐμφάνισις ngr. II 252²
ἐμφανίσσω thess. 738³; ἐνεφανίσσοεν 664⁴
*ἐμφανίξαι 738³
ἐμφερής 433, 6. 452, 4. II 161⁴
*ἐμφιέζω, *-ιάζω 650⁴
ἔμφλοξ II 457²
ἔμφοβος II 457²
ἔμφορτος II 457²
ἔμφρων II 457¹. 465³
ἔμφυτα 611⁷
ἐμφύω: ἐνέφυσεν Od. 755⁶; ἐμπεφύηι 774⁶; ἐμπεφυυῖα 541, 4
ἔμψυχος II 457¹
ἐμῶ du. f. II 35, 1
ἐμῶς gen. dor. 602³
ἐν praep. 57⁶. 126⁶. 289⁸. 324⁸. 551¹. II 68². 138⁸. 417⁷. 418². 419⁴. 421²·⁷. 422²·⁷. 425⁵, 5. 427²·³·⁴. 430⁷. 432⁵. 433⁶·⁷. 434¹. 436¹. 454⁶,4 – 461; – instr. II 435, 2; – c. gen. einer Person II 120²·³·⁵·⁶; – c. dat. II 58⁵. 268¹; – c. acc. 82⁵. 101⁸. 619¹. II 268²; – c. dat. et acc. II 435⁷; – den partit. verdeutlichend II 116⁷; – bei pf. II 434³; ἐν δὲ κίρναις οἶνον II 426⁵; ἐν δύο ταλάντων II 461¹; – "Αιδου II 107⁶; – τοῖ πρὸ ἧος τοῦ βωμοῦ II 96⁸; – δεξιᾶι II 112, 4; – τοῖς ὄρεσιν att. II 455³; – ἐκείνω τῷ καιρῷ II 634³; *ἐν διϝί 576, 7; ἐν δοιῆι hom. 589²; ἐν σχερῶι 619¹; ἐν χρῶι att. 578⁴·⁵. 625²; τὰ ἔν τινι II 417²; ἐν Αἰτωλίαν ätol. II 455⁵; ἐν ἄρματα Pind. II 455⁵; ἐν δεξιά II 112, 4; ἐν ὅσω II 652⁷·⁸. ἐν ῷ (s. d.); ἐν (ἔνι) II 423³; ἔν γε II 561², 3; ἐν δέ 'dazu' II 424, 3; ἐν δὲ καί II 422²; ἐν δὲ δή II 422²·³; ἐν τῷ c. infin. II 388¹;

ἐν τοῖς c. superl. II 185²;
s. auch εἰν, εἰνί, ἐνς, ἔνι
*ἔν praep. II 423, 2
ἐν- 433⁴. 436². ³·⁵. II 423¹.
454⁶
-εν für -ν [ṇ] > 280⁵
-εν nom. pl. j.-kret. 551, 8
-εν neut. 580, 6
-εν Ausg. pron. kret. 604, 2
-εν Personalend. 658⁵; –
thess. 664⁴, 4
-εν 3. pl. 758⁴; * – 3. pl.
plusq. 778²
-εν Ausg. infin. 410⁸. 805⁵.
807²·⁶, 2. 809¹·². II 242²·³
-έν Ausg. infin. dor. 807³
ἐν- 424¹, 2. 433². 588¹
ἔν n. 588¹·²; τοῦ ἔν Plotin
588²; ἐν δέ Xenoph. II 618¹
ἐνα- compos. 591¹
ἕνα acc. m. 588¹; f. (= μίαν)
pap. 587, 4
ἕνα 'Einheiten' Aristot. 588²
ἕνα (alle genera) ngr. II 27⁶
ἐναγκυλάω 726¹
ἔναγχος adv. 621⁴. 622². 633¹
ἐναγωνίσασθαι II 423¹
ἐνάενος Theophr. 588, 3
ἐνετία pap. 591¹
ἔναι mngr. 'ist, sind' II
423⁶
-εναι Ausg. infin. 807, 2.
808²·⁶. 809²
-έναι Ausg. infin. 805, 2.
808¹⁻⁴·⁶
ἔναι 82¹. II 379, 3
-ENAI infin. pap. 807, 2
ἔναιε hom. 711³
ἔναιμος 435². II 457¹
ἐναιρέμεν II 363¹
ἐναίρω (-ειν) 518⁵. 725². 748³.
II 364¹; ἤναρον 748³. II
262³
ἐνακηδεκάτη böot. 591¹
ἐνάκις 591¹. 597⁶; s. εἰνάκις
ἐνακισχείλιοι 593⁴
ἐνακόσιοι 591¹. 593²
ἐναλίγκιος II 161⁴. 457³;
– αὐδήν II 85⁷
Εναλιος hom. 288⁵
ἐνάλιος 450, 2. 451³; s.
εἰνάλιος
ἐναλλάξ 620⁵
ἐνάμισυ ngr. 599³
ἔναν acc. sg. f. 588, 5
ἔναντα hom. 619¹. II 456².
548⁷. 549¹·³
ἔναντι 128⁷. 631². II 548⁷
ἐναντία II 534⁴
ἐναντίον II 534⁴.548⁷.549¹·³·⁴;
– c. gen. II 435³
ἐναντίος II 179⁴; – c. dat.
II 141⁵; – "Εκτορος, -ίοι Ἀ-
χαιῶν II 97²; – ίον τὸ ἀνό-

σιον τοῦ ὁσίου II 97³; ἐκ
τοῦ -ίου, ἐξ ἐναντίας II 175⁷
ἐναντιοῦμαι (-οῦσθαι); ἠναν-
τιώμεθα 656¹; ἐνηντιώθην
760⁵;ἐναντιοῦσθαι μηδὲνποι-
εῖν II 598⁴; – τινί (περί)
τινος II 131³·⁵; – τινι ἔς τι
II 460⁴
ἐναντιώματα c. dat. II 141⁵
ἐνάπαλος II 457²
ἐνάπαν 625⁴
ἐναποδεικνύατο 698⁵
ἐναπολαύω II 428⁴
ἐναποτεῖσαι II 423²
ἐναποτιμῶ II 88⁵
ἐναποψύχειν II 429³
*ἔναρ 518⁴. 725²
ἔναρα 518⁴; – ἐκδῦσαι 736¹
ἐναργής 512⁵
ἔναρε/ο- 748³
ἐναρίζω 748³. II 82⁵; -ίζοι
II 638³; -ίξω fut.hom.785⁵;
– ίξαι 737⁷
ἐναρίμβροτος 444⁴
ἐναρσφόρος 336³. 442, 2
ἐνάς 597¹
ἔνας ngr. 588²
ἔνᾱς adv. dor. 621⁴
ἐνάσθη 714⁴
ἔνασσα aor. caus. 714⁴
ἐναταῖος II 179³
ἐνάτηρ 303⁶. 361⁷. 567, 7.
568². II 31³; ἐνατέρα acc.
sg. 568²; ἐνατρί dat. 303⁶.
568²; s. εἰνάτερος
ἔνατος 228³. 503⁷. 591¹.
596¹; ἐνάτη II 158⁷; s.
εἴνατος
ἔνατος delph. 305⁵; s. ἥνατος
ἐναύριον 625⁴
ἐναύριον· πρωΐ 625⁴
ἐναυτόθι pap. 628⁴
ἐναύω 686⁴
ἐναχῶς 588, 3. 598³. 630⁴
ἐναχῶς spätgr. 591¹
ενγαιη 827³
ἔνγατι tsak. 501, 6
ἔν γε II 561², 3
ενγεταυθί 611, 3. II 561, 3
ἐν(δ) δ- gort. 588, 2
ἔνδαδος II 457¹
ἔνδαιδες σπονδαί II 457¹
ἐνδακρύειν ὄμμασιν χαρᾶς ὕπο
II 528⁵
ἐνδάπιος 625⁵
ἔνδασυς II 457²
ἐν δέ 'dazu' II 424, 3;
– – καί II 422²
ἐνδέα j.-ion. 252⁷
ἐνδεδήμηκα 766¹
ἐνδεδιωκότα (=ἐμβεβιωκότα)
her. 300⁷. 775¹
ἐνδεής 189⁵. II 96³; -εῆ
127⁷. 189⁵

ἐνδειγνύμενος ther. 210, 1
ἕνδεκα 594², 3
ἑνδεκάς Plat. 597²
ἐνδέκατος 596³
ἐνδελεχής 360⁷. 514²
ἐνδελιστες syrak. 632²
ἐνδέξια 619¹. II 456²
ἐνδέχεται II 366⁴
ἐνδέω II 92⁷
ἐνδέω: ἐνέδησεν II 424, 3
ἔνδηλος att. II 457³
ἐνδημέω 766¹; ἐνδεδήμηκα
766¹; (*ἠνδήμηκα) 766¹
ἔνδημος II 435¹
ἐνδιαιτᾶσθαι II 423¹
ἐνδιατρίβω χρόνον ὑπὸ ἀ-
πλοίας II 528⁷
ἐνδιδύσκω hell. 710²
ἐνδίδωμι II 259⁵. 457⁴
ἐνδίεσαν 681, 2
*ἐν διϝί 436⁶
ἐνδικνυμένους Kyz. 696, 8
ἔνδικον ἔμεν II 497⁶
ἐνδίνων 490⁷. 625⁵. II 546⁷
ἔνδιος 436⁶. 576, 7. II 179⁴.
460⁸
ἐνδίφριος II 179²
ἐνδο- 625⁵. 632⁷
ἐνδογενής delph. 625⁵. II
546⁷
ἔνδοθεν 625⁵. 628³. II 546⁷.
547¹·⁵
ἔνδοθι 625⁵. 628⁴. II 546⁷·⁸.
547²·³
ἐνδοθίδιος 216, 2. 625⁵. II
546⁷; -θιδίαν gort. 216, 2.
467²
ἔνδοι 549⁷. 625⁵, 9. II 546⁷·⁸.
547³
ἐνδοῖ 384⁴
ἔνδον 408⁶. 426². 547⁵. 625⁵,
9. 12. 626¹. II 120². 546⁷·⁸.
547¹·²·³
ἐνδός 626¹. II 546⁷
ἐνδόσε keisch 625⁵. II 546⁷
*ἔνδοσθεν 628¹
ἐνδόσθια LXX 626¹. II 546⁷
ἐνδοσθίδια arg. (epid.) 467².
626¹. II 546⁷
ἐνδοτάτω 625⁵. II 546⁷
ἐνδότερος 534⁴
ἐνδοτέρω 625⁵. II 546⁷
ἐνδουχία 626¹
ἐνδριώνας lak. II 456, 4
ἔνδροσος II 457¹
ἐνδυδισκόμενος 268⁶
ἐνδυκέως hom. 624². 513⁶
ἔνδυμα ἀπὸ τριχῶν II 446⁶, 5
ἐνδυμενία 'Hausrat' 626¹
ἐνδύνω II 230⁵; ἔνδυνε II
277⁴; ἐνδυνέουσι 696²; -ομαι

II 230⁵; ἐνδύνειν χιτῶνα περὶ στήθεσσι II 501²
ἔνδυο 428, 5. 588⁵
ἐνδῦς adv. delph. 199⁸. 622³
Ἐνδυσ(ποιτρόπιος) delph. 626¹
ἐνδυστυχῆσαι II 423¹
ἐνδύω II 230⁵. 457⁴; ἐνδέδυκα II 287⁵; -ύομαι II 83². 230⁵; -ύειν τι ὑπὲρ γονάτων II 520⁸
ἔνδω delph. 550²·³. 625⁵. II 546⁷
ἐνδώμησις 719, 5
ἐνέβηκα ngr. II 456, 3
ἐνεβύσαμεν 755²
ἐνεγγυάω: ἐνηγγύησεν 656, 1
ἐνεγκ- 744, 8; ἐνέγκαι infin. 744⁶; ἤνεγκα 744, 4. 745¹; -ας 744⁶; -αν 3. pl. 744⁶; ἐνέγκαιμι 744⁶; ἔνεγκον imper. 744⁶; -γκάτω 744⁶. 753⁷; ἐνέγκατε 753⁷; ἐνέγκας ptc. 744⁶
ἐνεγκε/ο- 744⁵; ἐνεγκεῖν 292⁷. 647⁶, 7. 684³. 744⁶, 4. 8. 745¹. 748⁴. II 258¹; – ἀπό II 447⁴; ἐνεγκέμεν 744, 5; ἤνεγκον 664³. 744⁵, 4; -ε 744⁵; ἐνέγκω conj. 744⁵; -οιμι opt. 794, 2; -οις 744⁵; ἔνεγκε imper. 744⁵. 745¹; -έτω 744⁶; -ών ptc. 564⁴. 744⁶; ἐνεγχθη- 761, 4
ἐνεγύησα 656¹
ἐνέδησεν II 424, 3
ἐνέδρα II 455, 4. 457⁴
ἐνεδρεύω: ἐνήδρευσα 656²
ἔνεδρος II 457¹
ἐνέεικαν H. 744, 8
ἐνεείσατο 653, 2
ἐνείγκη conj., ἤνειγκαν 744⁶
ἐνεῖκαι infin. 744⁴, 8. 808⁶; *ἔνεικα spätgr. 745²; ἔνεικε 744⁴;ἐνείκαμεν,ἔνεικαν 744⁴; ἤνεικα 744⁴. 745⁴·⁵, 2. II 262³; *ἤνεικς, *ἤνεικτ 745⁵; ἤνεικε 744⁴; ἤνεικαν 665². 744⁴; ἠνείκαντο 744⁵; ἐνείκω conj., ἐνείκαι opt. 744⁴; ἔνεικε imper. Od. 744, 5; -κον Anakr. 744⁵; ἐνείκατε 744⁴. II 341²; ἐνεικάντων 3. pl. 744⁵; ἐνείκας ptc. 744⁴; ἐνεικέμεν 744, 5; ἤνειξα 744⁵; s. ἐνικ-
ἔνειμα 285². 753⁴
ἔνειμι 'insum' II 457⁴
ἐνείρω II 457⁴
ἔνεκα 228³
ἔνεκα 433⁵. 627, 4. II 427⁶. 435³. 552²·⁴·⁵. 662⁴; s. εἵνεκα
ἔνεκαν II 552²

ἔνεκε hell. 406⁵. II 552²
ἔνεκεν 121³. 627, 4. II 552²·⁴
ἔνεκο II 552³, 4
ἔνεκον 259⁶. II 552³, 4
ἐνέκυρσε hom. 753⁴
ἔνεμμα lesb. 285²
ἐνεμνήθης (so) II 427⁷f.
ἐνενήκοντα 591². 592²; ἐνενηκόντων 592²; s. εἰνήκοντα, ἐνήκοντα, ἑνενήκοντα
ἐνένῑπε 648⁴. 749³; s. ἠνίπαπε
ἐνέοι 3. sg. 677⁴
ἐνεπλήμην att. 743¹
ἐνέπω: ἔνεπε ipf.,ἤνεπε 656³; ἐνέποιμι 747²; ἔνεπε 747²
ἐνερευθής II 457²
ἔνερθα lesb. dor. 628⁶
ἔνερθε(ν) 627⁵, 5. II 539⁴. 540¹·²
ἔνεροι 424³
ἐνερρίγωσα II 423¹
ἐνέρτερος 412¹
ἔνες pl. 588²
ἐνεσιεργός 443⁵
ἔνεσμεν spätgr. 678⁴. II 423⁵
ἔνεστι c. loc. II 156⁵
ἐνέστιος 451³
ἐνεστός gen. sg. 585, 3
ἐνεστὼς χρόνος II 248⁸. 249²,1
ἐνετή II 457⁴
Ἐνετοί 226³. 503⁵; Ἑνετοί 226³
ἐνεύδειν II 363²
ἐνευδοκιμεῖν II 423²
ἔνευκα II 552, 4
ἔνευσα 685⁶. 781⁶
ἐνεφανίσσοεν thess. 664⁴
ἐνέφυσεν Od. 755⁶
ἐνεχυράζω: ἠνεχύραζον 656¹
ἐνέωρα adv. 621³
*ἔνϝα 591¹·², 2. 593⁴. 596¹
ἐνϝα- 591¹¹
*ενϝατος 412⁷
*ἐνϝα χειλα 593⁴
*ἐνϝάχειλον 593⁴
(*ἐνϝενήκοντα) 591, 2
*ἐνϝ' ἦμαρ 591, 2
ἐνηεβόhαις lak. 93⁵. 217³. 304⁴
ἔνη f. 'der 3. Tag' 613¹
ἔνη 381²; ἔνη τε καὶ νέα II 158³
ἐνηγγύησεν 656, 1
ἐνήδρευσα 656, 1
ἐνηής 513⁵. II 456³; -έος, -έα 187⁶
ἐνήκαμεν Od. 741³
ἐνήκοντα 591¹·², 3. 592³
ἐνηλόμην 653²
ἔνημα dor. 285². 753⁴
ἔνημαι II 457⁴
ἐνήνεγμαι II 258¹; -νεγκται 766⁴

ἐνήνοθε 766⁴
ἐνήνοχα 766³·⁴, 7. 772¹. II 258¹; ἐνηνεχόσι 771¹
ἐνηντιώθην att. 760⁵
ἐνηντιώμεθα 656¹
ἔνης adv. 621⁴. II 175⁵
ἔνης 621, 3. II 113³
ἔνησα 654⁴. 751⁷; ἐνησάμην 721²
ἐνήσειν II 295⁵
ἔνθα 613⁴. 628⁵, 7. II 16¹. 157⁵·⁷. 178⁷. 335². 413⁴. 648¹·³·⁴. 660⁶, 711¹; –τε II 575²; ἔνθα καὶ ἔνθα II 216². 700²⁻³
*ἔνθα αὐτά 628, 8
*ἔνθα δε 389²
ἐνθάδε 389². 391⁵. 624⁶. 628⁵. II 158¹·². 415³·⁷; οἱ – II 415⁸; τὰ – II 416¹
ἐνθαδῖ 628⁵
ἐνθάδιος H. 628⁵
ἔνθαπερ II 572¹
ἐνθαῦθα att. 269⁴
ἐνθαυθοῖ att. 628⁶. II 158¹
ἐνθαῦτα ostion. 269⁴. 625⁴. 628⁵, 8. II 157⁷. 158¹; s. ἐνταῦθα
*ἐνθᾶυτα 628, 8
ἔνθεν 628⁵. II 16¹. 413⁴. 648¹·⁴
ἐνθεναρίζω 518⁵
(*ἔνθεν αὐτά) 628, 8
ἐνθένδε 624⁴. 628⁵
ἐνθενδί 628⁵
ἔνθεο 668². 741². II 343³
ἔνθεος 429². 435²
ἔνθερμος II 457³
*ἔνθευτα 628, 8
ἐνθεῦτεν ion. 628⁶, 8
ἔνθηι conj. kyren. 661⁶
ἔνθηρος II 457¹
*ἔνθητα 628, 8
*ἔνθι 269²
ενθινος 490⁷
ἐνθουσιάζω 251⁴
ἐνθουσιάω 732³
ἐνθρώσκω II 457⁴
ἐνθυμέομαι (-εῖσθαι) 726¹. II 465,10; – c.gen. II 109¹; – c. ptc. II 396⁶; – πρὸς ἐμαυτόν II 510⁷
ἐνθύσκω H. 708³, 5
ἔνθω 3. pl. imper. böot. 269². 678¹. 802²
ἐνθών 109⁷
ἔνι praep. 387⁸. II 419⁶. 420³. 423³. 454⁶. 455¹·²
ἔνι verb. 388¹. 614, 4. 678³. II 423⁵. 456³. 457⁵
ἐνί praep. II 419²
ἐνι- II 454⁶
ἐνί dat. sg. 588¹
ἐνιάκις 598¹
ἐνιαυτία delph. 270⁶

ἐνιαυτός 424, 5. 426³. 448¹.
501⁴; -τῷ gort. II 159¹;
πρὸ τοῦ -τοῦ II 507⁶
ἐνιαύω II 457⁴
ἐνίγυιος 446³
ἐνίζανον II 457⁴
ἐνίζω 588, 3
ἐνίημι II 457⁴; – c. loc. II
156⁶; ἐνήσειν II 295⁵
'Ενιῆνες 102⁶
ἐνικάτθεο II 429³
ἐνίκει conj. her. kyren. 744⁵.
791²
ἔνικεν Η. 744, 8
ἔνικον pap. 745²
ἐνικὸς ἀριθμός 588, 3. II
40, 1
ἐνικωσαν 666²
ἔνι οἵ 614, 4
ἔνιοι 587, 1. 588². 613, 3
614, 4. II 27³
(*ἔνιοι) 614, 4
ἐνιπή 295⁵. 460⁵. 648³. 704⁵.
II 457⁵
ἐνίπλειος c. gen. II 110⁸
ἐνιπλήξωμεν conj. 791²
ἐνιπρήσειν II 295⁶
ἐνίπτω 648, 4. 704⁵, 11.
749³. II 81³; ἠνίπαπον 704⁵;
-πε 648³. 782⁵
ἐνισκίμφθη hom. 761³
ἔνισπες 747². 800¹; ἐνίσπω
686². 747²; -οις opt. 747²;
-οι II 323¹; ἔνισπε imper.
390⁸. 747². 799². 800¹;
ἐνίσπες 390⁸. 747². 800¹;
ἐνισπεῖν747²; ἐνισπήσω782⁷;
ἐνίψω 782⁵
ἐνίσσω 295⁵. 648⁴. 704⁵, 11.
715¹. 749³
ἐνίστασθαι ταῖς ἐπιβουλαῖς
II 712²
ἔνισχνος II 457²
ἔνιψα 714⁶
ἐνίων · τινῶν Η. 601³
*ἐνj praep. II 455, 1
ἐνκαθίσας παρὰ τῆι θύραι II
493⁶
*ἐν κατόν 592⁵
*ἐνκ·ενκ- 647⁶
ἐνμεντευθενί 611, 3
ἐννάετες Hes. 591, 2
ἐνναετήρω Hes. 591, 2
ἐννέα 57³. 314⁴. 412⁷. 590⁶.
591²
ἐννέα her. 305⁵. 592³; s.hέννέα
ἐννεάβοιος hom. 591¹
ἐννεαέτηρος spätgr. 591¹
ἐννεακαίδεκα 594³
ἐννεακισ- 591¹
'Εννέα ὁδοί II 608⁵
ἐννεάς f. 591¹. 597²
ἐννεάχ(ε)ιλοι Ilias 593⁴
ἐνναχῶς spätgr. 591¹

ἐννεετηρίς att. 591¹
(*ἔννε' ἦμαρ) 591, 2
ἔννεκα äol. 228⁵. II 552³
ἔννεον ipf. 310⁷. 654³. 685⁶.
832⁸
ἐννεόργυιος hom. 591¹; -υιοι
μῆκος II 86
ἐννέπω 684⁵. II 80². 401⁴.
429⁶; ἔννεπε 300³. 747². II
457⁵; – ipf. 656³
ἐννεσιεργός 443⁵, 9
ἐννέωρος hom. 591¹
(*ἔννϝατος) 238⁵
ἔννη dor. 241³
ἔννη äol. 310⁷. 675²
ἐννῆ dor. 241³. 590⁶
ἐννῆ dor. 250⁶. 590⁶
ἐννήκοντα hom. 591, 3
ἐννῆμαρ hom. 591, 2. 612⁶. II
39, 3
ἐννήρης Polyb. 591, 2
ἐννήυσκλοι Η. 590⁶
ἔννηφιν Hes. 551⁴, 5
ἐννί' Korinna 590, 9
ἔννοια II 54²
ἐννομώτερος παιδιά 536, 2
ἔννοος II 457¹
'Εννοσίγαιος 467⁶
'Εννοσίδᾱς 422⁶. 451⁴
ἐννοῶ: -εῖτε, -ήσατε imper.
II 341⁶; ἐννοῶ c. gen. II
106⁴; ἐννοηθέντες nom.
abs. II 403⁶
ἔννυθεν 310⁷. 649³. 761⁵
ἔννυμι 227¹. 284¹. 312². 322⁶.
697⁵. II 72, 1. 234¹. 260²
ἔννυσθαι II 231¹; – περὶ χροΐ
χαλκόν II 500⁷
ἔννωθρος II 457³
ἐνο (ἐνό) = ἔνι 678⁴. II 423, 3
ἐνο- compos. 588, 7
ἐνοειδής 688, 3
ἐνοικεν infin. delph. 807³
ἐνοικοδομεικόντεσσι thess.
540⁵. 774⁵
*ενομα 352⁷
ἐνόμισ(σ)α 321⁶
ἐνομωσομένας 773⁵
ἐνόν acc. abs. II 401⁷
ἐνόπαι 460²
ἐνοπή 437¹. 460⁵
ἐνόρνυμι c. loc. II 156⁶
ἔνορα μῆλα II 456³
ἐνορχής 513⁴. II 456³
ἐνόρχης 433⁴. II 457³
ἔνος 613¹
ἔνος 56⁶. 304¹. 339⁴. 458⁵
ἔνός gen. sg. 304¹. 588¹;
– ngr. 588²; – δέουσι τριά-
κοντα, – δέον εἰκοστὸν ἔτος
594⁴
ἔνοσις hom. 225⁶
ἐνοσφίσθης 758¹
ἐνότης 588, 3. 597⁵

ἔνοτος äol. 591¹
ἔνουλος II 457³
ἐνοῦσα: -αν II 403³; ὡς ἐν-
ούσης σωτηρίας II 402⁴
ἐνοφειλομένους pap. 721⁴
ἐνοχλεῖν II 73⁶; – c. dat. II
145¹
ἔνοχος c. gen. II 131⁴; – od.
dat. II 131³
ἐνόω 588, 3
(ενπελα) 682, 1
ἐνπέλανον selin. 682, 1. 798,
11
ἐνπίδες megar. 213⁴
ἐνπιπασκέσθō kret. 709¹
*ἐν πόδας II 456, 5
*ἐνππᾶσις 301⁷
ἐνρῑγισκάνειν Η. 709⁴
ἐνριγόω: ἐνερρίγωσα II 423¹
ἐνς praep. 82⁵·⁸. 324³. 337².
434, 5. 620¹. II 68². 454⁶.
455¹, 9. 456², 5; – c. acc.
85⁸; ἐνς ἄς 440, 8
ἔνσ 287⁴. 588¹, 2
ἐνσάττω att. II 432²
ἐνσειΕι gort. 674³
ἐνσ(ιείη) kret. 674³
ἔνσιμος II 457²
ἔνσοφος II 457³
*ἔνσπετε 747²
(*ἔν(σ) τε) 629⁶ ; s. hεντε
ἐνστρατοπεδεύεσθαι II 423¹
ἐνστύφων II 457³
ἐνσχερώ 482¹. II 163, 2.
469, 1
ἐν σχερῷ 619¹. II 469¹, 1
ἐντ- ptc. 676⁶. 677¹
*-εντ 3. pl. 750, 1
-εντ- suff. ptc. 758⁴. 810²
ἐντάδε arg. 204⁴
ἐντανύεσθαι 699¹
ἐντασσιdat. pl. her.93⁶. 525⁴.
567². 678²
ἐνταῦθα 625⁴. 628⁶. II 157⁷.
300⁵. 427⁷; – τῆς πολιτείας
II 114³; s. auch ἐνθαῦτα
ἐνταυθοῖ hom. att. 549⁷.
630⁶. II 158¹·²
ἐνταῦτα el. 204⁴. 628⁵
ΕΝΤΕ delph. 629⁶
ἔντε praep. lokr. 629⁵. 630¹.
II 533⁵. 658¹
ἔντεα 518⁵. II 52¹
ἔντεκνος 433⁴
ἔντερον 533⁶; -α pl. II 455¹
ἔντες dor. her. 525, 4. 567².
642⁴.678²; –ἀεὶ ἐπὶ τῶν Ϝετέ-
ων II 471¹
ἔντεσα lak. 629¹
ἐντεσιεργούς hom. 443, 9.
696, 10
ἐντεῦθεν att. 628⁶, 8
ἔντεφρος II 457²
-εντι 3. pl. Verbalend. 657⁵

*ἔντι 'eunt' 665³
ἐντί dor. 222². 270⁴. 663⁴. 676⁶. 677¹·²
ἐντί 'er ist' rhod. 677, 3
ἐντίθημι 457⁴⁻⁵; ἔνθες II 390⁸; ἐντίθημί τι c. loc. II 156⁷; ἐντίθεμαι c. loc. II 156⁷; ἔνθεο 668². 741². II 343³
ἔντιμος II 460⁸
*ἔντjω II 456³
ἔντο 741⁴
ἐντόσθα Orop. 199,1. 611⁶.628⁶
ἔντοθε 630²
ἔντοπος II 460⁸
ἔντος n. 513¹. II 52¹
ἐντός 630², 3. II 421². 455²·⁴. 546⁷. 547²⁻⁵, 1
ἔντοσθε 630². II 455⁴. 546⁷. 547¹·⁵
ἔντοσθεν 630². II 546⁷. 547¹·⁵
ἐντόσθια 630². II 546⁷
ἐντοσθίδια II 546⁷
ἐντΟΥθα Kyme 1 99, 1
ἐντοφηίων delph. 344⁴
ἐντρεπέντος 759³
ἐντρέπομαι c. gen. II 108⁸. 109²; – c. acc. II 108, 1
ἐντροπαλίζομαι hom. 32⁴. 735⁶
ἐντροπαλός ngr. 32⁴
ἐντυγχάνω τινός II 104⁴; – τινί II 104⁴. 141⁴·⁶; – κατά τινος II 480³
ἐντύνω hom., poet. 727⁶
ἐντυπαδία 631⁴
ἐντυπάς 631⁴
*ἐντός f. 506⁵. 727⁵
ἐντυχεῖν (τὸ) II 370⁶
ἐντύω hom. poet. 727⁵
ἔντω 3. pl. imper. arg. 678¹. 802²
ἔντων 3. pl. imper. kret. 678¹. 802⁶
'Ἐνυάλιος 483⁷
ἐνυδρέοντες 731⁶
ἔνυδρις 450⁵
ἔνυδρος II 456³
ἐνύει adv. lak. 622³
ἔνυμα 352⁷. 523¹
'Ἐνυμα- 32⁴
'Ἐνυμακαρτίδας lak. 352⁶
ἐνύπνιον (τὸ) II 460⁸
ἐνύπνιος II 460⁸
ενυπνον hell. 245²
ἔνυπνος II 460⁸
ἐνυπόσαπρος 436⁵. II 457²
ἔνυρεν Η. 714, 7. 782⁶
ἐνυρήσεις Η. 714, 7. 782⁶
ἐνυφασμένα 773⁶
ἔνχον kar.-griech. 123, 2. 259⁶
ἐν ᾧ II 298⁶. 386¹. 640⁷, 2. 646⁷. 652⁷·⁸

ἐνώιδιον att. 520³; -δίω II 47³, 6. 49⁴
ἔνωμος II 457²
ἐνώμοτος 398²
ἐνῶπα hom. 619¹. 622¹. 625⁴. II 68⁶. 419³. 456²
ἐνωπαδίς Ap. Rh. 631⁴
ἐνωπαδίως 467¹
ἐνωπῆι adv. 622¹. 625⁴
ἐνώπι 631²
ἐνώπιον II 460⁸
ἐνωρίς ngr. 622¹
ἐνωτίζομαι II 460⁸
ἔνωχρος II 457²
ἐξ 335⁷. 336⁶. 409⁵. II 425, 6. 427³·⁵. 428⁵. 432⁵. 461⁴, 1– 464; – c. gen. II 237⁵; – c. gen. d. Person II 120²; – c. gen. d. Obj. II 103¹; – verdeutlichend den partit. II 116⁷; – c. dat. 82⁵. 88³. 89¹. II 435⁷. 447⁷⁻⁸; – τᾶι πόλει 335⁷; – c. acc. II 436²; – ἀγχιμόλου II 463⁵; – ἀέλπτου II 464¹; – ἀέλπτων 463⁵; – 'Αΐδαο II 464⁷⁻⁸; – ἀπόπτου II 444³; – ἀριστεράς II 112, 4; – ἀρχῆς II 464²; – ἐμοῦ II 464⁸; – ἑνὸς ποδός II 463⁵; – ἐξ ἔτι τοῦδε 598, 4; ἐξ ἴσου II 464¹; ἐξ ὁμόθεν II 427¹; ἐξ οὐρανόθεν 552¹. II 427⁷; ἐξ- II 428³. 599⁵; s. ἐκ, ἐς, εσσ
ἔξ 620⁵. II 461⁴; κακῶν – II 420, 1
ἔξ ion. att. 226⁵. 590⁵; s. ἔγ, ἔκ
ἐξα- compos. 591⁵
ἐξαγγέλλω c. partit. II 394⁴
ἐξάγγελος II 462²
ἐξαγορεύω II 462⁵
ἐξάγω (-ειν) II 462⁴; – τινὰ ὑπὸ πομπῆς II 530¹; ἐξά- γōδι (= -ωντι) II 315⁸
ἐξαγωγὴ σίτου II 95⁷
ἐξάγωνος spätgr. 591⁶
ἐξάδελφος II 464⁶
'Ἐξάδιον Ilias 597, 2
ἐξάεδρος 591⁶
ἐξαήμερον christl. II 40²
'Ἐξαίρετος Kos 727, 1
ἐξαιθραπεύων 329⁶; -πεύον- τος 206³
ἔξαιμος II 461⁷
ἐξαίμων II 461⁷
ἐξαίνυμαι II 82⁵
ἐξάϊππος 591⁶
ἐξαίρετος II 461⁸; – ἐς ὑπο- δήματα II 460²
ἐξαιροῦμαί τινι φρένας II 146⁶
ἐξαιρῶ τι(να) c. dat. II 151²
ἐξαίσιος II 464⁵

ἐξαιτήσεσθαι II 422⁶
ἔξαιτος 696, 9. II 461⁸
ἐξαίφνης 625³. II 415⁷; τὸ – II 416²
ἐξακέομαι II 462⁶; – κοῦμαι fut. 724²
ἐξάκις Pind. 597⁶
ἐξακονταμοιρία Heph. 592, 3
ἐξακόσιοι 593²
ἐξαλαόω II 462⁶
ἐξαλαπάζω II 462⁶; -άξειν II 375⁵; -άξειν ὑπὲρ μόρον II 519⁶
ἐξάλια 592, 5
ἐξάλιφη- 758². 759⁵
ἐξάλλομαι II 462⁴
ἔξαλλον n. 610, 0
ἔξαλλος 610, 0
ἐξάμετρος Hdt. 591⁵
ἐξαμιλλῶνταί σε γῆς II 92¹⁻²
ἐξαμύνεσθαι II 377¹
εξαν adv. dor. 621, 9
ἐξανα- II 462⁷
ἐξαναβαίνειν II 429¹; ἐξανα- βᾶσαι II 428³. 462⁷
ἐξαναδύς II 428¹. 462⁷
ἐξανα(κ)κάδ(δ)εν thess. 833²
ἐξαναλῦσαι II 428¹. 462⁷
ἐξαναφανδόν II 428¹. 462⁷
ἐξανελοῦσα II 429³
ἐξανέχομαί τινα c. ptc. II 395¹
ἐξανέψιος II 464⁶
ἐξανιεῖσαι II 428¹. 462⁷
ἐξανιών II 462⁷
*ἐξανστις 357⁶
ἔξανται 771⁵
ἐξαντίαι ark. 625⁴
ἐξάντιον 528²
ἐξανύω 699¹. 780⁵. 781¹. II 462⁶
ἐξαπάτασκον Aristoph. 711³
ἐξαπατάω (-ῶ) II 804⁴; ἐξα- πάτησεν II 428⁴; ἐξαπατῶ- μαι II 241³; ἐξαπατᾶν ἐπὶ χρήμασιν II 468²; ἐξα- πατᾶσθαι ὑπό τινος II 529⁶
ἐξαπάτη II 462¹
ἐξαπαφίσκω hom. 710³. II 462⁶; ἐξαπάφω 749³
ἐξαπέβησαν II 428³. 462⁷
ἐξαπέδυνε II 428¹. 462⁷
ἐξαπένιζεν II 428¹. 462⁷
ἐξαπίνα II 416⁴
ἐξαπίνης 625⁴
ἐξαπλόω II 462⁵
ἐξαποδίωμαι μάχης II 428, 1
ἐξαποθνήσκων II 462⁷
ἐξαπολοίατο II 428¹. 462⁷
ἐξαπόλωλε II 462⁷
ἐξαπονέεσθαι μάχης II 428, 1
ἐξαποτίνοις II 428¹. 462⁷
ἐξαράσσω II 462⁶
ἐξαριστερῶν Hdn. 625⁴. II 464⁸

ἐξαρκεῖν: – τι πρό τινος II
506⁷; ἐξαρκέσας· ἦν II 255⁵
ἔξαρνος II 462²; – εἰμι (τὰ
ἐρωτώμενα) II 73⁸; ἔξαρνον
εἶναι μή II 598⁴
ἐξαρτύω, -ομαι II 230⁶
ἔξαρχος II 462¹
ἐξάς hom. Philo 597¹
ἑξᾶς siz. 528². 599⁴
ἔξασιν spätgr. 590⁴
ἐξασσός pap. 598⁴
ἕξαστις 357⁶. 450⁴. II 462²
*ἕξατος 266⁸
ἐξαυδάω II 462⁵
ἔξαυλος II 462²
ἐξαυστήρ 347⁵. 686⁴
ἐξαῦτις II 462³
ἐξαφέλησθε II 428¹
ἔξαχα Hdn 598³
ἐξαχῆι 630⁴
ἐξαχυριῶσαι II 462⁶
*ἔξγονος 260⁵; s. ἔκγονος,
ἔσγονος
ἐξδάκτυλος 335⁷
ἕξε ngr. (dial.) 590⁵
ἐξεγένοντο Διός II 94¹
ἐξέγκα ngr. (pont.) II 258, 2
ἐξέδετο LXX 688³
ἐξέδρα II 462²; ἡ πρὸς τῷ
βαλανείῳ – II 513²
ἐξεδώκατε 127⁷
ἕξει imper. 674³, 6. 798⁴.
II 15⁸
ἐξεῖ adv. lak. 549⁶. 630². II
538⁵
ἐξεῖδον II 462⁶
ἐξεῖεν II 462⁴
ἐξείης hom. 621, 9
ἐξεικάζουσιν αὐτούς .. ὑπουρ-
γίαις II 99, 1
(ἐ)ξεικάττιοι thess. 593¹
ἔξειμι 'exeo' II 462⁴
ἐξεῖν infin. (= ἐξεῖναι) ion.
678¹. 808¹, 1
ἕξειν II 376².⁶
ἐξεῖναι (sc. τινί) ἐν τῇ π. II
620⁸
ἐξεῖπον II 462⁵
ἐξειργαστέον 656⁵
ἐξείρω II 462⁴
ἔξειτι· ἐξελεύσεται H. 674¹
ἐξεκάθευδον II 462³
ἐξεκκλησίαζον 656¹
ἐξελαύνοια ark. 25³. 88³.
101⁸. 660¹. 662¹. 797²;
– ἄν II 330⁶
ἐξελαύνω II 462⁵; ἐξελάσωσι
II 312⁶; ἐξελαύνω c. dat.
II 162³
ἐξελέν infin. kret. 807¹
ἐξεληλάκεσαν Hdt. 777⁵
ἐξελθεῖν II 365⁴. 431².³; –
τινα ξὺν ἑνὶ ἱματίῳ II 489⁶
ἐξεμάνη ταῦτα II 77⁶

ἐξέμεν ἐς Ἀχαιούς II 459²
ἐξέμεν infin. hom. 806⁴
ἐξέμεναι hom. 806³
ἐξεμέω II 462⁶
ἐξεναρίζω 736¹. II 462⁶
ἐξε(νι)χάμενος lesb. 744⁵
ἐξενιχθῆναι gort. 744⁵
ἐξεπίτηδες II 462³
ἐξέπτη Hes. 742⁵
ἐξερᾶν 726, 3
ἐξέρανα ngr. 764¹
ἐξεργάζεσθαί τι πρὸ αὐτοῦ
II 506⁷
ἐξεργασθεισεσθειν infin. thess.
763, 4. 809³
ἐξεργασθήσεσθαι Koine 763,4
ἐξεργασμένος II 468⁷
ἐξερεείνω (-ειν) II 268². 462⁵
ἐξερέεσθαι II 377⁶
ἐξερέω II 462⁵
ἐξερρύᾶ epid. 743⁴
ἐξέρυθρος II 462³
ἐξερυθρώδης II 462³
ἐξερύσαι II 365⁶
ἐξερύσασκε Ilias 711⁵
ἐξέρχομαι: – ἕδρας τῆσδε
γῆς II 114⁸; – τοῦ σπείρειν
II 132⁷
ἐξερωτάω τινός τι II 132²
ἐξέσας H. 629¹
ἐξεσίη 469². II 462¹
ἐξεσόμενον acc. abs. II 402⁴
ἔξεσσα 752⁵
ἐξέσσυτο hom. 414⁵
ἔξεστι(ν) 621⁸. II 462, 2;
ἐξέστω II 344⁴; μή – II
343⁴; ἔξεστι c. infin.
366⁴; s. ἐξεῖναι, ἐξόν
ἐξεσύθη hom. 414⁵. 654⁴
ἐξετάζω (-ειν) II 82². 127⁷.
123⁵; – τι παρ' ἄλληλα II
496³
ἐξέτασιν γίγνεσθαι σὺν τοῖς
ὅπλοις II 489⁶
ἐξέτης 543³. II 486⁶
ἐξέτι hom. ep. 619, 3. II
427, 2; – πατρόs 619, 3
ἐξέτρω Et. m. 743²
ἐξετῶ fut. Isokr. 785³
ἐξευρίσκω 779, 2; ἐξεῦρον
II 462⁶; ἐξευρίσκω τι c. loc.
II 156³
ἐξεφρίομεν ipf. 689⁵
ἐξεχέβρογχος II 461⁷; -χέβρο-
γχοι (so) 441⁵
ἐξεχέγλουτος 441⁵. II 461⁷
ἐξέχεσαι lak. (H.) 606, 4
ἐξεῶσαι 656⁶
ἐξηγεῖσθαι II 169¹
ἐξηγόρμην att. 748⁵
ἐξηγῶ ngr. II 235⁶
ἐξηκοιστος 596²
ἐξήκοντα att. 592²

ἐξηκοντάκις Pind. 598¹
ἐξηκοντάς 596, 7
ἐξήλατος II 462¹
ἐξήλικα 775²
ἐξῆμαρ 591, 2
ἐξήμβλωκα att. 709⁴
ἐξήμειν infin. rhod. 807⁶
ἐξημοιβός II 462¹
ἐξῆν II 308⁴
ἐξῆν infin. kret. 786⁴. 807³
ἐξήντα δυό ngr. 592, 4
ἐξήρατό κε II 347³
ἑξῆς adv. 621⁴, 9. 625³. II
413⁸; – c. dat. II 142⁵
ἐξήστω imper. el. 678², 2
ἔξι ngr. 590⁵, 1
ἐξιέναι 808²; – ἐξόδους II
757⁷⁻⁸; – ἐκδήμους στρ. II
76⁴; – ἐπὶ θήραν II 473¹
ἐξιθύνω II 462⁶
ἐξικνέομαί τινος II 104⁴
ἐξικόρ 831⁴
ἐξίναι infin. 674⁴
ἕξις 505, 2
ἐξίσταμαι II 462⁴
ἐξίστιον 539³
ἐξίστων acc. sg. 558¹
ἐξίσχιος II 461⁷
*ἐξιτάω II 462²
ἐξίτηλος 484⁴. 705⁵. II 462²
ἐξίτης Poll. 590⁵
ἐξιτόν ἐστι II 150¹
ἐξξανακά(δ)εν 331⁷; s. ἐξα-
να(κ)κά(δ)δεν
ἔξο (ἐξό) dor. 678⁴. II 423, 3
ἐξοδεύω, -ομαι ngr. II 235⁵
ἔξοδος II 462¹
ἔξοθεν Stesich. 628²
ἐξόθεν Nik. II 427⁷
ἔξοι, ἐξοῖ adv. kret. syrak.
549⁷. 630². II 538⁵.⁷
Ἐξοιδᾶς 526, 5
ἔξοινος II 462²
ἐξοιστέον II 410³
ἐξοίσω II 352¹
ἐξοίχομαι II 462⁶
ἐξολέσθαι II 383⁶
ἐξόλλυσθαι II 376⁶. 383⁴.⁵
ἔξομαι 782⁷
ἐξόμεινος thess. 591⁶
ἐξόμιλος II 464⁶
ἐξόμματος II 461⁷
ἐξόμπλιον kleinas.-gr. 123, 2
ἐξόμφαλος II 461⁷
ἐξόν II 244⁴. 402².⁴. 408²; –
(sc. ἐστι) II 624¹; – (= ἔξε-
στι) II 346⁷; – εἶναι (= ἐξεῖ-
ναι) II 346⁷; s. ἔξεστι, ἐξεῖναι
ἐξονομάζω II 462⁵
ἐξονομαίνω τοὔνομα ἐπὶ πα-
τρός II 471³
ἐξονομακλήδην 626³. II 462⁵
ἐξόπιθεν II 427⁷. 462³. 540⁵.
541²

ἐξόπιν II 540⁵
ἐξόπισθε(ν) II 427⁷. 540⁵. 541²
ἐξοπίσω II 419⁴. 427¹·⁶. 462³.
540⁵. 541²
ἐξοπλίζεσθαι II 374⁸
ἔξοπτος II 462³
ἔξορθος II 462²
ἐξορκίξαιαν knos. 797⁴; -κί-
ξοντι conj. kret. 790⁴
ἔξορκος II 462²
ἔξορος II 464⁶
ἐξορύξε conj. kypr. 661⁶.
736, 12. II 447⁸; – ἐξ τόι
χόρδι II 447⁸
ἐξός II 538⁵·⁷
ἐξότε II 427⁷
ἐξ ὅτου II 653³·⁴
ἐξοτρύνειν τινὰ ξὺν ἐπαίνῳ II
490⁶
ἐξ οὗ II 300¹. 419⁴. 464³, 1.
640⁶, 2. 641². 653³·⁴
ἐξουδενέω II 597⁶
ἐξουδενόω II 597⁶
ἔξουθα H. 629¹
ἐξουθενέω (-ῶ) II 315⁶. 597, 3
ἐξουλῆς (so) δίκη 283⁸. 473¹.II
462², 1
ἐξοῦντι Archim. 786⁶
ἔξουρος II 462²
ἐξούσιος II 461⁷
ἐξοφέλλω II 462⁶
ἐξόφθαλμος II 461⁷
ἔξοχα adv. 621¹
ἐξοχάς 508, 4
ἔξοχος 430⁶. II 462¹; – ἡρώεσ-
σι II 155⁶
*ἐξπιπτω 324⁷
ἔξπους 335⁷. 591⁵
ἔξυγρος II 462³
ἐξυνῆκα 656⁴
ἐξυπανίστασθαι II 528²; ἐξ-
υπανέστη II 428³; ἐξυπανί-
στασθαι ὑπὸ σκήπτρου II
528²
ἐξύπερθε 610³. II 539⁴·⁵f.
ἐξύπερθεν II 462³
ἐξυπνίζω II 464⁷
ἔξυπνος II 464⁶
ἔξω 550³. II 463¹. 538⁵·⁷·⁸.
539¹⁻⁴; – c. gen. II 360⁸;
ἔξω- 632⁶
ἔξω (-ειν) 782⁴·⁷, 12. II
265³·⁸. 266². 292¹. 376²·⁶;
– c. acc. ptc. fut. 813²; π.
ἀ. δύο ἄνδρας ἕξει τοῦ μὴ
καταδῦναι II 93³. 360⁶
ἐξωβάδια dor. (lak.) 349⁵.
467². 520³
ἐξώγλουτος II 461⁷
ἐξώδων II 461⁷
ἔξωθεν 619². 628². II 538⁵.
539¹·². 547¹
ἐξώκαρπος II 461⁸
ἐξώκοιτος II 461⁸

ἐξώλης II 462²
ἐξώμαλλος II 461⁸
ἐξωμεύς II 461⁷
ἐξωμίας II 461⁷
ἐξωμίς f. II 461⁷
ἔξωμος χιτών II 461⁷
ἐξῶρτο II 462⁴
ἐξώτερος 534⁴; τὸ -ον II 185⁴
ἔξωχρος II 462³
εο 240⁵·⁶; – wechselt mit ᾱο
242⁸. 243¹; – für αο 243².
728⁶⁻⁷; – aus εϝο 228⁷;
– dor. aus ηο 244³; -εο aus
-ηο (< -ᾱο) 248⁴; – aus ευ
248¹; – aus ιο 245²; – > ιο
242⁷; – > ευ 247⁸. 248³;
– > ου 247¹. 249⁶·⁸; – >
dor. ω 249⁶·⁷; εο in ευ kon-
trah. 244⁶; – in ου kon-
trah. 249⁷
ε/ο themat. Vokal 642³.
683⁴, 5. 841⁶
-ε/ο- fut. 779⁷. 781¹
-ε/ο- conj. 790²·³⁻⁴f.
-εο gen. sg. ion. 561¹
-έο 2. sg. imper. 799³
ἔο gen. hom. ion. 603³. II 190⁴, 4
ἕο gen. hom. ion. 603³. 605¹.
II 198²; – refl. II 194⁷.
195¹; ἕο αὑτοῦ II 195³
Εὐθράσης ion. 197⁶
εοι > οι 250⁸
ἔοι 3. sg. opt. 677⁴. 794³. II
333⁷; s. ἔοις (εἰμί)
ἐοῖ dat. sg. pron. 602⁷. 603⁴; –
(= σεαυτῷ) II 198³; ἑοῖ
αὑτῶι 607². II 195³
ἔοικα 346⁸. 649³. 767¹. 769¹·².
772². 773⁷. II 264⁴. 395⁷.
397¹, 1; ἔοικας 767³; ἐοί-
καμεν 642⁴. 769³; ἔοιγμεν
769³, 6; ἐοίκει 653⁴. 777, 11;
ἐοίκεσαν 777⁵; ἐοίκεσαν 808².
II 161⁴·⁵; ἐοικώς 541¹;
ἐοικότες II 408⁶; ἔοικε c.
dat. II 144²; ἔοικας κεφαλήν
II 85²; s. ἤικτο, ἐώικει
ἑοῖο gen. sg. 574⁶; (= ἕο)
Ap. Rh. 609¹
ἔοις hom. 677⁴
-έοις dat. pl. nwgr. 575⁵
ἔολα 769⁴; ἐόλει Pind. 767¹
ἔολπα pf. 701⁷. 769⁴; s. ἐώλ-
πει
-έομαι II 232⁴
-ε/ον- suff. 485⁴ff.
ἔον 1. sg. ipf. äol. (lesb.)
642⁴. 652². 676⁶. 677³, 6;
– 3. pl. 663⁵, 10. 677³
ἐόν 16, 1; s. ἐών
*ἐόν (> οὖν) II 587²
ἐοντ- ptc. ion. 676⁶. 678¹
-έοντ- ptc. 786⁶
ἐόντα (τά) II 409¹

ἐόντα acc. sg. m.: καὶ βρα-
χὺν – II 389⁵
ἐόντ(ε) II 48³
ἐόντες 642⁴
ἐόντεσσι lesb. 564³
ἐόντι conj. lokr. 677, 10
ἐόντω 3. pl. imper. ark. dor.
678¹
ἐόντων 3. pl. imper. dor.
678¹; delph. 802⁴·⁶
ἐόντωσαν imper. delph. 802⁷
ἔορ H. 226⁶. 568⁵; ἔορες
226⁶. 480⁷. 568⁵, 3
ἑόρακα 128¹. 653⁴. 766³.
779, 1. II 258²; s. ἑώρακα
ἔοργα pf. 716¹. 769⁴, 10;
-ε(ν) 768⁵. II 263⁵; ἔοργε
κακά II 81¹; s. ἐώργει
ἔορες; s. ἔορ
ἑορτάζω 735²; ἑώρταζον 653⁴
ἔορται äol. H. 769⁵
ἑορτή 501⁵; – παρὰ τοῖς
Αἰγυπτίοις II 494³
-εος (aus -ηος) ion. 557⁷
-εος adj. ion. 81². 106, 3.
456². 467⁴⁻⁶, 5. 468¹⁻⁴, 1.
472⁶. 562³
-εος aus -εϝος 472⁶
-εος unkontr. adj. att. 562³
-εος gen. sg. f. n. 579²
-εος gen. sg. 1. decl. m.
ion. 561³, 3
-έος gen. sg. dor. wgr. ion.
575⁴. 579, 1
ἑός 304². 600⁶. 608³. II
182⁷. 192⁵. 199, 3. 200³·⁷.
201¹·²·³·⁴·⁸. 203⁶·⁷, 2. 204²⁻⁶,
3; ἑοῦ gen. Hes. 603³. 609¹;
ἑοῦ αὑτοῦ Ilias 609¹
ἑούρησα 654¹
ἑοῦς gen. böot. 603³. 605, 1
ἐοῦσα 678¹. II 389³
ἐουτῶν ion.(Priene) 203⁴.607²
εουυδρου delph. 197⁴
*εοχα 492⁵. 766, 6
ἐπ 82⁴. 265⁵; s.ἐτ
ἐπ' praep. II 465¹; – ἀγροῦ II
470⁶; – ἐμεῦ II 471³; – ἴσας
(sc. μοίρας) II 470⁸; – ἤματι
II 468⁷·⁸; – οὐδενί II 468³
ἐπ- praep. II 465¹
ἐπᾱβολά 434⁴
ἐπάβολος 709, 3
ἐπαγάλλομαι II 466³
ἐπαγγέλλω II 466³; -ομαί
τινί τι ἐς II 83⁸; ἐπηγγεί-
λου aor. 668⁴
ἐπαγείρω (-ειν) II 377⁵. 466³
ἐπαγή 758⁶
ἐπαγλαΐζω II 466³; -ιεῖσθαι
II 295⁴
ἐπάγω II 466³; -εσθαι II
231⁶; -γομένη 162¹; ἐπά-
ξομαι II 292³

ἐπάδω II 466³
ἐπαέξω II 466³
*ἐπᾶϜρ- 709, 3
ἔπαθα ngr. 764¹
ἔπαθον 781⁴. 787²
ἐπαιγίζω II 466³; -ων hom. 735⁴
ἐπαινετός 502⁴
ἐπαινέω (-εῖν) II 278¹. 282³, 1. 400⁴ 466³; -ῶν II 389⁴; -έσω spät 782²; -εῖσθαι II 364⁶; -έσομαι att. 784⁷; ἐπεινέθη 655⁴; ἐπαινεῖν c. dat. II 144⁴⁻⁵; – ἐπί τινι II 134²; – αὐτοῦ ὅτι II 105⁵; – ἀδικίαν πρὸ δικαιοσύνης II 507¹; – τινα ἐπὶ τὰ γελοιότερα II 472⁵; ἐπαινοῦμαί τι II 80⁶; – ἀπό τινος II 447²
ἐπ᾽ αἰνή (ἐπαινή) 102⁷. 436²
ἐπαίνην infin. lesb. 808¹
ἐπαινῆν knid. 807⁴
ἔπαινος 430⁶; -οι κατά τινος II 479⁶; ἔχειν ἔπαινον πρός τινος II 227². 514⁶; – – ὑπό τινος II 529³
ἐπαῖξαι μόθον II 73¹
ἐπαΐξασκε κατὰ μόθον II 476⁶
ἐπαΐξομαι 781⁷
ἐπαίρομαι (-εσθαι) II 351¹; – c. instr. II 168²
ἔπαισα 738²
ἐπαίσσω II 466³; – c. gen. II 105⁵
ἐπαισχύνομαι II 466³
ἐπαιτέω (-ῶ) II 82¹. 466³
ἐπαίτης hell. 263⁶
ἐπαιτιᾶσθαί τινα c. gen. II 131²
ἐπαίτιος II 465³
ἐπαίω: s. ἐπήϊσε
ἐπάκοε lak. 458⁴. 565⁵
ἐπακ(ο)ος dor. 562⁴
ἐπακούω c. acc. II 107⁴; ἐπήκουε δίκης II 95⁴; ἐπακούοντες τῶν λεγομένων II 95⁴; ἐπάκουσαν βουλῆς II 95³; ἐπακούσας τῷ κελεύσματι II 95⁴
ἐπακτήρ II 426³
ἐπαλάομαι II 466³
ἐπαλείφω II 466³
ἐπαλέξω II 466⁴
ἐπαλιλλόγητο Hdt. 765⁷, 6
ἐπαλληλία 399³
ἐπάλμενος 221³
ἔπαλξις 449, 2. 506¹. II 357¹
ἐπάλπνος 539²
ἐπάλτης II 465, 9
ἐπᾶλτο 751, 2
᾽Επαμείνων 435⁶
᾽Επαμινώνδας 435⁶. 510¹

ἐπαμμένειν c. dat. II 143⁴
ἐπαμοιβαδίς hom. 626⁴. 631⁴
ἐπαμοιβᾶδόν hom. 626⁴
ἐπαμύνω II 466⁴
ἐπαμφι- II 466⁴
ἐπάν II 306³. 659¹·⁷, 1
ἐπανα- II 440, 1. 466⁴
ἐπαναγωγή II 440, 1
ἐπανελχόμενος 213²
ἐπανέρχομαι II 440, 1
ἐπανιτάκώρ el. 705⁵
ἐπανορθόω: ἐπηνώρθωσα656⁴
*ἐπαν(σ)υτερος 398⁸
ἐπαντι- II 466⁴
ἐπάνω 633¹. II 466¹. 471⁷. 536³·⁴·⁸
ἐπάνωθεν 633¹
ἐπάξᾶ Theokr. 250³. 668, 4
ἐπαπειλοῦμαι τὰ δεινά II 241¹
ἐπαπο- II 466⁴
ἐπαράομαι II 466³; -ᾶσθαι κατά τινος II 480³
ἐπάρατος: -ον εἶναι μὴ οἰκεῖν II 598⁴
ἐπάργυρος 435⁴. II 423⁶. 465⁴
-έπαρδον 763⁴
ἐπάρει conj. ion. 790⁴
ἐπαρήγω II 466⁴
ἐπάριτοι ark. 502⁵
ἐπαρκέω (-εῖν) II 466⁴; – c. dat. 146³
᾽Επάρμοστος delph. 306²
ἐπάρουρος II 473³
ἐπαρτής 512⁵
ἐπαρτύω II 466³
ἐπάρχεσθαι c. instr. II 166¹
ἐπαρχία 159⁶
ἔπαρχος II 466⁴
ἐπαρωγός 398⁴. II 466⁴
ἐπαρώνησα 656⁴
ἐπάσατο dor. 654⁴
ἐπασκέομαι: ἐπήσκηται II 466²
ἐπασσύτερος 398⁸. 621²; -ον n. 534, 5; -οι 534, 5
ἐπάταξα II 258⁵
ἔπαυλις II 473⁴
ἔπαυλος II 473³·⁴
*ἐπαυρ- 709, 3
ἐπαυρεῖ praes. Hes. 709²
ἐπαυρεῖν II 361²
ἐπαυρέμεν II 377⁷
ἐπαυρέσθαι 709². 747²; s. ἐπαύροιτο
ἐπαύρεσις Hdt. Thuk. 709²
ἐπαυρήσομαι fut. 709². 782⁷
ἐπαυρίσκω 709²; -ομαι hom. att. 709², 3
ἐπαύροιτο ἄν II 328⁷; s. ἐπαυρέσθαι
ἐπαυχένιος II 473⁴
᾽Επαφρᾶς 128⁵. 461⁶

ἐπαφρόδιτος II 465⁴
ἐπαφύσσω II 466³
ἔπε el. II 658⁷
ἔπεα 5⁵
ἐπεάν II 659¹, 2
ἐπεβήσετο 788³
ἐπεγρίαι f. pl. 469³
ἐπεδίζετο 689⁷
ἐπέεσσι(ν) 564⁵·⁷. 580¹
ἐπεζάρησαν 726⁵
ἐπέζωσε 675⁴
ἐπεί II 298³, 4. 300¹. 313¹. 344⁶. 466¹. 556¹. 636¹. 658⁷. 659¹. 660²⁻⁵. 661⁴. 689², 1; – c. opt. II 336⁵; ἐπεὶ ἄν II 306³, 2; ἐπεὶ ἄρ δή II 660⁶; ἐπεὶ ἄρα II 660⁶; ἐπεί γε II 660⁶; ἐπεὶ δ᾽ ἄν II 660, 1; ἐπεὶ δή II 658⁷; ἐπεὶ ἦ II 565¹·². 660⁶; ἐπεὶ χα II 659¹·⁷; ἐπεὶ καί II 567⁴; ἐπεὶ κε II 659¹·⁶; ἐπεὶ μή II 595⁸; ἐπεί νύ τοι II 571³; ἐπεὶ οὖν II 585¹. 586⁶. 660⁶; ἐπεί τε II 575². 658⁷; ἐπεί τοι II 660⁶
ἐπείγω 644⁴. 653, 10. 685¹. II 429⁶. 466⁵; ἤπειγον, ἔπειγον ipf. 656³; ἐπείγεσθαι II 381⁷; μὴ ἐπειγέσθω II 343⁴; ἐπείγομαι c. gen. II 105⁵; – περὶ νίκης II 502⁵; ἠπείχθην 656³
ἐπεὶ δ᾽ ἄν II 660, 1
ἐπειδάν II 313³. 659¹, 2. 4. 660¹·²
ἐπειδέ megar. 400³. II 659¹
ἐπεὶ δή II 658⁷
ἐπειδή II 563². 658⁷. 659³⁻⁵. 660². 661⁴; – γε II 660⁶
ἐπειδήπερ II 660⁶
ἐπεὶ ἦ II 565¹·². 660⁶
ἐπειή II 660⁶
ἐπείη opt. II 321⁶
ἐπείηι conj. kyren. 661⁶
ἐπειθόμην 755³
ἔπειθον 755²
ἐπεὶ χα II 659¹·⁷
ἐπεὶ καί II 567⁴
ἐπεί κε II 659¹·⁶
ἐπείκεια 194²
᾽Επεικίδης 194²
ἐπεὶ μή II 595⁸
ἔπειμι II 162⁶; s. ἐπιέναι
ἐπεινέθη 655⁴
ἐπείνυσθαι ion. 697⁵
ἐπεί νύ τοι II 571³
ἐπεὶ οὖν II 585¹. 586⁶. 660⁶
ἐπείπερ II 572¹. 660³·⁶
ἐπειργασμένοι εἰσίν 812³
ἐπειτ- praev. II 466⁴
ἔπεισα 755²
ἐπεισέφρηκε aor. 689⁵

ἔπεισιν II 64⁸. 65¹. 419⁴
ἐπεισπίπτειν II 73¹
ἐπεισφρείς ptc. 689⁵
ἐπεισφρέω, aor. ἐπεισέφρηκε 689⁵
ἔπειτα 629³. 633¹. II 419⁴. 427⁷. 466¹. 564¹. 628⁶. 633⁶
ἐπεί τε II 575². 658⁷
ἐπείτε ion. 629, 4. II 313³. 659³·⁴·⁵. 660⁴
ἔπειτε ion. 629³, 5. II 563¹
ἔπειτεν 629³, 6. 633¹. II 564¹
ἐπεί τοι II 660⁶
ἐπέκεινα 625⁴. II 472⁵; – αὐτοῦ, – τοῦ Ἡρακλείου II 97¹
ἐπεκθεῖν II 381⁷
ἐπέκτασις 246⁶
ἐπέκχεε II 429³
ἐπελάντω 681⁴
ἐπελασάσθων imper. 802⁴
ἐπελάσθω her. 681⁴. 801⁶
ἐπέλασσα 695²
ἐπελεῦσαι kret. 747⁵
ἐπελευσεῖ gort. 242²
ἐπέλησε(ν) 699⁶. 748¹. 755¹
ἐπελθεῖν: τοῦ – II 361⁶
ἐπέλθοιεν kret. 797⁴
ἐπελθών: – θοῦσαν νύκτα II 391²
ἐπέμβαλε II 429³
ἐπεμβεβαώς II 429¹·³
ἐπεμελήθην 721³
ἐπεμήνατο aor. hom. 694, 3. 759⁴, 3
ἐπεμπίπτω βάσιν II 76¹
ἐπεν- II 466⁴
ἐπέναρ dor. 621⁴
ἐπένεικα hom. 744⁴
ἐπενεῖκαι II 376⁵
ἐπενεχθησόμενος 763⁵. II 296²
ἐπενήνοθε Ilias 766⁴. 777³
ἐπενθέμεν II 429³
ἐπεντανύσας II 429¹
ἐπεντύνονται conj. hom. 671⁵
ἐπεξ- II 466⁴
ἐπέξαθ' ὁ κριός Simon. 757²
ἐπεξελθεῖν τι πρὸ τοῦ δουλεῦσαι II 507²
ἐπεξερχόμεσθα 670, 3
ἐπεξῆς 221¹
ἐπεξιέναι τινί τινος II 131³·⁵
ἐπέοικα II 466⁴
ἐπεπαιδεύμην att. 777²; ἐπεπαίδευτο 776⁴
ἐπεπαύατο 671, 4
ἐπεπαύντο 671⁶, 4
ἐπεπήγει hom. 777, 11
ἐπέπιθμεν 767². 769². 776⁴·⁷
ἐπέπιθον 755²
ἐπέπληγον 765, 3. 777³. II 289, 1
ἐπέπλων 675⁴

*ἐπέποιθα plusq. 777². 778³; -ε 778³
ἐπεποίθεα 778³; -θει hom. 777⁴; s. ἐπέπιθμεν
*ἐπέποις 777²
ἐπεπόνθεα 778⁶; -θει 777, 11
ἐπέπρητο dor. 689²
ἐπέπυστο hom. 777²
ἐπεργάζομαι: ἐπειργασμένοι εἰσίν 812³; s. ἐπιεργάζομαι
ἐπερείδω II 466³
ἐπερίμενα ngr. 656⁸
ἔπερος 435⁴. II 465⁴
ἔπερσα 322¹. 755³; -σε 782²
ἐπέρχομαι (-εσθαι) c. dat. II 142⁷⁻⁸; – φθόγγω II 162⁶; – παρὰ ῥοάων II 497⁴
ἐπές c. dat. ark. II 430¹. 448¹
ἔπεσα aor. 753⁶. 814⁵; -σαν 3. pl. 753⁶
ἐπεσβόλος 239⁵
ἔπεσθαι 809⁴. II 160³·⁶, 1. 164⁶. 236⁵; – μετὰ κτίλον II 486³; – διὰ πεδίοιο II 450⁶; s. ἕπομαι
ἐπέσθων imper. pl. 802⁴
ἔπεσιν dat. pl. 580¹
ἔπεσον 271⁸. 746, 6. 756². 814⁵
ἔπεσπον 747². 748⁵
ἔπεσσιν dat. pl. hom. 580¹
ἐπεστάκηι kret. 649, 1
ἐπεστάκοντα thess. 649, 1
ἐπεστάτον ostkret. 253³
ἔπεστιν · πίθοι II 608⁴
ἐπέσχε με λέγοντα II 390⁷
ἔπεται c. dat. II 707
ἐπέτας 500¹
ἔπετε 3. sg. dor. 640⁵. 742⁵
ἐπέτειος II 473⁴
ἐπετέλησα Koine 753²
ἐπετήδευσε 656²
ἐπετήσιος II 473⁴
ἔπετον aor. dor. 814⁵. II 260⁶
ἐπέτοσσε aor. Pind. 755, 2. 816³
Ἐπευξήσεως 203⁵
ἐπευρεθῆι ion. 709, 2
ἐπευφημέω II 466³; ἐπευφήμησαν II 419⁴
ἐπεύχομαι II 466³
ἐπέφαντο Hes. 770, 7
ἐπεφεῖσαν 742, 2
ἐπέφησαν H. 742, 2
ἔπεφνον 748⁵. II 262³
ἐπέφραδον 748⁶
ἐπεφράκεσαν Jos. 772, 4
ἐπεφράσω Ilias 762⁴
ἐπέφῦκον Hes. 777³. II 288⁴
ἐπεχεῖ adv. delph. 549⁶. 622². 623, 13
ἐπεχές adv. 549⁶
ἐπέχθη Aristoph. 757²

*ἐπέχω (-ειν) 771, 8. II 283². 466⁴; s. ἐπέσχε, ἐπίσχε, ἐπισχεῖν, ἐφέξεις
ἔπεψα 751⁵
*ἐπῆ II 658⁷
ἐπηγγείλου aor. 668⁴
ἐπηγκενίδες 486³, 2
ἐπηετανός 426³
ἐπήϊσε 755³
ἐπήκοος II 95⁴; – c. dat. II 145²; s. ἐπάκοος
ἔπηκτο 751²
ἔπηλα aor. 714⁵
ἔπηλις 829⁵
ἔπηλυ 542, 3
ἐπήλυγα πέτραν Eur. 584⁶
ἔπηλυς (ἐπηλυδ-) 347². 425¹. 507³. II 34⁴
ἐπηλύτης 681³
ἐπήλυτος 704, 2
ἐπήν II 306³, 2. 659¹. 660²; s. ἐπάν
ἐπηνώρθωσα 656⁴
ἔπηξα 697³
ἐπηπύω II 466³
ἐπηρεάζω (-ειν) c. dat. II 145¹
ἐπήρετμος II 465⁴
ἐπήσχηται II 466²
ἐπήστακε äol. 650¹. 777³; s. ἐφειστήκει
ἐπήτριμος 494⁵, 7
ἐπητύς 506⁵, 9
ἐπί praep. 551¹. 594³. II 68³. 268¹. 269². 418¹·⁴. 419⁴. 422²·³·⁷. 424³. 425³·⁶, 4. 7. 427¹·²·³. 428⁷. 432⁵·⁸. 433³. 434¹. 440². 465¹, 1 – 473; ἐπ' II 465¹; ἐπί c. loc. II 168³; – c. acc. II 486¹; ἐπὶ μὲν τίθεις II 426⁵; ἐπὶ διεφθαρμένοισι Ἰωσι II391²; ἐπὶ χρόνον ἔτη δύο II 81, 3; ἐπὶ πατρός II 471, 1; ἐπ' ἀγροῦ II 470⁶; ἐπ' ἐμεῦ II 471³; ἐπ' ἴσας (sc. μοίρας) II 470⁸; ἐπὶ δεξιᾷ II 112, 4; ἐπ' ἤματι II 468⁷·⁸; ἐπὶ νυκτί II 469²; *ἐπὶ τεχί 424³; ἐπ' οὐδενί II 468³; ἐπὶ δεξιά II 112, 4; ἐπὶ θάτερα II 472⁴; ἐπὶ κάρ Ilias 583⁵. 625²; ἐπὶ μᾶλλον II 427⁷; ἐπὶ πάγχυ II 427⁷; ἐπὶ πλέον ὑμῶν II 995; ἐπὶ τάδε 'diesseits' 625⁴. II 472⁴; ἐπὶ ταυτί 'jetzt' 625³; ἐπὶ τὸ πολύ 625³. 632⁴; ἐπὶ τρίς II 466¹. 472⁶; ἐπὶ τοῖσδε, ὥστε II 468². 677⁷. 679⁵; ἐπὶ δέ 'und dazu' II 421⁶. 424³. 465³; τὸ ἐπί τινι II 467⁵; τὸ ἐπὶ τούτω II 70²

ἐπι- 635⁴. II 429⁴. 465¹; ἐπ-
  II 465¹
ἐπί böot. (= ἐπεί) II 659¹;
  ἐπί κα II 659¹
ἔπι 381². 3877·⁸. II 421².
  423³·⁴. 426². 427⁵. 465¹;
  (= ἔπεστι) II 465³. 623, 3
ἐπιάλμενος hom. II 465, 3; s.
  ἐπάλμενος
ἐπιάλτης II 465, 9
ἐπιανδάνει II 465, 3
'Επίασσα 525⁴. 674⁴
ἐπιβαίνω II 466¹·³; ἐπεβή-
  σετο 788³; s. ἐπιβήσεο usw.
ἐπιβάλλοντανς kret. 342, 3.
  563⁴
ἐπιβάλλω II 466³; ὁ -ων II
  125, 1; ἐπιβάλλομαι c. gen.
  II 105⁵; ἐπιβολὴν ἐπιβάλ-
  λειν II 75³
ἐπιβασκέμεν 263³. 707, 2
ἔπιβδα 475⁶. 476²
ἐπίβδαι 256⁵. 291⁵. 358³
ἐπιβε[βω]λευκῆμεν infin. dor.
  806⁵
ἐπιβῆι, ἐπιβῆν 676, 1
ἐπιβήμεναι II 375⁴
ἐπιβήσεο 788²
*ἐπιβιβασκ- 263³
ἐπιβιόω II 466³
ἐπιβλαί 425³
ἐπιβλαστάνω II 466³
ἐπιβλής 425³
ἐπιβλύξ 620⁶
ἐπιβοηθεῖν II 278⁸
ἐπιβολὴν ἐπιβάλλειν II 75³
ἐπιβουλεύειν II 73⁶; τὸ μὴ –
  II 371⁸; ἐπιβουλεύομαι ὑπό
  τινος II 240⁷
ἐπιβώμιος II 473⁴
ἐπιβώσομαι hom. 708, 3
ἐπιβώτωρ 355⁵
ἐπιγελάω II 466³
ἐπιγεωργεῖν τί τινος II 128²
ἐπιγίγνομαι (-εσθαι) II 466³;
  ἐπιγιγνόμενοι II 466²; ἐπι-
  γίγνεσθαι διὰ νυκτός II
  451¹; ἐπιγενομένη ἡ νόσος II
  390⁶
ἐπιγιγνώσκω c. gen. II 106²
ἐπιγναμπτός II 465, 11
*ἔπιγνοιης 390⁵
ἐπιγονή II 466²
ἐπίγονος II 466²·³
ἐπιγουνίδιος II 179²·⁵
ἐπιγράβδην 626³
ἐπίγρυπος II 465, 11
ἐπὶ δέ 'und dazu' II 421⁶.
  424³. 465³
ἐπιδεί böot. II 658⁸; s. ἐπειδή
ἐπιδείκνυμι (-κνύναι) τινα c.
  partit. II 394⁶; – παρὰ τὸν
  λόγον II 497¹; ἐπιδείκνυσθαι
  τὴν αὑτῶν ἀ. II 236²; ὥσπερ

ἐπιδεικνύμενοι II 391⁸
ἐπιδεῖν (ἐπεῖδον) II 363⁴;
  – τι c. ptc. II 394⁶
ἐπιδέξια 625³·⁴. II 473⁴; s.
  ἐπί, δεξιός
ἐπιδεύεαι c. abl. II 92⁶
ἐπιδευής 513³; -εῖς (sc. ἐσ-
  μεν) II 623³
ἐπιδημέω 726⁵
ἐπιδημία 469⁵
ἐπιδιαιρεῖν II 363⁸. 423²
ἐπιδιζο_μαι: ἐπεδίζετο 689⁷
*ἐπιδίκαμι 503, 1
ἐπιδικατοί ark. 503, 1
ἐπιδίφρια II 473³
'Επιδίφριος att. 278⁶
ἐπιδοῦναι 808, 3
ἐπιδραμέτην 651, 6
ἐπιδώμεθα Ilias 741⁴
ἐπιέζησα 752³
ἐπιέζον 656³
ἐπιείκελος II 465, 3. 466⁴
ἐπιεικής II 466⁴
ἐπιειμένε ἀναιδείην II 408⁸
ἐπιεῖναι II 466²
ἐπιείσομαι 781⁶
ἐπιέλπομαι II 465, 3
ἐπιέναι II 466²·³; – ἐπί τινα
  ξὺν τοῖς θεοῖς II 489³; s.
  ἔπειμι
ἐπιέννυμι II 466³
ἐπίεξα Hippokr. 721⁴
ἐπιεργάζομαι dor. II 465, 3;
  s. ἐπεργάζομαι
*ἐπιέρκω 431, 3. II 473, 1
ἐπίεσα 721⁴
ἐπίεσται 678⁶. II 229³
ἐπίϜοικος 223⁵
ἐπιζάξ 620⁶
ἐπιζαφελῶς 618⁵
ἐπιζώννυμι: ἐπέζωσε 675⁴
*ἐπιηΐσταμαι(-σθαι)32⁶.675,2
ἐπιήρανος 452³
ἐπιηρέστερος 535⁴
ἐπιθαλασσίδιος II 473⁴
ἐπιθαλάσσιος II 473⁴
ἐπιθεῖτο 642⁵
ἐπιθέμενος II 390⁵
ἐπίθεσις II 426⁵
ἐπίθετον II 173, 3; -τα ὀνό-
  ματα II 18³⁻⁴
ἐπίθετος 453⁵. II 426⁵
ἐπίθημα II 466¹
ἐπιθήσεσθαι (τὸ) II 369, 6
ἐπίθηται att. 793¹
ἐπιθιγανε ark. 699, 4
ἐπιθιγγάνη 699, 4
ἐπιθοῖτο opt. 642⁵. 741⁴
ἐπιθόμην 755³
ἐπιθρέξαντος Ilias 755³
ἐπιθυμέω (-ῶ) II 465, 10;
  – c. gen. II 105⁵; – c. acc.
  II 105⁷; -ῶν II 408⁸

ἐπιθυμία II 465, 10
ἐπίθυμος II 465, 10
ἐπιθυμοῦν (τὸ) II 409¹
ἐπίθωμαι att. 792⁷f.
ἐπίθωσε böot. 727²
ἐπίστωρ hom. 435, 5
ἐπικαλεῖν c. dat. II 144⁶;
  -λείτω II 342⁵; -λεῖσθαι
  ἀπό τινος II 446⁶
ἐπικάμπυλος II 465, 11
ἐπὶ κάρ Ilias 583⁵. 625²
ἐπικατα- II 466⁴
ἐπικατασφάζειν ἑωυτόν II
  272¹
ἐπίκειμαι, -κεῖσθαι II 466²;
  – c. loc. II 156⁶
ἐπικεκουρῆσθαι II 239⁷
ἐπικελεύομαι c. dat. II 147²
ἐπικέλλειν II 71⁷
ἐπικεύθω: -κεύσω II 291⁸;
  -κεύσῃς Od. 747⁴; μηδ'
  ἐπίκευθε, μηδ' ἐπικεύσῃς II
  343⁵
ἐπικηρυκεύεσθαί τι διά τινος
  II 451⁴
ἐπικινδυνοτέραν ἑτέρων τὴν
  π. II 99⁵
ἐπικλαρόν kyren. 410⁷
ἐπίκλην 425³. 558, 3. 621¹
ἐπίκλησιν adv. 621¹
ἐπίκλησις II 466³
ἐπικλίνω II 466³
ἐπικνᾶις 675²
ἐπίκοινος II 438⁸. 465⁴
ἐπικουρέω (-εῖν) 726⁴; – c.
  dat. II 146³; ἐπικουρεῖται c.
  dat. II 241²; ἐπικεκουρῆ-
  σθαι II 239⁷
ἐπικούρημα τῆς χιόνος II 96²
ἐπίκουρος ἀνήρ II 623⁵
ἐπίκρανον 583⁵
ἐπικρατέω (-εῖν) II 466⁴; – c.
  loc. II 169²; – τῷ πεζῷ II
  167²
ἐπικρέτει lesb. 724, 4
ἐπικρήνειε II 323⁵
ἐπικρῆσαι 752⁴
ἐπικτανεῖν II 366⁵
ἐπικωκύω τι αὐτῆ πρὸς αὑτήν
  II 510⁶
ἐπιλαμβάνεσθαι II 272³
ἐπιλανθάνομαι II 396²; – τι
  II 108⁵; – c. gen. II 108⁴;
  – ὑπό τινος ἄλλου (neut.)
  528⁷; – τινος ὑπό τινος II
  529⁵
ἐπιλελοχέναι 650¹
ἐπιλεξάμενος τῶν Β. II 102⁷
ἐπιλήθω; s. ἐπέλησε
ἐπιλησμονέστερος 535⁴
ἐπιλησμότερος 535³·⁴
ἐπιλίγδην 626³. II 426³
ἐπιλλίζω 735⁶
ἐπιμαίνομαι; s. ἐπεμήνατο

ἐπιμαίομαι 'strebe' II 105⁴;
– c. gen. II 105⁵; 'taste ab'
c. acc. II 105⁷
ἐπὶ μᾶλλον II 427⁷
ἐπιμάρτυρος 435, 5. II 465⁵
ἐπιμάσσομαι 782³
ἐπιμειγνύναι σφῶν πρὸς ἑ.
II 102⁴
ἐπιμειδήσας hom. 311³. 414⁵
ἐπιμέλεια διὰ καρτερίας II
452²
ἐπιμελέομαι (-εῖσθαι) 721³.
II 363⁵; -μελήσομαι 721³;
ἐπεμελήθην 721³; ἐπιμελη-
θῆναι II 363⁵. 364²; ἐπι-
μελειθεῖμεν infin. thess.
806⁴; ἐπιμελοῦμαί τι c. dat.
II 151³
ἐπιμεληθῆναι II 363⁵. 364²
ἐπιμέλησθαι lesb. 729²
ἐπιμελητέον τινός II 409⁷
ἐπιμέλομαι (-εσθαι) 721³⁻⁴. II
108⁷. 361⁴;-μέλεσθον imper.
803³; -μελΟσθōν imper.
altatt. 802², 2; ἐπιμέλομαι
c. gen. II 109²; – τι διά
τινος II 452⁶; – περί τινα
II 109⁵
ἐπιμεμνάκαντι arg. 356⁵.
719². 774⁵
ἐπιμέμφομαι c. gen. II 133⁵·⁶
*ἐπῖμεν aor. 780⁴
ἐπιμετα- II 466⁴
ἐπιμήδομαι II 466³
ἐπιμίξ 620⁶
ἐπίμπρην ipf., ἐπίμπρασαν
3. pl., -μπρων Xen. 689²
ἐπινεφρίδιος 452²
ἐπινέω 719³; -νέουσι Hdt.
721²
ἐπίνηιον 349³
ἐπινίκια θύειν II 76⁵; τοῖς
ἐπινικίοις II 158⁶
ἐπινοῆσαι II 364¹
ἐπινομά kret. II 546⁵
ἐπίνυσσεν aor. 708⁵
ἐπίξενος 326³·⁵. 568⁶. II 473⁴
ἐπίξῦνος 435, 5. II 465⁴
ἔπιον 660, 4. 693³. 756². 780⁴
ἐπιορκέω (-έειν, -εῖν) 726⁴;
– πρὸς δαίμονος II 516⁵; –
κατά τινος II 480²; ἐπι-
ώρκησε 656²
ἐπίορκος 430, 3. II 465, 3.
473³, 1
ἐπιορώρει hom. 777, 11
ἐπιοῦσα: ἡ – ἡμέρα II 175⁵;
ἡ – II 409³; τῇ ἐπιούσῃ II
158⁷
ἐπιούσιος 466⁵, 9. II 473, 2;
τὰ ἐπιούσια II 473, 2
ἐπιόψομαι II 465, 3; – ἄν II
351⁶
ἐπὶ πάγχυ II 427⁷

ἐπίπαν 625⁴
ἐπιπάξ H. 620⁵
ἐπίπαππος II 473⁴
ἐπιπαρα- II 466⁴
ἐπιπατρόφιον böot.451³.551³.
II 471³
ἐπίπεμπτος 599⁴. II 473⁴
ἐπιπερι- II 466⁴
ἐπιπηρῆται kret. 283⁵
ἐπὶ πλέον ὑμῶν II 99⁵
ἐπιπλήσσω II 271⁵
ἐπιπλήττω c. dat. II 144⁶
ἔπιπλον 449⁴
ἐπιπλώς,ἐπιπλώσας Ilias 743,5
ἐπίποκος 435⁴. II 465⁴
ἐπιπολή 295⁶
ἐπιπολῆς 625³
ἐπιπολύ 625³
ἐπιπρό 'vorwärts' II 429⁷.
505⁴
ἐπιπρο- II 466⁴
ἐπιπροέηκα II 429²
ἐπιπροΐαλλεν II 429³
ἐπιπρος- II 466⁴
ἐπίπροσθεν II 427⁷. 466¹.
543⁵·⁶. 544¹·²
ἐπιπροσθέω 726²
ἐπιπρόσω II 428¹
ἐπιπτάμενον Sapph. 742⁵
ἐπιπτέσθαι infin. Ilias 742⁴.
747²
ἐπιπτήσεται Hdt. 742⁵
ἔπιπτον ἑκατέρων II 622⁶
ἐπιράπιξις 738²
ἐπιρίπτειν 311³
Ἐπιρνύτιος kret. H. 96⁴.
352⁴. 695⁵
ἐπίρρημα II 14⁴·⁵. 412, 1.
413, 1; ἐπιρρήματα (term.)
587, 1. 618, 2. II 601, 3
ἐπιρρόμβεισι 3. pl. lesb. 729¹
*ἐπιρρόμβηντι 3. pl. 729¹
ἔπῖσα 709². 756²
ἐπισαμαινέσθω kalymn. 801⁶
ἐπισάττω II 432²
ἐπισκέπομαι 684⁵
ἐπισκέπτομαι 684⁵
ἐπισκευάζω II 276⁵·⁶
ἐπισκήπτεσθαί τινί τινος II
131³
ἐπισκήπτω II 83³
ἐπίσκοπος II 405². 426³
ἐπισκοτέω ἀντί τινος II 443²
ἐπισκύνιον 488⁵
ἐπισμῇι att. 675⁴
ἐπισμυγερῶς 310⁶. 618⁵
ἐπίσογκος 428, 4
ἐπισπάδην 626³
ἐπισπεῖν 684⁵; s. ἐπέσπον
ἐπισπένσανς nom. sg. kret.
287². 566²
ἐπισπόμενος 748⁵; -οι II 466²
ἐπίσσαι 472, 2
ἐπισσείω hom. 320¹. 685⁶

ἐπισσεύας (so, nicht ἐπισεύας)
414⁵
ἐπισσεύηι hom. 414⁵
ἐπίσσοφος ther. 320¹. 329³.
460⁶
ἐπίσσωτρον 532⁴
*ἐπίστᾶ 425³
ἐπιστάεται 675, 1
ἐπίσταμαι (-σθαι) 32⁶. 644⁴.
675², 2. II 396¹. 426⁶.
466⁵, 1; -σαι 668⁵; -ᾶι 668³;
-στεαι Hdt. 668³. 672²;
-στη 668⁴; -στέαται 3. pl.
668³. 675, 1; ἠπίστασο 668⁵;
ἠπίστω 668³·⁵; ἐπίστατο
675²; ἠπίστατο 656³; ἐπί-
στωμαι conj. 792⁷; ἐπίστη-
ται 675², 1. 687, 1. 792⁷;
ἐπιστέωνται Hdt. 792⁶; ἐπί-
σταιτο 675². 794⁶; ἐπίστασο
Hdt. att. 668⁵; ἐπίστω
668⁴; ἐπιστάμην infin. m-
kret. 807⁵; ἐπιστάμενος II
391⁷; ἠπιστήθην Hdt. att.
762². 782⁵; ἐπίσταμαι ὡς
ἁλούς II 397⁴; ἐπίσταμαί τι
ἀκοῇ II 167⁷; ἐπίσταμαι
τινα c. ptc. II 394⁶; ἐπί-
σταμαι c. gen. II 107⁷;
ἐπιστέαται c. gen. II 106⁵;
διὰ τὸ μὴ ἐπίστασθαι II
370⁶; ἐπισταμένῳ ἐόντι II
408¹; ὡς εὖ ἐπιστάμενος II
391⁶·⁷
ἐπισταμένως 624¹
ἐπιστάμων 522⁴
ἐπιστατέω c. gen. II 110²
ἐπιστάτης 452⁵
ἐπιστατητέον II 150²
ἐπίσ(τ)αυσε delph. 198⁵
ἐπιστελεσθεῖ 257⁶
ἐπιστέλλεταί τινί τι II 241²
ἐπιστένω II 463³
ἐπίστεσθαι 675, 2
ἐπιστεφής c. gen. II 111¹
ἐπιστέφομαι c. gen. II 111¹
ἐπίστημος 494⁴
ἐπιστήμων: – τὰ προσήκοντα
II 73⁸; – θαλάσσης II 107⁸;
– περί τινος II 503⁴
ἐπιστήσομαι hom. 782⁵
ἐπίστιον 425³
ἐπιστολαί 'Brief' II 43³
ἐπιστρατεία τῶν Πλ. II 121⁶
ἐπιστράφητι 262²
ἐπίστρεφε II 341⁷
ἐπιστρέφομαι c. gen. II 108⁸
ἐπιστρέφεται (τοῦ) II 372⁵
ἐπιστροφάδην 626⁵
ἐπίστροφος ἀνθρώπων II 108⁸
ἐπίστυσε 199³
ἐπισυν- II 466⁴
ἐπισυνιστᾶτοι (nicht -ται)conj.
ark. 669³. 792³

ἐπισφάττεσθαι ἑαυτόν II 236²
ἐπισφύριον II 473³
ἐπίσχε imper. 798, 6. 800¹
ἐπισχεῖν II 381¹; s. ἐπέσχε
(*ἐπισχερός) II 469, 2
*ἐπὶ σχερῶ II 163³. 469¹
ἐπισχερῶ 102¹. 482¹. 550².
618⁷. 625⁴. II 163³,0.2.
435¹. 469¹, 1.2
ἐπίσχες imper. 800¹; – τοῦ
δρόμου II 92⁴; –, μή II
676⁷
ἐπίσχετον II 609⁷
ἐπίσχοιας 660³
ἐπίσχοίης 660, 7
ἐπίσχοιμεν τοῦ θράσους II 93⁸
ἐπισχὼν ὀλίγον χρόνον II
390⁴
ἐπὶ τάδε 'diesseits' 625⁴. II
472⁴
ἐπιτάδε Φασηλίδος II 97²
ἐπιτᾱδές dor. 581, 4
ἐπιτάδουμα kret. 96⁴. 194⁴
ἐπιταινίδιος 467²·³
ἐπιτάξ 620⁶
ἐπιτάσσεσθαι ἀπό τινος II
446⁵
ἐπὶ ταυτί 'jetzt' 625³
ἐπιταχύνω τινὰ τῆς ὁδοῦ II
112, 2
ἐπιτεθῆναι II 377⁷
ἐπιτεθεωρήκην infin.lesb.807²
ἐπιτείνω II 466²
ἐπιτειχίσματα τῆς χώρας II
96². 121⁶
ἐπιτελέω: ἐπετέλησα Koine
753²; ἐπιτελέσαι II 364¹
Ἐπιτελίδεσσι argol. 564⁴
ἐπιτέλλομαι II 374²; – τι c.
dat. 147³
ἐπίτεξ 424³. 425¹
ἐπιτέταρτος 599⁴
ἐπιτετραμμένος τι II 241¹
ἐπιτετροπευμένος 766¹
ἐπίτευκται H. 767¹
ἐπιτηδειέστερος 535⁴
ἐπιτηδές 581, 4. II 78⁸
ἐπίτηδες 380³
ἐπιτηδέστερος 535⁴
ἐπιτηδεύω: ἐπετήδευσε 656²;
ἐπιτηδεύσουν 666³
ἐπιτίθημι II 466¹; ἐπιτιθοῦσαν
ptc. 688³; ἐπιτεθῆναι II 377⁷
ἐπιτιμᾶν c. dat. II 144⁶
ἔπιτνον 695³. 748³. II 262³; -ε
695³
ἐπίτοκα acc. sg. 424³
Ἐπιτόνυ kret. 182²
ἐπιτράψονται ion. 782⁶
ἐπιτρέπεταί τινί τι II 241²
ἐπιτρέπω II 307⁶. 396³;
-τρέψειν II 376²·⁶; ἐπιτρέπω
τινὶ παραβαίνοντι II 393⁷
ἐπιτρέχω; s. ἐπιθρέξαντος

ἐπιτριηραρχεῖσθαι pass. II
240⁷
ἐπὶ τρίς II 466¹. 472⁶
ἐπίτριτος 599⁴. II 473⁴
ἐπιτροπεύω 766¹. II 73⁷; –
c. gen. II 110²
ἐπιτροπή II 688, 1
ἐπίτροπος 441, 2
ἐπιτροχάδην 626⁵
ἐπιτρύσσειν lak. II 518¹
ἐπιτυγχάνω τινός II 104⁴
ἐπιτυφη- 759⁵·⁶
ἐπίτω II 342⁵
ἐπίφαντος II 405²
ἐπιφέρω II 466²; – χεῖρας c.
dat. II 145⁷
ἐπίφθονος πρός τινος II 514⁸
ἐπιφθύζω 325⁸. 326⁷
ἐπιφράζομαι II 704²; ἐπε-
φράσω Ilias 762⁴
ἐπίφρων II 465³
ἐπιφωνήματα II 601, 3
ἐπιχαίρω II 466³; ἐπιχαιρόν-
των II 344²
ἐπιχαρής 513³
ἐπιχειρεῖν 731⁶. II 365⁶
ἐπιχειρεῖν (τὸ) II 370⁶. 371⁵
ἐπιχείρησις II 357¹
ἐπιχέομαί τινος II 124⁴
ἐπιχθόνιος II 473⁴
ἐπιχράω c. dat. II 149⁴
ἐπίχρυσος 435⁴. II 465⁴
ἐπιψηφίζω II 234³
ἐπιώρκησε 656²
ἐπλάνεσα ngr. 753²
ἔπλε Ilias 651⁶. 747²
ἔπλει ἄν II 347⁵
ἔπλεο 747²; – ὠκύμορος περὶ
πάντων II 370²
ἔπλετο 780, 5; – ἄν II 347³
ἔπλευσα 685⁷. 754³. 781⁶
ἐπληροῦσαν 666, 3
ἔπλησα hom. 755⁶
ἐπλύθη 694⁵
-έπλω 743, 5
ἔπλωσε 743, 5
ἔπνευσα 685⁷. 696¹. 781⁶
ἐπόημμεν infin. lesb. 729¹
ἐπόθεσα 753³
ἐποίεhε 217³
εποιΕΣ aor. ark. 750, 1
ἐποιεσάτεν II 612¹
ἐποίϜεhε 217⁴
ἐποιϜεθε arg. 758, 3
ἐποίϜεσε böot. 223⁶
ἐποίης aor. 750, 1; -ησε 768⁵;
-ησν 392²
ἔποικα 842⁵
ἐποιμώζω ἀμφὶ τάρβει II 438⁴
ἐποίπνυσα 737⁴
ἐποίσε conj. ark. 752, 9
ἐποιχομένην II 419⁴
ἕπομαι 295⁶. 298⁵. 304¹·³.
684⁵. 748⁵. II 228⁷, 2;

ἕπονται II 224³; εἱπόμην
att. 219⁴. 653¹; ἕπου II
341⁴; ἑπόμενος II 241⁶;
ἕπεται c. dat. II 70⁷; s.
ἕπεσθαι, ἑσπόμην, ἑσπέσθαι
usw.
ἑπομένως II 160³
ἐπόμνυμι II 466³
ἐπόνεσα Hippokr. 753³
ἐπόνησα ion.-att. 753³
ἔπονια II 490²
ἐπονομάζειν II 122⁶; -ζεσθαι
II 362³; -ζομαί τινος II 124⁶
ἐποποῖ 194, 2
ἐπόπτησιν altatt. 559⁴
ἔπορε 360⁵
ἔπορεις ptc. lesb. 225⁶. 680⁶
ἐπορνύναι μόρσιμον ἦ. ὑπὸ
βίηφι II 526²; s. ἐπώρνυε
ἐπορούω II 466³
ἔπος 511⁷; ἔπεα 5⁵; ἔπεσιν
dat. pl. 580¹; ἔπεεσσι 580¹;
ἐπέεσσι(ν) 564⁵·⁷. 580¹
ἐποτρύνω c. dat. II 147³
ἐπουράνιος II 473³
ἐποχήσομαι II 291⁶
ἐπόψιος 449³
ἔππᾱσις böot. 271². 301⁷·⁸.
316⁷. 649⁴
ἔπραθον 755³
ἐπριάμην att. 681². 743⁵.
746¹; ἐπρίᾱ 2. sg. dor. 668³.
743⁵; ἐπρίω att. 668³. 743⁵;
ἐπρίατο 743⁵; 744, 1; *ἐ-
πρίατο 3. pl. 744, 1; s.
πρίασθαι
*ἐπστός 336⁴
ἑπτά 303⁸. 333³. 380⁸. 590⁵,
8; – καὶ δέκα 594²
ἑπταδεύω 597³
ἑπτάδυμος 589³
ἑπτακαίδεκα 594³
ἑπτακάτιοι her. 593²
ἑπτάκι Patmos 598, 2
ἑπτάκις Pind. 597⁶
ἑπτακόσιοι 593²
ἑπτάλια byz. 592, 5
*ἕπταμεο- 590, 8
ἑπτάμην 681³
ἑπτάρην Hippokr. 759³
ἔπταρον 759³; -ε 747⁵
ἑπτάς Arist. 597²
ἔπτατο hom. 742⁴. 747²
ἔπταχα 598²
ἑπτέτης 398⁴
ἑπτέτις 464⁵
ἕπτετο 358³
ἔπτηκα (= att. -ηχα) 772⁶
ἔπτην 742⁶; -έπτην spätgr.
742⁵
ἔπτηχα Isokr. 772¹
*ἕπτῡ (?) 759, 1
ἐπτύρην spätgr. 714⁵
ἐπυγίζοσαν 666¹

ἐπύησαν (= ἐποίησαν) 132, 1
ἐπυνθάνετο εἰ σωθεῖεν II 297[7]
ἔπω 'spreche' spätgr. 747, 4
ἔπω 684[5]. 768[6]
*ἔπωι aor. 780[4]
ἐπώιχατο 771[7], 8. 777, 2. II 432[1]. 466[4]
(ἐπωμέσθαι Alkm.) 784, 3
ἔπωνται 671[5]
ἐπώνυμος: -οι II 611[6]; ἐπώνυμός εἰμί τινος II 124[6.7]
ἐπώρνυε 698[6]
ἐπ᾽ ᾧ τε II 681[6]
ἐπώχετο II 419[4]
ἐρ 622[7]
ερ vor Kons. 684[3.4]; – für ιρ el. 275[1]. 695[1]; ερ statt ρα 693[2]
-ερ- suff. 480[7]f.
ἔρ(α) kypr. II 558[3.4]
*ἔρα 489[1]
ἐράασθε 681[2]
ἔραδος 509[1]
ἔραζε 424[3]. 625[1], 2
ἐραίμᾱν 681[2]
ἔραμαι 680[4]. 681[1]. 815[2]. II 229[2]; ἔρᾱσαι 669[2]. 681, 8; ἠράμᾱν 681[2]; ἤραο 747[2]; ἠρασάμην, ἠρησάμην 752[4]; ἠράσσατο 761[1]; ἔραμαί τινος II 105[2]
ἐρᾶν (τὸ) II 366[1]
ἐράναι· βωμοί H. 489[1]
ἔραννα voc. sg. lesb. 558[5]
ἐραννός 489[6]. 514[3]. 516[3]
ἔρανος 489[6]
ἐράομαι 681[2]; ἐρῶμαι II 347[4]; – ὑπό τινος II 240[8]
*ἔρας n. 444, 2. 514[5]. 625, 2
ἔρᾱσαι 669, 2. 681, 8
ἐρασθεὶς ἔχειν Plat. 812[7]
ἐρασθῆ- 761[4]
ἐρασθίς 771[2]
Ἐρασικλῆς 516[7]
ἐρασίμολπος 444, 2
ἐρασιπλόκαμος 444, 2
ἐράσμιος 493, 10
ἔραται 669[2]. 681[1]
ἔρᾱται indic. 681, 8
ἔρᾱται conj. 681[2]
ἐρατίζω 706[4]; – τινός II 105[2]
ἐράτοθεν H. 182[3]. 761, 5
ἐρατός 344[7]
ἐρᾱτύω dor. 727[5]
ἐραυνάω 126[3]. 274[8]; -ᾶν 198[4]
ἐράω 815[2]. II 229[2]
ἔρβως 514, 5
ἐργάζομαι (-εσθαι) 226[2]. 734[5], 7. II 713. 364[5]; εἰργαζόμην 654[1]; ἠργαζόμην 653[4]; ἐργᾶται fut. Koine 785[3]; ἐργάσεται med. pass. 763[5]; ἐργαξηται her. 786[4]; ὁ ἐργασόμενος II 296[2]; ἐργά-

σαντο 655[6]; ἐργάσσαντο 737[7]; ἐργάσασθαι 760[4]; ἐργασθήσεται att. 763[5]; ἐργασθέωντι rhod. 792[7]; ἐργασθῆναι pass. Hdt. att. 760[4]; ἐργασμένος II 240[4]; ἐργάζεσθαί τι πρὸ τῶν Τρωικῶν II 507[5]; ἐργάζομαί τινα κακόν τι II 81[2]; μὴ ἐργάσῃ II 340, 1; s. εἴργασμαι
ἐργάζω (= ἐργάζομαι) II 235[1]
ἐργάνη 379[6]
ἐργασείων Soph. 789[1]
ἐργασία 469[2]
ἐργαστέον II 150[2]
ἐργάτης 500[6]
ἐργατίνης 490[6]
ἔργετος 501[2]
-εργέω 726[5]
ἔργμα 525[3]
ἐργμένος Bakch. 716[1]. 769, 10
ἔργον 309[1]. 339[2]. 458[5]. II 468[5]; τῷ ἔργῳ II 167[3]; ἔργον οὐδὲν ὄνειδος II 623[4]. 693[6]; ἔργα παρέχεται πρὸς χώρην II 511[2]
ἔργω 782[5]; ἔρξω 782[5]
ἔρδω (-ειν) 335[8]. 716[1]. 754[7]. 782[5]. II 377[1]; ἔρδε II 344[1]; ἔρξω 782[5]; ἔρξωσι 664[3]; ἔρξαι II 381[2]; ἔρδειν κακά II 79[2]; ἔρδω ἱρὰ ἀμφὶ ἄστυ II 439[2]; – τινί τι II 151[2]
ἔρδω ἑκατόμβας ὑπὸ πλατανίστῳ II 525[3]
ἐρε/ο- 746[5]
ἐρέας thess. 513, 11
ἐρεβεννός 281[8]; -ή 385[4]
ἐρέβεσφιν 551[1]
ἐρέβευς gen. sg. hom. 579[3]
ἐρέβινθος 61[5]. 352[8]. 395[4]. 526[5]
*ἔρεβος 379[7]. 381[6]
ἔρεβος 295[6]. 379[7]. 381[6]. 411[6]. 512[6]; ἐρέβευς gen. sg. hom. 579[3]; ἐρέβεσφιν 551[1]
Ἐρέδαμος böot. 444[4]
ἐρέει κε II 351[5]
ἐρέειν II 232[7]
ἐρεείνω 521[4]. 724[5]
ἐρέεσφι· τέκνοις 551[4]
*ἐρεϝομεν conj. hom. 680[6]. 790[4]
ἐρεθίζω 736[2]; ἠρέθιζον 655[2], 1
Ἐρεθουσίαι delph. 256[1]
ἐρέθω: ἐρέθουσιν 3. pl. 703[3], 3; ἐρέθησιν, ἔρεθε 703[3]
ἐρείδω 684[6]. 754[8]. 773, 1. II 230, 1; ἐρείσατο 751[7]; ἠρείσθης 762[5]; ἐρείσας δόρυ πρὸς τεῖχος II 510[2]; ἐρείδομαι ἐπί τινος II 469[5]; –

ὕ. οὔδει II 155[7]; – c. gen. II 112[2]
ἐρείκη 314[2]
ἐρεικόμενος Ilias 747[4]
ἐρείκω 684[7]. 702[5]; ἤρεικον 655[2]; ἤρειξα 756[1]; ἤρικε 747[4]
ἐρείομεν conj. 680[6]. 790[4]
ἐρείπια 470[3]
ἐρείπω (-ειν) 347[1]. 684[6]. 747[4]. II 273[4]; ἐρείψω 782[4]; ἤρειψα 756[1]; ἤριπε 747[4]. 766[5]. II 284[6]; s. ἐριπεῖν
ἐρεισ- 754[8]
ἐ]ρεῖσες conj. 661, 4
ἔρεισμα 524[1]
Ἐρεμένα ark. 255[6]
Ἐρεμῆς 100[4]. 278[6]
ερεμνι pamph. 89[2]. 472[3]. 489, 6
ἐρεμνός 489[2]. 524[5]
ἔρεξα hom. 654[4]; -εν II 263[6]
ἐρέομεν 314[4]
ἐρεοῦς 468[1]
ἐρέουσα II 388[3]
ἐρέπτομαι 411[7]. 704[5]
ἐρέπτω 704[4]
ἐρέριπτο Ilias 766[5]. 771[2]. 777, 2
ἔρεσθαι 746[4]
ἐρέσθαι 746[4]. II 232[7]; – τί αἱ ϑ. ψοφοῖεν II 297[6]; s. ἠρόμην
ἐρεσιμήτρην 444, 2
ἐρέσσω ion. 320[7]. 725[3]
ἐρεσχηλέω 726[5]
ἀρετή att. delph. 256[1]
ἐρέτης 379[6]. 500[1]
*ἐρετής 379[6]
*ἐρέτjω 320[7]
ἐρετμόν 493[2], 2
ἔρετο 361[4]. 740, 7
Ἐρέτρια 500[1]
Ἐρετριῶν gen. pl. 253[4]
ἐρέττω att. 320[7]
ἐρεύγομαι 347[4]. 411[7]. 685[1]. 699[6]. II 229[1]; ἠρευξάμην 755[5]; ἤρυγον 699[7]. 755[5]; ἤρυγε 747[4]
ἐρευθής 513[5]
ἔρευθος n. 512[6]
ἐρεύθω 347[4]. 411[7]. 685[1]. 723[4]
*ἔρευμι 680[6]. 790[4]
ἔρευνα 421, 3
ἐρευνάω 680[6]; -ᾶν μετ᾽ ἀνέρος ἴχνια II 486[2]; s. ἐραυνάω
ἐρεύξις 505[4]
ἐρευσ- 755[1]
ἐρεῦσαι II 377[6]
ἔρευσε 781[5]
ἐρεύσομεν H. 782[5]
ἐρευτναί kret. 500[2]. 680[6]. 782[5]
ἐρευτήρ 314[4]
*ἔρεφος n. II 475[2]

ἐρέφω 355⁸. 411⁶. 683⁴. 684⁵.
704⁴. II 81⁴; ἤρεφον 655²;
ἔρεψον II 344⁴
'Ερεχθόνιος att. 444⁴
ἐρέχθω 326². 684⁶. 703, 7
'Ερεχσες (= 'Ερεχθεύς) 326²
ἐρέω 715⁵. 784⁴. II 292³;
εἴρεον ipf. 721¹; s. ἤρεον
ἐρέω zweisilb. (= ἐράω)
Archil. 681, 8
*ἐρϜωτάω 705⁵
ἔρημος 356⁵. 383¹; – c. abl.
II 96³; – πρὸς φίλων II
514⁸; – f. subst. II 32⁵. 175⁵
ἐρῆμος 383¹. 494⁴
ἐρημόω II 82⁶; ἠρήμωτο 655⁶;
– Μιλησίων II 93⁵
ἐρηρέδαται hom. 106³, 3. 672⁴,
5. 773, 1; ἐρηρέδατο 672, 8
ἐρήρεικα 671⁶
ἐρήρεινται, -ντο 671⁶
ἐρήρεισμαι 766³
ἐρήριγμαι Hippokr. 769, 6
ἐρηριπ- 766, 8
*ἐρήριπτο 766⁵
ἐρήρισται Hes. 766³
ἐρήσεο H. 788³
ἐρήσομαι 782⁷
ἐρήτῡθεν 761, 5; – καθ' ἕδρας
II 477⁴
'Ερητυμένης 441⁶
ἀρητύσασκε Ilias 711⁵
ἐρητύω hom. 727⁵. II 381⁶;
ἐρητύσειε II 638³; ἐρήτυσον
ἀμίλλης II 93³; s. ἐρήτυθεν,
ἐρᾱτύω
ἔρθει 684³, 6
ἔρθυρις 450⁵
ἔρθω: θά 'ρθω ngr. 16, 3
ἔρι (= ἔριον) 16, 1. 584, 6
ἐρι- 434¹, 1. 632⁶. II 185, 2
ἔρια II 43²
*ἐριάομαι 733, 1
'Ερίβας 637⁶
ἐριδαίνω 733¹, 1
ἐρῐδήσασθαι Ilias 733, 1
*ἐρίδϳω 735⁴
ἐριδμαίνω hom. 724⁶
ἐρίζεσκον hom. 711²
ἐρίζω (-ειν) 735⁴, 4. 766³.
II 161². 233³; ἐρίζητον II
607²; ἤρικα 650². 766³;
ἐριζέμεναι βασιλῆι II 161²;
ἐρίζειν πρὸς θεόν II 511¹;
ἐρίσσαι περὶ μύθων II 502⁵;
ἐρίζειν δέμας καὶ εἶδος II 85⁶;
ἐρίζοι κάλλος 'Αφροδίτῃ II
85⁴
ἐρίηρες 314²
*ἐριήσασθαι 733, 1
ἔρῐθος 511, 2
*ἐρίϳω 735, 4
'Ερμῆς att. 278⁶
ἐρῑνάς 508⁵

ἐρινεώς att. 557⁷
ἐρινός 491²
ἐρινύω ark. 727⁵
'Ερινύων 244⁸
ἔριον 584, 6; ἔρια II 43²;
s. ἔρι
ἐριπ- 766, 8
*ἔριπε 766⁵
ἐριπεῖν ἀμφί τινι II 438²
ἐριπέντι Pind. 759³
ἔρις 464⁴,4; ἔριδι'zum Streite'
II 1405·⁶; ἔριν ἔχειν II
161²; ἔχω ἔριν ἀμφὶ μουσικῇ
II 438⁵; ἔρις γίγνεται χερσί
II 139, 2; – τε φίλη πόλεμοί
τε II 611¹
ἔρισμα hom. 524¹
ἐρίσσεται hom. 785⁵; – κεν II
351⁵, 3
ἐριφιήματα 523⁴
ἔριφος m. f. 495⁵
ἐριώλη 434¹
'Ερίων 521, 3
*ἔρκατος 501, 6
ἔρκειος (ἑρκεῖος) 381⁸
ἕρκος 512³; – c. gen. II 129²;
– ἁλωῆς II 117⁶
ἕρμα n. 562, 1
'Ερμαιος 156¹
ἑρμανεύς 477, 2
*ἑρμανόω 477, 2
'Ερμάττιος 318²
'Ερμείας hom. 562³, 1. II
701⁶; -ᾱ voc. 560⁶
'Ερμέω πόλις 446, 3
ἑρμηνεύματα (term.) 34¹
ἑρμηνεῦσαι II 364²
'Ερμῆς ion. att. 62². 562³, 1.
635²; 'Ερμέω j.-ion. 252⁷;
– πόλις 446, 3
'Ερμίόνηι II 66⁶
'Ερμογᾶς 636⁵
'Ερμώνοσσα ion. 256³
ἔρνος n. 512⁷
ἔρνεσι(ν) 306²
ἔρνυξ 498²
ἔρξαι II 381²
ἔρξω (ἔργω) 782⁵
ἔρξω (ἔρδω) 782⁵; ἔρξωσι
664³
ἐρόεις 514³. 527⁵
ἐροίη (ἐρέω) Xenoph. 796⁴
ἔροιτο ὅ τι II 77⁸
ἐρόντι· μάλα H. 525, 4. 623⁴
ἔρος 514³, 4
*ἔρος (= ὄρος) 512⁴
-ερός suff. adj. 243⁸. 482⁴;
– ngr. 483⁶
ἔροτις lesb. 464⁵
ἐροτός thess. böot. 275⁸. 344⁷
ἐροῦ imper. 799²
ἔρπει 304¹

ἕρπες 'du gehst' kypr. 659⁶.
803¹
ἑρπετόν 502³
ἑρπήν 487²
ἕρπης 499²
'Ερπίς 213²
ἕρπισα ngr. 656⁸
ἑρπύζω 706⁴. 714, 9. 736⁶
ἑρπυστάζω 706⁴
ἕρπω 324⁶. 684³. 768⁶. II
225⁷·⁸. 226¹. 348⁷. 350⁶;
ἕρπειν τοῖς ὁδοῦσι II 166¹;
– ἐπί τι II 433³; s. ἧρπον
ερρ lesb. 345¹; – aus ερϳ
274⁴
ἐρράγην 227⁵
ἐρράδαται 672⁴, 7. 773, 1;
-ατο 672⁴, 7
ἔρρανα 714⁵
'Ερραφεώτας lesb. 285⁸
'Ερραφιώτας lesb. 495⁶
ἔρρε II 341⁷
ἐρρέθη 762¹. II 239⁷; s.
εἱρέθη
ἐρρεντί Alk. 525⁷, 4. 623⁴
ἔρρεξα 716¹, 2
ἔρρεον 322⁶·⁷. 654⁴; -ε 651⁴;
ἔρρευσα 685⁷; ἔρρευσε 743⁴.
755⁴
ἔρρεψε ngr. 755, 3
ἔρρηγα dor. II 227⁸
ἐρρηγεῖα her. 184¹. 541¹, 1;
ἤ – II 175⁵
*ἐρρήγνυαν 665³
ἐρρήθην 227⁵; -θη 654⁴; s.
εἱρέθη
ἔρρηξα 227⁵. 654⁴. 697³
ἔρρηχα hell. 772³
ἐρρήχθη pass. spätgr. 759²
ἔρρῑγα hom. 720⁴. 771³
ἐρρίγει 777, 11
ἐρρίγησε aor. 720⁴
ἐρρίγωσα 752³
ἐρρίζωσεν Od. 731⁷
ἐρρίζωται 731⁷
ἔρριμμαι att. 649⁴
ἔρριφα 649⁵. 772¹; -εν 747⁵
ἐρρύα dor. 636⁸. 755⁴
ἐρρύηκα 743⁴; -κε 649⁶
ἐρρύην 685⁷. 709³; -η ion. att.
643⁵. 743⁴. 755⁴. 756⁷. 760⁵.
781⁵
ἔρρυκα spätgr. 743⁴. 775³
ἔρρω 684³. II 274⁴·⁷; ἔρρε II
341⁷
ἔρρωγα 340⁴. 359⁴. 647¹. 649⁵.
759². 770¹. 772³. II 227⁸; -ε
765⁵; ἐρρώγαμεν 769³
ἔρρωμαι II 263⁴
ἐρρωμενέστερος 535⁴
ἐρρωμένος II 174². 387²
ἐρρῶσ(σ)αι spätgr. 205, 2
ἔρσαι 753⁵

('Ερσανδρείοι gen. thess.)
839⁷
ἔρσεν ion. el. kret. 486⁷;
ἐρσεναιτέραν el.284⁷. II 183⁵
ἔρσεο 361⁴. 512⁴. 788³
ἔρσεται Nikandr. 723³
ἔρσηι· ὁρμήσηι H. 695⁵
ἔρσην 284⁷. 342³
ἐρυγγάνω att. Hippokr. 699⁶
ἐρύγμηλος 484⁴
ἐρυγμός 492⁵
ἐρύειν hom. (= ἐρύσειν)
780⁶
ἐρυθαίνομαι hom. 733²
ἐρυθ(ρ)αίνεσθαι 842³
ἐρυθραίνω 733²
ἐρυθρίας II 18⁵
ἐρυθριάω (so) 732³
ἐρυθρῖνος 350¹
ἐρυθρόδανον 530²
ἐρυθρός 239⁶. 297⁴. 309³. 347⁴.
411⁷. 481⁵. 836³. II 173⁵
ἐρύκανε hom. 700¹
ἐρῡκανάω 700⁵; -όωσι 700¹
ἐρύκω 57³. 648⁴. 700¹. 702⁵,
5. 749³; ἐρύκακε 749³; ἠρύ-
κακον 755³;-ε 648⁴. 749³;ἐρυ-
κάκοι 749³; ἐρύκακε imper.
648⁴. 749³; ἐρυκακεῖν 749³;
ἐρυκακέειν II 381⁴; ἤρῡξα
755³; ἐρύκεσθον II 340⁷;
ἐρύκω c. dat. II 146³;
ἔρυκε μάχης II 93²; ἐρύκω
τινὰ πρὸ πυλάων II 506²;
ἤρυξέ τι μετὰ μάκαρας II
486⁴; s. ἔρυξα, ἐρύξω
'Ερύλᾱος 441⁴
ἔρυμα 523²
'Ερύμανθος 61¹. II 33, 2
'Ερύμηλος 441⁴
ἐρυμνός 332⁴. 489². 524⁵. II
182⁴
ἔρυξα 648⁴. 749³
ἔρυξις 505⁴
ἐρύξω 782⁵
ἔρυομαι II 352¹; – ὑπὸ Τρώων
ὀρυμαγδοῦ II 527³; ἐρύεσθαι
φάσγανον II 231²
ἐρύσαι κίον' ἀν' ὑψηλήν II
441¹
ἐρύσαιο μάχης II 91⁷
ἔρυσθαι 680⁴
ἔρυσθε 681¹
ἐρυσίβη 272¹. 443, 5
ἐρυσίπελας 443³, 5
ἐρυσμός 493³
ἔρῡσο, -το ipf. 681¹
ἐρύσσατό τινα μετὰ χερσίν II
484²; ἐρυσσάμενος φάσγανον
παρὰ μηροῦ II 497⁴
ἐρύσσομεν conj. hom. 790⁴
ἐρύω(-ειν) 681⁴. 702⁵, 5. 780⁶.
784, 2. II 351⁶; ἐρύουσι
hom. 780⁵; ἐρύω νεκρὸν ὑπ'

Αἴαντος II 527³; ἔρυσαν
νεκροὺς μετὰ λαόν II 483⁵;
ἐρύω τινὰ μετὰ λαόν II
483⁵; ἐρύω τινὰ πρὸ ἄστεος
II 506³; – τι ἐπί τινος (τινι)
II 469⁶; – τινὰ χλαίνης II
130²
ἐρχάμενος ngr. (dial.) 754¹
ἔρχαται hom. 767¹. 771⁷;
-ατο 771⁷
ἐρχθέντα 771⁷
ἔρχομαι 674⁵. 684³. 702⁵, 2.6.
708, 6. 737². 747⁴. II 227⁵.
258⁴. 265⁵. 272⁴. 274².⁴.⁷;
– ngr. II 281⁵; ἔρχεται II
242⁶. 620⁵.⁷; ἔρχονται II
245⁴; – 'man kommt' II
620⁸; ἔρχομαι c. dat. II
142⁵⁻⁷. 143¹. 162⁵.⁶; – ἀπ'
ἀγροῦ II 447, 2; ἔρχονται
πεδίοιο II 112⁴; ἔρχομαί
τινι ἀσμένω II 152³; – ἐπί
τινι II 467, 2; ἐπὶ δώρισι II
468¹; – ἐπί τινι II 467, 2;
– ἐπί τινα II 472⁷; – ἐπί τι
II 472⁸; – κατὰ πόντον II
476⁴; – μετά τινα II 485⁷;
– πρός τινα II 510⁶; – μεθ'
ἡμιόνους II 486³; – μεθ'
ὕδωρ II 486¹; – φράσων
Hdt. 813¹. II 255⁴. 291²;
– ὑπὸ Ζεφύροιο ἰωῆς II
528²; – δι' ὄρεσφι II 450⁶;
– διὰ φόβου II 255³. 452⁴;
ἔρχεται νέφος ἐξ αἰθέρος II
464⁴; – ἐς ἀσθενές II 460¹;
ἔρχεσθαι ὀπίσω τινός II
540⁸; ἔρχεται τοῦ κάμπου
(ngr.) II 137⁴
'Ερχομενός 67³
ἐρχομένω δύ(ο) II 617¹
'Ερχομίνιοι 275⁴
ἔρχουμι κὶ κάσουμι ngr. (kap-
pad.) II 270, 3
ἔρχω 'ibo' II 235¹
ἐρχωμός ngr. 493⁶
*ἔρω 684, 4
ἐρῶ fut. 715⁵. 783⁵. 796⁴.
816⁴. II 293¹.³; – 'λέγω'
hell. 784, 4
ἐρῶ 681², 8; – c. gen. II
105².⁴; s. ἐράω
ἐρωείτω πολέμοιο II 92⁴;
ἐρωήσει περὶ δουρί II 501¹
ἐρωή 411⁷
ἐρῶμαι II 347⁴; s. ἐράομαι
ἐρωμανής 514³
ἐρώμεθα conj. aor. II 315³;
s. ἠρόμην, ἔροιτο, ἐροῦ
ἐρωμένιον 471¹
ἐρῶν 'liebend' II 408⁸
ἐρῶν (ὁ) ptc. fut. II 296²
ἔρως 514³
ἔρωτας ngr. 514⁴

ἐρωτάω (-ᾶν) 314⁵. 705⁵. II
82¹⁻², 2. II 277⁷. 278². 363⁵;
ἐρωτῶ ngr. II 83⁵; ἠρώτουν
NT, später 729¹; ἐρωτῶ σε,
ἔχε.. II 634, 1; – πύστεις II
76²; ἐρωτηθεὶς τὸ καλόν II
82²; ἐρωτῶ ἵνα II 384³;
ἐρωτᾶν ἄπορον c. dat. II
152²; – περί τινος II 503¹
ἐρωτηθείς; s. ἐρωτάω
ἐρωτιδεύς 510²
ἐρωτικός 514³
ἐσ-(:σ-bzw.h-)674¹.677¹[εἰμί]
ἐς praep. 'in' 82⁵. 90⁴. 396⁴.
407³. 620¹. II 68². 427⁷.
428¹. 433⁴. 454⁶. 455¹, 9;
– c. gen. einer Person II
120²⁻⁶; – c. acc. II 58⁵; ἐς
ἄνδρας διακ. κ. ε. ἐνέμειναν II
622⁶; ἐς ἄντα 619¹. II 441⁷;
ἐς αὔριον II 427¹.⁶; ἐς ἔνην, –
ἔνης 619³; ἐς ἔννηφιν 619³;
ἐς κόρακας (sc. ἔρρε) II
456, 0. 624⁷. 707⁶; ἐς νέω,
– νέωτα 622, 5; ἐς ὅ II 312⁷.
653¹. 657⁶; ἐς ὃ ἐμέμνητο
II 459⁷; ἐς ὀπίσσω II 427⁶;
ἐς οὗ II 427⁷. 653².³; ἐς
πότε II 427⁷; ἐς πόθ' ἕρπες
kypr. II 462³; ἐς πρόσθεν II
427, 7; ἐς τρίς 591². II 419⁴.
427⁷; ἐς ὕστερον II 427⁷;
ἐς φθόρον II 707⁷; s. εἰς
ἐς praep. II 455¹.⁶; s. εἰς
ἐς praep. 'aus' 82⁵. 336⁵.⁶.
407³. II 448¹. 456, 5. 461⁴
ἐς praep. II 460⁵
ἐς Σπίνθαρος 747, 4
ἔς imper. 687¹. 800 ¹.²
*ἔς (= εἶς) 616³; s. hΕΣ
-ες voc. sg. m. f. 579¹; – ngr.
555²
-ες gen. sg. 547⁷
-ες nom. sg. (= -ος) ngr.
(dial.) 555²
-es nom. sg. (gen. -e) m. ngr.
585⁷
-ες nom. pl. 548⁶. 549³. 562⁷.
585⁷; – ngr. 586⁵
-ες acc. pl. m. f. 563⁵⁻⁶.
585⁷; – ngr. 586⁵
-ες Verbalend. 657, 4; – 2.
sg. indic. ngr. 764²; *-ες
praes. 791³
-ες 2. sg. imper. 800¹
-ες 2. sg. aor. ngr. 763⁶
-ες 2. sg. pf. 767⁴
*ἔσα aor. 778⁶
-εσα aor. Koine 753².³. 816⁸;
– ngr. 753²
ἐσαγαγεῖν (-γαγέσθαι) γυναῖ-
κα II 234⁶
ἐσαγγελθῆναι II 401¹
ἐσαγείρω II 457⁵

ἐσάγω; s. ἐσαγαγεῖν, εἰσάγω
ἐσαεί Aesch. 619³
ἐσαθρέω II 457⁵
-εσαι 2. sg. fut. 669¹
ἐσακούω II 457⁵; – c. dat. II 145².⁵
ἐσάλλομαι II 457⁵; ἐσήλατο 740⁵
ἐσάλπιγξε 735⁴; – (sc. ὁ σ.) II 620⁵. 621¹. 707⁶
ἐσάλπισα spätgr. 737⁶
ἔσαν 3. pl. hom. 677², 8
ἔσαν 741³ [ἵημι]
-εσαν 3. pl. plusq. 776⁵. 778¹.²
ἔσανα Pind. 714⁵
ἐς ἄντα 619¹. II 441⁷; ἐσάντα 625³
ἔσαντα II 68⁶
ἐσᾶς, σᾶς acc. pl. ngr. 606⁴
ἐς αὔριον II 427¹.⁶
ἐσάωσα 736⁵. 752, 2; -σε II 283³
ἔσβᾶ imper. ion. att. 799³; s. εἰσβαίνω
ἐσβάλλειν (τὸ) II 371⁶
ἐσβάλλω c. dat. II 162³; – τι ἔς τι II 459⁴; ἐσβαλοῦντες διὰ τὴν ἔσπραξιν II 454⁴⁻⁵
ἔσβεσα 743¹, 1; -σε 756¹; -σμαι 773⁴
ἔσβη hom. att. 743¹, 1. 756¹. 798, 9
*ἔσβης 743, 1
ἔσβωσα ion. 719¹ [*σβοάω]
ἔσγονος böot. 260⁶. 317²
ἐσδέλλοντες ark. 88⁶. 301³; – ἐς c. dat. II 448¹
ἐσδέλλω II 393⁵
ἐσδοθη conj. ark. 792⁷
Ἔσδρας 277⁷
ἐσδύνω c. loc. II 157²
ἔσεαι 'wirst sein' 678²
ἐσέγκα ngr. (pont.) II 258, 2
ἔσει 668, 3; s. ἔσομαι
ἐσεῖς 606⁴; s. ἐσεῖτες
ἔσεισα 654⁴; -σε II 621⁴; -σεν ὁ θεός II 621⁴
εσεισθαι 786⁴
ἐσεῖτες 'ihr' ngr. (dial.) 604,2
ἐσελθεῖν ὡς τὴν θυγατέρα II 533⁷; – εἰς Πλ. ξὺν ὅπλοις II 489⁶
ἐσελθών: ἔλαθον -θόντες II 392⁴
*esen (> εἶν) 808, 1
ἐσένα 606⁴
ἐς ἔνην, – ἔνης 619³
ἐσένιχαι infin. lesb. 744⁵
ἐς ἔννηφιν 619³
ἐσεσάχατο 771⁷
ἔσεσθαι II 295⁶
*εσεται 788, 0
ἔσεται 678². 786¹; s. ἔσται

ἔσhοδον att. 219²
ἔσηι att. 678²
ἐσήλατο Ilias 740⁵; s. ἐσάλλομαι
ἐσήμανε ngr. II 621²
ἐσήμηνε II 621²
ἔσηρα 714⁴
*ἔσθαι 809³
ἔσθην 767, 4
*ἐσθῆναι 775, 7
ἐσθής 263⁸. 528, 5; ἐσθήσεσι 604³
ἔσθι imper. 'sei' 677⁴. 800⁴
ἔσθι imper. 'iss' 713, 6
ἔσθιεν (?) Ilias 740³
ἐσθίεται II 226³. 237³
ἐσθίω 421⁵. 713⁶, 6. 748². II 226¹; – τι ὑπ' ὀργῆς II 528⁶; – ὠμῶν II 103³; s. ἔσθι, ἔδομαι, ἔδω, ἔσθω
*ἐσθjω 704, 1
ἔσθλα 839³
*ἔσθλον 839³
ἐσθλός 533³, 5
ἔσθος 511¹
ἔσθ' ὅτε–ὅτ' ἄλλοτε II 649, 0
ἔσθω 'edo' 704¹, 1. 713, 6
-έσθω imper. 801⁶
*ἔσι 'bist' 82⁶. 321⁶. 659, 4. 660⁴
-εσι dat. pl. 564³.⁴.⁵. 571⁵.⁷. 579²
*-εσιᾶ f. Ausg. 469⁴
ἐσίδεσκε Od. 711⁵
ἐσίζηται II 457⁴
ἐσίμειν infin. rhod. 807⁶
-έσιν suff. n. (= -ήσιον) 824⁷
ἐσίναντο aor. Hdt. 694⁵
*εσj > ει 273²
*-εσjω verba 727¹
-εσχ-Iterativprät.710⁴,9–712
ἐσκαταβαίνων II 428³
ἔσκαφα 772⁴
ἔσκε adv. 108⁷. 630¹. II 653²
ἔσκε(ν) 338¹. 677³. 708³. 710⁴. 711⁷. II 276³; – ἐνὶ Τρώεσσι II 457⁸
ἐσκέδασα 752⁴
ἐσκεθῆν 704¹
ἐσκεμμένα 760⁴
ἔσκετο hom. 652, 5. 748, 4
ἐσκευάδαται ion. Hdt. 672⁴. 773²; -ατο 672⁴. 773²
ἐσκέψεται 783⁴. II 240⁴
ἐσκηδεκάτη böot. 336⁶. 590⁵
ἐσκηδέκατος böot. 596³
ἐσκιχρέμεν infin.thess. 689².³. 806³
ἔσκλην 798, 9; ἔσκλη 756¹
ἔσκον hom. 677³. 708³, 6. 711⁶. 712²
ἐς κόρακας II 456, 0. 624⁷. 707⁶
ἔσκυλα 714⁶

-έσκω verba 708⁴, 8
Εσλειμ 163³
ἔσλιν (= ἔστειλεν) ngr. 335⁴
ἐσλός 86⁵. 337⁶
ἔσλος äol. 312¹. 328⁶. 337⁶
ἐσματεύω, -τέω ion. 705⁶
ἐσμέν 311⁸. 677¹. 773⁴
*ἐσμι 322⁵. 677¹.⁴, 0
ἐσμός 493³, 5
ἐς νέω, ἐς νέωτα 622, 5
*ἐσνῦμι 322⁶. 697⁵
ἐς ὅ II 312⁷. 653⁷. 657⁶; –ἐμέμνηντο II 459⁷
ἔσο imper. hell. 678²
*-έσο 2. sg. imper. 799³
ἔσοδος II 470⁵
ἔσοιτο II 337².³
ἔσομαι 678². 737³. II 258³; ἔσει 668, 3; ἔσηι att. 678²; ἔσεται 678². 786¹; ἐσόμεθα 678²; ἔσεσθαι II 295⁶; ἔσομαι c. ptc. aor. II 266⁴, 1; ὡς ὠφέλειαν ἐσομένην II 402⁸; s. ἔσσομαι, ἔσται
ἐσόν ngr. (dial.) 605⁵
ἐς ὀπίσσω II 427⁶
ἐσορᾶν αἴγλαν ὑπαὶ χειμῶνος II 527⁴
ἐς οὗ II 427⁷. 653².³
ἐσοῦ 606⁴
ἐσούνη ngr. (kypr.) 606⁴
ἐσοχάδες [so, nicht ἐσωχ-] 508, 4
ἔσπακα 775² [σπάω]
ἐσπάρθαι 336². 809⁵
ἔσπαρμαι 649⁵. 769⁵; ἔσπαρθε 670³
ἐσπασάμην 676²
ἔσπασμαι 773⁴
ἔσπεικα 775²
ἔσπεισα 322¹
ἐσπείσθη 761³
ἔσπεισται 287⁶
ἐσπέμπω τι ἐς τινα II 459, 2
ἔσπευσα 322¹
*ἔσπεο 748⁵
ἔσπεο 748⁵
ἐσπέρα 379⁶. 832⁷; -ρας 'abends' II 113¹
*ἐσπερά 379⁶
ἐσπερέθοντο H. 703⁴
ἐσπερινός 490⁵
ἕσπερος 226⁷. 328³
ἐσπέσθαι 647⁶. 749¹
ἐσπέσθην 748⁵
ἐσπέσθω 748⁵
ἔσπετε imper. 747². 799⁵. II 457⁵
ἔσπετο 748⁵
ἐσπευκότος 775²
ἐσπίπτω c. loc. II 157¹
ἐσπλέω II 72¹
ἐσποίμην 748⁵. 749¹
ἕσπομαι praes. Ap. Rh. 749¹

ἕσπομαι fut. hyperatt. 780⁵
ἑσπόμην 304³; ἕσπεο, ἕσπετο,
ἑσπόμεθα, ἑσπόμενος 748⁵;
ἑσπέσθαι 647⁶. 749¹
ἐς πότε II 427⁷; ἐς πόθ'
ἕρπες kypr. II 462³
ἐσπούδακα II 264²
ἑσπράξεται conj. kret. 790⁴
ἑσπράττανς kret. 316⁸
ἑσπρεμμίττεν kret. 323²
ἐς πρόσθεν II 427, 7
ἕσπωνται 748⁵
*ἕσρεϜε 651⁴
ἐσσ (ἐς) böot. 211⁷. 336⁶. II
461⁴
ἐσσ' (= ἐσσι) hom. 659⁵
ἐσσ- 754⁸. 787¹
ἕσσα f. (= οὖσα) äol. dor.
epid. 473⁷. 678¹. 709, 4;
s. ἐών
-εσσα suff. f. 527², 4
ἕσσαι 653¹. 678⁶. 767¹
ἕσσατο 653, 2
ἕσσεαι 678²
ἐσσεγράφεν ἕν τινα II 459²
ἐσσείοντο 654⁴
ἐσσεῖσθαι 786⁴·⁶
ἐσσεῖται 678². 785⁷. 786¹·⁴·⁶.
788, 0
ἕσσεσθαι λώιον II 295⁴
ἐσσεσθειν infin. thess. 194⁴.
809³
ἕσσεται 678². 786¹. II 292²
ἕσσευα hom. 348⁶. 679⁵.
745⁴·⁶
*ἕσσευσα aor. 745⁶
ἐσσῆαι·ἐκχέαι H. 745, 4.
752, 4
ἐσσῆι Theokr. 786⁶
ἐσσῆϊ·ἐχούσῃ H. 745, 4
ἐσσήν 316¹. 487³
ἐσσῆται dat. 'erit' her. 752⁶. 786⁴
-εσσι dat. pl. 81⁶. 89⁷. 91⁶.
527², 4. 564³⁻⁷, 1. 575⁵, 4.
579². 580¹, 2. 840⁴
ἐσσι 'bist' hom. 677¹; ἔσσι
659³; ἐσσί 321⁶
ἐσσι 'ist' äol. 270, 1; (3. pl.)
677, 3
ἐσσίταλα 484⁴
*εσσκε 338¹
ἕσσο 'sei' äol. hom. 678².
799⁶. II 339². 341²
ἕσσο „zieh dir an" 2.sg. 767,
4. II 348⁵
ἐσσόεσθαι ion. 732¹
ἐσσοημένον H. 720²
ἕσσομαι 321⁴. 678². 781⁶.
782³. 786¹; ἐσσόμεθα 678²;
ἔσσονται 90⁴. 786⁴
ἐσσόμενα (τὰ) II 296². 409¹.
426⁴. 506²
ἕσσον 653, 2
ἐσσοῦνται Archim. 786⁶

(ἔσσπε) 747, 4
ἕσστα 'wurde aufgestellt'
arg. 238⁴
ἕσσυμαι 770¹; ἕσσυται 649⁶;
ἐσσύμεθα 740³; ἐσσύμενος
ὁδοῖο II 105²
ἐσσυμένως hom. 624²
ἕσσυο 668². 740²; ἕσσυτο
347⁴. 654⁴. 740²·³. 745⁵
-έσσω fut. 779⁸. 784³·⁴·⁶
-έσσω verba 270,1.724,6.725³
ἕσσω fut. II 83² 291³
ἕσσων ion. 538², 5
(ἕστᾱ el.) 629, 11
ἕστᾱ 640⁴
*ἕστᾱ pf. 775⁶
ἑστάᾱπε tsak. 180⁸
*ἑστάᾱσι 364¹. 665⁵, 4
ἑστάγη spätgr. 714⁶
*ἑσταϜώς 541¹
ἐστάθην 762⁴; -θης 762³;
-θη 760⁴. 817²
ἕσταθι imper. 357². 770³.
774⁵. 800⁵
ἕσται 678². 780²·³, 4. 786¹.
II 265²·⁶·⁷. 273³. 292². 312³;
– εἰς ἔθνη II 460¹; s. ἔσομαι
ἕσται 706⁷. II 234¹
ἐσταίην opt. 774⁵. 795¹; -αῖ-
μεν 795¹
ἕστᾱκα (ἕ-) trans. j.-att. hell.
775⁴. 812⁷. 816¹.817².II 228¹
ἑστᾱκα 649,1.742⁴.770²·⁴.774,
1. 775⁶; -κε 775⁶. 776¹
ἑστάκην 652³
ἑστάλατο 671³
ἑστάλη 758²
ἕσταλκε 775⁴; s. ἔστελκε
ἑστάλμαι 769⁴; -λται 758²;
-λθε 670³; ἑσταλμένοι ἦσαν
812³
ἕσταμαι (ἕ-) 770³. II 228¹
*ἑστάμᾱν, -άμεθα 762³
ἕσταμεν 357¹. 652². 742³.
767². 770²⁻³. 774³·⁵, 1. 776⁷
*ἕστᾱμεν 686⁷. 742³
ἑστάμεν infin. 770³. 806³
ἑστάμεναι 770³. 806³. II 374⁷;
– περὶ τοῖχον II 504²
ἕστᾱν 659³. 742³. 744²; ἕστᾱ
640⁴; ἕστᾱμεν, -ατε 742³;
ἕστᾱν 3. pl. 664, 5. 742³, 3
ἕστ' ἄν 629, 11. II 657⁸. 658²
ἑστάναι infin. 774⁵; – ὑπὸ
δένδρῳ II 525⁴; στάσιν – II
74⁴. 76⁶
ἕστανεν 698³
*ἕστᾱο 762³
ἑσταότ- 770³
ἑστᾱσα 742⁴. 752², 1
ἑστάσαμες dor. 663¹
ἕστᾱσαν 3. pl. trans. 742,3
ἕστᾱσαν 3. pl. hom. att. 665⁷
751, 5. 770³. 776⁴. 777¹·⁵

*ἕστασθε 762³
ἑστᾶσι att. Hdt. 665⁵. 687, 5
ἕστατε pf. 742³. 770³. 776⁷
ἕστατο H. 762³
ἕστατον hom. 776⁷
ἑστάτω 801³
ἑσταώς 541¹; ἑσταυῖα 770, 3;
ἑσταὼς πρὸ Τρώων II 506⁶;
s. ἑστεώς, ἑστηώς
ἑστέ indic. 663¹
ἕστε imper. 108⁷. 678¹. 799⁴
ἕστε 'bis'629⁵,11.630¹.II300¹.
657⁶·⁷·⁸; – praep. II 456, 5.
533³·⁵; ἕστε ἐπί 428⁷. 533⁵;
ἕστε ἐς, – ποί II 533⁵; – –
τὰ Φαλακρίου II 510⁵
ἕστε dor. Et. m. 629⁶, 11
ἑστέᾱσι 3. pl. 665, 4. 672²
ἕστειλα 751⁴. 763⁷; -λε 641⁸
ἐστείλατο 751⁵
ἕστειξα hom. 755⁴
ἕστεισις ark. 505⁵
ἕστελκε 775⁴
*ἕστελσα 751⁴
ἕστεμμαι 771²
*ἕστεν 3. pl. aor. 742³
*ἑστέος 775, 7
*ἑστέρεσα 696, 4
ἑστερήθην 709³
ἑστέρηκα 709³
ἑστέρημαι 709³; – τῆς βασι-
λήιης II 93⁵
ἑστέρησα 709³
ἑστερῆσθαι (τοῦ) II 360⁷
ἑστέρισεν eretr. 709³
-έστερος suff. compar. 527³.
534². 535³·⁴
ἕστεσα ngr. 753²
εστετεκνωται conj. kret.793¹
ἑστεώς ion. 541¹; ἑστεωτ-
770²; ἑστεῶτος 245⁶. 250³;
ἑστεῶσα 540⁶; ἑστεὼς πρὸς
βορέω II 515⁸; s. ἑστηώς
ΕστϜεδιυς pamph. 89². 223⁸.
303²
ἕστηκα 649⁵. 662⁴. 775⁴, 10.
815⁸. II 228¹; -κας 774²; -κε
774².817¹.II263²;ἑστήκαμεν
774⁵; ἑστήκασι att. 742, 2;
-κᾱσιν Ilias 774⁴; ἕστηκαν
Koine742,2;ἕστηκαc.gen.II
112²; ἕστηκε πρὸ νεῶν II
506³; ἕστηκεν ὑπὸ Νηίῳ II
526⁷; ἕστηκε πρὸς σφαγὰς
πάρος II 512⁵
ἑστήκει piusq. 768⁴.774².777⁵
ἑστήκηι conj. 774²
ἑστηκυῖα att. 541²
ἑστήληι att. 276⁵
ἑστήλην 338²
ἕστην hom. att. 742³. 755⁶.
781⁵. 815⁸. II 262²·³; ἕστη
817¹; ἕστημεν 742³, 4; ἕστη-
τε 742³; ἕστησαν 742³, 3

ἐστήξω att. 783³·⁶. 812⁵.
II 289³; ἐστήξοι opt. 783⁶;
ἐστήξειν infin. 783⁶; ἐστήξομαι 783⁶
ἐστήριξα hom. 735⁴
ἐστήριχα pap. 772⁵
ἔστησα 686, 8. 754⁶. 755⁶.
781⁵. 782⁴. 815⁸. II 71⁵.
262²; – ngr. 753²; ἔστησε
817²; ἔστΗσεν 186¹
ἐστήσατο 817²
ἐστηώς 541¹; s. ἐστεώς
ἐστί 270³. 677¹. II 623¹·²
ἔστι 339¹. 389⁶. 659³. 677¹.
II 366²·³. 608⁴. 694⁶, 1.
695¹; – als pl. äol. 677²;
ἔστιν ἀκούσας 813¹; – ἀπὸ
Λέσβου II 94³; – γὰρ ἀπ'
εὐ. Λέσβου II 706⁵; – βίη
φρεσίν II 155⁴; – ἐμοὶ ἀσμένῳ, – τινὶ ἄκοντι, – ἐμοί τι
θέλοντι II 152³; ἔστι στάδιοι
II 608⁴; ἔστιν ὅς II 640⁵;
– οἵ II 608⁴; s. εἰμί, εἶναι
ἑστία 58⁴. 227¹, 4. 469³. 499³
Ἑστιαιόθεν 628³
ἐστιάματα c. dat. II 153⁵
ἑστιάω 732²; εἰστίων 654¹;
εἰστία ὑ. τῶν λόγων II
103³
ἔστιβεν H. 747⁵
ἐστιγμένους ἀνθέμια II 80⁶
ἔστικται 714⁶
ἔστιξα 751⁴
ἔστιχον 755³·⁴
ἐστιχόωντο hom. 731⁴
*-εστjω verba 270, 1
ἔστο 767, 4
ἔστολα gramm. 769⁴
ἔστον du. imper. 799⁴ II
609²
ἐστόν du. indic. 677¹
ἔστοργα 769⁴
ἐστόρεσα aor. 696⁴. 752⁴·⁵, 7
ἐστόροται äol. 344³. 362⁵
*ἐστός m. 503²
ἑστός 540⁶
ἔστραμμαι 769⁴
ἐστρατόωντο 731⁴⁻⁵
ἐστρεμμένα 771²
ἐστροτεύαθη böot. 671⁶. 672³
ἔστροφα 769⁴
ἔστρωκα 775³
ἔστρωσα 752⁴
ἔστρωται 360⁵. 770⁴
ἐστύγηκα 721³
ἐστύγησα spätgr. 721³. 754⁴
ἔστυγον hom. 721³. 747⁴.
754⁴. 756²
ἔστυξα caus. 721³. 754⁴
ἔστω 328³·⁵. 409². 678¹. 801³.
802². II 342⁷. 344⁴. 623²;
ἔστων 3. pl. 678¹. 802⁴·⁵·⁷;
ἔστωσαν 666¹. 678¹. 802⁵;

ἔστω οὕτω, – ταῦτα II 631⁶;
μὴ ἔστω II 343⁴
ἐστώ 478⁴
ἐστῶμεν conj. att. 774⁵.
792⁶; ἐστῶσι 774⁵. 792⁶
ἔστωρ 531⁵, 12
ἐστώς att. 251³. 377²·³·⁷.
540⁶, 5. 774⁵; ἐστῶτος 250²;
ἐστῶσα 540⁶; ἐστὼς ἀντί
τινος II 443²
ἐσύ ngr. 606⁴; s. ἐσεῖς, ἐσᾶς
ἐσύναξα ngr. 656⁴
ἐσύνηκα 656⁴; -κε 741, 4
ἔσϋρα Hdt. 714⁵
ἐσύρην spätgr. 714⁵
ἐς ὕστερον II 427⁷
ἔσυτο 654⁴
ἔσφακται 771¹
ἔσφαλεν LXX 756¹
ἐσφάλην 714⁵
ἐσφέρεσθαι ἐς τὸν δ. ὑυπὸ τὸ
II 529⁷
ἐσφήκωντο Ilias 731, 3. 777²
ἔσφηλα 756²
-εσφιAusgang 551, 6. 578, 3
ἔσφιγμαι 649⁵
ἐσφυδωμένος 770⁶
ἐσχάζοσαν 666¹
ἐσχάρινθον 526⁵
ἐσχαρόθεν 628³
ἐσχαρόφιν 550⁶. 551¹. II
172⁷. 173¹
ἐσχατίαισι II 408⁶
ἐσχατόγηρως 379⁷
ἔσχατος att. 266⁸. 328⁴.
503⁷
ἐσχατόωντα 731⁵
ἔσχεθε 704¹; ἔσχεθον 747².
762⁷
ἐσχέθην 762⁷; -θη 761²
ἔσχηκα; s. εἴσχηκα 650¹
ἔσχημαι 649⁵
ἔσχισα aor. 714⁶. 751⁷
ἐσχισάμην 751⁶
ἔσχισσα 751⁷
ἐσχόμην 762⁷. 782⁷; ἔσχετο
II 237⁷; ἔσχοντο c. abl. II
92⁴; – κληθμῶι Od. 757²
ἔσχον 653¹. 690². 782⁷. II
260⁴; ἔσχε 651⁶; ἔσχοσαν
666¹; ἔσχον πολέμου II
92⁴; σὺ καὶ οἱ σοὶ ἔσχετε II
612⁶
ἔσω II 456³. 546⁷·⁸. 547¹
ἔσω- 632⁶
-έσω fut. 784³·⁴·⁶
ἔσωθεν II 546⁷. 547¹·⁵·⁶
ἐσώισαμεν her. 738¹
*ἔσωσα 752, 2
ἔσωσα 752, 2. 736⁵
ἐσώτατος II 546⁷
ἐσωτάτω II 547⁴
ἐσώτερος 534⁴. II 546⁷
ἐσωτέρω II 547⁴

ἐσωφόρια ὀκτάλια byz. 592, 5
ἐσωχάδες (lies ἐσοχ-) 508, 4
ἐτ (= ἐπ) thess. 316⁷. 407⁶.
II 465¹, 2
-ετ- suff. 499²
ἐτά pl. 502³
-ετᾶ Ausg. 706³
ἐτάζω 735²
ἐτάθης 762, 3
ἔται hom. 500³
-εται 3. sg. kret. 786⁶
ἔταιρα 459⁴; ἑταίρᾶ 37⁸.272⁸;
ἑταιρῶν 376²
ἑταιρείαισιν dat. pl. kret.
559⁵
ἐταιρίζω 735⁶; -ίσσαι II 160⁴
ἕταιρος 459⁴. II 31, 5
ἕταιρος 272⁸; -αῖροι 69⁴;
-αίρων 376²
ἐτάνυσα 691⁵. 699²
ἐτάνυσσα 696⁵. 737⁵. 761⁶
ἐτάξαιν thess. 664⁴
*ἔταρja 459⁴
ἔταρος 482², 6
*ἐτάρπσμᾶν 762⁶
ἐτάρφθην, -θης, -θη 762⁵·⁶
*ἐτάρφμᾶν 762⁶
*ἔταρφθο 762⁶
ἔτας [so] 482²
ετας (ἐτᾶς) (= ἐκ τᾶς) lokr.
316⁸. 408¹
-ετάω verba 705⁵·⁶. 706³
-ετε 2. pl. indic. 764²; – aor.
763⁶; – plusq. 776⁵. 778²·³, 1
-ετε 2. pl. imper. 799, 3; –
ngr. 764²; – imper. aor.
ngr. 804⁴·⁵
ἔτεα pl. ion. 241⁵. 579, 4;
ἐτέεσσι lesb. 564³
Ἐτεϝά(ν)δρō 223⁶
Ἐτέϝανδρος kypr. 153²
Ἐτεϝοκλέϝης 79⁴
ἐτεθεῖσαν 656⁵
ἐτέθην 204⁴. 762⁴; -θη 761²
ἐτεθήπεα Od. 777⁵; -πεας
777, 10
ἐτέθνασαν att. 777¹
*ἔτεια aor. 750⁵
ἔτεινα 279⁵; -νας, -νε 751⁵
*ἔτεις 2. sg. aor. 750⁴·⁵
ἔτεισα 279⁶. 659⁴. 685⁷.
750³. 751⁵·⁶; ἔτεισας 750⁴;
-σε 750⁴; ἔτεισαν 3. pl. 750³;
*ἔτεισα 3. pl. 750³
ἐτείσαντο 750³
*ἐτείσατο 3. pl. 750³
*ἔτεισμα 750³; -σμεν 750⁵
*ἔτεισσα 2. sg. 750³·⁴
*ἔτειστ 3. sg. 750³
*ἔτειστε 2. pl. 750³·⁵
*ἔτειστο 750³
ἐτειχίσσαντο hom. 735⁶
ἐτεκμηράμην 738⁷

ἔτεκον 744². 781⁶
ἐτελείετο 651⁶
ἐτέλεσσα 752⁵
*ἔτεμα 744¹. 746, 7
ἔτεμε 742⁵. 744¹. 746, 7.
748, 5
ἐτέμοσαν 666, 1
*ἔτενς 2. sg. aor. 751⁵
*ἔτενσα 279⁵. 737, 3
ἐτέοις (= ἔτεσι) 564⁸
Ἐτεοκαρπάθιοι 95⁸
Ἐτεοκλέης 634⁵
Ἐτέοκλος 634⁵
Ἐτεόκρητες 59⁵
ἐτεός 472⁴
ἐτέρηφι 550⁷. 551, 5
ἐτεροῖος 614⁴
ἔτερος lesb. 614³
ἔτερος 256². 595⁵. 614².³.⁴
ἐτερότης 614⁴
ἐτέρρατο 285²
ἐτέρσεν H. 753⁴
ἐτέρφθητε Od. 759³
ἐτέρωθε 619²
ἐτέρωθεν 614⁴. 628². II 171⁶
ἐτέρωθι 614⁴. 628⁵; – τοῦ
λόγου II 114⁶
ἐτερώνιον äol. 609, 5
ἐτέρως 614⁴. 624¹
ἐτέρωσε 614⁴
ἐτέρωτα lesb. 614⁴. 629²
*ἔτεσσα 755, 2
ἐτέταντο 672¹
ἐτετάχατο 671³. 771⁷. 777²
ἔτετμε 748⁵
ἐτέτρᾱνα att. 689⁵
ἐτέτρηνα hom. 648¹. 689⁵
ἐτετύγμην 669⁶
ἔτευξα 748⁶. 756²
ἐτεύχετον 3. du. 667²
ἐτεώνια äol. 609, 5
ἔτη 305⁷
-έτης suff. 500¹.³
*ἔτηνς 2. sg., *ἔτηνστ 3. sg.
aor. 751⁵
ἐτησίᾱς 461³; οἱ -ίαι II 52¹
ἐτήσιοι 466⁵
ἐτήτυμος 423³. 447, 2
ἔτι 270⁵. 291². 381². 621, 1.
622, 3. II 185². 415⁶. 416³.
421³. 424³. 555².⁴. 564¹.².³;
ἐτ' οὐκ II 597⁴
ἔτι dat. sg. ark. 579⁴
*ἔτιθα 664⁶
*ἐτίθατο 3. pl. 672¹
ἐτίθειν 688¹; -θει 687³.⁵.
688¹; -θεσαν 665⁷
ἐτίθετο 673⁴; -θεντο 671⁷
ἐτίθην 659³. 688¹
ἔτιθον 3. pl. 665¹; ἐτίθοσαν
688³
ἐτίθουν spätgr. 688¹.³, 2
ἐτίλην pass. aor. LXX 714⁶
ἐτίλθην pass. aor. 714⁵

ἐτῑμάθην 812¹; -θη 763¹
ἐτίμᾱσα 752².³
ἔτῖνον 663⁵
ἔτλα s. τλῆναι
ἔτλᾱν dor. 742⁶, 5
ἔτλην hom. poet. 742⁶, 5.
II 281⁴
ἔτνος 58⁵. 512⁷
ἑτοιμάζω τι c. dat. II 146⁵;
– κάτι γιὰ τὸν ἑαυτό μου
ngr. II 236⁴
ἔτοιμο f. unterital. 95²
ἕτοιμος 383¹. II 623⁶; –
πρός II 512⁵; – δοῦναι (sc.
εἰμί) II 623⁶
ἑτοῖμος 383¹. 494⁴
Ἐτοκλέης ion. 253²
ἐτόρησα 754⁴
ἔτορον 754⁴; -ε aor. Ilias 720¹,
3. 747¹. 755, 2
ἔτος 515⁵. II 486⁷; ἔτου gen.
sg. 579⁵; ἔτει dat. sg. II
158⁶.⁸; ἔτι ark. 579⁴; ἔτεα
ion. 241⁵. 579, 4; ἐτέεσσι
lesb. 564²; ἐτέοις 564⁸;
ἔτος ἐς ἔτος II 460⁷; ἐν
Fέτια τρία II 460⁷; ἐτῶν
ὡς ὀκτωκαίδεκα II 122³
ἔτος 306³; ἔτη 305⁷ s. ἑετέων
ἐτός 601⁵. 613⁷. 614, 2. 630²
-ετος suff. adj. 501².³.502³, 2;
– Verbaladj. 706³
ἐτός 340⁷
ἐτόσος ngr. 614⁵
ἐτοῦτος ngr. 614⁵
ἔτραγον 755⁵. 781⁶
ἔτραπον 755³
ἔτραφον 756¹. 759⁴
ἔτρεξα spätgr. 755³
ἔτρεσα 685⁵; -σε 746, 6
ἔτρεσσα aor. 720²
ἔτρεψα 755³
ἐτρεψάμην 756¹
ἐτρήκατε pap. 774, 1; s.
ἐδρήκατε
ἐτρόμησα LXX 720¹
ἔτρυξα spätgr. 714⁶
ἔτρωξα 755⁵
ἑττά kret. 316⁸
ἔτταχαν spätlak. H. 742, 2.
774, 1
ἐττάν (= ἐς τάν) 216⁶
ἔττε adv. praep. böot. 216⁷.
630¹. II 456, 5. 533⁵
ἐττημένος 649⁵; -α 320³. 676²
ἐτύθην 261⁸. 761²
Ἐτύμανδρος 42, 5
ἐτυμολογία (term.) 41⁵
ἔτυμον 43⁵; adv. 633, 4
ἔτυμος 472⁴. 494⁴. 506⁶. II
32⁴
ἔτυπεν Eur. 747⁵
ἐτύπην Ilias II 237⁸. 238¹; -πη
759⁵

ἐτύπτησα 752³
ἐτύχησε hom. 747⁴
ἐτύχθη 760⁷
ἔτυχον 756²; -εν II 621⁸;
– ἐπιδημῶν II 392⁴
ἔτω imper.delph.217¹. 678, 2
ἐτώσιος 314²
ét'asan tsak. 216⁶
ét'e tsak. 216⁶
ευ vor Kons. 685¹; – kon-
trah. aus εο 244⁶; – aus εο
247⁸. 248³; – aus ηυ 203⁵;
ευ > εο 248¹; – > kret.
ου 348²; ευ und αυ schwan-
ken 203⁵; -ευ > -εf 233⁸
-ευ- (ablaut. -υ-) 674⁵
εὖ adv. 247⁸. 621², 5. II
178,1.697⁶; s. εὖ γε, εὖ εἶναι,
εὖ ἔχω, εὖ ἥκω, εὖ μαθεῖν, εὖ
οἶδα, εὖ ἐπιστάμενος, εὖ
πάσχω, εὖ πέπρᾱγα, εὖ πε-
φυκότων, εὖ ποιῶν, εὖ πῶ,
εὖ φρονεῖν
εὖ (τό) 432⁷, 8. II 178, 1. 416²
εὐ- 432⁶.⁷f. 632⁶. 644⁶. II
185, 2
εὖ gen. pron. 603³. 607⁵. II
190⁴.⁵, 4. 193³. 194⁴. 201³
εὖ gen. pron. 603³. 605¹. II
206¹.²; – αὐτοῦ 607¹
-ευ gen. sg. 561¹.³
-εῦ voc. sg. 575, 3
Ευα (Εὔα) 154⁵. 165³
εὖα interj. 716⁵. II 600⁴
εὐαγγέλιον 162⁴; -ια θύειν
II 76⁵
εὐαγής 203, 3. 398⁵
Εὐάγνη 208⁶
εὔαδε äol. hom. 106⁵. 224⁴.
227⁷. 282¹. 654³
Εὐάδηισιν 452²
Εὐάδνη 208⁶. 215⁷
εὐάζω 716⁵
εὐαί εὐαί II 600⁴
εὐαί 303⁴
Εὐαίμνιοι 524⁴
Εὐαίμων 636⁴
εὐαλούστερος 535⁵
εὐάλωκα lesb. 775¹
εὐάν II 600⁴
εὐάν 303⁴
εὐάνεμος 398²
Εὐανθεύς 177, 1
εὐάνωρ 433¹
εὐαξής 203, 3
εὐαυγής 203, 3
εὖ αὐτοῦ 607¹
Εὐβάλκης lak. 197⁴. 207⁷
Εὔβανδρος 197⁴
Εὐβοεύς ion. 236⁷
Εὐβοῶν att. 252⁴.⁵
εὐβούλει (τό) II 25³
εὖ γε II 628⁴
εὖγε II 412⁶. 414, 2. 622¹

εὔγειος 451[1]
εὐγενές 355[7]
εὐγενής 159[5]. 456[4]. II 29[3].
34[3.4]; -έα acc. sg. 750[5]
εὐγενίς 465[2]
εὐγεργέτης pap. 209[4]
εὔγεως att. 451[1]
εὐγιλάτου 125[5]. 209[5]
Εὐγιτονίδα nom. sg. m. böot.
560[4]
εὔγλαγι dat. 518[5]
εὐγλώθ(θ)ιοι kret. 319[4]
εὐγνωμότατος 535[3]
ευδ- (= εβδ-) 207[8]
Εὐδαιμάκω lak. 497[2]
εὐδαιμονεῖν II 77[5]. 382[7]
εὐδαιμονέστερος 535[4]
εὐδαιμονία: -αν τοῦτο νομίζω
II 606[7]
εὐδαιμονίζω τινά c. gen. II
133[8]; – ἐπί τινι II 134[2]
εὐδαιμονοῖτον Eur. 796, 3
εὐδαιμόνως 624[2]
εὐδαίμων II 34[4]; – πάντα II
85[8]
Εὐδάμαιος II 177[3]
Εὔδαμοσσ 238[4]
εὐδάνω 700[3]
εὔδειν II 258[3]. 363[7]. 377[5];
– ὕπνω II 166[4]; – ἀνὰ Γ.
ἄκρω II 441[5]; – ἐπ' ἠῶ II
473[3]; – περὶ τὴν κρήνην II
504[5]; – πέτρη ὑπὸ γλ. II
525[4]; s. εὔδω
εὐδ(ε)ινός 194[2]
εὐδέμεναι II 364[2]
εὐδήσω 685[1]. 783[1]
εὐδίᾱ 576, 7; -ας gen. II 113[2]
εὐδιαίτερος 534[4]
εὐδιάω 731[1]
εὐδιεινός 535[4]. 547[7]
*εὐδιεσνός 535[4]
εὐδιεστάτη 576, 6; s. εὐδι-
εινός
εὐδιέστερος 535[4]
εὔδιος 450[6]. 576, 7
ευδοηκοντα spätgr. 592[3]
εὐδοκιμέειν (-εῖν) παρά τινι
II 494[5]; – διά τινων II 450[7];
τοῦ – II 361[6]
εὐδόκιμος εἴς τι II 460[4]
Ἐυδομιος smyrn. 198[2]
ἐυδομον thesp. 198[2]. 595[5]
εὔδω 648, 1. 685[1]. 704[1]; –
ὕπνον II 76[1]; – ἐν φύλλοισι
II 457[7]; s. εὔδειν, εὐδήσω
εὐέθωκεν lesb. (H.) 654[3].775[1]
ευειδέστατος 535[4]; τὴν εὐει-
δεστάτην ἐκ πασέων II 116[7]
-εύειν verba 732[4–7]. 736[5]
εὖ εἶναι (τὸ) II 12[4]
εὐεκτέω hell. 706[2]. 731[6]
εὐέκτης 433[1]. 706[2]
εὐεκτία 706[2]

εὐεκτικός Plat. 706[2]
Εὐέλθων 449[5]. 637[6]. 644[6]
Εὐελπίδης 263[2]. 509[6]
*Εὐελπιδίδης 263[2]
εὐελπις att. 542, 4
*εὐελπίστερος II 184, 3
εὐεξία Archyt. 706[2]
εὔεξος 516[6]
εὖ ἐπιστάμενος: ὡς – – II
391[6.7]
εὐεργεσία 270[7]
εὐεργετεῖν εὐεργεσίαν II 79[6]
εὐεργετέντεσσι ptc. lesb. 729[2]
εὐεργετές nom. sg. ptc.
thess. 90[6]. 337[3]. 566[4]. 729[3]
εὐεργετέω 731[6]
εὐεργέτην infin. lesb. 808[1]
εὐεργετητέον II 409[7]
εὐεργετία delph. 271[4]
εὐεργέτις 270[5]
Εὐέρπιστος 213[2]
Εὐεσπερίδεσσι kyren. 564[4]
εὐεστώ 678[2]
εὐεύρετος 203, 3
εὖ ἔχω 720[3]; – – c. gen. II
132[4]; εὖ ἔχει II 15[8]
ΕὐϜαγόρας kypr. 197[4]
ΕὐϜάρχα böot. 828[7]
ΕὐϜειτίας böot. 193[2]
e.u.ϙe.re.ta.sa.tu kypr. 197[6]
εὔζωνος ἀνήρ II 152[5.6], 4
εὔhορκος att. 219[2]. 304[4]
εὐηγγελίσατο 656[2]
εὐηγενής 103[4]
εὐηγής 203, 3
εὖ ἥκω τινός II 132[6]
εὐήλιος 433[1]
εὐημερεῖν παρά τινι II 494[5]
εὐήνεμος 433[1]
Εὐηνίνη 635[1]. II 177[3]
εὐήνωρ 355[5]
εὐήρες 513[2]
εὐηρέστησεν 656[2]
εὐθαρσέω 724[3]
εὐθεῖα: – πτῶσις (term.) II
53[8]. 54[1]; ἡ – (ὁδός) II 175[6];
τὴν -εῖαν II 69[7]
εὐθένεια 297[8]
εὐθενέω (-εῖν) 340[7]. 341[3].
726[5]. 838[7]
εὐθενής 838[7]
Εὐθμωύμω böot. 183[4]
Εὐθούμιος böot. 182[2]
εὔθριξ 450[6]
εὐθύ adv. 405[1]. 620[2]. 621[2].
II 69[6]. 549[6]; – c. gen. II
105[1], 1; s. εὐθύς
Εὐθύμιος 159[5]
εὔθυμος (éftimos) ngr. 165[1]
εὔθυνα 421, 3. 475[7]. 488[6].
733[4]
εὐθύνεσθαι c. gen. II 131[2]
εὐθυνθη- 761[6]
εὔθῡνος 459[4]. 489[2]

εὐθύνω 733[3]
εὐθυρϜία ark. 223[7]
εὐθύς 256[1]. 348[3]. 350[4]. 405[1].
463[2]. 620[2.3]. II 288[7]. 549[6];
– γενόμενος II 386[7]; – ἐπὶ
Σάρδεων II 470[1]; – πρὸ τοῦ
στόματος II 506[4]; – παρα-
χρῆμα II 704[3]
εὐθυωρία 472, 13
εὐθύωρον adv. II 69[7]
εὔιδον lesb. 653[4]; -δε 224[5].
747[3]
εὔκαλος 484[3]
εὐκερᾱσίᾱ 278[8]
εὔκηλος 224[4]
Εὐκλέεος gen. sg. 67[1]
εὐκλείᾱ 469[5]
εὐκλείζω Sapph. Pind. 735[6]
ἐυκλεΐη 469[4]
εὐκλέος hom. 252[7]
ἐυκνήμῑδες 465[4]. II 182[6.7];
– (nicht -ῖδες) Ἀχαιοί II
181[4]
εὔκολος 292[3]
εὐκόλως II 415[5]
εὐκομιδής 513[4]
Εὐκρατιδου 156[2]
εὐκρινής 513[3]
εὐκτικὴ ἔγκλισις (term.) II
302[6]
ἐὺ κτιμένη 674[5]; – κτίμενον
n. 674[5]
ἐυκτίμενος 326[1]. 449[5]. 524[7]
εὖκτο 679[5], 6
εὐκτός II 150[1]
εὐκυκλής 513[4]
εὐλαβέομαι: -βήθηθ᾽ imper.
760, 6; -εῖσθαι, μή II 676[5]
εὐλάκα lak. 412[2]
εὐλή (nicht εὖ-) 224[4]. 412[2]
εὔληρον 412[2]; εὔληρα 224[4].
314[4]. 348[2]
εὐλίμενος 522[1]
εὐλογῶν εὐλογήσω II 388[7]
εὖ μαθεῖν II 366[5]
Εὔμαιος 468[4]. 637, 3
εὐμαρής 513[4]
εὔμαρις 837[1]
εὐμενές n. 580[6]
εὐμενέτης 105[5]. 452[1], 3
εὐμενής 450[1]
Εὐμενίδες 378[8]
ἐυμμελίω ion. 252[4.5]
εὐνάζομαι 734[4]
ἐὺ ναιόμενον II 239[2]
εὐναιόμενον II 408[5]
εὐνάω 725[6]; εὐνάσω fut. 785[4]
ἐυνηθῆ 628[2]
εὖνις 385[6]. 464[3]. 495[1]; εὖνιν
υἱῶν II 96[4]
ἐύννητος 310[7]
εὐνόαν lesb. 236[7]
εὐνοεῖν c. dat. II 144[4]; τὸ
– II 370[4]

εὔνοια 469⁵; – c. dat. II 144⁴; – ἡ παρά τινος II 497⁶
εὐνοϊκῶς 624²
εὐνομήσεται Hdt. 763, 3
εὔνους 554, 4. 562². II 174⁵; *εὐνοῦ 379⁷. 555, 4; εὔνου 379⁷; εὖνοι 249⁴. 379⁷. 554, 4. 585⁵; *εὖνοι 379⁷. 555, 0; *εὔνοες 555, 0; εὔνους nom. pl. 458⁴. 554, 4. 564²; εὔνοα att. 236⁷; εὔνους c. dat. II 144⁴
εὔνως adv. 624²
εὔξησεν att. 203⁴. 655⁴
εὐοί II 600⁴
εὐοῖ II 600⁴
εὐοῖ 219⁴. 303⁴, 2
εὖ οἶδα (ewoida) 197³; εὖ εἰδέναι II 337⁵; εὖ εἰδείην II 328⁶; εὖ ἴσθι II 696⁶·⁸; εὖ οἶδα c. gen. II 107⁷; εὖ οἶδ' ὅτι II 554⁷. 696⁸; ὡς εὖ εἰδότες II 391⁷; εὖ οἶδα ἐμαυτὸν ὄντα ἥττονα II 397¹
[Ε]ὐόλθων 275³
-εύομαι II 232⁴
εὐορκέντι ptc. ark. 729³
εὖ πάσχω τινός II 103²; – ὑπό τινος II 227²
εὐπατέρεια 474, 6
εὐπατρίδης 509⁵
εὐπάτωρ 339¹. 355⁵. 358⁴. 530⁶. 552⁵; εὐπάτορα 358⁴
εὐπειθής c. dat. II 145²
εὖ πέπραγα II 227⁸
εὖ πεφυκότων c. acc. II 85⁴
εὔπλεα (= -οια) 195³
εὐπλοίη 469⁴
ἐυπλοκαμῖδες 465⁴
εὔπλους 582⁶
ἐυπλυνής 694⁵; εὐπλυνής 513³
εὖ ποιῶ (-εῖν) τινα II 72³; – πρὸς τὴν δύναμιν τὴν αὐτοῦ II 511⁸; εὖ ποιῶν II 390⁸
εὐπορέω c. gen. II 110⁸
εὐπρᾱγία 469²
εὔπραξις 449, 2
εὖ πράττειν (τὸ) II 371²
εὖ πράττω ὑπό τινος II 529²
εὐπρυμνής 513⁴
εὖ πῶ Dodon. 798⁴
εὔπωνος H. 693, 8
εὐράγη 224³. 829⁶
εὖραι 224⁴
εὐράκοιμεν 'hyperdor.' kret. 775¹
εὐρακύλων 454²
εὔρᾱξ 620⁶
εὗρέ 390¹. 799². II 250, 1; – ngr. 764²
εὑρέα πόντον 105⁵
εὑρέα acc. pl. neut. 573³, 3

εὑρέας acc. pl. m. 573³
εὑρέε du. 573⁵
*εὑρεΓϳα f. 273²
εὑρεθη- 761⁵
εὑρέθη ngr. 764⁴
εὑρεῖα 273²
εὑρεῖν 748⁴. II 257⁸. 365⁷
εὕρεμα 523⁶
εὕρεο II 250, 1. 258¹
εὑρέσθαι II 296⁶
εὑρέσφι·γυναιξίν H. 551⁴
εὑρέτην 667³
εὕρηκα 306². 709². 775¹.816⁶; – aor. ngr. 650⁴. 764¹. 779²
εὕρηκα aor. ngr. 764¹
εὕρηκε imper. 799¹, 2
εὕρημα συμφορᾶς II 96²
εὑρημένα ἐστὶ διά τινα II 453⁵
εὕρησα spätgr. 709²
εὑρῆσθαι πρός τισιν γεωργίοις II 512, 2
εὑρήσομαι 782⁷
εὑρησοῦντι Epich. 786⁶
εὑρήσω ion. att. 709². 738⁶. 782⁷. 785, 1. 816⁶. II 292⁴
ευρηται 709, 2
εὐρῑπιδαριστοφανίζω 837²
εὔρῑπος 836⁷
εὑρίσκον (τὸ) II 125¹, 1
εὑρίσκω 224, 2. 709², 1. 738⁶. 816⁶. II 258, 1. 350⁸. 396¹; εὕρισκε imper. 799¹; εὕρισκον655⁴;–τινὰ διεφθαρμένον II 394³; – τι περὶ τοὺς βαρβάρους II 503⁸; s. εὗρον, εὑρέ, εὑρεῖν, ηὗρα, ηὗρον, ἡύρόμην, εὕρηκα, ηὕρηκα
εὕροις 796³; εὕροι II 335⁵; εὑροίης Hippokr. 796³
εὗρον 127⁷. 203⁴. 655⁷. 709, 2; s. εὑρέ, εὑρεῖν, εὑρίσκω
εὖρος 463². II 86¹·⁴
ἐυρρεής 513²
*εὔρῑπος 836⁷
ἐύρροος hom., εὔρους att. 197³
Εὐρυ- Namen 412, 1. 441⁴
εὐρυάγυια 438⁵
εὐρυέδεια 543³
*εὐρυεδής 543³
Εὐρύκλεια 637, 3
εὐρυκρείων 449⁵. II 408⁵
Εὐρύλεως 224⁴
εὐρύνω 733³
εὐρυόδεια 103⁴
εὐρύοπα (nicht -όπα) 560¹, 2. 577¹. 584⁶
εὐρυπυλής 513⁴
Εὐρυπῶν 675, 8
εὐρύς 224, 2. 412, 1. 463¹; εὐρέας acc. pl. 573³; εὐρέα acc. pl. 573³, 3; εὐρέε du. 573⁵; εὐρεῖα 273²; εὐρέα

πόντον 105⁵; εὐρὺς ὤμοισιν II 168⁴; τοῦ κλέος εὐρὺ καθ' Ἑλλάδα II 476⁵; s. εὐρύτατος
Εὐρυσθένης 514, 1. 636⁴; -σθένεους ion. 197⁵. 248¹
Εὐρυσθεύς 478². 636⁴. 637²
Εὐρυσίλαος 412²
εὐρύτατος ἑωυτοῦ II 100⁵; εὐρυτάτη ἑωυτῆς II 100⁶
Εὐρυτεία II 177⁴
εὔρω ngr. 764¹
εὑρῶ fut. Koine 785, 1
εὑρώδης 513⁴
εὑρώεις hom. 514³. 527⁵
Εὐρώπη 426, 4
εὑρώς 224, 2. 412². 514³, 5
εὕρωστος τὴν ψυχήν II 85⁵
εὑρωτιάω 514⁴. 732⁴
ἐύς 314². 433, 1. 533, 5. 574⁶·⁷. 621, 5. 635⁴. 731, 1; φωτὸς ἐῆος Od. 574⁶
-εύς suff. 456⁵. 476⁶·⁷ f. 510²
-ευς (gen. -ευτος) 478³. 565, 1
-ευς gen. sg. (< -εος) 579⁴
-εύς nom. sg. m. 574⁸. 575²·⁵, 3. 576, 2
-εῦς gen. sg. kyren. megar. argol. 575⁴
ευσ (= εψ) 233⁷
εὐσ- 755¹
εὗσα ptc. f. 678¹
-ευσα aor. 754³
εὔσαβέοι el. 92⁷. 181¹
εὔσανα 307⁷. 517²
εὐσεβέοις dat. pl. 564⁸
εὐσεβέω (-εῖν) 724³; εὐσεβεῖν περὶ θεούς II 504⁸; – τὰ περὶ τοὺς θ. II 77⁶
εὐσεβής 514¹;-έοις dat.pl.564⁸
-εῦσι dat. pl. 575⁵
-ευσοῦμαι fut. att. 786²·³
ἐύσσελμος 322²
*ευ(σ)σω 348⁵
εὐσταθής 128². 513³
εὐστόν 304³. 348⁴. 685⁶. 755¹
εὐστρᾱ 532⁶. 685⁶
ἐυστρεφής 513²
εὐσχάμενος·266⁷
εὐτ- 203⁶. 607³
εὔτατος 535⁴
εὖτε 629, 7. II 313¹. 576⁵. 660⁶·⁷·⁸, 3. 661¹⁻³·⁴. 671, 1; εὖτ' ἄν II 660, 3
εὐτείχεον hom. 514¹
εὐτοῦ (= αὐτοῦ) 198⁵
εὐτράπελος 483⁵. 484⁶
Εὔτρησις hom. 270⁸. 504, 3
Εὔτρητις böot. 270⁸
εὐτρόσσεσθαι kypr. 715¹. II 517⁶
εὐτυχέν kyren. 410⁷
εὐτυχέω: ηὐτύχησα 656²; -χηται II 240⁶; εὐτυχῶ εἴς

τι II 460³; εὐτυχήσομεν ἑλόντες II 393³
εὐτυχίαι II 43⁶
εὐτῶν thess. (< ηὐτ-) 203⁶
εὐφημέω 726⁴; -μήσω II 292²
εὐφημία, -μισμός 37⁸
εὔφημος II 181³
Εὔφηρος 832⁵
εὔφορος 355⁶. 381⁵
εὐφραίνω 272⁸. 486⁴. 725¹. II 228⁶; εὐφρανέω hom. 785²; εὐφραίνω θυμὸν ἀμφί τινα II 433⁷. 439³
Εὐφραίνων 637⁴
Εὐφρανίσκος 486⁴
Εὐφράτης 165¹
εὖ φρονεῖν (τὸ) II 369, 4
εὖ φρονεῖν c. dat. II 144⁴
εὐφρόνη 461¹. 490³. 529⁵. II 478²; -ἄστρων II 129⁵. 178²
Εὐφρονίσκος 542³
εὐφρόσυνος 529⁵
εὔφρων 552⁵
εὐφυᾶ, -ῆ 189².³
εὔφωνα γράμματα 5, 3
εὐφωνία 7³
Εὐχάρη gen. sg. 561²
Εὐχάρι böot. 464²
εὐχαριστῶμες kret. 249⁷
εὔχεσθαι ep. 705⁵; εὐχετόωντο θεῶν Διί II 115⁵
εὐχέτης Eustath. 705⁵
εὐχετίαζον H. 705⁵
εὐχή: - (εἰχ'ί) ngr. 159⁵; εὐχαὶ θεῶν II 121⁶
εὔχομαι 655³. II 229³. 711⁵; εὐχόμην 655⁴; ηὐχόμην 655³; εὔχετο 655⁵; εὔχομαί τι c. dat. II 147⁴; - κατά τινος II 480²; εὐχόμενος ἂν εὔξαιτο II 388⁷; εὔχεσθε .. σιγῆ ἐφ' ὑμείων II 470⁶; s. εὖκτο, εὐχούμην
εὖχος 821⁴
εὐχούμην ther. (spät) 203⁴
εὔχους II 518¹
εὔχρως 542, 3. 578⁴
-εύω verba 673⁶. 722⁴. 728³·⁴, 1. 814⁷. 816⁶·⁷. 817². (für -έω) 732⁵⁻⁶
εὖω att. 219⁵. 304³. 348⁴·⁵. 685⁶. 755¹. II 72, 1. 226⁶
εὐώδης 512⁴
ευωθα lesb. 224⁴. 282¹
εὐώνυμον (τὸ) II 175⁶. 470⁴
εὐῶθα Soph. 584⁶
εὐωχέομαι 720³. II 230⁴; - c. acc. II 103³
εὐωχέω (-ῶ) II 80³. 230⁴
ἐφ' praep. II 465¹; s. ἐπ', ἐπί
ἐφ- compos. II 465¹
ἔφαγα ngr.; s. εἴφαγα

ἔφαγον 755⁴
ἐφαιροῦνται att. 729³
ἔφᾱν ipf. 673³; ἔφᾱ 640⁴·⁵; ἔφαμεν 740⁴; ἔφασαν, ἔφαν 675¹. II 621¹; s. ἔφην, φημί
ἔφᾱνα dor. 285²
ἐφανγρενθειν thess. 669⁴. 727, 1. 729³
ἐφανδάνειν c. dat. II 143⁸
ἐφάνην 714¹; -νη 694³
ἐφάνθην att. 257³. 694³
*ἔφανσα 187³. 287⁵
'Εφαντίδας 199²
ἐφάπαξ II 466¹. 472⁶
ἐφάπτεσθη böot. 205⁶
ἐφαρδμόν 305⁷. 829⁵
ἐφαρμοξοῦντι Archimed. 786⁶
ἐφαρμόττω 128²
ἐφάσκεθ' 708²
ἔφασκον 652, 3. 673⁵. 675¹. 708²
ἔφατο 673, 1. 741, 2. II 232⁷ (ἔφατον) Plato 667²
ἐφαύριον 305⁶. 625³; s. ἐπαύριον
ἐφεγρήσσων 305⁷
ἐφεδέτα(ι) 500¹
ἐφείκοσιν 305⁶
ἐφείσατο 653, 2 (ἐφέννυμαι)
ἐφειστήκει att. 777³; s. ἐπήστακε
ἔφεκτος 599⁴
ἐφέλκεσθαι II 237¹; - ἄνδρα II 231⁶
ἐφέλκω II 466³
ἐφέξεις ἀναλῶν II 393²
ἐφεξῆς 625³; - c. dat. II 142⁵
ἐφέπομαι II 466³; - c. dat. II 162⁵; ἐφεπομένη nom. abs. II 403⁸
ἐφέπω c. acc. II 111⁸
ἔφερα aor. ngr. 764³. II 258, 2; s. ἤφερα
*ἔφερετ 399⁴
ἐφερόμην ipf. 669⁶. 746³; ἔφερεο 668²; -έρου 668³; -έρετο 74¹. 669⁴; ἐφερόμεθα 670¹; ἐφέρεσθε 670²; ἐφέροντο 671⁴
ἔφερον 659³. 664³; ἔφερε 56⁵. 74¹; ἐφέρετε 663¹; ἐφέρετον 2. du., ἐφερέτην 3. du. 666⁵
ἔφερσεν H. 753⁴. 754, 2
ἐφέρψω att. II 226¹
ἔφες imper. 741³
ἔφεσι τοῖς βέλεσιν II 166⁶
ἐφέσσατο 653, 2
ἐφέστα 540, 5
ἐφέστα (τὸ) 501¹
ἐφεστάκεον delph. 778²
ἐφεστάμεναι II 382⁵
ἐφεστάναι c. gen. II 109⁶. 110¹

ἐφεσταότες II 611⁶
ἐφέστιος II 179². 473³
ἐφεστρίς 465²
ἐφέτειος 305⁶
ἐφετικὰ ῥήματα 789¹
ἐφετίνδα 627²
ἐφετινός 305⁶
ἐφετμή 493⁶
ἐφ' ἔτος 305⁶. 625³
ἐφέτος 119⁴. 625³
ἐφευάζω 305⁷
ἐφευδησιονσαν 786⁴
ἐφευμένος 773³ (εὔω)
ἐφευρέματα j.-att. 709, 2
ἐφεύροι hom. 709, 2
ἐφεύρω hom. 709, 2
ἔφηλις 450⁵
ἐφημέριος II 473³
ἐφήμερος II 473³
ἐφ' ἡμῶν (οἱ) II 416⁷
ἔφην ipf. 673⁴·⁵. 654⁵. 674⁶. II 261⁷; ἔφησθα 662⁴; ἔφη 640⁵. II 276, 2. 694⁸; ἔφημεν 675¹; s. ἔφᾱν
ἔφηναιon.att.187³.285².287⁵; -νε 694³; s. ἔφᾱνα, φαίνω
ἐφῆπτο hom. 766². 777²
ἔφησα 673⁵. 675¹. 752, 1. 754⁵. 816⁷. II 262¹. 602⁴; -σε 640⁵
ἐφήω conj. hom. 792⁵
*ἔφθαμεν 742⁴
ἔφθᾱν 798, 9
ἐφθάρη Hippokr. 714⁴
ἔφθαρκα 342⁵; -κε 775⁴
ἐφθάρμαι 769⁴; -ρται 357¹
ἔφθασα 666². 742, 4. 755⁴. 814⁵
ἔφθεγμαι 338¹
ἔφθειρα 751¹. 753⁴; *ἔφθειρ 2. sg. 751¹; ἔφθειρε 640, 4
ἔφθειρσα 740³. 751⁵, 4
ἐφθέντες Diosk. 761⁵
*ἔφθερje 640, 4
ἔφθερρα äol. 753⁴
*ἔφθερσα, -ρσς 2. sg. 751¹; -σε 640, 4
ἐφθημιμερής 219³
ἔφθην 755⁴. 814⁵; -ης, -η 742⁴; -ημεν 742⁴, 4; ἔφθη ὀρεξάμενος II 301². 392³; ἔφθησαν ἐκπεσόντες II3 92⁴
ἐφθίᾱ, ἐφθιᾱ H. 743⁴
ἔφθιαται 671³
ἔφθιεν aor. Il. 740³. 747³
ἔφθιθεν Od. 761⁴
ἐφθίνηκα hell. 775¹
ἔφθισο 668⁴
ἔφθιται 770¹
ἔφθιτο 673, 1. 740²·³. 755⁶. 761⁴. II 262³
ἔφθορα 649⁶; -ρε 775⁴
ἐφθορκώς ark. 344². 775, 11
ἐφθός 326⁶. 335³. 336⁴

ἐφθός 326⁶. 706⁷
ἐφιαλίω fut. dor. 785¹; -λῶ
  att. 785²
ἐφιάλτης II 465, 9
ἐφιδεῖν 220⁴
ἐφιδῆσαι 755, 4
ἐφιείς II 419⁴
ἐφιελοδυ pamph. 219³
ἐφίεμαι (-σθαι) II 231⁶;
  *ἐφίεσαι 668³; ἐφίεσαι 668⁵;
  ἐφίεμαί τι II 105⁸; – – c.dat.
  II 147³; – c. gen. II 105⁵;
  ἐφίεμαί τι πρός τι II 511⁶⁻⁷
ἐφίηι 668³
ἐφίημι II 283⁷; – χεῖρας,
  βέλος c. dat. II 145⁷; s.
  ἐφιείς, ἐφίηι, ἔφες, ἐφήω
εφιέϝωται pamph. 219³
ἐφικνέομαί τινος II 104⁴
ἐφιλάθεν 384³
ἐφίλατο Ilias 718⁴
ἐφίλησα 752³
ἐφιορκέω 219³, 1. II 465, 9;
  -χέοιμι delph. 796,1.II 321⁷
ἐφ' ΐσῃ καὶ ὁμοίᾳ 220⁴. II
  468³; – – καὶ ὁμοίη 121³
ἐφίσταμαι βάσιν II 79⁷
ἔφλαδον 703¹
ἔφλιδον 703¹
ἐφόβησα 718²
ἐφόδια c. dat. II 153⁶
ἐφόνιον 305⁶
ἐφοπλίσσαιτε άν II 329⁶
ἐφοπλίσσουσιν hom. 785⁵
ἐφοράω; s. ἐπιδεῖν, ἐφιδεῖν
ἐφορεις lesb. 225⁶
ἐφόρεσα ngr. 753²
ἐφορευωκότων kyren. 775¹
ἐφόρησεν 643⁷
ἐφορμήθην 651, 6
ἐφ' ὅτῳ II 681⁸
Εφραμ 154⁵
'Εφραῖος 199²
ἐφρασάμην, -άσατο, -άσαντο
  762⁴
ἐφράσθης Od. 762⁴
eftá ngr. 163, 2
*ἔφυα 659⁴; – 3. pl. 664⁵
ἔφυγα ngr. 764¹
ἔφυγον 781⁶. II 269³
ἔφυγρος II 465⁴
ἔφυδρος 519³. II 465⁴
ἐφύην 755⁶
ἔφῦν 659⁴. 798, 9. II 72, 1.
  262⁸. 624⁴; ἔφῦ 739⁷. 743²;
  ἔφῦμεν 743²; ἔφῦν 3. pl. 664⁶
ἐφύπερθε(ν) hom.633¹.II427⁷.
  429⁴. 466¹. 539⁴·⁵·⁸. 540²
'Εφύρα 66³
ἐφύρη spät 714⁵
'Εφύρη 482⁵
ἐφύρθη Aesch. 714⁵
ἔφῦσε 739⁷. 755⁶; – Μαῖαν
  θεῶν μιᾶς II 94²

*ἔφω 706⁷
ἐφ' ᾧ II 468². 661⁵. 681⁵⁻⁸, 2
ἐφ' ᾧ τε II 681⁵⁻⁸
ἐχ praep. 210⁶. II 461⁴
ἔχαδον 781⁶; -δε 699⁵. 747⁶
ἐχάθη ngr. II 282⁸
ἐχαίρησα 752³. 755⁴
ἐχάλασα 752⁴
ἐχάλασσα 682⁶
ἐχάνδανον 699⁵
ἔχανον 693³. 694³. II 262³
ἐχάρην 755⁴. 763, 5; -ρη 714⁴.
  757⁵
ἐχε- compos. 441⁴·⁵
ἔχε ipf. 651⁶
ἔχεα 685⁷. 745⁴·⁵. 790⁴; ἔχεας
  745⁵; ἔχεε 745⁴·⁵·⁶; ἔχεαν
  745⁴; s. ἔχευα
ἐχέγγυος 441⁶. 442²
ἔχε δή II 563⁴
*ἔχεδον 746, 6
ἐχέθυμος hom. 441³
ἔχειν (= -ην) wthess. 807¹
ἔχειν (τοῦ) II 362³
ἐχέμεν 806⁴. II 381⁴. 382⁵
ἐχέμυθος 441⁵. 442²
ἔχεν infin. 807¹·⁷. 809¹
'Εχένηος 451, 1
ἐχεόδηκτος 439⁵
ἐχεπάμων 441⁵
ἐχεπευκής II 182⁸
ἔχεσα att. 746, 6
ἔχεσκεν II 278⁴; -εν Ilias 711¹
ἔχεσον att. 746, 6. 756². 786³
ἔχεσφι 512⁴
ἐχέτας 500¹
ἐχέτλη 262³. 533⁴
"Εχετος 503⁶
ἐχέτω II 344²
ἔχευα 685⁷. 744⁴; *ἔχευς
  (*ἔχευτ) 745⁵; -ας 745⁴;
  -αν 665²; s. ἔχεα
ἐχεύατο 745⁴
'Εχευήθεις 224⁵
ἐχέφρων 441³
ἔχης m. 499²
ἔχησιν II 311⁴
ἔχησις 505, 2
ἔχητον II 612¹
ἐχθαίρω 272⁸. 342³. 700².
  725². 733²; -ρησι II 311⁵;
  ἐχθαρεῖ fut. 785²; ἤχθηρα
  700²; ἐχθαίρω ἔχθος II
  79⁵
*ἐχθαρjω 342³
'Εχθάτιος 503⁷
ἐχθές 413². 613⁴. 620⁵. 632¹
  II 413⁵. 563⁵
-έχθην pass. aor. 760¹
ἐχθίων 538⁴, 13. II 184²
ἐχθοδοπέω 604, 1. 726⁵
ἐχθοδόπος 450, 4
ἔχθοι (ἔχθοι) adv. epid. 549⁷.
  622³. 630². II 538⁴

ἔχθομαι (-εσθαι) 700². 725²;
  – τινι II 150⁴
ἔχθος 512⁵. II 479²
ἐχθός nwgr. (lokr. delph.)
  326⁷. 336⁴. 630², 3. II
  538⁴. 539³
ἐχθόσδικος ark. 632⁶; – δίκα
  II 538⁵
ἐχθραίνω 733²
ἐχθρός 326⁷. 481⁴, 13. 538⁴,
  13; -οί II 457⁷; ἐχθρούς
  ἐχθρῶν II 116⁶; ἐχθροὶ καὶ
  ἔχθιστοι II 568¹
ἔχθω adv. delph. 550³. 630².
  II 538⁴. 539³
ἐχίδιον 471²
ἔχιδνα 475⁶. 488⁵. 489⁴
*ἐχιδνός 475⁶
Εχιμ byz. 159⁶
ἐχῖνος 491², 2
ἔχις 462⁴
ἔχμεν 683⁶
*ἔχμεν 678, 5. 809¹
*ἐχμένη 771²
ἔχοις: ΐνα – II 338³
ἔχοισα lesb. 287⁷. 322²;
  -σαν 666¹
ἔχοισι άol. 90²
ἔχομαι (-εσθαι) II 230³.
  273⁶. 383⁴; – c. gen. II
  129⁸; – c. abl. II 92⁴; –
  τινος II 130³; – τῆς αὐτῆς
  γνώμης II 130³; – τινος ἐκ
  II 463¹; ἔχεσθαι πυκιναὶ
  πρὸς άλλήλησιν II 512⁶;
  s. ἐσχόμην
ἐχομένω du. II 49, 4
ἔχονομα 632³
ἔχονσα kret. 322²
ἔχοντε II 609⁵
ἔχουριν eretr. 218⁵
ἔχραε 748²
ἔχραισμε Ilias 723³
ἐχρῆν 652². II 354¹
ἔχρησα 751⁷
ἐχρήσαο Hdt. 668⁴
ἔχτη 211³
ἐχτύπηκα ngr. (dial.) 764²
ἐχύη H. 759, 1
ἐχύθην 257³. 261⁸; -θη 761²
ἐχυρός 482⁴
ἔχυσα 685⁷. 755⁵
ἔχυτο 685⁷. 740²·³. 745⁴;
  -υντο 740⁵
ἔχω 204⁴. 220². 261². 297⁵.
  304³. 684⁶. 690²·³. 747².
  782⁴. II 72, 1. 230³. 260⁴.
  296⁷. 350⁶. 353³·⁴. 376⁶.
  376³. 400⁸. 401¹. 691, 5; –
  ngr. 764³; ἔχωντι 791⁴, 7;
  ἔχωσι 791⁴; ἔχω c. gen.
  II 132⁴·⁵; – χρησίμως c.gen.
  II 132⁵; ἔχω c. dat. I
  140¹; – τι c. dat. II 148⁵;

ἔχω σῖτον c. dat. II 151³;
– τι πρόσθε c. dat. II 146³;
– τέλος c. dat. II 151⁷; –
βίη c. dat. II 146⁴; – κατὰ
νοῦν c. dat. II 148⁵; – τι
c. loc. II 154⁷; – c. infin.
810¹. II 365⁵; – – byz.
813²; – c. ptc. aor.
II 263⁷; – τι μέγα II 83⁷;
– τι σπουδήν II 80⁸; – τι ἐπί τινι II
466⁷·⁸; – γυναῖκα ἐπί τινι
II 468⁷; – κάρδαμον ἐπὶ
τῷ σίτῳ II 468⁶; – παρά τι-
νος II 497⁸; – τὰ ὅπλα πρὸ
τῶν τοξευμάτων II 506⁴; –
χάριν τινὶ πρὸ ἄλλων II
507²; – πεζὴν δύναμιν II
388³; ἔχει οὕτω κατὰ τὸν κρη-
τῆρα II 477⁷; ἔχω τι περὶ τῇ
κεφαλῇ II 500⁷; – θώρακα
περὶ τοῖς στέρνοις II 501¹;
– πόνον περὶ νηός II 502⁴;
ἔχειν τινὰ περὶ αὐτόν II
504²⁻³; – περί τινα 'habe
zu tun' II 504⁴; – γνώμην
περί τινα II 504⁸; – τι
ὑπὲρ ἐλπίδα II 519⁶; –
κάρη ὑπέρ τινος II 520⁶; –
τι μετὰ χερσίν II 482²;
ἔχειν τι(νά) παρ' ἑαυτῷ II
494²; – τὰς ἐντολὰς παρα
τᾶι πόλι II 494⁵; ἔχει Φ.
καταλαβών Dem. 812⁷; –
συγγνώμην II 377⁴; –
τραύματα ὑπό τινος II 227²;
– ὄγκον παρά τινος II 227²; –
ὀργὴν ὑπέρ τινος II 521²; –
χάριν τινὶ ὑπὲρ τῶν εἰρη-
μένων II 521⁷; – γνώμην
ὑπέρ τινος II 522²; – οἶκον
ὑπ' ἀνδράσιν II 525⁶; – τι
ὑπὸ μασχάλη, – ὑπὸ τῷ ἱματίῳ
II 525⁴; – ξιφίδια ὑπὸ μά-
λης II 527⁷; – ὑπὸ μάλην
II 528, 1; – καναχὴν ὑπὸ
πλήκτρου II 528⁴; – τὴν
τρίχα μέλαιναν II 618⁷;
– μέλαιναν τὴν τρίχα πρὸς
τὰ ἔτη II 511³; – τὰ δεξιὰ
τοῦ κ. πρὸς τῷ ποτ. II 513¹;
– τιμὴν πρός τινος II 514⁵;
– ἔπαινον πρός τινος II 227².
514⁶; – ἔπαινον ὑπό τινος
II 529³; – τινὶ ἀχαρίστως
πρός τινος II 514⁷; – τι
πρὸς τοῦ ποταμοῦ II 515⁷;
– διὰ γλώσσης II 362².
452⁷; – ἄλκιμον ἦτορ II
616⁵; – πράγματα ὑπό τινος
II 529⁴; – μνείαν τινός
ὑπό τινος II 529⁴; – τραύ-
ματα ὑπό τινος II 529⁴; – τι
ὑπὸ τὴν εἰρήνην II 532³; –
'Αρκαδίην ὑπὸ ὄρος II

531⁵; – τι ἀμφ' ὤμοισιν II
438²; – ἔριν ἀμφὶ μουσικῇ II
438⁵; – τι ἀμφὶ βουλαῖς II
438⁵; – ἀμφί τι II 439³;
– τι ἀμφίς II 439⁶; – τι ἐν
χερσὶ ἀνὰ σκήπτρῳ II 441⁵; –
πηγὰς ἀπὸ μ' σταδίων τῆς θα-
λάσσης II 445⁸; – κάλλος Χα-
ρίτων ἄπο II 446³; – τινὰ ἔν
τινι II 458⁶; – τι διὰ χειρός
II 451⁶; ἔχειν τι δι' ἑαυτοῦ
II 451⁵; ἔχω τι δι' αἰσχύνης II
452⁶; – τινὰ δι' αἰτίας II
452⁶; – τινὰ δι' οἴκτου II
452⁶; – δι' ἀγωνίης II 452⁷;
– διὰ στέρνων II 452⁷; –
τινὰ διὰ στόμα II 453²; –
τι διά τινα II 453⁵; s. ἔχε,
*hέχω, ἔσχεθον, ἔσχον, σχές
usw., ἔξω usw., εὖ ἔχω
ἔχω att. 257³·⁴
*ἔχω [hékhō] 204⁴. 304³
ἔχω γραμμένο, – γράψει ngr.
130³
ἔχω δεθῇ (-θεῖ) ngr. 779⁴.
809⁶. II 384¹
ἔχω δεμένο ngr. 779⁴
ἔχω δέσει ngr. 779⁴
ἔχω ἰδωμένη ngr. 812⁸
ἔχων II 387²·⁵. 435⁴; ἔχοντι
dat. sg. II 401⁴; ἔχοντε II
609⁵; ἔχων (fehlt) II 88²⁻³;
ἔχοντες ἄλκιμον ἦτορ II
616⁵; – 'Ο. δώματα II 408⁵;
ἔχων κυνὸς ὄμματ(α) II
408⁸; – πεζὴν δύναμιν II
388³; ὁ νῦν ἔχων II 408⁷;
ἔχουσα οὕτως II 389⁴; ἔχον-
τα ἀτάκτως II 402³
ἐχώσατο 722¹
-εψα aor. 763⁷
ἐψάφιστει pf. med. thess.
194⁴. 669³. 738¹
ἐψαφίττατο böot. 320⁶
ἔψε Hdt. Hippokr. 721²
ἔψεσθαι att. 786⁴
ἔψησι II 357²
ἐψήσω fut. 721²
ἐψιάομαι 732²
ἔψομαι 782⁴
-έψος 450, 4
ἕψω 57⁵. 706⁷. 721²; ἥψησα
721²
εω 81². 444⁴; – wechselt mit
ᾱω 242⁸. 243²; -εω ion.-att.
81²; εω einsilbig 246⁵; –
wird kontrah. im Att. 444⁴;
– aus εϜω 228⁷; – für αω
243². 728⁶⁻⁷; -εω ion. aus
-ᾱο 245⁷
εω dor. aus ηω 244³; ion. att.
εω aus ηο 245⁵; εω > ω
249⁸; -εω (= ε͠ο bzw. jω)
245⁸

-εω gen. sg. m. ion. (aus
-ηο) 561¹
-εω verba 809²
-έω verba 673⁶. 682⁴⁻⁵. 712,
1. 717²⁻³. 718¹·³·⁴, 4. 721¹⁻⁶,
1. 3. 6. 8. 722³. 723². 724¹.
726² f. 728⁴·⁵, 2. 729⁶.
731⁴·⁶⁻⁷. 734⁴·⁵. 737¹. 739¹.
754⁴. 807³. 814⁷. 815⁴; – –
wechseln mit -ᾱω 728⁵;
-έω und -ᾱω gemischt 729¹
-έω fut. 779⁸. 784²⁻⁶. 785¹⁻³
ἕω conj. hom. 674³. 677³.
791²; ἔωντι 3. pl. 677, 10.
791²; ἔοντι conj. lokr. 677,
10; ἔωσι 677³. II 312⁸
*ἕω conj. (ἵημι) 770¹, 1;
ἔωμεν 675⁴. 755³. 792⁵, 8
ἐώθεα, -θεσαν Hdt. 777⁵; s.
εἴωθα
ἔωθεν, *ἐῶθεν 383²
ἑωθινός 490⁵; τὸ -όν II 70². 112⁷
ἑωθοῖα ion. 540⁵
ἑώθουν ἑωθοῦντο II 700⁷
εωι > ωι 250⁸
ἑώιχ 469¹
ἐώικει 653⁴, 1. 777⁴. 778⁴
ἑωινοχόει hom. 653⁴; ἐῳνο-
χόει νέκταρ II 73²
ἕωλος 483⁴. II 32⁴
ἑώλπει c. dat. II 148⁴; s. ἔολπα
-εων gen. pl. 571⁵·⁷, 8. 579²
-έων gen. pl. 81⁶. 240⁷. 244⁴.
575⁴. 579, 4; – 1. decl. ion.
559²·³
ἕων gen. pl. pron. 603³. 605³
-εῶν suff. 488¹⁻⁴. 521⁵·⁶
ἐών ptc. 525²·⁴; ἐοῦσα 678¹.
II 389³; ἐόν 16, 1; ἐοντ-
676⁶. 678¹; καὶ βραχὺν ἐόν-
τα II 389⁵; s. ἐόντ(ε),
ἐόντες, ἐόντεσσι
ἐωνησαμένων 656⁵
ἐωνούμην 654¹
-έωντι 3. pl. conj. 241⁴
*εωρ 568⁵
ἑώρᾱκα att. II 258². 287⁴;
s. ἑόρᾱκα
ἑωράκη 653⁴
ἑώργει 653⁴, 11; s. ἔοργα
εώρη epid. 653, 9
ἑώρταζον 653⁴; s. ἑορτάζω
ἑώρων 245⁶. 653³·⁴. II 269⁴
-εως ion.- att. Deklinations-
typus 554⁷. 557⁶ f.
-εως gen. sg. 572³, 4
-έως gen. sg. ion. att. Koine
551⁵. 575³
ἕως f. att. 219⁵. 220¹. 244⁴.
349⁴. 383². 514². 557⁵. 580⁴;
ἕωι dat. 557⁷; ἕω acc. 557⁷;
ἕω gen. 557⁷; ἕων acc. 557⁷,
3; τὰ πρὸς ἕω τῆς πόλεως II
96⁶; s. ἠώς, ἀϜώς, ἀβώρ

ἕως adv. att. 245⁵. 250³. 381². 409⁸. 528³. 615¹. 631³. II 300¹. 335³. 549⁷. 550⁶⁻⁷ f. 640¹. 650⁵·⁶, 4. 5. 651¹·². 652¹. 657⁸·⁷; – ἄν II 650⁶; – praep. II 533⁴; ἕως ὅτε II 551²; ἕως ὅτου II 551². 651². 653⁷; ἕως οὗ

II 435³. 551²·³. 651². 653⁷, 4; ἕως ὀψέ II 551²; s. ἄς,ᾶς,ᾱος, εἵως, ἧος ἔωσα aor. 654¹. 720³. 755¹; s. ὠθέω -έωσι 3. pl. conj. 241⁴ ἕωσπερ II 650, 5 ἑωσφόρος 440⁴, 8

(ἑωτῆι 607, 3 verdruckt; s. ἑωυτῆ) ἑωτοῦ ion. 607² ἑωυτ- ion. 607³; ἑωυτῆι 607,3. II 195, 1; ἑωυτό acc. n. ion. 607⁴; ἑωυτοῦ II 193². 195⁴; -τῶι 203³. 402⁵; -τῶν 607². II 195⁵. 198⁵

# F

Ϝ 143². 315¹; kor. 94⁶; nachwirkend 227⁴ff.229³. 313⁸f.; ptc. -(Ϝ)ώς 539⁶. 540¹; dial. erhalten 366⁶; gesprochen u. geschrieben 229⁵; Schwanken seiner Schreibung 226²; fakultativ im Epos 229¹; Ϝ- nicht in Dichtung 229⁶; Ϝ spirantisch 227⁶; Ϝ unwirksam 229³; Gemination von Ϝ 238⁵; kons.+Ϝ 332²; Ϝ kontraktionshindernd 251⁶·⁷; Ϝ (w) Übergangsl. 237⁵. 314⁷; Ϝ als u vor Vok. 314⁶; Ϝ assimiliert an Kons. 227⁵·⁶; – scheinbar assimiliert in δδ < δϜ 227⁶; Ϝ schwindet 246⁷. 366⁷; – – ostion. att. 85⁷. 233²; – – nach ρ, λ, ν 283⁶; – – in οιϜ 272⁷; Ursache des Verlusts 226³; Ϝ schwindet dissimilatorisch 260⁸; Ϝ an Stelle von spir. asper 226⁴; Wegfall mit Dehnung des vorausgeh. Vok. 228²
w durch ο, υ, ου bezeichnet 313⁶
-Ϝα neut. pl. 581²
Ϝαδείαν 226⁵
Ϝάδιξις 505, 7
*Ϝάδμενος 749, 3
Ϝάδομη böot. 226⁵
*Ϝαδσμένα 749, 3
*ϜαιϜικϳω 266¹
*ϜαιϜῶρᾱ 423⁴
Ϝαλ- 743, 6
Ϝαλεῖοι 468, 1
Ϝαλη- 759⁴
Ϝαλίδιος 224²
Ϝᾶλις 92⁶. 223⁵. 285⁶. 543⁷
Ϝαλίσκομαι thess. 223⁵
Ϝαλίσσκηται thess. 709³
Ϝαλόντοις Stymph.564⁸.709³. 743³
Ϝαλχάνιος kret. 223⁵
Ϝανακισία 271⁵
Ϝάνακοι du. arg. 557²
Ϝάναξ 62¹. 223⁵. 499³
Ϝαναξίωνυς pamph. 182⁴
Ϝάνασσα 473⁶

Ϝάξιοι 223⁵
Ϝάξος kret. 224²
-Ϝαρ suff. 519⁵·⁶, 5 f.
Ϝαργάνᾱ 274⁷
Ϝάργον el. 274⁸
Ϝαρήν 57². 223⁵. 229⁵. 357⁷. 568⁶. 840²
*Ϝαρνίον 225³
Ϝάρρεν el. 684⁴
Ϝάρρενορ 284⁷
Ϝασίδαμος thess. 226⁵
Ϝάσμενος Ilias 749, 3
ϜαστϜός thess. 223⁵. 227,2. 472⁵. 811¹
Ϝάστιος adj. 466²
Ϝάστιος gen. sg. böot. 572, 3
Ϝαστιούλλει 636, 3
Ϝάστυ 506⁴
Ϝαστυμειδοντίω böot. 193²
Ϝαῦ 140². 222³
Ϝᾶχυς 223⁵
Ϝε pron. 3. pers. lesb. 603²
*Ϝε pron. refl. 600⁶. 601⁵
*Ϝε partic. 314¹.II 564³. 565³
Ϝεδίμυνος gort. 259²
ϜεϜαδεϟότα lokr. 226⁵. 649³. 774⁶
(*ϜεϜαδϜότα) 770, 5
*ϜεϜελμένος 767, 3
*ϜεϜεργ- 654¹. 656⁷
*ϜεϜικσκω 260⁵
*ϜεϜορᾱκα 766³
ϜεϜρέμενος arg. 223⁷. 257⁸. 649⁷, 5
ϜεϜρεμένος arg. 715⁵
*ϜεϜρη- 224, 2
*ϜεϜρῖπ-μαι 649⁴
*Ϝέϝρωγα 647¹
ϜεϜῡκονομειόντων böot. 540⁵. 765⁷. 771⁴. 806⁵
*Ϝέϝαρ 219⁶
Ϝέθεν (gen.) lesb. 226⁴. 603²
*Ϝει nom. pl. pron. 605⁵
(*Ϝειδεσϳην) 795, 6
Ϝείδη 778⁵, 5
*Ϝειδη- 755⁴. 778⁴. 779¹.795⁶
*Ϝείδομαι 684⁶
Ϝεῖδος 226⁵
Ϝειζώς el. 208². 223⁵
Ϝείκατι herakl. 591³

Ϝεικόνα kypr. 223⁵
*Ϝείκω 'weiche' 684⁶. 745, 2
Ϝειπ- 257⁸. 348³
Ϝεῖπαι kret. 223⁵. 745³; – κατὰ τὰν πυλάν II 476⁶
*Ϝειπη, *Ϝειπης 791³
Ϝείπηισι 229²
Ϝείπην lesb. 745²
Ϝείσατο aor. 681, 3
ϜεισΕς conj. kypr. 661⁵
Ϝείσομαι fut. 681, 3
Ϝέκᾱ adv. 225³. 439, 8. 622⁵
Ϝέκασσα f. kret. 473⁷
Ϝέκαστος 226⁴
*Ϝεκατάτι 550, 8
Ϝεκατέρη kret. 550²
Ϝεκάτερος gort. delph. 630³
Ϝεκέδαμος thess. 226⁴. 256³
Ϝεκειτωυς pamph. 499³
*Ϝέκμι 678⁴. II 174²
Ϝεκτος kret. 595⁷
Ϝεκών 223⁵. 292⁷. 678⁴
Ϝελ- 314⁴
Ϝελάτεια 223⁵
*Ϝελδομαι 702⁶
*ϜελϜαρ 314⁵. 519⁶
Ϝελικών 223⁷
Ϝελμενος kret. 751³
*Ϝελν- 283⁸
*Ϝελνάω 693, 11
*Ϝελνυμι 697²
Ϝελπάνωρ 153⁸
*Ϝελπιδϳω 330²
*Ϝέλπομαι 702⁴
*Ϝελσμενος 751³
*Ϝελυ- 690³
*Ϝεμεμι 72⁴
Ϝέμμα lesb. 281⁷
-Ϝεντ- suff. 526⁶, 7
Ϝέξ dor. kret. her. delph. 226⁵. 590⁵
Ϝεξακάτιοι her. 593²
Ϝεξήκοντα arg. 592²
*Ϝέο gen. 'seiner' 605¹
Ϝέος gen. pron. lokr. 603³
(*Ϝεός hom.) 608, 4
Ϝεπ- 768⁶
Ϝέπεσσι 564⁶
Ϝέπιϳα kypr. 88⁶. 242⁴. 312⁶
Ϝέπος 223⁵. 295⁵. 298⁵
Ϝερ- 314⁴

Ϝερᾰ- 740, 5
*Ϝεργάζομαι: s. *ἠϜεργα-
  ζόμην
*Ϝεργjω 335⁸. 716, 2
Ϝέργον 223⁵. 293¹
Ϝέργω 747⁶
Ϝέρδω 716, 2
*ϜέρϜος 512⁷
*Ϝερzδω 335⁸
Ϝερημένον kret. 223⁷. 649, 5
Ϝερχσιεν opt. kret. (gort.)
  96⁵. 797³·⁴
Ϝερξ- 754⁷
Ϝέρρεν el. 223⁵
Ϝερσ- 684⁴
Ϝερσē kypr. 792⁷. II 316⁴
(*Ϝερυμι) 682¹
*Ϝερύς 412, 1
Ϝερυσάτω delph. 222⁶
Ϝερύω 310¹. 681, 1
Ϝεσ- 755¹
*Ϝεσαρ 251⁴
*Ϝεσθε 2. pl. 670⁴
*Ϝεσμα 281⁷. 339²
*Ϝεσμένος 767, 4
*Ϝεσνῦμι 284¹
Ϝεσπάριος lokr. 226⁷
Ϝεσσ- 755¹
Ϝέσσω 782³
*Ϝέσται 706⁷
Ϝέτας el. 560¹
Ϝέτεϑϑι kret. 96⁴. 321⁶. 566¹,
  2. 580¹
Ϝέτη her. 251⁶
Ϝέτος 223⁵. II 486⁶
*Ϝετός 'umsonst' 614, 2
*Ϝευπ- 257⁸. 348³
*Ϝευρ- 257⁸. 709, 2
*Ϝεύρωγα 647¹
Ϝεχέτω pamph. 684⁶. 717⁶
*Ϝέχος 512⁴
Ϝέχω 223⁵
ϜϜός hom. 608, 4
ϜϜῶι 229²
Ϝh 332³; – aus hϜ- < * sw-
  227²·³
Ϝhε pamph. 89². 226⁴. 304⁵.
  600⁶. 601⁸. 603²
*Ϝhε pron. refl. 600⁶. 601⁵·⁶.
  604³
Ϝhε- pron. 601⁶
Ϝhεδιεστας arg. 226⁴
Ϝhέδιος 300⁸. II 201⁸
*Ϝhεῖδαρ n. 514³
Ϝhεκαδάμοε böot. 194⁶. 226⁴
Ϝhεκάδαμος böot. 256³. 630³
*Ϝhεκάς 'für sich' 630³
Ϝhίδιος II 201⁸
Ϝhῶι 229²
Ϝηλέω verb. dor. el. 693, 11
-Ϝηλίω verb. dor. 223⁵
Ϝήλω dor. 283⁸. 693⁴
Ϝήμᾱkret.223⁵.227¹.281⁷.494²

Ϝηρ kypr. 223, 1
Ϝήροντι kret. 716¹
Ϝηροντων gort. 286⁵
*Ϝι nom. pron. 601³. 603, 2
Ϝῑ- 681, 3
(*Ϝίαμβος) 591, 7
*Ϝίδα(ν) 777¹
*Ϝίδασι 773⁷
Ϝιδεῖν 56³
*Ϝίδε/οντ 777¹
*Ϝιδέω [:οῖδα] 790, 6
*Ϝιδη- 778⁴
Ϝίδιος dor. 226⁵
(*Ϝιδjην) 795, 6
*Ϝιδjητ 794, 2
Ϝίδμαι 678⁶
*Ϝιδσαν 773⁷. 777¹
Ϝιδυῖα 73⁷. 195⁵. 350³. 540¹·³
*Ϝιδυσja 195⁵. 273². 350³.
  360¹
Ϝίεμαι 702⁵
*Ϝίεμαι 680⁴. 681, 3. 686, 8
*ϜιϜάχω 690³. 748². 767¹
*ϜιϜλω 423⁵. 690³
*Ϝιhός 219⁶
Ϝικαδίων arg. 597, 2
Ϝικαστή böot. 226⁶
Ϝικαστός böot. 381⁴. 596².
  630, 4
Ϝίκατι dor. böot. usw. 56⁵.
  82³. 91³. 92⁵. 223⁶. 270⁴.
  292⁷. 381⁷. 565⁴. 591³·⁴
Ϝικατίδειος her. 597, 1
ϜικατιϜέτιες gort. 242². 591⁵
(*Ϝικατίς) 597, 1
*Ϝικσκοντ- 708²
*Ϝικυῖα 541¹
Ϝιλαρχία 223⁶
Ϝιλιάδας 153⁸
Ϝίλιος 79⁴
Ϝίλσιος 505⁶
Ϝιν dat. sg. dor. (gort.) 603⁴.
  604²; Ϝιν αὐτῶι 607²
*Ϝινδ- 692⁵
Ϝιό 223³
ϜιόλαϜος 223⁶
Ϝιόλαος 153⁸
Ϝῖρις 223⁶
-Ϝις 1. pl. arg. 666, 10
Ϝισάμην infin. mkret. 807⁵
Ϝίσᾱμι dor. 216, 2. 665, 3.
  680⁶
Ϝίσαντι 665, 3. 774¹
ϜίσϜος ark. böot. kret. 223⁷.
  227⁷, 2. 305, 5. 308⁴. 472⁵.
  10. 589³
Ϝίσος ark. böot. el. 223⁸
Ϝίσσαντι 665, 3
*ϜισσϜος 308⁴
Ϝίστωρ böot. 226⁷. 531, 5
Ϝίϝιτος kor. 223⁶
Ϝιώκω 702⁵, 7; -κει kor. 223⁶.
  681, 3

Ϝλ- 309⁷. 314⁴
*Ϝλεαίρω 724⁶
Ϝο- praep. 226, 1
Ϝο- aus ο- 226, 1; Ϝο- > ο-
  228⁶
Ϝοι (Ϝοῖ) dat. sg. pron. 226⁴.
  229¹. 602⁷. 603⁴. II 191²
Ϝοῖδα 680⁶; Ϝοῖσϑα 20³; s.
  Ϝιδ-, *ἠϜιδ-
Ϝοίδημι, -ης, -ησϑα äol. 778⁵
Ϝοιζηαζε kret. 269, 1
Ϝοῖκάδε 20³
Ϝοικέω: *ἐϜοίκεον 655³
Ϝοῖκόνδε 20³
Ϝοῖκος 20³. 223⁵. 347¹; -κω
  abl. delph. 92⁵. 549⁸. 622⁴.
  II 90⁷. 171⁵
Ϝοῖνος hom. 196². 223⁵
*Ϝοχχ- 717, 4
*Ϝολν- 283⁸
*Ϝορᾱ 721, 7
*Ϝορε- 721, 7
*ϜορϜος 306²
Ϝορϑεία lak. 226²
Ϝορϑός 226, 1
worise ngr. (Chios) 226, 1
Ϝός kret. (gort.) 226 ¹·⁴. 228⁸.
  414². 608³. II 200³. 203⁶·⁷
*-Ϝοτ suff. 528⁴
-Ϝοτ- ptc. II 386¹
(Ϝότι lokr.) 617³
ϜοϜλεασι (-ήασι) ark. 226².
  664¹, 1. 775¹; – ἰν 'Αλέαν II
  459, 2
ϜοϜλēκόσι (-ηκόσι) ark. 434,
  3. 654². 709⁴. 775¹
*Ϝρ- 309⁷. 310¹. 311³
Ϝρᾱ- 740, 5
Ϝράδον ark. 223⁷
*Ϝράζω 716, 2
vráka tsak. 779, 1
*Ϝρασιστος 539, 3
Ϝρατάνα 700, 3
Ϝράτρᾱ el. 92⁷. 223⁷; – c. dat.
  II 153⁷
Ϝρέξαντα Kleonä 716¹
Ϝρη- (ἐρρήϑην) 708⁶
Ϝρηγαλέος 310¹
Ϝρῆξις 225². 310¹
Ϝρῆσις ark. 223⁷
Ϝρήτᾱ kypr. 223⁷. 260⁴. 262²
Ϝρήτριον kret. 224²
Ϝριψίδας ark. 223⁷
*Ϝrjō 715⁴
Ϝρόδαμνος äol. 313, 2
Ϝροϑαία lak. 267⁵
wρυμαλι pamph. 223⁷
Ϝῦξίᾱ böot. 91². 194⁷. 223⁵
*Ϝώ 601³
-Ϝώς ptc. pf. 765⁴. 768³. II
  242⁴·⁵
*Ϝωχ- 717, 4

# Z

ζ 216⁴ f. 217⁵·⁶ f. 328². 329⁷·⁸,
  1 f.; (= σδ) 330¹·²; (= zd)
  331⁵·⁶; (= z) 233⁶. 306⁴.
  329⁷. 335⁵ f.; (= δ und σσ)
  329⁸; kypr. (= γ) 329⁸;
  graph. (= ξ) 329⁶; ζ aus γj
  273⁴. 298⁵. 330⁴·⁵. 367¹; aus
  δj 273⁴. 330²·³·⁴, 1. 367¹;
  aus idg. g^wj 298⁵. 300⁷;
  aus j 330⁵⁻⁸; ζ- aus j-
  313². 331¹; -ζ- aus -j- bzw.
  -jj- 331²; aus σδ (sd) 331⁴;
  ζ el, rhod. für δ 92⁷. 233³;
  ζ ngr. 217⁶; ζ für iran. zd
  331⁵; für hb. šd s. Ἄζωτος ζ
  > ρ.eretr. thess. 233⁴. 366⁶
ζά äol.[= διά]302⁸.330³.331⁵.
  II 448⁶.449⁴; ζα- 272⁴. 330⁴
ζᾶ kypr. 88⁶; ζᾶς, ζᾶι 209⁷
-ζα adv. 256⁴
-ζα suff. f. 473, 5. 474³·⁴
ζαβατος pamph. 209⁸
Ζάγκλη 331⁶
(ζαδε)δάσμενον II 408⁶
ζάδηλος 330³. II 449, 8
ζάει H. 300⁷
ζάει kypr. 330⁴. 659⁷. 680⁵
ζάη kypr. 659⁷
ζαής 298⁶. 330³. 348⁸. 424⁶.
  563²; ζαῆν acc. 348⁸. 424⁶.
  563²; *ζαῆι dat. 348⁸
ζάθεος II 182⁸. 449⁴
Ζαιθώνειος 330³
ζαίνω ngr. 701⁴
ζακόρος 330³. 426³
ζάκορος (ἡ) voc. II 26³
ζάκοτος II 449⁴
ζακρυόεις 330³. II 449⁵
Ζάκυνθος 61¹. 331⁴
ζαλ 408⁸
Ζάλευκος 69⁵. 93¹. 330³
ζάλη 331³
ζᾶλος 330³. 483³
Ζαμάσπης 154⁷
ζαμενής II 449⁴
ζᾱμιᾶ 330³; ζᾱμίαυ gen. sg.
  ark. 558⁷. 561¹
ζαμιέσδυ imper. pamph. 803³
ζαμιόμεν infin. kret. 729⁴
ζαμιόντω ark. 729³
ζαμιοργία 208²
ζαν kypr. 631, 2
Ζάν, Ζανός 577², 4; Ζᾶνα
  577²; Ζᾶνες 577, 4; Ζάντα
  577², 4
Ζανοποτειδᾶνος 185³
ζάπεδον 330³
ζαπληθής II 449⁴
ζάπλουτος II 449⁴
ζάπυρος II 449⁴
Ζάραξ 66⁴
ζαροῦν 331³

Ζάς Pherekyd. 577²
Ζᾶς 840⁴
ζατεύω dor. 689⁶
ζᾱτέω 330³
ζάτημι lesb. 689⁶
Ζατήρ kypr. 263⁶
ζάτησα dor. 706¹
ζατός ark. 263⁶. 706¹
ζατρεφής II 449⁴
ζαφλεγής II 449⁴
ζαχρηής hom. 106³. 513⁵.
  II 449⁴
ζάχρυσος II 449⁴
ζάψ 331³
Ζβύρναν 259³
ζέ el. 208². II 562¹·⁴
Ζέα 331⁴
ζέα (= ζειά) 355⁵. 474²
Ζέαθος 241⁵. 518, 5
Ζεβεδαῖος 468⁵
*ζεβυσμένος 649, 3
ζέβυται 347³. 649, 3
ζέει 752⁵
ζεϜέδωρος 438³
ζεζοφωμένος 649, 2
ζέη (= ζειά) 474²
ζεῖ 330⁵
ζειά 330⁵. 474²
ζειαί 472⁶. 474²; - αἱ πλεῖσται
  (ἦσαν) II 606⁷
ζείδωρος 330³
-ζετε praes. opt. 797⁴
ζείζιν 331⁴
ζείναμεν (zdēn-) H. 295³·⁷.
  330¹. 693². 697⁵
Ζειρήνη maked. 189⁷
ζείω 686¹
ζέκα el. 208²
Ζέλεια 331⁴; Ζελείης ἄστυ
  II 122¹
ζέλλω ark. 301³. 693, 9.
  746⁴; s. ἔζελον
ζέμα 524². 685⁵
ζέννυμι 685⁵. 697⁴
ζέρεθρον ark. 295². 301³.
  360⁵. 361³. 533²
ζεσ- 755¹
*ζέσει praes. 752⁵
ζέσμα 524²
ζεσσ- 755¹
ζέσσε hom. 321⁴
ζέστες ngr. II 43, 5
ζεστός 330⁵. 685⁵
ζέσω 685⁵. 782³
Ζεῦ voc. 358⁴. 575, 3. 576⁵, 5.
  II 59⁶. 624; Ζεῦ Ζεῦ II 60³;
  Ζεῦ πατρῷε II 61⁴; Ζεῦ
  ἄνα Δωδωναῖε II 618⁶
Ζεῦ partic. II 601⁶
Ζεῦ πάτερ 58³. 560, 7. 576⁵.
  II 61⁴. 609⁷. 615²; - -
  Ἥλιός τε II 574¹

ζεύασθαι 302⁷
ζεύγē du. II 49⁴
ζεύγεα pl. 512¹. 579, 4
ζεύγει: δύο - II 48, 1
ζευγηλάτης 398²
ζεῦγμα 163⁶
ζεύγνυ 3. sg. lesb. 659⁶
ζεύγνυμαι (-υσθαι) II 230⁶.
  231²; - ἵππους II 231²; s.
  ἐζεύχθης, ἔζευγμαι
ζευγνῦμεν infin. Ilias 806, 7
ζευγνύμεναι hom. 806³
ζεύγνῡμι 697². 751⁴. 754⁷.
  II 72, 1. 230⁶; ζεύγνυσαν
  665⁷. 698⁵; ζεύγνυναι βόας
  ὑπ' ἀμάξῃσιν II 525⁵; s.
  ἔζευξα
ζεύγνυον hom. 698⁵
*ζεύγνυτι 74⁷
ζεῦγος 330⁵. 347⁴. II 48¹, 1;
  ζεύγē II 49⁴; δύο ζεύγει II
  48, 1; ζεύγεα pl. 512¹.
  579, 4
ζευκτός 256⁵
ζεῦμα 163⁶
ζευξ- 754⁷
ζεύξει fut. 787⁴
Ζεύξιππος 636⁵
Ζεῦξις 464⁴. 636⁵
Ζεύς 156⁴. 279⁶. 330². 346³.
  347⁸. 356⁶. 358⁴. 378³. 424¹,
  1. 547². 552⁴. 575², 3. 576⁵,
  4 f.; - Θχύλιος 69¹; - πατήρ
  II 8³. 615²; Ζεὺς δὲ ἑόν 608,
  4; - βρέχει II 621⁵; - ὕει II
  602⁴; s. Ζάν, Ζεῦ, Ζεῦ πάτερ,
  Ζηύς, Ζῆν, Ζῆνα usw., Διός,
  Διῶν, Δισί, Δίας
ζευχθη- poet. 760²
Ζεφυρίδες gen. sg. ion. 561³
Ζεφυρίη hom. 207⁴
ζέφυρος 331³. 482⁵
ζέω 685⁵; c. gen., dat. II
  111⁵; s. ἔζεσα, ἔζεσσε, ἔζεσ-
  μαι
ζζ in fremden Namen att.
  218³
ζῆ imper. 675³. II 344²
*ζῄει 3. sg. 675³
*ζῆεν 249¹
ζῆθι 675³
Ζῆθος 157⁸. 830³
ζῆι 675³
ζηλεύω c. gen. ngr. II 136⁷
Ζηλήμων 522, 7
ζῆλος n. 512⁴. 582⁵. II 38²;
  ζήλους gen. 582⁵
ζηλῶ τινα c. gen. II 133⁷
ζηλωτός εἰμι c. dat. II 152¹
ζημιοπρακτήσειν II 83⁴
ζημιοῦσθαί τινα c. gen. II
  131²

ζημιόω 732¹; -ούτω II 342⁵;
ζημιοῦν τινα c. instr. II 167³
Ζῆν nom. sg. Aesch. 577², 4
Ζῆν 102¹. 200⁷. 346³. 349⁷.
356⁶.377⁸. 403⁴. 552⁴. 576⁵·⁶.
577¹. 616⁴
ζῆν 249¹. 300⁷. 330⁴. 675².
675³, 6. II 75⁷; – βίον II
700⁷; – ἀλυπήτῳ βίῳ II 166⁴;
– ὑπὸ ἐπιμελείας II 530³; –
πρός τινα II 511⁴; – πρὸς ἄλ-
λον II 511⁴; – ἀπ' ὕλης II
447¹; – ἔκ τινος II 463⁸;
s. ζήω, ζῶ
ζῆν (τὸ) II 366¹. 369⁴, 5;
τοῦ – II 360⁶. 361⁵. 369, 5;
τῷ – II 360². 370⁷; τὸ τῶν ἀ.
ζῆν II 369, 4
*ζῆν acc. sg. 631, 2
ζῆν 9⁴
Ζῆνα acc. sg. 577¹. 616⁴. 836²
Ζηνί dat. sg. 577¹
Ζηνο- compos. 577²
Ζηνόδοτος 577²
Ζηνοποσειδῶν 454². 635, 1
Ζηνός gen. sg. 577¹. 616⁴; –
γόνος II 614³; – πάγος II
114⁸
*ζῆντι 3. pl. 675, 6
Ζήνων 161⁵. 577²
*ζηουσι 249⁸
Ζής 577², 4
*ζησι 2. sg. 675³, 6
ζήσοις 796⁴
ζήσομαι 675⁴. 782, 5
ζήσω 782, 5
ζῆτα 140, 4. 329⁷; ὁ – 18, 2
ζῆτε 675³
ζητεῖν (τὸ) II 370⁸
ζητεύω 706¹
ζητέω (-ῶ) 689⁶; -ῶ ngr. II
83⁴; ζήτει 706¹. II 257⁸;
ζήτησα 706¹; ζητῶ c. gen.
ngr. II 136⁵; ζητεῖν τι πέρα
τινός II 541⁷
*ζῆτι 3. sg. 675, 6
ζητόρων kypr. 263⁶
ζητρός 532¹
Ζηύς thess. 203, 2. 575⁵
ζήω 298⁶. 743³; * ζηωσι 249⁸;
s. ζῆν, ἔζην, ζήσω, ἔζησα,
ἔζηκα

Ζί dat. sg. el. 208². 576⁶
ζιβύνη 331⁴
ζιγγίβερι 331⁴
ζίγγος 331⁴
ζιζάνιον 331⁴
Ζιζιμμήνη (= Δινδυμήνη)
208³
ζίζυφον 331⁴
ζίκαια el. 92⁷. 208²
Ζιοννύσιος 576, 6
Ζιοννύσιος phok. 86⁵. 330⁴
*Ζ(ι)ος 576, 6
ζίφυιον el. 208²
ζμ 217⁶·⁷
ζμήνεα pl. 579, 4
ζμύρνα 127⁷. 217⁷
Ζμυρναῖος 217⁶·⁷
ζόασον H. 719¹
Ζόδωρος 330⁴
ζοή ion. 244²
Ζόννυσος 283³. 446¹. 576, 6;
Ζοννύσω 330⁴
ζοός ion. 244²
ζόρξ 331⁴
ζούγωνερ lak. 182². 487⁶
ζοῦμε ngr. 675⁴
ζούσης ptc. 675⁴
ζούσθω thess. 680²
ζυγά n. pl. 581³
*ζυγά pl. 439, 1
ζυγάς 'Paar' 597³
ζυγη- pass. 758². 760²
ζυγηφόρος 439, 1. 452, 4.
581, 4
ζύγιος m. (ἵππος) II 175⁵
žugó tsak. 182²
ζυγόν 57². 156⁴. 181⁵. 292⁵.
298⁷. 330⁵·⁸. 347⁴. 380⁸.
458⁵. II 37³; ζυγά pl. 581³;
ζυγώ 557¹
ζύγρα 330⁴
ζύθος 330⁶. 512⁴
Ζυμβραῖος 206⁵
ζύμη 330⁶. 333⁸. 346⁴
*ζύσνυμι 697, 8
ζῶ 675³, 6. 781⁷. 782, 5. II
226⁴. 271⁵; – ngr. 675⁴;
– βίον II 75⁷; s. ζήω, ζῆν
-ζω verba 706³. 713¹. 714⁶ f.
715³⁻⁴. 716⁶⁻⁷ f. 734¹⁻². 736⁷
ζωγραφεῖν II 73⁴
ζωγράφος 203². II 73⁴

ζωγρέω 644⁷. 726⁵
ζωϜός 722⁷, 4
ζώην II 321⁷
Ζώης 461⁷
ζωιδάριον 471²
ζωιδιον 202, 1
Ζωιλου 156³
Ζώττας äol. 500, 9
ζῶμα 282⁴. 312². 333⁷. 523²
ζωμήρυσις 449, 2
*ζῶμι 675, 6
ζωμός 161⁵. 330⁶. 333⁸. 346³·⁴.
492²
ζῶν (= ζῶιον) 202, 1
ζώνη 282⁴·⁷. 333⁷. 489¹
ζώννυμαι (-σθαι) II 230⁵.
278⁵; s. ἔζωμαι, -σμαι,
ζώννυνται, ζωσ-
ζώννῦμι 312². 697⁴·⁵. II 230⁵.
432²; s. ἔζωκα, ἔζωσα,
ζώσω
ζώννῦνται conj. Od. 792⁴
ζωννύσκετο hom. 711²
ζώννω ngr. 699³
*ζώνῦμι 697⁵
ζώνω spätgr. 697⁵
ζωός 558, 1
Ζωροάστρης 42, 5
ζωρός 330⁶
ζῶρυξ 330⁴
ζός 424³
ζώσαντο II 285³
ζώσασθαι 752, 9
-ζώσει 675⁴
ζωσθη- 761³
ζῶσι 3. pl. indic., conj. att.
249⁸
Ζωσίμη 161⁵
ζῶσμα 523²
*ζώσνυμι 334¹
*ζώσσχσθαι 752, 9
*ζωσ(σ)θω 680²
ζωστός 330⁶. 346³. 706⁷. 773³
ζῶστρα 532²
ζώσω 782³
ζωύφιον 471, 7
ζώω 346³. 675³, 6. 722¹·⁷.
723². 743³; – μετά τισι II
483⁴; –μετὰ στρατῷ II 483⁴;
– ὑπ' αὐγὰς ἠελίοιο II 530⁶;
ζώει τε καὶ ἔστιν II 624⁴
ζώωνθι conj. böot. 666⁴, 9

# h

h 218⁷ ff. 303²·³ ff.; att.
westion. 86¹; Schreibungen
86⁸. 218⁷; überwiegend im
Anlaut 219²; h inlautend
219², 1; intervokal. el. 217,
1; sekundär 219¹. 306¹·³;
aus s 56⁶. 62⁸. 73⁶·⁸. 303⁵·⁸f.
8 H.d.A. II, 1, 3

304, 1; aus σ 217³·⁴.
279⁸. 307⁴. 366⁵·⁶. 370⁵.781¹.
832⁷; aus σ intervokal. lak.
arg. kypr. 81⁴. 93⁵. 233⁴.
370³; h + Kons. aus
s + Kons. 332²; h aus j
73⁸. 303⁵·⁶·⁷; aus j im An-

laut 313²; aus j vor Vok.
366⁶; h für fremdes h 218,
1; h aus vorgr. Lauten 219¹;
h- aus idg. *sw- 304⁵·⁶; h
wechselt mit σ 94⁴. 217, 1.
304³·⁴.306⁵; h nicht bezeich-
net 218, 2; h nicht geschrie-

ben j.-att. 220³; h fehlt im
Art.ò 221⁵·⁶;h-geschwunden
lesb. ostion. 233²; h inter-
vokal. geschwunden 335²;
h fehlt mngr. 220⁵·⁶
-hα aor. lak. arg. el. kypr.
752, 4
hάβατον 87⁵
Hάβδērα 221, 1
Hαγεhίλας lak. 93⁵
Hαγελάιδα 402⁶
hαγεν lokr. 92⁵
Hᾱγηhίλᾱς lak.her. 81⁴.250⁴.
635³
Hαγησίλας 261²
hαγλEσϑō pamph. 727, 1
*hᾱϜελιος 249¹
hακροσκιρίαι her. 305⁶
hάλιιος arg. 312⁷
hαλυνπιάς 402⁶
hαμᾱ dor. 550³
hαμεῖ delph. II 534, 3
hαρέσται lokr. 746, 5
*hαυσ(σ)μος 493, 4
heβδεμήκοντα her. delph.
592³
hēϜοτα pamph. 208¹
héκαστος 226⁴
Héλει loc. II 155¹
heλέσται infin. 746, 5
hēμέρᾱ 87⁵
hénατος delph. ther. 591¹
hενενήκοντα her. 591². 592³
hεννέα her. 590⁶

hεντε delph. 305⁶. 629⁶
*hεντι 'sunt' 269².663⁴,3.674,
2. 677¹
*hεντι 'eunt' 664, 6. 674², 2
hεπρορος arg. 433⁴
hertisa (ἤρτυσα) 184¹
hEΣ (= εἷς, ἧς) 287⁴
Hēσσιοι 221, 1
hετέων 305⁷
Hēφαστος 276²
*héχω 261²; *hε̄χον 653¹
*hϜ 311². 332²
hϜ- 314⁴
*hϜε pron. refl. 600⁶. 601⁵
hῑ 'als' arg. II 714⁶
hιαρόντō imper. lokr. 802²
hίδιος arg. 226⁵
hιερ- 219⁵
hιερεϜιϳαν kypr. 473⁶
hιερEν acc. sg. ark. 575⁶.
576¹
hιεροθυτés ptc. ark. 566³.
729³
hιερός att. 219⁵
hῑ κα (= ὅταν) arg. II 714⁶
hικάς ther. thess. 591³;
-άδι ther. 227¹. 597, 1
hιλαξάστō aor. delph. 710²
Hιλλυριός 65⁷
hιπνός att. 258¹. 295⁴
hίππος 306¹
hίσος her. 223⁸
*hλ, *hμ, *hν 332²
ho inschr. 221⁵

hO ‚wie' lak. 550²
hογδοήκοντα her. 592³
hognos (ὄκνος) 210, 1
hοῖζ δέ arg. 217⁷
hοίϟοντι her. 789, 2
hοκτακάτιοι her. 593²
hοκτώ (nicht hοπτώ)her.590⁶
hόπη lak. 550²
hοπō adv. ark. 621, 10
hοποεντι 528²
hόρϜος kerk. 223⁷. 306²
hόταμπερ II 650²
Hότι lokr. 617³
*hotjon II 587³
hoῦτο m. 611⁴⁻⁵
*hϸ- 311². 332²
hραψα[Ϝοιδ-] böot. 212²
hυ- < *hυ- 304⁷
hύδωρ 304⁷
huiE du. altatt. 573⁵
huιος gen. sg. thess. 574¹
huιός, -οῦ lak. kerk. 574⁴
hυπό 304
hυπὸ τεῖ Ἴδει II 526⁸
hυπυ unterital. 182⁶
hυπύ II 423⁴
hύπυ westion. II 423⁴. 523¹,1
*(h)upu II 523¹
Hυρι[ ητέων] 305²
hύς nom. sg. 574¹
hῦς 200⁴
hύστερος 304⁷
huύς nom. sg. 574¹·²·³
*hw- 304⁵. 824²

# H

H 86⁸
η 81¹. 345²f.; – offen (ē) 87³.
163⁵; – urgr. = η (< ā)
233³·⁴; – urgr. 86⁸. 241⁷;
η: ε Abl. 770²; η: ω 770¹;
– ion. nach ε, ι, ρ 86¹; –
ion. Koine aus ā 86⁸. 121²;
– böot. aus αι 91². 233⁵;
– aus ā (-ᾱν- < -ανσ-) 287⁵;
– aus ε 228²; – aus εᾱ 247¹;
– aus εᾱ 250⁵·⁶; – dor. nwgr.
böot. aus ᾱε, ᾱē, αη 250⁴·⁵;
– aus εε 653². 730²; -η aus
-εα 562². 579, 4; -η- aus
-εσϜ- 282²; η > ε 248³;
η > alt i 233⁷; η > thess.
böot. ει (ē) 907. 912. 233⁴;
η > el. ᾱ 92⁷; ε̆ (= ε̆ ψιλόν)
140, 5
η Wz. 680³; η-St. ion. att.
558²·⁴
η als Kompos.-vok. 438²
η suff. in Namenbild.461⁷·⁸f.
-η Wurzelw. 558⁴, 3
-η (gen. -ηδος) f. 562²

-η adj. f. 586³
-η acc. sg. Ilias 575³
-η dat. sg. (böot.) 558⁷. 579⁶
-η (-ω) instr. sg. 548⁵. 549⁴.
550³·⁴
*-η loc. sg. 572⁴
-η neut. pl. 579, 4
-η- außerpräs. Bild. 713⁶.
738⁴⁻⁵·⁶, 7; – in aor., fut.
675, 3. 756³·⁵·⁷⁻⁷⁶³
-η- (-ω-) Konjunktivbild.
309³. 790². 791⁴⁻⁷⁹²⁴; -η
3. sg. 661⁵. 791⁵·⁶
-η 1. sg. plusq. 776⁵. 778¹;
– 3. sg. 776⁵. 778¹, 2
-η pass. aor. 705, 5. 758⁷
ἠ̇- augm. 651². 653³·⁴f. 654⁴⁻⁵
-ή suff. f. 460¹⁻³. 562⁴
-ῆ suff. f. att. 468¹. 562²·³
-ῆ suff. adv. 550, 3
-ῆ acc. sg.delph.dor. (Koine)
575³
ἠ art.: ἤ ση lesb. 383⁸
η (ἠ) 'wenn' 549². 550². II
163⁷. 683²

ἠ' hom. (= ἠέ) II 565, 3
ἤ II 997. 555³. 556⁴. 564³·⁴.
565¹·³f. 629¹. 633⁶. 710¹;
ἤ - ἤ II 565⁶. 629². 630⁷.
633⁶; ἀλλ' ἤ II 578⁶, 3;
ἄλλο τι ἤ II 629³; ἤ γε II
561⁶; ἤ - ἤτοι II 565⁶;
ἤ καί II 567⁴; ἤ οὔ II 593³;
ἤ περ II 565⁶; ἤ - τε II
574¹; ἤ τε - ἤ τε II 576³;
ἤ τοι II 565¹; ἤ τοι - ἤ II
580⁶
ἤ ἤ interj. II 600, 4
-η adv. spätgr. 550⁴
ἤ 'er sprach' 659⁴. 678⁵.
770¹. 798, 9; - δ' ὅς 611¹.
678⁵. II 694⁸
ἦ 'ich war' altatt. 659⁴. 677²;
– 3. sg. äol. 677³
ἦ 'gewiß, wirklich' 613⁴.
652⁵. II 555². 564⁵,
4f. 578³. 584⁶. 627⁵.
629⁷; – ἄρ II 564⁶; –
ἄρα II 564⁶; – γάρ II 556⁴.
560⁵. 564⁶. 565²; – δή II

564⁶. 565²; *ᾗ Fε 314¹;
– θην II 564⁶; – μέν II
556⁴. 565². 570²; – μήν
II 555⁵. 565¹; – νυ II 565¹·²;
– οὐχ ἅλις II 646³; – που II
564⁶. 580²; – ῥα II 564⁶; –
ῥά νυ II 571³·⁵; – τἂν II
582²; – τἄρα II 582²; – τε
II576³, 4; – τοι II 582²; ἐπεὶ
– II 565¹·². 660⁶
ἡ 457². II 354; – σφόδρα ἄ-
γνοια II 26⁷; – (sc.ἀμαθία)
τοῦ οἴεσθαι εἰδέναι II 620⁷; –
πρὸς θαλάττῃ πόλις II 513¹
ἡ- (: ἑ-) 741¹
ἥ pron. relat. 614⁶; – θέμις
ἐστί 622, 6. II 606⁶; ἧς
610³; s. auch ἕης
ᾗ adv. 'wo' kret. II 163³.
647³
ᾗ adv. II 185². 647³·⁵·⁶·⁷.
671⁴; – περ II 647⁵
ηᾶ > dor. εᾶ 244³; – > att.
ion. εᾶ 245⁵
-ᾖα acc. sg. hom. 575³
ᾖα 1. sg. ipf. 'ich war' 240¹.
241⁷. 304⁴. 343⁴. 370⁴.
642⁴. 651². 654⁷. 659⁴.
662³. 677². 744². II 258,3.
276³
*ᾖα 'ibam' 674, 3
*-ηαι conj. 244⁴
*ᾖαν 'erant' 665²·³·⁶
*ᾖαν 'ibant' 665³
ᾖ ἄρ II 564⁶; – ἄρα ibid.
ᾖαρ 518⁵
-ᾖας acc. pl. hom. 575³
ᾖαται hom. 671³. 679⁵. 773³;
-το 679⁵
*ᾖαται 3. pl. 671⁶
ᾖβᾶ 303⁵·⁷. 459⁷
ἡβαιός 468⁴. II 491⁵
'Ηβάκων lak. 497²
ἡβάσκω 708⁵
ἡβάω 725⁶; ἥβησα 653³
*ἡβέονσαν 242²
ἡβίονσαν kret. 242²·⁸
ἡβουλόμην 654⁵; ἡβούλω ipf.
668⁴
ἡβῶντες (οἱ) II 409¹
ἡβώοιμι hom. 730³
ἡβώοντα hom. 730³
ἡβώοσα hom. 730³
ἡγάασθε 681²
ἡγαγόμην 749²
ἦγαγον 749², 1. 755⁴
ἡγάθεος 104, 1
ἡγαίεσθε 681, 5
ἡγάμην 681²
ἦγανον 413⁷
ᾖ γάρ II 556⁴. 560⁵. 564⁶.
565²
ἡγάσατο 752⁴
ἡγάσθην att. 758¹

ἡγάσσατο hom. 761¹
ἡγγέλην hell. 747¹
ἡγγέλθην 747¹
ἤγγελκε 775⁴
ἤγγελμαι 771³; ἐπὶ τοῖς ἠγγελ-
μένοις II 390⁴
ἤγγελον spätgr. 746⁵
ἡγγύησα 656¹
ᾗ γε II 561⁴
ἤγειρα 746⁵
ἡγεμονεύω (-εύειν) 732⁵. 815².
II 109⁶. 110². 169²; -νεύ-
εσθαι ὑπό τινος II 240⁸
ἡγεμονέω 731⁶
ἡγεμόνη 490, 4. 522². 524⁵
ἡγεμών 159⁷. 522²·³, 7; -μό-
νεσσι Sol. 564⁵
ἡγέομαι (-εῖσθαι) 293¹ᶠ·. II
122⁷. 123⁴. 124⁵. 168⁸.
169¹; ἡγησάμην 653³; ἡγή-
σω ἄν 'putares' II 244⁷;
ἥγημαι 656⁷. 766³; ἡγέομαι
c. gen. II 109⁶. 110¹; – c.
gen. et dat. II 110⁴; – τι
σύμμαχον II 83⁸; – δι'
πολλοῦ II 125⁵; – δι'
ὀλίγου II 451¹; – εἴσω ῎Ι.
διά τι II 453⁸; – τι παρὰ
μικρόν II 496²; – περὶ
οὐδενός II 503⁵; – περὶ
πλείστου II 503⁵; – τῆς
ἐσβολῆς ὑπέρ τινος II 521⁶;
– τινι ποτὶ πτόλιν ὑπὸ νύκτα
II 532¹⁻²
ἡγερέθονται, -ντο 703³; -ντο
μετὰ 'Ηῶ II 486⁵
ἤγερθεν.760⁶
ἤγεσι- 443⁵, 10
ἡγηλάζω 734⁶, 9
*ἡγηλός 734⁶
'Ηγησίλεως 443, 10; -λεω
acc. sg. 557⁸
ἦγμαι j.-att. 766²; ἦχθε
2. pl. 670³
ἡγνοίησεν II 599⁴
ἡγνοουσαν 666²
ἡγούμενος 123⁵
ἦγουν II 585⁵
ἤγραπται kret. 650¹
ἤγρετο 648, 2. 742². 746⁵
'Ηγύλος 485³
ηγυς (ἡγῦς) dat. pl. böot.
(= αἰξί) 91². 564⁸
*ᾖδαρ hom. 227⁶. 301⁵. 519⁶
(*ηδε aor.) 748, 1
ἠδέ II 556⁴. 565¹. 566⁵·⁶·⁷.
569⁴
ᾖδε 611⁷, 4
ᾖδε f. Hdn 611, 4
*ᾖδεες 356⁴
ᾖδειν Ap. Rh. 778²
ἡδέως c. dat. II 144⁴
ᾖ δή II 564⁶. 565²
ᾖδη 386⁵. II 563². 564⁶,6. 710⁸

ᾖδη II 631⁵
ἡδικηκώς II 391³
ᾖδῖον 381²
-ηδίς adv. 626⁶. 631³·⁴
ᾖδιστος 536⁵
ἡδίων 536⁵·⁶. 538⁴; ἡδίω
355⁶
ᾖδομαι 685³. 699⁶. 748¹.
749, 3. 755³. II 72, 1.
229²·⁷. 234². 236⁶. 282²;
– τινος ἀμφίς II 439⁷;
ἡδομένοις ὑμῖν II 623⁶;
ἡδόμενος ἡδομένοις II 700⁶
-ηδόν adv. 626⁴⁻⁵. 627¹
ἡδονή 490³. 516⁵; καθ' ἡδονήν
II 479²; ἡδονὴ διὰ τοῦ
σώματος II 451⁶
ᾗ δ' ὅς att. 611¹. 678⁵. II
694⁸
ᾖδος 512⁵. 515⁴. II 52¹
ἡδυβόας 543, 2
ἡδυεπής 439⁵
ἡδύλος 379²
'Ηδύλος (so) 485³
ᾖδυμος 494⁴, 3
ἡδυνάμην 654⁵; ἡδύνατο 762³
ἡδύνω 733²; ᾖδῦνα 754⁴;
ἡδύνθη- att. 761, 5; ἡδύ-
σθη- Gal. 761, 5
ἡδύς ion.-att. 226⁵. 350³.
463¹. 538⁴. 543³. II 29³;
f. 543³; ἡδεῖα 474¹; 543³; ἡδύ
580⁵; ἡδέος gen. sg. 585⁵;
ἡδεῖς, *ᾖδεες 356⁴; ἡδέα
neut. pl. 581²; ἡδέων 350³.
571, 3; ἡδέσι dat. pl. 571, 3;
ἡδὺς αὐτμή 474¹; τὰ ἡδέα
διὰ τοῦ στόματος II 451⁷;
ἡδὺ γέλασσαν II 77³
ᾖδω 'erfreue' II 228⁶. 234²
-ηδών suff. 529⁷, 3f.
ηε bewahrt 241⁶
ᾖε partic. 388³. II 564³.
565³f.
ἠέ 314¹. II 555³. 564³·⁴.
565¹·⁶f. 629¹; ἠ' II 565, 3;
ἠὲ – ἠέ II 573⁴. 629¹; ἠὲ –
ᾖ II 629³; ἠέ περ II 565⁵
*ᾖεα aor. 779¹
ηει > ηι 249³
(ᾔειδε Hdt.) 778, 7
ᾔειδεα plusq. 746¹. 778⁵;
ᾔείδη 653³. 758, 7. 778⁴;
ᾔείδειν Ap. Rh. 778²; ᾔείδης
680⁶. 758, 7. 778⁵
ηειδος 226⁵
ᾔειρα hom. 715⁵
-ᾔεις suff. 527¹·³·⁴. 528¹
ἡέλιος 466³; ἐς -ον καταδύντα
II 460⁵·⁶
ᾖεν 3. sg. hom. 406⁴. 663⁵, 8.
677², 6. 8
*ᾖεν 'erant' thess. 664⁴
ἠερέθονται 703³

ἠέριος 461[4], 4. II 179[4]
ἠεροφοῖτις 103[4]. 825[5]
-ηες nom. pl. 573[2]
-ῆες nom. pl. 575[3]
-ήεσσι dat. pl. ep. 575[5]
'Ηετίδης 509[5]
'Ηετίων ὅς 264[5]
-ηϝ- für -εσϝ- 282[2]
-ηϝα acc. sg. 576[1]
-ῆϝα acc. sg. 575[1]
*ηϝαγην 653[4]
*ηϝαλ- 245[6]. 653[4]
ηϝαχον 748[2]
*ἦ ϝε 314[1]
*ἦϝε partic. 388[3]. II 565[1]. 629[1]
*ἠϝέ II 555[3]
*ἠϝεϝορτ- 653[4]
*ηϝειδην (-ης, -ητ) 778[5]
*ἠϝεργαζόμην 653[4]
-ῆϝες nom. pl. 575[1]
-ῆϝι dat. sg. 575[1]
*ηϝιδεαν 778[4]; *ἠϝιδεν 3. pl. 778[4.5]; *ἠϝιδεντ 778[4]; *ηϝιδηντ 778[5]
*ἠϝικσαν 737[7]
(*-ηϝjω verba) 728, 1
-ηϝο gen. sg. kypr. 561, 2
*ηϝοιδα 778[3]
*-ηϝοιν du. 573[5]
*ηϝορ- 245[6]
*ἦϝος 241[7]
-ῆϝος gen. sg. 575[1]
*ηϝρον aor. 709, 2
*ἠϝϝτέ II 576[5]
-ἠϝων gen. pl. 575[1]
*ἠϝώς 241[7]
(*ηημαι) 680, 1
ηηι > ηι 249[3]
ἤ–ή II 565[6]. 629[2]. 630[7]. 633[6]
*ηηδιζόμην 655, 2
ἤην 'siehe da!' II 566[3]
ἤην 3. sg. 677[3]
ἦρ spätion. 187[6]
ἤθελα: – νὰ ξέρω ngr. II 309[2]; – δένει (δέσει) 789[5]; – γράφει (-ψει) mngr. II 350[1-2]
ἠθέληκα 774[6]. 775[2]. II 226[5]
ἠθέλησα 817[1]. II 226[3]
ἤθελον 654[5]. II 330, 3; – ἂν II 347[7]
ἠθέω att. 721[2]; ἤθησα spät 653[3]. 721[2]; ἦσα 721[2]
ἦ θην II 564[6]
ἤθλουν 655[2]
ἠθμός 492[3]. 721[2]
ἦθος 821[3]. II 693[6]
ἤθω 703[1]
ηι (ηϊ) bewahrt 241[6]; – sekundär 349[1]; – aus εηι, ηει, ηηι 249[3]; ηι > att. ει (ē) 233[5]. 241[6]. 655[4]; -ηι > -ει (= -ē) 668[2]; -ηι >

-ει (-ē) 668[2]; ηι (über ē) > i 233[7]; ηϊ > att. ηι 247[8]
ἠΐ böot. (= αἰεί) 91[2]. 194[7]. 619, 4
-ηι dat. sg. ion. att. 348[8]. 558[7]; – 3. decl. 572[4]
-ηι adv. 550[4]
-ηι 3. sg. conj. 791[3.4-5.6]
-ῆι dat. sg. hom. ion. koisch 575[3]
ἤι conj. 677, 10
ἤι adv. att. 550[4]; s. ἦ
ἤϊα 1. sg. ipf. hom. 674[2], 3; ἤϊα 654[7]. 659[4]. 744[2]. 779[1]; ἤϊα att. 674[2], 3; ἤϊε 659[4]. 674[2], 3; ἤϊε 674[2]; (ἤϊεα) 674, 3; ἤϊεε 674, 3; ἤϊει 674[2]. 778[5]; ἤϊειν j.-att. 674[2]; ἤϊεις 674[2]; ἤϊεισθα 659[4]. 662[4]. 674[2]; ἤϊεσαν 674[2]
ἤιδεα 'ich wußte' 750, 3. 778[3.6]. 779[1]; ἤιδειν 127[7]; ἤιδεες H. 778, 3; ἤιδεις 778[4]; ἤιδεισθα 778[4]; ἤιδησθα 662[4]. 778[4]; ἤιδεε 778[3], 7; ἤιδεεν 777[1]. 778, 5; ἤιδη 778[3.4.5]; ἤιδει 653[3]. 778[4]; *ἤιδεσμεν 778[6]; ἤιδεμεν 778[1.3.6]; ἤιδετε 778[1]; ἤιδεσαν ion. j.-att. 778[3.4]; ἤιδημεν H. 778[4]
ἠιδέσατο 760[7]
ἤιθατο 681[4]
ἤϊθεος 434[4]. 472[6]. II 31[3]
ἠικανός (ἤικανος?) 292[3]. 452, 6. 514, 3. 557, 3
ἤικειν att. 778[4]; -ει 653[3]; *ἤικμεν 778[4]
ἤικτο hom. 653, 8. 748[8]. 765, 3. 777, 2
ἤιμεν 653, 12. 655[4]. 674[2]
ἠινέθην 753[3]
ἤινεκα 753[3]
ἤινεσα 753[3]
ἤινημαι 753[3]
ἤινησα 753[3]
ἠιόεις 527[4]
ἤϊον 1. sg., 3. pl. 674[2]; ἤιομεν 1. pl. ipf. 674[2]
ἠϊόνες II 43[4]
ἤιπε kyren. 654[1]; ἤιπον lesb. 745[2]
ἤιρηκα pf. att. 746, 5
ἤις 2. sg. 677[3]
-ηισ' dat. pl. 559[4]
-ηις dat. pl. 556, 4. 559[4]
-ηις 2. sg. conj. 791[3.4-5.6]
ἤισαν, ἤισαν 674[2]. 751[2]. 773[7], 3. 777[1] (οἶδα)
ἤισαν 665[7]. 674[2] (εἶμι)
ἤισθα 2. sg. 777[1] (οἶδα)
-ηισι dat. pl. hom. 556, 4. 559[4.5]

ἤισι 3. sg. conj. (εἰμί) 677[3]
ἤισκε hom. 653, 8
ἤισμεν 777[1]. 778[3] (οἶδα)
ἤιστε 773[7]. 777[1] (οἶδα)
ἤιστην Aristoph. 776[7] (οἶδα); ἤιστον 773[7]
ἤισχυγκε 775[4]; ἤισχυμμένος 775[5]. 773[5]
ἤιτε 674[2]; ἤιτην 674[2] (εἶμι)
ἤιτινι dat. 616[2]; ἤιτινιοῦν II 584, 4
ἤιτουν 655[3] (αἰτέω)
-ηκ- suff. ion. att. 497[3]
ἦκα (ἦκα) adv. 538[3]. 622[5]
ἦκα aor. hom. 741[3.6], 9; ἦκαν 3. pl. 741[6]; s. ἕω
-ηκα pf. 774[6]
-ηκα 1. sg. mediopass. aor. ngr. 764[5]. 814[6]
ἠκαλέον 484[2]
ἤκαχον 755[3]; -ε 749[2]
-ηκε 3. sg. aor. ngr. 764[5]
ἤκεστος 431, 4
ἠκή 340[1]
ἤκιστα II 598[7]. 628[4]
ἤκιστος 622[5]
*ἤκjων 421[5]; -jοσες 536[6]
ἠκκλησίαζον 656[1]
ἠκόσμησα 654[5]
ἠκότων 768[2]
ἤκουσα 781[7]; -σε Τισσαφέρνους τὸν Κ. στόλον II 95[1]
ἤκουσμαι 766[3], 2. 773[3]
*ηκτ 'er sprach' urgr. 659[4]. 678[5]
ἥκω (ἥκειν) 685[4]. 768[2]. 783[6]. II 164[4]. 274[4.5.7], 1. 368[3]. 377[4]; ἡκέναι 768[2]; ἥξω -ειν, -οι (s. dort); ἥκον 653[3]. 685[4]; ἡκότων 768[2]; ἥκαμεν, -τε, -σι 768[2]; ἡκέτην II 49, 4; ἥκοι ἂν II 329[8]; ἦκε Τισσαφέρνεα καὶ ὁ .. II 610[8]; ἥκω τάλας II 619[2]; – εἴς τινα II 459[4]; – ἐπὶ τοὺς τόκους II 472[8]; – κατόπιν ἑορτῆς II 541[2]; – c. dat. II 142[6]; – c. gen. II 132[6]; – τινὶ εἰς διαφοράν II 161[3]; – παρά τινος II 497[6]; – δι' ὀργῆς II 452[4]; – ἐς τὴν ἕω II 460[6]; – ἀνὰ ναυσί II 441[6]; εὖ ἥκω τινός II 132[6]
ἠλ (= ἦλος) 16, 1. 408[8]. 569[5]. 584, 6. 836[5]
ἠλακατήν 487[2]
ἠλάλαξα aor. Eur. 716[4]
ἤλασα 749, 1. 752[4]. 769, 7; *ἤλασας, -στ, -σμεν 752[5]
ἠλασκάζω 708[4]. 735[1]
ἠλάσκουσαι hom. 708[4]; -ουσιν 708[4]
ἤλγουν μὲν ἤλγουν II 700[2]

ἤλδανε 700²
'Ηλεῖος 464³
ἠλεκάτη 258⁴
ἤλεκτρον 531³. 532¹. II 34, 4
ἤλεκτρος 531³. 532¹. II 34,
4; ἐμπολᾶν τὸν πρὸς Σάρδεων ἤλεκτρον II 514³
'Ηλεκτρυώνης 244⁸
ἠλέκτωρ 531, 6
ἠλέλιξα Xenoph. 716⁵
ἤλευσα 756¹
ἦλθον 213⁶. 704¹. 747⁴; -εν
II 285⁴; (-ετον) 667²; -αμεν
753⁷; -ασιν 666, 8; ἦλθ᾽
ἦλθε χελιδών II 700¹; ἦλθεν ὕστατος II 618⁷; ἦλθον γῆς II 91⁵; -ε διὰ χροός
II 450⁶; -ον βαπτισθῆναι
Lukas 806, 1; s. auch ἐλθεῖν,
ἤλυθον
ἠλιάζω πρὸς ἤλιον II 510⁴
ἡλιαία 305⁷
ἡλιασταί 735³
ἤλιθα 629¹
ἠλίκος ion. att. 612⁵
ἦλιξ 226⁵. 495³. 497⁵. 608, 0
Ηλιοκλεου 156²
'Ηλιοπολίτης 446, 3
ἤλιος 249¹. 518⁴. 520, 2. II
24¹. 30³; ἤλιοι II 43³
'Ηλιούπολις 446¹
ἡλισκόμην 654²
ἡλιτόμηνος 442³
ἤλκυκα 653, 5
ἠλλαξάτην 667³; ἤλλαχα 772²
ἠλλόμην 653²
ἠλόμην att. 740⁵
ἦλον (= εἶλον) 653²
ἦλος m. 483³. 584, 6; ἥλω
du. II 49⁴
ἤλουν ipf. 682⁴
(ἤλπετο) 654, 4
ἤλπιζε 654²; -ικα 739¹. 775²;
-ισα 739¹. 754³; -ισται 771¹
ἠλσάμην Semon. 753⁵
ἠλυ- 769, 7
ἠλύγη 434⁴
ἤλυθον 347². 681³. 704¹.
737². 747⁴. 756¹; -ε μετὰ
Καδμείωνας II 483⁵; s.
ἐλθεῖν, ἦλθον
ἤλφον hom. 700³. 747¹
ἤλωκα 709⁴; ἡλώκει II 288⁷
ἤλων aor. ion. 654². 709³;
ἤλω Od. 654²; ἤλωτε trans.
743, 6
ἠμ- 'wir' ion. att. 600⁵
-ημα suff. 523³
ἦμα 523²·⁷
ἡμαθόεις f. II 32, 5
ἦμαι 420¹. 679⁵, 4. 680¹, 1.
II 72, 1. 228⁷, 2; ἦσαι
668¹·⁵; ἤμεθα 679⁵; ἤμην
679⁵; ἤμεσθα 670²; ἤμενος

680¹; ἦμαι σιωπῇ II 162⁶;
- εἰς ἐνιαυτόν II 460⁶;
ἡμένων σέλμα II 77, 0;
s. auch ἦσται, ἦσθαι
ἤμαιθον 434⁴
ἦμαρ 575. 221³. 342³. 518⁵.
524³. II 30³. 39, 3. 478²·³;
ἤματος 520, 3; ἤματι II
158⁶·⁷. 159²; ἤματ᾽ ὀπωρινῷ II 158⁶; ἐπ᾽ ἤματι II
468⁷·⁸
ἡμάρτανε 700². 704³
ἡμάρτηκε γνώμης II 93¹
ἡμάρτησα 755⁴
ἤμαρτον 700². 755⁴. II 262³;
- παραδούς II 301³; ἤμαρτον
'Verzeihung!' ngr. 764²
ἡμᾶς ,ἥμας; s. ἡμεῖς
ἡμάτιος 518⁵
ἤμβλωκα Hippokr. 709⁴
ἤμβλων spätgr. 743³⁻⁴
ἤμβροτον hom. äol. 106².
700²; -ε 107³
ἡμέδιμνον 238⁴·⁷
ἡμέδιμνον 262⁵. 263⁶. 265³
ἡμείβετο 652¹
ἡμεδαπός 603⁷f. 604, 1
*ἡμεῖο 605⁵
ἡμεῖς 81⁶. 187³. 281⁷. 305⁶.
602¹⁻². 605²·⁵. II 39⁶; -έων
602³. 605²·⁶, 5. II 206²;
*ἤμεων 389⁴; ἡμέων hom.
605²; -είων 602³. 605²·⁵·⁶;
-ῶν 602³. 605². II 206³;
ἤμεων 605²; ἤμων 602³.
605³. 608³; -ῖν 602⁴. 604².
II 189⁶; ἤμιν 389⁴. 602⁴.
604²; ἡμῖν 602⁴. 604²; ἡμιν
389⁴; - ἑας 602². 605³;
ἤμεας 602²; -ᾶς 81⁶.
602². 605³. 606²; ἤμας
602². 606¹·²; ἡμεῖς, ἡμεῖς
καὶ . . παρεσκευάζοντο ἅπαντες II 612⁶; ἡμεῖς (= ἐγώ)
II 243⁵·⁶; ἡμῖν refl. II
194³; ἡμῶν αὐτῶν II 193².
ἡμῖν αὐτοῖς II 195⁵, 2
ἤμελλον 654⁵
ἦ μέν II 556⁴. 565². 570²
ἠμέν II 570²; ἡμὲν – καί,
ἡμὲν – ἠδέ II 565¹
ἦμεν (= εἶναι) infin. böot.
dor. el. ark. 281⁷. 678¹.
806³. 808⁵. II 383⁵
ἤμεν 'wir waren' 282⁴. 333⁸.
677²
-ῆμεν Ausg. infin. 806⁵
-ήμεον ptc. nwgr. 252⁶
ἤμεον ipf. 682⁴
ἡμέρᾱ 305⁶. 459⁷. 481³. 518⁵.
832⁷. II 30³. 486⁷. 496⁴·⁵;
-ας gen. sg. II 113¹; -ᾳ dat.
II 158⁶·⁸; ἡμέρες nom. acc.
pl. 563⁶; καθ᾽ ἡμέραν II

477⁵·⁶; τὴν οὖσαν – II
409⁴; - παρ᾽ – II 496⁴
ἡμερεύω c. gen. II 112⁵
ἡμέρη II 471¹
ἡμερολεγδόν Aesch. 626³.
632⁵
ἥμερος 482¹. II 32⁴; -αι j.-
att. 383³
ἥμερσα hom. 322¹
*ἤμες 602²
ἥμεσα 680⁴. 682⁴. 752⁴
ἡμέτερειος ion. 608⁴
ἡμέτερόν δε hom. 624⁶
ἡμέτερος 281⁷. 534¹. 608⁴.
II 182⁷. 183⁴. 200⁴. 202³.
203²·⁴. 205⁴. 243⁴; -ε voc.
hom. 608, 5; ἐν (εἰς) ἡμετέρου II 177⁷; τὰ ἡμέτερα
II 175¹
ἦ μήν II 555⁵. 565¹
ἤμην infin. 82¹. 678¹. 807⁵
ἤμην 1. sg. ipf. 127⁷. 678³;
ἤμεθα 678³
ἤμη(ι)ν II 383⁵
ἠμί 'ich spreche' att. 659³·⁴.
678⁵; s. ᾐσι ἦν ἦ
ἠμί 'sum' dor. 281⁷. 567².
677¹
-ημι verba 728⁶.729⁶. 730¹·²·⁵.
739¹
ἡμι- 304². 358⁵. 434³. 599³
ἡμιδαρεικά II 25². 43, 2
ἡμίδιμνον epid. 263⁵
ἡμιέκτεων 451¹
ἡμιθνής 434³
ἡμίκραιρα 583, 5
ἡμιλλήθην 653². 760⁴
ἡμίνα kret. 491². 599³; ἡμίναν τᾶς ἐπ. II 115⁴
ἡμιολίζον 599³
ἡμιόλιον 599³; – οὔ II 98⁷
ἡμιονάγριον 439, 3
ἡμιρρήνιον delph. 227⁶
ἡμισάκις Iambl. 598¹
ἡμίσεαν 474, 2
ἡμίσεως 624²
ἥμισος dor. delph. ark.
319⁸. 320, 1. 472⁴, 5. 573⁴;
-ον 314⁶
ἡμιστάτηρον 451¹
ἤμισυ n. indecl. 599³; τῷ –
LXX 599³
ἤμισυς 272². 308⁵. 463². 506,
3. 597⁴. 599³. II 176⁶.
178³·⁴; ἡμίσους pap. 573⁴;
ἡμίσεες Ilias 599³; ἡμίσεαν
474, 2; ἥμισυ 599³; ἡμίση
127⁷. 250⁶. 251⁸. 573⁴.
585⁵; ἥμισυς c. gen. II
178³; ὁ – τοῦ χρόνου II
178⁵; ὁ – τοῦ ἀριθμοῦ 599³;
ἥμισυ βίου II 178³
ἡμιτάλαντον, -τα 599³
ἡμίτεια ther. 599³

*ἥμιτϜον 314⁶
ἡμιτυεκτου kret. 599³
ἡμίφωνον 434³
ἡμίχα 599³
ἡμιωβέλιον 470³. 599³
ἡμορίς ion. 281⁷. 310⁶
ἧμος 528⁴. 615³. II 650⁵.
651²·³
ἥμουν ipf. att. (ἐμέω) 682⁴
ἥμουνα 'eram' ngr. 678³
ἡμπέδουν 656¹
ἡμπειχόμην 656⁴
ἥμπεσχον att. 747, 3
ἥμπλακον 709³. 748¹
ἡμπόληκα 766¹
ἡμπόλων 725⁶
ἥμῦνα 694⁶
ἡμύω 686³; -ει 774³; ἥμυσε
774³
ἡμφεγνόησα 656⁴
ἡμφεσβήτουν att. 656⁴
ἡμφίεσα att. 656³
ἥμων ipf. Ilias 682⁶
-ήμων suff. 522⁴, 11
ἥμων 'werfend' 522⁴
ἤν ion. att. II 306³, 2. 631³.
682³. 685¹, 1
ἤν 'siehe da!' 612¹. II 566³.
601⁶; – ἰδού II 566³
ἤν 1., 3. sg. 81⁷. 406¹. 663, 8.
677², 4. II 353⁶. 623²; –
καλὸς καὶ ἀγαθός II 708⁵;
– διδάσκων II 255⁵; – κο-
πείς 813¹; s. auch ἦμεν;
s. auch ἦς, ἦσθα, ἦσαν
ἦν 3. pl. dor. 663, 8. 677, 6
ἦν 'ich sprach' 659⁴. 678⁵;
– δ' ἐγώ Plat. 678⁵. II 694⁸
-ην acc. sg. 563². 575¹·⁶.
576¹. 579⁴⁻⁵
-ην 1. sg. aor. 763³·⁴. 764⁵.
II 237⁷⁻⁸. 238¹·²
-ην 1. sg. aor. pass. 713⁶.
714, 1. 756, 3. 763². 814³.
815⁷. II 242³. 266³
-ην 1. sg. plusq. pap. 778, 2
-ην 3. pl.Personalend. 664⁵⁻⁶,
5. 758⁴
-ην Ausg.infin. 805⁵, 2. 806⁶.
807². 809²; – kret. 807⁶;
– (aus -ἐ̄ν < -εεεν) lesb.
807⁴
-ήν suff. 487²⁻⁴, 4
-ῆν Ausg. infin. (aus -αεν)
dor. 807³
ἦνα aor. (αἴνω) 694⁴
-ηνα 1. sg. aor. ngr. 763⁷
ἦναι infin. ark. 281⁷. 678¹.
808⁵
-ῆναι infin. aor. pass. 808⁴.
II 242³
ἠναίνετο hom. 656³. 693, 5
ἠναισχύντουν 657⁷
ἠναντιώμεθα 656¹

ἥναρον 748³. II 262³
(ἤνασσε) 654¹
ἤνατος 228³. 591¹
(*ἠνδήμηκα) 766¹
ἠνδραποδισάμην 655³; ἠν-
δραπόδισαν 655⁶
ἤνεγκα 744, 4. 745¹; -ας
744⁶; -ε 744⁵; -αν 3. pl.
744⁶
ἤνεγκον 664³. 744⁵, 4
ἤνειγκαν att. 744⁶
ἤνεικα 744⁴. 745²·⁴, 2. II
262³; -ε 744⁴; -αν 665².
744⁴
ἠνείκαντο Ilias 744⁵
*ἤνεικς, -κτ 745⁵; *ἤνειτ
744, 8
ἤνειξα 744⁵ (ἐνεικ-)
ἠνειχόμην 656⁴
ἠνείχτθησαν 210⁷. 655⁶
ἠνεκής 513⁵
-ηνεκής 292⁷. 442, 1
*ἤνεκται 766⁴
ἠνεμόεις 104, 1. 527⁴. 528¹
ἤνεπε 656³
ἤνεσα aor. 696, 10. 752⁴
ἠνέχθη 763⁵
ἠνεχύραζον 656¹
*ἤνη II 532, 4
-ηνης suff. 426⁴
ἤνθον dor. 213⁴·⁵. 747⁴
ἠνίᾱ f. 361, 1. 469³. 582¹
ἡνία neut. pl. 361, 1. 582¹
ἡνίδε II 566³
ἥνικα epid. 745¹; -κε dor.
744⁵, 8; -καν lesb. 744⁵
ἡνίκα 629⁵. II 652², 2. 710⁸.
711³
ἡνίκαπερ II 652³
ἠνῖν 463⁶, 5. 571¹
ἡνίον 582¹; pl. 361, 1. 582¹
ἡνιοχεύω (-εῖν) 732⁴; – c.
gen. II 110³
ἡνιοχῆα 383⁷. 732⁴; -ηες 476⁸
ἡνίοχος 385⁵; (ἡνίο)χοι [so]
476⁸
ἠνίπαπον 704⁵; -ε 648³. 749³.
782⁵
ἤνν ἔχων sam. 238²
ἤνον Od. 696, 10
ἠνορέη hom. 106³. 275⁶.
468, 6. 519, 1
-ηνός suff. 69¹. 490⁴. 638⁴
-ηνός (< lat. -énus) 395⁴
*ἤνοχα 766⁴
ἤνοψ 426⁴
ἤνται (ἤνται) 'sint' mess. 252⁶.
678³. 792³
ἤνται 'sedent' 671⁶. 680¹;
ἦντο 671⁶, 5. 679, 4. 680¹
ἠντεδίκει 656⁴
ἤντεον (-εις) hom. 242⁸
ἤντινα acc. sg. 616³
ἤ νυ II 565¹·²

ἤνυκα Plat. 696, 10
ἤνυον 696, 10; -σα 696, 10.
699²; -σεν 653²
ἠνυσάμην 653²
ἤνυστρον 532⁴
ἤνυτο 642⁴. 696⁵
ἠνώγεα 777⁴, 9
ἠνώγει 656³. 777⁴, 9
ἠνώγεον 768, 0. 778, 4
ἠνώγη 777, 9
ἤνωγον 777³·⁴, 9; -ε 777³·⁴
-ήνωρ compos. 568⁴
ἦξα 749², 1. 755⁴; -ε 654¹
ἠξεύρω ngr. 779, 2
ἠξίουν II 354²·³
ἠξίωκα II 287⁸
ἤξω (-ειν) 685⁴. 783⁶. II
375⁷; -εις II 244⁷; -οι II
337⁴
ηο dial. aus. ᾱο 81²
ηο > dor. εο 244³; ηο >
att. ion. εω 245⁵
-ηο gen. sg. ion. 561¹
ἠόα acc. sg. 241⁵
ἠοῖ voc. 514, 2
ἠοῖ dat. sg.: – τῇ προτέρῃ
II 158⁶
ἠοῖος 514²
*ἠοόθεν 383²
-ηος gen. sg. lesb. 575²
-ῆος gen. sg. hom. 575²
ἧος adv. 241⁷. 528, 3. 615¹.
II 640¹; s. εἷος
ἦ οὖν II 565¹
ἦ οὐχ ἅλις II 646³
ἡπάομαι 676²
ἧπαρ 295⁴. 303⁵. 309². 342³.
356⁵. 381¹. 408⁸. 424⁴.
517³. 518⁵
ἠπατημένη φωτός II 93⁵
ἥπατο- 518⁵
ἥπαφε 749³
ἧπε rhod. (= εἶπε) 654¹
ἡπεδανός 434⁴. 530²
ἤπειγον 656³
ἤπειρος 434, 8. 471, 10. II
33, 2; – ἡ κατὰ Κέρκυραν
II 477²
ἤ περ II 565⁶
ἤ περ II 647⁵
ἠπεροπεύειν 732⁴; – ταῦτα
II 77²
ἠπήσασθαι 434⁴. 752²
ἠπητής hell. 500²
'Ηπιδανός ion. 530³
'Ηπιόνη 490³
ἠπίστασο 668⁵; ἠπίστω 668³·⁵;
ἠπίστατο 656³; ἠπιστήθην
762². 782⁵
(*ἠποδήμηκα) 766¹
ἠποθηκάριος 153³
ἦ που II 564⁶. 580²
ἠπύειν 727⁵; – τόσσον ποτὶ
δρυσίν II 512⁶

ἡπύτα hom. 560¹
'Ηπυτίδης 509⁵
ἦρ 518⁴
-ηρ- für -εσρ- 282¹
ἦ ῥα II 564⁶; ἦ ῥά νυ II 571³·⁵
ἦρα acc. sg. 314². 424². 569³.
584⁶. II 52¹; – φέρειν 314².
424². II 29¹; – – c. dat. II
146⁵
ἦρα aor. 715⁴
ἦρα adv. Kallim. 621¹
ἦρα (< ἦ ἄρα) dor. II 564⁶,
5. 628⁶
"Ηρα 479, 6
'Ηραῖον, pl. -α II 177²
*"Ηρακλε voc. (?) 580, 4
'Ηρακλέης 252¹
'Ηρακλ(ε)ίδης 509⁵
'Ηράκλειτος 635³
'Ηρακλείη βίη II 177²
'Ηρακλῆς 62². 438⁵. 580³;
-κλῆϊ 243⁵·⁶; 'Ηράκλεις voc.
II 62⁴. 626¹; "Ηρακλες
spätgr. 580³, 4; 'Ηρακλέες
II 45⁴; 'Ηρακλῆς ὁ Ζηνός
II 119⁶; -κλῆος γένος ἐστέ
II 706⁵
ἡράμᾱν (ἔραμαι) 681²
ἥραντας dor. 250⁵. 753⁵
ἥραο (ἄρνυμαι) 747²; ἡράμεθα
II 243³
ἥραρον 710³. II 227⁶; -ε 749²
ἡρασάμην 752⁴
ἡράσσατο 761¹
ἡργαζόμην 653⁴
ἥργησα 655²
ἡρέθη aor. spät 655⁴; s.
εἱρέθη
ἡρέθιζον 655², 1
*ἡρείδ(σ)θη 762⁵
ἤρεικον 655²
ἤρειξα 756¹
ἡρείσθης 762⁵
ἤρειψα 756¹
ἤρεμα 405². 434⁴. II 491⁵
ἡρεμάζω 731⁷
ἤρέμας 405². 516²
ἡρεμέστερος 535⁴
ἡρεμέω 731⁷
ἠρεμί att. 623²
ἤρεον ipf. Hippokr. 721¹;
s. εἶρεον
ἡρευξάμην 755⁵
ἤρεφον 655²
"ΗρϝΑ 479, 6
'ΗρϝΑοῖος 479, 9
ἡρήμωτο Μιλησίων II 93⁵
ἡρήρειν 778²; *-εις 778, 3;
-ει 777, 11; -εισθα Archil.
778, 3; -ειντο 264⁷. 778¹
-ήρης 426⁴
ἥρησα spätgr. 746, 5. 754⁵
ἡρησάμην 752⁴
ἦρθα ngr. 656⁸. 804⁵

ἦρι 'früh' 313³. 424³. 595².
622². II 158⁶
ἠρι- 632⁶
ἠριγένεια 452⁵. 456⁴. 474¹.
II 34⁶
'Ηριδανός 530³
ἥρικα 650². 766³; -ε 747⁴
ἠρίον 424³
ἤριπε 747⁴. 766⁵. II 284⁶
ἠρίσταμεν kom. 774, 1;
-ηκα 774, 1; -ηται II 239⁶
ἤρκεσα 655³
ἡρμένος att. 766, 1
ἥρμοκα 734². 775²
ἠρξάμην II 261³
-ηρο- urgr. Ausg. 482⁵·⁶, 13.
14
'Ηρόδοτος 635³
ἡρόθην Soph. 761⁵
ἡροισμός lesb. 244²
ἡρόμην 746⁴, 7
'Ηροπύθō τō Φιλαίō II 119⁷
ἦρος att. 250⁶ (ἔαρος)
ἦρος 424³ (ἐρ-)
ἤροσα 694, 7. 752⁴. 784⁷
ἥρπαξε hom. 734³
ἤρπασα ion. att. 734⁴. 737⁶
ἦρπον 653²
ἤρρησα 654². 752³
ἠρρωστήσαμεν II 243⁷
ἦρσα 756¹; -ε 749²
ἦρσα (ἄρδω) Hdt. 685²
ἤρυγον 699⁷. 755⁵; -ε 747⁴
ἤρύκακον 755³; -ε 648⁴. 749³
ἤρυξα 755³; ἤρυξέ τι μετὰ
μάκαρας II 486⁴
ἤρυς f. 346². 479⁵, 6; ἤρῦς
479, 6
ἤρυσα 752⁴
ἠρώασσα kret. 474¹. 479, 6
'Ηρωδιάδος 162⁴
ἤρωει 196⁷
ἠρώειον 196⁷. 202⁵
ἡρώινη 247⁸. 479, 6
ἡρωΐνη 479, 6
ἡρῷον 65¹
ἡρώϊσσα 479, 6
ἡρῶν (= ἡρῷον) 254³
ἡρώνα 489¹
ἥρως 479⁵. 480¹·². 557⁷·⁸.
563²; ἤρω voc. 837⁷; ἤρωος
gen. 244²; ἤρωνος 582⁶;
ἤρω ι244²; ἤρων acc. 563²;
ἤρω acc. 557⁸; ἤρωες 241³;
ἡρώεσσι hom. 564⁵; s.
εἴρουι
"Ηρωτι 514⁴
ἠρώτουν NT, spät 729¹
ἦς praep. II 456, 0
ἦς 2. sg. ipf. 662³, 4. 677²
ἦς 3. sg. ipf. 'erat' dor. ark.
kypr. 81⁷. 406⁴. 409¹. 659⁴.
663, 8. 677², 6. 7; – spätgr.
662, 4

*ἦς 'inj.' 800²
ἦς (= εἷς) dor. 287⁴. 588¹
ἦς 'suae' 610³
ἦς 'cuius' 610³
-ης nom. sg. m. 85⁷. 553⁶.
558⁴. 560⁵·⁶. 561¹·³. 562¹;
– (gen. -εω) 582⁶; – (gen.
-η) ngr. 579⁶. 586⁵
-ης nom. sg. 3. decl. 561³.
563²; – (gen. -ηδος) 562²;
– (gen. -ητος) 565, 1. 582⁶;
-ης ark. kypr. (= -εύς)
575¹·⁶. 576¹, 2
-ης m. f., -ες n. 579¹. 586³
-ης nom. sg. ptc. dor. 566³
-ης 2. sg. conj. 661²·⁵. 791⁴·⁵·⁶
-ης 2. sg. plusq. 776⁵.778¹·², 2
-ῆς suff. adj. 511⁴·⁵. 513²·⁴·⁵,
10f.
-ής in compos. st. -ύς 452²
-ῆς pass. Verbaladj. II 242⁵
-ῆς (gen. -ῆ) m. 561²
-ῆς suff. (aus -εης) 461⁴. 562²
-ῆς suff. aus -ήεις 527²
-ῆς nom. pl. 575³
-ῆς acc. pl. altatt. 563⁵
-ησα aor. 752³⁻⁴. 753³. 754³·⁴.
783¹. 817¹
ἦσα aor. 653³. 721²
ἦσαι (ἧμαι) 668¹·⁵. 679⁵. 680¹
ἦσαν 3. pl. 663, 8. 677²·³. II
199,2 [so]; – παθόντες 813¹;
– πολλοὶ καὶ ἠκολούθουν II
634, 1
-ησαν 3. pl. att. 758⁴
-ησαν 3. pl. plusq. pap. 778, 2
ἦσᾶς acc. pl. 606⁴
*ἤσαται 671³
ἤσατο 699⁶. 748¹. 749, 3.
755³. 761¹
-ησε/ο- fut. 781¹. 783³⁻⁴
-ησέω fut. dor. 763⁵. 780¹.
786¹
ἦσθα 'eras' 659⁴.662³.677²,5.
766². 767³
ἦσθα 679⁵. 809³·⁵. II 236⁶.
363⁶. 366⁷; – ἐπί τινι II
466⁷. 467²; – πικρὰ πατρί II
493⁶; – παρά τινα II 494⁷;
s. ἦμαι, ἦσαι
ἦσθας 'eras' 127⁷. 662⁵. 677²
ἦσθε 670³·⁴. 679⁵
ἦσθημα 523³
ἦσθημαι 724⁵
*ἦσθω 678, 2
ἦσι 'sagt' ion. äol. 678⁵; ἦσι
lesb. 659³
-ησι dat.-loc. pl. ion. att.
559⁴
ἦσῖν dat. 606⁴
'Ησίοδος 443, 6
-ήσιος suff. 308⁶. 466⁵·⁶
'Ησίοχος 443⁴
ἦσκε 652, 3. 677³, 9.708³. 710⁴

ἤσκειν hom. 405[8]
ἤσκηται hom. 766[2]; ἠσκη-
μένα neut. pl. II 611[7]
*ἤσμαι 680[1]
ἦσο 2. sg. 678[3]
ἦσο 668[1]. II 341[2]; – imper.
679[5]
-ἤσομαι fut. 756[5]. 763[3-6].
781[5]. 782[6-7]. II 238[2], 1.
266[3]
ἠσπορηκυῖα 655[2]
ἦσσα f. kyren. 473[7]. 678[2]
-ἦσσα (< -ἤεσσα) suff. 527[2]
*ἤσσαι 'sitzst' 668[1]. 680[1]
ἡσσητέα neut. pl. II 409[5].
606[3]
*ἤσσθε 'ihr sitzt' 670[3]
ἥσσον 539, 4
ἥσσων 319[3]. 538[3]; – οὐδενὸς
θεῶν II 98, 3
(ἦσστο mantin. thess.) 678, 3
ἦσται 305[6]. 346[5]. 668[1]. 669[2].
679[4.5]. 680[4]. II 258[3]
ἦστε 'eratis' 333[8]. 677[2]
ἤστην 3. du. 666[5]. 667[3].
677[2]. II 609[2]
ἤστινος gen. 616[2]
ἦστο 'erat' 678[3]
ἦστο 679[5]. II 276[3]
ἦστον 304[4]. 666[5]
ἡσυχῇ 550[2], 3. II 163[4]. 411[7]
ἡσυχίᾱ II 176[8]
ἡσυχίη τῆς πολιορκίης II 96[2]
ἥσυχος 308[5]. 498[4]. 838[6]. II
32[4]
-ήσω fut. 739[1]. 752[3.4]
-ησῶ fut. dor. 756[5]. 763, 5
ἥσω 782[4]
ἡσῶν (= ὑμῶν) 606[4]
-ητ- suff. 499[2]
ἦτα 140[2]
ἦται 'sit' delph. 678[3]. 792[3]
*ἦται 3. pl. 671[6]
-ῆται 3. sg. kret. 786[6]
ἦ τᾱν II 582[2]
ἦ τᾱρα II 582[2]
ἦ τε II 576[3]
ἦτε II 565[1]
ἦ τε II 576[3], 4

ἦτε 2. pl. hom. 677[2]
-ητε conj. 791[6]
Ητεων 305[7]
ἠτήσατο aor. spät 655[4]
ἦτθαι kret. 680[1]
ἠτί 3. sg. dor. 659[3]. 678[5]
-ητι 2. sg. imper. 758[5]
*-ητι 3. sg. conj. 661[5]. 791[4]
ἠτίμασεν II 599[3]
ἦ τοι II 582[2]
ἦ τοι II 565[1]; ἦ τοι – ἦ II 580[6]
ἤτοι 388[7.8]. II 60, 7. 555[2].
578[3]. 580[6]. 582[2-3]; ἦ – ἤτοι
II 565[6]
ἦτον 3. sg. Koine 669[4]
ἦτορ 519[2]
ἦτρον 461[1]. 519[2]
ἦττα 421[5]
ἡττάομαι (-ῶμαι, -ᾱσθαι) 317[6].
732, 1. II 274[4]; – εὖ ποιῶν II
393[3]; – τινος II 101[3]
ἡττάω spätgr. II 228[6]. 234[2]
ἦττον II 598[7]
ἡττοπαθής 317[7]
ἥττων 319[3]. 536[6]; -ονες τοῦ
κέρδους II 98[6]
ἤτω (= ἔστω) hell. 678[2]
ηυ diphth. 203[2], 1
*-ηυ loc. sg. 572[5]. 573[1]
ηὐάνθην 653[2]
ηὔδᾱ 655[6]. 729[3]
ηὔκομος 433[1], 1. II 182[8]
ηὔξησα; s. εὔξησεν
ηὔξον 655[6]
*ἠυπάτειρα 474, 6. 530, 6
ηὔρα (ivra) ngr. 203[5]. 656[8].
709, 2. 764[1]
ηὔρηκα 709, 2
ηὔρισκον att. 709, 2; -εν
(sc. ὁ κῆρυξ) II 621[2]
ηὐρόμην 782[7]
ηὗρον att. 653[3]. 709, 2.
782[7]. 816[6]
-ηυς 548[8]
ηΰς 433, 1. 574[6]
*-ηυσι dat. pl. 575[5]
ηὔτ- koisch 203[6]. 607[3] (ἐαυτ-)
ηὔτε 629[3]. II 564[4]. 565[6].
576[5]. 662[5]. 671[4-7], 1

ηὐτύχησα 656[3]
ηὐτύχηται II 240[6]
ηὐτῶν koisch 203[6]
ηὐχόμην 655[3]
"Ηφαιστος 62[2]; -ε voc.II 60[5];
s. Ηϝαιστος
ἤφερα aor. ngr. 654[5]. 745[2];
s. ἔφερα
ἠφευμένος 656[3]
ἦφι 550[6]
-ηφι instr. 550[6-7]. 551[3], 2
ἠφίει 656[4]
ἠφρόνουν 655[2]
ἠφύσσετο πίθων II 94[5]
ἦχα pf. j.-att. 650[2]. 766[2.3].
772[1]
ἠχάνω· πτωχεύω Suid. 700[3]
ἤχανεν· εἶπεν H. 700[3]
ἦχε (= εἶχε) dor. 766, 3
ἠχέεντα 246[3]
ἠχέτα 500[1]. 560[1.3]; – πορ-
θμόν 560[3]
ἠχέω (-ῶ, -εῖν): -εῖν κωκυτόν
II 76[5]
ἤχθε 2. pl. pf. (ἦγμαι) 670[3]
ἤχθηρα 700[2]
ἦχι adv. hom. 550[3]. 624[4], 8.
II 157, 2. 163[3]. 592[2], 8. 647[3]
ἤχλῡσε Od. 727[5]
ηχοι, ἠχοῖ adv. ion. (eub.)
550[3]. 622[3]. 624[5]. II 647[3]
ἦχος n. 512[4]
ἠχοῦ adv. 621[5]
ἠχώ 478[4]
ἤψησα aor. 721[2]
ηω > dor. εω 244[3]
-ήω verba 717[2-3]. 728[6]. 730[3].
807[4]. 814[8]
ἠῶθεν 628[2]
ἠῶθι πρό 551, 6. 628, 6
-ήων gen. pl. 240[7]. 571, 8.
575[3]
ἠώς ion. hom. 219[5]. 241[7].
246[4]. 279[8]. 349[4]. 380[8].
514[2]. 555[7]. II 29[3]; ἠοῖ voc.
514, 2; ἠοῦς gen. 557[7];
ἠοῖ τῇ προτέρῃ II 158[6];
ἠόα 241[5]; ἠῶ 557[7]; ἐν
τοῖ πρὸ ἠός τοῦ βωμοῦ II 96[8]

## Θ

θ 155[2]; aus idg. th 306[7];
aus idg. dh 297[3]. 306[7]; aus
*dhw 301[5]; aus gwh 297[6];
aus θϝ 301[6]; für σθ 205, 2;
θ und δ für einen fremden
Laut 206[5]; für lat.t 204[6]; θ =
got. þ 206[7]; θ > lak. σ 81[4].
93[5]. 205[3]. 233[5]; θ > tsak. s
205[3], 1; þ > ngr. s 205, 1;
θ + σ > σσ 366[8]

-θ nach Vokal geschwunden
409[1.2]
-θ- in Präsensbild. 703[1]f.
θά ngr. II 266[5]. 349[8]. 556[4];
θὰ γράφω 130[3]. 789[4]; θὰ
γράψω 130[3]. 789[4]; θὰ 'ρθω
16, 3; θὰ ἔγραφα II 350[1]; θὰ
ἔδενα 789[5]; θὰ ἔχω δέσει
II 298[5]; θὰ πα νὰ γράφω
813, 2; s. θανά

-θα 2. sg. pf. 657[5]. 662[3.4].
767[3]
-θα Ausg. adv. 408[1]. 552[2].
618[4]. 627[4], 4. 628[5]f.
*-θα partic. 671[1]
-θᾱ suff. 510[7]. 511[1.2]
θαάσσω 725[4]
*θαγχjων 319[7]
θάγω 359[5]. 770[1]
θᾱέομαι 720[3]

*ϑᾱϝ- 702⁴
*ϑᾶϝᾶ 188². 349³
*ϑαϝακος 725⁴
*ϑᾶϝέομαι 720³
ϑαϝεᾶ(ν)δρō 223⁶
ϑαζός 472, 3
ϑάζω spät 472, 3. 715³
-ϑαι kret. 96⁴; s. -ϑϑαι
-ϑαι dat. loc. 809⁵·⁶
ϑαιμάτια att. 396⁴. 402¹
ϑαιρός 301⁶. 472¹
ϑακεῖ ἀγοραῖσι II 154⁸
ϑάκησις πρός τινι II 512⁷
ϑᾶκος 371¹
*ϑάλαγχ]α 319⁷
ϑάλαϑϑα kret. 96⁴; ϑαλάϑϑας 319⁷
ϑαλάμαξ 497⁴
ϑαλαμηγός 827⁷
ϑαλαμηφόρος 438⁶
ϑάλαμος 493⁶. 494¹
ϑάλασσα 58⁴, 1. 62¹. 71⁷. 319⁷. 475, 1. 559⁶. 837⁶. II 471⁸; -αι 559⁶
ϑαλασσαῖος 467⁵
ϑαλασσίγονος 446⁴
ϑαλάσσιος II 179²
ϑαλάΤης 318³
ϑάλαττα 318². 319⁷; ϑάλαττα, ϑάλαττα! 66². 620⁵
ϑαλαττοκρατέω: s. τεϑαλαττοκράτηκα
ϑάλε h. Hom. 720³. 748²
ϑαλέϑοντ- hom. 703³. 720³
Θαλήϐιος 260⁸
ϑάλησα Pind. 720³
ϑάλλασσαν ion. 238²
ϑάλλατταν böot. 238²
Θάλλει 636, 2
ϑαλλός m. 459⁴. 720³
ϑάλλω (-ειν) 302⁷. 703³. 714⁵. 720³. 748²; ϑάλλει δένδρεα II 76⁶; ϑάλλειν c. dat. II 148⁴; s. ἔϑηλα, τεϑαλυῖα, τεϑηλ-
ϑάλος n. 512⁴. 720³. II 603¹·²; – c. dat. II 153⁷
ϑάλπεσϑαι βέλει πρὸς σοῦ II 514⁶⁻⁷
ϑάλπος 296³
ϑάλπω 702⁴
ϑαλυκρός 296³
ϑαλύσσεσϑαι 296³; ϑαλυσσόμενος 725⁴
ϑαμά adv. 621². 622⁵·⁶, 8
*ϑαμάζω 736¹
ϑαμάζω, -ομαι ngr. II 235⁵
Θάμας 79³
ϑάμβευς gen. sg. 579³
ϑαμβέω 724²
ϑάμβος 333⁴; -ευς gen. 579³
ϑαμειαί 385³·⁸
ϑαμίζω hom. 736¹, 3. II 274¹; ϑάμιζεν κομιζόμενος II 392³

ϑαμινά adv. ion. 621³
ϑάμιξ 497, 5
ϑάμνος 489²
ϑαμύντεραι 534³
ϑάμυρις 482⁵
ϑανά γράφω ngr. 789⁴; s. ϑά
Θαναδώρου 413⁸
ϑανάσιμος 270⁵
ϑανατάω 731⁵
ϑανατηφόρος 438⁶
ϑάνατος 343⁷. 360³. 381³. 501⁴, 7. 635, 4; -οι II 43⁶
ϑανέειν II 296⁶
ϑανεῖν II 360⁵. 365³. 375²; τοῦ – II 361²; τὸ μὴ οὐ – II 372²
ϑανέομαι 784⁴
ϑανοτοι du. att. 557²
-ϑανοῦμαι 783⁶
ϑανοῦσα: οὐ – II 389³
ϑανῶ spät 784⁴
ϑανών II 268⁶. 404³
ϑάπτεσϑαι ὑπὸ χϑονός II 527⁶
ϑάπτω (-ειν) 704⁶. 705, 5. 759⁶. II 374⁸
ϑαραπεύειν hell. 255⁷
ϑαργήλια 413⁷
ϑαρνεύω 696¹·³
ϑάρνυμαι (-σϑαι) 360⁴. 696¹·³
ϑάρνῦμι 363²
Θάροψ böot. 284⁸
ϑαρρέω (-ῶ, -εῖν) 342⁵; – τινά, – τινί II 73⁵; – περὶ τῇ ψυχῇ II 501⁵; – ὑπέρ τινος II 522²; – διά τι II 454¹
Θαρρίκων delph. 284⁸
Θαρριππίδης w.-ion. 284⁸
ϑάρρος 284⁸. 285⁴; – πολεμίων II 121⁵
ϑαρρύνω att. 733³, 2
Θάρρυς lokr. 284⁸
ϑαρσαλέος 484²
ϑαρσαλέως 484, 1
ϑαρσεῖν: ἐπὶ τὸ – II 370⁵
ϑαρσέω (-εῖν) 724³; – πρός τι II 511⁶; s. τεϑαρσήκᾱσι(ν)
ϑάρσος hom. 284⁸
*ϑαρσύνη 491⁵
ϑάρσυνος hom. 263⁴. 491⁵. 529⁵
ϑαρσύνω 733³, 2
Θαρυμάχω kret. 283²
Θάρυψ epir. 284⁸
ϑᾶσσον II 184⁵
ϑᾶσσω 725⁴; -ει ϑρόνον etc. II 76⁷⁻⁸
ϑάσσων 261⁵. 287⁷. 319⁶. 538²·³, 4
ϑατέρᾳ II 158⁷
ϑάτερον 413⁷. 614⁴; ἐπὶ ϑάτερα II 472⁴
ϑάτερος 401⁷

ϑᾶττον νοήματος II 99⁶
ϑάττων 319⁶. 539⁴
Θαυῆς 209⁵
ϑαῦμα 347⁷. 523¹·². 702⁴; – ἰδέσϑαι (ἰδεῖν) II 365¹
ϑαυμάζεσϑαι c. instr. II 168²; – τὰ εἰκότα II 80⁶
ϑαυμάζω (-ειν) 724⁵. 734⁵. 736³. II 631²; ϑαυμάσω fut. 738⁷; ϑαυμάσαι806¹; -c.gen. II 106³·⁵. 133, 2; – τινά c. gen. II 133⁷; – τινός τινος II 134¹; – ἐπί τινι II 134²; – πρὸς τὸ λιπαρές II 512¹; – εἰ II 646⁵; μηδεὶς ϑαυμάσῃ II 343⁴; s. ἐϑαύμασα, τεϑαύμακα
ϑαυμαίνω 724⁵. 734⁵. 736³
ϑαυμάζομαι dor. 782¹
Θαύμᾱς 526, 5
ϑαυμάσαι 806¹
ϑαυμάσιος 466⁵; -ια οἷα II 626⁶; -ιος c. gen. II 134¹
ϑαυμάσομαι 782¹
ϑαυμαστός 503³; τὸ -όν II 175²; ϑαυμαστὸν ὅσον II 623⁵; -ὸν ποιεῖς II 216¹; – λέγεις II 606¹
ϑαυμαστῶς ὡς II 626⁶. 666, 2. 667³
ϑαυματίζομαι H. 736³
ϑαυματός 503³. 524³
ϑαφϑῆναι 257²
ϑάψαι II 363⁷
*ϑέ imper. 800²
-ϑε 2. pl. 663². 670⁴·⁵, 5. 6. II 562, 1
-ϑε Ausg. adv. 405⁸. 406⁴. 618⁴. 619⁶. 627³⁻⁵, 5f. 628³⁻⁴, 4. II 154⁷; – ngr. 626²
-ϑε partic. II 566⁴
ϑεᾶ 188². 244⁴. 349³; ϑέαν ἀνόσιον II 617⁴
ϑεᾶ 460³. II 41³. 59⁶; – voc. II 61¹; ϑεῶν gen. pl. 184, 2. 559³; ϑεάων 56³
ϑέαινα 475⁴, 7. II 31, 6
(Θ)εανδρέδᾱ lesb. 275¹
Θεανώ 478⁶
ϑεάομαι II 229²
ϑεάορος ark. 248³. 250³. 438⁵
ϑεαρϛΟντΟν delph. 253²
ϑεᾱρός dor. nwgr. böot. 248³. 250³
ϑεασάμενος ἦν 812⁶
ϑεάσασϑαι II 261³
ϑεατέον II 150². 409⁷
*ϑεατύς 506⁶
ϑεάων hom. 56³
Θέϐᾱσσι 'dat.' troz. 559⁴
Θέγειτος megar. 253³
Θέδωρος megar. 253³. 438³
ϑεέ voc. 555, 1

θέειν II 364¹; – κατὰ κῦμα II 478⁵; – παρὰ τεῖχος II 495²; – περί τινος II 502⁶; s. θεῖν, θέω
Θέελλος 241⁶
(*θεϜεναι) 808, 6
*θεϜός 680, 7
*θέϜω 781⁶
θετηκόλος 298⁷. 438⁶
Θέθις att. 257³
θεθμός 257³. 492, 12
*θέθω 705⁴
θεία subst. f. II 31³
Θειβεῖος böot. 195¹
Θειβῆος böot. 91²
θείειν 685⁸
θεῖεν 663⁵
θείηι opt. 793, 3
θείην opt. 643². 741³. 794⁴·⁵
*θειήν (θειην encl.) opt. 794⁵
-θείην pass. opt. 758⁴
θείης· ποιήσῃς H. 680, 7
θειλόπεδον 102⁷
θείμαν κεν II 330⁵
θεῖμεν opt. 643². 794⁴·⁵
*θειμέν (θειμεν encl.)opt.794⁵
-θείμην opt. 741³
θεῖν II 258³; – δρόμον II 700⁷; – δρόμῳ II 166⁴
*-θειν infin. aor. pass. 809, 2
θεῖναι infin. 741³. 806, 4. 808³, 6. II 382³; – λίθον II 381³
θείνᾱς aor. 746⁴. 755³
θείνεσθαι II 239²; – ὑπό τινος βουπλῆγι II 529⁵
θείνοι opt. 794, 2
θείνομαι II 271⁵; s. θείνεσθαι
θείνω 31⁴. 42³. 52². 73⁵. 297⁶. 684¹. 715⁶. 746⁴. 769⁵. II 72, 1; s. θείνοι, ἔπεφνον
ΘειοϜιοτος 528, 8
θειολόγος hell. 245²
θείομεν conj. hom. 792⁵
θειός böot. 242⁴
θεῖος adj. 467⁵; θεία γύναι spät 558, 4
θεῖος subst. 193²·³. 422⁶. II 31³
Θειρ- thess. 300⁴
θείς ptc. 525³. 566². θεῖσι dat. pl. 566²
-θείς ptc. pass. 758³
θεῖτο opt. 741³
θείω (= θήω) conj. 103³. 741³. II 312⁸; θείομεν 792⁵
Θέκλα spät 559⁷
θέλγεσκ᾽ hom. 711²
θέλγω (-ειν) 302¹. 684⁴. II 351⁷; – φρένας ἀμφὶ σοφίᾳ II 438⁴; s. ἐθέλχθης
θέλε thess. 791, 8
θέλεις . .· τὸ ἀγαθὸν ποίει II 634, 1

θέλεος 458⁵
θέλκταρ 530, 4
θελκτήριον 467³
θέλοιμι ἄν II 330²·⁵, 3
θέλον (τὸ) II 409¹
θέλοντας καὶ μή ngr. II 596²
θέλοντες nom. abs. II 403⁸
θέλουσα ᾖ II 407⁸
θέλω 297⁷. 684³. 752³. II 491⁵; – c. infin. 810¹. II 293⁶·⁷. 365⁵; – δοῦναι hell. 789⁴; θέλω ἵνα II 384³; – – ἔλθω 16, 3; – γράφω ngr. 789⁴; – νὰ γράφω ngr. 813²; – γράψω ngr. 789⁴; s. ἐθέλω, ἤθελον usw.
*θέλω (θάλλω) 302⁷
θέλων II 391⁵; ἔστιν ἐμοί τι θέλοντι II 152³; θέλοντες nom. abs. II 403⁸
θέλωνθι böot. 666⁴
θέλωσιν (ὑμεῖς τε καὶ οἱ θεοί) II 612⁵
θέμα (term.) 417, 3; – πετ᾽ Ἴκελα II 498, 2
θέμεθλον hom. 533⁴
θέμειν τι ὑπὲρ τὸ ἱστιατόριον II 519⁵
θεμέλιον n., -ια pl. 583⁷
θεμέλιος 483⁵; – m. 583⁷
θέμεν infin. 741³. 806³, 4
θέμεναι infin. 741³. 806³, 4; – δέμνι᾽ ὑπ᾽ αἰθούσῃ II 525⁵
θέμενος 741³
θέμην infin. mkret. 807⁵
θέμις 357⁷. 495³. II 623⁵; -ιστος gen. sg. 357⁷
Θεμισθοκλῆς att. 257³
θεμισκόλος 836⁸
θεμισκρέων 836⁸
θεμίσσω 725³
θεμιστ- 426³
θεμιστεύω c. gen. II 110²
*θεμιστκόλος 836⁸
*θεμιστκρέων 836⁸
Θεμιστοκλῆς 580³
θεμιτόν II 623⁵
θεμμάρι ngr. 260⁵
Θέμναστος (-άστου) megar. 253³·⁸
θεμός 492³
θεμόω 492³
θεν- 768⁶
-θεν suff. loc. 552¹
-θεν suff. adv. 405⁸. 406⁴. 618⁴. 619⁶. 627³⁻⁵, 4. 628²⁻⁴. II 588. 1714·⁵·⁶·⁸ f. 413, 2. 536⁷. 537¹⁻²
-θεν 3. pl. 758⁴. 762⁶·⁷
*-θεν 2. pl. 670⁵, 6
θενὰ γράφω (-ψω) ngr. 789⁴
θέναρ 518⁵
θεναρίζει 518⁵

θένε imper. 746³. 799²
(θένειν) 746, 3
θενεῖν 740⁴. 746³, 3. 748⁵. 755³. 837⁴. II 262³
*θένμι 42³. 343⁴. 684¹. 715⁶. 746, 3
θέντ- ptc. 741³
-θέντ- Ausg. ptc. aor. pass. 758⁴. 810². II 242³. 386²
*θέντι 3. sg. 52². 297⁶
θένω conj. 746³
θενῶ fut. 746³. 785¹
(θένων) 746, 3
θενών att. (poet.) 746³, 3
θέο imper. 741³
θεο- comp. II 185, 2
Θεογένη gen. j.-lesb. 579⁶
Θέογνις 636⁵
Θεόδουλος spät 638, 4
Θεοδώρα 161⁶
θεοείκελος 453⁴
Θεοζοτίδης att. 330²
Θεόζοτος thess. böot. 218⁴. 330²
θεόθεν 628²
θεοισεχθρία 452⁴
θεοιτο Hdt. 688²
-θέοιτο opt. ion. 687⁷. 795¹
Θεοκρίνης 512⁵. 579, 6
Θέολλος 241⁶
Θεόλυτος 638¹
θεόπομπος 454⁵
θεοπροπέω 726⁴
θεοπρόπος 302⁶. 450, 4
Θεόρδοτος thess. 218⁴
θεορέειν ὑπὸ τὸν χρόνον II 532³
θεορός 87¹. 248³
θεός 14⁸. 62¹. 241³. 248¹. 301⁶. 555, 1. II 31⁵; θεέ voc. 555, 1; ὁ θεός voc. 555, 1. II 62, 1; θεοί 797. 244⁷. 382². II 405; θεῶν 184, 2. 382². 559³; θεοῖς 382²; θεός (θήλεια) II 31⁴; οἱ θεοί II 25¹; θεὸς ὥς II 667⁵; οἱ κατὰ χθονὸς θεοί II 480⁴; θεὸς τύχαν ἀγαθάν II 707⁷; θεῶν ἐν γούνασι κεῖται II 457⁶; θεῶν διδόντων, θελόντων II 399¹; s. θεώ, θεά
Θεόσδοτος 239⁵. 427³. II 119⁴
θεουδής hom. 227⁶. 252¹
θεουρός thess. 248⁴
θεόφιν 550⁶. 551¹. II 172⁶; ἀπό – II 173¹
θέπτανος 307³. 490². 838²
θέραπες 496²
θεραπευθῆναι II 363⁶. 364⁶
θεραπεύμασιν (σὸν πόδα) II 74¹
θεραπεύομαι θεραπείαν II 80⁵

θεραπεύσω II 292⁵; ὁ -σων II 296¹
θεραπευτέον II 409⁷. 622¹
θεράπνη 489¹, 4
θεράπων 526¹
θερεία II 478²
θερείτερος 534, 4
θέρεος gen. sg. 572, 3. II 113¹
θέρεσθαι Od. 759⁴
θερέσιμος 831⁶
θέρετρον 532, 6
θέρευς gen. sg. 572, 3
θερέω aor. conj. 684². 759⁴. 760¹. 782²; – c. gen. II 111⁴
θέρης (= θήλης) 830⁵
θέρηται conj. Ilias 759⁴; c. gen. II 111⁴
θερί n. ngr. 186, 3. 275¹
θερινός 490⁵
θέριστρον 532²
θέρμα f. 476, 2
*θέρμα n. pl. 494⁵. 733¹
θερμὰ θερμά II 700¹
Θερμαί 68⁶
θερμαίνω (-ειν) 724⁵. 733¹
θερμανθη- hom. 761⁶
θέρμανσις att. 287³
θερμασία 469³
θέρμανσα 525⁶. 526¹. II 175⁶. 408²
θέρμαστιν att. 464⁶
θερμάστρα 532⁴
θερμαστ(ρ)ίς 260³
θέρμετε imper. Od. 684¹. 722⁷
θέρμετο Ilias 722⁷
Θέρμη II 615⁵
*θερμίζω 723⁴; -μjετε 283⁶
Θερμοπύλαι 453, 5
θερμός 297⁸. 494⁴. II 181²; f. II 32, 5; θερμὰ θερμά II 700¹
θερμοφόρος 450⁶
θέρμω 723⁴; s. θέρμετε
θέρεις 528¹
θέρομαι (-εσθαι) 297⁸. 684². 759⁴; θέρηται conj. 759⁴; c. gen. II 111⁴
θέρος 297⁷. 511⁷; θέρευς gen. 572, 3. II 113¹; θέρεος, θέρους II 113¹; θέρεος καὶ χ., ἐν θέρει, τοῦ αὐτοῦ θέρους II 159³; περιιόντι τῷ θέρει II 158⁶
θερράπονες äol. 825⁶
Θερσανδρείοι gen. thess. 839⁷
θερσιεπής 448²
*Θερσίτας 286¹
Θερσίτης 284⁸
θέρσομαι fut. 684²; -ρσόμενος 759⁴. 782²
θέρσος lesb. 284⁸. 307⁶

θερτήρια 531, 3
θέρω 684²
θές imper. 687¹. 741³. 800¹·². II 339²; – ngr. 764²; θὲς τοίνυν II 341⁶
*θες conj. 793³
θέσαν 741²
θέσθαι infin. 741³. 809³·⁴. II 231²·³
θέσθω imper. 741³. II 342⁶
θέσις 357⁴. 505⁵. II 75⁷
θέσκελος 449, 3. 458⁵
θεσμός 492⁶, 12. 493³
θεσμοφοριάζω 735³
Θεσμοφόρω att. II 51¹
θεσπέσιος 300³. 458⁵
θεσπιδαές 450⁴
θέσπις·301¹. 450⁴. 458⁵. 464³
Θεσπρωτοί 66³
Θεσσαλός 483⁷; -οί 90, 1
θεσσάμενος, θέσσαντο 755¹
θέσσασθαι 261⁵. 262¹. 297⁶
θέσσεσθαι H. 716¹
θέσσομαι 755¹
*θεσσπέσιος 458⁵
*θέσσπις 450⁴. 458⁵
Θεστιάδος gen. iön. (Tenos) 253³. 561, 3
θεστός 261⁵. 262¹. 307³
Θέστουρ thess. 300⁴
Θέστωρ hom. 531, 4. 755¹
θέσφατον II 175, 3; οὐ θέσφατον .. θανέειν II 296⁶
θέσφατος 458⁵; (= ἀθ-) Od. 102⁷
θέτε 2. pl. imper. 799⁵. 800²
-θετέω 731⁶
-θέτης 261⁴
θετικόν (ὄνομα) II 183, 4
Θέτις 423, 1. 464⁴
θέτο 3. sg. aor. 741². II 298⁸
θετός 340⁷. 356⁸. 357⁴. 359⁴
Θετταλοί att. 90, 1
θέτω 3. sg. imper. 801³
θέτω ngr. 688⁴. 705³. 753²; s. ἔθεκα, -σα
θεῦ· δεῦρο, τρέχε H. 798⁴, 7
θεύγεσθαι kret. 212⁵
Θευδᾶς 159⁵
Θεῦθ Plat. 585²
*θεύξομαι 781, 4
θευρός 248³
θεύς f. dor. (= θεός) 248¹. 378³
θεύσομαι 781⁶, 4. II 258⁴
*θεφθός 307³
θέω 347³. 685⁶. 781⁶. II 72, 1; – c. gen. II 112⁴; – ἀμφί τινα II 439¹; – ἀνὰ νῶτα II 441¹; – πὰρ Σιμόεντι II 493¹
θέω conj. [τίθημι] 792⁶
θεώ du. 382¹; τὼ – II 46, 5. 47³, 5

-θέω verba 720⁵
θεωι du. II 46, 5
Θέωλος 212¹
θέωμεν conj. Od. 741³
θεωρία 183⁸
θεωρός 248³
θεωρῶ 128²; – τι πρὸς τὸν ὑπάρχοντα καιρόν II 511⁸
θέωσι conj. Hdt. 792⁶
θεώτεραι hom. II 183⁵
θF 314⁵. 332²
*θF- 367²
*-θFεν 2. pl. 670⁵
*θFεσος 14⁸
θh ther. 204³
Θhα(ρ)ρύμαϙhος ther. 284⁸
Θharu- ther. 283²
*θη imper. 800³
θη- (:θε-) 741¹
*-θη f. 511¹
-θη- aor. (fut.) pass. 739⁴·⁵·⁶. 761¹. 756³·⁵·⁷–763. II 224⁵
θηαύρόν arg. 217⁴
Θήβᾱ 459⁶
Θηβάδᾱς 510¹
Θήβαζε nachhom. 625¹
Θῆβαι 60, 2. 638⁵. II 43, 3
Θηβαιγενής 452⁴. 559¹. II 557, 1
Θηβαϊκός 266¹
Θηβαῖος 467⁶
Θηβαΐς 266¹
Θηβάνας 461³. 543⁷
Θήβας δ' Ilias 625¹
Θήβη 638⁵. II 43, 3; Θήβης ἕδος II 122¹
Θήβηθεν 628²
θηγάνει 700³
θήγομαί τι II 231²; s. θηξάσθω
θηγός 459⁴
θήγω ὀδόντα μετὰ γένυσιν II 484²
θήεις conj. 792⁵. 793³
θηέομαι 241⁴
θήηι, θήηις conj. hom. 792⁵
θηήσαιτο 702⁶
θηήσαο Od. 777, 10
*θηθη 193³
θηθίς att. 257². 261⁸
θῆι, θῆις, θῆισιν conj. 792⁶
-θηκα 1. sg. aor. mediopass. ngr. 764⁵. 814⁶
θῆκαν 3. pl. 741²
θηκάτηι att. 402²
θήκατο Ilias 741²
θῆκε 14⁸. 345³. 741²·⁶, 7
-θηκε 3. sg. aor. ngr. 764⁵
θήκη 58². 496⁴. 741, 8
θηλαμινοῦ· νεογνοῦ 681³
θηλαμών 522³
θήλαντο ark. (H.) 681³. 729³
θήλαον Od. 720³

*θηλεθάω 703³
θήλεια 474¹
θήλεια n. pl. 581, 2
θήλεον Od. 720³; – c. gen.
  II 110⁶
θηλή 483²
θηλητήρ 258⁷
θῆλυ (γένος) II 28³
*θηλύδριον 471, 8
θηλυκός 498²
θηλύνομαι II 399¹
θῆλυς 309². 346². 364⁵. 463².
  495⁴. 543²; – ἀπὸ χροιῆς
  II 447³
θηλύτεραι γυναῖκες hom. II
  183⁵
θηλυτέραν el. II 183⁵
-θημα 523²
*θημεν conj. 793²
θημών 522³
θήν (θην) partic. 621¹. 627, 4.
  II 555³. 556, 2. 566⁴⁻⁵, 1
-θην 1. sg. aor. pass. 669⁶.
  756, 3. 761¹. 762⁶·⁷. 763¹·⁴.
  814³. 815⁷. II 237⁷⁻⁸. 238¹·².
  242³. 266³; – ngr. 764⁴
-θην 3. du. 672, 10
-θην 3. pl. 758⁴
-θην Ausg. infin. lesb. 809, 2
-θηνα 1. sg. aor. ngr. 764⁵
-θῆναι infin. pass. aor. 758³.
  808⁴. II 242³
*θηντ- ptc. 525³
θηξάσθω II 342⁶
θήομαι conj. hom. 792⁵
-θήομαι conj. hom. 741³
θήομεν conj. 741³. 792⁵. 793²
*θηορός 248³
θήρ 286³. 300³. 302¹. 345⁶.
  424². 552⁶. 569³
θηρᾶ 461¹
θηραίη opt. äol. 729². 795²
θηράω -άομαι II 232⁴
θήρεσσι hom. 564⁴
θηρεύομαι II 232⁴
θηρεύω·II 232⁴; θηρεύει 236⁶
Θηρεφόνα 438³
θηρίον 470, 3
Θηρίτας 286¹
θηρότροφος 454⁴
θηροτρόφος 454⁴
θηρῶιον att. 402⁶
Θήρων 637⁷
θής 499³
*θης 'inj.' 800²
-θης 2. sg. aor. 657⁵. 762³·⁶.
  763¹
-θησα 1. sg. aor. ngr. 764⁵
Θησάμενοι kret. H. 755, 1
-θησαν 3. pl. att. 758⁴
θήσασθαι 364⁵. 423⁵
θήσατο aor. 680². II 72, 1
θησαυρός 444³, 6; – c. dat.
  II 153⁷

-θησε/ο- fut. 781¹
Θησέες II 45⁴
-θησέομαι, -θησεῦμαι fut.
  dor. 763⁵
-θησέω fut. dor. 763⁵. 780¹.
  786¹
θῆσθαι 676, 8. 680²
-θήσομαι fut. pass. 639⁶.
  756⁵. 763³⁻⁶. 780². 781⁵.
  783⁵⁻⁶. II 224⁵. 238², 1. 266³
θῆσσα 473⁶
θήσω fut. 782⁴
-θησῶ fut. dor. 639⁶. 756⁵.
  763⁵
θῆτα 140². 141¹
Θῆτα PN 637⁴
θῆται conj. Hdt. 792⁶
θητέρᾱι att. 401⁷
θητεύειν 732⁵
θητευέμεν II 368¹; – παρά
  τινι II 494¹
θητεύω 732⁷
-θητι 2. sg. imper. 262².
  758⁵. 760, 6
*θητjαυρός 444³, 6
θῆττα att. 320⁷
θήω conj. 741³; s. θήηις,
  θήομεν usw.
θθ kret. für att. ττ 205⁵;
  – für σθ 216⁶; – aus *ss
  566, 2
-θθαι Ausg. infin. kret. 96⁴.
  809³
θι (> þi) 233⁸; – wechselt
  mit σ 206, 3
-θι Ausg. adv. 551, 6. 618⁴.
  627⁴, 4. 628⁴⁻⁵, 6. II 58⁸.
  154⁷. 171⁴
-θι Ausg. 2. sg. imper. 758⁵.
  800²·³⁻⁵. II 340⁵
θιαρός kerk. 248³
θιασίτης hell. 500, 6
θίασος 62¹. 516⁸
θιασώτης 500, 6
θιαωρία böot. 248⁴
θίβρος 231⁷
θίγα ngr. 268⁷
θιγγάνω (-ειν) 689⁴. 699⁶.
  701². 747⁵. 781⁶
θίγε imper. att. 799²
θιγε/ο- 747⁵
θίγειν att. 746, 3
θιγεῖν ἀνδρός II 130²; s.
  θιγγάνω, ἔθιγον, ἔθιξα
θίγες imper. 800, 2
θίγον imper. syrak. 803⁴
θίγων att. 746, 3
θιγών δι' ὁσίων χειρῶν II
  451⁶
-θίδιος suff. II 524⁴
θιδρακίνη (nicht θῑ-) 268⁸
θίημι· ποιῶ H. 680, 7. 726³
θῖξαι 680, 7
θιθ- kret. 687¹

θιθεμένω kret. 257²
θιθῆι kret. 205⁵
θί(μ)βρος 231⁷
Θῑμόνοθος styr. 257²
θῖνος 490⁷
θίξομαι 781⁶
Θιοζότοι südthess. 242³
Θιοκλῆ lak. 250⁶
Θιοκορμίδας lak. 218⁴
Θιόππᾱστος 301⁷
θιός 242²
Θιόφειστος böot. 193². 276².
  755¹
Θιόφεστος böot. 300². 755¹
θῑπόβρωτος 260⁴
θίς m. f. 570, 2
*θj 321³·⁴. 367¹; > σσ (ττ)
  272⁴. 367¹; > σ 272⁴
-θλᾱ suff. 262³. 327². 533¹·³·⁴
θλαδίας 676¹
θλαδιάω spät 732⁷
*θλάε imper. 676¹
θλάσπις 462⁶
θλάσσε 752⁴
θλάω 303¹. 676¹; ἔθλασα 676¹
θλῆ 676¹
θλιβη- pass. 759⁵
θλίβω 303¹. 702⁴. 759⁵. 772¹;
  s. θλίψω
θλιμμός 492⁴
θλιφθη- att. 759⁵
θλίψω fut. 782⁵
-θλο- suff. 262³. 327³. 533¹·³·⁴
θμ > θν 216¹
-θμο- suff. 491⁷. 492⁶, 11 f.
θν < θμ 216¹
θναίσκω dor. lesb. 240². 709⁵
θνᾱσίδιον lesb. 270⁵
θνᾱσκω 709⁵
θνᾱτός 343⁷. 346⁴. 360³
θνεισκω 709⁵
θνήισκω (-ειν) att. 240². 709⁵.
  II 272¹. 275¹. 279¹. 280⁴.
  281⁶; – θανάτω II 166³;
  – λιμῷ II 167⁷; – ὑπό τινος
  II 528⁷⁻⁸; – πρό τινος II
  506⁸; – ὑπ' εὐκλείας, ὑπό
  δειλίας II 530³; – ὑπ' Ἰλίῳ
  II 526⁷
θνήσκω 709⁵; – περί τινος
  II 502⁶; – ὑπό τινος II 226⁸
θνητός 381³. 810⁷; – subst.
  II 174⁷
-θο- suff. 510⁷. 511¹·²
θοάζω 244³; – ἕδρας II 76²;
  – ἕδραν c. dat. II 149²
Θόαν acc. 526²
Θόγνητος megar. 253²
Θοδίων ion. 253²
*θοϜακος 497³
θοἰμάτιον att. 401⁸
θοινάζω 735¹
θοινηθῆναι hom. 735¹
θοινίζω II 80³

-ϑοῖντο opt. 688²
-ϑοῖτο opt. 688²
Θοκλῆς megar. 253²
Θόκλος ion. 253²
Θοκρίνης megar. 253²
ϑόλος II 32, 4. 34, 2
ϑολός 301⁶. 459³
*ϑομεν conj. 793³
*ϑόνατος 362⁵
ϑοός 347³. 459⁴. II 182⁷.
  258⁴; ϑοαὶ νῆες II 181⁴;
  ϑοὰς ἐπὶ νῆας II 419⁴.
  427². 432⁸
ϑοόω 727²
ϑορᾶνας kypr. (H.) 632³
ϑορε/ο- ep. 747¹
ϑορεῖν 361¹. 362⁷; s. ἔϑορον
ϑορέομαι 708⁶
-ϑορέομαι 784⁴
*ϑορϝος 360⁴
ϑόρνυμι 708⁶. 747¹
ϑορνύωνται Hdt. 696³
ϑορός 459³
ϑόρρακες (= ϑώρ-) 238⁶
ϑορυβῶ c. dat. II 149³; μὴ
  ϑορυβεῖτε, – ϑορυβήσητε II
  343⁵
Θορυστάρτω kret. 283²
-ϑος n. suff. 511¹·², 3
Θότιμος ion. 253²
ϑοῦ imper. 668³. 741⁴. 799⁶
ϑοῦδατος (= τοῦ ὕδ-) 402⁷
Θουδῆς att. 252¹
Θουκυδίδης 251⁴
Θουριακαὶ λήκυϑοι II 181⁵
ϑοῦρις 385⁶. 464⁵
ϑοῦρος 360⁴. 472⁵
Θόωσα 526¹
ϑρ (= thr) 204⁷; – für ind.
  tr 204⁶; – für iran. þr
  206²·³. 233⁵
-ϑρᾱ suff. 533¹·²·³
Θραικίας 67, 2
Θρᾱιξ 378³; Θρᾱικες 67⁶; –
  ὑπὲρ Χερρονήσου II 520⁸
Θρᾱιττα 473⁶
ϑράομαι 676¹
ϑρασέα 474, 2
Θρασικες 67, 2
ϑρασίων 538⁴
ϑράσκειν H. 708⁶
Θρασκίας 67, 2
ϑράσος 285⁵. 342²
ϑράσσω 702⁵
Θρασύβουλος 635³
ϑρασυμέμνων 208⁸
ϑρασύς 297⁴. 307⁶. 342².
  462⁶. 463⁷. 538⁴; ϑρασύν
  acc. sg. 573³; ϑρασὺς ἔν τινι
  II 458³
ϑράττω att. 360³. 715². 831¹
Θράϋλλος arg. 307⁶
ϑραῦρος 282⁴
ϑραυσϑη- 761³

*ϑραυσρος 282⁴
ϑραυστός 282⁴
ϑραύω 686⁴
ϑρεκτέον 261⁵. 307³
ϑρεμμάρι ngr. 260⁵
Θρέμον ätol. 267⁵
ϑρέξαι II 258⁴
ϑρέξασκον Ilias 711⁵. 755³
ϑρέξομαι 781⁶. II 258⁴
ϑρέπτ(ρ)α 260³
Θρεσπωτῶν 268⁸
*ϑρεφ- 333⁴
ϑρεφϑη- Hes. Eur. 759³
ϑρέψω 782⁵
Θρῇικες, Θρήικες 67⁶. 824²;
  Θρήικεσσι 564⁴
Θρήικη 461²
ϑρηνεῖν ἔν τινι II 458³
ϑρηνυκ- 496, 6
ϑρῆνυς 495⁴.676²
ϑρῆσκος 541⁶. 708⁶
ϑρήσκω H. 541⁵. 708⁶
ϑρησόμενος H. 782⁶
Θρίᾱι loc. II 155¹
ϑρίαμβος 458¹. 591, 7
Θριᾱσιος 466⁶
ϑριγκός 62¹
ϑριγκόω 727¹
ϑριδακίνη [nicht ϑρῑδ-] 268⁸.
  590³
ϑρῖναξ 589, 5
ϑρίξ 261⁴. 424⁴. 566¹. 829¹;
  τριχός gen. sg. 261⁴. 829¹;
  τρίχες II 43⁵; ϑριξί dat. pl.
  566¹
ϑ(ρ)ῑπόβρωτος 260⁴
ϑρίσσα 474²
*Θρῑώ 625²
ϑρῑῶζε Hdn 330². 625¹. II
  171⁵
Θριῶσε 629². II 171⁵
-ϑρο- suff. 533¹·²·³
ϑροέω 719⁴. 726³
ϑρόμβος 261⁵. 333³. 692⁶
ϑρόνος 490³; ϑρόνος 212²;
  ϑρόνοι II 44³
ϑροσέως hell. 344¹
ϑρυβη- pass. 760²
ϑρυγατρέσι hell. 257⁶
ϑρυλησϑη- 761⁴
ϑρυλίχϑη 761²
Θρυόεσσα 528²
ϑρύον 458⁶
ϑρύπτω 261⁴. 705¹, 5. 759²;
  s. ἐϑρύβην, ἐϑρύφϑην
ϑρώισκω 710¹
ϑρωισμός 710¹
ϑρώισκω 360⁴. 361². 708⁶, 5.
  747¹; ϑρώσκει δόμους II
  68⁴; – πεδίον II 69¹; s.
  ἔϑρωξα, ἔϑορον
ϑρωσμός 493³
ϑρώσσω 708⁶, 5. 717¹
ϑυάκτας 738¹

ϑύγατερ 568¹
ϑυγατέρα ngr. 93⁸
þuʒatéra ngr. (dial.) 182⁶
ϑυγάτηρ 293⁶. 340⁵. 381⁷.
  567, 7. 568¹. II 31³; – voc.
  567, 2; ϑύγατερ 568¹; -τέρος,
  -τρός 568¹; -τέρι, -τρί hom.
  568¹; ϑύγατρα acc. 65¹.
  385⁵. 568¹; -τέρα 568¹;
  -τέραν 563³; ϑυγατέρες, ϑύ-
  γατρες, -τρῶν, -τέρεσσιν,
  -τέρας 568¹; ϑύγατρας 567,
  5. 568¹, 1; ϑυγάτηρ παρ-
  ϑένος II 614⁷
ϑυγατρίζω spät 731, 1
ϑυγάτριον 471¹. 568⁷
ϑΰδωρ 402⁷
ϑύειν II 231⁷; – τὰ γενέϑλια
  II 76⁵; – τὰ δημόσια πάντα
  πρὸς τῆς πόλεως II 515¹;
  s. ϑύω
ϑύελλα ἀνέμοιο II 122²
ϑύεν infin. 807¹
ϑύεσϑαι II 231⁷; – ἐπί τινι
  II 467⁷; – (pass.) ὑπὲρ
  τῆς πόλεως II 521³
ϑύεσκε Hippon. 710⁶
Θυέστα hom. 560¹
ϑύη n. pl. ion. 252⁴. 579, 4
ϑυήεις 527³·⁴
ϑυηχοῦς 438⁶
*ϑυϑῖεται 703²
ϑυΐσκος -η 542²
ϑυιῶι (= τῶι υἱ-) att. 402⁷
ϑυκᾱγαϑᾱι 269¹
ϑύλλα 303¹
ϑυλλίς 351⁸
ϑῡμαλγής 398⁵
ϑυμάλωψ 426, 4
ϑύματα τῶν ϑεῶν II 121⁶
Θύμβριος 206⁵
ϑυμέλη 483⁵
ϑυμόομαί τινι c. gen. II 133⁶;
  s. ϑυμοῦμαι
ϑῡμός 492³, 3. II 192, 1.
  672, 3; – c. gen. II 105⁶;
  κατὰ ϑυμόν II 478⁸
ϑῦμος lesb. 377⁴. 383⁵
ϑυμοῦμαι (-οῦσϑαι) II 236⁶;
  – c. dat. II 144⁵; – εἰς ἔριν
  πρὸς οὐδέν II 511⁶; – περί
  τινι II 501⁵; s. ϑυμόομαι
ϑυμώνω ngr. II 235⁶
Θύναρχος böot. 194⁷
ϑῦνε hom. 696², 4
ϑύννος 458¹
ϑύνοντ- ptc. 696², 4
ϑύνω 698²; – c. dat. II 149²;
  ϑῦνε 696², 4; s. ἐϑύνεον
ϑύομαι; s. ϑύεσϑαι, ἐτύϑη, τέ-
  ϑυται
ϑύονσι dat. pl. 566²
ϑύος 512⁴
ϑυοσκόος 334⁴

ϑυραϝορός 223⁶
ϑύραζε 425³. 624⁷. 625, 1.
  II 44⁵. 413⁷; -ᾱζε att. 625, 1
ϑύραι 425³. 459⁷. II 44⁵, 5;
  ταῖς ϑύραις 618⁶
ϑυράξαι aor. H. 625, 2. 734⁵
*ϑύρᾱς 625, 1
ϑύρᾱσι adv. 559⁴. 618⁶.
  622². II 154³. 155⁵. 413⁷
ϑυράωρός hom. 438⁵
ϑύρδα 425³. 625, 1. 626, 8
ϑύρεϑρα 533³
ϑυρεός 468¹, 2
ϑύρετρα 532⁵, 6
ϑύρη II 44⁵; s. ϑύραι
ϑύρηϑ(ι) Od. 551³
ϑύρηφι loc. 551³, 6
ϑυροκ(λ)ιγκλίδες, -κλιγκίδες
  att. 257⁶. 268⁸
ϑυροκοπεῖ τὴν γαστέρα II 73³
ϑυρουρός 438⁵
*ϑυρς-δα 625, 1
*ϑυρσϑεν 628¹
ϑύρσος 516⁸
ϑυρσοφορεῖς ϑιάσους II 73⁴
ϑύρωμα 523⁴

(ϑυσαμεν infin. troz.) 806, 10
ϑυσεοντα phok., -εοντι ther.
  786⁴
ϑύσῃ (sc. ὁ ϑυτήρ, ὁ ϑύων) II
  621¹
ϑύσϑεν adv. ark. 336². 625, 1.
  628¹. (808¹)
ϑύσϑλα 336³
ϑυσία c. dat. II 146⁸
ϑύσις, ϑῦσις 505⁵
ϑύσσεται 703²
ϑυστάς 508³
-ϑυτέω verb. compos. 731⁶
Θύτηι II 66⁶
Θυφειϑίδης 257². 408³
ϑύψαι 685⁴
ϑύω 686³. II 307⁶. 350⁸; –
  τι c. dat. II 146⁶; ·· τινὰ
  ὑπὸ βοῆς II 530³; – τινὶ
  διά τινα III 453⁵
ϑύω 'stürme' hom. 686⁴
ϑώ (= ϑώραξ) 16, 1. 423, 2
ϑῶ conj. att. 792⁶
-ϑω verba 703, 1. 762⁷
-ϑῶ 1. sg.conj.aor. ngr. 764⁵
ϑωιά 345⁷

ϑῶκος 497²
ϑῶμιγξ 497, 5
ϑωμίζω klass. 735⁴
ϑωμός 345⁸. 359⁴. 492²
ϑῶπλα 403³
ϑώπτω 705²
(*ϑωρᾱκϑεντ-) 763²
ϑώραξ 618. II 42⁴
ϑωράσσω 725⁴
ϑωρηκτής [so] 500⁶
ϑωρήσσομαι (-εσϑαι) II 374⁷;
  – c. dat. II 150⁶; – ἀπὸ
  τοῦ δείπνου II 447⁵; – ἐς
  πόλεμον II 460²; – μετὰ
  πόλεμον II 486²
ϑωρήσσω 725⁴
ϑωρηχϑείς 763²
ϑωρηχϑῆναι II 239²
Θωρόϑεος 257³
ϑώς 378³. 424³
ϑῶσϑαι dor. 675, 8. 809³
ϑῶυϑ 585²
ϑωυμασιώτατος πελαγέωνό Π.
  II 606⁴
ϑωύσσω Aesch. 733⁵
ϑωχϑείς (= ϑωρηχϑείς) 16, 1

# I

ι aus idg. ῐ 349 ⁷·⁸; – aus idg.
ε 350⁷; ῑ 349⁷ ff.; ι: ε Abl.
571⁵; ῑ als Schwachstufen-
vok. 350²; – – zu ει
350²·³; – Reduktionsvok.
694⁴; ι wechselt mit υ
268⁵; – wechselt mit αι
347⁶; – wechselt mit ῑ
350⁶; ι geschwächtes ε
841⁸; ι für ε 275⁸; – für un-
echtes ε ed. ϑ²·³51¹; dor. ι
für ε vor Vok. 81²; arg. ι für
unechtes ει 94⁵; att. ι aus
η 233⁷; -ι- in zus.ges. Na-
men für -ιο- 448⁷ f.; ι für
lat. ā 351⁸; ι fremdes j wie-
dergebend 313³·⁴; i spät-
gr. aus ü 184¹; ι aus vokali-
siertem ν 280⁷ f. 287⁷; i >
unterital. a 95²; ι Über-
gangsl. 206, 3. 312⁶·⁷; ι
vor Vok. zu j 106³; ι assi-
miliert ε 256²; ι: υ [ü]
256²·³; ι aus υ dissimiliert
351⁶; -ι vor Vok. schwindet
399⁸; ι vor Vok. als ij
399⁶·⁷; ι vor ungl. Vok.
unsilbisch 244⁶·⁷. 245⁴·⁸; i
als Kons. äol. 89⁷; ι bei
s-Laut 351³·⁶; ι Übergangsl.
(Sprossvok.) 278²⁻⁴·⁶·⁷; ι
Stützvok. interkons. 413¹;
ι Redupl.-vok. 423⁴. 648².

686⁵, 7; ι prothet. 413¹·²·³.
836⁴; ι epenthet. 272⁵ ff.;
ι als Kompos.-vok. 447³.
450³·⁴·⁵; ι unkontrahier-
bar in Kompositionsfuge
397⁶; -ι- als Kompos.-vok.
für -ε- 444³, 7; ι in verb.
Wz. 685³. 695¹
ῑ 349⁷ f.; – Reduktionsvok.
von ē, ō, ā+i 350⁵; –
Schwachst. zu η 350⁴; –
aus ιοj 283⁴; – aus ιει 248⁶;
ῑ augmentiert 655¹
-ι vor Vok. kein Hiat 399⁶
-ι ngr. < -ιον 89²
-ι suff. 462² ff.
-ι f. (gen. -ις) ngr. 585⁷
-ι Ausg. dat. (loc.) sg. 448³.
548⁵. 549³. 562⁷.579⁴. 613³.
II 138⁴
-ῑ Ausg. nom. pl.n. ngr. 585⁷
-ῑ Ausg. dat. sg. 571⁵. 572, 2
-ι Ausg. adv. 461⁴·⁵. 620⁴
-ί Ausg. adv. 622⁴. 623², 2
-ῑ partic. 611, 3. 612². 613³
-ί partic. 619⁴. II 566⁵
-ι 3. sg. praes. 613³
-ῑ 3. sg. Personalend. böot.
  660⁴
ι- 'gehen' (: εἰ-) 674¹
ῑ (= εἰ) 400⁴
ῑ 'oder' kypr. < ἔ < ἤ
  400⁴. II 565, 3. 567, 1

(*ῐ n. pron. 'id') 613³
ῐ m. f. Ap. Dysk. 608, 2
ῐ f. 608², 2. II 35⁵
ῑ [= hῑ] 615, 4; s. hῑ
ῑ [= εῑ] 193⁴
ια wechselt mit ιε 243⁷; ια
  böot.aus εα 91⁴; -ια< -εα579⁵
-ια n. pl. 581²
-ια suff. f. 473¹·²·³. 559⁶
-ῑᾱ suff. 461² (Ländern).
  468⁵·⁶ f. (subst.). 469², 1
  (Verbalabstr.). 469³ (Wz.-
  Bild.). 469³ (Konkreta).
  469⁶ (st. -είη, -εία). 544¹·².
  II 356⁴
-ιᾱ suff. (Kollekt., Konkre-
  ta) 469⁶·⁷, 8
-ιᾱ acc. sg. < -ιέα att. 579³⁻⁴
ἰά interj. 716⁵
ἰά interj. 648³
ἴα nom. sg. f. 588³, 6. 613⁴
ἰᾱ adv. 588³
-ιάδης suff. 509⁴
'Ιάειρος 313⁴
ἰαέτω böot. 91³
'Ιάϝονες 785. 315¹
'Ιάζυγες 313⁴
ἰάζω 716⁴. 735³
-ιάζω verba 735³⁻⁴
ἰαϑενέω Kos 726⁵
ἰαί interj. II 600³
ἰαῖ interj. 313⁵. II 600³
ἰαίνετο 654⁷

ἰαίνω 220¹. 528, 8. 681³.
694². 700⁵
Ἴαιρα 475². 681³
Ἰάκκοβος 231²
-ιακός suff. adj. 497⁶·⁷
Ἰακυνθοτρόφος knid. 268⁵
ἰακχέω 717, 4
ἰακχή 315⁶
ἴακχος 316³. 459⁴
ἰάκχω 717, 4
Ἰάκωβος 313⁴
ἰάλεμος 313⁴
ἰάλλω 648³. 717¹
Ἰάλμενος 751², 3
Ἰάλυσος 313⁴
ἴαμα Fίλσιιος ὕπαρ II 521⁴
Ἰάμβλιχος 313⁴. 638²
ἴαμβος 62¹. 313⁴. 458¹. 591, 7
Ἰαμενόν 681³
ἴαμνοι Nikandr. 525¹·²
ἴαν acc. sg. f. 588³
ἰάν (= ἐάν) 87³. 400⁴
Ἰανάρις 254³
Ἰάνειος thess. 80⁵
Ἰάνειρα 452⁴. 474¹. 681³
*Ἴανες dor. 80⁵
ἰανθη- 761⁶; ἰάνθην 681³;
ἰάνθης II 244⁷; – θυμόν
II 85³
Ἰανουάριος 313⁴
Ἰαολκός 80⁵
ἰάομαι (ἰάεσθαι) 220¹. 681³.
683¹. 719, 7; s. ἰᾶσθαι
Ἰάονες 80³·⁶. 313³. 521⁵
ἰαόντυς böot. 241⁴
Ἰαπετός 502⁴
Ἰαπίς 66⁴
ἰάπτω 705, 2. 741, 8
ἰάπυγα 159⁸
ἰαρ- 219⁵
Ἰάρδανος 530³
Ἰαρέδ 162⁴
ἰαρειάδδοντος böot. 331⁷
ἰαρές nom. acc. pl. kyren.
253⁷. 410⁷. 563, 2. 575⁴
ἰαρεύωκα ther. 775¹
ἰαρινόν hell. 245¹
ἰαριτευωκότων kyren. 775¹
ἰαρός wgr. 482³
ἰαρός 82⁴. 243⁸
ἰαρουσι dat. pl. kret. 575⁵, 4
Ἰάς 80⁵. 508⁴
-ιας acc. pl. 571⁵
-ίας m. suff. 456⁶. 470¹·²
-ιάς suff. 508⁴. 509³
*ἴᾱς gen. f., ἰᾶι dat. 588³
ἰᾶσθαι II 368⁴; – τι c. dat.
II 147, 1; s. ἰάομαι
ἴᾱσι 3. pl. ion. att. 665³.
674²
ἴᾱσι 3. pl. att. 252⁴. 665⁴.
687⁴
ἰάσκειν 710²
ἰάσμη 313⁴

ἰάσομαι 186². 187⁶
Ἴασος 313⁴
ἴασπις 163⁶. 313⁴
Ἰάσσος (= Ἰάσιος) att. 274⁵
Ἰάσων 163³. 308⁷
ἰᾶτ(ο) 681³
ἴατρα n. pl. 596⁵
ἰάτρια II 31, 7
ἰατρίνη II 31, 7
ἰατροκλύστης hell. 439⁴, 4
ἰατρόμαντις 453⁴. 454²
ἰᾱτρός 530⁶. 531⁶. II 31⁵, 7
ἴαττα f. kret. 96⁵. 473⁷
ἰάτται kret. 320⁵. 678¹
ἰατταταί II 600⁴
ἰᾶτωρ 530⁵·⁶. II 385⁶; –
πόνων II 384⁷
ἰαῦ interj. II 600³
ἰαυοῖ interj. II 600³
ἰαύω 648³. 690³. 755¹; ἰαῦ-
σαι 648³. 755¹; ἰαύω ὕπνον
II 76¹; – παρὰ νύκτας II
495, 1; ἰαύων ἐλπόμενος II
406⁴
ἰαχείτω Eur. 721²
ἰαχεῦσι Kallim. 721³
ἰαχέω 726, 5
ἰαχή 314³. 315⁶. 423⁵. 721³
ἰάχησα 721³. 748²
ἴαχχος 316³
ἰάχω 690³. 721³. 748²; ἴαχον
748²; ἴαχε σάλπιγξ δηΐων
ὕπο II 529¹
-ιάω verba 731¹·². 732²⁻⁴.
733⁶
Ἰαώ 313⁴
Ἰαωλκός 80⁵
Ἴβηρες 569¹
ἴβις 155, 2
ἴβυξ 498²
ἴγα (= σίγα) 217⁴
-ιγγ- suff. 498³, 6. 521⁵
ἴγγια kypr. H. 588²; s. ἴνγια
*-ιγγιω verba 735⁴
ἰγκεχηρήκοι ark. 774⁵. 795⁶
ἴγκρος H. 275⁵. 583⁵
ἰγμαμένος ptc. 729, 2
ἴγνητες rhod. 46, 1. 275⁵.
451⁷. 613³
ἰγνός 214, 1
ἰγνύη 214, 1. 215⁶. 275⁵
ἴγνυντο 653, 10
ἰγνύς 413³. 495⁴
-ιδ- suff. 464⁶, 7
-ῑδ- suff. 465⁴
ἰδ- 305⁵
-ίδαι suff. (Demennamen)
509, 1
Ἰδάλιον 364⁷
Ἰδαμενῆος rhod. 575³
-ιδᾱς 510³
*ἴδᾱσι 773⁷
ἰδδίαν 274³
-ιδδω verba böot. 91³

ἰδέ imper. 390¹. 799². II
304³. 341⁴; – ngr. 764²
ἰδέ 'und' kypr. 612¹, 1.
II 566⁵, 3 f.; – παι II 579, 6;
– χα II 567, 3
ἴδε imper. 799². II 584²
ἰδε/ο- 747³
ἰδέα 314⁵
ἰδέειν 807². II 296⁶. 375⁵
ἰδέεν infin. hom. 807²
ἰδεῖν 226⁷. 291³. 346⁸. 816⁴.
II 258². 261⁴. 364⁴·⁵·⁷·⁸.
365¹. 377⁴. 631³; – ἅρματος
ἀμφίς II 439⁷; – τινα ὑπὸ
τὴν συκῆν II 531⁶; – πρός
τινα II 510⁴; – καθ' ὅλην
τὴν πόλιν II 476⁷
ἰδέμεν infin. böot. 806, 9
-ιδεος suff. 509⁴
ἰδέρως 430²
ἰδές imper. ngr. 800¹
ἰδέσθαι 809³. II 232⁷. 361².
364⁷. 365¹·⁶; – ἐν ὀφθ. II
458⁴; – εἰς ὦπα II 456².
459⁶
ἴδεσκε Ilias 711⁵. II 278⁴
ἰδέτε ngr. 764²
ἴδετε, ἴδετον imper. 799⁵
ἰδέτω spät 801³
-ιδεύς suff. 456⁶. 509⁴. 510², 3
ἰδέω conj. [οἶδα] 778⁵. 783,
1. 790, 6
-ίδης suff. 509²
ἰδησῶ fut. Theokr. 778⁵.
783, 1. 790, 6
ἴδητε 791⁴
ἰδίᾱ II 175⁶
ἰδίᾱι (ἰδίᾳ) 550⁴. 618⁴. II
175⁶. 415⁶
ἰδιαίτερος 534⁴
ἰδικός 'eigen' ngr.609¹.II 205⁶
-ίδιον suff. 471²
-ίδιος suff. adj. 467²·³, 1. 2
ἴδιος att. 226⁵. 256². 467³.
608⁵. II 32⁴. 201⁸. 205⁴·⁵;
– c. dat. II 118, 1; ὁ ἴδιος
c. gen. II 118, 1; ὁ ἴδιος
ngr. II 205⁶. 236, 2
ἴδιος 226⁵. II 201⁸; s. ἡίδιος
ἴδῑσα 754³.
ἰδίω att. 226, 3. 713⁶, 6. 727⁴
ἰδίω (= εἰδίω) 193⁷
ἰδιώτης c. gen. II 108²; ὁ
. – II 42²
ἰδιώτης 159⁷
*-ίδκος suff. 839⁴
ἰδμάν 521⁶
ἴδμεν 1. pl. 346⁸. 357¹. 643¹.
766⁶. 769¹; s. οἶδα
ἴδμεν infin. hom. 806³. 808²
ἴδμεναι infin. hom. 806³.
808⁶
ἴδμων 522⁴

ἴδοι, ἴδοις 796¹; ἴδοις ἄν
 II 244⁶
ἴδοισαν 228⁸
Ἰδομενεύς 477, 1
ἰδόμενος 746, 4
ἴδον II 281⁴
ἴδος 226, 3. 512¹
ἰδού partic. 799². II 304³.
 584², 1. 2
ἰδοῦ imper. 799². II 584, 1
Ἰδουμαία 162⁵
ἰδοῦσα πρόσοψιν II 75⁶
ἴδρι n. adj. 580⁵
Ἰδριεύς 197⁷
ἴδρις 464³. 495², 3. II 34³
ἱδροῦν II 281³⁻⁴
ἱδρύεσθαι πρὸς τοῦ Ἑλλησπ.
 II 515⁷; – ἱερὸν ὑπὸ τῇ
 ἀκροπόλει II 526⁷
ἱδρύνθησαν Ilias 761, 5
ἱδρύω (-ειν) 351². 495⁴. 727⁵.
 II 434¹; ἱδρῦσα 754³
ἱδρώεις 527⁵
ἱδρῶια (τά) 514³
ἱδρώιην 795³
ἱδρωμένος ngr. II 410⁶⁻⁷
ἱδρώς 222, 5. 226⁵. 514²
ἴδρωσα Ilias 782³
ἱδρώσει 782³; – ἀμφὶ στή-
 θεσσι II 438²
ἴδρωτας ngr. 514⁴
ἱδρώττω Gal. 733⁶
ἱδρώω 514³. 724⁴. 733⁶;–θη-
 ρὸς ὑφ’ ὁρμῆς II 528³
ἰδυῖα hom. 273². 360¹. 540⁶.
 765⁴. 769¹
ἴδωμαι II 310⁶
ἴδωμεν 791⁴
ἰδωμένος: ἔχω -η ngr. 812⁸
ἰδών 525³·⁵·⁶; – κατ’ ὄσσε
 II 477³
ἴδωσι 791⁴
ιε 240⁵·⁶
ἵε 3. sg. ipf. 674²
ἵε imper. 674⁵
*ἱέᾶσι 252⁴. 665⁴
ἵει böot. 677⁴
ἵει praes. 687⁵
ἵει ipf. 687³·⁵
ἵει imper. 687¹·³. 688²
ἱεῖ 3. sg. 687⁴
ἱείην opt. 794³; ἱείη 674³;
 s. εἶμι
ἵειν ipf. 687³. 778¹
ἱεῖσαι ὄσσαν διὰ στόμα II
 453¹
ἵεισι äol. 687, 3
ἵεισι 3. pl. 687⁴·⁵
ἱεῖσι 3. pl. hom. 687⁴·⁵
ἵεμαι 654, 1
ἵεμαι 681², 3. II 229¹; – c.
 loc. II 156, 1; s. εἶμαι,
 εἶται, εἴθην
ᵘἵεμαι 680⁴. 681, 3. 686, 8

ἵεμεν 1. pl. 674⁴
ἵεμεν 686⁶
ἱέμενος 681¹
-ιεν 3. pl. opt. 842⁶
ἰέναι 674⁴. 808². II 75⁷.
 258⁴. 279³. 359⁸. 362⁵·⁶·⁷.
 363³.  373³·⁴·⁵·⁸.  374²·⁸.
 376⁶; τοῦ ἰέναι II 372⁴;
 ἰέναι ἐπί τι II 472⁸; – ἐπ’
 ἀλλήλοισιν II 467, 2; –
 ἀντία τινὶ ἐς μάχην II 534³;
 – διὰ τινος II 450⁶. 452⁴;
 – διὰ βασάνου ὑπό τινος II
 529⁴; – διὰ δικαιοσύνης
 II 452⁵; – διὰ πολέμου II
 161²; – τινὶ διὰ πολέμου
 II 452⁵; – μετὰ τινα II
 486¹·³; – μετὰ δόρυ οἰσό-
 μενον II 486²; – σὺν νηυσί
 II 489⁶; – σὺν ἀριστήεσσιν
 II 489¹; – παρά τινα II
 494⁷·⁸; – παρὰ νῆας II
 494⁷; – παρ’ ἄρουραν II
 495²; – πὰρ ῥοάς II 495⁴;
 – παρὰ ῥόον II 495³; –
 ὁδὸν παρὰ στάθμην II 496⁸;
 – παρὰ τὸν τύμβον II 495⁴;
 – πρὸ τινος II 506⁵⁻⁶; – πρὸ
 Ἀχαιῶν II 506⁶; – πρὸς
 δώματα II 510¹; – πρὸς
 τῶν Καρδούχων II 515⁵; –
 ὑπὲρ πόλιος II 520⁶; – ὑπὸ
 γῆν II 530⁵; – ὑπὸ γαῖαν
 II 530⁴; – ὑπὸ πνοιῇ Ζεφύ-
 ροιο II 527¹; – τοῦ πρόσω
 II 112⁵
ἰέναι τινὰ Ἐρέβεσφιν ὑπὸ
 χθονὸς φόωσδε II 527⁴
*ἱεντ- ptc. (εἶμι) 674⁴
ἰέντες II 388⁴; – ἦσαν II 408¹
*ἱέντι 3. pl. 687⁴
ιερ-, ιερ-, ιηιερ- 219⁵
Ἱεράκων νῆσος 280³
ἱέρᾶξ 497³, 3
Ἱέραξ 158⁴
ἱεράομαι 726²
Ἱεράπολις 445⁷
ἱεραπόλος 438⁷
ἱεραύς delph. 198⁴
ιερεϝιϳαν kypr. 223⁶. 473⁶
*ιερεϝϳα 473⁶
ιερεϝος gen. kypr. 575
ἱέρεια 473⁶
ἱερεία 469, 8
ἱεριάδδω 735²
ἱερεῖς 575, 5
ἱερέοις 564⁸
ἱερεύς 164⁸
ἱέρευτο 771⁴
ἱερεύω (-εύειν) 732⁴·⁵; – c.
 dat. II 151⁴
ἱερεῶμαι 245⁶
ἱέρεως (ἱέρεως) nom. sg.
 ion. 245⁶. 477⁵. 557⁷, 2

ἱερεώσασθαι H. 732¹
*ιερηϝοσύνη 529⁴
ιερης ark. 88⁴. 575⁶
ἱερητεύκατι phok. 664¹
ἱερίτευχε ‘ark.’ 772⁵
Ἱεριχώ 313⁴
ἱεροθυτές ark. 337³; s. ἱερο-
 θυτές
ἱερομνᾶμόνεσσι delph. 564³
ἱερομνάμονσι ark. 569²
ἱεροποιεῖν, -εῖσθαι II 231⁸
Ἱερόπολις (gespr. jer-) 162⁷
ἱερός 62⁴. 64⁶. 219⁵·⁷. 220¹.
 243⁸. 269¹. 304⁵. 396⁴.
 482³. 823⁴. II 182⁸; – c.
 gen. II 118⁶; – c. dat. II
 118⁷; – ἰν ἄματα π. II 460⁷
Ἱεροσόλυμα 313⁴
Ἱερουσαλήμ (nicht -έμ) 161⁴
ἱερωστί 624¹
-ιες nom. pl. 571⁵. 579³
Ἰέσδαγος 313⁴
ἵεσθαι κατὰ τὴν φωνήν II
 479⁴
*ἴεσι ‘eunt’ 674², 2
ἴεσσα 674⁴
ἵεται, -το 681¹
ἱεῦ interj. II 600³
ιϝρα (ηὖρα) ngr. 709, 2
ἱζάνω 700³; ἵζανε, ἱζάνει 700²
*ἵζει 713, 6
ἵζει II 299⁴
ἵζημα Strab. 737⁴
ἵζησα spät 716¹
ἵζομαι (κὰτ) μετὰ πρ. ἀγορῇ
 II 483⁴
ἵζον 653²
ἵζου κρήνας II 76, 1
-ίζω verba 722⁴. 723². 734,
 2. 735⁵. 736⁴⁻⁶. 784⁴. 785⁶,
 3. 815³·⁷; – ngr. 736⁶; –
 st. -ίω 735, 4
*-ίζω verba 735³
ἵζω 330¹. 690² [hizdō]. 752³.
 II 234²; – c. gen. II 112²;
 – βωμόν II 76, 1; – ἐπ’
 ἄκριας II 471⁷; – τινὰ ὑπὸ φη-
 γῷ II 525⁵
ιhερά 219⁵
*ιhερός 219⁶. 269¹. 396⁴
-ιη- : -ι- opt. 794²·³. II 319⁷
ἰή interj. II 600³; ἰὴ ἰὴ ἰή
 II 600, 4; ἰὴ ἰή, ἰὼ ἰώ II
 600, 4
ἴη conj. 791, 1
*ἴη 3. sg. opt. (εἶμι) 674³
ἴη att. 688²
*ἴη 3. sg. praes. 687⁴
ἰηθενέω 726⁵
ἴηι 3. sg. conj. hom. 791¹;
 ἴηις 674³. 791¹
ἰῆι dat. sg. f. 588³
ἰῆισι conj. hom. 792⁵
ἴηλα 717¹

ἵημι 674[4]
ἵημι 686[6], 8. 687[2.5]. 741[3.5.6].
770[1]; – τι II 104[8]; – τινα
c. instr. II 166[2]; – τινα
ὑπὸ γῆν II 530[5]; – αὐδὴν
ὑπὸ συρίγγων II 530[1]; s.
ἵην, ἱέναι, ἧσω, ἧκα, ἕω,
ἕς, εἷκα, ἕηκα, ἵεμαι
-ιην 1. sg. opt. 796[2.4]
ἵην, ἵης ipf. att. 688[2]
ἱήνι (-η) 681[3]. II 312[5]
ἵης conj. 791, 2
ἵῆς gen. sg. f. hom. 588[3]
-ίησαν 3. pl. opt. 794, 3.
796, 3
ἱήσατο 681[3]
ἱῆσθαι 190[6]
ἵησ(ι) II 271[5]
ἱήσομαι 186[2]. 187[6]; -σεται
681[3]
Ἰησοῦν τὸν λεγόμενον Χρ.
II 618[3]
ἱῆτε II 579, 2
ἱητήρ hom. 530[6]. 531[6]
Ἰήτης ion. 500[4]
Ἰητροκλῆς 152[7]
ἱητρός hom. ion. 121, 1.
531[6]; – ἀνήρ II 614[6]
ἰθα- 'hier' 627, 4. 628[5]
ἰθαγενής, ἰθαιγενής 46,1. 448[5].
613[3]. 628[5]
Ἰθάκη 66[4]
Ἰθακήσιος 465[5]
ἰθαρός 347[6]. 480[7], 5
ἰθέη: ἐκ τῆς ἰθέης II 175[6]
ιθθαντι kret. 216, 2. 792[4]
*ἰθθμός 492, 12
ἴθι imper. 350[1]. 357[2]. 390[6].
674[3]. 798[4]. 800[4]. 811[5]. II
373[3.5]. 584[1]; ἴθι δή II 563[4];
ἴθι πρός τι II 433[3]
ἴθμα hom. 523[7]; ἴθματα 492,
12
ἴθρις 351[2]. 495[2]. 838[4]
ἰθύ II 549[6]
ἰθυνεθέμιστας 264[7]
ἰθυνθη- 761[6]; ἰθύνθη 761[2]
ἰθύντατα hom. 534[3]. 733[4]
ἰθύνω 727[6] f. 733[3]; ἰθύνετε II
609[7]; ἰθύνω τινός II 105[1]
ἰθύρ 569[4]
ἰθύς adv. 350[4]. 620[3]. II 549[6];
– ἐφρόνεον II 708, 1
ἰθύς f. 727[5]
ἰθύω hom. 727[5]; ἴθυσα 754[3];
ἴθυσε πεδίοιο II 112[4]; ἴθυσεν
διὰ προμάχων II 450[6]; ἴθυ-
σαν ἐπὶ τεῖχος II 472[4]
υ > ῑ 248[5.6]
-ι dat. sg. 572, 2
ιαροῖσι pamph. 312[6]
*-ιδης 509[4]
ἰτζω 736[4]
*ἵῑμεν 1. pl. opt. (εἷμι) 674, 5
9 H. d. A. II, 1, 3

-ιυς nom. sg. pamph. 555[2]
ἰjᾶσθαι kypr. 681[3]
ἰjατῆραν (ἰjατέραν) kypr. 88[7].
173[4]. 179, 4. 236[4]. 312[6].
531[6]. 556, 0. 563[2]
ἰjερής (ἰjερες) kypr. 312[6].575[6]
(*-ίjω verba) 713[5]. 734, 2
-ικ- suff. 496, 5. 497[4.5] f.
583, 3
ἰκάδι 227[1]
Ἰκάδιος 637[5]
ἵκανον 653[2]
ἱκανός 292[3]. 490[2]; – γνώμην
II 85[8]; πρός II 512[5]; ἱκανὸν
ἔσεσθαι II 295[4]; ἱκανός εἰμι
ἀτυχῶν II 393[4]
ἵκαντι H. 768[2]
ἵκαντιν H. 591[4]
ἱκάνω hom. 698[3], 3. 747[3].
786[7]. II 259[7.8]. 260[2]; –
τόδ(ε) II 68, 1
ἱκανώτερος πεῖσαι II 623[7]
Ἰκαρομένιππος 453, 4
Ἴκαρος 829[6]
ἱκάς 227[1]. 597[1]; s. ἱκιάς
ἵκατι thess. 90[8]. 270[4]. 591[3]
ἵκελος II 161[4]; – ὄμματα II
85[5]
ἵκε/ο- 747[3]
ἵκεν praet. 788[3.5]
ἵκεο χεῖρας ἐς ἅ. II 147[6]
Ἰκέρτης äol. 452[4]
ἱκέσθαι 292[3]. 685[4]. 781[6]. II
296[3.6]. 361[2]. 375[2]; – ἂψ ἐκ
II 463[4]; – ἐπὶ γῆρας II 473[3]
ἱκέσθην II 609[5]
ἱκεσία 469[2]
ἱκέσιος δουλοσύνας ὕπερ II
521[4]
ἱκετεουσάσης 197[5]
ἱκετεύοντες II 391[5]
ἱκετεύω (-ειν) II 516[7]; – μετὰ
δακρύων II 485[3]; – τινά τῶνδε
γουνάτων II 130[2]; – τινὰ
ἀντί τινος II 443[4]
ἱκετήριος 467[4]
ἱκέτης 500[1]; – ἱκνοῦμαι πρός
τινος II 516[6]
ἱκέτις ποὶ τὸν θεόν II 510[6]
ἵκηται II 312[5.8]
ἵκκος 227[5]. 301[7]. 306[1]. 317[1].
351[4]
Ἴκκος tar. epid. 301[7]
*ικμα kypr. 494[3]
ἱκμαλέος 484[1]
ικμαμενος kypr. 494[3]
ἱκμᾶν 260[5]
ἵκμαρ 519[1]
ἱκμάς 299[7]
ἵκμενος 524[7]. 751[2]
ἱκνέομαι (-εσθαι) 696[3]. 747[3];
– ἐπί τι II 433[3]; – μετά τινας
II 483[4]; – μετὰ κλέος II
486[6]; – ἐς Π. μετ' ἀκουήν II

486[2]; ἱκνέεται ἡμᾶς II 68[6];
ἱκνέεσθαι πρός τινων II 514[3]
ἱκόμην II 277[1.3]
ἵκον 653[2]
-ικός suff. adj. 456[6]. 497[5.6.7],
9 f.; – für lat. -icus 395[4];
– Ethnika 497[5]
ἵκριον 495[2]. 838[4]
ἵκταρ 518[7]. 519[2]. 530, 4. 630[6]
ἵκτερος 481, 3
ἱκτερώσσω gramm. 733[6]
ἱκτῖνος 56[6]. 325[6]. 413[1]. 491[2]
Ἰκτῖνος II 37[4]
ἰκτίς 413[1]
ἵκτο (ἵκτο) Hes. 751[2]
ἵκω 684[7]. 685[4]. 747[3]. 781[6].
788[3]
ἵκωμαι II 311[5]
ἵκωμι Ilias 747[3]
-ικώτατος 536[1]
-ῑλα aor. 753[5]
ᾶλαδόν 626[5]
ἴλαειρα 543[3]
ἴλαθι 357[2]. 689[4]. 800[4]
ῑλαμαι, ἱλάονται 681[3]
ἰλάξομαι Ap. Rh. 710[2]. 783[1]
ἵλαος hom. 281[6]. 472[5], 9
ἱλαρός 482[2]
ῑλάσχσθαι 752[4]
ἱλάσκομαι (-εσθαι) 710[2].783[1];
– τινα c. dat. II 151[2]; – θεὸν
μολπῇ II 166[2]
ἱλάσσομαι fut. 710[2]. 784, 6;
-σσεαι 752[5.6]; s. ἱλαξ-
ἴλεᾶ n. pl. 557[7]. 585[5]
ἵλεος dor. 244[3]
ἵλεος 246[2]
ἱλεῶμαι 245[6]
ἵλεως 245[6]. 281[6]. 382[8]
ἵλεως 245[7]
ἴληϜος dor. (lak.) 245[6]. 281[6].
472[5], 9. 689[4]
ἴληθι hom. 304[2]. 689[4], 2.
774[3]. 800[5]
ῑλήκησι Od. 689, 2. 774[3]
ῑλημι 649[2]. 688[5]. 689[4]
Ἰλιάς 508[4]
ἱλιγγιάω 732[3]
Ἰλιόθεν 628[2]. II 58[8]. 171[5]
Ἰλιόθι II 58[8]. 171[5.6]. 411[7];
Ἰλιόθι πρό 551, 6. 628, 6. II
507[8]
Ἴλιον 638[4]. II 33, 2. 122, 1
Ἴλιος f. hom. II 33, 2; Ἰλίοο
gen. 551, 6
Ἰλιόφι(ν) Ilias 550[3]. 551, 6
Ἰλισός 516[8]
Ἰλισός 61[1]
Ἰλισσός 352[8]
ἰλλάεις 528[1]
ἴλλαος lesb. 281[6]. 689[4]
ἰλλάς 423[5]
ἰλλός 459[4]. 485[4]
Ἴλλυρες 569[4]

Ἰλλυριός: τὸν'Ιλλυριόν II 41⁸;
 s. Ηιλλυριός
'Ιλλυριός 65⁷
ἴλλω 423⁵. 690³
ἰλλώπτω 705². 733⁷
ἰλλώσσω 705²
ἰλλώττω 733⁶·⁷
-ιλος Ausg. adj. 484⁷ f.
ἰλύς 350¹. 495⁴; ἰλῦος Ilias 571³
*ἱμᾷ 526, 5
-ιμαῖος suff. 456⁶. 494⁵·⁶, 4
ἱμανήθρη ion. 522¹. 533²
ἱμᾶς 526³, 5
ἱμᾶς j.-att. 383³. 566³
ἵμασεν hom. 725, 2. 3. 755²;
 – μάστιγι II 166¹
ἱμάσθλη 533⁴. 725, 3
ἱμᾶσι dat. pl. 566³
ἱμασιοπώλης 160, 5; -ου 270⁷
ἱμάσκω el. 708⁵
'Ιμασσαώλλας II 693⁷
ἱμασσόμενος 725, 3
ἱμάσσω conj. hom. 725, 3
ἱμάτιον 193⁷. 270⁷. 281⁷; ἱμά-
 τια II 43⁵; ἱμάτια ἐξάλια
 byz. 592, 5; ἐξελθεῖν ξὺν
 ἑνὶ ἱματίω II 489⁶
ἴμβηρις 90⁴. 275⁵. 300². 302⁴.
 352⁴. 495²
Ἴμβρασε II 62⁶
ἱμείρομαι (-εσθαι) II 232⁷;
 – τινος II 104⁷
ἱμείρω (-ειν) 715, 10. 725³.
 II 232⁷; – τι II 105⁶; – τινός
 II 105²
*ἱμέν partic. II 566⁵
ἴμεν 1. pl. [εἶμι] 356⁷. 357¹.
 390⁶. 643¹·³·⁴. 674¹
ἴμεν infin. hom. (= ἰέναι)
 674⁴. 806³. 808². II 359⁸;
 – ἐς πόλιν II 459¹
ἴμεναι infin. hom. 385⁵. 674⁴.
 806³; ἴμεναιIlias674,7.806,7
'Ιμέρα II 33, 2
'Ιμέρας m. II 33, 2
ἱμέρθη Hdt. 761⁵
ἵμερος 282⁸. 413³. 423⁵. 715, 10
ιμεσος ark. 230⁶
ἱμι- 256²
*ιμιμ 608, 1
ι(μ)μ < ισμ 217¹
'Ιμμαράδας 831³
-ιμο Ausg. n. ngr. 586, 1
ἱμονιά 522¹, 2
-ιμος suff. 494⁵·⁶, 4 f.
ἱμπάταόν kypr. 752⁴
ἵμψας thess. 692⁵
in ngr. lesb. < n 342¹
-ιν n. spät- u. ngr. 130¹. 253⁸. 472²·³
-ιν acc. sg. 571⁶
-ιν dat. pron. 605⁴·⁶. 606¹

-ιν Verbalausg. 658⁵
ἰν praep. 69⁶. 81³. 82⁴. 274⁷.
 275⁴·⁶·⁷. 350⁸. II 454⁶.
 455, 1. 458⁶; ἰ(ν) kypr.214¹;
 ἰ(ν) τύχαι II 458⁶
ἴν· αὐτόν usw. kypr. (H.)
 613³, 6. II 190 ²·³
ἴν dat. sg. Hes. 603⁴. 604²
-ῖν dat. pron. 605⁶. 606¹
-ῖν (-ῖν) partic. 611, 3. 613³.
 619⁴. II 566⁵
ἴν acc. sg., ἴν' 570⁷, 2
ἵνα 128⁶. 613⁴. 615²·³,4. 631⁶.
 II 311⁷. 313⁴. 316⁷. 326⁷.
 332¹·². 384²·³. 555⁴. 636¹.
 637⁶. 647³. 665⁷·⁸. 672⁴⁻⁸, 1.
 673¹⁻⁷, 4 f. 689¹; ἵνα ἄν II
 674¹;ἵναγάρ Ilias 610⁶f.;ἵνα
 περ II 673², 2;ἵνα τε II 575².
 673²·³;ἵνα μή II 318¹. 594⁵.
 674¹·⁴, 2; ἵνα τί; II 630¹.
 674². 714⁴; ἵνα c. conj. II
 315³. 319³. 384³; – c. opt.
 323²⁻⁴·⁵
ἵνα: – κακοῦ II 101⁶. 114⁶
ἵνα acc. sg. 570, 2
ἵναι infin. 674⁴, 9
ἰναλαλισμένα kypr. 694⁵. 773⁵
ἰνάω 694¹, 2
ἴνγια· εἷς kypr. 275⁵; s.ἴγγια
-ινδα adv. 627²·³
ἰνδάλλομαι 692⁵. 725²
*ινδαλος 692⁵
-ινδᾶν adv. lokr. 627², 1
-ινδην adv. 627², 1
ινδικτιών 161⁵
'Ινδός 153⁵. 221, 1. 308¹
-indu verba tsak. 331⁷.735,3
ινεῖ Korinna 590, 9
-ινεος suff. adj. 456⁶. 467⁴
ἴνες pl. 570,2.571¹; -εσιν dat.
 570, 2
ἰνέω 694²
-ίνη suff. 509³
ινηάταν ark. (= ἐν ν-) 230⁶.
 503⁷
-ιν-θ- suff. 526⁵
'Ινινθμέ[ου 206⁶
ἴνις 450, 3
-ινίσκω verba mngr. 712²
'Ινισμέως 206⁶
(*-ινjω verba) 694⁶
ἰνμεμφές ark. 514¹
-ιννα suff. 491⁵
ἴννη 423¹
-ιννω verba lesb. 694²
-ινο- suff. 490⁶·⁷f.
-ῖνο- suff. 491²·³
-ινό- suff. 490⁵·⁶
-ῖνοι (< aram. -în) 276, 1
-ῖνος suff. ethn. 67⁴
-ινοῦς suff. adj. 468¹
-ινς acc. pl. 571⁶·⁷, 7
ἰ(ν)σι kypr. 275⁶. 677¹

'Ινταφέρνης 153⁵. 182⁸
*ἴντι 'eunt' 665³
-ίνω verba 694²·⁶·⁷. 733⁴
'Ινωπός 426, 4
ἴξ 299⁷
ἴξαι 299⁶
ἴξαλος 617. 484¹
ἴξε 653². 756². 788³·⁵; ἴξες 788³
ἰξέμετο 685⁴
ἴξετο II 81⁴
ἴξομαι 781⁶
ἴξον 751². 788³
ἰξός 267¹. 314⁵
ἰξοῦμες meg. 786⁷
ἰξύς 463⁷
ιο 240⁶; – aus εο 247²; -ιο- >
 -ῑ- 472³; ιο > εο 245²; ιο >
 ιω 242⁶
-ιο- Kompos.-suff.450⁴.451²⁻⁴
ιο gen. n. gort. 613⁴
*ἰ(ο)- '1' kret. 588⁴
'Ιοβιανός 313⁴
ἰόεις 527⁴
ιοι dat. m. f. gort. 613⁴
ἴοι 3. sg. opt. 674³. 677⁴
ἰοιΕι 3. sg. opt. 674³
ἰοίην 1. sg. opt. 674³. 794³. 796⁴
ἴοιμεν 1. pl. opt. 674³
ἴοιμι 794³
ἴομεν 643³
ἴομεν conj. 674³. 790⁴
ἴομεν hom. 674³
ἰόμωρος 426⁴
-ιον suff. n. 470²·⁴·⁵f.; -ιον 470⁴; -(ΟΝ) 638⁴
-ιον Kompos.-suff. 470³·⁴
-ιον adv. 621, 8
ἰὸν (ἐνιαυτόν) 588³
ιον n. 314⁵
ἴον 3. sg. ipf. 674⁵
ἴονθος 510⁶
'Ιόνιος 80⁵; ὁ 'Ιόνιος II 175⁵
ιονσα (= οὖσα) kret. 96⁵. 678²
ἴονσι s. ἴωντι
ἰόντ- ptc. 674⁴; ἰόντι II 401³;
 ἰόντε II 708⁵; ἰόντων εἰς
 μάχην II 400⁷; ἰόντες ἥισαν II 388⁶
ἰόντων 3. pl. imper. 674³
-ιος suff. 456⁶. 458, 1. 466²⁻⁶, 2. 11. 468, 1. 510³. 548¹. 810⁴
-ιος suff. von Monatsn. 82²
-ιος gen. sg. 571⁵. 572, 3. 579, 1; -ιος gen. in Namen 572, 4
-ιος gen. lak. < -εος 472³. 579³
-ιός suff. von Stoffadj. äol. 81²
ιός m. 'Gift' 219⁶

ἰός m. 'Pfeil' 282¹. 314². 350¹. 472⁵
*-ίοσα 355⁶. 834⁷
ἰότης 528⁷, 8
ιου (= ου, υ) böot. 91³
ἰού interj. 716⁵. II 600³.601²; ἰού ἰού II 600, 4
ἰοῦ interj. II 600³
ἰουδαΐζω hell. 736⁴
Ἰουδαϊκός 498¹
Ἰουδαῖος 164⁸; τοῦ -ου II 41⁸; Ἰουδαῖοι 313⁴
ιουιῶ =υἱοῦ böot. 183⁴.305,1
ἰοῦσα 674⁴
Ιουστροτος böot. II 517, 7
ἰόφ II 600, 6
ἰοχέαιρα 452². II 34²
ἰπ- 424⁴. 648³
ἵπερ lesb. 184²
ἱπνός 258¹. 295⁴
ἱπνός att. 258¹
Ἵππα 218, 1. 303⁴
Ἱππαγόρευς gen. sg. ion.561³
ἱππαγωγός 398⁴
ἱππάζεαι 734⁶
ιππαις (= ἱππεύς) 122³. 199³. 575⁶
Ἱππαρέτη Ἱππονίκου 635⁴
Ἵππαρχος 636⁶
ἵππερος 18, 2. 456, 3. 481, 3
ἱππεύειν 732⁴
ἱππεύομαι II 232⁴
ἱππεύς 477²·⁵; ὁ - II 42¹
ἱππεύω II 232⁴
ἱππηλάτα hom. 560¹
ἱππῆς nom.pl.att.241⁶. 249¹
Ἱππίας 636⁶
ἱππικόν 498²; τὸ - II 175²
ἱππιο- 438³
ἵππιος 312⁸. 466². 468, 1
ἱππο- 434³
ἱππόδαμος 385⁵. II 56³
ἱπποδάσεια 430, 3
ἱππόθεν 628²·⁴. II 171⁸
Ἱπποκράτεις thess. 580⁴; -τευς 248¹
Ἱπποκωμῆται 439²
*ἱπποποτ- 499, 6
ἱπποπόταμος 429⁴. 439³. 450¹. 454¹
ἵππος 227⁵. 301⁷·⁸. 306¹. 316⁷. 354¹. 458³. 649³. 350⁵. II 42³; ἵππου, -ω 249²; ἵππος m. f. 457⁷. 460⁴. II 32²; ἡ ἵππος II 32¹. 42²
-ιππος in Namen 637, 4
Ἱππόστρατος 635⁵
ἱπποσύνη 529⁴
ἱππότᾱ hom. 106⁷. 560¹·³; – φηρός 560³
ἱπποτετρόφηκα 650³
ἱππότη (= -αι) böot. 194⁷
ἱππότης 499, 6. 561⁶. II 176³; s. ἱππότα

ἵππουρις 385⁶. 450⁵
*ἱππουροδάσεια 430, 3
ἵππω II 47³
ἵππων gen. pl. 408⁶
Ἵπτα 218, 1
ἵπταμαι 681³, 9. 688⁵
ιρ aus idg. r̥ 352³; ir ngr. lesb. aus r̥ 342¹; -ιρ- 841⁸
ἰρήν lak. 285⁸
ἴρις 464²·³. 495²
Ἴριστος 66⁴
*ἴρνυμι 352⁴. 695⁵
ἰρός ion. 482³
ἰρός 83⁴
ἴρος lesb. 282³. 482³
Ἴρος 385⁶. 836⁷
ἰς praep. (= εἰς) 275⁵. II 456¹, 1. 5
ἴς f. 350¹. 378². 463⁶. 570⁷, 2. 571¹. 731, 1; ἴνα acc. 570, 2; ἴνες pl. 570, 2. 571¹; ἴνεσιν 570, 2; ἴς c. gen. II 122¹
-ις (aus -ιος) 130¹. 253⁸.472²·³. 586³
-is nom. sg. m. (gen. -i) ngr. 585⁷. 586⁵
-ις nom. sg. (i-St.) 552⁴.570⁷. 571⁶
-ις adv. 631³
-ις suff. 465¹⁻³. 509³
-ῖς Ausg. acc. pl. (i-St.) 287⁴. 563⁵. 570⁵·⁷. 571⁵, 7. 572, 6
-ῖς nom. sg. m. 561²
-isa 1. sg. aor. ngr. 753².764⁴
ἴσα adv. 621²
Ἴσαακ, Ἰσαακος, Ἰσαάκιος 585²
Ἰσαγένης ark. 439²
Ἰσαζάθα 209⁷
ἰσάζω 727². 734⁶
ἴσαι conj. kyren. 792³
ἰσαιόμενος 676⁵
ἰσαῖος 467⁶
ἰσαίω 727²; s. ἰσήει
ἰσάκις Aristot. 598²
ἴσαμεν 773⁷
ἰσάμεναι infin. 773⁷, 3
ἴσᾱμι praes. 773⁷
ἴσαν 'sie gingen' 665⁷. 674². 751⁷. 754⁸; s. εἶμι
ἴσαν 'sie wußten' 665⁷. 773⁷. 777¹. 778³; s. οἶδα
ἴσαντι 'sie wissen' dor. 665³. 773⁷; s. οἶδα
Ἰσαρχίδης 509, 2
ἴσασι 665³. 773⁷, 2
ἰσάσκετο Ilias 711, 1
(*ἴσασ(σ)ασκ-) 711, 1
ἴσατις 314⁵. 506³
Ἰσδραήλ 277⁷
ισεν(ν)ύω Hippokr. 728¹
ισϜέξε pamph. 751⁷
ἴσϜος 227, 2. 282¹
ἰσήει böot. (= ἰσᾱίει) 676⁵

ἴση καὶ ὁμοία II 175⁵
ἰσήμορτεν H. 704, 9
ἰσήννικαν 'ion.' 745¹
ἴσθι imper. 'sei' 351³. 413¹. 676⁶. 677⁴, 11. 800⁴·⁵. II 340⁷. 341²; s. εἰμί, εἶναι, ἔστε, ἐστέ
ἴσθι imper.'wisse'357².769¹·². 800⁴·⁵; ἴσθ' ὅτι II 590¹; s. οἶδα, εἰδέναι
ἴσθμιον 470⁴
Ἰσθμοῖ 382². 549⁷. II 411⁸
ἰσθμός 492, 12. 493²
Ἰσθμός II 33, 2
ἰσθμός att. 257³
-ισι dat. pl. 571⁵·⁶·⁷
ἰσί dat. pl. spät 570, 2
ἴσι 3. pl.'sie gehen' Hdn 664, 6. 674, 2
Ἰσίδοτος 638¹
-ίσιος suff. adj. 466⁵
-ισκα ipf. ngr. 712³
-ισκᾱ suff. 541⁴
-ισκάριον suff. 541⁵
(ἴσκει kret.) 708, 4
ἴσκε(ν) ipf. hom. 708²
-ίσκιον suff. 541⁵. 542³
-ισκον verba ngr. 712³
-ισκον suff. 541⁴
ἴσκοντ- ptc. 708²
-ισκος suff. 541⁴, 6 f. 839⁴
-ίσκουμαι ngr. (pont.) 712²
ἴσκω 708, 4
-ίσκω verba 709¹ f.
-ῑσκω verba 709⁵
ισμ > ι(μ)μ 217¹
ἴσμεν 1. pl. 208⁴. 767². 769²; s. οἶδα
ἴσμεν infin. Stymph. 806⁴
Ἰσμήνη 306⁴
ἰσόθεος 454¹
ἴσοθι ark. 628⁵
ἰσοπολίτης 430⁶
ἰσόρροπος 311³
ἰσόρροπος II 161⁴
ἴσος 223⁸. 227². 308⁴. 472, 10. 515⁶. 587, 1. II 161⁴·⁵; – καί II 568²; ἀπὸ τοῦ ἴσου II 175⁷; s. εἰσ(σ)η
ἴσος ep. 227⁷; ἴσον (γέρας) σοι II 99, 1
ἴσος 223⁸. 305⁶. 306³
ἰσοσύλλαβα (term.) 553, 3
ἰσοφαρίζω (-ειν) 449, 4. 736, 5. II 161⁵. 442⁵; -ίζοι c. acc. et dat. II 85⁴
ἰσόω (-οῦν) 727².734⁶. II 161⁴
*ισρο- 282³
ἴσσα suff. 456⁶. 475³·⁵
ἴσσαν 3. pl. plusq. 773⁷
ἴσσασθαι lesb. (H.) 321⁵.726²
ἴσσᾱσι hom. 665³. 773⁷

9*

ἴσση f. 474[4]
ἴσσης 833[3]
Ἰσσοί, Ἰσσός 638[5]
-ίσσω verba 716[7]. 733[4.5]
-ιστα adv. 621, 8
ἴστᾱ 3. sg. praes. 687[5]. 688, 4
ἴστᾱ ipf. 687[6]
ἴστᾱ imper. 688[2]
ἱστᾷ 687[5]. 688[2]
*ἱστᾶσι 665[4]
ἱσταίην, -αῖμεν 795[1]
ἱσταίμην, -αῖτο 795[1]
ἴσταιμι lesb. 274[2]
ἴσταμαι 742[2]. 782[4]. II 228[1].
234[1]; ἴσταται 640[4]. 817[1.2];
ἴστασο imper. 687[1]; – ἀμφί
τινι II 438[3]; – παρά τινι II
493[4.5.6]; ἴστασθε βάθρων II
91[5]; ἱσταμένου μηνός II 175[5];
ἱστάμενον ἔαρ II 398[3]; s.
ἔσταν, ἔστην, ἔσταμαι, ἑστά-
θην, ἑσταώς
ἴσταμεν 686[6]
ἴσταμι 304[2]. 354[8]. 359[4]. 648[2].
649[1], 1. 686[6], 8. 752[2]; – τινα
ποτὶ γραμμᾷ II 513[4]
ἵσταν 3. pl. 665[1]
ἱστάναι ξύλον ὑπὲρ αἴης II
520[6]
ἱστάνθω imper. 672[4]. 802[3];
-θων 672[4]. 802[3]
(*ἱστάνς σκον) 711[6]
ἵσταντι 3. pl. 665[1]
ἱστάνω (-ειν) Koine 688[2-3].
699[4]
ἱστάς 525[3]. 566[3]; ἱστᾶσι dat.
pl. 566[3]
ἴστασαν 3. pl. ipf. 742, 3
ἴστασθαι II 259[6]; – παρά τι-
(να) II 494[7]
ἱστᾶσι 248[7]. 665[4]. 687[4]
ἱστᾶσι dat. pl. 566[3]
ἴστασκον 711[6]; -σκε II 278[4]
(*ἱστάσκον) 711[7]
ἴστασχ' Od. 711[2]
ἴστᾱτι dor. 350[1]. 664[6]
ἴστε 2. pl. pf. 663[1]. 767[3].
769[1]. 773[7], 2. 814[4]; s. οἶδα
ἴστε 2. pl. plusq. 773[7]
ἱστέαται, -έατο 672[2]
ἱστέον Plat. 810[6]
-ίστερος suff. compar. 534[2].
535[6]
Ἰστεφανίων 123[6]. 413[2]
ἱστεών 127[8]
ἴστη ipf. 687[6]
ἴστη imper. 687[1]. 688[2]. 798[2]
ἱστῆι, -ῆις conj. 792[6]
ἱστήλη 413[2]
ἴστημι 186[1]. 686[6]. 687[1.3].
756[1]. II 228[1]. 234[1]; – τι c.
dat. II 151[2]; – χορόν c. dat.
II 151[3]; – τὸ στράτευμα ὑπό
τινα II 531[4]; – ἔγχος πρὸς

κίονα II 510[2]; – πέτρην II
76[7]; – τάφοις II 154[8]; s.
ἵσταμι, ἱστάναι, ἔστᾶσα, ἔ-
στησα, ἔστηκα, ἑσταώς, ἑ-
στήξω
-ιστής suff. 456[6]
ἴστης 659[5]
ἴστησι 817[1]
ἴστηται att. 793[1]
ἱστία 227, 1. 256[2]
ἱστιατόριον II 519[5]
Ἱστιεῖος 258[2]
ἱστίη 351[4]
ἴστον pf., plusq. 773[7]
ἱστορέω (-ῶ) 731[6]. II 82[2]
ἱστορίη 306[3]
-ιστος suff. superl.298[3].357[5].
456[6]. 536[3], 1 ff. 537[3], 7.
538[1]. II 183[3]. 184[2.3]
ἱστός 423[5]. 459[4]
Ἰστραήλ 277[7]. 337[6]
ἱστρατιώτης 123[6]. 413[2]
Ἴστρος 482[3]
ἴστω imper. [οἶδα] 801[3]. II
342[8]; ἴστω Ζεύς ... Γῆ τε
II 608[4]. 610[7]
ἴστω imper. med. 688[2]
ἱστῶ conj. 792[6]
ἴστωμαι att. 793[1]
ἴστων ipf., Koine 688[2]
ἱστῶσι Koine 688[2]
ἴστωρ 531[3], 5
ἴστωρ 226[7]
ἴσφωρες 570, 2
ἰσχανάᾳς 700[2]
ἰσχανάασκον hom. 700[2]
ἰσχανάω hom. 700[5]; – τινός
II 105[2]
ἴσχανε 700[2]
ἰσχάνει 700[2]
ἰσχάνω Epikur 700[3]
ἰσχέ- 441[5]
ἴσχει 708, 4
ἰσχέμεν II 381[2]
ἴσχεν 276[2]
ἰσχερώ ark.-kypr. II 163, 2.
469, 1
ἰσχιάς 508[4]
ἰσχίον 413[4]. 517[5]. 518[5]
ἰσχνάνᾱσ(α) Aesch. 753[5]
ἴσχον τὰ ὄντα τῆς ῥοῆς II
93[3]
ἰσχύειν τοῖς σώμασιν II 168[4]
Ἰσχύλος att. 257[3]
ἰσχυρίζομαι ὡς c. ptc. II 397[3]
ἰσχῦρός 482[4]; – χερσίν II 168[5]
ἰσχυρροί att. 238[2]
ἰσχύς 413[3]. 463[7], 7. II 624[1]
ἰσχύων II 408[8]
ἴσχω (-ειν) 220[2]. 261[3]. 357[3].
649[2]. 653[1]. 690[2.4]. 747[2], 3.
II 260[4.5]. 381[4]; ἴσχε πᾶς τις
II 609[8]; ἴσχειν πρὸς ταῖς
πόλεσι II 513[5]; – πρόνοιαν

περί τινος II 502[7]; – τι λῆ-
στιν II 80[8]
*ἴσχω 649[2]
-ίσω fut. 785[6], 3. 815[7]
-ίσω fut. 739[1]
ἴσως II 304[3]. 324[2]. 412[7].
414[1]; – ngr. 624[4]
Ἰταλία 161[2]
ἰταμός 494[4]
ἰτδίαν thess. 829[7]
ἴτε 2. pl. imper. 674[1]. 799[5].
II 609[7]; s. εἶμι
ἰt'e tsak. 317[1]
ἰτέᾱ 472[5]. 506[4]
ἰτέον 810[6]; – ἂν εἴη II 410[2]
ἴτην ipf. 653, 12. 674[2]
-ίτης suff. 500[5.6], 5
ἰτητέον 705[5]. 810[6]. II 240[1]
(ἴτθαι) 680[1]
*-ιτκος suff. 839[4]
-ίτσιν suff. ngr. 837[3]
ἴττον· ἕν kret. H. 588[4]. 598[3]
ἴττω böot. 91[3]. 216[7]. 307[4]
-ίττω verba 733[5]
Ἴτυλος 506, 4
ἴτυς f. 506[4]
Ἴτυς 506, 4
ἴτω 3. sg. imper. 674[3]. 801[3].
II 342[6]. 373[3.5.8]; – τις c.
imper. II 245[8]; ἴτω τις,
εἰσάγγελλε II 609[8]; ἰτō ἀνε-
λέσθō lak. II 633[3]
ἰτών (= ἰδών) 207[6]
ἴτων 3. pl. imper. 674[4]. 802[4]
ἴτωσαν 3. pl. imper. 674[4].
802[5]
ἰύ interj. 305, 3. 313[5]. 496[5].
716[5]. II 600[3]
ἰυγή 313[5]. 496[4]
ἰυγμός 716[5]
ἰυγοδρομέω 726[4]
ἰύζω 716[5]
Ἰυ(τ)τοῖ kret. 316[8]
ἴφθιμος 326, 1 [nicht -ός].
327[1]. 413[3]. 494[4]. II 32[4].
182[7]; ἰφθίμη II 32[4]
ἶφι 551[1]. 570[7]. II 166[3]. 172[6];
– ἀνάσσειν II 166[3]
ἰφι- 632[6]
Ἰφιάνασσα 452[4]
Ἰφιγένεια II 34[6]
Ἰφικλέης 636[6]
Ἴφικλος 636[6]
Ἰφικράτης 452[4]
ἴφιος 461[4]
Ἴφις 462[6]
Ἰφιτίδης 509[5]
Ἴφιτος 503[6]
ἰχανάω 350[4]
ἴχαρ 518[7]
ἰχθύ, -ῦ voc. sg. 571[2]
ἰχθῦ du. 571[2]
ἰχθύα acc. sg. 571[2]
ἰχθύᾱ 463[6]

ἰχθύας acc. pl. 571¹
ἰχθυάω 731⁵
ἰχθύδιον 199⁶
ἰχθυόνερ 487²
ἰχθυοφάγος 439⁵
ἰχθῦς 325⁶. 350⁶. 378¹. 413¹.
424². 463⁶; ἰχθῦ, -ύ voc.,
ἰχθύα acc., ἰχθῦ du. 571²;
ἰχθῦς nom. pl. 564¹; ἰχθύας
acc. pl. 571¹
ἰχθυσιληϊστήρ 446⁴
ἰχμαμένος ptc. 729, 2
ἰχνεύμων 522⁴
ἰχνεύω πάλαι II 274²
ἰχνεύων 236⁶
ἴχνη II 607⁷
ἴχνια II 486²
ἴχνος 512⁷
-ιχος Ausg. 498⁴
ἰχῶ 569⁵
ἰχώρ 519⁴
ἴψ 299⁷
ἰψόν H. 692⁵
ἴψος lesb. 184². 258¹
ιω < ιο 242⁶

-ιω verba 713⁵. 739¹
-ίω verba 686²·³. 717²⁻³.
727⁴⁻⁵. 785⁶. 814⁷
-ίω fut. 785⁵
-ῖω verba 717²⁻³. 816⁷
-ιῶ fut. 785⁴⁻⁶, 3. 815⁷
ἰώ 'ich' böot. 602²
ἰώ interj. 313⁵. II 600³. 601²;
ἰὼ ἰὼ ἰώ II 600, 4; ἰώ μοί
μοι II 625⁷
ἴω 1. sg. conj. 674³. 791¹
Ἰωάννης 313⁴; – ὁ βαπτιστής
II 618³
ἰωγή 314³
ἰωή 313⁵. 314³
ἴωι ἤματι Ilias 588³
ἰῶκα acc. sg. 423⁵. 584⁶
ἰωκή 423⁵. 584⁶
ἴωμεν 643³; ἴωμεν ἴωμεν II
700²
-ιων gen. pl. 571⁵
-ίων gen. pl. böot. 579³
-ίων suff. compar. 536³, 1.
537², 3. 4. 538¹. 580⁵. 582⁷.
II 184²·³

-ιών suff. in Monatsn. 82²
ἰών ptc. [εἶμι] 525⁴
ἰών ptc. [= ὤν] 678¹
ἰών 'ich' böot. 209³. 242⁵.
602²·⁶
ἰῶν böot. 608³
Ἰωναθᾶς 461⁷
ἰώ(ν) γα böot. 606³
ἰώνγα böot. 209³. II 561³
ἰώνει böot. 606³
Ἴωνες 805⁵; ἄνδρες – II 61²
ἰωνθι 3. pl. böot. 677³
ἰωνιά 469⁷
Ἰωνικαὶ πόλεις II 182⁴
ἴωντι dor. (kret.) (= ἔ-) 242².
677³; ἴονσι (= ὦσι) II 312⁷
-ιῶς < -ιέως 252⁵
ἰῶσα böot. 678¹
Ἰώσηπος 313⁴
Ἰωσὴφ τὸν ἄνδρα τῆς Μαρίας
II 618³
ἴωσι 3. pl. conj. hom. 791¹
ἰῶτα 140². 161⁴. 162, 3. 313⁴
ἰωτακίζω 736⁴
ἰωχμός hom. 493³

# j

j Übergangsl. 236⁴; als ι
312⁶·⁷; Vok. + j 272⁵
ff.; j < i vor Vok. 106³;
j aus i 400⁷ f.; j Halbv.
312⁵ f.; j nicht erhalten
313²; j schwand intervok.
73⁶. 313². 712⁶; j
schwand inlautend 366⁶;

j schwand im Silbenanl.
236⁷
-j- Bild. im Gr. 841⁷
-jα suff. f. 474¹. 475¹. II 307.
34⁵
-jα f. adj. 586⁴
-jα nom. pl. n. ngr. 585⁷
-jας nom. sg. m. ngr. 586, 1

jnétsis (γυναῖκες) ngr. (lesb.)
586, 0
*joδ 265⁴. 617²·³
-(j)ος suff. compar. n. 537, 1
jos 'Sohn' ngr. 200²
juħtas ngr. 316⁸
*-jω verba 686⁴
-jωνsuff.compar.536⁵.537¹·²

# K

κ aus idg. k 291⁶. 292²; aus
idg. k̑ 291⁶. 292⁵; aus idg.
Labiovelar 298⁶; κ st. π
bzw. τ 299²; κ wechselt mit
γ 829¹; κ > γ 829²; κ pala-
talisiert 210¹
-κ- in Präsensbild. 702⁵
-κ- pf. 765²
-κ nach Vok. geschwunden
409¹·²
-κ partic. II 569¹
κ' (= κε) II 568³·⁴: κ' ἔωντι
Kos 723, 4
κ' 'und' ngr. II 567³
κᾱ partic. dor. böot. ark.
kypr. 82⁴. 85⁸. 91³. 299⁴.
341⁴. 627, 4. 629⁴. 831². II
305⁵·⁶,1.306¹.567¹,3.568³⁻⁶,
7; ἅμα κα II 535²; κά μεν
kypr. II 567, 3; κα πόθι

kypr. II 567, 3; ἐπεί (ἐπί) κα
II 659¹·⁷
κα (= καί): κα ἐν 400¹; (=
κάς) 217⁴
κα praep. II 473⁵, 5: κα μῆ-
να, κα τόν II 473, 5; κά
praep. ngr. (dial.) II 473, 5.
474³
κά indef. partic. ngr. 617⁵
-κα aor. 741²⁻³·⁵·⁶·⁷. 814⁵;
– ngr. 764²
-κα pf. 63³. 765². 774¹⁻776.
815⁸
-κα adv. dor. 629²·⁴
κ(α) ἔωντι 723, 4; κᾱ λοίη
Epich. 796, 2
καβαθα 209⁸
καβαίνωσι II 473, 5
κάβασι· κατάβηθι lak. 800⁴.
II 473, 5

καβάτα lak. II 473, 5
Κάβ(ε)ιροι 471, 12
καβλέει 259¹. 676²
κάγκανος 343⁶
καγρᾶ(ς) II 473, 5
καγχάζω 647⁴
καγχαλάω 647²
κάγχαος 516⁷
κάδ: κὰδ δύναμιν II 479¹
καδαλέοιτο el. II 473, 5
κάδαμος 493⁶
κάδδος 316¹
Κάδιστον 66⁴
κάδμος kret. 492⁴, 8
Κάδμος 494³
(*καδυjεται) 698, 1
κάδος 64⁷. 152⁶. 316¹. 458¹
κάδος 512¹
Κάειρα [so, nicht Κά-] hom.
59⁴. 823⁴

Καερ- 481¹
*κάϜαλον 248⁷
*καϜη- 758, 2. 759²
*καϜjω 273¹. 349². 714³
(*κάϜω) 714, 5
καζαλέμενον II 473, 5
καη- pass. hom. ion. 758, 2. 759¹⁻². 760². 761⁷
καημός ngr. 493¹
καῆναι II 239²
*Κάηρ 250⁵. 569³
καϑ' praep. II 473⁵; – ἕν 599¹. II 476, 1; – ἕνα II 477⁵, 1; – ἐνιαυτόν 220⁴. 305⁶; – ἔτος 119⁵. 220⁴. 305⁶. II 477⁶; – ἡμέραν II 478²; – ἰδίαν 220⁴. 305, 4; – ὁμάδα 597²⁻³; – ὅτι II 477⁷
καϑά II 479²
κάϑαι ngr. 119⁴
καϑαιμάξαι II 296⁴
κάϑαιμος II 475¹
καϑαιρέω (-ῶ) II 475⁶; – τι ὑπὸ κήρυκα II 531⁸; – τι τοῦ ἰέναι II 132⁷
καϑαίρω 725². II 230⁴; – τι ἔκ τινος II 464²; s. ἐκάϑαρα, καϑῆραι, κάϑηρον
καϑαλά 830⁵
καϑάλλομαι II 475⁶
κάϑαλος II 475¹
καϑάπαξ 598². 633¹
καϑάπερ II 479²
καϑάπτεσϑαι II 381⁴
καϑάραισα 288³
καϑάρβυλος 306³
καϑάρειος 468³
καϑαρεύουσα 133⁶
καϑαριζέστω 205, 4
καϑάριος 468³
καϑαρίω fut. dor. 785²
καϑαρμός 492⁴
καϑαρός 260⁵. 482², 7; – c. abl. II 96³
καϑάρσιος adj. 466⁵
κάϑαρσις 285³
καϑάρυλλος 485³
καϑαρῶ fut. att. 785²
καϑάσσα ion. 616⁵. 625³
κάϑε· ἐπίδος H. 800²
καϑεδήσομαι spät 716¹
καϑεδοῦμαι att. 784⁵; -δεῖται 127⁸
καϑέζομαι II 431⁶. 476³; καϑέζετο 652, 5; ἐκαϑέζετο 652, 5. 656³; καϑεζόμενος II 390⁷; καϑέζομαι παρά τινι II 493⁶; – πρὸς γοῦνά τινος II 510²; – πὰρ πυρί II 493⁵
καϑέζω II 475⁷
καϑειδρούσατο 183⁶
καϑείς 'jeder' spät-ngr. 588². 614⁴. II 476, 3

καϑελόντωσαν imper.att.802⁷
κάϑεμα 523⁶
κάϑεμεν 741³
καϑένας ngr. II 477, 3
καϑερίζω 258⁴
κάϑεσαι ngr. 668⁶
κάϑεσαν 653, 2
καϑέστακα 127⁷; -καν 666³; -εστάκᾱτι phok. 664¹
καϑέσταμαι pf. med. 817²
καϑεστήκοι Plat. 795⁶
καϑεστώς: -ῶτος II 401¹; τὰ καϑεστῶτα II 475⁵
καϑέσω fut. 782⁵, 7
κάϑετος f. II 32⁴
καϑεύδω (-ειν) II 363⁸. 429⁶; καϑηῦδον, ἐκάϑευδον 656³; καϑευδῆσαι 752³
κάϑεφϑος 257⁴
καϑεψιόωνται II 476¹
καϑεωρῶντο II 269⁴
καϑήατο 679⁵
καϑηγέομαι c. gen. II 110³
κάϑηι (κάϑη) 127⁷. 668⁵. 680²
καϑήμην opt. 680¹. 794⁴, 2. 795³
καϑήκω (-ειν) II 475⁷; – ἐπὶ ϑάλασσαν II 472⁵
κάϑημαι (καϑῆσϑαι) II 270, 3. 429⁶. 431⁶. 475⁵; κάϑηται att. 680¹; κάϑηνται 773³; ἐκάϑητο 656³; ἐκάϑηντο 680¹; κάϑημαι ἀπορίᾳ II 155², 1; – ἐκ πάγων II 434⁶; – ἐπί τινι II 467²⁻³; – μετά τινων II 484¹; – παρά τι(να) II 495⁶⁻⁷; – πρὸς τὸ πῦρ II 510⁴; – ὑπὸ δένδρον ngr. II 523, 15; s. καϑήμην, καϑῶμαι
καϑημερινός II 481²
καϑημέριος II 481²
καϑῆραι φόνου II 93³
κάϑηρον II 83¹
*καϑησῑμᾶν 794, 2
καϑήσομαι 680². 782⁵
καϑῆστο 656³
καϑῆται conj. att. 680¹. 792⁶
καϑῆτο ipf. att. 680¹
καϑηῦδον 656³
*καϑηφής II 475²
καϑϑέμεν selin. 316³
κάϑϑηκε äol. 652². 656⁴
καϑίγνυμαι 697⁶, 9
καϑίγνυμι 690², 2
καϑιδρύω II 476³
καϑιεῖν II 295⁶
καϑιερόω II 476³; -ιεροῦν infin. att. 808¹
καϑίζεσϑαι II 363⁸
καϑιζήσας 737⁴. 752³
καϑιζήσομαι 716¹. 737⁴
καϑιζήσω fut. 783²

καϑίζω (-ειν) 656³. 785⁶. II 76⁸. 395⁸. 429⁶; ἐκάϑιζον 656³; ἐκάϑικα aor. ngr. 764²; καϑίζω τινὰ c. ptc. II 394⁶; s. καϑιεῖν, -ιῶ, -ίσω
καϑίημι II 475⁶
καϑίετο II 475⁷
καϑικμαίνω 829⁵
καϑιν kypr. 652, 1
καϑίννυμαι Hippokr. 697⁶, 9
καϑίνυμαι 697⁶, 9
(κάϑισαν) 653, 2
καϑιστᾶ conj. ark. 792³
καϑίστᾱ imper. 687¹⁻³. 799³
καϑιστᾶει conj. böot. 792⁶
καϑίσταμαι II 273⁵. 624⁴; – c. gen. II 132⁵; – εἰς ζυγόν II 434²; – εἰς πενίαν διά τι II 454³
καϑιστᾶν eret. 687⁶
καϑιστάνειν 698³
καϑιστανόμενοι 698³
καϑιστάντων II 342⁵
καϑίστᾶσι Hippokr. 687⁵
καϑίστη imper. 799³
καϑίστημι II 395⁸. 475⁵; – τινα c. ptc. II 394⁶; – παράδειγμα II 396⁷
καϑιστίασις 829⁵
καϑίσω fut. 783². 785⁶
καϑιῶ fut. j.-att. 785⁶
καϑό II 479²
κάϑοδος II 475³
καϑοίμην opt. 680¹⁻². 794⁴
καϑολικός 498¹
κάϑομαι ngr. 668⁶. 680¹. 785⁶. II 270, 3. 431⁶; ἐκάϑου ipf. 680²
καϑοράω (-ῶ, -ᾶν) II 347⁶. 475⁶. 476³; – τινός τι II 106⁴; s. κατόψομαι, κατιδ-
καϑορῶμαι: καϑεωρῶντο II 269⁴
καϑόσον 625³
καϑότι II 479²
κάϑου imper. 668⁵. 680²
κάϑουσι 3. pl. 680²
κάϑουσαν 669¹
καϑρέφτης ngr. 268⁸. II 475, 0
κάϑυγρος II 475⁴
κάϑυδρος II 475¹⁻⁶
καϑύπερϑε(ν) 633². II 475⁴. 539¹⁻⁷⁻⁸. 540¹
καϑύπνιος II 481²
κάϑω fut. II 235¹
κάϑωμαι 680¹
καϑῶμαι conj. att. 680¹. 792⁶
καϑώς 633². II 428, 1. 479, 1
καί 299⁴. 594²⁻⁵. II 135. 185². 555⁴. 556¹⁻³⁻⁴. 567¹⁻⁴, 2–5 f. 569⁴. 573, 2. 629⁶. 633⁶. 634³. 688⁴. 706²; – c. ptc. II 390¹⁻²; καὶ – καί II 555⁵. 567³, 4. 574¹. 633⁶; ἅμα τε

– καί II 534⁶. 535¹; ἅμα
τε – καὶ ἅμα II 534⁶; καὶ
ἄρα II 564, 5; καὶ αὐτός II
211³; – γάρ II 560⁵·⁷; –
γὰρ οὖν II 560⁷; – γάρ τε
II 575, 2; – γάρ τοι II 560⁷;
καί γε II 561⁴. 567, 2; καὶ
δέ τε II 576³; καὶ δή II
563²·³; καὶ δὴ καί II 563²;
καὶ εἰ II 567⁴. 688⁵; καὶ
ἔμπας II 582⁵; καὶ λίην II
567⁴; καὶ μάλα c. ptc. II
390¹·²; καὶ μέν II 570²;
καὶ μὲν δή (καί) II 563²;
καὶ μέντοι II 582¹; καὶ
μόνος II 567⁴; καὶ νά ngr.
II 576, 1; καὶ ὅς 611¹; καὶ –
οὖν II 585²; καὶ οὗτος II
209⁵; καὶ πάνυ c. ptc. II
390¹; καί περ II 389⁶; καὶ
πρός II 424³·⁴; καί ρα II
559¹, 2; καὶ ταῦτα II 209⁵;
– – c. ptc. II 390¹; καί τε
II 576³; καί τοι II 567, 2;
καὶ τοίνυν II 582¹; καὶ
τὸ κάρτα II 567⁴; καὶ τότε
II 568²; καὶ ὧς II 390¹·².
577⁴; s. κα, καιε
*καῒ 401⁸
καιάδας 498, 13. 520¹
καίατα n. pl. 498, 13. 520¹
καιάτας 498, 13
Καϊάφας 162⁶
καίγω, -γομαι ngr. II 235⁵
*καιδνός 698, 1
(*καιδνυται) 698, 1
καιε (= καί) 194⁶
καίειν; s. καίω
καιέμεν II 362⁶
καίεσθαι II 363⁷
καιέτα böot. 501³. 560¹
καιετοί 498, 13. 501²
*καίϜω 266²
Καικίας 543⁷
καιμεγιθες 800, 2
καινῆσαι = κιν- 828³
καίνομαι II 259⁴; s. κέκασμαι
καινός 271¹. 471⁵. 698, 1;
ἐκ καινῆς II 175⁶
καινοτομεῖν περὶ τῶν θείων
II 503⁴
καίνυται 698, 1
καινύτω Emped. 698¹
καίνω 326¹. 747⁶; s. κέκονα
καίομαι II 363⁷; – ngr. II
235²; s. ἐκαύθην, ἐκάην
καίπερ II 386⁷, 3. 387⁶. 567³,
2. 572¹·⁴. 688⁴, 2; – σκοτει-
νός II 405¹; – c. ptc. II
389⁶·⁷. 390¹·²·³
καιρία (πληγή) II 175⁶
καιρόν adv. II 70³
καιρός 472¹. II 623⁵; και-
ροί II 43⁵; ἐπὶ καιροῦ II

170⁸; εἰς καιρόν II 70³;
πρὸς καιρόν II 512¹; καιρῷ
'in tempore' II 158⁵; καιρός
(ἐστιν) II 308³·⁴
καιροσέων 103¹. 527, 2
καῖσαρ 156². 164⁸
Καῖσαρ 569⁴
κᾶιτα att. 402³
καϊτερῶ ngr. (thess.) 212⁶
καίτοι II 567³. 580⁴. 581⁶·⁷,
3. 582¹; – c. ptc. II 389⁸;
καίτοι γε, καίτοι περ II
582¹
καίτοιγε II 561⁴
καίω 266³. 273¹. 349². 705³.
714³. 781⁷; – ngr. II 235⁵;
– πυρί II 170²; s. ἔκαυσα
κακά II 43⁵. 79²; τὰ – II
175¹; τὰ ἀπ᾽ Οἰδίπου – II
446³; κακῶν ἄπ᾽ οὐδέν II
623⁴; κακά c. dat. II 153⁵;
κακὰ κακῶν II 116⁶; κακὰ
φρονέω c. dat. II 147¹
Κακαβιθω 278⁴
κακειμέναυ ark. II 473, 5; –
κατ᾽ Ἀλέαν II 476⁶
κακία 160⁵
κακιθής 347⁶
κακιότερος 539⁵
κάκιστος; s. κακός
κακίων 539¹
κακjά f. ngr. 586⁴
κακκαβίζω 315⁵
*κακκεε imper. 679³
κακκείοντες 679³
κάκκη˙ κάθευδε H. 679³.
798⁵
κακκριθεΐ II 239⁶
κακοδˑιμονέω 731⁵
Κακοΐλιος 453, 5
κακομηχάνου ὀκρυοέσσης 103¹
κακόν II 174⁶; s. κακά
κακόνους c. dat. II 144⁴
κακοξεινώτερος 534, 12
κακοπαθεῖν ὑπό τινος II 227²
κακός 423². 539¹. II 182⁷;
– c. dat. II 153⁵; – εἰμί τι
II 85⁸; κακὸ μάτι ngr. II
27⁶; κακῶν κάκιστε II 700⁵;
κακός subst. II 174⁷; s.
κακjά, κακίων, κακῶς
κάκου: τοῦ – ngr. 621⁵. II
137³. 582⁸
κακουργεῖν: τὸ μὴ – II 372¹
κακόω 727²
κακριθεε conj. ark. 792⁷. II
239⁶
κάκτανε 337⁸. II 473, 5
κακύνω 733³
κακχάζω 315⁶. 647⁴
κακχέω lesb. 407⁵
κακῶς II 412⁶. 414⁷·⁸; –
κακὸν ἀπολέσειαν II 700⁶; –
κλύω πρός τινος II 227¹; –

φρονοῦντες II 388²; – φρο-
νησεῖν II 376⁶
καλά adv. 621²; – ngr. II
12⁷; καλὰ καλά ngr. 621⁴
kal'a ngr. (Chios) 212⁷
κάλαθος 361². 511, 2
καλαΐς 645, 1
καλάμινθος 526⁵
κάλαμος 493⁶
καλαπόδι ngr. 438, 4
κάλάπους 438, 4
καλαρρύα 438, 4
καλάσηρις 438, 4
καλαῦροψ hom. 224⁴. 426³
καλέειν II 279⁴. 381¹
καλέεσθαι II 378¹. 382⁵; –
ἀπ᾽ Ὀλύμποιο II 446³
καλέσκε hom. 711²; -έεσκον
3. pl. 711². II 612²
κάλει II 341⁷, 3
καλείμενος nwgr. 92³. 642, 2
καλεῖν II 122⁶; – εἴς τι II
459⁴; – ἐπί τινι II 471⁴; –
ἐπὶ ξείνια II 472⁸; – ἐπί
τινος II 471⁴; – τινα παρ᾽
οἴνῳ II 493⁵; – τινα ὄνομα
II 80²·³
καλεῖναι infin. byz. 808³
καλεῖσθαι c. gen. II 131²;
– ὑπό τινος II 529⁵
καλέμαννα ngr. 585¹
*κάλεντι 682, 6
κάλεντον imper. lesb. 682, 6.
729². 803³
καλέομαί τινα ἐς.. II 460⁵;
καλεόμενος, -μένη II 408⁶·⁷;
s. κέκλημαι, κεκλήσομαι
καλέονθι böot. 664⁴
κάλεσα, κάλεσσα 682⁴
καλέσκετο Ilias 711⁴
κάλεσσα f. ngr. (pont.) 586⁴
καλέσσω fut. äol. 784³·⁶
καλέσωμεν καὶ τούτων II 102⁷
καλέχες˙ κατάκεισο kypr.
684⁶. II 473, 5
καλέω 682⁴. 703¹. 784². 841⁵;
καλέω fut. 784²·³; ἐκάλεσα
752⁴; s. κάλεσα
καλϜός böot. 223⁴. 472⁵. 539²
καλή 382¹
καλῄζω 716⁶. 735, 7
καλήμεναι infin. hom. 806⁵
κάλημι lesb. 807⁷
κάλημμι 682, 6
καλήν infin. kret. 807³·⁶
κάλην infin. lesb. 807⁷
καλήσθαι lesb. 729²
καλήτωρ 531, 7
Καλιθερίς böot. 447, 6
Κακικλῶ 447, 6
κάλιον 539²
καλίον ἀντὶ μαιτύρον II 443¹
κᾶλίς 292³
καλιστρέω Kallim. 706⁵

κάππεσε hom. 316⁷; – θυμός
c. dat. II 147⁵
καπράω 731⁵
κάπρος 293¹. 417, 1. II 31³
καπρώιζεται syrak. 736⁴
κάπτω 343⁵. 705¹
καπυκτά 496, 6
καπυρός 482³
κάπυς 463⁵. 516⁴
Κάπυς 463⁶
(*καπυσϳω) 724⁴
κάπφαγε 407⁶
κάρ hom. 583⁵·⁶; καρός gen.
584⁶. II 52¹; ἐπὶ κάρ 583⁵.
625²; ἐν καρὸς αἴσηι 569³
Κάρ 250⁵. 569³; Κᾶρα acc.
569³; Κᾶρες 250⁵. 425²
κάρᾱ n. 514⁴. 583⁴. 724⁶. II
37, 7. κάρᾳ dat. Aesch.
583⁷; κάρα', κάρᾱ pl. 583⁵;
κάρα c. gen. II 122²
κάρα f.: τὴν κάραν II 37, 7
καράβι ngr. 578²; – τοῦ
πολέμου II 122⁴
καράβιον 164, 2
καρᾱδοκεῖν 583⁵
κάραννα 520⁵
κάρᾱνον 343⁷. 362⁴; -α 489⁶
κάρᾱνος 583⁵
*κάρασα n. pl. 583⁵·⁶
*κάρασνον 343⁷; -α pl. 583⁵
*κάρασνος 583⁵
*καρδαμάμωμον 263⁵
κάρδαμον 494¹
καρδαμύσσω 334⁴
καρδάμωμον 263⁵
καρδίᾱ 187⁶. 243³. 342⁵
καρδιογνώστης 427⁵
καρδιωγμός 733⁵
καρδιώσσω Aristoph. 733⁶
καρδόπη II 28, 1. 32, 4
κάρδοπος II 28, 1
Κάρες 250⁵. 425²
κάρη f. II 37, 7; κάρην acc.
Kallim. 583⁵; s. κάρη n.
κάρη n. ion. 583⁴·⁵·⁶; κάρη-
τος, -τι 583⁴; κάρη dat.
Theogn. 583⁴; κάρη κο-
μόωντες 148, 1. II 430⁶
καρη- aor. pass. 759⁶
κάρηαρ 519⁴. 520¹. 583⁴;
καρήατος, -τι, -τα 583⁴
καρηβαρεῖν 190². 583⁵
καρηκομόωντες 386⁴. 446²;
καρκάρη
καρῆναι 342⁴
κάρηνον, pl. -α 583⁵
Κάρησος 395⁴
καρθμός 334⁴
Καριθαῖος 269¹
Καρινδᾶν 510¹
καρκαίρω 647². 725²⁻³
καρκίνος 292³. 490⁶
Κάρνεια II 607⁷

Κάρνος 79³
κάρνοψ 299¹
κάρπασος 157⁸. 516⁸
καρπευσηται fut. her. 786⁴
καρπός 302². 459³
Καρπούρνιος 213²
καρποῦσθαι ἐλευθερίαν II
708³
καρρέϝει 224⁵
καρρέζουσα II 475⁶
καρρη 155³
κάρρων dor. 284⁵. 285³. 337⁸.
538¹
κάρσιος 466⁶
κάρσις 505, 4
*κάρσσων 318, 2. 337⁸
*κάρσων 337⁸
κάρτα adv. 342⁵. 622⁵. II
413⁸. 628⁴
καρταῖπος n. kret. 580, 6
καρταίπως 580, 6
κάρταλος 292³. 351⁷
καρτερέω 726⁴
καρτερός 342⁵. 482²; -ὸν
ἔμεν c. gen. II 131¹
καρτερῶ (-εῖν) II 296⁴; –
εὐεργετούμενος II 393¹
Καρτι- 448, 2
*καρτϳων 284⁵. 320⁶. 337⁸
καρτονανς acc. pl. kret. 563⁴
*καρττων 318, 2. 320⁶. 337⁷·⁸.
538¹, 2
καρτύνεσθαι 733³
κάρτων kret. 318, 2. 320⁵.
337⁸. 538¹, 2
καρυήματα 523⁴
κᾱρυκεϝῑ̃ο böot. 468²
κᾱρυξ 346⁵. 496⁴
Κάρυστος 66³·⁴
κάρφος 334⁴
κάρφω 685²
Καρχᾱδών 187³. 530²
κάρχαρος 423²
Καρχηδών 187³
καρχήσιον 470³
κας ark. kypr. 88⁶. II 567¹,3;
κάς παι kypr. II 579, 6; s. κα
κάς 402⁴
-κάς suff. adv. 630, 4. II
474, 7
κασαληγὸν lak. (H.) 746, 5
κασαλβάς 507, 7
κασᾶς hell. 562³
κασέν lak. 625, 5
κασῆς hell. 562³
κασίγνειτος thess. 360⁴
ΚΑΣΙΓΝΕΤΗ 186¹
κασίγνητος 106⁷. 270⁸. 360⁴;
κασιγνήτω II 35, 1
-κασιοι ark. 593¹
κάσις 462⁵. 504, 3. 637, 1
κάσκανα 300, 1
κασκάνδιξ 260⁸
κάσμορος 281⁷. 310⁶. 321⁸

κάσουμι ngr. (kappad.) II
270, 3
κασπολέω lesb. (= καταστα-
λῶ) 344⁸. 785¹
Κασσάνδρη 634⁶
Κάσσανδρος 442, 6
κασσίτερος 61⁸. II 34, 4
*κασσμορος 310⁶
Κάσσμος att. 208⁴
κασσύω 300, 1. 321¹. 498, 9.
686³
Καστιάνειρα 442⁷, 6
*Καστϳανδρος 442, 6
κάστον 503³
καστορνῦσα hom. 698⁵. II
473, 5. 475⁵
*-καστός dor. 344⁴. 591⁴
καστρήσιος 287³
κάστωρ 156⁴. 635²
Κάστωρ 531, 4; Κάστορος
βίη II 122¹; Κάστορε II
51, 1
κάσχεσθε II 473, 5
κατ praep. 82⁴. 407⁴·⁵·⁶. II
473⁵. 567, 3; κὰτ ἀντικρύ
633³
κατ' praep. II 420, 1. 473⁵;
– ἄκρας II 480⁶·⁷; – ἄκρης
618⁷. II 480⁶·⁷⁻⁸; – ἄνδρα
630⁴; *κατ' ἄντες 547⁸; –
ἀρχάς II 478³; κατ' αὐτόθι
II 420, 1; κατ' εἰ δέ τι II
563, 6; τὸ κατ' ἐμέ II 417²;
κατ' ἦμαρ II 478²·³; κατ'
οὐδέν II 477⁷
κατά praep. 58⁵. 551¹. 622⁵·⁶.
629⁴. 635, 4. II 68³. 268²·³.
418¹. 419⁴. 421⁶. 422⁶·⁷.
425⁵·⁶, 5. 426¹. 431⁴. 432⁵.
433¹·⁶·⁷.435⁶.440³.473⁵,1 bis
481; – ngr. 623¹; κατά c.
acc. II 486¹; κατὰ αὐτά
264⁸; κατὰ γεωργόν II 42⁴;
κατὰ δύο 599¹; κατὰ ϝέος
lokr. 605, 1; κατὰ κράτος II
478¹; κατὰ κρῆθεν 625⁴. II
481, 0; κατὰ κρῆς 625³. II
480, 3; κατὰ μόνας 625³. II
175⁶; κατὰ πρόσωπόν τινος
II 477¹; κατὰ ῥόον II 433¹.
474²; κατὰ τάχος II 78²;
κατὰ τι II 477, 2; – – c.
adj. II 108²; κατὰ τί; II
479⁵; κατά τινα II 479²; τὰ
κατά τινα II 417²; κατὰ
βίω II 479⁷; κατὰ .. ἐέργνυ
II 476²; κατά .. . τεῖνεν II
476³; κατὰ μὲν φαγεῖν II
426⁴
κατα- compos. 436¹·², 1.
II 185, 2. 429⁴
κατά (= κατὰ τά) 264⁸
κᾱτα 387⁸. II 425³. 473⁵, 6
κᾱτα II 568²

κατάβᾱ imper. 798, 9
καταβαίνω II 273⁵. 475⁶;
  καταβήμεναι II 374⁶; κατα-
  βήσεται Hes. 788, 2; κατα-
  βήσεο 788²; καταβαίνω c.
  dat. II 140¹; – τοῦ ἵππου
  II 475, 0; – πρὸ γάμων II
  506⁷; – ὑπὲρ τοίχων νηός II
  520⁸f.; καταβάντε δόμον
  ἔθεντο II 612³; καταβήσεο
  δίφρου II 91⁸; s. κατεβή-
  σετο, ἑκατέβη
καταβαλεῖν: περὶ – II 366²
καταβάλλω (-ειν) II 284, 2.
  475⁶
καταβασίη 451⁶
καταβεβάων böot. 540⁵
καταβελής II 475²
καταβιβασσκέτω 707, 2
καταβιβρώσκω: κατέβρως
  743²
καταβλέει 259¹. 703³
καταβλέθει 676². 703³
καταβλέπω II 476³
καταβοάω II 476¹
καταβόστρυχος II 475¹
καταβρέχω II 476²
κατάγαιος II 481¹
κατᾱγείη 248⁷
κατάγειος II 481¹
καταγελάμενος 682²
καταγελᾶσθαι ὑπό τινος II
  240⁸
καταγελάω (-ᾶν) II 476¹; –
  c. gen. II 109³; – c. acc.
  II 109⁴; – εἴς τινα, τινί, ἐπί
  τινι II 109⁵
καταγηράσκω II 476²
καταγῆς II 475, 0
καταγιγνώσκω II 476¹
κατάγλωττος II 475²
κατάγνυμι II 476²; s. κατέ-
  αγα, -εάγην, -εαγώς
καταγνω conj. lesb. 792⁶
κατάγρεντον imper. lesb. 729²
κατάγυμνος II 474, 8
καταγύναιος gloss. 583³
κατάγυνος Aristot. 583³
κατάγω II 476¹
καταδαίω II 476²
καταδάπτω II 476²
καταδαρθάνω II 476²; κατε-
  δάρθην, καταδαρθέντα,
  -θόντα 759, 3; καταδεδαρ-
  θηκώς att. 774⁶
κατάδε 121². 264⁸
καταδεέστερον οὐδενός II 98, 3
καταδεικνύω II 285⁵
κατάδενδρος II 475²
καταδέρχομαι II 475⁶
καταδεύω II 476²
καταδέω II 270⁴. 474, 6.
  475⁵
κατάδηλος II 475³·⁴

καταδηνύω 699²
καταδίδημι 100⁴. 205, 4. 688⁶
καταδίδωμί τι c. dat. II 148⁶
καταδικάζομαι c. gen. II
  241²; κατεδικάσθεν II 282⁸
καταδικαξάτō II 130⁷
καταδίκη 460⁶
καταδίχιον siz. II 473, 5
καταδουλιζμῶι 217⁷
καταδουλι(σ)μός delph. 217¹
καταδουλίττασθη böot. 320⁶
καταδουλοῦν c. dat. 147¹
καταδούλωσις c. dat. II
  147²
καταδουπέω: s. κατέδουπε
καταδραθεῖν II 258³
καταδρομή 460⁵
κατάδρυμος II 475²
καταδῦναι II 93³
καταδύομαι II 475⁷; κατα-·
  δύσεο 788²·; κατεδύσετο 788³
κατειδώς lokr. 223⁵
κατείλυον 697²
καταείνυον hom. 697⁵. 698⁵
καταέννυμι II 474, 6. 476²
καταεσκεύασε 398⁶
καταέσσας H. 755¹
καταϜελμένος gort. 767¹, 3
καταϜέρξοδυ pamph. 788⁵
καταϜευμένος gort. 767, 3
καταζήνασκε 711⁵. 754³ (so).
  II 476²
καταήσεται 680⁶. 781⁶
καταθάπτω II 476²; – ὑπὸ
  κλαυθμῶν II 530²⁻³
καταθεάομαι II 476³
καταθέλγω II 476²
καταθένς kret. 566²·⁴
κατάθετε 2. pl. imper. 800²
*κατάθης 800²
καταθνήσκω II 268⁶·⁷. 476²;
  s. κατέθανε
καταθύμιος II 481¹
καταί 388¹. 448⁶. 548⁴·⁵. 622⁵.
  II 474, 4
καταιβαταί (θύραι) II 474, 4
καταιβάτης II 474, 4
καταιγίς II 475³
καταικίζω II 476²
καταινεῖν μετὰ οἴκτου II
  485³
καταίρω II 475⁷
καταΐσχεται hom. 397⁷
καταισχυνθῆναι II 374⁸
καταισχύνω II 476²
καταῖτυξ II 474, 4
κατακαέντα m. II 391²
κατακαιέμεν ἀμφί τινι II
  438⁵
κατακαίνω: κατέκανον 326¹
κατακαίω II 476²
κατακαλύπτω II 476²
κατάκαρδα ngr. 621⁴. II
  475, 0

κατακάρδιος II 481²
κατάκαρπος II 475²
κατακαυθῆναι (τοῦ) II 360⁶.
  371⁴
κατακείαθεν: s. κατεκείαθεν
κατακεῖαι infin. aor. 679⁴
κατάκειαι 668⁵. 679, 2
κατάκειμαι II 475⁵
κατακείρω II 246⁵. 476²
κατακείω hom. 789²; -κείο-
  μεν, -κείετε 679³. 788³
κατακεκαῦσθαι II 287⁷
κατακέκλᾱινται 671⁶
κατακέκλανται dor. 812, 1
κατακεκονὼς ἔσομαι II 290¹;
  – ἔσται 812⁶
κατακεκόψεσθαι II 289⁷. 376³
κατακέφαλα 621³. II 475, 0.
  481³
κατακεχύαται, -κεχύδαται
  672⁵
κατακῆαί μιν σὺν ἔντεσι II
  489⁵
κατακλάομαι: κατεκλάσθη
  hom. 761⁴
κατακλάω II 476²; κατέκλων
  ipf. 743¹
κατακλιεῖ fut. j.-att. 785⁶
κατακλιθῆναι II 363⁸
κατακλί νεσθαι ὑπό τινι II
  527¹
κατακλίνηθι 759⁵
κατακνησθείην μετὰ τυροῦ
  II 485⁵
κατακοιμάομαι II 476²; -κοι-
  μηθήτω II 342⁷
κατάκοιτος II 481¹
κατάκομος II 475¹, 2
κατακοντιεῖ Hdt. 785⁴
κατακόπτειν II 284, 2
κατάκου 'liege' 679³
κατακούω c. dat. II 145²;
  κατήκουσαν Πέρσηισι II 95⁴
κατακρεμάννυμι II 475⁷
κατάκρηθεν 625⁴. 628². II
  427⁷, 6
κατακρημνάμεναι 695², 1; s.
  κατεκρημναντο
κατ〉κρημνάομαι: κατεκρημ-
  νῶντο 695²
κατακρημνούμεναι 695², 1
κατάκρης 625³
κατακριμνάομαι: κατεκριμ-
  νῶντο 695²
κατακριμνούμεναι 695², 1
κατακρύπτω (-ειν) II 476²;
  – τινὰ ὑπὸ τὴν θύραν II
  530, 2; s. κατέκρυφεν
κατακτάμεν infin. hom. 806,
  6; s. κατέκταν
κατακτάς ptc. hom. 740⁴
κατακτείνω II 476²; κατέ-
  κτονα II 264⁵
κατακύπτω II 475⁷

κατασταθείς πρός τῆι κωμο-
γραμματείαι II 513⁷
καταστάς ὑπό τινος II 227¹
καταστασάντων II 342⁴
καταστασεῖ II 130⁷
καταστέγασμα τῆς ὀροφῆς II
619¹
κατάστεγος II 475¹
καταστῆναι ὑπό 757⁴; – πολέ-
μιον ἀντὶ φίλου II 443³; – ἐν
διαφορᾷ II 161²
καταστῆσαι (ναῦν) II 71⁷
καταστήσας σ. δωρεὰν Μακε-
δονίας II 92³
καταστορέννυμι II 475⁵·⁶
καταστρέφομαι: -στρεψάμενος
II 390⁶; κατεστραμμένος
ἔσομαι II 290²
καταστροννύει 699²
καταστύφελος II 475³
κατασφάξαι II 363⁵
κατάσχε imper. 800¹
κατασχεῖν II 363³
κατασώχω (-ειν) 211⁶. 340⁴;
-σωχόμενον II 79⁷
καταταγῆν infin. 808³
κατατεθνήκᾶσι 774⁴. II 269¹
κατατεθνηώς II 269¹
κατατεμῶ καττύματα II 79³
κατατέτμηται τὰς ὁδούς II 79³
κατάτεχνος II 475²
κατατήκω II 476²; -τήκομαι
ἦτορ II 85³
*κατατηφής 511, 6
κατατίθημι II 475⁶; – τί τινος
II 127⁸; – τι ἐκ II 463¹;
– ἐπί τινος (τινι) II 470²;
s. *κατέθην
κατᾱῦθι 633²
καταυλίσθητε 760, 6
καταφαγᾶς 632⁶
καταφαγεῖν 806⁶; – c. acc. II
103³
καταφαγῆμεν infin. 806⁶
καταφάγομαι fut. Dem. 780⁴
καταφερής II 475²
καταφέρω II 475⁶
καταφεύγω (-ειν) II 269⁴.
272²; s. κατέφυγον, κατα-
πέφευγα
καταφθείρω II 476³; -φθειρώ-
μεσθα 670, 3
καταφθίνω II 476²; -φθίσθαι
σύν τινι II 489¹; s. κατέ-
φθισο
κατάφοβος II 475²
καταφρονέω (-εῖν) II 476¹;
– c. gen. II 109³; – c. acc.
II 109⁴·⁵
καταφυγεῖν εἰς II 434⁴; s.
καταφεύγω
καταφυγὴ ἐν II 434³; – παρά
τινα II 495¹
καταφύγη II 388⁶

*κατάφυλα 626⁵
καταφυλαδόν 626⁴⁻⁵. 632⁵
κατάφυλλος II 475²
κατάχαλκος II 475¹
κατάχαμα ngr. II 475, 0
καταχείριος II 481²
καταχέσονται 781⁷
καταχέω (-ειν) II 475⁷; – τι
c. loc. II 155⁷; – μύρον κατά
τῆς κεφαλῆς II 479⁸; κατα-
χεῖται κατά τῆς χειρός II
479⁶
καταχθόνιος II 481¹
καταχρῆσθαι II 167⁵
κατάχρυσος 435⁵. II 475¹
κατάψασις delph. 505³
καταψηφίζομαι pass. II 241¹;
καταψηφισθῆναι II 239⁷;
καταψηφίζομαι c. gen. II
131⁶
κατάψυχρος II 475³·⁴
καταψύχω ὑπὸ τὸ δένδρον II
531⁶
κατέᾱγα 188². 770³
κατεάγην τὴν κεφαλήν II 85¹
κατέαγμα 656⁵
κατεαγυᾶ att. 199⁶
κατεαγὼς ἔσται II 290²; κατ-
εαγότα τὴν κλεῖν II 85²
κατεάξαντες 656⁵
κατεάσσω 656⁴
κατέαται, -το ion. 671³. 679⁵
κατεάχθη pass. 759²
κατέβα (τὸ) ngr. II 27⁵
καταβάζω ngr. II 475, 0
καταβαίνω ngr. 656⁸. II 475,0;
κατέβη, κατέβηκα ngr. 764¹;
s. κατεβῶ
κατεβήσετο 788³
κατέβρως 743²
κατεβῶ conj. ngr. 764¹
κατεδάρθην spät 759, 3
κατέδειν II 388⁶
κατεδικάσθεν II 282⁸
κατέδουπε Anth. P. 747¹
κατεδύσετο 788³
*κατέϜᾱγα 188²
κατέϜοργον kypr. 223⁵. 653⁴.
684³. 747⁶. 777, 6
κατεζήνασκε: s. καταζ-
κατέθανε II 268⁶
*κατέθην 741⁵, 6
κατέθιιαν kypr. 88⁶. 665⁶;
– ἰ(ν) τὰ(ν) θιόν II 459, 2
κατέθισαν kypr. 666¹, 1
κατειβόμενον II 408⁶
κατείδωλος II 475²
κατειληθέντων (sc. αὐτῶν) II
400⁷
κατείλοχε 649⁷
κάτειμι II 475⁶. 476¹
κατειπάτω ἁγνῶς πρὸς τοῦ
θεοῦ II 516³
κατείπει conj. ion. 791²

κατειργάθου Aesch. 703⁴
κατειρύσθαι II 375⁸
κατείρυσται Od. 773⁴
κατείρων (= καθιεροῦν) lesb.
808¹
κατέκανον 326¹
κατεκείαθεν (so) H. 679⁴. 703⁴
κατεκλάσθη hom. 761⁴
κατέκλων ipf. Ilias 743¹
κατεκρημνάντο 695²
κατεκρημνῶντο 695²
κατεκριμνῶντο 695²
κατέκρυφεν Qu. Sm. 747⁵
κατέκταν Ilias 740⁴. II 285³
κατέκτονα II 264⁵
κατεκτός 633²
κατέλεγε χρησμῶν II 102⁷
κατέλεκτο II 475⁷
κατεληλευθυῖα ptc. kyren.
769, 5
κατελθεῖν ἐπί τινα II 472⁸;
κατελθόντος τοῦ ποταμοῦ II
399⁶; s. κατήλθομεν
κατελίππανεν 699⁶
κατεμίγνυντο 699¹
κατεμιγνύοντο 699¹
κατέναντα hell. poet. 633¹.
II 548⁷. 549¹·⁶
κατέναντι LXX 633¹. II 548⁷.
549²·⁶
κατεναντία II 549⁶
κατεναντίον Ilias 633¹. II 477³.
548⁷. 549¹·⁴·⁵; – τῆς ἀκρο-
πόλιος II 97²
κατένειμε μέρη II 79³
κατένειψε att. 414⁵
κατενέχει conj. thess. 745¹
κατένηρα spät 748³
κατένωπα 633². II 419³. 477³
κατενώπιον LXX 633²
κατέπαιξα pap. 738²
κατεπάλμενος II 475⁶
κατεπάνω II 475, 0; ὁ – mgr.
633, 2
κατεπείγω: κατήπειγον 656³
κατέπηκτο hom. 758⁶
κατεργάζομαι II 398⁶
κατεργνῦσι Hdt. 698⁵
κατέρεξε II 475⁶
κατέρηξεν pap. 311³
κατερήριπεν Ilias 771³. 777, 2
κατεριπεῖν ὑπό τινος II 529¹
κατερρηγότες 541¹
κατερρύκανε hom. 700¹
κατέρχομαι II 475⁷; s. κατελ-
θεῖν, κατηνθηκότι
κατέσκαπτον [so] II 530²
κατεσκέβασα, -έουασαν 198³
κατεσκίασον Od. 725⁶
κατεστραμμένος ἔσομαι II
290²
κατέσχα aor. 753⁷
κατέσχετο ἔρωτι Eur. 757²
κατευνάζω II 476³

κατευνάω II 476²
κατεύχομαί τι c. dat. II 147³
κατέφθισο 668⁶
κατεφραγήσατο 217²
κατέφυγον II 269³
κατέχης 660, 9
κατέχομαι; s. κατέσχετο
κατέχω II 347³. 476³; ώς
κατέχοντες II 391⁷; s. κατ-
έσχα
*κατΓάξαις 407⁵
κατηγεῖσθαι II 169¹
κατηγορῶ (-εῖν): – τινος εὖ
φρονοῦντος II 393³; – τινος
κατ' ὀφθαλμούς II 477³;
κατηγορεῖ δὲ τίς; II 628, 1
κατήγωρ hell. 458⁴. 569²
κατῆιεν 3. sg. 674²
κατήκοος II 95⁴; – c. dat. II
145²
κατήκουσαν Πέρσησι II 95⁴
κατήλθομεν Οὐλύμποιο II 91⁸
κατήμενος 206¹
κατήν 264⁸
κατηνθηκότι ark. 775¹
κατήνοκα H. 647⁶, 7. 766⁴
κατήπειγον 656³
κατηρεφής II 475²
κατηρρειμμένον ther. 771³
κατηρτῦκώς att. 774⁵, 9
κατῆτος 621²
κατηφέω 724³
κατηφής 511,6. 513³. II 475²,2
κατηφιάας 104, 4
κατηφόνες 487²
κάτθανε 652². II 268⁷. 285⁴
κατθανεῖν II 360⁵
κατθάνην II 370³
κατθάψαι II 363²
κατθέμεθα Od. 741²
κατθέμεν Od. 806, 4
κάτθεμεν Od. 741²
κατθέσθην Od. 741²
κάτι ngr. 617⁵
-κατι du. 592¹
κατιαραίων el.(= καθιερεύων)
728²⁻³
κατιαραύσειε el. 198⁴. 274⁸.
728³. 797¹
κατιάς 508²
κατίγνειτος thess. 90⁷. 106⁷.
270⁸
κατίδετ(ε) II 422⁶
κατιλλώψας Aesch. 733⁷
-κάτιοι nwgr. dor. böot. 593¹
κάτισο 204⁸
κατισταίη 221¹
κατίσχεται 397⁷
κατίσω fut. ion. 785⁶
κάτιτι ngr. 617⁵
*κατκτανε 337⁸
κατό '100' ngr. 592, 5
κατό: κατὸ δίκαιον lokr. II
473, 5

κατόδες pl. ngr. (kappad.)
592, 6
κάτοδος 206¹
κάτοιδα II 476³
κατοικεῖν ὑπὲρ στήλας II 519⁴
κατοικείουνθι conj. thess.
666⁴. 729⁴. 792⁶
κατοικέντεσσι thess. 564³
κατοικεόντοις 564⁸
κατοικημένοι κατὰ κώμας II
477⁴; – πρὸς ἄρκτου II 515⁶
κατοικήντων lesb. 729²
κατοικίδιος II 481²
κατοίκισις II 140⁶
κάτοικος II 475³
κατοικτίρω II 272¹. 282²
κάτοινος II 475¹
κατομβρέομαι II 475²
κάτομβρος II 475¹
κατόν (< κατὰ τόν) 265⁵
*κατόν '100' 592⁴
κατόνοντο 655⁶; s. κατώνοντο
κάτοξυς II 475⁴
κατόπιν ion. att. 625³. II
540⁵. 541²
κατόπισθε II 540⁵. 541²
κατόπισθεν 633². II 427⁷
κάτοπτρον 299⁵·⁷. 532²
κατορθώσειν (τοῦ) II 369, 6
κατὀρρέντερον (γένος) ark. II
183⁵
κάτου ngr. 622⁴
κατουδαῖος II 481¹
κάτοχος 430⁶
κατόψιος II 481²
κατόψομαι II 292⁴
κάτροπτον att. 268⁶
(*-κατς adv.) II 474, 7
*katsju- 321¹
*κατσμορος 281⁷
Καττάνδρα 100⁴
καττιθεν infin. kyren. 807³
κάττίτερος 317⁸
καττόν dor. nwgr. 265⁵
καττύπτω lesb. 316⁷
κατύ ark. II 474¹, 4
κατύπερθε II 539⁸. 540¹
κατύπερθεν ion. 305³
κατυφρονῆσαι infin. ark. 808⁴
κάτω 550². II 475⁴. 533³.
536³·⁴·⁵·⁶·⁸; – ngr. 622⁴; οἱ –
II 415⁸; τὰ – II 416¹
κατω- compos. 632⁶
κατῶβλεψ 355⁶. 379⁶
κατώγαιος II 537²
κατώγειος II 537²
κατώδυνος II 475²
κάτωθε 628³
κάτωθεν 628³. II 536³·⁷. 537²
κατωθέω II 475⁶
κατωκάρα adv. II 536⁷
κατωμαδίς 631, 3
κατωμαδόν 626⁵

κατωνάκη II 536⁷
κατώνοντο 681²
κατώρης H. 632⁶
κατῶρυξ II 475³
κατώτατα II 536⁷
κατώτερος 534³; κατωτέρου
τοῦ Τ. II 114⁵
κατωτέρω II 536⁷. 537¹
κατωφαγᾶς 632⁶
κατωφερής II 475²
καυάξαις Hes. 224⁴. 407⁵
Καῦδος 207⁵
καυθη- 759². 761⁷
καυθμός 491¹
Καύκωνες 487⁷
καυλός 347⁵. 483³
καῦμα 523²
καυνακοπλόκος 38, 5
καύσομαι 781⁷
καῦσος 516⁷
καυστειρή 385³; -ρῆς 474⁴
καυτός 349²
καυχῶ kret. 212⁵. 269¹
καφετζῆς ngr. 455, 2
Κāφισός böot. 321²
κάφτω ngr. 705³
καφώρη 334⁴
καχάζω 315⁶. 647⁴
καχέκτης 706²
καχλάζω 647⁴. 649²
κάχληξ 497³
καχνάζω 647⁴
κάχρυς 495⁴; -ῦς nom. pl.
564¹
κάω att. 127⁸. 195⁵. 265⁸.
266²·³·⁴. 714³, 5
κε partic. 824. 85⁸. 88⁵. 106⁷.
299⁴. 405⁸. 619⁴·⁶. 627, 4.
629⁴. 641⁵. II 7³. 12³. 23².
304³·⁴. 305⁵·⁶, 1. 2. 4. 306¹.
313, 2. 413⁵. 555³·⁷. 556⁴.
558, 2. 568³⁻⁶, 2. 3. 7. 683⁵.
684⁸. 685⁶; ἐπεί κε II
659¹·⁶
*κέ 'hier' 804⁴
ke (= καί) ngr. II 567³
κε- partic. demonstr. 613¹·²,
2. II 554¹
-κε 3. sg. pf. 776²
κεάζω 683¹. 706⁸. 716⁷. 734³.
773⁵; s. κεκεασμένα
κέαθοι 518, 5
κέαντι att. 349²
κέαντος att. 245⁶. 745⁴
κέαρ 251⁴. 518⁵, 5
κέαρνα H. 491⁶
κεασθη- 761⁴
κεάσσεαι 752⁶
κέαται 671³. 679, 4; κέαται
3. pl. 679²; κέατο 671³. 679²;
κέατ' 679²; ἐκέατο 679²
*κεάων 683¹
Κεβρήν 487⁴
κεγχραμίς 494¹

κέγχρων 487¹
κεδαιόμενος 676⁵
κεδάννυμι hom. 334³
κεδασθη- 761⁴
κέδματα 208⁵
κέδρος 161⁵
*κεενος 613¹
κέεσθαι 679¹
κέεται ion. 679²
κέηται conj. 679². 791²
Κέθηγος 158⁶
κεῖ II 688⁵
κεῖ 613², 4. 619⁴. II 413⁵
κει- 674¹
-κει 1. sg. plusq. 776⁵. 778²
κεῖαι 2. sg. hom. 679, 2
κεῖαι infin. 679⁴. 808⁵
κείαται, -ατο 679²
κειέμεν 679³
*κειεσκ- 711⁴
κεῖθεν 613², 1
κεῖθι 613². II 157⁶
*κειμᾶ (?) 494, 1
κεῖμαι 679¹, 4. 775, 8. II 72, 1. 75⁷. 228⁷, 2. 229³; κεῖσαι 668⁵. 679¹; κεῖσθε 670⁴; κεῖνται 671⁶. 679², 4; κεῖντο 671, 5. 679², 4; ἔκειντο 679², 4; κείμενος 679²; κεῖμαι θέσιν II 75⁸. 76⁶; κεῖμαι ἐπί τῆ πυρᾶ II 466⁷; κεῖμαι εἰς ἀνάγκην II 434²; κειμένοιν δυοῖν καδίσκοιν II 607³; s. κεῖσθαι, κεῖται
-κειμεν 1. pl. plusq. 778¹
κειμήλιον 494, 1; -α κεῖται II 229³
-κειν 1. sg. plusq. 776⁵. 778¹
-κειν infin. pf. 806⁶
κεῖνος 613¹, 1. II 208⁶. 209³·⁴. 210²·³·⁷; - ngr. 614⁴; s. ἐκεῖνος
κεινός ion. 472⁴
κείνως 624¹
κεῖο 2. sg. hom. 679, 2
κεῖοι ark. 668⁵. 669³. 679, 3
κείοντες 424³. 679³. 789³
κεῖραι att. 285²
κείρομαι (-εσθαι) II 232²; κειρέσθω II 343¹
κείρω 334³. 715⁵. 751⁴. 759⁴. II 230⁴; ἔκερσα, ἔκειρα 751⁴; κεῖραι 285²
κ' εἰς (= καὶ εἰς) 402⁴
κεῖσθαι 679². 809³·⁴. II 227⁴. 236⁶. 277⁶. 367⁷. 368¹; - ἀπό II 434⁶; - πρὸς πέδῳ II 512⁷; - πρὸς βορέην II 510⁴; - παρ' ἀλόχῳ II 493⁶f.; - παρ' ὄχθας π. II 495²; - Μεγάρων II 506⁴; - ὑπὲρ λιμένος II 520⁷; - μετὰ νεκρῶν II 484¹; - μετά τινος II 485¹; - ἐπὶ ἐννέα πέλεθρα II 471⁷;

- κατὰ Σινώπην II 477²; - νόμον ἐπί τινι II 468⁵; s. κεῖμαι, κεῖται
κεῖσθω II 343²
κεῖσο imper. 668⁵. 679²
κείσομαι 782⁵; -σονται II 351⁵
*κεισω conj. 679⁴
κεῖται 292⁷. 347⁸. 355⁶. 679¹, 4. 680⁴. II 258³; - c. gen. II 132⁵; - τόπον II 76⁷; - ἐπί τινι 467⁴;-ἐπὶ χθονός (χθονί) II 469⁵; - ἐν θεῶν γούνασι II 457⁶⁻⁷
κεῖται 3. pl. 679, 4
κεῖται 3. sg. conj. 679². 791²
κειτάμενος ngr. 811⁴
κεῖτο 3. sg. 679¹. II 276³
κείτομαι, κείτεται ngr. 679³. 705⁴
Κειτούκειτος 131, 1. 454⁶
κειτούμενος ngr. 811⁴
κεῖτυι kypr. 669³
κείω 679³. 781¹. 782, 8. 789² (κείων) 683¹, 1
κειωνται 679², 3
*κεjαται 671³
*κεjε- 791²
*κεjεται 679²
*κεjι ἰόντες 789³
*κεjιτο opt. 794³
*κεjnτo 679²
κεκαδῆσαι H. 783⁴
κεκαδησόμεθ' Ilias 748⁷. 783³
κεκαδήσω 715¹. 738⁵; -ήσει 748⁷. 783⁴; - π. θυμοῦ II 93⁴
κεκαδμένος Pind. 773²
κεκάδοντο, κεκάδων Ilias 748⁷
κέκαρμαι 769⁵; -μένος II 405²
κεκάσθαι II 101⁴
κέκασμαι: κέκασσαι, κέκασται, κεκάσμεθα, κεκασμένος 773²; κέκαστο 698¹. 773²
κεκατήραμαι 650³
κεκαφηώς 770⁵
κεκεασμένα 773⁵
κεκέλευσμαι 773⁴
κεκέρασμαι 773⁵
κεκέρδαγκα,-ακα,*-ασμαι775⁴
κέκηδα pf. II 227⁷
κεκήν 302⁷; κεκῆνας 487⁴
κεκήρυγμαι 738⁷
κεκήρυχα 738⁷. 772²
κεκινδυνεύσεται II 289⁵
κέκλαγα dor. 748²
κέκλαγγα att. 692⁷. 748². 771⁵. II 264²
κεκλάγγω conj. 783⁶
κεκλάγξομαι 783⁶. 784¹
κεκλᾶγώς Alkm. 692⁷
κέκλαμμαι 769⁵
κεκλαυμένος 773⁴
κεκλαύσεται 783⁴
κέκλαυσμαι, -κλαυται 773⁴
κεκλεβώς 772⁴

κέκλετο 642¹. 748⁵
κέκληγα 699¹. 771⁵
κεκλήγοντες 540, 4
κεκληγώς 692⁷. 748²
κεκλημένοι εἰσί 812³
κεκλήιο opt. att. 795³
*κέκλητο opt. 795³
κέκλημαι 682⁴. 743². 770⁴; -ται 761⁷. II 237⁴
κεκλημένος εἴην II 321⁶
κεκλήσηι (κε) Ilias 783⁵. II 351⁵
κεκλῆσθαι ἐπί τινος 551³. II 470⁷
κεκλήσοιτο opt. 783⁵
κεκλήσομαι II 289³
κεκλίαται 671³
κέκλικα 775³
κέκλιται 649¹. 694⁴. 769⁴
κέκλιτο 761⁶
κέκλομαι 648¹. 690⁴. 749¹; κεκλόμενος 748⁵
κέκλοντο 748⁵
κέκλοφα 772¹
κέκλυθι 357². 747, 5. 804⁴, 4; κέκλυτε 776¹. 800, 6. 804⁴, 4; - μευ μύθων II 95³
κέκλυκε 747, 5. 799, 2
κέκμηκας 770³. 774³
κεκμηώς 770³
κεκομμένος φρενῶν II 93⁵
κέκονα 747⁶
κεκόνῑτο hom. 771⁴
κεκόπων äol. 772²
κεκοπώς hom. 772². II 264⁶
κεκόρεσμαι 773⁵
κεκόρημαι 770⁵. II 263⁴; κε-κορημένος 768³
κεκορηότε 708⁴. 768³
κεκορυθμένος 771¹. 773²
κεκοτηώς hom. 771⁴
κέκοφα, -φώς att. 772²
κεκράανται 771⁵; -χρυσῷ II 166⁸
κέκραγα 748². II 264²; -γε II 263²; κεκράγετε imper. 641⁷. 799²
κεκραγήσει H. 784²
κεκραγμός 423⁵. 492⁴. 784¹
κεκράκτης 500¹
κεκράμαι 770⁴; -ται 360²; -νται 672, 1; κέκρανται συμφοραί II 608⁴
κεκράξομαι 784¹; -ξεται [so] 626⁶
κεκράχθι 641⁷. 799². 800, 8; κέκράχθ(ε) 800,8
κεκρῑγα II 264²; -γότες ptc. 716³
κέκρικα 775³
κέκριμαι: - ται 761⁶. 770¹; -νται 671⁶; ἐκέκριντο 671⁶; κεκριμένος 694⁴. 761⁶
κεκρύφαλος 423⁵

κεφαλαργία 258⁶
κεφαλᾶς 461⁶
κεφαλή 70⁸. 483⁶; τῆς κεφαλῆς 102, 2. II 112, 1; κεφαλῆς ἄπο II 430⁵
κεφαλῆφι 550⁶; -φιν II 173¹
Κεφαλλάνεσσι ostlokr. 564³⁻⁴
Κεφάλλει nom. sg. böot. 580⁶
Κεφάλλιος gen. böot. 580⁵
Κεφάλων 154²
*κεχαδ- 748⁷
κεχάνατι dor. 665³
κέχανδα 769⁴; κεχάνδει Ilias 777, 11
κεχάρηκα 774⁶
κεχάρημαι 770⁵; -μένος 768³
κεχαρησέμεν fut. 748⁶. 783³
κεχαρήσεται Od. 783³
κεχάρητο Hes. 777, 2
κεχαρηώς 759⁴. 770⁵. 774⁶. 777, 2; -ότα 714⁴. 768³
κεχαροίατο (κεν) II 329⁴
κεχάροιτο 748⁶
κεχάροντο 649². 748⁶. 759⁴
κεχείμανται 3. pl. 672, 1; – φρένες II 608³
κεχεσμένος 716¹
κέχηνα 771⁵; ἐκεχήνη altatt. 778¹; κεχήνετε imper. 799²; κεχηνότα 694³
κεχλάδειν infin. Pind. 807³
κεχλάδων II 612³; -δοντας540⁵
κεχλιδώς 702⁶
κέχοδα 716¹. 769⁴
κεχολώατο hom. 672¹
κεχολώσεται 783⁴; – κεν II 351⁴
κεχόλωσο hom. 777²
κεχόλωται 771⁴
κέχονδα 358⁶. 769⁴, 11. 781⁶; κεχόνδει 699⁵. 748¹. 777, 11
κεχορηγηθέντι 762²
κέχρηται 770⁵
κέχρῖμαι 773³
κεχύδαται 773, 1
κέχυται 770¹. II 237⁴
κέχυτ(ο) II 289¹;–κατὰ σπείους (ὀφθαλμῶν) II 479⁵·⁶; s. ἐκέχυντο
κεχωρίσθαι ἄ. γυναικῶν II 93⁴
κέων 679³
κεῶν 683¹, 1
Κέως 349, 1
κϜ 314⁵. 317¹. 332²
κῆ lesb. 550². 613², 4. 619⁴. II 157⁶. 413⁵
κὴ böot. (= κὴ ἢ) 401⁸
-κη 1. sg. plusq. 776⁵. 778¹
κῆαι opt. 745⁴
κῆαι infin. 745⁴
κηάμενος hom. 745⁴
κήαντες ptc. hom. 745⁴
κήαντο hom. 745⁴
*κήαντος 745⁴

κῆδαρ 519¹
κήδεα ἐμὰ θυμοῦ II 180⁶
κηδεμών 522³
κηδεύειν καθ᾽ ἑαυτόν II 479¹
κήδιστος 539¹
κήδομαι (-εσθαι) II 108⁷. 109¹. 227⁷. 364³; κήδετο 651⁶; κέκηδα pf. II 227⁷; ἐκεκήδει Η. 770³; κήδομαι c. gen. II 109³; – περί τινος II 109⁵. 502⁷
κήδω 685³. 748⁸. II 227⁷
κῆϜᾱ 459⁷, 7 (*κηϜος) 349, 1
κῆθι Sapph. 628⁵
κήθιον 268⁴
κηθοί 830³
κήια 349²
κηκάς 508¹. II 242²
κήκιε hom. 727⁴
κηλέω 720², 7
κηλέωι hom. 484²
κήλη 483⁵
Κηληδόνες Pind. 529⁷. 720²
κηλήνη 490⁴
κηλίς 465⁴
-κῆμεν infin. 806⁵
κήνοθεν lesb. 628²
κῆνος lesb. dor. 613¹
κηνούει Η. 630, 6
κηνούει adv. 622³
κῆνσος 165³. 287³
κήομεν conj. hom. 745⁴
κῆον imper. 745⁴
κήπειτα dor. 402³
κηπεργός 438⁶
κηπί dor. 402³
κῆπος 153¹
κήπτρω (= σκήπτρω) 102⁵
κῆρ 'Herz' 251⁴. 279⁸. 292⁷. 377⁷. 385². 408⁸. 424². 518³. 569³. 731, 1. II 30¹. 192, 1; – c. gen. II 122¹
κήρ f. (dat. κηρί) 584⁶; κῆρες 569³
κηραίνω 518³
*κηρδ 279⁸
κηρέσιον 466⁵
κηρεσσιφόρητος 446²
κήρινθος 510⁶
(*κηρο-) 630, 6
κηρόθι 551, 6. 628⁵
κηρούει· ἐκεῖ kret. Η. 200¹. 630, 6
κηρόφι Η. 551, 6
*κηρτ 512, 3
κήρτεα n. pl. 512, 3. 518³
κηρυκικός 289⁷
κῆρυξ 391⁶; κήρυκε II 48⁵; κήρυκεσσι hom. 564⁴
κηρύσσομαι; s. κεκήρυγμαι, ἐκηρύχθην
κηρύσσω 725⁴. II 284³; κηρύξω fut. 781³; κηρύσσω c.

dat. II 147³; s. ἐκήρυξα, κεκήρυχα
κηρύττω att. 738⁷. 815⁴
(κήσκετο) 679, 4
Κησορῖνος 287³
κῆται conj. 679². 791²
κητήνη 490⁴
κῆτος n. 513¹. II 36⁷
κητώεις 527⁵
κηυαν delph. 349²
*κηυμι 745⁵
κηφήν 487⁴. 569³; κηφῆσι 569²
Κηφισός 61¹. 321². 395⁴. 554⁶
Κηφισσός 554⁶
κηψηθθαι (= καὶ ἕψεσθαι) 786⁴
κηώεις 527⁵
κθαρ¹ ngr. (dial.) 335⁴
κι n. pron. thess. 616⁵
κί ngr. (= καί) II 270, 3
'κί ngr.(pont.) II 592, 2. 593⁴
κι- 'hic' II 208⁶
-κι suff. adv. 82². 299²·³. 409⁸. 616⁵. II 569¹. 575¹
κι ἄν ngr. II 319⁶
κίας acc. pl. 571¹
κίασθαι 681, 7
κίαται kret. 679². 681, 7; s. ἐκίατο
κίββα 830⁵
κίββᾶλος 484³
κίβδος 508⁷
κίβισις 462⁵
κιβωτίω du. II 49⁵
κιβωτός II 34, 2
κιγκλίς 275⁵
κίγκλος 275⁵
κιγκρᾶ· κίρνα Η. 689¹
κίγκρημι 688⁵; – τι 689¹
κιγχάνω att. 688⁷, 5. 689⁴. 698³. 700¹
κίδαφος 495⁵
κίδναμαι hom. 334³
κιδνόν· ἐνθάδε kypr. 613⁴⁻⁵. 632³. II 592, 6
κίε imper. hom. 747³. 799²
κιε/ο- 747³
κίειν πρόσθε ὑπ᾽ αὐλητῆρι II 527¹
Κιέριον 300²
κιθάρᾱ 62¹. 459⁶
κιθαραοιδότερος 536²
κιθαρίδδην: τὸ καλῶς – II 370²
κιθαρίζω 736³; κιθάριζε 735⁵; κιθαρίζω c. dat. II 152¹
κίθαρις 385⁶. 462⁶
κίθαρος 482³
κιθών ion. böot. hell. 121³. 268³
κίκκα 315⁵
κικκάβη 315⁵
κικλήισκω 709⁵. 710²

κικλήσκω hom. poet. 709⁵.
710²; -ουσί με Οὖτιν II 83⁶
Κίκονες 487²; Κικόνων πτο-
λίεθρον II 122¹
κίκρημι 688⁵
Κικυννοῖ 549⁷
κῖκυς 463⁵
(*κικχάνω) 688, 5
(*κίκω) 688, 5
Κίλικες 425²
Κιλικία 162⁵
Κιλίκιος 289⁶
Κίλισσα 318⁷. 319³; ἡ – II 42¹
κιλλίβᾱς 448². 526³
kimaréngu tsak. 94¹
κιμβάζω 298⁶
κίμψαντες 334⁴
-κιν adv. 82². 409⁸. 616⁵
κινάβρα 350⁸
κίναδος 509¹
κιναθίσματα Aesch. 703⁴
*κινακjω 733, 4
*κινᾰμι 733, 4
κίνδαξ 692⁵
κίνδαφος 334⁴
κίνδῡν 440, 2
κίνδῡν- 458⁴
κινδυνεύεται pass. II 239⁸.
240⁶; κεκινδυνεύσεται II
289⁵
κινδυνεύω (-ειν) τῇ ψυχῇ II
151⁵; – τῶι ζῆν II 370⁷; –
περί τινι II 501³·⁴
κίνδυνι dat. sg. 488⁵
κίνδῡνος 335¹. 426³; – μή II
675⁸; – ἔρχεταί τινι ὑπό τι-
νος II 529⁴; κίνδυνος κιν-
δυνεύεται II 74²
κινεῖν II 364⁴
κινεῖσθαι II 377²
κινες thess. 616³
κῑνέω 696²
κῖνη imper. lesb. 798⁵
κῑνήθη 696². 760⁴
κινηθῆναι II 239²
κινήσαντες τῶν 'Ολ. χρημά-
των II 102⁷
κίνησε 696²
κίνησις c. instr. II 166⁶
κινησῶ 786⁶
kini tsak. (= τιμή) 309⁶
κιννάβαρι 315⁸. 462⁵
κίνναμον 494¹
κιννάμωμον 315⁸
κῑνύμενος, κίνυντο hom. 696²
κινύρα 459⁶
κινύρομαι 725³
κινύσσομαι Aesch. 696². 716⁷.
733⁵, 4
κίνυται 681²
κίνχρητι kret. 689¹
κινῶ 478⁴
κινῶν ἄνδρ' ἀνήρ II 617¹
κινώπετον 278⁴

10 H. d. A. II, 1, 3

κιξάλλης 318⁴. 484¹
κίξαντες, κίξατο H. 688, 5
κιόκρᾱνον 262⁸. 440, 4
κιόλας ngr. 631⁵
κιοναν acc. 'thess.' 563³
κιονηδόν 626⁵
κιόντες ἐς σκοπιήν II 459⁶
κῖός gen. sg. 571¹
κίρκος 239¹. 267⁵. 423⁶; –
ἐλαφρότατος πετεηνῶν II
606⁴
κιρνᾰ- 695¹
*κιρναᾶσι 665⁴
κιρνᾶι Hdt. 695¹
κιρναίην 795⁴
κιρνᾶν 695²; ἐν δὲ κίρναις
οἶνον II 426⁵; s. ἐκίρνᾱ
κιρνᾶσι 665⁴
κιρνέαται med. 672². 695¹
κιρνη- 695¹
κίρνημι 351². 352⁴. 693². 695⁴
κιρνῶν 695²
Κίρφις 239¹. 334⁴. 352⁸. 462⁶
κίς (κις) thess. 907. 299²·³.
616¹. II 644²; κίς κε 617¹
κίς m. 350⁶. 571¹; κῖς 378².
424². 463⁶; κῖν acc. 571¹
-κις suff. adv. 82². 299²·³.
409⁸. 616⁵
Κίσαμος 494¹
κίσηρις 462⁵
κίσκε thess. 299²
κίσσα 302³. 474³
Κίσσαβε ngr. II 62, 1
κίσσηρις 464⁴
κισσηρός 483¹
Κισσης m. 575⁶
Κίσσος 638, 7
κισσύβιον 316¹. 470³
κίττα att. 320⁷
κίττανος 302¹
Κιττός 121⁴
κιττώ 479³
κιττῶ τινος II 105²
*κιχανϜω 698³
κιχάνω praes. hom. 688⁷, 5.
689⁴, 1. 698³. II 259⁷. 260²
κιχε/ο- 747⁴
κιχείην 795²; -είη 688⁷; -εῖ-
μεν 795³
κιχείς 688⁷
κίχεις 688, 5
κιχεῖς 688, 5. 784⁵
κιχείω 688⁷. II 314⁶
κίχες 688, 5
κιχη- aor. 688⁷
κιχήμεναι infin. 688⁷. 806, 8
κιχήμενον 688⁷
*κίχημι 688⁶. 698³. 747⁴;
κίχημεν 688⁶; s. ἐκίχης,
ἐκίχεις, ἔκιχον, ἔκιξα
κιχῆναι infin. Od. 808⁴
κιχήσατο 688⁷. 754⁵. II 278³;
– ἔνδον ἐόντας II 394³

κιχήσομαι 688⁷. 782⁶. 783².
II 352¹; κιχήσεταί μου II
104³
κιχήτην hom. 688⁶
κίχλη 483³
κιχλίζω 648²
κίχρασθαι 689²
κιχράω 689²
κιχρέτω delph. 689²
κίχρημι 688⁵. 689¹. 814¹
κιχών 688⁷
κίω 686². 747³; – c. dat. II
149²; – πρό τινων II 506⁵;
– μετά τινα II 486³; s.
ἔκιον
κιών ptc. 747³
κίων 57⁵. 486⁸. II 37¹
*κj 319²·³·⁴. 320⁸. 321¹.
367¹
κj > σσ, ττ 272⁴. 298⁵. 319².
367¹
*κjᾱμερο- 'heutig' 613, 7
*κjᾱμερον 319⁴. 397⁷. 414³.
613, 7
*κjευ- 319⁴
*-κjω verba 737⁵
κκ 317¹·²; – böot. < τκ 266⁶
κλαγγάζω, -αίνω 699⁷
κλαγγάνω 699⁷. 701². 771⁵.
783²
κλαγγέω Theokr. 699⁷
κλαγγή 459⁷. 584⁶. 692⁷. 748²
κλαγγηδόν 626⁵
κλαγγί dat. sg. 424⁴. 584⁶
*κλαγγjω 692⁸. 771⁵
κλαγε/ο- 748²
κλαγερός Anth. P. 748²
*κλαγjω 692⁸
*κλάγξαι II 261³; *-ξομαι
784¹; -ξω 783². 784¹
κλάγος kret. 257². 268⁵
κλάγω 209⁴
Κλάδεος 243²
κλάδεσι Aristoph. 564⁵
κλαδί dat. 424⁵. 507⁴. 584⁶.
761⁴
κλάδος 584⁶. 676¹; – n. 584⁶
κλᾶϜιδ- 465⁴; -ίς 349³. 465⁴
*κλαϜjω 272⁶. 348²·⁴
*κλαϜών 521³
Κλαζζομένιοι 218³
Κλαζομεναί 676¹
Κλαζομένιοι 218³
κλάζω 692⁸. 699⁷. 714⁶.
748². 771⁵. 783². 784¹; -ων
II 80²; ἔκλαγξαν οἰστοὶ ἐπ'
ὤμων II 470⁵; s. κλάγξαι,
ἔκλαγξα, κέκλαγγα, κέκλᾱγα
κλαίεσθαι II 233¹; s. κεκλαυ-
κλαίεσκε 711². II 278⁴; –
ἄν II 351¹
*κλαίϜω 266²
κλαιήσω fut. j.-att. 127⁷. 714³.
783²

κλᾶιθρον n. 202¹; -α pl. 158¹
κλᾱυκτός mess. 685⁵
κλᾶιξ dor. 349³
κλᾶιξαι H. 685⁵; κλαιξῶ 786⁶
κλαίοντας ptc. ngr. II 410⁸;
  – λέγει 811⁴
κλατω äol. 714³
κλαίω 266². 272⁶. 348²·⁴.
  714³. 781⁷. II 260³. 282²;
  – ἀμφί τινα II 439²; s.
  ἔκλαυσα, κλαιήσω
κλαιωμιλία 441¹
*κλακ- 260²
κλαμα 524²
κλαμβός 496¹
κλᾶμμα äol. 524²
*κλάξ 620⁶
κλαπη- pass. 759⁶
κλαπῆναι 342²; s. κέκλαμμαι
κλᾶρος 346⁵
κλαρώειν phok. 729⁴
κλᾶς ptc. 676¹. 742⁶
κλάσμα 524²
κλαστάζω 706⁴
*κλάσω praes. 706⁷
κλαυθμός 493¹
κλαυθμυρίζω 644⁷
*κλαυθμῶι μύρομαι 644⁷
κλαύθω poet. 703²
Κλαύκων 257¹
κλαύματα βραδυτῆτος ὕπερ
  II 521⁸
κλαυμοναί 524⁵
κλαυμμυρίζομαι 645²
κλαυσιάω 732³
κλαυσίγελως 453, 4
κλαυσοίμεθα 786³
κλαύσομαι 714⁴. 781⁷. 786²
κλαυσούμεθα Aristoph. 786²
κλαυστός 773⁴
κλαυσῦς 464¹
κλάω 676¹. 706⁷; κλάσε aor.
  Od. 743¹; ἔκλασα 676¹.
  752⁴; ἐκλάσθη 761⁴
κλάω 265⁸. 266²·³; κλάειν
  II 704²; ἔκλαε 747². 781⁷
*κλάων 487, 3
κλέα II 43⁶; – ἀνδρῶν 102⁷
-κλέα acc. sg. compos. 580²·³
Κλεαγένης kor. 439²
Κλεάρχους II 45⁴
Κλέας 526, 5
-κλέας nwgr. thess. 461³.
  580⁴
κλέβω ngr. 705³
*-κλέεος gen. sg. 252³
-κλεες voc. compos. Hdt.580²
κλέϝεα 14⁶. 579²
-κλέϝεος gen. sg. compos.
  kypr. 580²
*κλεϝεσνός 248⁸. 489⁵
*κλεϝετος 502³
-κλέϝης compos. Namen
  kypr. 580²

(*κλεϝjω) 685⁷⁻⁸
κλέϝος 31⁴. 223⁶. 292⁶. 347⁴.
  723⁴; – ἄφθιτον 42⁴. 57, 0
*κλέϝω 685⁷⁻⁸
-κλέης compos. Namen hom.
  Hdt. böot. 580²
κλειδᾶς 461⁶
κλείεσθαι II 288⁸
κλεῖζω Pind. 735⁶, 7
*κλειμα 523⁶
*κλεῖμαξ 497²
κλεινός att. 248⁸. 489⁵
κλείς 154⁷. 201⁶. 202¹. 377⁷.
  465⁴
-κλεις voc. compos. hom.
  att. 580²·³
Κλεισθένης 635³
κλεισιάδες 508⁴
κλείσω fut. (κλείω) 727⁵
κλείσω fut. (κλίνω) 737⁴
κλ(ε)ίτεα 506⁵
κλειτορίς 531, 2. 837⁵
κλεῖτος n. 512⁶. 513¹
κλειτός 502³
Κλειτυῖ dat. 506⁴, 7
κλειτυς acc. pl. 571²
κλείω 685⁸. 727⁵. II 311⁵
Κλέμαχος 199³
κλεμμάδιος 467¹
κλέομαι hom. 723³
Κλεομένης 636⁴
Κλέομμις 636⁴
Κλεομπόρου ion. 253¹
κλέος 31⁴. 347⁴. 512¹. 821⁴.
  II 486⁹
-κλέου gen. sg. 580³
-κλέους gen. sg. att. compos.
  252³. 580³
κλέπας 515¹
κλέπος 512²
κλέπτεσκε ἄν 711³. II 351¹
κλέπτης 477²
κλέπτω (-ειν) 333¹. 704⁵.
  754⁷. II 283⁷; – τί τινι II
  146⁶; κλέπτοντες τοῦ ὄρους
  II 102⁸; s. ἐκλέψασαν, κέ-
  κλοφα, κεκλεβώς, κέκλαμμαι
κλέπω 759⁶. 769⁵
κλέτας 506⁵
Κλεύας thess. nwgr. 224⁵.
  580⁴. 636⁴
*κλεῦθι 800, 6
*κλευθος 841⁶
κλεύθωμαι hom. 685, 1. 723⁴
Κλεῦις lesb. 224⁵
κλεύσομαι H. 781⁶
*κλευτε imper. 674⁵. 800, 6
*κλεύω 841⁶
κλεφθη- pass. Hdt. 759⁶.
  761⁵
*klefts* (gen. *kleft*) ngr. (lesb.)
  586, 0
κλέφτω ngr. 705³
κλεψ- 754⁷

κλέψαι τοῦ ὄρους τι II 102⁷
κλεψεω delph. 786⁴
κλεψία 506²
κλέω 723³. 747, 5
-κλέω gen. sg. eretr. 580³
Κλέων 634⁵. 638⁵
Κλεωναί 638⁵
(κλεωντι) Kos 723, 4
-κλῆ voc. sg. ark. 580³
-κλῆα acc. sg. 580²
κληγ-: κέκληγα hom. 699⁷.
  771⁵
κλήδην 626³
κληδών 529⁷
*κλήζω 735, 7
κληηδών πατρός II 132³
κληθη- 761⁶
κλήθρη 533³
κληιζεται 709⁵
κλητζω 243⁶. 735, 7; ἐκλήϊσα
  727⁴
κλήιζω 'nenne' spät poet.
  727⁵. 735, 7
κλῆις att. 349³
κληίς 496⁴
κληισκεται Hippokr. 709⁵
κληίσσαι κληῒδι II 166, 1
κλήισω fut. 727⁵
κλήϊω ion. 727⁴. 735⁵
κλήϊω altatt. 685⁵. 727⁴
κλῆμα 524¹. 676¹
κληματσίδα ngr. 271⁴
*κλῆμι (?) 682, 6
-κλῆν acc. sg. compos. 563³.
  580³
-κλῆος gen. sg. dor. ion.
  hom. 580², 5
κληρονομεῖν II 122⁷. 377⁴;
  – c. gen., acc. II 104⁵
κληροῦσθαι II 123⁴
-κλῆς nom. sg. compos. ion.
  dor. att. 249¹. 563³. 580²·³
κλήσκεται 709⁵
κλητήρ att. 531, 7
κλητῆρας ngr. 531, 7
κλητική (πτῶσις) II 54²
κλητός 584⁴. 761⁷
Κλήτωρ 531, 7
-κλίας thess. nwgr. 580⁴
κλίβανος 397
-κλίξ böot. 580²
*κλιη- 760³
κλιθη- 760³
κλιθῆναι 694⁴. 761⁶
κλίμα 523⁶
κλίμαξος: ἦν – II 608⁴
κλινέω 761⁶
κλινη- 760³
κλίνθη hom. 761⁶
κλίνω lesb. 283⁵. 694⁴
κλίνομαι c. dat. (loc.) II
  148³. 155⁸. 230²; s. κέκλι-
  ται, κεκλίαται
κλίνσω 782²

κλιντήρ 694⁴
κλίνω ion. att. 283⁵. 309².
694⁴. 737⁴. 761⁶. 841⁸.
II 230²; κλινῶ fut. 737⁴.
785²; κλίνω σάκε' ὤμοισι
II 155⁷; – πρὸς ἐνώπια
II 510²; s. ἔκλῖνα, κέκλικα
Κλιόμαχος südthess. 242³
Κλιππιδες (= Κλεΐπ-) 87⁶.
193⁵
κλισίη 469⁴. 694⁴; κλισίην II
67⁸
κλισίηφι loc. 551³. II 172⁷
κλίσις 416, 1. II 53⁶
κλισμός 493³; – f. II 32³
Κλίταρχος 258⁷
κλίτεα 506⁵
κλίτος n. hell. 506⁵. 512⁶
κλιτός 292⁸
κλιτύς 102⁶. 506⁵
Κλόδεινος ion. 253²
κλονέεσθαι ὑπό τινι II 526⁵
κλονέω (-έειν) 720, 6; – τινά
κατ' ἄκρας II 480⁷
κλόνις 38, 1. 495³, 7
κλόνος 490³
κλοπεύς 477²
κλοπός 459²
κλοτοπεύω 732⁶
κλύδα acc. sg. 507³. 702⁶
κλύδων 487⁶. 507³
κλύε imper. att. poet. 799³
κλυε/ο- 747³
κλύζεσθαι ὑπὸ πέτρης II
528⁵
κλύζω 702⁶. 715¹
κλῦθι hom. poet. 740³. 747,
5. 800⁴, 6. II 226⁴. 341³;
– ἄναξ; s. κλῦτε
*κλυιτε opt. 800, 6
κλυκύτατος 257¹
Κλυμένη 674⁵
κλύμενος 642⁴. 740³
Κλύμενος 674⁵
κλύοις ἄν II 329⁶. 330⁵
κλύουσαν II 403²
Κλυταιμήστρα 332³; -αι II 66⁶
Κλυταιμήστρη 448⁵
κλῦτε imper. 674⁵. 799⁵.
800⁴, 6
*κλῦτε opt. 800, 6
Κλυτιδηύς 196³
Κλυτόνη(F)ος hom. 241⁷
κλυτός 292⁶. 347⁴. 357⁴.
380⁸. 502². II 241⁸; – f.
502². II 32, 5
κλύω 31⁴. 686². 740³. 747³.
781⁶.II 225⁷. 226⁴. 274⁴·⁶; –
c. gen. II 947·⁸. 95³ .106⁶.
107²·³; – c. dat. II 145⁵;
– c. acc. II 107¹·⁴; κλύειν
ταῦτα ἐμοῦ II 94⁸; ὧν
πόλις κλύει II 95⁴; κλύων
σάλπιγγος II 94⁸; – λόγους

ὑπ' ἀνδρός II 529²; – περί
τινος II 106⁶; – τι πρός
τινος II 514⁶; – τινός c.
ptc. II 394⁵; – τινὸς αὐδή-
σαντος II 393⁸; κακῶς
κλύω πρός τινος II 227¹;
s. ἔκλυον, κλῦθι, κέκλυκε,
κέκλυθι
κλωγμός 492⁵. 716³
κλώζω 716³
κλωθ- 424³
κλώθω 361². 685⁴
κλωθῶες 479⁵
κλωκυδά 'kauernd' H. 626⁶
κλῶμαξ hom. 213²
κλών 487, 3. 521³. 562, 2
*κλῶνος gen. sg. 487, 3
κλωπάομαι 356⁵
κλωπᾶσθαι H. 719¹
κλωσ- 755¹
κλώσκω H. 708³
κλώσσω 716³
κλώψ 424³
κμ > κν 216¹
*-κμαι 1. sg. pf. 769, 6
κμᾱτός 343⁷
κμέλεθρον 327³
κμητός 327³. 361⁵. 381³
κν < κμ 216¹; κν- > γν- 102²
κναδάλλω (nicht κανδ-) 736⁶
κναίω 676¹. 686⁴
κνᾱμᾱ 361⁶
κνᾱμῖδες 465⁴
κνάμπτω 335¹
κνᾶν 675²
κνάπτω 257¹.343⁵.414⁶·⁷.705¹
κναφεῖον 470⁴
κναφεύς 343⁵
κνάφος 459¹
κνέε 3. sg. 675²
κνεφάζει 735²
κνέφας 328¹. 329¹. 417, 1.
514⁵. 515³. 516²·³
κνῆ 3. sg. ipf. 675², 4. 676³
κνήθω 676¹. 703¹
κνῆι att. 675¹. 676³
*κνήιω 676⁵
κνημίς 465⁴
κνημός 492²
κνῆν 675²
κνησμός 493³
κνήστι Ilias 572, 2
κνῆστις 504⁴
*κνίδες (?) 507, 3
Κνιζος 489³
κνίζω 716⁷
κνιπός 334⁴
κνίς (-ίδα, -ίδες) 507³
κνῖσα 476¹; – ἀρνῶν II 119¹
κνίση 321⁵. 516⁵
κνισμός 493³
κνίσση 516⁵
Κνίφων 414⁶·⁷
κνίψ 334⁴

κνυζάω 731⁵
κνυζός 472, 3
κνύω 676¹·⁵. 686³
κνώδαλον 361⁵. 483⁶
κνώδᾱξ 497³
κνώδων 526²
Κνωσιων 245⁴
κνώσσω 648, 1. 3
κοα onomatop. 302³
κοᾶ· ἀκούει H. 721⁶
κοάλεμος 302³
κοάξ 302³. 313⁷. 620⁷. II
599, 2
Κοάτα 182⁵
κόββᾱλος 190⁵. 484⁴
κόβω ngr. 705³; – μὲ τό
μαχαίρι II 485⁶; κόφ' το
335⁴
κόγχη 159⁶
κόγχος 298¹
κοδράντης 158⁶. 592, 5. 599⁴
κοεῖς Anakr. 721⁶
κοέρανος böot. 194⁶
κοέω 334⁴. 721⁶. 740⁶
κοFέω 682⁵
κοθαρός 92⁶. 344³
κόθορνος 491⁶; τὼ κοθόρνω
II 47³
κοθώ 478⁴
κοΐ (κοΐ, κοί) 313⁷. 831⁸. II
599, 2
κοιάομαι 726¹
κοΐζω 716⁶
κοικύλλω 647⁴·⁵
κοιλαίνω 733²
κόιλος 314⁴
κοῖλος 485¹. II 182⁷; κοίλην
[so] II 529²
κοῖλυ 463²
*κοίμᾱ 494, 1. 725, 9
κοιμάομαι(-ῶμαι, -ᾶσθαι) 494,
1; – ὕπνον II 76¹; – μετά
τινος II 485²; – παρὰ πρυμ-
νήσια II 495³
κοιμάω 679, 4. 725, 9
κοιμητήριον 470⁵
-κοιμι opt. pf. 795⁶
κοινά 489¹
κοινάν dor. ark. 521⁶. 582⁶
κοιναννόντι arg. 253²
κοινάουν gen. pl. thess. 251⁵·⁶
κοινή 118³, 1
κοινῆι adv. 550⁴. 618⁴. II
175⁶; – μετά τινος II 485²
Κοίνκτιος 158⁶
κοινολογεῖσθαι II 233⁴
κοινόν (τὸ) II 175²
κοινοπίδης ion. 401⁸
κοινός 118, 1. 200, 2. 309⁵.
471⁵. 472¹. II 118⁷. 160³.
465⁴. 474³, 5. 487⁴; – ὂν
γένος II 28³; κοινὸν εἶναι c.
dat. II 143⁷
κοινοῦν II 160³

10*

Κοιντος 158²
κοινών 521⁶
κοινωνέω (-ῶ) 726⁴; – τι(νος) II 104¹
κοινωνός 582⁶; – c.ptc. II 104¹
κοινωφελής 398⁴
κοιόλης 484⁵
κοιρανέω 726⁴. 730⁷; – c. gen. II 110²
κοίρανος 272⁵. 471⁵. 489⁶, 11
Κοίρανος 637⁴
*κοιρο- 471⁵
Κοιρο- 32⁴
κοίτη 679, 4; κοῖται 302³
κοιτίς 127⁸
κοῖτος 347⁸
κόκκος 315⁸
κόκκῡ 258³. 423³
κοκκύζω 716⁶
κόκκυξ 298⁷. 315⁵. 423³. 496⁴, 8
κολάζειν II 232⁷; τὸ – II 369, 4
κολάζεσθαι II 232⁷
κολάζω (-ειν) γνώμῃ II 162⁷; – τινὰ c. gen. II 131²; – (τινὰ) ἔπη II 79⁷; – τινὰ θανάτοις II 167³
κολᾶι 2. sg. fut. 785³
κολακικός 289⁷
κολάπτω 705¹, 5
κολάσομαι 781⁸
κολαστέον II 410⁴
κολεῖν H. 747, 1
κόλλα 474⁴; – c. dat. II 153⁷
κολλήεις 527⁴
κολλικοφάγε Βοιωτίδιον II 602⁸
κολοιάω 725⁶
κολοιός 466³
κολοκινθίνου 256³
κόλος 459⁴
κολοσσός 'Puppe' 32⁵
κολουθη-, κολουσθη- 761⁴
κολούω 683⁴
κολοφών 488¹, 1
κόλπος 302². 459¹; -οι II 43⁵; κόλπος ὁ ἐπὶ Ποσιδηΐου II 470⁶
κόλσασθαι 285²
κολύφανον 255⁸
κόλχος 267²
Κολωνῆθεν 628³
κολωνός 292³. 480³
*κομ urgr. II 474³. 487⁴
κὸμ καλός 'melior' ngr. II 183, 6
κόμαι II 43⁵
κομάω 725, 10. 731⁵
κομέω 292⁷. 362⁸. 719⁴
κόμη 725, 10; -αι II 43⁵
κομιδή 421, 3. 508⁷
κομιδῆι, -ῇ adv. 622¹. II 162⁷. 413⁸

κομίζομαι (-εσθαι) II 231⁵. 400⁴; -ίσασθαι II 362²; κομίζεσθαι κατὰ ῥόον II 478⁷; -ομαι ὑπὸ τὴν ἤπειρον II 531³; -εται πάντ' ἐμοῦ II 94⁵; s. ἐκομιξάμεθα
κομίζω (-ειν) 292⁷. 736². II 231⁵; -ίζοιεν w.-lokr. 663, 9
κομίσκᾶ 542¹
κομιττάμενος böot. 91³. 308³. 318¹; -μενοι 738¹
κομιῶ hom. 785⁵
*κομιός 200, 2. 309⁵. II 466¹. 474³
κόμμι 157⁸. 462⁵
κομμός 492⁴
κομμώ 478, 3
-κόμος 450, 4
κομόωντες; s. κάρη
κομπάζω 735²; – c. ptc. II 396⁶
κόμπασος 516⁷
κομπέω 726²
κομψός 302³. 517⁶
κόν· εἰδός H. 740⁶
κοναβέω 726²; κονάβησε ὑπὸ χειρός II 528⁴; κονάβησαν ἀυσάντων ὑπ' Ἀχαιῶν II 528⁸
κοναβίζω 105⁶; κονάβιζε 736²
κόναβος 362⁸. 496¹
κοναί 747⁶. 837⁴
κόνῑ dat. sg. Od.400⁵. 572, 2
κονίᾱ 469³
κονιάω 732², 4
κονίδες f. pl. 507, 3
κονίη, pl. -αι II 43³
κονιορτός 363¹
κονιοῦμαι fut. 785⁶
κόνις 462⁴. 516³. II 41⁵. 51⁶; κόνι 400⁵. 572, 2
κονίς 465, 2; -ίδες 507, 3
κονίω 273⁶. 724⁴; s. κεκόνῑτο
*κονjος 309⁵
κοντά c. gen. ngr. II 137³
-κοντα num. 592¹, 1
-κοντα- compos. 593⁷
-κοντες ptc. pf. act. lesb. thess. 89⁷
κόντιλος 485¹
-κοντο- compos. 593⁶
κοντολογῆς ngr. II 137³
κοντός 459³. 501, 5
κόνυζα 298⁸. 334⁴
κοπανιά: μιᾶς -ᾶς ngr. II 137³
Κοπβίδας thess. 231⁶
κοπετός 501³
κοπη- pass. 759⁶
κόπις 462⁴
-κοπος 426⁵
κόππα 149, 2
κοππατίας 149, 2. 289²

κόπρανον 490²
κόπρος 295⁴. 481². II 34, 4. 41⁵. 43³; -οι II 43³
κόπτην infin. lesb. 807¹
κόπτομαι (-εσθαι) II 230⁵; -εται II 224¹; κόπτεσθαι c. acc. II 72⁴; – κεφαλὴν χερσίν II 231¹; κεκομμένος φρενῶν II 93⁵
κόπτω (-ειν) 334³. 704⁵, 12. 759⁶. 772, 1. II 230⁵; – ποτὶ γαίῃ II 513⁴; – νόμισμα II 71³; κεκοπώς 772². II 264⁶; κέκοφα, κεκοφώς 772²
kor' (=κόρη) nom. sg. f. ngr. (lesb.) 332⁷.586,0.833⁷
κο]ράθματα arg. 268⁴
κορακῖνος II 36⁵
κοράλ(λ)ιον 471²
κόρᾱνος 69⁵
κόραξ; s. ἐς κόρακας
κοραξός 516⁶
κοράσιον 471, 5; ταῖς κορασίοις II 38¹
κόραφος 495⁵
Κορβιών 395⁴
κόρδᾱξ 334⁴. 363¹
κορδύλη 334⁴
κορέννῡμι 697⁴. 708⁴; ἐκόρεσα 752⁴, 7; κορέσαι 360⁶. 361⁴. 363¹. 708⁴; κορεσθη-761⁴; κεκόρεσμαι 773⁵; κορέσσασθαι φορβῆς II 103²; s. κεκόρημαι
κορέσκω hell. poet. 708⁴
κορέω 'fegen' 719⁵
κορέω fut. 784⁵; -έεις 708⁴
κόρϜᾱ 188². 189⁵·⁶. 472⁶; κορϜᾶν gen. pl. 94⁶
*κόρϜη 188⁶
κόρϜος 363¹
κόρζα, κορζια kypr. 330⁴. 344¹
κόρη 188². 189⁵·⁶. 228³·⁷
Κορθαέσσι dat. pl. kyren. 575, 4
κορθύεται Ilias 727⁵
κόρθῡνεν Hes. 727⁶
κορίανδρον 533⁵
κόριλλα böot. 475, 2
Ϙορινθόθεν arg. 628²
Κόρινθος 60⁷. 352⁸. 395⁴. 458¹·³. 510⁶. 554⁶. II 32³
Κόριννα 475, 2
κόρις 462⁵
κορίσκω 710¹
*κόρjανος 272⁵. 489, 11
κορκόδειλος hell. 267⁵
κορκορυγή 496⁵
Κόρκυρα 183². 255⁸
κόρμος kret. 96⁴; -οι 218⁴
κορμός 339³. 492⁴
κόρνος 334⁴

κρατιστίνδην 627²
κράτιστος 357⁵. 538¹; – c.
dat. II 151⁸
κράτος: ἀνά – II 441¹
κρᾶτός gen. sg. 346⁴. 583⁵
κρατοῦν (τὸ) II 409²
κρατοῦνι böot. 91². 109⁸. 182²
Κρατύλοι II 45²
κρατύς adj. 292⁴. 463¹. 538¹.
584¹
κράτων gen. pl. 583⁵
κραυγανώμενον ptc. n. Hdt.
700⁶
κραύγασος 516⁷
κραυγή 296⁴. 716³
κραυγόμενον 700⁶
*κραυξός 516⁶
κρέα n.pl. hom. att. 516¹, 579,
4. 581⁴, 5. II 39³. 42, 3. 43²
κρεᾴδιον 471, 4. 515, 2
κρεανόμος att. 438⁶. 439².
515, 2
*κρεανόμος 439²
κρέας 292². 314⁴. 514⁴, 6.
580⁶. II 42, 3
κρεββατίζω 258⁴
*κρεέων gen. pl. 515¹
κρέϜας 340⁵
κρεηδόκος 440⁵
Κρεήτη 104⁵
*κρειμα 523⁶
κρεῖον 470³
κρεῖσσον ἐλπίδος II 99⁶
κρείσσων 539, 4; – εἰμί c.ptc.
II 393⁵; – μυρίων λόγων
II 98⁶; – ποταμοῖο 99⁴;
κρείσσον' ἀγχόνης II 99⁶;
κρείσσονα θαυμάτων II 99⁶
κρεῖττον λόγου II 99⁶
κρείττους acc. pl. 563⁵
κρείττων att. 273⁸. 320⁵·⁷.
538², 4; – ἦν μὴ λειτουρ-
γήσας II 393⁵
κρείων hom. 526², 4. 538³.
II 408⁵
κρέκω 684⁴
κρεμάζω 697⁶
κρεμαίω 676⁵
κρέμαμαι 340⁵. 680⁴. 692¹.
II 229³; κρέμαται 681, 8;
κρεμαίμην 681²; κρέμαιτο
794⁶; κρέμασθαι 681²; s.
ἐκρέμαο, -μω
κρεμάννυμι 697⁴; – ἐξ II 434⁵;
s. ἐκρέμασα, ἐκρεμάσθην
κρεμάντες 682³
κρεμάς 508¹
κρεμάσας: -σαντες ἐξ οὐρα-
νόθεν, -σαντι σαυτὸν ἀπὸ
κάλω II 95⁶
κρεμάσεται 763⁴
κρεμασθη- 761⁴
κρεμάσκουμαι ngr. (pont.)
712²⁻³

κρεμαστὴν αὐχένος II 95⁶
*κρεμάσω fut. 681⁶. 750⁶.
787³
κρεμάσω conj. aor. 750⁶, 3
κρεμάω 681²; σὲ κρεμῶμεν
τῶν ὄρχεων II 95⁶
κρεμάω fut. 750⁶, 3. 787³.
815⁷
κρεμβαλιάζω 735⁴
κρεμήσομαι 782⁷; -σεται 763⁴
κρεμνάντες 695, 1
κρεμόω fut. 681¹. 784⁶
κρέμυον 516⁴
κρεμῶ fut. 785⁴. 815⁷
*κρέμωμαι conj. 681². 792⁷
κρεννέμεν thess. 275¹
κρέξ 423²
κρεοφυλάκιον 261⁷
κρές (τὸ) ngr. 519⁶
κρέσσων ion. 292⁴. 320⁷.
538¹⁻³
κρέσσων äol. 342⁵
*κρετϳων 320⁷
κρέτος äol. 292⁴. 342⁵
*κρεττον- 538, 2
κρεω- 515, 2
κρεωβόρος 438, 6
κρέων 566⁴
-κρέων in Namen 566⁴
Κρέων 637⁴
κρήγυος 453, 2
κρήδεμνον 520⁵. 523⁶, 3.
583⁵
κρῆναι infin. 725¹
κρῆθεν 583⁵⁻⁶
κρήμνημι 351²
κρημνός 695²
κρῆναι infin. 725¹
κρήνη 255⁴. II 33²; – ἡδέος
ὕδατος II 129³
Κρηνίδες 121⁴
κρηπίς 465⁴
κρῆς dor. 250⁶. 514, 6
κρησέρη ion. 217⁴. 307⁷. 517¹
κρηστήριον 514, 6
κρησφύγετον 261⁵. 502⁴. 583⁵
Κρῆται Od. 638⁵
Κρῆτες II 614³; Κρήτεσσι
564⁴
Κρήτη 461². 638⁵
κρητηρίᾱ 190²
κρητός gen. sg. 583⁵⁻⁶
κρῖ 16, 1. 61⁷. 352⁴. 370⁵⁻⁶.
377⁷. 409². 424⁴. 580⁶.
582³. 584⁶. 836⁵. II 158⁸
κριβανάριος 396
κρίβανος att. 259³
κριγή f. Hippokr. 716³
κρίδδω böot. 716³
κρίδιον 248⁶
κρίζω Menandr. 716³. 747⁴;
s. κέκρῑγα
*κριθ 352⁴. 580⁶
κριθαμινος 494¹

κριθέϊ ark. II 316⁴
κριθεῖ Ϝοικέος II 92⁶
κριθέντων imper. 802⁶
κρῑθή 61⁷. 352⁴. 580⁶. 582³.
583⁵; κριθαὶ ὄνωι II 153⁷
κριθη- 761⁶
κρίθμος 492, 11
κριθόπυρος 453³
κρίκε hom. 292⁴. 716³. 747⁴
κρίμα 523⁶
κρίμνη imper. att. 798⁵
κρίμνημι 351². 695²
κριμνῆστις 504⁶
κρῖμνον 524⁶
κρῖναι (τὸ) II 371⁶
κρίνασθαι II 381⁴
κρινάσθων Od. 757². II 237⁷
κρῖν(ε) 694⁴
κρίνεται ἀνδρός II 92⁵
-κρινέω fut. hom. 785²
κρινθέντες hom. 761⁶
κρινίω dor. 785²
κρίνομαι (-εσθαι) II 241³; –
c. instr. II 166²; – διά
τινα II 453⁵·⁶; – κρίσιν II
80⁵; – ἐκ τῶν ἔργων II
464²; – ἀγαθός II 83⁸; –
θανάτου II 131⁶; – πρὸς τὸ
τελευταῖον ἐκβάν II 511⁴⁻⁵;
s. κέκριμαι
κρίνον 458⁵
κρινοῦμαι Plat. 763, 3
κρίνω (-ειν) 695⁷. 761⁶. II
122⁷. 124³.256⁵; κρινῶ 643⁷;
κρίνω c. instr. II 167³; –
τινά c. gen. II 131²; – περὶ
ϑ. II 131⁷; – περὶ ἔργων II
502⁷; – τινός II 132²; – τί
τινος II 132². – τι ἔν
τινι II 458⁵; – πορτὶ
τὰ μολιόμενα II 511⁷; –
τινὰς κατὰ φῦλα II 477⁴; – τι
πρὸς ἀργύριον II 511⁵; – τι
παρ' ἑαυτῷ II 494⁵; κρίνον-
τες nom. abs. II 403⁶; s.
ἔκριν-, κέκρικα
κρινωνιά 469⁷
κρίνωσι conj. 270⁴
κριξός 516⁶
κριος (> κρέεος) kret. 242⁸
κρῖός 472⁵. II 31³
krísa tsak. 205⁴
κρίσις c. gen. II 132³; – ποτὶ
τὰμ πόλιν II 511¹
Κρισσαιγενής 452⁴
κριτήρ 82²
κριτής 82². 128⁷
κριτικός (term.) 7 ²⁻³
Κριτολέα att. 244⁴
κριτός 694⁵. 761⁶. II 242¹
κροαίνων 722¹
κροιϜός 472⁵
Κροῖσμος 493⁵
κρόκα acc. sg. 424³. 584⁶

κρόκη 459⁷. 584⁶
κροκόδιλος 260³
κρόμβυον 231⁷
κρομμύω II 49⁶
κρόμυον 255⁸. 283²
Κρονίδης 635¹
Κρόνιον (ὅρος) II 177⁷
Κρονίων 536, 1. 635¹
Κρόνος 490³; -ου πάγος II 177⁶
κρόσσαι 474²
κροταλίζω 735⁶; κροτάλιζον II 72⁷
κροτέω 726². II 72⁷
κρότος 503⁶
κροτώνη 491⁴
κρούπεζα 473⁶. 722¹
κρουσθη- 761³
(*κρουσπεζα) 722¹
κρούω att. 722¹
κρύβδα, -δην 626³
κρυβη- pass. 760²
κρυβήσομαι Eur. 737⁶
κρύβω ngr. 705³. II 83⁵
κρυερός hom. 482¹, 2
κρῦμός 281⁸. 492³
κρύος 512⁴
κρυπτάδιος 467¹
κρύπτασκε 711³
κρυπτάω 711⁴
κρυπτίνδα 627²
κρύπτομαι: κρυβήσομαι, ἐ-
κρύβην 737⁶; κεκρυμμένος
ἀπό II 446⁸
κρύπτω (-ειν) 333¹. 705¹, 5.
759⁵. II 83¹·²; – τι ἐξ ὁδοῦ
II 463²; – τι ὑφ᾽ εἵματος
II 528¹; s. ἔκρυβον, κρύψαι
κρύσην 102⁵
*κρυσμος 281⁸. 492³
Κρυσόθεμις att. 261⁷
κρυσταίνω 706⁵
*κρυστω (?) 706⁵
κρύφα 622⁵. 623¹
κρυφά ngr. 623¹
κρυφᾶ 384⁴. 550³. 626⁵. II
163⁴
κρυφάδᾱν 626⁴
κρυφάδις 631⁴
κρυφαῖος 467⁶
κρυφανδόν 626³
κρυφείς Soph. 759⁵
κρυφῆ ion. att. 550³
κρυφη- pass. 760²
κρυφηδόν hom. 626⁵
κρυφθη- pass. 759⁵. 760²
κρύψαι κατὰ χθονός II 480⁴
κρύψαιμι ἄν II 329⁶
κρύψαντες ἔχουσι βίον Hes.
812⁷
Κρύψιππος 635⁶
κρωβύλος, κρώβυλος 381⁸
κρωγμός 716³
κρώζω 716³

κρῶμαξ 213²
Κρῶμ(ν)αν 476²
κσ (= ξ) 211⁵
*κσμ 327⁶·⁸
*κσν 327⁶·⁸
*-κσνᾱ 327⁷
κτ 325⁸; – > kret. ττ 256⁷;
-κτ schwindet 409¹·²
κταθη- 761⁵
κταίνω lesb. 343². 714⁴
*κταίνω 697²
κτάμεν 740⁴
κτάμεναι 740⁴. 806, 6
κτάμενος hom. 740⁴·⁵; -μέ-
νοιο 757¹⁻²
κτανε/ο- 747⁶, 9
κτανεῖν 343²
κτανέω, -νῶ fut. 785¹
*κτάνῡμι 697²
κτάομαι 676². II 229³; s.
ἐκτᾶσᾰ, κέκτημαι
κτάς ptc. 740⁵
κτάσθαι Ilias 740⁴
κτᾶσθαι II 240⁴; – διά τινος
II 451⁵; – τι παρά τι II
497¹; – ἄκοιτιν σὺν ἀρετῇ
II 489⁷; – τι σὺν τῷ δι-
καίῳ II 490¹; – τι μετ᾽
ἀδικίας II 484⁶; s. κτάομαι,
κτηθῆναι, κτήσασθαι
κτάσθων II 344⁴
Κτᾱσις 505³
κτέανον 519⁵, 6; κτέανα 520⁵
κτέαρ 325⁸. 519⁵, 6
κτεάτειρα 474, 3
κτεατίζω 735⁶. 736³; -άτισσα
aor. 737⁷
κτεῖναι: τὸ μή – II 371⁷
κτείνεσθαι II 239²; – ὑπό
τινι II 526⁷
κτείνεσκε hom. 711²
κτείνω (-ειν) 283⁵. 326¹.
343². 697². 715⁶. II 72, 1.
258⁵. 272². 281⁶. 284⁶.
347³. 363¹.374⁷; -τινὰ διά τι
II 454¹; – – ἀμφί τινι II
438³; – – ἔριδος ὕπερ II
521⁸; s. ἔκτεινν, ἔκτα, ἔ-
κταμεν, ἔκτανε, κταν-
*κτείνω fut. 785, 2
κτείς att. 486⁷. 569⁵; κτένε
du. 569⁵
κτενέω fut. 740⁴. 785¹
*κτενjω 343²
κτέννω äol. 228⁵. 283⁵
*κτενσω fut. 785, 2
κτενῶ fut. att. 785¹. 814⁸
κτέρας 327¹. 424, 6
κτερεΐζω 733¹. 735⁶; -ίξω
fut. 737⁷. 785⁵
κτέρες 424³
*κτεριεῦσι 785⁵
κτερίζω 735⁶; -ιῶ 735⁶. 737⁷;
-ιοῦσι 785⁵

κτέωμεν conj. Od. 364¹. 740⁴
κτηδόνες 529⁷
*κτηϜαρ 519, 6
κτηθῆναι 760⁴
κτῆμα 325⁸. II 605⁸; – ἐς ἀεί
II 460⁷; – δόλῳ· II 166⁶
κτήμᾱ f. 494³
κτήν nom. sg. spät 569⁵
κτηνηδόν 626⁵
κτῆνος 325⁸. 512⁷. 519, 6;
κτηνέων 579, 4; κτῆσι (=
κτήνεσι) 564, 1. 582⁶
κτήσασθαι 760⁴. II 296⁴; τοῦ
– II 360⁷; κτήσασθαί τι
σφίσιν αὐτοῖς II 236¹
κτῆσι; s. κτῆνος
κτιδέη 327¹
κτίζω 326¹. 674⁵. 716⁷. 754⁸.
761⁴; s. ἔκτισ(σ)α, ἔκτικα
κτίλος 326². 483⁴. 837⁸
Κτιμένη 674⁵
κτίμενος: ἐὺ κτιμένη (κτίμε-
νον) 674⁵
κτίννυμι spät 351³. 697⁶
κτισ- 754⁸
κτισθη- 761⁴
κτίσις 271⁵. 326¹. 505⁵. 674⁵
κτισσ- 754⁸
κτίτης 674⁵
κτοίνᾱ rhod. 326¹. 674⁵
κττ 238⁸
κτυπέω 718³·⁵. 726, 5. 747⁴
κυ 302³
κύαθος 158⁶. 511¹
κύαμος 302⁵. 494¹
*κυαμυια 440¹⁻²
κυανέων gen. pl. n. Hes.
559³
κῡάνεος 104¹
κύανος 490²
κυάνοφρυ voc. Theokr. 571²
κυανοχαῖτα hom. 560²⁻³. 585³
κυανοχαίτης 602²
Κυανόφια sam. 302⁵
κυανῶπιδες 244⁸
κύαρ n. 519⁶. 727, 1
κύβδα 626³
κυβερνᾶν 621¹. 157⁸
κυβερνήτης: – πρὸς τῇ σκυτο-
τομίᾳ II 514¹; ὁ ὀρθῶς – II
385, 1
Κυβερνίσκος 542¹
κυβεύειν περί τινι II 501⁴
Κυβήβη 62²
κυβησίνδα 627²
κύβιτον 504²
κύβος 458⁵. 627³
κυβοστόν 596²
κυδάζω 735²
κύδαινε, κῡδαίνων, κῡδάνει
700¹; s. ἐκύδανον
κύδαρ 519¹
κυδῆναι, κύδηνεν 700²
κῡδιάνειρα 447⁶. 474¹

κύων 292[7]. 379[6]. 486[2]. 568[5];
κύον 309[2]. 408[6]. 568[5]; κυνός
350[3]; κύνα 568[5]; κύνας 343[4].
552, 3; κυσί 569[2]; κύνε 565[4].
II 48[5]; αἱ κύνες αἵδε II 25,
8; κυνὸς κακομηχάνου II 614[3]
*κυών 379[6]
κω partic. II 579[3], 4
κῶας 349[2]
κώδων ἀκαλανθίς II 176[4]
κώθων 487[6]
κωκύσομαι 782[1]
κωλακρέται att. 257[1]
κώλειρ 569[4]
κωλήν 487[2]
κώληπα 426[2]
Κωλιάς II 33, 2
κῶλον 458[6]
κωλύω (-ειν) II 83[3]; κωλύων
II 296[7]; κωλύσει conj. äol.
790[4]; κωλύσαι 3. sg. opt.
kret. 797, 2; ὁ κωλύσων II

296[1]; κωλύειν τοῦ ἀγῶνος II
93[3]; κωλύομαι c. ptc. II
396[5]
κῶμα 523[2]. 679, 4
κωμάζω ὑπ' αὐλοῦ II 530[1];
κωμάσομαι 782[1]
κωμαίνω 724[6]
κωμαρχέω: ὁ -ῶν, -ήσας II
297[5]
κώμη 122[6]; κῶμαι αἱ ὑπὸ τὸ
ὄρος II 531[5]
κωμόπολις 453, 4
κῶμος 458[6]. 492[2]
κῶμυς 465[6]
κωμῳδεῖν II 73[3]
κωμωιδιδάσκαλος 263[7]
-κων ptc. pf. 540[5]. 767[6]
κωνάω 731[5]
κώνειον 470[4]
κωνέω 731[5]
κῶνος 458[6]
κωνοφόρος 450[6]

Κωνσταντῖνος 161[7]
Κωνσταντίνου πόλις 446, 3.
II 24, 2
*-κωντα 592, 1
κωνωπεῖον 152[8]. 470[4]
κώνωψ 152[8]. 153[1]
κῶοι 458[6]
Κωπᾶις, Κωπᾶῖς att. 265[8]
κωπεύς 477[2]
κώπη 459[7]; – ἐλέφαντος II
129[2]
κωπώ 478[5]
κώρᾱ 228[3]. 459[7]
κῶρα voc. Theokr. 558[5]
κώρυκος 497[5]
κως adv. ion. 108[7]. 299[3]. II
580[2]
κῶς adv. ion. 299[2]
Κωσταντῖνος 161[7]. 287[3]
Κώστας ngr. 637[1]
κωτίλος 484[7]
κωφός 458[6]; – c. gen. II 108[2]

## Λ

λ- aus *Ϝλ- 309[7]; aus *sl-
309[7]. 310[4.5]. 649[3]; λ wech-
selt mit δ 333[6]; mouilliert
212[6]; mouilliert vor i, e
ngr. 213[1]; vor dunklen
Vok. ngr. 217[7]; λ velare
Ausspr. 212[5]; Wirkung von
λ auf Vok. 274[7]; umgek.
Schreibung für ρ 213[2];
λ > ν 81[4]; λ und ρ regell.
Wechsel bei Fremdspra-
chigen 259[5]; λ-λ > ρ-λ
258[7]; λ:ν > ρ:ν 259[2.3];
λ:ν < ν:ν 259[2]; λ:τ < ν:τ
259[3]
λα inl. vor Kons. für idg.
ļ 342[2]
λα- II 185, 2
Λᾱ- her. 250[4]
-λᾱ- Ausg. 483[1-4], 1
l'a ngr. (chi.) 212[7]
λᾶα acc. sg. Kallim. 578[3]
λᾶαν acc. sg. hom. 578[3]
λᾶας 575[2]. 578[3], 1. II 37, 7;
f. spät 578[3]; n. 515[4]; s.
λᾶε, λάεσσι
λαβάνω 700[1]
λάβδα 140[2], 2. 141[1]. 277[7]. 826[7]
Λάβδα f. 637[4]
λαβδακίζω 736[4]
λαβέ 382[7]. 390[1]. 799[2]
λαβε/ο- 748[1]
λάβει conj. mess. 791[2]
λαβεῖν 298[5]. 310[5]. II 360[6].
363[8]; τὸ – II 380[2]; τοῦ – II
372[5]; τῷ – II 360[2]; τὸ μὴ –
II 371[2]

λάβεσκε(ν) 711[2.5.7], 4; -ον
711[5]; -ον ἄν II 351[1]
λαβέτην ἀγκὰς ἀλλήλων II
130[2]
(*λάβετ κε) 711[7]
λάβευ imper. ion. 383[4]. 390[1]
λάβοις χ. ἐμοῦ II 94[5]
λάβομαι fut. hyperatt. 780[5]
λαβόμενος II 235, 2
λάβον imper. syrak. 754[1].
803[4]
λαβόντι dat. pl. 272[1]
λαβοῦ imper. 799[3]
λαβρεύεσθαι 732[5]
λάβρος 258[7]
λάβρυς lyd. 495[2]
Λαβυάδαι 291[5]
λάβυζος 472, 3
λαβύρινθος 510[6]
λαβών II 387[2]. 388[4]. 435[4];
-όντες II 390[5]; -όντι dat.
pl. 272[1]
λαγαίω kret. 676[4]
λαγαρός 340[4]
*λαγjομαι 698[2]
λάγγος 489[3]. 838[2]
λαγός (-οῦ gen. sg.) 557, 1
Λᾶγος maked. 248[7]. 635[5]
λάγνος 491[5]
λαγχάνω 343[6]. 699[5]. 701[3].
738, 5. 748[1.7]. 781[6]. II
122[7]. 123[4]; (ἐ)λάγχανον
699[5]; ἔλαχον, s. d.; λαγ-
χάνω c. gen. II 104[3]. 111[5];
c. acc. II 104[4]; – τινί τινος
II 131[3.5]; – πρὸς ἀλός II
515[6]; – δίκην II 161[2]; –

ὄλβον πρός τινος II 514[5];
τοῦ λαγχάνειν II 361[6]; s.
ἔλαχον, εἴληχα, λαχ-
λαγώ acc. sg. 557[8]
λαγώ gen. sg. 557[6]
*λαγώ 438, 3
λαγωβόλον 438[3]
λαγώς 38[1]. 310[5]. 438, 3.
450[1]. 557[6]; -ών 487[1]; -ὼς
ὁ θῆλυς II 31[4], 4
*λαγωυσός 349[5]
Λᾱδάμας dor. 251[5]
λάδδουσθη infin. böot. 331[7].
698[2]
Λαδίκη 254[3]
Λάδων 66[4]
λᾶε du. 578[3]
Λαεικός 196[7]
Λαέρτης 740, 7
Λαερτιάδης 509[7]
λάεσσι dat. pl. 578[3]
*λᾶϜαρ 578, 1
*λᾱϜία 349[3]
*λᾶϜιτον 504[2]
ΛαϜοκόϜων 449[5]
ΛαϜοπτόλεμος kor. 223[6]
λᾶϜός 472[6]
λάζομαι 714[6]. 748[1]. II 277[3];
λάζετο 700[1]; -ομαι ἡνία
χεροῖν II 156[1]
λάζυμαι, ἐλάζυτο 698[2]
λαήμεναι H. 682[3]. 776, 2
λαθε/ο- 748[1]
λάθε[σθ]αι (τὸ) II 370[3]
λάθι- 444[4]
λαθικηδής 447[6]
λᾱθίπονος 444[3]

λάθος 512³; -ου gen. sg. ngr. 579⁵
λαθοῦ imper. 799³
λάθρα h. Cer. 626, 4
λάθρᾱ att. 447⁶. 550³. 622⁴
λαθράδᾱν 626, 4
λαθραῖος 467⁶
λάθρη ion. 201¹. 550³
λαθρηδίς 631⁴
λάθω 703²; s. λέλᾱθα
λαι- praef. 434², 2
λᾶϊ dat. sg. hom. 578³
λαιά (ἡ) II 175⁵
λάϊγγες Od. 498³. 578³
λαιδρός 676³
λαίειν 776, 2
λαικάζω 676⁴
λαιλαπ- 647⁵
λαῖλαψ 423⁴
λαιμάττω Aristoph. 733⁴⁻⁵
λαιμός 492³
λαιός 266³. 314⁵. 347⁵. 472⁵;
  λαιᾶς χειρός II 112⁵
λαισήιον 61⁸
Λαιστρυγόνες 487²
λαῖτμα 523⁷
λαιφαί H. 733⁵
λαιφάσσω Nikandr. 733⁵
λαιψηρός 434²
λακάζω Aesch. 708²
Λάκαινα χώρη ion. II 176⁴
λακάνη 255⁷
λακαταπύγων 434²
λακατάρατος 434²
λάκε 748¹; - ὑπ' αὐτῆς (sc. μελίης) II 528³
Λακεδαίμων 634²; -μονι loc. II 154⁸
Λάκεθε(ν) eretr. 628³
λακεῖν 770²·³; - αὐλὸν πρὸς Λίβυν II 512³; s. λάκε, ἔλακον
λακέρυζα 473⁶
λακέρυζος 472, 3
λακῆσαι; s. ἐλάκησα
λακήσομαι 708². 738⁵. 748¹. 782⁶
Λακιάδαι 66⁴
λάκκος 317¹. 472⁵
λακπατεῖν 324⁷. 620⁷
[Λ]ᾱκρᾱρίδᾱς böot. 282⁴
Λᾱκρείδα 258⁸
*λάσκω 708². 776²
*λάκτης 270⁵
*λακτι 620⁷
λακτίζω 620⁷. 736¹
λάκτιμα 217¹. 524²
λάκτις 270⁵
λακωνίζω 736³
Λακωνικαὶ κύνες II 181⁵
Λακωνική 634²
λαλαγή 496⁵
λαλέω 726⁴; -ήσω II 293²
λάλο barb. Aristoph. 583³

λαλῶ: -οῦσαν ngr. 666, 3; -ῶντας ngr. II 410⁸
λαμβάνομαι (-εσθαι) II 230³. 232⁵. 240³; - ἥττων II 395⁴
λαμβάνω (-ειν) 74⁷. 699⁷. 737⁴. 748¹. 772⁴. 781⁴. II 127⁷. 164⁵·⁶. 230³. 272¹. 350⁷. 353³. 363⁷. 382⁸; ἐλαμβάνοσαν, -εσαν 666¹·²; λαμβάνοι II 638⁴; λαμβανέτω II 342⁵; λαμβάνω c. acc. et gen. II 112³; - ἐπ' αὐτοφώρῳ II 468⁵; - διὰ χερῶν II 451⁶; - ὑπὸ μάλης II 528, 1; -ειν σφεας II 691, 1; -ω ποδῶν II 129⁸; - τι ἀπό τινος II 446⁴; - δῶρα κατά τινος II 480³; - τινὰ γούνων, τῆς ζώνης II 130¹; - βοῦν ὑφ' ἁμάξης II 527⁵; - τι ἐπὶ τὸ σωφρονέστερον II 472⁵; - τινὰ ψευδόμενον II 394³; - πληγὰς ὑπό τινος II 227²; - τι ποὶ τοῖς ὑπάρχουσιν II 514²; - συμβούλιον 401¹; λάβ' ἔντερα προτὶ οἶ II 513⁵; τοῦ λαμβάνειν II 360⁷; s. auch ἔλαβον, ἐλάβοσαν, ἐλάβεσκε, ἔλλαβε, ἐλλάβετ(ο), εἴλᾱφα, εἴληφα, λαβ-
λάμβδα 140, 2. 277⁶
λάμια 473¹·²
Λάμος hom. 473²
λάμπεσθαι II 232⁷
λαμπετίη 705⁶
λαμπέτις Luk. 705⁵
Λαμπετος 502⁴
λαμπετόωντι πυρί ep. 705⁶
λαμπρότατος ngr. II 185⁴
Λάμπιτος 504²
λαμπιτώ 504²
λάμπουρος 260⁵
λαμπρόφωνος 6, 1
λαμπτηρουχία ἀμφί τινι II 438⁵
ΛαμπτρΕ[σο] du. altatt. 575⁵
Λαμπ(τ)ρεύς att. 337⁶
λάμπω (-ειν) 684⁵. 692⁶. 781⁷. II 72⁷. 232⁷; - ὑπὸ μαρμαρυγαῖς II 527²; - πυρὸς σέλας II 76⁶
λαμυρός 482⁴
λάμψις 505⁶
(λάμψομαι Hdt.) 781⁵
Λᾱναξ kret. 263⁴
λανθάνομαι c. gen. II 108³. 109²
λανθάνω 699⁶. 748¹·⁷. II 16². 72⁵. 301². 353²; - c. ptc. II 392³·⁴·⁵; - c. infin. II 396⁴; λανθάνει βόσκων II 392⁴; - ποιῶν II 413²; ἔλαθον ἐσελθόντες II 392⁴;

ἐλάθομεν ἡ. αὐ. διαφέροντες II 392⁵; s. auch λάθω, λήθω, ἔλαθον, ἔλλαθον, λαθε/ο-, λάθεσθαι, λαθοῦ, ἐλέλαθον
λᾶνος dor. 314⁴
λανός unterital. 95²
λᾱνός 489²
λάξ 260². 620⁵⁻⁶. 840⁸; - ποδὶ κινήσας II 704³
λάξομαι ion. 738, 5. 781⁶
λάξις 562⁴
Λαοδ- 248²
Λαοδάμᾱ voc. 526, 5. 565, 4; -μᾱ 526²
Λαοδάμεια 469⁴
Λᾱοκόων 721⁶
λᾶος m. 578³
λᾶος gen. sg. hom. 578³
λαός 555, 1; λᾱός 190². II 42, 3; j.-att. 241³; dor. 251⁵; ὁ - voc. 551, 1. II 62, 1; λᾱοί II 42, 3; λαὸς 'Αχαιῶν II 129³; - - πείσονται II 608⁷
-λαος n. pr. m. 561³
-λᾱος 241³
λαοσσόος 720²
Λάοτος 636⁴
λᾱους acc. pl. Hes. 578³
λαπαδνός 489⁴
λάπαθον 510⁶
λάπαθος 511¹
Λᾱπέρσα (τὼ) II 47³
λάπτω 705¹
Λάρισα 60, 2. 516⁸
λάρος 61⁷
λᾱρός 482¹
-λας n. pr. m. 561³
-λᾱς dor. 241³
Λασαίοις thess. 638, 11
Λάσαν acc. sg. ON H. 638⁴
λάσθη 510⁷
*λασίζω 735⁶
λάσιος 314⁴. 466⁴
λασίσματα 735⁶
Λασιών 488¹
λάσκω 260⁵. 708². 748¹. 776². 782⁶; s. λακεῖν
Λασσαίου 638, 11
λάσται f. pl. 503³. 717¹
λάσταυρος 434²
λασφη (= -σθη) 158³
*λατακjω 725⁴
λάταξ 496⁵
λατάσσω 725⁴
Λατογένεια 439⁵
Λατόθεν 552, 1
Λατοῖ kret. 549⁷
λᾱτόμος 578³
λατρειόμενον 728³
λατρεύω (-ειν) II 73⁶; - c. dat. II 144⁸
λάτρις m. f. 462, 3

λᾱτύπος 578³
Λᾱτώ 60². 478⁵. 479³
Λαυδ- 248²
λαυκά 198⁷
λαυκανίη hom. 198⁶
Λαύκē att. 209⁷
Λαῦκος att. 209⁷
λαύρᾱ 481³, 6. 578, 1
λᾶϋς f. dat. kor. 578³
λᾶφ- 310⁵
Λαφάρης 513⁶
λαφθη- ion. 761⁶, 4
λαφύσσω hom. 733⁵; -σσετον
    3. du. 667²
λαχαίνω 725³
*λαχάνω 700⁷. 701¹
λαχε/ο- 748¹
λάχεια 837⁶
λαχεῖν II 382⁶
λάχεσις 505³, 5
Λάχεσις 504⁴, 4
λάχη 460¹, 1
λαχῆν infin. ark. 807²
Λάχης 499³
λαχμός 492⁴
λάχνη 314⁴
λαχόην lesb. 236⁷. 796³
λάχος 512³
λαχὼν ἀπὸ ληίδος αἶσαν II
    447⁴
λάψομαι fut. ion. 761, 4.
    781⁴
λάψομαι fut. dor. 781⁴; λα-
    ψῆι Epich. 786⁶
λάω 676²
λάων gen. pl. 578³
Λέαγρος 454³. 634³
Λεαρέτη 244⁷
Λέαρχος Καλλιμάχου II 119⁷
Λεβάδεια 207⁵
λέβης 61⁸. 154⁷. 499³
λέβινθος 61⁵. 526⁵
Λεβύα 153¹. 181⁷
Λεβυᾱφιγενής Ibyk. 551⁴
λεγ- 'sich legen' 32⁸
λεγ- 'sammeln' 32⁸
λέγειν 'du sollst sagen' II
    638, 1
λέγειν (τοῦ) II 362³
λεγεών 161⁴. 395⁴. 488¹
-λεγη- pass. 760¹, 4
-λεγῆναι Koine 760, 1
λεγιών 488¹
λέγομαι (-εσθαι); λέγεται II
    239⁷; – λόγος ἀμφί τινι
    II 438⁶; – Μίδας θηρεῦ-
    σαι II 297³; – παρά τινι
    II 494, 1; – παρά τινος
    II 498¹; – πρός τινος II
    514⁷; – μετά τισι II 483³;
    – ἀπό τινος II 446⁵; λεγέ-
    σθω ὁ λόγος ποτὶ χόας
    ιη´ II 511⁵⁻⁶; s. auch ἐλέχ-
    θην

λεγόμενον II 401⁵; τὸ – II
    78³. 617⁶; τὸ δὲ – II 87¹;
    τὰ λεγόμενα II 274⁸
*λεγχ- 701¹
λέγω 314. 338⁶. 353⁶. 641⁸.
    684⁶. 751⁴. 754⁷. 821⁴;
    Bed. 31³. 32⁶. 37⁵. II 258³.
    259¹. 271⁵. 272¹⁻⁸. 274⁴⁻⁶.
    276⁶. 277⁵⁻⁷. 279¹. 282¹.
    307⁶⁻⁷. 363⁴. 364⁴. 365⁴.
    366⁶. 373³⁻⁸. 374¹⁻². 380⁷;
    λέγει alt- u. ngr. 72⁷. II
    621³; λέγομεν 309²; λέ-
    γουσι(ν) II 243³⁻⁴. 620⁸;
    λέγουν(ε) ngr. 666⁴; λέ-
    γοιμι II 304⁵; λέγοιμ᾽ ἄν
    II 329⁵; λέγοις ἄν II 329⁶⁻⁸,
    1. 330⁵; λέγε 660, 2. II
    304⁵. 341³⁻⁴; λέγε δή II
    341³; λεγέτω II 344²; λε-
    γόντων II 344³; s. auch
    ἔλεγον; λέγες ther. 660, 2;
    λέγω c. gen. (= περί τινος)
    II 105⁸. 132²; c. ptc. II
    394⁴; – ὡς c. ptc. II 397²⁻³;
    – κατ᾽ ἐμαυτόν II 479²; – ἐξ
    ἐμαυτοῦ II 463⁴; – ἕν τισιν
    II 458¹; – σὺν θεῷ II 489³⁻⁴;
    – περί τινος II 503¹⁻²; –
    ἀμφί τινος II 438⁸; – ἐπ᾽
    ἀργυρίῳ II 468²; – περὶ
    τιμᾷ II 501⁶; – πρὸ τῶνδε
    II 506⁸; – ὑπέρ τινος II
    521⁷. 522²; – ὀρθῶς ὑπέρ
    τινος II 521⁵; – κατά τινος
    II 480³; – τι ἀκοῇ II 167⁷; –
    τί τινος II 132³; – τι πρός
    τινα II 510⁷; – τι ἔς τινα
    II 459²; – τι πρός τινι II
    513³; – τι διά τινος II 451⁶;
    – λόγον ἐκ λόγου II 464³; –
    λόγον περί τινος II 503³; –
    τινὸς ὅτι II 132²; – τινί τινος
    II 132¹; – τινὶ λόγον παρὰ λ.
    II 496³; – τινί τι σὺν δίκη
    II 489⁸; – τινά τι II 83⁸; –
    περὶ σιτία II 504⁸; – πρὸς
    ἡδονήν II 512⁵; – τινὶ καθ᾽
    ἡδονήν II 478¹; – πρὸς
    ὀλίγον ὕδωρ II 511⁵; –
    ἐξελάσαι II 297³; – μὴ ἀδι-
    κεῖν II 595⁵; – ὅτι II 638⁵.
    639²; – ἀντία περὶ τάρβει II
    501⁶; λέγω κακά II 81¹; – –
    κατά τινος II 480²; καλῶς
    λέγω c. dat. II 152²; λέ-
    γων ἄν λέγοι II 388⁷; οἱ
    λέγοντες II 409¹; λέγοντος
    αὑτοῦ II 399⁷
λεηλατῆσαι: τὸ μὴ – II 372¹
λεία att. 349³
λειαίνω 733¹
λειᾶναι 187⁶

Λειβία 208¹
Λείβιος 158⁵
λείβω 291⁵. 309². 347¹. 684⁶.
    702²
λείζομαι att. 735⁵
λειῆναι 187⁶
λειμακέστεροι II 183⁶
λειμενέστεροι II 183⁶
λεῖμμα 523⁵
λειμών 338³. 347¹. 522¹⁻², 1
λειξ- 754⁷
λεῖος 348¹; – πετράων II 96⁴
λείουσιν dat. pl. 571¹
λειπε/ο- 673³
λείπηι conj. att. 244⁴
λείπομαι (-εσθαι) II 273⁴; –
    τινος II 101¹⁻²; λείπετο Ἀν-
    τιλόχοιο II 101¹; s. λέλειμμαι
λειπο- 442³⁻⁴
λείποι 382²
λειπυρίη ion. 263³
λείπω (-ειν) 298⁵. 309². 346⁸.
    353⁶. 355⁶. 358³. 643⁴. 684⁶.
    2. 701². 747³. II 269². 272²;
    ἔλειπον 640,2; ἐλείπομεν 641⁷;
    λείπηι 244⁴; λείπωμεν 640, 2;
    λείποι 382²; λείπω ἐπὶ τῇ χώρῃ
    II 466⁶; – τινὰ ἀμφί τινι
    II 438⁴; – τινί τι ἀχνυμένῳ
    II 152³; – τινὰ ἕλωρ πρὸ
    φόβοιο II 507⁸; s. auch
    ἔλειψα, ἔλιπον, ἔλειπτο,
    ἔλειφθεν, ἐλέλειπτο, λιπεῖν
λειτορεύω 530, 5
λειτουργία 201⁶. 202¹
λειτουργῶ περί τινος II 503⁷
λειχήν 487³
λειχο- 442⁴
λείχω 297⁵. 685¹. 754⁷
λειψ- spät 747³
λεῖψαι (τὸ) Porphyr. 755, 5
λείψανον 517², 2
λείω dor. 82⁵
λειώδης rhod. 434²
λείωντι kret. 676³
λεκάνη 490, 1
λέκιθος 510⁶
*λεκσ(σ)θαι 751²
*λεκσσο 2. sg. 751²
*λεκστο 3. sg. 751²
λεκτέος II 409⁸
λέκτο 684⁶. 750⁶. 751²⁻³.
    755⁴. 842⁵. II 258³
λέκτρον 532²
λεχχώ 315⁶
λελαβέσθαι 748¹⁻⁶
λελάβηκα 311²; -βήκειν infin.
    dor. (arg.) 775¹. 807¹
λέλᾱθα 646⁷. 770²
λελαθε/ο- 748¹
λελαθεῖν 646⁷
λελαθέσθαι: μὴ – II 343⁴
λελάθηι Ilias 748⁷
λέλαθον 357²

λελάθοντο Ilias 748[7]
λέλᾱκα 702[5]. 776[2], 2
λελάκοντο h. Hom. 748[1.6]
λελακυῖα 541[2]. 770[2]
λέλαμμαι 771[1]. 772[4]
λέλαμπα Eurip. 771[1]; -ε 772[3]. II 264[2]
λέλασμαι 770[2]; -σται 357[1]. 699[6]. 748[1]. 773[2]; λελάσμεθα 773[2]; λελασμένος 773[2]. II 407[7]; ἔμμεναι λελασμένον II 376[3]
λελάφθαι 761, 4
λελάχᾱσι Emped. 769[2]
λελαχε/ο- 748[1]
λελαχεῖν πυρός II 104[2]
λελαχήσομεν H. 783[4]
λελάχω II 310[7]; -χητε 699[5]. 748[7]; -χωσι 748[7]
λέλεγα H. 765, 1. 771[1]
Λέλεγες 59, 2
λέλειμμαι 280[1]; λελείμμεθον 672[5]; λέλειπται 771[2]. 772, 2; λέλειπτο 772, 2; – ἐς δίσκουρα • II 459[6]; λελεῖφθαι 772, 2; s. λέλειψαι
λελειχμώς II 286[7]; -ότες Hes. 771[5]
λελειχότες 771[5]
λέλειψαι 668[1]
λελείψεται Ilias 783[3]. 812[5]
λέλεκται 771[2]. II 258[3]
λέληθας δουλεύων II 392[3]
λέληκα ep. 708[2]. 770[2·3]. 772[2]; -κώς 541[2]
λελιημένος 770[5]. II 263, 1
λελιμμένος II 263, 1
*λελιμμεν 643[4]
λελιχμότες 771[5]
λέλογας H. 771[2]
λελογισμένως Hdt. 624[2]
λέλογχα 768[4]. 769[2]; -ε II 264[4]; λελόγχασι(ν) 664[1]. 699[5]. 748[1]. 769[2]
λέλοιπα 355[6]. 358[3]. 643[4]. 649[3]. 771[2]. 772[2]; λέλοιπε(ν) 772, 2. II 263[5]
*λελοιποίη 794, 2
λέλομβα kret. 96[4]
λελόμβη conj. kret. 770[1]
λελουμένος 682[5]. 770[4]
λελοχυῖα H. 769[4]
λέλυμαι 770[1]
λελύμανται 771[5]
λελυμασμένος ἔσομαι II 290[1]
λέλυνται, λέλυντο 671[5]; λελύσεται att. 783[5]; λελύσθαι 809[3]; λέλυται 783[5]; λέλῡτο, λελῦτο Od. 795[5]
λεμβάδιον 471[2]
λέμβος m. II 34, 2
λέμε ngr. 254[2]
λέμνα 332[4]. 524[6]
λένε ngr. II 245[5]. 621[1]

λέντιον 161[5]
λεξ- 754[7]. 787[1]
λεξα- 755[4]
λέξαι böot. att. II 258[3]
λεξάμενος 751[2]
λέξασθαι 751[2]. II 375[1]
-λέξασθαι 760, 1
λεξάσθων imper. ion.-att. dor. 802[4]
λέξατο 751[2]
λεξείδιον 471, 4
λέξειν II 375[6]; τὸ μὴ οὐ – II 369, 6
λέξεο 788[2], 4
λεξιγράφος 33, 1
λεξικογράφος 33, 1
λεξικόν 33, 1. 270[5]
λέξο imper. hom. 751[2]. 799[6]; – μετά τινος II 483[6]
λέξω 684[6]
λέξωμεν conj. 791[2]
λεο- 434[2]
λεοκοῖς ion. (= λευκοῖς) 197[6]
*λέονος gen. sg. 582[5]
λέοντε II 48[5]
λεοντηδόν 626[5]
Λεόντιον II 37[5]
Λεόντιος 161[7]. 163[6]
λεοντο[β]ά[σ]ες att. 579, 4 (λεοντοειδέες att.) 579, 4
λεόπαρδος 439[6]
Λεπάδεια phok. 207[5]
λέπαδνον 208[6]; -δνα 489[4]
λέπαμνον 208[6]
λεπάς 508[2], 2
λεπαστή 503[3]
λεπράω 731[2]
λεπρός 481[4]
λεπτακινός 32[6]. 456[6]
λεπτόγεως 245[7]
*λεπτόγηος 837[1]
λεπτός: λεπτότατοι πάντων τῶν ὑ. II 100[2]
λέπω 684[5]; ἔλεψεν II 82[8]
λές ngr. 254[2]. 737[1]. II 244[8]; – νὰ μὴ εἶναι τίποτε II 596[2]
Λέσβος 79[4]
λέσπιν 462[5]
λέσχη 541[6]
λεσχήν 487[4]
Λεττίναιος thess. 316[7]
λευγαλέος 484[2]
Λευεί 165[3]
Λευείτης 165[3]
Λευκαθέα 703[4]
λευκὰ θεόντων 685[7]. 703, 5
λευκαθεόντων (ὀδόντων) Hes. 703[4], 5. 6
λευκαθίζω Hdt. 703[5]
λευκαίνω 289[6]. 733[1]
λευκανθίζω 703[5]
λευκανίη 198[6]
Λευκάς 508[3]
λευκαχάτης 453, 5

λευκέρυθρον 453[3]
λευκέρυθρος 453[2]
λεύκη 380[3]. 420[4]. II 174[5]
Λευκοθέα 438, 1. 453, 5
λευκόϊον 174[6]
λευκολίνου gen. 289[7]
λευκομέλας 453[2]
λευκομυόχρους 453[2]
λεῦκος 380[3]. 421[4]. II 174[5]
λευκός 347[3]. 458[5]. 805[1]
λευκόφαιος 453[2]
Λεῦκτρα (τὰ) II 43[4]
Λεῦκτρον 532[4]
Λευκυανίας 453[2]
λευκώλενος II 32[3]. 182[8]
λευσθη- 761[3]
λευσμός 578[3]
λεύσσατε imper. 754[2]
λεύσσω 88[4]. 713[3]. 716[2]. 754[2]. II 72, 1; – τι ὑπ' αὐγάς II 530[5]
λευστήρ 578[3]
λεύσω 578[3]
λευτον 503[6]
Λευτυχίδης 248[3]
λεύω 578[3]. 728[3]
λεχ- 32[8]
λεχεποίην 441[4], 2
λέχεται 684[6]. 717[5]. 718[6]
λεχθὲν ἦν Plat. 812[6]; τὰ λεχθέντα ἔκ τινος II 463[7]
-λεχθη- pass. 760[1], 1
λεχοί, -ούς 479[4]
λέχομαι 355[6]. 754[7]
λεχόνα ngr. 479[4]
λέχος 333[1]. 339[2]. 512[2]; – εὐνῆς II 122[2]; λέχος δε hom. 624[6]
λεχός kyren. 253[7]. 410[7]
λέχριος 327[7]
λέχρις Antim. 620[4]
*λεχσκα 541[6]
λεχώ 478, 3. 479[1], 1
λέω ngr. 737[1]; s. λές, λέμε, λένε
λεώ gen. sg. att. 555[3]. 557[6]
λεω- att. 438[3]
Λεωκέστωρ 637[6]
λεώλης 434[2]
λέων 156[2]. 526[1]. 567[1]. 571[1]. 582[5]; λέοντρς 582[5]
-λέων (gen.-λέωνος) 636[2]
Λεωνίδης ὁ Ἀναξανδρίδεω II 119[6–7]. 618[4]
λεώς ion.-att. 190[2]. 245[5]. 557[6]. II 42, 3; λεώ gen. sg. 555[3]. 557[6]
Λεωσθένης 637[6]
λεωσφέτερος 430[3], 1
λϜ 332[3]; – > λυ 267[3]
λη- 309[7]
ΛhαβΕτος att. 310[5]
λhαβον 212[2]; -ών ägin. 310[5]
λήγω 310[5]. 311[2]. 354[7]. 414[2]. 685[3·4]. II 92[4]; λῆγε ipf.

414⁶. 651⁶. II 341³; ἔληγον
654⁴; ἔληξα Herod. 748¹;
λῆξον II 341³; ληγέμεναι II
381⁴; λήγω τινός II 279⁵;
– ἀείδων II 393²; σὺν τῷ
φόβῳ λήγοντι II 391¹
ληδεῖν 702⁶
*ληϜας n. (gen. -ασος) 578³
*ληϜι- f. 508⁴
ληζόμενοι ζῶσιν II 388²
ληθάνα 699⁶. 700¹; -ει με
c. gen. II 108⁴
ληθεδανός 530²
λήθεσκεν 711²
λήθομαι 699⁶
λήθω 685³. 699⁶. II 72⁵;
λήσω fut. 699⁶. 703². 748¹;
ἔλησα 755⁶; λήθω τινός
c. dat. II 151¹
-λήθω compos. 699⁶
λῆι 676³
*ληϊᾶ 349³
ληϊάς 508⁴
ληΐζομαι ion. 735⁵. II 270⁶
λήΐζομαι att. 735⁵; s. λη-
ζόμενοι
λήϊη 241⁶
λήϊσσομαι hom. 735⁵. 785⁵
λῃστής 201⁴; λησταί 159⁴
λήΐστρια 530⁶
ληΐτις 464, 2
ληΐτουργ- 201⁴
ληΐτουργία att. 241⁶
ληκᾶν H. 356⁵. 676⁴. 719²
λήκημα 128²
ληκίνδα adv. 627²
*ληκυθιντιον 162¹
λήκυθος 61⁸. 162¹. 510⁶. II
34, 2
ληκώ 478⁴, 2
λῆμα 676³
λῆμμα 280¹
Λῆμνος 524⁶; -ου γαῖα II 122¹
λημφθη- 761, 4
λήμψομαι Koine 761, 4. 781⁴;
– τινα ἐμαυτῷ II 236³; s.
λήψομαι
ληναί 489³, 7
ληνός II 34, 2
λῆνος n. 512⁷
λῆξις 364¹. 505³
λήξομαι 781⁶
λῃός ion. 246⁴
ληρέω 726³; -ήσω II 293³;
λῆρον ληρεῖν II 75²
λησμονῶ c. gen. ngr. II 136⁷
λῃστής 159⁴; s. λῃστής
λήσω; s. λήθω
λητήρ akarn. 530⁶
λῆτο H. 703²
Λητοΐδης 543⁵. 635¹
λητουργῶ: ἐλητούργησεν 257⁶
Λητώ 478⁶. 479¹. 547²
λήτωρ thess. 530⁶

*λημ: λᾶϜ 578³
λήψεσθαι II 375⁷
Λημψιμανδῆς, Λημψιμανδοι, Λη-
ψιμαναι 26³
λήψοιτο II 337⁴
λήψομαι hell. 700¹. 781⁴. II
265⁴; s. λήμψομαι
Λημψυανδῆς 26³
λῖ 434². 676³
-λι- suff. 495²·³
λιάζομαι: λιαζόμενον ποτὶ
γαίη II 513⁴; λιάζετο 734³
λιάζω 693²
λίᾶν 434². 621¹. II 413⁷
λιαρός 311¹
λιάσθη 734³
λιασθη- 761⁴
λίασσεν 734³
λίβα 584⁶
λιβάς 508²
Λιβέριος 161⁶
λιβικός 498²
λίβος 347¹
Λίβυες οἱ πρὸς Αἰγύπτῳ II 512⁸
Λιβυκός 498²
Λίβυσσα 475⁵
λίγα adv. hom. 622⁵. 692⁸
λιγαίνω: ἐλίγαινον Ilias 733¹
λίγδα 626³
λίγδην 626³
λίγδος 508⁷
λίγεια 379⁵. 474⁵
(*λιγκjω) 692⁴
λιγνύς 215⁶. 495⁶
λίγξ 299⁷
λίγξε βιός 692⁸
λιγουρός böot. 182¹
λιγυρός 482⁴
λιγύς 463². 692⁸; -ύν acc. sg.
573³
λίες pl. 570⁷
λῖες pl. 571¹
λίεσσι dat. pl. 571¹
λίζουσι H. 692⁵
λίην 676³
λιθάς f. II 37, 6
λιθηΐα lak. 466, 11
λιθιάω 732³
λίθος m. f. 582³. II 37¹, 6;
f. II 34, 5
λιθοσπαδής 507⁴
λιθουργός II 176⁴
λίκερτίζω 705⁵
λικμάω 731⁵
λικμός 338³
λικνίζω spätgr. 215⁸
λίκνον 259². 338³
λικριφίς 256². 327⁸. 351².
551⁴, 7. 620⁴
λιλαίομαι 273². 717¹. II
229²; – τινός II 105²
*λιλασjομαι 717¹
λιμήν 159⁸. 347¹. 521⁷. 522²;
λιμένες II 43⁴; λιμένοις kret.

564⁸; λιμὴν ὁ κατὰ πόλιν
II 477¹
λίμνη 347¹.522¹,1.524⁵. II 33²
λιμνοθάλασσα 453, 4
Λιμνώρεια 452²
λῖμός m. f. 176⁶. 492³. II
34, 1. 37¹, 3
λιμπάνω (-ειν) 417, 1. 689⁴.
691³. 692². 699⁶. 701²·³.
747³
*λίμπω 701²
λιμώσσω Luk. 733⁶
λῖν acc. sg. Ilias 570⁷
λῖν’ acc. sg. 570⁷
λίναμαι 693², 4
λινδέσθαι H. 692⁵
Λίνδος 508⁷
λίξ (λίγξ) 299⁷
λίπα adv. 333¹. 622¹
λιπάδελφος 442⁵
λιπανδρία 442⁵
*λιπάνω 700⁷
Λιπάρα 482³
λιπαρέω μένων II 393¹
λῖπαρής 434². 481³, 8
λιπαρός 482²
λίπας 514⁵
λίπε imper. hom. 799²
λιπε/ο- 673³. 747³
λιπεῖν 346⁸. 353⁶. 357². 358³.
389⁸; s. ἔλιπον
λίπεν Ilias 759²
λιπερνής ,-ῆτος 442, 4
λιπεσάνωρ 444²
λιπέσθαι ἐπὶ κτεάτεσσι II 467¹
λιπο- 432, 6. 442³
λίποιτον 3. sg. 669⁴
λίπον 759²
λιπόναυς 449⁶
λῖπόνηρος 434²
λιπόντ- ptc. 380⁸. 390¹. 718²;
s. λιπών
λίπος 512⁴
λιποῦ imper. aor. 799³·⁶
λίπτω 705¹
λίπωμεν 640, 2
λιπών 389⁸; s. λιπόντ-
λῖς m. hom. 570⁷. 571¹;
λῖτί dat. sg. 499³. 584⁶. II
52¹
λῖς adj. 499³
λῖς 378². 463⁶
λισσέσκετο hom. 711²; –
ἐμὲ γούνων II 130¹
λίσσομαι 685³. 715¹. II 82¹;
– ὑπέρ τινος II 521⁵
λισσός 472¹
λίσσω 715¹
λίσσωμεν H. 298⁵. 692⁴
λιστρεύειν 732⁵
λίστρον 532⁴
λίσφος 495⁵
λιταὶ μακάρων II 121⁴
λιταίνω 700⁵

λιτάνευεν II 82¹
λιτέσθαι 685³. 715¹. 746³.
747³; s. ἐλιτόμην
λίτεσθαι 746³
*λίτjος 472¹
λίτομαι 685³. 715¹
λιτότης 37³
λίτρα 206³. 829²
λίτρον att. 259³. 532⁴
λιχμάω 725, 9
λίχνος 489³
λίψ · ἐπιθυμία H. 705¹
*λj 323¹. 367¹
*-λjω 323¹
λλ aus sl- 654³; aus sr 322⁵;
aus δλ 323³; aus λj 323¹·³;
aus λν 323³; -λλ- aus -λν-
693³; λλ aus νλ 323²; aus
ρλ 323⁴
-λλα suff. 475¹
λλήξειε hom. 315³
λλιαρῶι 311¹
λν 283⁷ f.; *λν 323³
λο äol. ark.-kypr. für λα
343⁸. 344³·⁷·⁸
-λο- Ausg. 483¹⁻⁴, 1
λό' ipf. hom. 682⁴. 721⁶
λογάδην 626⁵. II 416⁴
λογαοιδικός 447¹
Λόγβασις 323⁶
-λογέω 726⁵
λόγια n. pl. ngr. 582, 1
λογίζομαι II 396³; λογίσασθε
II 341⁴
λόγιμος II 32⁴
*λογοαοιδικός 447¹
λογογράφος 429¹
λόγος 5⁵·⁶. 31⁴. 42¹. 353⁶.
458⁶. II 175, 3; Bed. 31³.
37⁵; λόγος ngr. 582, 1;
λόγος 'Satz' II 619, 2;
*λόγου τινός 389⁴; τῷ λόγω
II 167³; λόγος c. gen. II
132³; ἀνὰ λόγον II 441³·⁶;
κατὰ – II 479¹; λόγος περί
τινος II 503²; – ἐστὶ παρά
τινων II 497⁶; – ἔχει τινὰ
πρὸς ἀνθρώπων II 514⁵;
λόγοι τῆς χάριτος II 122⁴;
– περὶ Λυσίαν II 504⁶
λογόω Plot. 842³
λόγχη ion. 699⁵. II 42²
[λόε], λό(ε) ipf. 682⁴. 721⁶
*λοέεσθαι 682⁴
λόει att. 682⁵
λόεον ipf. hom. 682⁴. 721⁶
λόεσθαι 682⁵
λοέσσαι imper. hom. 803⁷
λοέσσαι infin. 682⁴. 803⁷
λοέσσομαι 682⁴. 784, 6; –
ἄν II 351⁶
λοετρά 682⁴
λοέω 682⁵, 8
λοϜέω 682⁴

*λοϜομεν 1. pl. 682, 7
*λοϜοντι 3. pl. 682, 7
λόϜω 682⁴
λοηται 682⁵
λοιγός 347²
-λοιγός 450, 4
λοιδορεῖν II 73⁶. 232⁷
λοιδορεῖσθαι II 73⁶. 161².
232⁷
λοιδορέω 726⁴
λοίδορος 482²
λοιδοροῦμαι ἀνδρί II 161³
λοιμός 176⁶. 348¹. 492³
λοιμώσσω Luk. 733⁶
λοιπογραφή 451⁴
λοιπόν II 87¹; τὸ – II 70²
λοιπός 346⁸. 459⁴; λοιπὰ ἂν
εἴη II 611⁷
λοῖσθος 537, 7. 595⁴
λοίτη 459⁷
λοξός 516⁶; λοξὸν βλέπειν II
77⁴
λόον 682⁵
λοπός II 479³
λοῦ · λοῦσαι H. 682, 7
Λουδίας 182⁵
λούζομαι ngr. II 235³; ἐλού-
στηκα II 238²
λούζω ngr. 715⁴. 736⁷
Λουκία 161⁴
λοῦμεν att. 682, 7
λοῦνται 682⁵
λούομαι (-εσθαι) 682⁴. II
230⁴; – c. gen. II 112¹;
– χρόα II 231¹; – τὰς χεῖ-
ρας II 229⁷
λούου 682, 7
λοῦσαι 682⁵
λοῦσθαι 682⁴
λοῦσι att. 682, 7
λούσομαι 682⁵
λοῦσσον 347³
λούσω 782⁵
λοῦται 682⁵
λοῦτε att. 682, 7
λουτρόν 532⁵
λούω 682⁴·⁵, 7. 817². 841⁵. II
83¹. 230⁴; – c. dat. II
170²; s. λου-, ἐλούεον
λοφνίς kypr. 300⁵
Λόφριον 92⁶
λόφω du. II 49⁶
λοχαγός att. 40¹. 111². 190²
λοχάω hom. 718⁵·⁶; s. λο-
χῆσαι
λοχή spät 718⁶
λοχῆσαι ἔν τισι II 458²
λοχμάω 725, 9
λόχονδε 624⁶
λόχος 718⁵·⁶
λοχός 459²
λόω 682⁵, 8; ἐλόεσα 752⁴
λσ: – festgehalten 285⁶; –
in Fremdw. 285⁶

-λσ- fut. 781². 782²; – aor.
753⁴⁻⁵
λτ > dor. ντ 213³⁻⁵
λυ bzw. υλ aus idg. ] 351⁷⁻⁸f.
-λυ- suff. 495⁴
λυγγ- 424⁴
λυγγαίνω 699⁷
λυγγανόμενον H. 699⁷
λυγγάνω 692⁸
*λυγγjω 310⁵. 692⁸
Λύγδαμις 259⁴. 409⁵
*λυγjω 692⁸
λυγκ- 424⁴
(λυγκαίνω) 699⁷
Λυγκησταί 66²
λυγμός 214, 1
λύγξ 310⁴. 692⁸
λύγος 459¹
λύγρᾶν gen. pl. Sapph. 559²
λυγρὸν ὄλεθρον II 86⁶·⁷. 617³
Λυδία 161⁷. 469¹
Λυδία λίθος II 37, 6
Λυδοί 182⁵
Λυδός: ὁ – II 42¹; – ὁ
Φερεκλέους II 120¹
λύειν: τοῦ λύειν II 361⁶
λύζω 310⁵. 692⁸
(*λυθ(αι) ἦμεν) 763²
λυθείς ion. att. 525³. 566²;
λυθεῖσι dat. pl. 566²
λυθη- 761⁴
λυθήμεν 763²
λῦθι Pind. 740, 2. 800, 5
λυθίραμβος 24²
λυκάβας 62¹. 526³·⁵
Λυκαβηττός 61¹. 321²
Λύκαια θύειν II 76⁵
λύκαινα 456¹
λυκάμαντι 257⁴
Λυκάμβα voc. sg. ion. 560⁵
Λυκηγενής 347³. 439, 8
λυκιδεύς 510²
Λυκίσκος 542²
λύκοιιν du. 557²⁻³
Λυκομήδη voc. 579⁶
λύκος 72⁷. 298⁶. 301⁵. 352².
381¹. 408⁸; λύκοι 58³; λύκοιιν
du. 557²⁻³; λύκοις 279⁶·⁷
Λυκόσουρα 446, 1
Λύκουρα ark. 286²
Λυκοφόντης 451⁷
*λυκσνος 335³
Λυκώ 478⁶
λῦμα 523⁶
λυμαίνεσθαι II 73⁶. 240³·⁴;
– λύμηισι II 166⁴
λῦμαρ 519¹
λυμεών att. 521⁵
λύμην aor. Ilias 740³
λυμνός 259²
λύννοντα ptc. praes. ngr.
II 411¹
λύντο 671⁵. 740³
λύοιμι 196³

λύομαι (-εσθαι) II 230⁶. 231⁶.
 232⁵; – τὰς σπονδάς II
 287⁷; – ἵππους ὑπ' ὄχεσφι II
 527³; – χρημάτων II 126²;
 – ἀπ' ὤμων II 446²; – ὑπ'
 ἀρνειοῦ II 527³
λύπην πικράν II 617⁴
λύπης praes. lesb. 729¹
λυποῦμαι (-εῖσθαι): – ἀπο-
 λωλεκώς II 392⁶; – λύπην
 II 80⁵; – ταὐτά II 77⁶
λυποῦν (τὸ) II 409¹
λυπτά 503³
λυπῶ II 80¹
λυρίζω hell. 736³
λῦσα- 740³
λῦσαι II 381²
Λύσανδρος 152⁶. 182⁵
λύσασθαι 809³
λῦσάστω 3. pl. el. 801⁶; –
 τὸ διφυῖδ II 126²
λύσατε II 344²
λύσειν (τὸ) II 369, 6
λύσεσθαι 809³
Λυσίας ὁ Κεφάλου II 618⁴
Λυσικλῆς 635, 5
Λυσίμαχος 155⁴. 183⁷. 638, 7

λύσις II 356⁷, 4. 357³·⁵·⁶;
 λύσιος gen. 572, 3; λύσις
 (λύσιν) θανάτου II 121²
 (II 95⁸); – ἀπὸ τῶν δεσμῶν
 II 95⁸
λυσιτελεῖν II 280⁴; -εῖ τινι
 πειθομένῳ II 393⁸
Λυσιφάνης 635, 5
λύσομαι 782⁴
λυσόμενος II 295⁸
λύσοντα ptc. aor. ngr. II
 411¹
λύσσα 474³
λυσσαίνω 733²
λυσσάς 508³
λυσσάω 733²
Λύστρα 462⁶
λυτήρ πόνων II 95⁸
λύτο 740³, 2
λυτός: -οὶ ἦμεν 763²
Λύττος kret. 316⁸
λυχνάτης 211⁴
*λυχνός 327⁶
λύχνος 327⁶·⁸. 335³. 489⁴
λύω 686³. II 272¹. 315⁶; – τι
 ὑπὸ ζυγοῦ II 527²; – κακό-
 τητος II 93²; – τινός II 127⁶
Λύων arg. 307⁶

λῶ dor. 676³,2; λῆι,λῶμες 676³
λώβη [nicht λωβή] II 200⁷
λωβητήρ Ilias 568⁸
λωβῶμαι (-ᾶσθαι) II 73⁶; –
 λώβην II 79⁵
λώγη H. 345⁶. 459⁷. 719¹
λώιη 796, 2
λώϊος 539³, 5
λῶιστος 539³; s. λῷστον
λωίτερον 539³
λωίτερος 539⁵
λωίων ion. 361². 539³
λωίων att. 539³
λῶμες 676³
λώπη 345⁶. 460¹
λῶπος 515⁵
λωσάμενος dor. 682⁵
λῷστον: ἕν μὲν τὸ – II 617⁶
λωστός 503²
λωτεῦντα n. pl. 527, 2
λωτήριον arg. her. 249⁶
λῶτις delph. 271². 505, 2
λωτρά dor. 682⁵
λωφᾷ Plat. 719¹
λῶφαρ 519¹
λωφέω hell. ep. 719¹
λωφήσω 719¹, 4
λώω dor. 682⁵, 7

# M

μ als Zeichen 213⁸; μ- aus
 σμ- od. *sm- 309⁷. 310⁵·⁶.
 649⁸; μ- für fremdes b-
 333⁷; μ wechselt mit β,
 π 333⁶; – mit σ 311⁵; μ:μ
 > ϝ:μ 259²; μ:ν > β:ν
 259³; μ nach Kons. > ν
 215⁷·⁸
μ' elid. (= με) 604, 3. 606⁵;
 (= μοι) 604, 3
μ' (= μου) ngr. (nordgr.)
 606⁴·⁵
μα 'aber' thess. 65⁵. 82⁴.
 627, 4. II 562¹. 569⁵, 4
(μα pap.) II 562, 5
μά partic. II 569²·⁵, 3. 4; –
 τὸν Δία II 707⁸
μά praep. c. acc. II 533⁶
μά 'aber' ngr. II 556³·⁴.
 562³, 5. 570³
μᾶ el. (= μή) 185¹. II 594, 3
μᾶ 422⁶ f. II 31³; μᾶ γᾶ 422⁶
-μα suff. n. 128⁴. 360⁷. 492².
 522⁵ ff. 523¹·²·⁶. 586, 6.
 806³. 834¹. II 356⁴; – aus
 idg. *-mn 524²; – fungiert
 wie -σις 128⁴. 523⁶; – nach
 Kürze 523⁶; – zu primären
 Verbalst. 523¹·²
-μα [-ma], gen. -μάτου ngr.
 521². 585⁷. 586²

-μα 1. sg. aor. ngr. (maniat.)
 764⁶
-μᾶ suff. 491⁶ ff. 494²·³
μαγ- 772¹
μαγαδίζω hell. 736³
μάγαδις 462⁶
Μαγαρικά 75⁴
Μαγαρικός 255⁷
μάγειρος 275². 471⁵, 12
μάγῖρος 331¹. 471⁵, 12. 715²
μαγίστωρ 531, 6
Μάγνης 499³
Μάγνητες 69⁶
Μαγνῆτις λίθος II 37, 6
μάγουρος äol. 471, 12
μαδαρός 682⁶
μαδάσκομαι 708⁴
μαδάω, ἐμάδησα 682⁶
μαδδαν meg. 331⁶
μάδισος 517¹
Μᾶδοι 187³
μᾶζα 330⁵. 474³
μαζός 472¹
Μαζουσία 466, 10
μάθᾶ 726¹
μαθαίνω ngr. II 83⁵
μαθᾶμαι 726¹
μάθε: – μου τάδε II 95¹; –
 ngr. 799³
μαθέ 'nämlich' ngr. 799³.
 II 583, 2

μαθεῖν 703². 807². II 364⁵·⁷;
 – τῆσδε II 94⁷; – τοῦτό
 σου II 94⁸; εὖ μαθεῖν II 366⁵
μαθεῖναι infin. byz. (Psell.)
 808³
μαθές ngr. II 583, 2
μαθέτωσαν imper. 802⁵
μαθεῦμαι Theokr. 784⁵
μάθης (st. μάθε) II 316⁵
μάθησις: – ἕν τινι II 458³;
 -σιν ποιεῖσθαι II 78⁴
μαθήσομαι 782⁷
μαθητής II 614²
μαθητιάω 270⁷. 732³
Μαθθάθ 165⁴
Μαθθάν 165⁴
μάθον 747⁶
μάθος 512³
-μ(αι) 1. sg. End. 403⁴·⁶·⁷.
 604, 3
-μαι 1. sg. End. 657⁵·⁶. 658³.
 667⁴·⁵
μαῖα 423¹. 473⁶. 474². II 31²
Μαιῆτις 500, 5
μαιμάω 495, 8. 647⁴. 694, 3.
 769, 2. II 105²
μαινάς 508²·⁵. II 242¹
μαινόλᾶς 484⁵
μαίνομαι 343². 694², 3. 714⁵.
 769, 2. 770³. II 227⁵. 229².
 234². 260³; μαίνεται 759⁴, 4.

II 271, 2; μαίνηται 669²;
μαινόμενος II 408⁸; μαινό-
μενοί εἰσι II 408¹; μαίνεται
τάδε II 77⁶; s. -εμήνατο,
μανῆναι
μαίνω II 228⁶. 234²; ἔμηνα
770³
-μαίνω verba 724⁵⁻⁶
μαιόμενος II 408⁶
Μαῖρα 474². 837⁶
μαῖσ', μαῖσι lesb. 673, 1. 675⁴
μαίσων 517²
máita ngr. (= μάτια) 273⁴
μαῖτο el. 673, 1
μαιτυρ- 348²
μαιτυρήσῃ siz. 212, 4
μαίτυρες kret. 408⁸; μαίτυρες
kret. epid. 212⁶; μαίτυρσι
kret. 260¹
μαῖτυς arg. 94⁵. 259²
μᾱκ- 776, 1
μάκαιρα II 34⁵
μάκαρ 519¹⁻². 543¹. II 29⁴.
176⁶; μάκᾱρ 409⁷. 569⁶;
μάκᾱρ hom. 569⁴; s. μά-
καρς, μακάρτατος
μακάρι νά ngr. II 349⁸
μακαριεῖν fut. 785⁴
μακαρίζω 735⁶
μακάριοι οἱ πτωχοί II 624²
μάκαρς Alkm. 569⁶
μακάρτατος σεῖο II 100²
Μακεδνὸν ἔθνος 69⁷
μακεδνός 69⁶. 489⁴. 498, 13
Μακεδόνες 69⁶. 162⁴; Μακε-
δόνεσσι lesb. 564³
Μακεδονία 162, 3
Μακεδών 154²; ὁ – II 41⁸.
42¹
μάκελλα 475, 2. 588, 3
Μάκετα 476²
Μακέται thess. 69⁶. 498, 13
Μάκεττα 476²
μάκιστος 111²
μακκοάω 726, 2
μᾶκος n. 512¹·⁵
μακρά adv. hom. 621². II
69⁶; – βιβάς II 77⁴
μακρᾱ́ν 621¹. II 69⁶
μακροβιώτερος II 184⁴
μακρόν adv. II 69⁶
μακρός 380⁸. 481⁵. 538²
μάκρος n. 512⁶·⁷
μακρότατον ἑωυτοῦ II 100⁶
μακρότερον 534⁴
μακρότερος 829⁸
μακροτέρως τῆς ἀπορρήσεως
II 99⁶
μακρυά adv. ngr. 621⁴
μακρύς ngr. 586³
μάκτρα att. 532⁶
μάκ[τ]ραν mess. 337⁵
μάκτρον 532⁴
μακών 357². 748¹⁻². 770²

μάκων 381¹. 487⁶
μάλα 342⁴. 538². 622⁵. II
413⁸. 628⁴. 697⁶; – τοι
II 581³
μαλάβαθρον 533³; -α 413⁷
Μαλαγκόμᾱς ark. 255⁶
μαλακαίπους 448⁶
μαλακοκρᾱνεύς 477¹
μαλακός 360³. 702⁶
Μάλακος 420⁵
μαλάσσω 725⁴
μαλάχη 58³. 498⁵
μαλερός 482¹
μάλευρον 351⁸. 481²
μάλη 483⁷; μάλης gen. 584⁷;
ὑπὸ – II 52¹
μαλθακός 497¹
μάλιστά 621, 8. 622⁵. II
184⁵, 3. 414⁴·⁵. 428¹; μά-
λιστά γε II 561³; μάλιστα
πάντων II 100², 2; – ἀ.
αὐ. ἑωυτῆς II 100⁶; μάλιστα
μὲν – εἰ δὲ (μή) II 570⁵
μαλιώτερος 539⁵
μαλκόν 362⁷. 684⁴
μαλλά att. 402⁶. II 578³
μᾶλλον 364². 538²·³, 4. II
184⁵, 3. 185². 416⁴; – γυμνῆς,
– εὔελπις, – φίλος II 184, 3;
– ἑτέρων II 99³; – παντός
II 100, 2; – τοῦ δέοντος II
99⁶; – χρημάτων II 99²; –
τοῦ πέλας II 98⁷; – καὶ – II
700²
Μαλλός kilik. 323⁴
Μαλλώτης 500⁵
μαλοδρόπηας 383⁷
Μᾱλόες Kallim. 566³
μᾶλον 346⁵. 458⁶
*μᾶλος f. II 30⁴
Μᾶλος 95⁵
Μαλοῦς 528²
Μαμβρῆ 277⁴
μάμμη 315⁵. 339⁸. 423¹
μαμωνᾶς τῆς ἀδικίας II 122⁴
μάν el. 181¹
μάν II 555². 569²·³, 2. 3 f.
633⁸; σὰ μάν megar. 616, 8
-μᾶν 1. sg. End. 657⁵. 658³.
667⁴. 669⁶, 8
μάνδρᾱ 481⁴, 12
μανδρο- Namen 637⁷
Μανδρόλυτος 481, 12. 638¹
μανέεται Hdt. 785²
*μανϜός 343³. 472⁴
μανη- pass. att. 759⁴, 4
μανῆναι 343². 363⁸. 770³
μανθάνειν (τὸ) II 371²; εἰς τὸ
– II 370⁵
μανθάνω (-ειν) 699⁵. 747⁶.
II 274⁴·⁶. 307⁸. 363⁸. 396¹;
– τι c. dat. II 149³; – c. gen.
'verstehen' II 106⁴; –
ἀπό τινος II 446⁴; – παρά

τινος II 497⁷; – πρός τινος
II 514⁶; s. μαθ-
Μανθυρεῖς 66⁴
μανιάς 508³. 542, 3
μᾶνις 495³, 8
Μάνιτους pamph. 185⁷
*μανjομαι 343²
Μανόλης ngr. 129⁷. 254³
μανός att. 343³. 472⁴. 588⁴,
7; μᾶνός 314⁵
μάντεϊ dat. hom. 572, 2
μαντεῖον πιστὸν περὶ τῆς χ.
II 502⁷
μαντεύεσθαι 732⁵. II 364¹;
– ῥάβδοισι II 166²; – περὶ
χρημάτων II 502⁸
μαντευσθη- 761⁴
μαντέων gen. pl. Koine 572, 9
μάντεως gen. sg. Koine 572, 9
μαντήια 572³
μάντηος gen.sg.Od. 572³. 732⁵
μάντι voc. 572²; – κακῶν II
121⁴
μαντία 333⁶
μάντιες 572³
Μαντίνεια 475²
ΜαντινΕσι dat. pl. el. 575, 4
μάντιος gen. sg. 572³, 9
μαντιπόλος 439⁴
μάντις 271². 453, 4. 504⁴, 3.
694, 3. II 614⁵. 618³⁻⁴;
– τάδε II 73⁸; – Ἀρηξίων
Παρράσιος II 618³; μάντι
κακῶν II 121⁴; s. μαντε-,
μαντη-, μαντι-
μαντίων gen. pl. nichtatt.
572, 9
μάνυ 343³
μανύω 699²
-μάξομαι 781⁷
μαπέειν Hes. 747, 7
-μαρ suff. für -μος, -μα 519¹
μάραγδος 311⁶
μάραθον 61⁷
μάραθρον 61⁷. 533³
Μαραθών II 33, 2
Μαραθῶνι loc. II 155¹·²
Μαραθωνόθεν 628³
μαραίνω 693¹
μαραίπους 448⁶
μαρανθη- 761⁶
μαργαίνω 733¹
μαργαρῖτες nom. pl. m. 563⁶
μαργάω 726, 2. 730⁷
Μαρδόνιος 333⁷
Μάρδυλις 333⁷
Μάρθα 165⁴
μαρίλη 311⁵
Μαρκίων 159⁵
Μᾶρκος 554⁶
*μάρκτω 302⁶
Μαρλοτᾶν 323⁴
μαρμαίρω 647². 725³; -ει
II 270⁵; – χάλκω II 166¹

μαρμάρεος 837⁸
μάρμαρος 647²
μάρναμαι (-σθαι) 277⁶. 357³. 695⁴. II 161². 233⁴·⁶. 360²; μάρναται 693¹; μάρνανται 693, 2; (ἐ)μάρναο 668²; μάρναο imper. 799⁶. II 339²; μάρνασθαι ἔριδος πέρι II 501⁷; – περί τινι II 501⁴; – περὶ πύλησι II 501²
μαρνάμενος 342⁵
μάρναο, s. μάρναμαι
*μαρνῑμεθα opt. 693¹
μαρνοίμεθα 693¹
μάρνωμαι 792⁷
μαρουκjοῦμαι ngr. 121⁴
μαρπέειν Hes. 747, 7
Μάρπησσα 634⁷
μάρπτις 271². 504⁴, 3
μάρπτω 277⁶. 302⁶. 342⁵. 704⁶; – τι c. gen. II 130¹
Μαρσύας 285⁶
*μαρτυ- 342⁵
μάρτυν acc. sg. Simon. Menandr. 569, 7
μάρτυρ äol.dor.(gramm.) 569⁴
μαρτυρ- 458⁴
μαρτυρεῖτε imper. II 341⁶
μαρτυρεν infin. kalymn. 807³
μαρτύρεω 721⁵
μαρτύρησον II 341⁶
μαρτυρία 470⁴
μαρτύριον 470³·⁴
μαρτυρο- 458⁴
μαρτύρομαι 721⁵. 725³; – τινά τινος II 131³
μάρτυρος 435, 5. 482⁵; -ροι ἔστων πρὸς θεῶν II 516⁵
μάρτυρος gen. sg. 506⁴
μάρτυς 260¹. 569⁶
μάρτυς 260¹. 342⁵. 569⁶, 7. II 470⁷; – ἐν λόγοις II 458³; s. auch μαίτυρ, μαρτυρ-
μάρτυσι dat. pl. 569, 7
μας pron. ngr. 606⁴
Μας n. pr. 562²
Μᾶς n. pr. f. 562¹·²
*μάσθη 725, 3
μάσθλη 312¹. 533⁴
μάσ[θ]λης lesb. 337⁶. 833¹
μάσθλητ- 725, 3
μασθός 307¹. 510⁷
*μασλᾶ 483³. II 105⁷
μάσλη 312¹. 833¹
μάσλης 833¹
Μάσνης 312³. 833¹
μάσπετον 502⁴
μασσ- hom. 755²
μάσσαι lesb. 725, 3. 755²
Μασσαλιήτη voc. sg. ion. 560⁶
μασσότερον dor. 539⁵
μάσσω 715². 759⁶
μάσσων 538²·³; μάσσον' ἀριθμοῦ II 99⁵

-μαστε 1. pl. End. ngr. 670, 3
μαστήρ 530⁴. 532¹
μάστῑγ- 735, 4
μαστῑγόω 732¹; -ῶ τινα πληγάς II 80⁴
μάστιε Ilias 735, 4. 799¹
μαστίεται Ilias 735, 4
μαστίζειν 732¹; s. μάστιξεν
μάστιξ 496⁴. 782³
μάστιξεν hom. 735, 4
μαστιόων Hes. 735, 4
μάστις 735, 4. 782²
μαστίω 727⁴
μαστός 307¹. 503⁶
μαστρός delph. rhod. 532¹; μαστροί II 105⁷
μάστρυς f. 495⁴
-mata pl. n. ngr. 585⁷
ματάζω 265⁸
ματάϊζω att. 736⁴
ματαιότατον ἐν ἀνθρώποισι II 116⁷
μᾶταρ el. 187¹
ματάρα nwgr. 212⁶. 274⁷
μάτεισαι lesb. 705⁶
*μᾶτερ 386⁵
μᾱτέρες 339³
ματέρι dat. sg. thess. 568²
Μᾱτερίσκα 542²
ματέρος gen. böot. phok. thess. 568¹
ματεύω 340⁴. 732⁶
μάτην 621¹, 1. II 78². 428¹
μᾱτηρ dor. 72². 176⁷. 187¹. 309¹. 345⁴. 423¹. 569⁴. II 31³
Ματθαῖος 165⁴. 231²
μάτι ngr. 413⁶. 418¹; κακὸ – II 27⁸; μάτια τῆς ἀστραπῆς II 136⁸
máti tsak. 93⁸
-ματίζω verba 736³, 6
ματίηι 468, 5
-μάτου gen. sg. n. ngr. 587, 0
ματρόθε Pind. 628³
ματρόθεν II 171⁸
ματροκτόνον αἷμα II 178¹
μᾱτρύλᾱ dor. 190⁴. 568⁷
ματρυλεῖον dor. 568⁷
*-ματσι dat. pl. n. 524²
Ματταθίας 165⁴
ματτύα 69⁴
ματτύη 184¹
μάττω att. 715²
-mátu gen. sg. n. 585⁷. 586²
μαῦλις 495³
μάχαιρα 475¹; μάχαιραι II 44³; Φρίξου – II 44, 2
μαχαιρᾶς 461⁶
μαχαιροπέρουνον ngr. 453¹
μᾱχανά 490¹
μαχειόμενος Od. 724, 2. 786, 3
μαχεῖσθαι II 296⁵

μαχέοιτο Ilias 786, 3
μαχέομαι fut. 721¹
μαχέομαι praes. hom. 721¹. 784⁵
μαχεούμενον Od. 786, 3; μαχεούμενοι Od. 786, 3
μάχεσθαι: τοῦ – II 360⁶; τῷ – II 369, 5
μαχέσομαι Koine 784⁶
μαχέσσασθαι II 366⁵
μαχέσσομαι 721¹
μαχετέον 721¹. 810⁶
μάχη ion.-att. 553⁵; – ταῖς χερσί II 166⁶; ἡ ἀπὸ τοῦ ξίφους – II 447²; – τινὸς πρός τινα II 511¹; – ἐστὶν ἀφ' ἵππων II 446²; s. νικῶ
μαχήσομαι 721¹. II 291³
μαχητέον 721¹. 810⁶
μάχλος 483³. 543². II 32⁴
μάχομαι (-εσθαι) 685². 721¹. II 161². 233⁴. 236⁵·⁶. 360². 363³. 364¹. 368¹·⁴. 378⁶. 381⁶; – c. dat. II 150⁶; – πρός τινα II 511¹; – ἐπί τινι II 468³; – ἀπὸ νηῶν II 446²; – ἐπὶ κελάδοντι II 467¹; – ἀνδράσι II 161²; – τινι ἐξ ἔριδος II 463⁸; – κατ' ἔμ' αὐτόν II 477⁶; – κατὰ ἕνα II 477⁵; – ἀμφὶ πίδακος II 438⁷; – ἀμφὶ πύλης II 438⁴; – ἀμφί τινι II 438⁵; – τινι πρὸς δαίμονα II 511¹; – ὑπὲρ τᾶι ἐλευθερίαι II 522³; – ὑπὸ γῆν II 531⁶; infin. imper. II 620⁶; – ἶφι II 166³; – χερσί II 139, 2; μάχην ἐμάχοντο II 74³; μάχεσθαι πρὸ παίδων II 506⁶; – τινι πολὺ πρὸ ἑτάρων II 506⁵; – μετά τινος II 484⁵; – τινι μετά τινος II 484⁶; – σὺν μαχαίρᾳ II 490⁶; – σύν τινι II 489⁵; – περί τινι II 501³·⁴; – περί τινος II 502⁴·⁶; s. auch ἐμαχεσσάμην, μαχοῦμαι
μᾶχος 512²
μαχοῦμαι att. 784⁵; -ούμενος II 295⁸
μάψ 620⁷. 747, 7
μαψ- 632⁶
*μαψι 620⁷
μαψίδιος hom. 467²
μαψιλόγος 448²
μαψωτος 614, 2
mb im Gr. 210²·⁴; – für bb Koine 231⁷
μβλ < μλ 277¹·⁴
-μβο- suff. 495⁵
μβρ für mr 277¹⁻⁴
με acc. sg. 57³. 309². 388³. 600⁵·⁶. 601⁸. 602². II 189²;

refl. II 194¹·²; ngr. 606⁴;
s. auch μ’, μέ, ἐμέ
*με gen. sg. 604³
μέ acc. sg. II 14, 1
(*μέ γε) 606, 1
μέ praep. (= μετά) c. acc.
byz. ngr. II 139¹⁻². 171².
481³, 2. 482², 1. 488²; μὲ μιᾶς
adv. ngr. 20⁶. II 436³
μΕ 185⁸; μέ kret. (= μή)
400³. II 594, 3
Μεκλίνα pamph. 209²
μέγα 293⁶. 340⁵. 381². 584¹.
II 185². 413⁸; – κλέϜος
57, 0; – φρονεῖν ἐπί τινι II
467⁵
μέγα indecl. mgr. 585⁴
μέγα adv. 584¹·². 621². 623¹.
624¹, 4. II 87⁵
μεγα- compos. 433⁶, 8. 584²
Μεγάβυξος 333⁷. 833⁸
Μεγάδης hom. 509⁶. 584²
μέγαθος ion. 255⁶. II 78³
Μέγαιρα 584²
μεγαίρω 584². 725². II 315⁵;
– τινί c. gen. II 133⁶
Μεγακλῆς 635³
μεγάλα n. pl. 584, 1
μεγάλα adv. 584¹
μεγάλα- 584¹
μεγάλε voc. Aesch. 584¹, 1
μεγαλεῖος 584²
Μεγάλεις pamph. 185⁷
μεγάλη 584¹
μεγαληγορεῖν II 364³
μεγαλήτωρ 434¹
μεγαλίζομαι 584². 735⁶
Μεγαλλέους pamph. 323³
μεγαλο- 484⁷. 584¹; – com-
pos. 584²
μεγάλοι pl. 584, 1; – – ngr.
II 185, 2
μεγάλοιο gen. sg. 584¹
μεγαλόμικρος 453³
Μεγαλόπολις 446, 3. 584²
μεγαλοπρεπῶς II 415⁵
μεγάλος ngr. 584²
μεγάλου gen. 584, 1
μεγαλύτερος ἀπό σένα II
99¹; ὁ – ἀπ’ ὅλους II 117¹
μεγάλως adv. 584¹. 624¹
μεγαλωστί 584¹. 624¹; μέ-
γας – II 700⁶
μεγαλωσύνη 529⁴, 2
μέγαν acc. sg. m. 584¹, 3
μέγαρα 482³
Μέγαρα ON II 33, 2. 43⁴
Μεγαράδε 389¹. 624⁶
Μέγαράδε 389¹. II 68¹
Μεγαρέσσι dat. pl. kyren.
575, 4
μεγαρέων gen. pl. n. 512⁴
Μεγάρη 584²
Μεγαροῖ 549⁷. 618⁶. II 56⁷

μέγαρον 311¹
*μεγαρός 584²
μέγας 310⁸. 538². 584¹, 3.
585⁵. II 176⁶. 179³. 182⁴;
– καὶ – II 185, 2; – μεγα-
λωστί II 700⁶
μέγεθος 255⁶. 511¹
Μέγην acc. sg. 584, 3
Μέγης hom. 584, 3
Μέγητα acc. sg. 584, 3
μεγιστᾶνες 521, 5
μεγιστο- 434¹
μέγιστον II 185²; τὸ δὲ –
II 617⁶
μέγιστος 584²; – μετὰ ”Ισ-
τρον II 486⁴
μεγίστω II 49, 4
μέδδονος böot. 833⁷
μέδεις äol. 721²; ὁ – II 408⁸
μεδέων hom. 721². II 241⁷;
– c. gen. II 109⁶⁻⁸ f.
Μεδεών 66⁴. 488³
μεδήσομαι Ilias 721². 782⁷
μέδιμνος 352⁵. 383¹. 524⁵
μεδίμωι 494, 9
Μεδμαίων 208, 2
*-μεδμων 208⁵
μέδομαι 684⁵. 702⁶. 721².
782⁷. II 108⁷. 109¹. 229³.
315²; μεδόμενος II 234, 3
μέδω 684⁵
μέδων 526¹. 566⁴. 721². II
234⁵. 241⁷; – c. gen. II
109⁶·⁷
Μέδων 637⁴
μεε ngr. 180⁸
μέζεα 208²
μεζόνως II 185¹
μέζω τῆς ἑαυτοῦ φ. II 101¹
μέζων ion. 72⁴. 330⁵. 538²·³.
584²; – τρισὶ δακτύλοις II
164¹
μεθ’ II 481³; μεθ’ ἡμέραν
II 483⁶; μεθ’ ὁμίλεον II
430⁵
-μεθα 1. pl. End. 340⁵. 657⁵.
670¹·²
μεθάμερα II 487²
μεθαμέριος II 487²
μεθαύριο(ν) ngr. 625³
μεθέηκε κλαύσας II 393²
μεθεκτέον II 409⁵. 410⁴; –
τῶν πρ. Thuk. 810⁵
μεθέλεσκε II 482⁵
μεθέμεν hom. 806³
-μεθεν 1. pl. End. 670², 2;
s. -μεθα
μεθέν syrak. 602³
μεθέορτος II 487²
μεθέπω II 482⁵; – c. acc. II
160, 1
μέθες 390⁸. II 81⁴
μέθεσθέ μου II 92⁴
μέθη 421, 3

μεθήμενος II 482⁴
μεθημερινός II 487²
μεθημοσύνησι II 43⁶
μεθησέμεν II 376²
μεθιεῖς 2. sg. 687³
μεθιέμεν infin. hom. 681, 3.
806³, 7; – πολέμοιο II 92⁴
μεθιέμεναι II 377⁶
μεθίετε: μήπω – II 343⁵
μεθίησι, μεθίhισι conj. hom.
687². 792⁵
μεθίημι II 482⁵, 4; – χόλοιο
c. dat. II 151¹
μεθίστατο II 482⁴
μεθίστημι II 482⁷
*μεθjος 308². II 481, 7
μεθομίλεον II 482⁴; s. μεθ’
-μεθον 1. du. End. 672⁵, 9
μεθόπια 220⁴
μεθόπωρον 119⁵
μεθόριος II 487¹
μεθουριάδες 829⁶
μέθυ 297⁴. 380⁸. 463⁶. 580⁵.
II 29³; – ἐκ κριθῶν II 463⁶
μεθύσαι LXX 754, 1
μεθύσης 461³
μεθυσθεὶς τοῦ νέκταρος II 103³
μεθύσθη Alk. 708⁵
μεθύσθην infin. lesb. (Alk.)
724⁴. 807⁷
μεθυσθῆναι 516⁴
*μεθυσjω 724⁴
μεθύσκω 708⁵. 754, 1
μέθυσος 516⁷. 543². II 32⁴
μεθύσσαι Nonn. 754, 1
μεθύστερον II 482⁴
μεθυστής Arr. 724⁴
μεθύσω fut. 754, 1. 782, 3
μεθύω 708⁵. 727⁵, 8; s.
μεθύσω, ἐμέθυσα
μεθῶμεν conj. hom. 792⁵⁻⁶
μείγνυμαί (-σθαί) τινι ὑπό
τινος II 529⁶; ἐμίγησαν
665⁷; ἔμιγεν 3. pl. 664⁵;
ἐμείχθης 751⁴; ἔμεικτο 751⁴;
ἐμέμικτο hom. 771²; μεικτο
750⁶. 751²
μείγνυμι 215⁶. 697², 5. 754⁷
μειγνύναι II 160³·⁶·⁷ f.
μειδᾶν 310⁶
μειδήσασα II 388¹
μειδιᾶν 310⁶
μειδιάω 702¹·⁶, 10. 732²·⁴;
ἐμειδίασα 654⁴
μειδιόων 727⁴
μεῖζον τῆς δυνάμεως II 99⁷
μείζονας att. 621, 8. II 415⁵;
– ἡμῶν αὐτῶν II 101¹
μειζονώτερος 539⁵
μειζότερος 539⁵
μείζων att. 273⁸. 474¹. 538²,
4. 539, 4; – ἢ κατά τι II
479¹·²; μείζονα ἀντὶ τῆς
αὐ. πάτρας II 100¹

μεικτο 750⁶. 751²
μείλιον 470⁴
μειλισσέμεν II 361⁸
μειλίσσω 725⁴; – c. gen. II 111⁴
μείλιχος ion. 283⁸. 838⁴
-μειν infin.-Ausg. rhod. usw. 807⁶
μεῖναι II 378¹
μείνατε II 341³
μείνειας ἄν II 329⁶
μεινίσκω ngr. 712²
μεινός gen. sg. thess. 185⁷. 515⁶
μεινός 185⁷. 286⁷
μειξ- 754⁷
μείξεσθαι Od. 763, 2
μειξο- 442⁶
μεῖον 304⁴
μειουρία 104, 2
μειοῦσθαί τινος II 101³
μειόω 732¹
μειράκια (τὰ) II 607⁶
μειρακίσκος 542³
μεῖραξ 56⁷. 293². 496, 4. 497¹
μείρομαι 310⁶. 414². 715⁵; μείρεο ἥμισυ τιμῆς II 103⁶
μείρομαι (= ἱμ-) poet. 715⁵, 10
μείς ion. altatt. 279⁵. 515, 5. 569⁶. 580⁴; s. μεινός
μείσγω 690, 3
μειχθη- 759³. 760²
μειχθῆναι: τοῦ γῆ – II 371²
μείω her. 250¹
μείων 304⁴. 538³˙⁴, 9
Μεχακλῆς 100⁴. 257¹
Μέκγαο böot. 231⁶
μελάγχιμος 450⁶
μελαγχρής 513⁴
μέλαθρον 533³
μελαθρόφιν Od. 551, 3
μέλαινα 473⁶. II 34¹; ἔχω μέλαιναν τὴν τρίχα πρὸς τὰ ἔτη II 511³; ἔχει τὴν τρίχα μέλαιναν II 618⁷; μελαινάων ὀδυνάων II 619¹
Μελαιναί 385³
μελαίνετο χρόα II 85²
μέλαις nom. sg. äol. 569⁶
μελαμφαρής 426⁴
μελαν- 440, 6. 458⁴
*Μελανάνθιος 264⁷
*Μελανανθος 263⁵
μελάνει 3. sg. 700⁴
μελάνζοφος 835⁸
μελάνζωνος 835⁸
Μελανθεύς 478²
Μέλανθος 263⁵
μελανίχροος 448²
μελανο- 458⁴. 490, 2
μελανός 473⁶. 490¹, 2; s. μέλαινα
μελανοσπαλάκισσα 475⁵

μελανόχροες I lias 578⁵
μελάντερον ἠΰτε πίσσα II 667, 1. 671⁶
μέλᾱς 569⁶; s. μέλαινα
μέλδομαι 702⁶
μέλδω 310⁶
μέλε voc. 547³. 584⁷. II 52¹
μέλε οἱ ἑών II 392⁶
μελέα ψυχά, ὅς II 603²
Μελέας ἀφικνεῖται καὶ ʿΕρμαιώνδας II 611¹
μελεδαίνεν II 381³
μελεδαίνω Archil. 724⁵; – c. acc. II 109⁴
*μελεϜιδτί 440, 10
μέλει 721⁴. 752³. 770². II 108⁷. 232⁷. 621⁸; s. ἐμέλησα, μελήσω; – (τινί τι) c. gen. II 109²; (μέλει fehlt) c. gen. II 109²; c. dat. II 144¹; μὲ μέλει ngr. II 88⁸
μελεΐζω 440⁴
μελέϊνος att. 243³
μελεϊστί hom. 440, 10. 623³
μέλεος 458⁵; μελέα ψυχά, ὅς II 603²; μέλεος c. gen. II 134⁵
μέλεται poet. 721⁴. II 232⁷
μελεταινεν arg. 705, 8
μελετάω nachhom. 705⁶; s. μελετήσω
μελέτη Hes. 705⁶
μελετήσω Thuk. 705⁶
Μελετίνη 259⁶
μελέτω II 342⁷
μελετῶν (ὁ) II 409¹
μέλη II 52²
μεληθη- 762¹
μέλημα c. dat. II 144¹
Μελήσανδρος 152⁷
μελήσομαι 783¹; -σεται 721⁴; – (κε) II 351⁵
μελήσω: μελήσει 721⁴. 783⁴. II 352¹; μελήσουσιν ἐμοὶ ἵπποι II 109, 1
μέλι 518¹. 520, 2
μελίη II 672, 3
μέλινος 490⁶
μέλις (ὁ) 518, 2
μελίσκον 542¹
μέλισσα 263⁸. 320⁶. 474². 723, 8. II 37⁵
Μέλισσα II 37⁵
Μέλισσος II 37⁵
Μελιστίχη 723, 8
*μέλιτ (gen. *μελινος) 520⁵
Μελίτεια 66³. 258²
Μελίτη 66⁴
*μελιτϳα 723, 8
μελιτο- 518¹
μελιτοῦττα att. 320⁷. 528²
μέλιττα att. 320⁶. 321¹
Μελιχίωι ark. 283²

μελίχματα ion. 839¹
μελιχρός 450¹
μελλέβιος 441⁶
μέλλει II 307⁸; s. μελλήσω
μελλέπταρμος 441⁶
μέλλεται ngr. II 235⁴
μελλήσω att. 715⁶; – ἀκούειν II 294⁴
μελλιχόμειδε voc. 580⁴
μελλιχόμειδες voc. 580⁴
μέλλιχος lesb. 283⁸. 518¹. 520⁵
μελλο- 442⁴
μέλλον (τὸ) II 175, 2
*μέλλον (> μᾶλλον) 364²
μέλλω (-ειν) 715⁶, 14. II 363⁷; ἤμελλον 654⁵; ἐμέλλησα 715⁶; μέλλω c. infin. II 291². 293⁶˙⁷, 2. 294¹⁻³. 365⁵
μέλλων: – χρόνος II 249¹, 1; – nom. abs. II 403⁷; ὁ – II 409³
*μελν- 283⁸
μέλομαι 684³. II 108⁷
μέλον αὐταῖς II 402⁵
μέλος: μέλη II 52²
μέλπεσθαι II 232⁷
μέλπω (-ειν) 684⁴. II 232⁷
Μέλτας arg. 213⁴
Μελτίνη 259⁶
μέλψωμεν II 315¹
μέλω 684³
μέμαά τινος II 104⁷. 105²; μέμαεν 343², 1
μεμαθήκᾱσι 664¹
μεμαίκυλον 423, 8
μέμᾱκα 776, 2
μεμακυῖα 770². 777³
(μεμᾱλότας Pind.) 770, 4
μέμαμεν 769²
μέμᾱνα 363⁸
μεμάνημαι Theokr. 770³; -ται 127⁷
μεμαότας Pind. 770, 4
μεμάπoιεν Hes. 747, 7. 748⁶
μέμαρπεν Hes. 747, 7
μεμάρποιεν Hes. 747, 7. 748⁶
μέμασαν hom. (Ilias) 777¹
μεμάτω 357². 694, 3. 769². 801³. II 342⁶
μέμαχα 772¹
μεμάχημαι att. 721¹
μεμαώς 343, 1. 541¹; μεμαῶτος ptc. abs. II 103³; μεμαῶτε 540, 4; μεμαώς nom. abs. II 403⁵; μεμαῶτος ἰθύς II 398³
μέμβλετ' hom. Hes. 768¹
μέμβλεται 777, 2; μέμβλετο 768¹. 777, 2
Μεμβλίαρος ON 638⁴
μέμβλωκα 277³. 708⁶. 747¹; -κε 774³

11*

μεμβλωκώς 649[4]
μεμεθωδευμένος 650[3]
μέμειγμαι Philodem.-pap.
　771[2]
μέμειχα 772[1]
μεμελετηκέναι: τοῦ μὴ – II
　369, 6
μεμέληκε att. 768[1]
μεμένηκα 649[3]. 774[5]
μεμετιμένος ion. 644[4]; -οι
　ἦσαν Hdt. 812[3]
μέμηκον 3. pl. Od. 777[3]
μεμηκώς 748[2]. 770[2]. 777[3]
μέμηλε 768[1]. 770[2], 4
μεμηλώς c. gen. II 109[1]
μέμηνα att. 770[3]; -ε 759[4]
μεμηνυμένα: τὰ – περὶ τῶν
　μυστηρίων II 503[4]
μεμιγμένος hom. 771[2]
μεμινύθηκα ion. 774[6]
*μεμισθώαται 773[8]
μεμίσθωκα 774[5], 8
μεμισθώσωνται conj. her.
　773[7-8]. 791, 4
*μεμλωκώς 649[4]
Μεμμιάδαι 509, 3
μεμναίατ᾽ 671[3]
μεμνᾶιατ᾽ 671[4]
μεμναίατο 795, 2
μεμνᾶιατο 795, 2
μέμναμαι 770[5]
μέμνεαι 672[2]
μέμνέαται Hdt. 672[2]
μεμνέο j.-ion. 252[7]
μεμνέωιτο opt. Ilias 795[3]
μεμνεώμεθα conj. Hdt. 792[6]
μεμνήιμην opt. Ilias 795[3]
μεμνῆιτο opt. 795[3·4]
*μέμνηιτο opt. 795[3]
μέμνημαι II 263[4]. 396[2];
　μέμνηαι 668[2]; μέμνηνται
　671[4]; μέμνημαί τι(να) II
　108[4·5]; – τινα c. ptc. II
　394[6]; – τινος λέγοντος II
　394[1]; s. ἐμέμνηντο, μεμν-
μεμνήσεσθαι 783[4]
μεμνήσεται 812[5]
μέμνησο II 341[1]
μεμνήσομαι II 289[3]
μεμνῆται conj. att. 792[6]. 795[4]
μεμνῶιτο opt. 795[3]
μεμνῶμαι conj. att. 792[6]
μεμνώμεθα conj. Od. 792[6]
μέμνων 208[8]
μέμονα 769[2]
μεμόρηται Ap. Rh.649[3].769,9
μέμορθαι[so!]lesb. 311[3]. 649[3]
μεμορυχμένα 725[4]
μεμορυχμένος 771[3]
μεμυζότε Antim. 716[5]. 721, 4
μεμύημαι pf. 721[4]
μέμῡκα pf. 721[4]; -κε(ν) 683,
　2. 747[4]. 768[4]. 771[3]. 774[3].
　II 264[2]

μεμῡκώς 683[2]
μέμφειρα 474, 3
μεμφθῆναι II 240[5]
Μέμφις 153[1]
μέμφομαι (-εσθαι) 684[4]. II
　229[2]; – c. dat. II 144[6·7];
　– τινα εἴς τι II 134[3]. 460[4];
　– τινι c. gen. II 133[6]
μέμψασθαι II 240[5]
μεν 627, 4
μεν pron. kypr. 606[4·5]
-μεν 1. pl. End. 71[5]. 75[6]. 85[5].
　657[5]. 662[6], 9. 806[6]
-μεν infin.-Ausg. dor. 82[1].
　547[5]. II 242[2·3]. 805[5], 2.
　806[2-6], 3. 808[4-6]; (MEN) j.-
　kret. 807[6]; hom. 808[4·5]
-μεν᾽ infin.-Ausg. hom. 806[3],
　4
μέν II 424[7]. 555[3]. 556[4].
　569[2-5], 2. 3. 4. f. 578[3]. 633[6];
　μὲν – ἀλλά II 633[6]; – ἄρα
　II 559, 2. 570[2]; μὲν ἄρα –
　δ᾽ ἄρα II 559[2]; μὲν – ἀτάρ
　II 559[5]; μὲν γάρ II 570[2];
　μέν γε II 561[4]. 570[2]; μὲν
　γοῦν II 585[5]; μὲν – δέ 63[3].
　II 7[3]. 427, 1. 555[5]. 562[2], 4.
　569[4], 4. 633[6]. 688[4]; μὲν δή
　II 563[2]. 570[2]; μὲν δ᾽ οὖν II
　586[1]; μὲν οὖν – δέ II 585[7].
　586[1]; μὲν – ἠδέ II 565[1]; μὲν
　– μέντοι II 569[5]; μέν νυν II
　571[3]; μὲν – οὖν II 585[1·6·7];
　μὲν – τε II 574[1]; μέν τε II 574,
　1. 575[2], 3; μέν τε – δέ τε II
　576[3]; μὲν τοίνυν II 582[1];
　ἅμα μὲν – ἅμα δέ II 534[6];
　s. ἀλλὰ μέν
-μέν- suff. 522[2]
μένα ngr. 604, 7. 606[4]
-μενᾶ- ptc.-Ausg. f. II 386[1]
-μεναι infin.-Ausg. hom. lesb.
　82[1]. 548[3]. 805[5], 2. 806[2-5].
　808[4·6]. II 242[2·3]
*-μέναι infin.-Ausg. 808[6]
Μένανδρος 156[4]
Μενδῖς spätgr. 257[4]
μενδῖται 364[8]
*Μενε 636[4]
μενεαίνω 440[4], 9. 733[1]. II
　277[4]; c. dat. II 144[5]
-μενέες hom. 553[4]
μένει dat. sg. 246[7]
μένει ἀκήρυκτος ι᾽ μῆνας πρὸς
　ἄλλοις ε᾽ II 514[1]
Μένει böot. 315[6]
μένειν II 273[4]. 364[3·4]. 380[7];
　– c. dat. II 143[4]; – c. instr.
　II 167[7]; – δι᾽ αἰῶνος II 450[7];
　– κατὰ χώραν II 477[1]; –
　παρά τινα II 495[7]; – πρὸ
　χώρης II 506[7]; s. μένω
ΜενεκλΕδης 192[3]

Μενεκράτης 636[4]
*μενεσαίνω 733[1]
Μενεσθεύς 478[2]
μενέσται thess. 333[6]
Μενεσταίοι gen. 555[3]
Μενεστικλῆς 449[1]
μενέω hom. ion. 785[1]
-μένη f. ptc. med. 810[2]
μένηι dat. sg. neut. 579, 5
μενθήρη 699[5]
μενίω fut. dor. 785[1]
*μένιμα 208[8]
Μέννει nom. sg. böot. 462, 1.
　636[4], 3. 6. II 63[1]
-μενο- ptc.-Ausg. II 242[2].
　386[1]
μενοινάα hom. 242[8]. 730[3]
μενοινάω 478, 1
μενοίνεον hom. 242[8]
μενοινώω hom. 730[3]
-μενος suff. 524[4·7]
-μενος ptc. med. 810[2]
-μενος ptc. pf. ngr. 811[4]
μενος n. 343[2]. 381[3]. 511[7]. 580[6].
　823[4]; – c. gen. II 122[1]
μένος (= μόνος) 835[1]
-μένος betont für -μενός 379[3]
-μένος ptc. med. 768[3]; ngr.
　503[5]. II 410[6]
μενοῦν II 570[2]. 585, 1. 631[6]
μενοῦνγε II 561[4]
μεντᾶν II 582[1]
Μέντας ark. 213[4]
-μεντε 1. pl. act. ngr. (kypr.)
　670, 4
Μέντης 504, 3
μέντοι 625, 9. II 555[5]. 570[2].
　580[1]. 581[6·7], 3. 631[6]; μὲν –
　μέντοι II 569[5]; μέντοι – δέ
　II 569[5]; ἀλλὰ μέντοι II 582[1]
μέντοιγε II 561[4]
μέντοινε II 584, 4
μέντοιν 625, 9. II 582[2], 1
Μέντωρ 504, 3. 531, 4. 637[4]
μένω 684[3]. 690[1·2·4]. II 307[6].
　318[5]; μενῶ att. 785[1]; μένω
　δόμοις II 154[8]; – παρά τινι
　II 494[1]; παρὰ κλισίησιν II
　493[4]; – ἀπό τινος II 445[7·8];
　s. auch μενέω, μειν-, ἔμεινα,
　ἔμεννα, ἔμηνα, μεμένηκα
μέρα ngr. 520, 2; μέρας acc.
　pl. 563[6]
Μέρβαλος 585[3]
μερείᾶ 469[5]
μερειά ngr. 469[5]
μερικοὶ ἀπ᾽ αὐτούς ngr. II
　136[4]
μέριμνα 283[6]. 342[5]. 352[5].
　475[6]. 524[5]; – ἀμφὶ πτόλιν II
　439[3]
*μεριμνῆα 283[6]
μέρισις 128[2]
Μερκούριος 161[4]

μέρμερος 342⁵. 423²·³
μερμηρίζω (-ειν) 423³. 735⁶.
 II 631²; – τι περί τινος II
 502⁷
μέρμις 510⁷
μέρμνος 524⁶
μέρος 512². II 25²; μέρη II
 43⁵. 79²; κατὰ μέρος II 477⁵
μέροψ 426⁴, 4
μέρσω 782²
μέρτρυξ 495⁴
-μες 1. pl. End. 71⁵. 75⁶. 81⁷.
 657⁵. 662⁶. 663, 0. 806⁶
μεσ- 630, 1. 631³
μέσα (term.) 169⁵
μεσα- 438, 4. 622⁵
μέσα 'ς ngr. II 483, 2
μεσάβων 438, 4
μεσαι- 632⁶
μέσαι νύκτες II 44, 4
*μέσαι νυκτί loc. II 44, 4
μεσαιπόλιος 448⁶. 559¹
μεσακοθεν, μεσακόθεν ark.
 628². 630⁵
μεσάμβρίη ion. 277². 279⁴.
 518⁵; -ης II 113¹
μεσανβρίαν : ποτὶ – τᾶς ὁδῶ
 II 96⁷
μέση διάθεσις (term.) II 223³
μέση ἡ πόλις II 26⁶
μεσηγύ hom. 404⁸. II 551³·⁴·⁵
μεσήεις 528¹
μεσημβρίᾱ 277²; τὴν – αν II
 70⁵
μεσημβρινός 277¹; τὸ – όν II
 70²
μέσης 461³
-μεσθα 1. pl. 670², 3. 4. 841⁵
Μέσθλης hom. 533⁴
μεσίδιος 467²
μεσῑτεύω 732⁷
Μεσμα(ίων) 208, 2
Μέσμων att. 208⁴
μεσόγαιος 451¹
μεσόδμᾱ 208⁵. 449⁴
μεσόδμη 208⁵. 425³
μεσοδορποχέστης s.μεσσηγυδ.
μέσοι äol. 549⁶
μεσόμνα 332⁴
μεσόμνη att. 208⁵·⁷
μέσον 373⁸. II 175²; ἐν μέσῳ
 II 483, 2
μέσον praep. II 552²; – c.
 gen. II 483, 7
μεσονύκτιον 439³
μεσονύκτιος II 179⁵
μέσος att. 320⁵·⁶. 321⁵. 381².
 II 179⁴. 180³. 481⁴, 7. 483,
 2; μέση ἡ πόλις II 26⁶; –
 διάθεσις (term.) II 223³;
 μέσαι νύκτες II 44, 4; μέσα
 (term.) 169⁵; s. μέσσος
μεσουν ark. 557²·³
μεσουράνημα 156⁴

μεσποδι thess. 610¹, 1. 630,
 1. 631⁶. II 481⁴; μεσποδι κε
 thess. 630¹. II 644³. 658³;
 μεσποδι κε ουν II 584, 4
μεσσα- 438, 4. 622⁵
Μεσσάπιοι II 481, 4
μέσσατος 503⁷
μεσσηγύ adv. hom. 404⁸.
 621². II 69⁶
μεσσηγυδορποχέστης [so!]
 428, 4. II 551⁶
μεσσηγύς hom. 404⁸. 620³.
 II 551³·⁴
Μεσσηνίων 245³
μέσσος hom. 308². 321⁵. 381².
 461⁴. 627⁴. 630, 1. II 481⁴, 7
μέσσοι adv. H. 622³
μέστα 'bis' kret.kyren. 629³·⁶.
 II 481⁴. 550⁵, 3. 657⁶·⁷.
 658³·⁴
-μεστα 1. pl. ngr. (dial.) 670, 3
μέστε ark. 629³·⁶, 1. II 481⁴.
 549⁷. 550⁵. 658²·⁴
*μέστε ποδι 630, 1.
-μεστεν ngr. pont. 663, 0
μεστός c. gen. II 110⁸ f.; –
 εἰμι ϑυμούμενος II 393⁴
μεστόω 727²; – c. acc. et gen.
 II 111²
μέσφα hom. poet. 630¹, 1.
 631¹. II 481⁴. 549⁷. 550⁵⁻⁶,
 3. 658³
*μεσφα ποδι 630, 1
μέσφι Aret. 630¹, 1. II 550⁵
μετ' II 481³; – εἰκάδα(ς) att.
 594³; – ὀλίγον τούτων II
 98¹; – αὐτὸς αὐτοῦ II 427⁴
μετά 622⁵. 629⁴. II 159⁷, 2.
 160¹. 268². 419⁴. 421⁷. 423⁷.
 424³. 425, 4. 432⁵. 481³, 1 bis
 487. 499¹⁻⁴, 4; – c. acc. (=
 dat. instr.) II 139¹; – c. acc.
 zeitlich II 486⁵⁻⁷; μετὰ δέ II
 424⁵; οἱ μετά τινος II 416⁷;
 μετὰ τοῦτο II 634³; μετὰ
 ταῦτα II 300⁵. 486⁷; τὸ – –
 II 486⁷; μετὰ μιᾶς ngr. 621⁵
 (s. auch μέ); μετά ngr.
 Schriftspr. II 482, 1
μετα- II 429⁴. 482⁴, 1
μέτα 388¹. II 423³·⁴. 426².
 427⁶. 481³. 483⁴·⁶,4. 484⁶, 1
μέτα adv. II 482³
μέτα verb. (= μέτεστι) II
 482⁵
μεταβαίνω II 482⁶
μεταβάλλου II 341⁷
μεταβάλλω II 482⁷. 483¹
μεταβολεύς 477¹
Μέταβον II 481, 4
μεταβουλεύω II 482⁷
μεταγαγοῦντες 784⁵
μετάγγελος (435, 5.) II 482³
Μεταγείτνια II 43⁷

Μεταγειτνιών att. II 498, 2
μεταγράφω II 482⁷. 483¹
μεταδαίνυται II 482⁴
(*μεταδε?) 625, 2
μεταδήμιος II 487²
μεταδίδωμι (-διδόναι) II 381⁵.
 482⁵; c. part. II 103⁶·⁸.
 104¹; – τινί τινος II 160⁴
μεταδιώκω II 482⁵
μεταδόρπιος II 179⁵. 487²
μεταδοῦν infin. Theogn.687⁶.
 808¹
μεταδοῦναι 687⁶
μεταδρομάδην 626⁵. II 482⁵
Μετάδως II 482⁶
μέταζε adv. 625¹, 2
μεταθέω II 482⁵
μεταθῆσι τοῦ τόπου II 92³
μεται- II 481³
μεταιβολία II 481, 5
μεταΐζειν II 482⁴
μέταιρω II 482, 6
μεταΐσσω II 482⁵
μεταιτέω II 482⁶; μεταιτέον-
 τες τῆς β. II 103⁸
μεταίχμιος II 487¹
μετάκερας 516³
μετακιάθω II 482⁵; s. μετε-
 κίαθε
μετακιόνιον II 487²
μετακόνδυλος II 487²
μετακύμιος II 487¹
μεταλαβεῖν II 366⁷
μεταλαγχάνω (-ειν) II 482⁵;
 – τινός II 104⁴
μεταλαμβάνω (-ειν) II 482⁵·⁶;
 – τινός II 103⁸; – τινί τινος
 II 160⁴; s. μεταλαβεῖν
μεταλλάσσειν τὸν βίον c. dat.
 II 148⁶
μεταλλάω (-ᾶν) 726¹; – ἀμφί
 τινι II 438⁵
μεταλλήξαντι II 482⁵
μεταμάζιος II 487¹
μεταμαίομαι II 482⁵
ΜεΤαμβριανῶν 318⁴
μεταμελησόμενον (τὸ) II 409¹
μεταμελλοδύνα 104, 1. 430².
 441¹
μεταμέλομαι οὐ δεξάμενος II
 392⁶
μεταμέλον αὐτοῖς II 402²
μεταμέλος II 692, 4
μεταμίσγω II 482⁴
μεταμώνιος hom. 37⁶. 263²
μεταναγιγνώσκομαι ϑυμῶν c.
 dat. II 151¹
μετανάστης 424⁶. 451⁴
*μετανεμώνιος 263²
μετανοεῖν, μή II 676⁴
μεταξύ 548⁸. 633². II 487³.
 551³⁻⁵; – ϑύων, – ὀρύσσων
 II 390⁶
μεταξύ 'nachher' spät 625, 2

μεταξύ (τό) II 416²
μεταξυλογία II 551⁴
μεταξύτης II 551⁴
Μέταπα ätol. II 481, 4
μεταπαυόμενοι II 482⁴
μεταπαυσωλή II 482⁵
μεταπέμπομαι(-εσθαι) II 231⁶.
240, 2. 348⁶. 482⁵; μετα-
πεμπόμενοι ἦσαν Thuk. 813².
II 407⁸; -εσθαι αὐτῷ II
236¹; μεταπέμψεσθον II
609³; s. μετεπέμψατο
μεταπεπεμμένοι 813²
Μετάπιοι II 481, 4
μεταπρεπής II 482⁴
μεταπρέπω II 482⁴; – ἱπ-
πεῦσι II 155⁶
μεταπύργιον II 487¹
μεταρίθμιος II 487²
μετασεύομαι II 482⁵
μετασπόμενος II 233³
μετασπών 748⁵. II 233³
μέτασσαι 472, 2. II 482, 3
*μετάσσαι 472, 2
μεταστάντα τῆς ξυμμαχίας II
93⁶
μεταστείχω II 482⁵
μεταστήθιον II 487²
μεταστήσειαν νόσου II 93⁷
μεταστοιχεί 623²
μεταστρέφω c. gen. II 108³;
– νόον μετὰ κῆρ II 486⁵
μεταστύλιον II 487²
μετασχεῖν II 362⁸
μετασχών II 422⁵
μετατίθημι II 482⁷. 483¹
μετατρέπομαι c. gen. II 108⁸
μετατρέχω II 482⁵
μεταυδάω (-ᾶν) II 277⁴. 482⁴;
– τι Τρώεσσι II 155⁶
μεταύριον: ἡ – ἡμέρα II 487²
μεταυχένια II 487²
μεταφέρω II 482⁷. 483¹
μετάφημι; s. μετέφη
μεταφρασόμεσθα II 482⁷
μετάφρενον II 487¹. 714⁸
μεταφωνεῖν II 482⁴
μεταχαρακτηρισμός (term.)
148³
μεταχθόνιος II 487³
μετέασι II 482⁴
μετεγγραφήσεται II 289²
μετέειπε II 482⁴; μετέειπεν ἐς
ἕδρης II 463³
μέτειμι (εἰμί); s. μέτεστι
μέτειμι (εἶμι) II 482⁵; s. με-
τιέναι, μετελθών, μετέρχομαι
μετεισάμενος II 482⁴
μετείω 677, 10
μετεκίαθε 681². 703⁴. II 277⁴;
-ον 703⁴
μετελευστέος Luk. 810⁷
μετελθών II 482⁴
μετεξέτεροι 614⁴

μετέπειτα 633². II 482³
μετεπέμψατο II 299⁸; s. με-
ταπέμπομαι
μέτερρα äol. 90⁴
μέτερρος lesb. 274⁴. 278⁸
μετέρχομαι II 482⁴·⁵; – τι c.
dat. II 151³; – τινα τῶν
θεῶν II 130²
Μετεσίλαος 443, 8
μέτεστι II 423⁵. 482⁵·⁶; –
μοι II 482³; – τινι τὸ
ἴσον πρὸς τὰ ἴδια διάφορα II
512²
μετέφη II 482⁴
μετέχειν II 277². 482⁵
μετεχέτω II 342⁵
μετέχην infin. el. 807¹
μετέχω c. partit. II 103⁶·⁷;
– τοῦ λόγου II 103⁷; ὡς
μετέχοντά τινα II 402⁶; s.
μετέχειν
μετέωρος att. 245⁵. II 181³.
482, 6
μετῆλθαι 753⁷
μετήλλαχα 772⁶
μετηλλαχότα 207²
μετήνεκ(κ)α 745, 1
μετήορος II 482, 6
μετιέναι II 482⁴; s. μέτειμι
μετίεσαν τῆς χρησμοσύνης II
92⁴
μέτοικος 435⁴. II 482³
μετοίχομαι II 482⁵
μετοκλάζει Ilias 734⁶
μετόν acc. abs. II 401⁷
μετοξύ pap. 632⁷
μετόπη II 487¹
μετόπιν 625³. II 482⁴. 540⁵
μετόπισθε II 540⁵. 541²; -εν
633². II 482³. 540⁵. 541²
μετόρχιον II 487¹
μετοσσέω H. 726²
Μέτουλον II 481, 4
μετουσία II 482⁵
μετοχή II 14⁴·⁶. 386⁶. 482⁵
μέτοχος II 482⁵; – c. partit.
II 103⁸
μετρέω 726³; s. μετρῶ
-μετρέω 731⁶
μετρησιομενον 786⁴
μέτριος 456⁴. II 182⁵
μέτροι (= μέτριοι) 586, 6
μέτρον 532²
μετρῶ τι c. instr. II 167³; s.
μετρέω
*μετσ- (in μέστε) II 550, 3
μέττ' kret. (gort.) II 550⁵;
– ἐς τὸ δ. 629, 12
μέττες kret. 216⁶
μέττος kret. 320⁵; böot. II
481, 7
μέττω böot. 320⁶
μετωπηδόν 626⁵
μέτωπον 426, 4. II 487¹. 714⁸

μευ gen. sg. ion. (hom.) dor.
314⁷. 602³. 604⁴. 605¹. II
201³. 206²
μεύς el. 515, 5. 569⁶. 577²
μέχρι 57⁵. 405¹. 630, 1. 840⁸.
II 298³. 313³. 427⁷. 481⁴, 6.
487, 7. 533⁴. 549⁷, 2 f. 637⁶.
658⁴·⁵·⁷; – ἄν 630¹; – δεῦρο
Thuk. 632²; – δεύρου pap.
632²; – εἰς II 428⁷; – ἕως
II 658⁵; – ὅσου II 653⁵;
– οὗ II 550 ¹·⁴. 640⁷. 653⁵⁻⁷,
4. 657⁶; – οὗ ἄν 630¹; – πρός
II 550³
μέχριπερ II 658⁶
μέχρις 405¹. 620⁴, 5. II 487,
7. 549⁷, 2 f.    637⁶. 658⁴·⁵·⁷;
– οὗ II 550⁴
μη- 309⁷. 311¹·²
μηγάλου att. 311¹
Μήγαρα meg. 212². 311¹
Μηε(γαρέων) meg. 95³
Μηιάλη 209²
Μηιάλητι pamph. 311¹
Μηείξιος kerk. 311¹
μή 56⁶. 345⁴. II 305³·⁴. 309⁵·⁶.
312¹. 313⁷. 314²·⁶⁻⁷. 315³.
316⁷.318⁴. 320³.343².354⁵⁻⁷,
3. 591¹·³·⁴. 592³·⁴. 594² bis
596,1.627⁵.628⁶.629⁴·⁵.637⁵.
672²·⁴,1. 674⁴·⁵, 2. 3. 675²⁻⁸.
676. 714³; – hell. (= οὐ) II
594⁷. 595³; – ngr. II 596¹⁻³.
629⁵; – c. conj. II 315⁴⁻⁸;
c.conj.praes.II 317¹;––aor.
II 343²·⁵⁻⁶; – – ngr.804⁵;–c.
opt. II 321⁴; – c. cupit. II
345⁴·⁶; – c. imper. praes. II
340⁴. 343²·⁴⁻⁵; –c.imper. et
conj. prohib. II 625⁷; μὴ
ἴομεν II 315³; μὴ ἐάσῃς II
315⁴·⁶⁻⁸; – ποιήσῃς II 591³;
– φοβᾶσαι ngr. II 315⁸. 319⁵;
– εἴη II 331, 1; – γένοιτο II
337, 2. 338³; – – ngr. II 13²;
– ποιεῖτε II 591³; – ἔασον II
315⁷; – ὤφελον II 346¹.594³;
– τριβὰς ἔτ' II 707⁷; – μοί
γε μύθους II 707⁷; – σύγ' II
707⁷; – ἀλλὰ II 578³; – ἄν
c. infin. II 595⁵; μὴ δέν
ngr. II 596²; μὴ μὴ (μή) II
597⁷·⁸; μὴ – μηδέ II 573⁴;
μὴ – μήτε II 573⁴; μὴ οὐ II
594⁵. 598⁶. 675²·⁵·⁷; – – c.
conj. praes. II 317¹·²; μὴ
γάρ II 597⁴. 707⁷; μὴ μέν II
569³; – νύ τοι II 571³; μὴ
οὖν II 589⁵·⁷; μή ποτε II
597⁴. 675⁴; μή πω II 592⁴;
μή πως II 674⁵, 3. 675⁴; μή
τοι II 597⁴; μή τις II 213⁶.
214⁵. 597⁴; μή τι II 214⁵;
ἐπεὶ μή II 595⁸

μηδαμά (neut. pl.) adv. att.
617⁴
μηδαμεῖ 617⁴
μηδαμῇ II 597⁶
μηδάμινος hell. 617⁴
μηδαμινός ngr. 617⁵. II 597⁶
μηδαμόθεμ 257⁴
μηδαμόθεν ätol. 628²
μηδαμός II 597⁶
μηδαμόσε 617⁴
μηδαμῶς 617⁴
μηδέ II 592⁴. 593⁴. 595².
596³. 597⁵⁻⁶. 633⁶; – ἀμοῦ
att. 617⁴; – εἰς 221²; – ποθι
II 597⁶; – ποτε II 597⁶; –
τωι dat. m. hom. 616¹
*μήδε II 597⁵
μήδεα 512²
μηδέϊα lesb. 588, 6
μηδείς 588². II 214⁵. 596⁶.
597⁶
μηδεμία ἦν οἰμωγή II 595⁷
μηδέν II 214, 4.596⁵; – 'Null'
ngr. 587,1; – ἀγάζειν Aesch.
734⁵; – πρὸς τὸ πρᾶγμα II
512³
μηδένες nachatt. 588²
μηδέποτε II 598²
Μηδεσικάστη 446²
μηδέτερος II 597⁶
Μηδικά (τά) II 175¹
μηδιμι kret. 610²
Μῆδοι 187³; Μήδων ἐχόντων
II 398⁵; – ὅσων ἑόρακα II
641¹
μήδομαι 356⁵. 685⁴. 702⁶. II
81¹. 229³. 277¹; – κακὰ ἐπί
τινι II 468⁴; s. μήσατο
μῆδος 356⁵; μήδεα 512²
Μῆδος : ὁ – II 41⁷⁻⁸; s. Μῆδοι
μηδοτιη böot. 609, 5
*μηδστο 751³
*μηδτο 751³
μηθαμά II 597⁶
μηθαμόθεν II 597⁶
μηθαμοῦ II 597⁶
μηθαμῶς Koine 617⁴. II 597⁶
μηθείς 408². II 597⁶
Μήθυμνα 524⁶
μηκάομαι 683². 722, 2; – περὶ
σηκούς II 503⁷; s. ἐμέμηκον
μηκάς 508¹. 683², 2. 722, 2
μηκεδανός 530²
μηκέτι 404, 1. II 564². 597⁵
Μηκιστεύς 476⁷
μῆκος II 86¹⁻²
μηκύνω 733³
μηλάτας böot. 263⁵
μηλέα II 30⁴
μηλέη 468, 3
μήλη 'Sonde' 483³. 782³. II
105⁷
*μηληλάτας 263⁵
μηλίς II 30⁴

μηλίχιος kret. 283⁸
*μῆλλον 538, 4
Μῆλο f. ngr. 458¹. II 32, 4
Μηλόβοσις 449, 2
μῆλον „Apfel" II 30⁴
μῆλον „Kleinvieh" 345⁴. II
468⁵; μῆλα ἐξέσσυτο II 607⁴
μηλόται 500⁴
μήλοψ 426⁴
μήλω II 49⁴
μήλμη 422⁷
Μημόφιλος att. 257⁴
μήν partic. II 554⁶, 2. 269²·³,
2 f. 584⁶. 633⁶
μήν ngr. II 596¹⁻³. 629⁵; –
ξέροντας II 596²
μήν m. att. 515, 5. 569⁶. II
33²; τρίτω μηνί II 158⁷; τοῦ
ὄντος μηνός II 409⁴
μην- 515, 5. 569³
-μην 1. sg. ion. att. 667⁴.
669⁶, 8
-μην infin. Ausg. dor. mkret.
82¹. 807⁵⁻⁶·⁷
μῆνα 'etwa' ngr. II 629⁵
μῆνᾶ 281⁸
Μηνᾶς 461⁶
μηνιάω 732, 4
μηνίεσθαι ὑπέρ τινος II 521³
μηνίζω gramm. 727⁴
μηνιθμός 493¹
μήνιμα 727⁴
μῆνις 324. 260⁵. II 28, 1. 52¹.
64⁸; μῆνιν II 41³; – ἄειδε II
341⁴. 343⁸. 695⁶
μηνίω 727⁴. 815²; μηνιῶ fut.
Koine 785⁶; ἐμήνισα 754³;
μηνίω c. gen. II 1335·⁶; –
ἕκατι c. gen. II 134²
μῆννος gen. sg. äol. (lesb.)
185⁷. 279⁵. 280³. 286⁷. 515⁶
μηνός gen. sg. 279⁵. 286⁷
*μηνς 279⁵
μηνσί kret. 338²
*μηνσος gen. 280³. 515⁶
*μηνσσι 338²
μηνῦθη- 761, 5
μηνύσατε II 341⁴
μηνυτρίζω 735⁶
Μηουβιανός 197⁴
μήποθεν II 597⁴
μήπως ngr. II 596². 675⁴
μῆρα neut. pl. 381². 581⁴⁻⁵.
II 37²
μηρία ταύρων II 119¹
μῆριγξ 311⁵. 498³
μήρινθος 311⁵. 510⁶. II 34, 2
μηρός 282⁸. 333⁸. 381². 481³.
581⁴; μηρώ II 47², 4; μηροί
581⁴. II 47²
*μης (gen. μηνός) 515, 5
μής dor. 569⁶
μήσατο . . κτείνασα II 301²
μησί dat. pl. 287⁶

*μησρο- 282⁸
μῆστο H. 680². 685⁴. 751³
μήστωρ 530, 4. 531³, 6. 569³
Μήστωρ 530, 4
μήτε II 595². 596³; μήτε –
μήτε II 573⁴. 633⁶. 675⁸;
μήτ' εἴης μήτε γένοιο II 624⁴
ΜΗΤΕΡ 86⁸. 186¹
μῆτερ 567⁶
μητέρα acc. sg. 56⁵. 567⁶
μητέρας 567⁶; 'Muttertiere'
hom. II 48³
μητέρε 565⁴
μητέρι 567⁶
μητέρος 567⁶
μήτηρ ion.-att. 72². (Ausspr.)
176⁷.187¹.381⁸.530⁴.567⁶,7
-μήτης compos. 561, 5
μήτι II 214⁵. 629, 2; – γε II
707⁷
μητιάομαι 732²; μητιάασθε
727⁴
μητίετα [so] nom. voc. hom.
500⁴, 3. 560¹·³, 3
*μητιμι dat. sg. 610²
μητίομαι II 229³; -ίονται 727⁴
μητιόωντες 727⁴
μῆτις 271². 505¹
*μητῖτα 500, 3
μήτρᾶ 532⁶
μητραγύρτης 452¹
μήτρη hom. 532⁵
μητρί 567⁶
μητρίζω spät 731, 1
μητρόπολις 453⁴
μητρός 567⁶
μητρυιά 200⁴. 469, 8. 479⁵
μητρυιός j.-att. 459⁴. 479, 8
μητρῶιος 479⁶
μήτρως 479⁶. 480¹·²
μηχανάόμενος II 234, 3
μηχανᾶσθαι II 272³
μηχανάω 725⁶. II 240⁵
μηχανή II 704²
μηχανορραφῶ κατά τινος II
480²
μηχανόωντας hom. 731⁵. II
234⁵
μῆχαρ 519¹
μῆχι II 577³. 592², 7. 597⁵
mi zu ni tsak. 309⁶
μι acc. kypr. 601, 1. 602².
603⁶
-μι- suff. 495³
-μι verba 130². 642⁵. 657⁵⁻⁶.
658². 659². 686⁵ ff. 728⁶.
729¹⁻⁴. 815¹; verloren im
Ngr. 659¹
μία 310⁶. 343¹. 358⁵. 381⁷.
473¹·²·⁶. 588¹; – ngr. 588²;
– τε καὶ δέκα Paus. 594, 3;
μία (= πρώτη) LXX 595⁴;
μία μία Soph. 599¹.II 700³;
μιὰ βολά od. φορά ngr. 598²

μιᾶι coni. kyren. 743⁴, 9. 792³
μιαίνω 189⁴. 724⁶
μιαιφόνος 448⁴
μίαν 'einmal' 598²; s. μία
μιανῆς gen. sg. f. ngr. 588²
μιανθη- 761⁶
μιάνθην 3. pl. 664⁵
μιανοῦ gen. sg. m. ngr. 588²
μιαρός [so] att. 243⁷·⁸. 448⁴
μιασει kyren. 786⁴
μιάστωρ 531⁴
μίαχος 498⁵
μιαχρός 498⁵
μιγ- 760, 3. 771⁷
μίγα Pind. 622⁵, 7; – c. instr.
    II 535⁴
μιγάδην hom. 626⁴
μιγάδις 631⁴
μιγαζομένους Od. 734⁵. 771²
Μιγαλοθέō kypr. 275⁸
μίγδα 626³. II 160⁷; – c. dat.
    II 535⁴
μίγδην 626³
μιγείς 525³
μιγέωσι(ν) conj. aor. hom.
    687, 4. 792⁶
μιγη- pass. hom. 759³. 760²,
    3. 771²
μιγήμεναι infin. hom. 806⁴
μιγής 426¹. 513⁵
μιγήσεσθαι Ilias 763, 2
μίγνῦμι 333²; μίγνυμι 215⁶;
    (*μίγνυμι) 697, 5; s. μεί-
    γνυμι
*μιγσκω 690³
Μίδαυ kypr. 88³
Μίδεια 664⁴
Μίδεος 467, 6
μιερός hell. 243⁷. 482³
μίη j.-ion. 588¹
μιῆναι 189⁴
Μιθρήνης 187, 1
Μιθρι- 153⁴
Μιθριδάτης 206³
μίθωσιν = μίσθωσιν 217²
μίκᾱ 190⁵
μικκιχιδδόμενος 331⁶
μικρὸν ὅσον II 626⁶
μικρός 310⁵; – δέμας II 85⁶.
    86⁵
μικρότερος τρία ἔτη II 88⁸;
    -ρός μου ngr. II 136⁴
μικροῦ II 308¹·²; – δεῖ II
    378⁷; – δεῖν II 379⁶
μικρῷ II 164²
μικτο 750⁶. 751²; μίκτο 759³
μίλαξ 311⁵
Μίλατο ngr. 121⁴
Μίλᾱτος dor. 86, 1
Μίλητος ion. 86, 1. 281⁷.
    503⁷; Μιλήτου ἅλωσις II 66⁶
μίλιτος 278⁷
μιλίχιος 283⁸
Μῑλίχιος 193⁷

Μίλλατος lesb. 281⁷
Μίλλητος äol. 86, 1
μίλτος 503⁵
μιλφός 495⁵
*μιμ acc. 608, 1
μιμαίκυλον 423, 8
μίμαρκυς 423⁶. 463⁵
Μίμας 526⁵
μιμεῖσθαί τι ἀοιδαῖς ὑπ' αὐ-
    λίσκων II 530¹⁻²
μίμησις c. instr. II 166⁶
μιμνάζω (-ειν) 105⁶. 643⁷.
    690². 735¹
μιμναισκω lesb. 709⁵; μι-
    μνᾶισκω 710¹
μιμνήισκω 710²
μιμνήσκομαι (-εσθαι) ἀμφί
    τινα II 439³; – περὶ πομ-
    πῆς II 503¹; – ὑπὲρ τῆς εἰρή-
    νης II 522³
μιμνήσκω 709⁵. 710²; μίμνη-
    σκ(ε) imper. Od. 799¹
*μιμνῖσκω 710¹
μίμνω 690¹·²·⁴. 841⁷. II 260
    ⁴·⁵; – ἀγρῷ II 154⁷; μὴ
    μιμνέτω II 343⁴
μῖμος 423⁶
μιν acc. 603⁶. 608¹, 1. 613³·⁵.
    II 20, 5. 190²·³·⁴, 1. 4. 191
    ²·³·⁵·⁶. 194³·⁴; neut. 613³;
    – αὐτόν 608¹. II 191⁵; – αὐ-
    τήν 608¹
Μίνδαρος lak. thess. 333⁶
μίνδιος 364⁸
μινδις kleinas.-gr. 123⁷. 152⁷
μίνθη 61⁷
Μινθουντοθε eretr. 628, 4
μινονσι ark. 275⁴
μινύθεσκον hom. 711²
μινυθῆσαι Hippokr. 721²
μινυθήσω 721²
μινύθω 697¹. 703⁵. 721²; ἐμι-
    νύθει 721²
μίνυνθα 61⁶. 385⁶. 538³. 629¹.
    733⁴
μινυνθάδιος 467¹. 576, 7
μινυρίζω 735⁶
μινύρομαι 714, 7. 725³. 735⁶
Μίνως 480³. 558¹
μιξέλλην 442⁶
μιξο- 442⁶
μιργάβωρ lak. 218⁴. 442, 5
Μίργος eretr. 218⁴
*μίρναμαι 695⁴
μισάνθρωπος 442⁵·⁶
μισγάγκεια hom. 442⁴. 430, 3
μισγέσκετο Od. 710⁵; ἐμισ-
    γέσκοντο 652, 3
μισγέσκω 105⁶
Μίσγης 833⁵
*μισγήως ion. 218⁴
μισγόλας 442⁴
μίσγομαι II 348⁴
μισγόνομος 442⁴

μίσγω ion. 336⁸. 690³. 708³.
    771²; -ειν II 160³
μισεῖσθαι ὑπό τινος II 529⁷
μῖσέλλην 442⁵
μῖσέω 724³; -σῶ II 396³;
    -σεῖν σὺν τὴν ζωήν II 491¹
μίσηθρον 533²
μίσθαρνος 450⁶. 696³
μισθοδοτῆσαι τοὺς ὁπλίτας II
    73⁴
μισθοῖ 250⁷·⁸. 690, 9
μισθοίην att. 796²
μισθοῖμεν 249⁴
μισθοῖς 2. sg. att. 660, 9
μισθΟν gen. sg. kypr. 555, 6
μισθὸν κατὰ κ' ἐτῶν II 479⁷
μισθός 328⁵. 380⁸. 511, 2. II
    32, 4. 616²; – c. dat. II 153⁶
μισθοῦν att. 249⁶. 807⁴. II
    231⁵
μισθοῦντες 249²
μισθοῦσθαι II 231⁵
*μισθοφόρησις 506¹
μισθοφορητέον εἴη II 410³
μισθοφορία 451⁴. 506¹
μισθόω: ἐμίσθωσα 752³
μισθώαθη böot. 672¹
μισθῶντες 249²
μίσθωσις her. 271²; – κατὰ
    τῶν κλήρων II 479⁷
μισθώσω fut. 782⁵
μισθῶτε conj. att. 249⁷
μῖσο- 442⁵
μισογύνης 442⁶
μῖσόθεος 442⁵
μῖσος 513¹
μισός ngr. 586³. 599³
μισοῦν II 409¹
μισοῦντες γίγνονται II 407⁸
μιστύλη 268⁵
μίσυ 463⁶
μίσχος 541⁶
mitéra ngr. 93⁸
Μιτραδάτης 206³
Μιτρανης 187, 1
μίτρη hom. ion. 532⁶, 8
Μιτρο- 153⁴
Μιτροβάτης 206²
Μιτρογάτης 206²
Μιτυλήνη 268⁵
Μιχαήλ: τοῦ – ngr. II 137⁵
μιχθη- pass. 759³. 760²
μιχθήμεναι infin. hom. 806⁴
μλ zu μβλ 277¹
Μλααυσει 152⁷. 197⁷
*μλιτjω 723, 8
μμ aus νμ 322²; – aus π, β, φ,
    ϝ + μ 323⁴; μ(μ) < μν 256⁷
-μμ- thess. 238⁶
-μμαι pf. Koine 773⁶
μμέγα 310⁸
μμεγάλην 310⁸
μν 332³·⁴; – für δμ 208⁵·⁷;
    – für δν 208⁶; – aus νμ für

Griechisch: μνᾶ – μοχθήσειν   169

δμ 208⁷; kurz gemessen vor
μν 237⁶; μν > νν 256⁷; –
> μ(μ) 256⁷
μνᾶ 64⁷. 245⁸. 332⁴. 562³
μνᾶ- 332². 710¹
-μνᾶ suff. 524⁵
μνάᾳ hom. 730³
μνάασθαι hom. 730³
μνᾱδάριον 471²
(*μνᾶϜα) 245⁷
μναῖ pl. 562³
*μνᾶτᾱ 425³
μναμμεῖον thess. (= μνᾱμ-)
  238²·⁶
Μναμόνᾱ 529⁵
μνᾱμων 522⁴
*μνᾱνις 260⁵. 495, 8
μνάομαι 296². 332⁴. 583¹.
  726¹, 1; c. gen. II 108³·⁴; s.
  ἐμνήσατο, μνήσομαι
*μνᾶς gen. sg. 'der Frau'
  583¹
Μνασέας 278⁸
μνᾶσθη- 761³
Μνασιδίκα 636⁵
μνάσκετ(ο) Od. 711³
[μνάω]: ἔμνᾱσα 751⁷
*-μηϑjω verba 734, 7
μνέαι pl. ion. 562³
μνεία att. 425³; ἔχειν μνείαν
  τινὸς ὑπό τινος II 529⁴
μνήισκεται Anakr. 799⁵
*μνήματα τε 389¹
μνημεῖον 470⁴
μνήμη πρός τινος II 514⁸
μνημονεύετε II 341⁴
μνημόσυνος 529⁵
μνήμων 112⁷. 342⁵. II 180²
μνησάσκετο Ilias 711⁵
μνησθῆναι 760⁶; – c. dat. II
  151²; - σύν τινος II 491¹
μνήσθητι 760, 6
μνησικακῶ τινι c. gen. II 108⁴
μνησκόμενος 709, 8
μνήσομαι 710¹
μνηστή 503¹
μνῆστις 504⁶, 6
μνήσω 782⁵
μνησώμεθα conj. 791²
Μνία 208⁵
μνίον 332⁴
μνίσκω ngr. 712²
-μνο- suff. 524⁴
μνόος 332⁴
-μνος suff. 524⁴·⁵·⁶
μνώια kret. 208⁵
[μνώομαι]: ἐμνώοντο hom.
  730³
-μο- suff. subst. 491⁶, 7ff.; –
  adj. 494³
Μογέᾱ m. böot. 560⁴
μογέω 720, 6; – ἐξ ἔργων II
  464¹
μόγις 620³

μόγος 310⁶. 459¹
μόδα ngr.: εἶναι τῆς μόδας II
  136⁸
μοθόπορον ngr. (pont.)
μόθος 511¹
μοι dat. sg. 388³. 600².
  602⁴·⁷. 608². II 148¹·²·³.
  186⁷·⁸. 189³⁻⁶, 4. 190¹.
  201³; – poss. II 149, 4;
  refl. II 194¹·²; gen. hom.
  602, 3; μ' hom. 604, 3
μοιμύλλω 647, 6
μοῖρα 272⁸. 310⁶·⁸. 474³. II
  623⁵; κατὰ μοῖραν II 478⁸
μοιράδιος 467¹
Μοιρέστρατος 438³
μοιρηγενές voc. 105⁶. 428, 1
μοιρηγενής ion. 438⁴
μοιρίδιος 467²
μοισάων böot. 241⁴
μοιχαλίς 483⁷
μοιχᾶν dor. 128⁷. II 235¹
μοιχᾶσθαι II 235²
μοιχάω 731⁵
μοιχεύειν II 235¹·²; – εὔεσθαι
  II 235¹·²
μοιχίδιος 467³
μοιχός 459²
*μολβος 278⁴
μολε/ο- 747¹
μολεῖν 361¹. 362⁷. II 366⁵; –
  ὑπὲρ κλιτύν II 519⁴; – σὺν
  τάχει II 490²
μολήτω kret. 807³
μολίβι ngr. 257⁵
μόλιβος 257⁵. 278⁴
μολιόμενα II 119, 3
Μολίονε II 48²·³. 51, 1
μολίόντι ἀπὶ δολοῖ II 438⁶
μόλις 339⁵
Μολοβρός 481⁶
Μολότοι thess. 318¹
μολοῦμαι 708⁶. 784⁴
μολούση (μοι) II 401³
Μολοχάντι dor. 528²
Μολπᾶς 461⁶
μολπηδόν 626⁵
μόλυβδος 257⁵. 275⁷. 508⁷.
  II 34, 4
μολύνω 733⁴
μόλωμεν 394⁴
μολών II 388⁴; – τινι κατὰ
  στόμα II 477³
μομφὴν ἔχω c. acc. II 74²; –
  – c. dat. II 144⁷
Μομψουεστία 231⁷. 257⁶
-μονᾱ suff. 524⁵, 7
μοναξός spät 598⁴
μονάς 'Monade' Plat. 597²
μονάχα ngr. II 582²
μοναχῇ, -χῆι 598³. 630⁴
μοναχός 161⁵. 498⁵. 598³.
  630⁴
μόνε adv. 631⁶

*μονϜος 472⁴
μονο- compos. 433, 3. 588, 7
μονόδερκτος 502³
μόνος 314⁵. 472⁴. 588⁴. II
  187⁴·⁵; – c. abl. II 96³;
  – μου ngr. II 136⁶; – του
  ngr. II 179⁵
μονότονος 433, 3
μονούμενος δεσποτῶν II 93⁵
μονοχίτων 433, 3
μονοχρονοῦ ngr. II 137⁵
μόνω du. f. II 35, 1
(*μονώνυξ) 588, 3
μονώτατος 536¹
μονώψ 426, 4
μορμολύσσομαι 725⁴
μορμολύττω 258⁸
μόρμορος 423²
μορμύρω 258⁴. 351⁸. 647³, 4
Μορμώ 479⁴
μόρος 310⁶
*μορσι- 277⁶. 494, 8
μόρσιμος 270⁵. 277⁶. 494⁵, 8.
  505³; ἐπορνύναι μόρσιμον
  ἦμαρ ὑπὸ βίηφι II 526²
μόρτος 502, 1. 704, 2
μορτός 277³. 344³, 1
Μόρυς 463⁶
μορύσσω 725⁴. 771³
Μορυχία οἰκία II 177³
Μορύχιος II 182⁵
μόρφνος 328¹
μορφώ 478⁵, 4
-μός suff. 128²; s. -μο-
μοσσῦν- 488⁵, 4
μοσσῦνο- 488⁵, 4
μόσχος 328⁴. 541⁶
Μοττόνης 318, 1
Μοτύλος 485, 4
μου gen. sg. att. 600⁴. 602³.
  605¹. 608³. II 186⁷. 201⁴;
  refl. II 194¹; ngr. 606⁴. 608⁵
μουκήρους lak. 482, 13
μουναδόν 626⁵
μουνάξ 620⁶. 630⁴
*μούνευρον spät 257⁴
Μουνήτιος 190⁷
μουνίας spät 257⁴
Μουνιχίαθε 628³
μοῦνος ion. 228³. 314⁵. 588⁴;
  μοῦνον ἐξ ἁπάντων II 116⁷
Μουνσης 214⁶
Μουνυχίαζε 625¹
Μουρμᾱκώ pamph. 182²
Μοῦσα 473, 6. II 59⁶; Μοῦσαι
  II 41³
Μουσβανδα 614⁴
μουσίδδει lak. 93⁵. 182²
μουσική498²;ἡ-(τέχνη)II175⁶
Μοῦσις 828⁶
μοῦστί 402³
μοχθέω 726³
μόχθηρος att. 380³. 383³
μοχθήσειν Ilias 735²

μοχθίζοντα Ilias 105⁶. 736²
μόχθος510⁷; μοχθῶ -ον II 75²
μοχλέω 726³
μοχοῖkypr. 182³. 549⁶. II 155⁵
mp Koine für pp 231⁷
μπάζω ngr. II 456, 3
μπαίνω ngr. II 456, 3; – τοῦ χωρκοῦ II 137⁴
μπαλλώνω ngr. II 456, 3
μπαρκάρω ngr. II 456, 3
μπλάστρο ngr. II 456, 3
μπλέκω ngr. II 456, 3
μπροστά c. gen. ngr. II 137³
μρ > μβρ 277¹
μσ für μψ 277⁸
μύ interj. 716⁵
μῦ (Murmellaut)II599,2.601¹
μῦ 140⁴. 377⁸
-μυ- suff. 495⁴
μυαλός hell. 243⁷
μύας acc. pl. Epich. 571³
μυγαλῆ 571³
Μυγδών 530³
(*μυγκjω) 692⁵
μυγμός 140⁴
μυελός att. 243⁷
μῦες nom. pl. Epich. 571³
μύεσθαι 729³
μυέω, ἐμύησα ion. att. 721⁴
μυζάω spät 721³
μυζέω spät 721³
μύζω 716, 5. 771⁵. II 601¹; s. ἔμυξε; μύζω 'mache μύ μῦ' 721, 4; 'sauge' Hippokr. 721³, 4
μυθέαι 252⁷
μυθεῖαι hom. 243⁴
μύθέομαι 726³; – τί τινος II 132³; μυθεῖσθαι ὡς II 664⁵·⁶·⁷; – σὺν ὅρκω II 489⁸; – ἀμφί τινι II 438⁵
μυθέσκοντο Ilias 711⁴
*μυθίζει 93⁵
μυθιήτης 500, 4
μῦθολογέω: ἐμυθολόγησα 655⁷
μῦθος 511¹; – c. gen. II 132³; μῦθον ἄκουε II 341³
μυῖα 73⁷. 474²
μυῖνδα 627²
Μυκάλη 483⁴
μῦκάομαι 683². 719, 9. 771³. II 227⁵. 264²; μυκᾶσθαι ἀμφ' ὀβελοῖς II 438³; s. ἐμεμύκει, μυκώμεναι
μῦκή 683²
μυκηθμός hom. 493¹
Μυκῆναι 638⁵
Μυκήνη 638⁵
Μυκηνίδες ὦ φ. II 615, 3
μύκης 462¹. 499³, 4
μύκον 747⁴
μυκός 496⁴
μῦκώμεναι 747⁴

Μύλασα 321⁴
μύλη 351⁸
Μύλλαρον 482³
μύλλω 351⁸
μυλωθρός 533²
μῦν acc. sg. Arkes. 571³
μῦνη 489²
μυξ- 754⁷
μύξα 516⁵
μύξω fut. Diog. L. 721, 4
μύξων 310⁵
μυογαλῆ 571³
Μυόννησος 280²
μυός gen. sg. 571³
μυοσόβη 200²
μυοσωτίς 571³
μύραινα 158¹. 311⁵
μύργμα 839¹
μυρία (ἵππος, δεσμή) 593⁵
μυριαδῶν gen. pl. 383¹. 597²
μυριάομαι spät 732⁴
μυριάς 597²
μυριαστός Koine 596, 4
μυρίζω 311⁶
μυρικᾶς syrak. 278⁶
Μύριλλα m. syrak. 561⁴. II 37⁴. 602⁶
μύριξ 497⁵
μῦρίοι hom. 593⁵. II 182⁶
μύριοι Hes. Hdt. att. 593⁵
μυρίον χέραδος Ilias 593⁵
μυριοντα- 437⁶
μυριονταδικός [so] Theo.Sm. 594¹
μυριοντάκις H. 594¹. 598¹
μυριόνταρχος Aesch. 594¹
μυριόπλαι 592, 4
μυριοστός 381⁴. 596²
μυριοστύς Xen. 597⁴
μυριότης 597⁵
Μυρμηδών 530³
μύρμηξ 257⁵
μυρμύρω 351⁸
μύρομαι 593⁶
μύρον 161⁴. 165¹. 351⁸
μυροψός 438, 1
μύρρα 311⁶
μυρρίνη att. 285³
Μυρρινοῦς 528²; -νοῦντα 231⁷; -νοῦντι loc. II 155¹
μυρσεών 271⁸
Μυρσίλος 270⁶. 285⁶
μύρσινος 270⁵
μύρτινος 270⁵
μύρτον II 304
μύρτος II 304
Μύρτουσσα 837⁷
Μυρτώ 837⁷
Μυρτώεσσα 837⁷
μύρω imper. lesb. 798⁵
μῦς 181⁵. 350⁶. 378¹. 424². 571³. 580⁴. II 316; – nom. pl. Antiphan.564¹;–acc.pl. Hdt.571³; s. μῦν, μυός, μῦσί

μύσαν aor. Ilias 721⁴. 774³
Μυσαχέων gen. lokr. 498⁵
μῦσί dat. pl. Hdn. 571³, 1
μυσκέλενδρα att. 533⁵
Μῦσοί 67⁶
μύσος n. 513¹
*μυσός gen. sg. 424²
Μῦσός 458, 3
*μυσσί dat. pl. 571³
-μύσσω 692⁵. 715¹. 754⁷
μύστα äol. 560¹, 4
Μύστα f. 560, 4
μυστηρικός 497⁷
μυστήριον 161⁴; -ίοις att. II 158⁵·⁶
μύστρον 532⁴
μυσφόνος 440⁴
μυσφονός 386⁶
μύσω fut. Lykophr. 721⁴
*μύσω praes. 721⁴
μύτες ngr. II 43, 5
μυττός 503⁶
μυχαίτερος 534⁵
μύχατος hell. poet. 503⁸
μυχλός 327⁷
μυχμός 140⁴. 206, 1
μυχοίτατος hom. 534⁴. 549⁶. II 178⁸
μυχός 496⁵, 11
μύω 'schließe' 686³. 721⁴
μῦών 488¹. 571³
Μύων 486⁴
μύωψ 426, 4
μῶ ion. 140⁴
μωκάομαι 128²
μῶκος, μωκός 420⁴
μωλέν kret. 720, 10
μωλῆν πάρ τινι II 494⁴
μῶλος 339⁵. 425³. 458⁶. 720,10
μῶλυ hom. 463⁶, 4
μωλυνθῆναι 728¹
μωλυόμενα Hippokr. 728¹
μωλυρός 482⁴
μῶλυς 361⁵
μώλωψ 426, 4. 483³. 833⁸
μῶμαρ 519¹
μωμήσθαι 784, 3
μῶμος 492²
μων (= ἡμῶν, ὑμῶν) 606⁵
μῶν II 585¹. 586⁸. 587⁵. 629¹; – οὐ II 629⁴
-μών Ausg. 521⁷, 6
-μών (gen. -μῶνος) suff. 522²·³
-μών (gen. -μόνος) suff. 522³
μῶνυξ 310⁶; μώνυχας ἵππους 588², 3
μωρός 481⁵
μῶρος 380³.383³; – εἰμι κλύων II 393⁶; ὁ μῶρος II 175¹
-μωρος 426⁴
Μῶσα 109⁷; Μωσάων [so!] böot. 251⁵
μῶσθαι 675⁴, 8. 809³
μῶται dor. 340⁴. 675, 8

# N

ν für jeden Nas. geschr.
213⁷˙⁸; ν aus λ 81⁴; – aus
*sn- 309⁷. 310⁷. 649³; – st.
μ nach Kons. 215⁷˙⁸; –
wirkt auf Vok. 274⁷; – re-
stituiert 287⁵˙⁶; – schwand
nach Langvok. 287⁶; – vor
s + Kons. ausgedrängt 336⁷
f.; – zu ι vokalisiert 280⁷f.
287⁷; – für Liqu. dissimi-
latorisch 258⁸; – (= n) für
-εν 280⁵; n ngr. (lesb.) 342¹;
ν:ν > λ:ν 259²; ν:ρ < ρ:ρ
259¹; ν:τ > λ:τ 259³
-ν aus idg. -n und -m 408⁶;
– aus idg. -nt 408⁷
-ν beweglich 81⁵; ion.-att.
85⁷; – ἐφελκυστικόν 405⁴f.
677, 6. 836¹; – fakultativ
405³˙⁴˙⁶. 406 ²˙⁴. 658⁵
-ν ausl. 309⁴; auf Inschr.
ungeschr. 410⁶˙⁷; im Wort-
innern übernommen 408⁶˙⁷;
im Ngr. erhalten 125⁴
-ν Kasussuff. acc. sg. 549².
551⁵⁻⁶. 553³; 3. decl. 579⁴
-ν für -σι(ν) 666³
-ν Personalend. 657⁵. 659³;
1. sg. act. aor. 739⁸
-ν infin.-Ausg. 805⁵, 2.
806²-808¹. 809¹⁻²
-ν in adv. 619⁵
-ν- praes.-bildend 737⁴
να neben νε 343⁵
-να- verba 693²
νᾱ- negat. II 599³˙⁴
-νᾱ- suff.; s. -νο-
-να- praes.-bildend 694². 737⁴
-νᾱ-: -νᾰ- verb. Infix 691².
693¹. 695⁵
-νᾰ- wechselt mit -νῠ- 693, 4
νά (= ἵνα) mngr. 793³. II
312². 319⁴˙⁵. 556⁴. 634⁴.
636². 672⁷. 673²; – c.
conj. 804⁵. 809⁶. II 316³.
384⁴; – ἔρθη II 674³; –
ἰδῶ II 316⁴; – γελάστηκα
II 350¹; -εῖδες mgr.II 350³;
νὰ μή ngr. II 596². 675⁴.
678³; νὰ μὴν ἦρθε II 350¹
νά 'ecce' ngr. 804³
-να3.sg.aor.ngr.(maniat.)764⁶
νᾶα acc. sg. dor. 578²
νᾶεσσι äol. (Alk.) 564⁵. 578²
ναεύω kret. 732⁶
νᾶέω 719³
νάϜϜος 90⁴
*-νᾶϜιον 349³
*ναϜjω 686¹
ναϜὸν lak. 224⁴
νᾶϜός dor. 228¹
ΝαϜπακτίων lokr. 197²

ΝαϜυπηγός 223³
*νάϜω 686¹
Ναησιος nax. 211⁵
-ναι infin. Ausg. 82¹. 88⁵.
548³.805⁵,2.808⁴⁻⁵˙⁶.II242²˙³
ναί II 563, 3. 570⁵⁻⁶. 628⁴, 2;
ναὶ ναί II 597, 1; ναὶ δή II
570⁵; ναὶ μά II 533⁵. 570¹˙⁵;
ναὶ μήν II 570⁵
νᾶῖ dat. sg. äol. 578²
ναιάδ- 465¹
ναιδαμῶς 456, 3. 617⁴
ναιέμεν II 363⁶
ναίεσκε, -σκον hom. 711³
ναίεσκον περὶ Πηνειόν II 504²
ναιετάασκε, -σκον hom. 711³
ναιετάειν ὑπ' ἠελίῳ II 525⁴
ναιετάω ep. 705⁶; – νήσοισι
πρὸς ῎Ηλιδος II 515⁶
ναιέτης Kallim. 705⁶
ναὶ μά II 533⁵. 570¹˙⁵
ναὶ μήν II 570⁵
ναιόμενον: ἐύ – II 239²
ναιχί 624⁴
ναίχι II 570⁶. 577³. 592²
ναίω (-ειν) 273². 343⁵. 686¹.
705⁶. 714⁴. II 279⁷˙⁸; –
αἰθέρι II 154⁷; – μετά τινος
II 485¹; – πρὸς ἠῶ II 510³;
– πρὸς ἡλίου πηγαῖς II 512⁷;
– παρά τινι II 494¹; – παρ'
ὄχθας II 495²; – ἐπὶ νήσου
II 470⁶; – Ζέλειαν ὑπαὶ πόδα
II 531⁵; s. ἔναιε
νᾶκόρος dor. 250⁴
νάκος 512²
Ναμένης 836⁸
-νᾶμι verba 691³; – zurück-
gedrängt 74⁶
νᾶν acc. sg. dor. 578¹
νάννα 423¹
νάννας 315⁵. 423¹
νάννος 268⁴. 423¹
νᾶνος 268⁴. 423¹
Νάξος 516⁶
*νᾶρός 248³
νᾶός 127⁸. 128⁶. 190². 282¹.
472⁶; νᾶός j.-att. 241³
νᾶός gen. sg. dor. 228¹. 245⁵
νᾶος gen. sg. äol. 578²
νάπη 62²
ναπῶν gen. pl. koisch 236⁸
νάπος 512²
νάπυ 190⁴
νάρδος 508⁷
νάρκισσος 61⁶. 315⁸
νᾶρός 248³. 482¹
νᾶς nom. sg. dor. 578¹
νᾶς adv. H. 621⁴
*νασϜος m.90⁴.187³.224⁴.282¹
νασθη- 761³
νασίδα unterital. 95²

*νασjω 705⁶. 714³
νασμός 493⁴
*νάσονς 384²
νάσος dor. 384²
νᾶσος 95². 346⁶. 516⁸, 3;
– ἡ παρ' αὐτοῦ II 498³
νασσ- 755²
νάσσα κε II 348⁴
νάσσω 715², 5
ναστός 503¹
νάτε ngr. 804³
ναυ- compos. 578²
ναυᾱγός 190⁷. 439⁵. 578²
ναυαρχος 439⁵. 454⁵. 578²
*ναυϜᾱγός 439⁵
ναύκλᾱρος 258⁷
ναύκληρος 282⁴
ναύκρᾱρος 282⁴. 583⁵
ναῦλλον att. 238². 578³
ναῦλον 578³
ναῦλος 578³
ναύλοχος 578¹
ναυμαχέειν σὺν κόσμῳ II
490²;–ἐστὶ πρός τινοςII516⁴
ναυμαχία περὶ Λέσβον II
504⁵; -ίαιν II 49, 4; s. νικῶ
ναύμαχος 385⁵
ναυμαχῶ (-εῖν) II 161²; –
ναυμαχίαν II 75⁶; – ὑπὲρ
τοῦ λιμένος II 570⁷; – ἐκ
γῆς II 463³; – πρὸς τῇ γῇ II
513¹; – τὴν περὶ τῶν κρεῶν
II 502⁵
ναῦν acc. sg. att. Pind. 578²
ναυός äol. (lesb.) 90⁴. 224⁴, 4.
348²
ναυπηγέεσθαι νέας II 73²;
-εῖσθαι ναῦς II 713³
ναυπηγός 439⁵
ναυρός 248²
ναῦς 279⁶. 377⁸. 424¹. 564².
575². 578¹˙². 585³. II 34¹;
nom. pl. hell. 564². 578²;
acc. pl. 564². 578²
ναῦσθλον 533⁴. 578³
ναυσί dat. pl. att. 578¹˙²; dor.
578²
ναυσίη ion. 270⁷. 578³
Ναυσίθοος 578¹
Ναυσικάα 578¹
*Ναυσίκκα 578¹
ναυσίκλυτος 578¹
ναυσίπομπος 446, 6
*ναυσμός 493⁴
ναῦσσον II 541, 2
ναύστης pap. 578³
Ναυτεύς 476⁷
ναύτης 161⁴. 578⁵˙³
ναυτιᾶ att. 270⁷. 578³
ναυτιάω 732²
ναυτίλλομαι 725²
ναυτίλος 484⁷

ναυτοδίκης 446, 3
ναύτοις 561²
ναῦφι 550⁶. 551¹˙². 578¹;
  ναῦφιν II 172⁷
ναύω äol. 686¹
νάχω dor. 702⁴
νάω 'fließe' 686¹. 702⁴;
  ἔνασσα aor. caus. 714⁴; ἐνά-
  σθη 714⁴
-νάω st. -νᾶμι 694¹
νᾶων gen. pl. äol. 578²
nd im Gr. 210²˙⁴
νδρ < νρ 277¹
-νε partic. 612²
-νε- praes.-bildend 737⁵
νέα acc. sg. Od. 578¹
νέᾶ 188², 4. 189⁵˙⁶˙⁷
νεᾱγενής 550⁵
νέαι νέαι δύαι δύαι II 700¹
νεᾱνίᾱς att. 241³. 426³, 3.
  561⁴˙⁵. II 33, 1. 176⁴. 614⁵;
  νεανίαι τὰς ὄψεις II 85⁵
νεανίοις dat. pl. 470, 1. 561², 2
νεᾶνις 385⁶
νεανίσκος 542¹; – τὸ εἶδος II
  85⁵; -οι τῶν ἱππέων II 101⁵
νέαξ 293¹. 496, 4
Νεᾱπολις 386⁵. 427²˙³. 445⁷
νεαρός 482², 4
νέας acc. pl. ion. 578²
νέατος hom. att. 503⁷
νεάω 727³. 731⁴
Νεγοπόλεις gen. sg. pamph.
  548¹. 572, 4
Νέδα 66⁴
Νέδων 684⁵
νέες nom. pl. ion. 578²
νέεσθαι II 362⁷. 363¹. 368⁴.
  374⁶. 382⁴; – c. dat. II
  162³; – κὰρ ῥόον II 478⁵; –
  ὑπὸ ζόφον II 530⁴
νέεσσι dat. pl. hom. 564⁵.
  578²
νέεται 780, 6
*νεϜα 591²
*νεϜᾶ f. 188². 189, 0
*νέϜη 188²˙⁶
*νεϜοανιᾶς 426, 3
νέϜος 727³. II 28⁵. 35¹. 571, 2
νεϜοστάτας 223⁶
*νέϜω 781⁶
*νεϜῶσαι 727³
νέη: ἐκ νέης II 175⁶
νεηγενής 439¹. 550⁵
νέηλυς 465⁶. 507³
νεηνίᾱς 470¹, 1
νεῆνις 464⁵
νεί ark. böot. II 570, 2
νεῖαι 685⁵. II 292⁶
νείαιρα 475¹; – γαστήρ 503⁷
νείατος 103³; – ἄλλων II 100³
νεῖκαι H. 744, 8
νεικέειν τινί περὶ ἔριδος II
  501⁷

νεικείεσκε hom. 711²
νεικεῖν II 161²; – ὑπὲρ αἶσαν
  II 519⁶; – νείκεα ἐναντίον
  τινί II 534⁴
νεικείω hom. 723⁶. 724¹
νεικέσκομεν Od. 711¹
νεικέσω II 291⁸
νειόθεν 628²
νείομαι 686¹
νειός f. 472⁶. 503⁷. 727, 4.
  II 32⁵
νεῖος 472²
νεῖρα 475¹
νείφει 295⁶. 297⁷. 424⁴. 684⁶.
  II 72⁶. 620⁵; – ὁ θεός II
  621⁵
νείφεται II 72⁶
νεκρός 463⁵. 481⁴. 518⁵. II
  179³
νέκταρ 424, 6. 519². 530, 4
νεκύδαλλος 484¹
νεκυηδόν Hdn. 626⁵
νέκυι 199⁵
νέκυς 292⁷. 463⁵; νέκῡς acc.
  pl. 463, 3. 571²; νέκυας
  571²; νέκυσσι dat. pl. hom.
  571³; νέκυς ἔκ τινος II
  463⁶
νεκύσιος 466⁵
νεμέθοντο 703³
νέμεν II 383³
Νεμεοῦ 549⁷. 618⁶
νεμέσᾱ imper. 799¹
νεμεσάομαι 321⁵
νεμεσάω 727⁴
νεμεσήσεται conj. 760⁷
νέμεσθαι 703³. II 363⁵; –
  τέμενος παρ' ὄχθας II 495²;
  – ὑπὸ τοῦ ἅρματος II 527⁵
νεμεσίζομαι 727⁴. 735⁵
νέμεσις 505², 7. 703³. II
  356⁷. 357¹˙²˙⁴˙⁵. 623⁵
Νέμεσις 504⁴, 4
νεμέσσᾱ imper. 799¹
νεμεσσάομαι 321⁵
νεμεσσάω 727⁴. 735⁵; -ᾶν
  c. dat. II 144⁵
νεμεσσήθη 760⁷
νεμέσσι II 357⁶
νεμέω ion. 785¹
νεμήσω fut. spät 785¹
Νεμονεῖος 268³
νεμονητα kret. 268³
νέμος 512¹
νέμσω 782²
νέμω 684³; s. ἔνειμα, ἔνεμμα
νεμῶ att. 785¹
νέμων II 389⁴
νενεαμένην H. 727³
νενέμηκα att. 649³. 775¹
νενέμημαι 770⁵
νένευκα 311³. 649³
νενικηκώς (ὁ) II 409²
νέννος 315⁵. 339⁴. 423¹

νεόβορτος 360⁵. 363³
νεογιλής 102⁸
νεογιλλός hom. 323³. 483³
νεογνός 357⁴
νεόδμᾱτος 360³
νεόθεν 628²
νεοίη 469, 3
νεοῖν du. Thuk. 578²
Νεοκροντίδης ion. 253²
νέομαι 219⁶. 304⁴. 343⁶.
  685⁵. 690³. 749, 3. 780²˙³,
  6. II 228, 2. 229¹. 259¹.
  265⁵. 273³. 315²
νέον adv. 'frisch' 624, 4. 633, 4.
  II 70³. 281⁸
νεόνυφος f. ngr. II 32, 4
νεόπλυτος 694⁵
Νεοπολίτης 435, 1. 426³.
  439². 446⁵
νεόπτολις 453, 5
νέορτος 398⁵
νέος 241³. 246². 309². 381².
  457². II 28⁵; – ἡλικίᾳ II
  168⁵; – ἐνίκησα II 179, 2;
  – ἄεθλος II 178¹; νέᾱ 246²
νεοσίγαλος 527, 6
νεοσσός 320⁴
νεότα acc. sg. f. kret. 263⁶
νεότᾱς gort. 528, 5
Νεοτειχεύς 439³
νεότης 528⁶, 6. 529¹. II 39, 4.
  471¹
νεοττός att. 320⁴
νεοχμός 326³. 343³. 357⁴.
  494⁴
νεόω 727, 4
νέποδες 431, 3
(*νεπαρο-) 328¹
Νερβα 158⁵
νέρθε(ν) 627⁵. II 539⁴⁻⁶. 540²
νερό ngr. 250⁷. 482, 4
νέρτερος 534³
*νέσομαι 749, 3; *νέσεται
  780, 6
Νεσσωνίς 66³
Νεστόρεος hom. 275²; -ρέη
  II 177⁵
Νέστος 56, 2
Νέστωρ 531, 4
Νετος 317⁸
-νευ- verba 695⁷
νεῦμαι hom. 685⁵
*-νευμι 350⁷. 364². 696¹
νευρά f. 381²
νευρή 103⁷; νευρῆφι 550⁶;
  ἀπὸ ννευρῆφι 103⁷
νεῦρον 267³. 279⁶. 310⁷.
  381². 481²
νεῦς (= ναῦς) ion. 203⁴; ep.
  (Hdn) 578²
νευσ- 755¹
νευσί dat. pl. ep. (Hdn.) 578²
νεύσομαι fut. 310⁷. 685⁶. 781⁶
νευσούμενοι Xen. 786²

νευστάζω (-ειν) 685⁶. 706⁴.
755¹
νευστέον 685⁶. II 410³
νεύω (-ειν) 311³. 348⁴. 685⁶.
755¹; – δεινόν II 77³; s.
ἔνευσα
-νεύω verba 696¹
νεφέεσσι hom. 564¹
νεφέλη 297³. 483⁴. 515⁵
νεφεληγερέτα hom. 560¹
νέφεσσιν dat. pl. hom. 580¹
νέφος 297³. 339². 512¹. 515⁵
νεφρός 297⁷. 328¹. 486⁷
νεφρώ II 47, 4
νεω- att. 438³
νεώ gen. sg. m. 557⁶
νεώ acc. sg. m. 557⁸
νέω 'spinne' 310⁷
νέω 'schwimme' 310⁷. 649³.
685⁶. 702⁴. 781⁶. 832⁸
νέω 'häufe auf' 676²
-νέω verba 695⁷. 696¹. 720⁵
νεώβορτον 363³; s. νεόβορτον
*νεῶιν du. 578²
νεωκόρος 120, 2. 250⁴
νεωλκέω 578²
νεωμένη Hes. 727³
νεῶν gen. pl. ion. att. 244³.
578²; – ἄπο II 446²
νεωποίης 451⁵
νεωρός 578²
*νέως adv. 624¹
νεώς gen. sg. ion. att. 187²·³.
190². 228¹. 245⁵. 578²
νεώς m. att. 282¹. 553⁶. 557⁶
νεῶσαι att. 727³
νεώσοικος 427², 1. 446¹
νεώσσει H. 733⁶
νεωστί 623⁵. 624¹. II 91²
νέωτα, ἐς νέωτα 622, 5
νεωτεριεῖν II 364²
νεώτερον 624, 3
νεώτερος II 184⁵·⁶
ϝϜ 322³·⁷
(*νϜιν) II 571, 2
*-νϜοντ- ptc.-Ausg. 691⁴
*-νϜοντι 3. pl. 691⁴
*-νϜω verba 698²·³·⁴
*νh- 311²
νή II 555². 570⁵, 2. 3; – Δί'
att. 577¹. II 707⁸; – Δία
II 88². 624⁸. 707⁸; – τὼ
θεώ 127⁸
νῆ 3. sg. praes. ion. 249¹.
660¹. 675³
νη- negat. 431⁴, 6. II 599³·⁴
*νη- 578²
νῆα acc. sg. 578¹; νῆ' Ἀγα-
μεμνονέην II 89⁷
νήατος hom. 503⁷
νηγάτεος hom. (Ilias) 431⁴, 7.
810⁶
νήγρετος 431⁴
νήδυμος 103⁴

νηδύς 62⁴; -ύς 463⁷
νήει hom. 721²
νήεον Ilias 721²
νῆες nom. pl. att. 578¹·²; –
ὅσαι εἰρύαται .. ἕλκωμεν II
641⁴
νήεσσι dat. pl. ion. (hom.)
564². 578²
νηέω 648, 3. 719³
*νηϜ- 578²
νηϜῶν hom. 241⁷
νηθέντα att. 761⁴
νήθω 310⁷. 675³. 676¹. 703¹;
s. ἔνησα, ἐνησάμην
νηΐ dat. sg. att. 241⁶. 578¹·²
νήια 201⁴; – δοῦρα II 177²
νηϊδ- 424⁵
νηϊδ- 465¹
νῆιν acc. sg. 464, 5. 565, 3
νήϊον 468³
νήϊος 578³
νηΐς 357⁴
νῆϊς 431⁴. 464, 5
νήϊστα 503⁷
νήϊτης 578³
Νήϊτται πύλαι 503⁷
νήκεστος 431⁴
Νηκλῆς lak. 253⁸. 836⁸
νηκούστησε θεᾶς II 95³
νήκουστος 431⁴
Νηλέᾱ 127⁸
νηλείᾱ 431⁴; -ἐς ἦμαρ II
178¹
νηλέϊ hom. 252⁷
νηλείτιδες hom. 464⁵
Νηλήϊος II 177²·³
νηλιποκαιβλεπέλαιοι 453, 3
*νηλιποποδ- 263²
νηλίπους hom. 263²
νημερτής 431⁴. 514¹. 704³
-νημι 753³
νῆν att. 675³
νήνεμος 431⁴
(νηνέω) 648, 3. 719³
νῆνις ion. 241³
νήξομαι 782⁵
νηο- compos. 578²
νηοι lyk. 245²
νηός m. ion. 228¹. 282¹
νηός gen. sg. f. 187²·³. 578¹
νησσόος 439⁵. 450, 4
νηπιάέω 431⁴
νηπιάας 104³·⁴·⁵
νηπίας 104⁴
νηπιέη 104⁴·⁵
νηπίη 469¹
νηπίιας 104⁴
νήπιος 301⁶. II 65⁸
νηποινεί 623²
Νηρηῖ voc. 465². 565, 4
Νηρηΐδων ion. 241⁶
Νηρηΐς 477⁷
Νήριτον 66⁴. 502, 5. II 33, 2
νήριτος 431⁴. 587, 1. 502⁵, 5

νηρὸν ὕδωρ hell. 250⁷
νῆς adv. H. 621⁴
νῆσαι aor. 752³
*νη[σ]ατέα 363³
νησάων gen. pl. f. Kallim.
559³
νησί n. ngr. II 32, 4
νῆσις 505⁵
νησιώτης 500⁵
νῆσος 308⁷. II 33³. 34, 4; –
Ἡελίοιο II 177⁴; – ἡ πρὸ
τοῦ Ἡραίου II 506⁴; νήσωι
ἐν ἀμφιρύτηι 72¹
νῆσσα 361⁶. 381⁷. 474²
*νῆστι 'nōn ēst' II 593, 3
νῆστις 431⁴. 504, 6; νήστιας
acc. pl. Ilias 573³
νήσω fut. 782⁵
*νησωτης 500⁵
νητός 761⁵
νηῦς f. 203⁴. 424². 578¹·²;
νηῦν acc. sg. Ap. Rh. 578²;
νηυσί dat. pl. 578¹; νηῶν
hom. 241⁷. 578¹
νηφάλιος 483⁶
νήφονες H. 566, 5
νήφοσι dat. pl. 566, 5
νήφω 685³
νήχεσθαι II 232⁶
νήχυτος 431, 7
νήχω (-ειν) 702⁴. II 232⁶
-νθ- suff. in ON 60⁷; – älter
als -nd- 61¹
-νθα-, -νθος aus vorgr. End.
61⁴
-νθαι 3. pl. böot. 672³, 4
*-νθαι infin. Ausg. 672⁴.
809, 2
-νθειν [so, nicht -νθει] 3.pl.(=
-νται) thess. 669³. 672³·⁴, 4
-νθειν infin.-Ausg. 809, 2
-νθι 3. pl. böot. thess. (=
-ντι) 91³. 270⁴. 666⁴
-νθο 3. pl. böot. thess. 672³, 4
-νθος 39¹. 61⁴
-νθω imper. böot. 802²
νι partic. pamph. 89¹. 612³
-νι partic. 612²
-νι- suff. 495³
νίζομαι II 83¹. 230⁴
νίζω 73⁸. 298⁵. 330⁴. 704⁴.
714⁶. 754⁷. II 72, 1. 230⁴;
– c. dat. II 170²
νίκᾱ imper. 800¹, 2; – ἵπποισι
II 166⁶
νικάhας lak. 217³
νικαῖς 192⁵
νικᾶν 192⁵
Νικάνωρ 190³
νίκᾱς 2. sg. imper. att. 660, 9.
800¹, 2
νῑκᾱ́σανσι dat. pl. kret. 566²
νικᾶσθαι att. 732, 1; τὸ –
II 369, 6; s. νικῶ

νικάσκομεν Od. 711¹·³
Νικάτας gen. sg. m. ätol. 560⁴
νικἒσθαι II 383⁵
νίκη 421, 3; – μάχης, πολέμου II 121⁵; s. νικῶ
νικηθείς (ὁ) II 408⁸
νικήσας (ὁ) II 408⁸
νικηφόρος 438⁴
Νικία voc. II 61²
Νικίας gen. sg. m. thess. 560⁴
Νικιέης 104⁵. 825⁶
Νῖκο voc. ngr. 555². II 59, 8
Νικόδημος 162⁵
Νικόλας 129⁷. 254²
Νικομᾶς 461⁶
νῖκος 193, 2
Νικόσρατος 100⁴
νικῶ (-ᾶν) II 274⁴·⁷·⁸. 276¹·³. 278⁷. 377³. 382⁸; μὴ νικησάτω II 343⁴; νικᾶν τινα c. gen. II 131²; – σὺν Ἀθήνῃ II 489³; – (νικῆσαι) διά τινα II 453⁴·⁵; – διά τι II 454¹; – χορῷ II 165⁶; – μάχη II 166⁵; – τινα μάχη II 170³; – νίκην II 79⁵; – μάχην II 74⁸. 79⁸; – ναυμαχίαν II 76⁴; – Ὀλύμπια II 75¹; – τὸ καθ' αὑτόν II 477²; νικῶ εὖ ποιῶν II 393³; – παρὰ ἓν πάλαισμα II 496⁵; νικῶμαι τοῦ ἀληθοῦς II 119⁴; – τινος II 101³; νικώμενος ἱμέρου II 119³
νικῶμες dor. 663¹
νικῶν II 391⁵
νικώντεσσι böot. 564³
νίκωρ 519⁴
νικῶσα (ἡ) II 175⁵. 409³
νιν 603⁶. 608¹·², 1. 613³. II 190²·³. 191¹·³·⁴. 571, 2
νίννα 423¹
Νίνος 153². 228³
*νίνσομαι 287⁶. 690³
νίπτομαι (-εσθαι) τὰς χεῖρας II 230⁸; – τὰς χ. ἑαυτῶν II 236³; – c. acc. et gen. II 111⁵; s. νίψασθαι
νιπτός 298⁵
νίπτρον 293⁸. 299⁵
νίπτω 704⁴. 714⁶. II 814⁴; – τινά τι II 231¹; s. νίψω
Νιρεύς, Ἀγλαΐης υἱός II 615⁵
-νίσκω verba m.-ngr. 712⁷
νίσομαι ep. 287⁶. 690³, 4. 780, 6. 786, 6
νισοῦντι Sophr. 786⁶, 6
(νίσσομαι) 690³
Νίσυρος 482⁵
νίτρον 152⁸. 532⁴

νίφα acc. sg. 295⁶. 297⁷. 310⁷. 357⁴. 414². 424⁴, 8. 584⁶. II 52¹
νιφάς 508²; s. ννιφάδες
νιφετός 501³. 584⁶
nifi ngr. 163, 1
νῑφήσομαι LXX 714⁶
Νιχάρχων 257²
νιψ- 754⁷
νίψασθαι II 363⁸
νίψω fut. 298⁵. 299⁵. 714⁶
*νλ 323²
*νμ 323²
*-νμα neut. 524, 2
νν < mn 256⁷; – aus ns 279⁸; – aus sn 322⁶·⁷. 654³; – aus wn 215¹·². 323⁴
ννιφάδες 310⁷
-ννυμι verba 696¹. 697⁴⁻⁵
-ννύω Verbalausg. 699⁴
-ννω Verbalausg. 699²
νο:νυ 352⁵⁻⁸
-νο- suff. Verbaladj. 57⁴. 488⁶, 6 ff.
νόα lak. 310⁷. 459⁷
νόαρ 519¹
Νοβιος 158⁵
νοέω 720, 6; νοῶ II 704²; – τινα ὡς c. ptc. II 397³; νοέων ἐπ' ἀμφότερα II 472⁴
*νόϜος 241³
νοήσας II 408⁸
νοήσατο hom. 761¹
νοθαγένης 438⁷
νοΐ dat. sg. Soph. 192, 1. 562⁴
νομαδικῶς 624²
νόμαιος 468⁴
νομαῖος 468⁴
νομάς 507⁶. 508³
νομεύειν 732⁴
νομὴ ὑπὲρ Μέμφιν II 519⁵
Νομήνιος ion. 253²
νομεῖν II 375⁸
νομίζειν (τὸ) II 380²; τοῦ – II 361⁵
νομίζομαι II 624⁴
νομίζοντι dat. pl. mess. 272². 567, 3
νομίζω (-ειν) II 122⁷. 123¹. 124³·⁸. 167⁴. 308¹. 396¹; νομίζων II 391³; νόμιζες ngr. II 244⁸; νομίζω c. ptc. II 396⁷; μὴ νόμισον II 343³; νομίζω ἀποτρέψειν II 296⁵; – τινὰ ὡς ὄντα II 397²; τὴν πατρίδα οἶκον II 83⁷; – τὴν πόλιν ὑπὲρ δύναμιν μείζω II 519⁷; – φίλον μείζονα ἀντὶ τῆς π. II 443⁴; s. ἐνόμισ(σ)α
νομισθῆναι II 378²
νομοθετεῖν τὰ συμφέροντα II 73⁴

νόμος 393⁴; (Bed.) 37⁶; ngr. 180⁷; κατὰ νόμον II 478⁸; κατὰ τοὺς νόμους II 479¹; νόμος κατὰ τοὺς γάμους II 504⁶
νομός 459³
νόννος 423¹
*-νοντ- ptc.-Ausg. 691⁴
*-νοντι 3. pl. 691⁴
νόος 459¹. II 478⁸; νοός gen. sg. hell. 554, 4. 557⁴; νόα lak. 310⁷. 459⁷; s. νοῦς
νοόω Plot. 842³
-νος Ausg. n. 512⁷, 5
-νός adj. 810⁴
νοσάζω 735²
νοσέω 227⁷. 726³; -σεῖν II 260⁸; νοσοῖμ' ἄν Aesch. 796, 1; νοσῶν II 389³; νοσῶ νόσον II 75⁴; – μεγάλα II 775; – νόσω II 166³; – πονηρίᾳ II 166⁵
νόσος 308⁴. 517¹; νόσω du. II 49⁵; νόσον ἐπὶ νόσω II 156⁴; s. νοσέω
νοσσός ion. 121³. 253². 320⁴
*νόσσος 308⁴
νοστέω 726³; νοστῆσαι II 366⁷. 375²; -ήσαντι dat. II 404²; -ήσω II 352¹; -ησέμεν II 376³
νόστιμος II 32⁴; -ον ἦμαρ II 178¹
νοστίττην el. 331⁶. 735, 3
νόστος 304⁴. 685⁵. 690³. 780, 6; – γαίης Φ. II 121⁵
νοσφειούμαι 785, 3
νόσφι 362². 405⁸. 406³. 551⁴. 834⁸. II 540²⁻⁵; – Ποσειδάωνος II 435²
νοσφίδιος 467²·³. II 540, 1
νοσφιεῖς Π. βίου II 93⁴
νοσφίζομαι hom. 735⁵. II 540, 1; νοσφισθείς Od. 760³; ἐνοσφίσθης Archil. 758¹
νόσφιν 405⁸. 406³. II 540²⁻⁴, 1; – ἀπό II 445⁷
*νοτ- 834⁸
νοτιάω 732⁴
νότιος 270⁷. 311¹
νότος 503⁶; πρὸς νότον τῆς Λήμνου II 96⁶
*νοτσφι 362³
νοῦ gen. sg. 252³. 577³
νουθετεῖν II 73⁵
Νουιος 158⁵
Νουμήνεος = -νιος 245²
νουμηνία 251⁸. 439³; -ίᾳ att. II 158⁵
νουνεχόντως 452³. 624². 644⁶
νοῦς ion. att. 241³. 249². 310⁷. 377⁷. 554⁷. 562²·⁴; νοῦ gen. sg. 252³. 577³; ξὺν νῷ II 487, 2; ἔχειν κατὰ νοῦν c. dat. II 148⁵; s. νόος

Νοῦς ποταμός 310[7]
νοῦσος ion. (ep.) etc. 114[2].
227[7]. 308[4]; – Διός II 119[2]
*νρ 323[2]
νρ > νδρ 277[1]
νσ thess. 90[2]; – vor Vok.
äol. 90[2]; – inl. 286[8]; –
bleibt arg. 94[4]; -νσ- erhalten 287[2]; in jungen Lehnw.
geblieben 287[3]
-νς 287[1]; – erhalten 287[2]; –
vor vokal. Anl. geblieben
15[4]; – vor kons. Anl. >
-ς 16[1]
-νς Endung acc. pl. 549[3].
551[5-6]. 553[3]
-νς ptc. nom. sg. 566[3]
-νσθω 3. sg. imper. med.
800[6]. 802[2]
-νσι 3. pl. Personalend. ark.
270[4]. 663[3]
ντ dor. < λτ 213[3·4]
nt Koine > tt 231[7]
nt > nd 123[6]
-ντ- ptc. suff. II 242[2]. 386[1]
-ντα n. pl. adv. ngr. II 411[2]
-νται 3. pl. Personalend.
657[5]. 671[2·4·5], 2
-ντας ptc.-Ausg. ngr. II 411[2]
-ντι 3. pl. Personalend. 270[4].
657[5]. 663[3]
*-ντjα ptc.-Ausg. f. II 386[1]
-ντο 3. pl. Personalend.
657[5]. 671[2·4·5], 2
-ντοι 3. pl. ark. 672[3]
-ντων 3. pl. imper. act.
803[2·3-4]
ντρέπαι = -πεσαι ngr. 119[4]
*-ντς 337[3]
ντύνομαι ngr. II 235[3]
ντύνω ngr. II 83[5]
-ντω imper. ark. nwgr. dor.
delph. 802[1·2]
-ντων imper. ther. kret.
kyren. 802[1-2]
νυ: Schwachst. zu νο 352[5-8]
νυ partic. 612[3]. 619[4·6], 9.
II 412[7]. 555[3]. 570[7], 4.
627[4]. 628[6]. 629[7]. 633[6];
νύ 420[8]. II 556[4], 2; νύ
κε II 568[6]. 571[3]; νύ κεν
568[6]; νύ τε II 576[3]; ἐπεί νύ
τοι II 571[3]
νῦ 140[4]
-νυ- suff. 495[4]
-νυ- verba 696, 1; – praes.-
bildend 737[5]
-νῦ-: -νυ- verba 695[7]
-νύᾱι 3. pl. praes. 698[5]
*νυβνος 259[2]
νύγω 685[3]
νυδΐ 611, 3.
*-νυϜεντι 3. pl. 664[6]. 698, 3
*-νυϜον ipf. 698[4]

-νυϜοντ- ptc. 698[4]
-νυϜοντι 3. pl. 664[6]. 698[4], 3
(*νυιν) II 571, 2
*νυκσσί 337[8]
νυκτ- 424[4]. 499, 6
*νύκτα Ϝεσαν 413[6]
νυκτάλωψ hom. 259[2]. 426, 4
νύκταν 563[3]
νυκτελεῖν 831[2]
νυκτέλιος 483[5]
νύκτερος 519[4]
νυκτηγρετέω,νυκτεγερτέω [so]
648, 3. 706[2]
νυκτιβαοῦτος gen. 585, 2
νυκτίβαυ pap. 585, 2
*νυκτιτέλιος 483[5]
νυκτόβας H. 585, 2
*νυκτσί 322, 1. 337[8]
νύκτωρ 519[4], 4. 621[1]. 630[6].
II 70[1]
νυκχάζω H. 717, 4
-νῦμι verba 350[7]. 691[3·4]
Νύμμιος 158[4]
νύμφᾱ nom. sg. Anth. P.
558[5]; voc.hom. 558[5]. II 59, 2
νύμφη 495[6]. 558[6]
νύμφησιν ion. 559[4]
νυμφίδιος 467[3]
νυμφίος 466[3]
νυν 619[6], 9. II 487[4]. 570[7], 5 f.;
μέν νυν II 571[3]
νῦν 350[6]. 378[1]. 619[6], 9. II
269[8]. 270[3]. 281[8]. 412[7].
427[7]. 487[4]. 556[4], 2: 570[7],
5. 571[2], 1; οἱ νῦν II 416[1]; τὸ
νῦν II 70[3]; τὰ – II 70[3].
416[1]; νῦν δ' ἄγε II 583[7];
νῦν γε II 570[7]; νῦν δέ II
571[2]; νῦν δέ γε II 561, 4;
νῦν δή II 570[7]
νῦν II 570[7]
νυνα- gort. 693, 5
νυνᾶται conj. 792[3]
νυνγαρί 611, 3
νυνδή II 563[2]
νυνδΐ II 570[7]
νυνί 619[4]. 566[5]. 570[7]
νυνίν 405[7]
νυνμενί 611, 3. II 570[7]
-νυντ- ptc. 698[5]
-νυνται Verbalausg. 698[5]
-νυντο Verbalausg. 698[5]
νύξ 352[6]. II 33[4]; νυκτός
gen. II 112[7]. 113[1]; νυξί
322[1]. 337[8]; νὺξ ἐν μέσῳ (sc.
ἦν) II 623[6]; νυκτός gen.
partit. II 111[7]; τῆς νυκτός
II 112[7]; ταύτης τῆς – II
112[7]; νυκτὸς ἀμολγῷ II
159[2]; τὴν νύκτα II 70[5];
ἐπὶ νυκτί II 469[2]; αἱ νύκ-
τες ἡμέραι ποιεύμεναι II 616[7]
νύξε κατὰ δεξιὸν ὦμον II 476[7]
-νυον Verbalausg. 698[4]

νυός 240[2]. 310[7]. 380[8]. 457[6].
II 32[2]
*νῦρω 714, 7
-νῦς ptc. att. 698[5]
-νυσαν ipf. 698[5]
-νύσκω verba 708[5]
νῦσος 516[6]
Νυσούριος (= Νισ-) 184[2]
νύσσα 474[3]
νύσσω 715[2]; νύξε κατὰ δε-
ξιὸν ὦμον II 476[7]
νυσταγμός 492[5]
νυστάζω 348[4]
νυττί kret. 256[7]. 316[8]
νύχα adv. H. 499, 5. 621[1]
νυχθήμερον 452[6]
νύχμα 717, 4
νύχτα ngr. II 88[8]
Νύψιος 277[8]
-νύω verba 698[4]. 699[3·4]
νώ nom. acc. du. 600[6]. 601[3].
602[5]. 603[6·7], 2
νῶ ion. 140[4]
-νω verba 696[1]; mgr. 699[3];
ngr. 691[5]. 701[4]
νώβυστρα 532[2]
νωδός 431[4]. 566, 4
νῶε acc. Kor. Antim. 602[6].
603, 2
νωέ 603, 2. 604[2]
νωθής 431[4]. 513[5]. 721[5]; νω-
θέστερος II 184[5]
νωθρός 483[1]
νώθω c. gen. ngr. II 136[7]
νῶι nom. acc. du. hom. 602[5]
νῶι 385[6]. 603[6·7], 2. 604, 5
νῶιν gen. dat. hom. 602[5].
604[2], 5
νῶιν gen.dat.hom. 602[5]. 603[6]
νώιτερος hom. 608[5]. II 200[4].
202[3]. 205[3]; -τέρην 602[5];
νώιτερον 602[5]
νῶκαρ 518[5]
νωλεμής 513[5]
νωμᾶν 356[5]
νωμάω poet., Hdt. 719[2]
νώμενος 675[3]
νῶμος ngr. 180[7]. 393[4·5]. 413[6]
νῶντα H. 675[3]
νώνυμνος 332[4]. 352[6]. 431[4].
450[6]. 524[4]
νώνυμος 431[4]
νωπέω 726[4]
νωρεῖ H. 720, 10
νωρέω 787, 11
νωρίς ngr. 622[1]
νῶροψ 426[4]
νῶσαι aor. ion. 249[7]. 675[3].
752[3]
νῶσιν 675[3]
νωτιδανός 530[2]
νῶτον 503[6]; νῶτα II 43[5]
νωχελίη hom. 469[6]
νώψ 431[4]

Ξ

ξ Kons.-Gruppe 328² ff· 329
4·5·6; = ḫs 211⁵; κσ ge-
schrieben 211⁵; – > σσ
211⁵·⁷
ξ- wechselt mit σκ-, σ- 329⁶
-ξ ausl. 409¹
-ξ- in fut.781²,1; in fut. u. aor.
für -σ(σ)- 737⁷ f. 738²⁻³
-ξα aor. 754³·⁶·⁷; ngr. 763⁷
ξαγήτας lak. 413⁸
ξαίνω 329⁴. 714⁵. 771⁵; – κα-
τὰ τοῦ νώτου II 479⁶; s.
ἔξανται, ξανῶ
ξανα- ngr. II 462⁸
ξανῆσαι Soph. 700⁵
Ξανθίας 156⁶
ξανθίζεσθαι 413⁸
Ξανθίππη 634⁶
Ξάνθιππος 635⁴, 5
ξανθός 329⁵. 511, 2
Ξάνθος 635²
ξανῶ fut. 714⁵. 785²
ξαττός ngr. dial. (=ξανθός)
214³
ξε- praev. ngr. II 461⁶
ξεῖ 140³
ξεινίγιον 470²·⁴
ξεινίζω 735⁶
Ξείνι[ος rhod. 228⁴
Ξεῖνις 228⁴
ξεινίσσομεν hom. 785⁵
ξεῖνος ion. 228³. 472⁵
ξεναγέω c. gen. II 110²
ξένϜᾱ 228⁵
ξένϜε 228⁶
ξένϜος el. kor. kerk. 223⁷.
329⁵
ξένη (ἡ) II 175⁵
ξενία 159⁵. 468⁵
ξέννος äol. (lesb.) 228⁵. 283⁶
ξένος 87². 225, 3. 228³·⁵; – c.
gen. II 108²
ξενοῦσθαι II 160⁴
Ξενοφῶν 636²
Ξένυλλος 485³
ξεραίνω : ἐξέρανα ngr. 764¹
ξερασία hell. 275¹
Ξέρξης 153⁵
ξέρω ngr. 779, 2. 842²; -ει
νὰ ζῇ, ζήσῃ II 257⁶; s. ξεύρω
ξεσ- 755¹
ξεσκίζω ngr. 736⁶
ξεσκῶ ngr. (dial.) 736⁶
ξεσσ- 755¹
ξέσσε 706⁸
*ξεστάριον 269²
ξέστης 269². 329⁵. 592, 5.
599⁴
ξεστίον 269²
ξέστριξ knid. 269³. 590⁵
*ξέσω praes. 251⁴. 752⁵
ξεύρω ngr. 779, 2. 842²

ξεφεύγω ngr. 656⁸; – c. gen.
II 136⁵
ξεχάννω c. gen. ngr. II 136⁷
ξέω 251⁴. 269³. 329⁵.685⁵.752⁵
-ξέω fut. dor. 785⁵
ξημερώνει ngr. II 268, 2
Ξηνιάδα akragant. 228⁴
ξηρά (ἡ) II 175⁵
ξηραίνω 733¹; s. ξεραίνω
ξηρανθη- 761⁶
ξηρός 329⁴. 481⁵
ξίμβρα äol. 329⁵
-ξις suff. 505⁵, 7
ξιφηφόρος 440⁵
ξιφίνδα 627²
ξίφος 62¹. 152⁸. 329⁵. 512⁴.
II 65⁶
ξόανον 329⁵
ξοῖς 329⁵
ξοός 329⁵
ξουθός 329⁵
*ξύ 487³, 7
ξυ- II 487³; s. συ-
ξυββάλλεσθαι att. 317²
ξυγκινδυνεύειν μετά τινος II
484⁵; τὸ μὴ – II 371¹
ξυγχωρεῖν πρός τινα II 510⁸
ξυήλη 329⁴. 484³
ξυλαμή 329⁶
ξυλήφιον 471, 6
ξυλλαβέσθαι τοῦ ξύλου II 130²
ξυλλέγεταί τι c. dat. II 151⁴
ξύλλεσθαι arg.kret. 266⁸. 714⁶
ξύλλομαι arg. 329⁶
*ξυλολόχος 263²
ξύλον 329⁴. II 42, 3; ξύλα II
43²; – c. dat. II 153⁸
ξύλοχος hom. 263²
ξυμβάλλεσθαι γνώμην II 487,2
ξυμβασείοντα Thuk. 789²
ξυμβήσομαι 789²
ξυμβλήμεναι infin. hom. 806⁴
ξυμβλήτην hom. 743¹
ξύμβλητο 743¹. II 487, 2
ξυμμαχίαν ποιεῖσθαι πρός τινα
II 510⁸
ξύμμαχοι ἐκείνων II 121⁶
ξυμμεταφέρω II 422⁶
ξυμμετίσχω II 422⁵
ξυμμετρούμαι c. instr. II 167³
ξυμπαγὲν ἐπὶ γῆς II 470⁵
ξυμπαρακομισθῆναι II 372⁴
ξυμπίπτει γενομένη II 392⁵
ξυμπολιτεύειν ἐς II 434³
ξυμπροπέμψειν II 295⁶
ξυμφέρεσθαι θόρυβον περί τινα
II 504⁶
ξυμφεύγω φυγήν II 75⁵
ξυμφόρως II 414²
ξύν II 421³. 426¹. 427². 487³.
487²⁻491; – (= ξύνεστι) II
488²

ξυν- II 488¹
ξυναγωνίζομαι II 140⁶
ξυναιτία II 488, 6
ξυνᾶν dor. 521⁶
ξυνανύτει 704³
ξυναράμενοι τοῦ κινδύνου II
104¹
ξυνεείκοσι Od. 598, 11
ξυνέηκε II 419³
ξυνελαύνω τινά c. dat. II 140⁵
ξυνελευθεροῦν II 422³
ξυνενεγκεῖν II 382⁷
ξύνες imper. 741³
ξύνετο Od. 741³; – τοῦ ἀγο-
ρεύοντος II 94⁷
ξυνετὸς πολέμου II 108²; -ὸν
ἐπί τι II 473²
ξυνετρίβη τῆς κεφαλῆς II102,4
ξῦνήιος II 487, 2
ξυνῆκα II 282³
ξῦνήων II 487, 2
ξυνθήκας ποιεῖσθαι πρός τινα
II 510⁸
ξύνιε imper. 687⁶. 799³
ξυνιεῖ imper. 687⁶
ξυνίει ἐμέθεν ἔπος II 94⁸
ξύνιεν βουλέων II 95³
*ξυνιη imper. 799³
ξυνίημι II 487, 2; – c. gen. II
107³; – c. acc. II 107⁴; –
τινα c. dat. II 140⁵; s. ξυνι-
ίει, ξύνιεν, ξυνῆκα
ξυνίστασθαι ὑπὸ δέους II 528⁶
ξυνιστῶιτο opt. ion. 687⁶.795¹
*ξυνjός 200, 2. II 465⁴
ξυνοῖδα ἐμαυτῷ c. ptc. II
397¹; – σοφὸς ὤν II 393⁷
ξυνοικεῖν II 366¹. 487, 2
ξυνός 200¹, 2. II 160³. 465⁴.
487, 2; – c. gen. II 118⁶;
– c. dat. II 118⁷
ξυντρίβομαι: ξυντρίβη τῆς κε-
φαλῆς II 102, 4
ξῦνωνίη II 487, 2
Ξυπεταιών 196²
Ξυπέτη 329⁵
ξυράσθαι II 232²; – διὰ τρί-
της ἡμέρας II 451³
ξυράω 721⁵
ξυρέω 721⁵. II 83¹
ξύρισμα ngr. 524¹
ξυρόν 329⁴. 481⁴
ξύρω 721⁵
ξύσιλος 485¹
ξυστάδες 507⁴
ξυσταδόν II 416³
ξυστὸν II 487, 7
ξυστός 329⁴
ξυστρατεύειν II 376²
ξύω 686³. 706⁸. II 487, 7
-ξω fut. dor. 785⁵

# O

o: ὁ μικρόν 140⁵; o 340 f.
686⁷, 9; aus idg. o 338⁶; aus
idg. m̥, n̥ 344³⁻⁴; o äol. aus
idg. m̥, n̥ 440¹; aus m̥ 344⁸.
345¹; o : ε Abtönung 552⁵;
o wechselt mit ω oder Null
339⁵; kurz für Länge 246
¹⁻²; Ο für ω 86⁸; Ο für un-
echtes ου 102⁷; – für ΟΥ
191 f. 611⁵; o äol. ark.-
kypr. für α 88⁶. 343⁸; o äol.
bei ρ, λ für α 106². 440¹;
o für εο 253²⁻⁶; o ersetzt α
440²; ŏ wechselt mit ă
340²; o Hilfsvok. 278⁵⁻⁶;
– assimiliert andere Vok.
255⁶; o assimiliert α 256³;
o schwindet in vok. Dreier-
gruppe 252⁷⁻⁸; Wz. auf o
680³, 2; -o- kontrahierbar
in Kompos.-fuge 397⁷
o- prothet. Vok. 411⁶. 413³
-o- themat.Vok. 642³⁻⁸. 683⁴,
5. 841⁶
-o-Stämme 553⁴. 554⁵–558¹;
-o-St. wechselt mit andern
St. 458²⁻⁴
-o- bei Adj. m. und f. in idg.
Zeit 438⁴
-o- suff. 457² ff.; Sekundär-
suff. 460⁶ f.
-o- Kompos.-Vok. 438¹. 450
³⁻⁶; st. ᾱ (η) 438³ff·; st. ε 442²
o (ω) im Hintergl. als Ab-
laut zu ε (η) 449³
-o elid. 403²
-o voc. sg. m. ngr. 586¹, 1
-o acc. sg. m. ngr. 585⁷
-o nom. sg. 2. decl. tsak.
586, 0
-o (gen. -ος) f. ngr. 585⁷
-o neut. sg. pron. 609³
-o' gen. sg. 553³
-o 2. sg. med. 657⁵. 669⁵;
imper. med. 799⁵⁻⁶
-o- fut. 779⁷. 781¹
-o- conj. 790²⁻³⁻⁴ f.
ὁ art. 221⁵⁻⁶
ὁ- praep. äol. 434⁴⁵. II 491
³⁻⁶, 2–7
ὁ art. 304². 387⁵. 457². 600¹.
611². II 20²⁻³. 211⁴⁻⁵. 417⁷⁻⁸f.
190⁴; ὁ ἀνήρ ὅδε (ὅδε ὁ ἀνήρ)
II 25⁵, 8; ὁ αὐτός II 25⁵.
212, 2; mgr. 613⁸; ὁ αὐτός
γε II 561, 3; ὁ ἐγώ 600⁶⁻⁷;
ὁ εἷς 588⁵; ὁ γάρ II 21².
560³; ὁ γε II 21². 185⁵⁻⁶.
208². 561¹; ὁ δέ II 185⁵⁻⁶.
208²; ὁ μὲν – ὁ δέ II 21³.
216²; ὁ μέν γε II 561, 4; ὁ
καί 638², 7; ὁ πάνυ 618². II
26⁷; ὁ ἀδελφός σου II 25⁶;
ὁ φίλος σου ἦρθε ngr. II 629¹;
ὁ πρὸ τοῦ χρόνος II 507⁵;
ὁ πρό τινος II 507⁴; ὁ περί τι
II 504⁴; ὁ ἐπὶ τῶν πραγμά-
των II 470⁷; ὁ ἐπὶ τῶν ὁπλι-
τῶν II 470⁷; ὁ ὑπὸ νόμον II
531²; ὁ ὑπό τινα II 531¹; ὁ
ὑπὸ γῆν II 530⁷; ὁ πρὸς τῆι
δερματηρᾶι II 513⁷; ὁ πρὸς
τῆι ἀναγραφῆι II 513⁷; ἐν
τοῖς c. superl. II 185²; s.
ἡ, τό, οἱ
ὁ pron. 611²⁻³; demonstr.
610³⁻⁵. II 207⁵. 208¹⁻³⁻⁴;
demonstr.-anaphor. II 642
⁶, 1; attribut. II 23¹; s.
ἡ, τό, ho
ὁ pron. relat. (gen. τοῦ) 615¹
ὁ pron. demonstr. m. II 20
³⁻⁴⁻⁵, 5, 6. 7. 21⁴. 207⁵⁻⁶.
208⁵; ὁ μέν (m.) II 569³
ὁ neut. pron. relat. 303⁷. 387⁶.
610⁶. 614⁶. II 34³. 35². 203,
2. 639⁶; ὁ γὰρ γέρας ἐστί
hom. 610⁶; ὁ θαυμαστότα-
τον, ὅτι II 708²; ὁ μέγιστον
δή II 706⁴
ὁ 'dass', weil' II 640¹. 645
³⁻⁴⁻⁵.646⁸; 'weshalb' II 77⁸
οα > dor. nwgr. böot. ᾱ
250¹
οᾱ > lesb. ᾱ 250²
*-οα 1. sg. opt. 660². 663, 9
ὄα II 30⁴
ὀά interj. 313⁷. II 601¹
ὀᾶ interj. II 601¹
Ὀάδμων 208⁵. 224². 522⁵
Ὀαλέριος 224²
Ὀαλίδιος 224²
*ὁ ἀνήρ δε 611, 2
Ὄαξος 224²
ὄαρ 424⁵. 434⁴. II 491⁴
Ὀάριζος 224²
ὀαρίζω 424⁶. 735⁶. II 491⁴;
-ίζετον II 611⁸
ὄασις 153¹. 224². 313⁷. 506³
ΟαΤαΤιος 318⁴
ὀβάλλω 295⁷
ὄβδην 293⁸. 298⁵. 508⁷; εἰς
– 626, 6
ὀβελλός thess. 238²
ὀβελλός att. 255⁶. 295²⁻⁷
ὀβελός 32⁸. 255⁶. 295²
ὀβριμοεργός II 65⁸
ὀβριμοπάτρη hom. 451²
ὄβριμος 350⁵. 363⁴. 412⁷.
494⁴; -ε παίδων II 116⁶
ὀγάστριος äol. 433³. II 491, 6
ὀγδᾶ[ι] rhod. 250⁸

(*ὄγδμος) 595, 3
ὀγδοάς 592, 4. 597²
ὀγδόατος 503⁷. 595⁶. 596¹
ὀγδόδιον att. 595, 3
ὀγδόϝα akor. 92⁵. 595⁶
ὄγδοϝος 314⁴. 596, 3
ὀγδοήκοντα att. lesb. 592²⁻³,
4. 595⁶; s. ἡογδ-
ὀγδοίη 195⁴
ὄγδοος 252². 595⁶, 3
ὄγδος 595, 3
ὄγδου 595, 3
ὄγδους 595, 3
ὀγδῶι ion. 595, 3
ὀγδώκοντα ion. etc. 249⁷.
592³, 2
Ὄγκαντος 139²
ὀγκάομαι 683²
ὄγκιον 470⁴
ὄγκος 340². 458⁷
ὀγκόω; s. ὤγκωμαι
ὄγμος 340². 492⁴, 10
ὀγχέω 717, 4
Ὀγχηστός 503⁵
ὀγώ ngr. (kappad.) 604, 2
ὄδα· ὤνια Η. 720, 5
ὀδαγός 190³
ὀδαῖος 467⁶
ὀδάξ 400⁸. 434⁴. 620⁶. II 491⁴
ὀδαξάω 721³
ὀδαξέομαι spät 721³
ὀδαξήσεται 721³
ὀδαξησμός 721³
ὀδάξω att. 723²; s. ὤδαξον
ὅδε 600², 4. 611³⁻⁷, 2 f. 624, 9.
II 179². 190⁴. 208⁵, 1. 209,
1. 210¹⁻⁴⁻⁷, 1. 211¹⁻². 212².
216³. 562, 1. 640⁴; = ὁ δεῖ-
να 612¹⁻⁵; = ἐμός, ἡμέτερος
II 209¹; ὅδε ἀνήρ 611, 2;
ὅδε ὁ ἀνήρ II 25⁵; – – 'ich'
600⁷; ὁ ἀνὴρ ὅδε II 25⁵, 8;
s. ἥδε, ἧδε
ὀδεῖν Η. 720², 5
ὁ δεῖνα att. 612³
ὄδεινα : τὸν – ngr. (dial.) 612⁵
ὄδεινας ngr. (dial.) 612⁵
ὀδελός ark. dor. 255⁶. 295²
ὄδερος 481, 3
ὀδεύειν 732⁵
*ὀδϝ- 301⁵
*ὀδήσω 715, 1
ὀδί att. 400⁴. 612¹. 619⁴. II
208⁵
*ὀδίν 612⁴
ὀδίτης 465, 3. 500⁵, 8
ὀδμᾶσθαι 725, 9
ὀδοιδόκος 452⁴, 5
ὀδοιπορεῖν ἐπ' ἄκρων II 470⁵
ὁδοιπόρος 239⁵. 452, 5. II
155⁴

ὀδολκός kret. 263²
*ὀδολολκος 263²
ὀδομηκοντα spät 592³
ὀδόντα acc. sg. 566, 5
ὀδόντος gen. sg. 566, 5
ὀδός 301⁵
ὀδός n. 418⁶. 512⁴
ὀδός 304¹. 459³. II 34². 75⁷.
356, 2. 602⁶; – ἡ ἐπὶ τὸ Πο-
σειδώνιον II 472⁶; ὁδῷ II
155⁴
ὀδούς 57³. 566⁵. II 33⁵
*ὀδσ- 440, 7. 645, 0
ὀδυ [= ὄντον] imper. pamph.
803³
*ὀδυίομαι hom. 717, 1
ὀδύνη 521⁴
ὀδυνοσπάς 507⁴
*ὀδύομαι hom. 717, 1
ὀδυρέσκετο II 278⁴. 351¹
ὀδυρμός 492⁴
ὀδύρομαι 714⁴, 7. II 229²;
c. gen. II 133⁴
ὀδυροῦμαι fut. 785²
ὀδυσσάμενος Od. 757²; -μέ-
νοιο τεοῖο Ilias 609¹
'Οδυσσεύς 5¹; – ὁ 'Ομήρου II
120¹
(ὀδύσσομαι) 717, 1
ὁδῷ 'auf dem Landweg' II
155⁴
ὀδωδα 715¹. 766⁴; ὀδωδε II
263²
ὀδώκοντα 592³
ὀδών 525⁶, 8. 566⁵
οε > ο 253⁶
-οε dat. sg. böot. 556¹
-οε nom. pl. böot. 556²
οǫ > ου 249⁷
ὀειγ- 'öffnen' II 491⁴, 5
ὀείγην lesb. 653, 10. 685¹. II
491⁴
ὀείγω äol. 347¹
-ὀεις suff. adj. 527¹·⁴. 528¹·²
ὀεσσι dat. pl. hom. 564⁴. 573⁶
ὀέτης hom. 69⁶
'ΟϜατίες 223³
*-οϜίᾱ f. Ausg. 469⁴
ὄϜινς acc. pl. arg. 222⁶. 571,
7. 573⁶
ὄϜις 339⁷
*οϜισωνος 491⁴
*οϜj > οιϜ 272⁸
*οϜjος gen. sg. 273¹
ο. ϝο kypr. (= οὐ) 194³
ὀζαίνομαι 733²
*ὀζδο- 330¹
ὀζέσω fut. Koine 784⁶
ὄζῃ f. 645, 0
'Οζήνη 156⁴
ὀζήσω fut. 715¹,1. 752⁴. 783²
'Οζόλαι 66⁴. 484⁵
ὄζος 330¹. 434⁴. II 491³
ὄζος kret. (= ὄσος) 96⁴

ὄζυξ 433³. II 491, 6
ὄζω (-ειν) 339⁵. 715¹. 752⁴.
II 263²; c. gen. II 128⁶·⁷;
– μύρου II 107⁶; – ἀπ' αὐτῆς
II 129¹; s. ὀζέσω -ήσω
-όζω verba 734²
οη > ω 249⁶
ὄϑ' (= ὄδε) 408²
ὄϑεν 628², 5. II 413⁵. 644⁸.
646⁶. 647⁸, 1. 648²·³. 661⁴;
– τε II 575²
-ϑεσαν· ἐπεστράφησαν Η. 721⁵
ὄϑεν adv. 628³
ὀϑέτη, ὄϑιζα 501³
ὄϑη f. 721⁵
ὀϑϑάκιν kret. 598¹. II 652⁴
ὄϑι 628⁴·⁵, 5. II 157, 2. 413⁵.
646⁶. 647⁸. 648¹
ὄϑιπερ II 648¹
ὄϑμα äol. 523⁷; ὄϑματα 317⁴·⁵
ὄϑομαι 721⁵. II 108⁷. 109¹.
396²; ὄϑετ' αἴσυλα ῥέζων II
392⁶
ὀϑόνη 152⁸. 490³
ὀϑούνεκα 402⁴. II 552⁵. 646⁵.
661⁵·⁸. 662³
ὀϑρυς 495⁴
"Οϑρυς 303¹. II 33, 2·
οι: – aus idg. οι 346⁸ f.; οι >
att. υ 233⁸; οι = υ Ägypt.
böot. kret. 233⁷; οι Ausspr.
ü 127³; gr. οι = syr. w 233⁸;
οι aus *οσj 273²; οι aus οει
250⁷; οι für εοι 250⁸; οι für
οηι 250⁷; ion. att. οι aus οοι
249³·⁴; οι böot. < ωι 233⁵;
ark. οι für αι 348²; οι >
böot. οε 233³; οι wechselt
mit ο vor Vok. att. 233⁶
-οι elid. 403⁴
-οι gen. sg. m. ostthess. 81⁶.
555³, 3
-οι' gen. sg. 555³
-οι dat. sg. m. 556¹. 558⁷.
559¹. 839⁸
-οι loc. sg. 549⁴·⁶. 624⁵. II
138⁴
-οι nom. pl. 554³·⁶, 1. 2. 556².
600³. 609³
-οι nom. pl. für -ονες 479⁴
-οι adv. 622³
-οι- opt. 794¹·², 1. 796¹⁻⁶. II
319⁷
-οῖ 3. sg. Personalend. 658²
-οῖ 3. sg. opt. 796, 1
ὀῖ dat. sg. 573⁶
οἱ nom. pl. demonstr. 81⁷.
610⁵. 611⁴
οἱ nom. pl. art.: οἱ ἀμφί τινα
II 439²; οἱ ἐκ πίστεως II
463⁶; οἱ ἐκ τῆς ἀγορᾶς II
181,2; οἱ ἐκ τῆς 'Ακαδημίας
II 463⁵; οἱ ἐκ τοῦ Περιπάτου
II 463⁶; οἱ ἐν τοῖς πράγμα-

σιν II 458⁶; οἱ ἐπὶ τοῖς πράγ-
μασι II 467⁴; οἱ κατά τινα
II 477²; οἱ μετ' ἐκείνου
II 485²; οἱ μετὰ Κροίσου II
485¹; οἱ παρ' αὐτοῦ II 498⁴;
οἱ παρ' ἐμοί II 494²; οἱ παρ'
ἡμῖν ἄνϑρωποι II 494³; οἱ
περί τινα II 504³; οἱ περὶ
Φαβρίκιον (= Fabricius) II
504³; οἱ περὶ "Εφεσον II
504⁵; οἱ πρὸ ἡμῶν II 507⁴;
οἱ πρὸς αἵματος II 514³⁻⁴; οἱ
πρός τινι II 513³; οἱ σὺν
αὐτῷ II 489⁵; οἱ ὑπό τινι
II 525⁷; οἱ ὑπό τινα II 530⁸
οἱ dat. sg. pers. 603⁴. 607⁵·⁶,
6. II 148¹⁻³. 186⁷. 189³⁻⁵, 4.
191². 193⁴. 194⁴·⁵. 201³
οἱ dat. sg. refl. 607⁵. 608, 0;
οἱ αὐτῷ II 191⁵
οἱ interj. 716⁵. II 65⁸. 600³,1.
601⁵
οἱ interj. II 600³. 601⁵
οἱ c. partit. II 116⁴
οἱ dat. sg. refl. 226⁴. 334⁸.
377⁸. 602⁷. 603⁴. 607, 1. II
186⁷. 193³. 194⁷; – αὐτῷ
607². II 195³
οἱ adv. 549⁶. II 157⁴·⁵·⁶. 640¹.
647¹; – ἀσελγείας II 114⁶
-οια 1. sg. opt. 660², 1. 796
¹·³. 813⁵
-οῖα suff. 469⁴
-οῖα f. ptc. 540⁵⁻⁶. 765, 2
οἷα: – ἔργα II 405⁷·⁸; – ποιεῖς
II 626³; – c. ptc. II 391⁸;
– c. gen. abs. II 399²·³; οἷα
– ὥς II 577⁵; οἷά τε II 576³;
s. οἷον
οἰαδόν 626⁵
*-οιαν 3. pl. opt. 665¹
Οἰανϑεύς: ὁ – II 41⁷
οἴαξ 348³. 516⁵. 752, 9
*οἰάς 597²
-οίατο att. 87⁵
οιατρός (= ἰατρός) 184¹
Οἴβων 833¹
οἵ γε 'qui quidem' II 640³
οἴγνυμι 347¹. 412⁶. 434⁴, 3.
641⁸; s. ὠίγνυντο
-οιγω 696⁴
οἴγω 641⁸. 653, 10. 771, 8.
II 432²; s. ὤιξε
οἶδα 340¹. 346⁸. 641³. 643¹.
758, 7. 765⁴. 766⁶. 769¹·².
779, 2. 783⁷. II 263⁵, 2.
396¹. 584³·⁴; οἶδας 662⁵, 7;
οἶδε 769¹; οἴδαμεν 767, 5.
769²; οἴδατε 767, 5; οἴδασι
767, 5. 769²; οἶδα κατὰ
φρένα II 476⁵; – c. gen. II
107⁷; – τινα διά τι II 454²;
– ὧν κρείττων II 397¹; – τινα
c. praedic. II 395³; – – c. ptc.

II 394[6]; – –λέγοντα II 297[4];
– – δηλώσαντα II 296[8]; οἶδά
τι ποιούμενον II 708[3]; –
ἐμαυτόν c. ptc. II 394[7]; –
τινα ὡς εἰδότα II 397[3]; οὐκ
– II 631[5]; – ὡς ἦ 664[5]; οἶδ'
ὅτι 'gewiss' II 590[1.2]; s.
εἰδέναι, -έω, -ήσω, εἴσομαι,
εἴδη, -σα, εἰδείην, ἤιδειν,
ἤισμεν, ἤισαν, εὖ οἶδα, οἶσθα
διδα Alk. 104[5]. 769[1]
οἰδάνει 700[2]
οἰδάνεται 700[2]
οἴδανον 655[4]
οἰδάω 348[1]
οἶδε 610[5]. 611[3]
οἴδης, -ησθα äol. 680[6]
Οἰδίπους 448, 1. 565, 3. 582[6];
Οἰδίπου voc. gen.,
-πόδαο, -ποδι, -πωι 582[6]
οἶδος 348[1]
οἴει att. 236[6]. 668[2]. 679, 7
οἴεος 381[6]. 466[3]
διες, οἶες nom. pl. 573[6]
οἴεσθαι : τοῦ – II 360[7]
οἴεσθε 679, 7
δίεσσι dat. pl. hom. 564[4].573[6]
οἰέτεας hom. 195, 3
οἴετο (= ᾤετο) 655[4]
οιϜ < *οϜj 272[8]
οἶϜος 88[4]. 223[6]. 588[4]
δίζυε imperat. 727[5]
διζυρός 482[4]; – ώτερον 534,12
διζύς 464[1]
διζύσας 727[5]
διζύω περί τινα II 504[3]
οἴζω Ap. Dysk. 716[5]
-οιη- : -οι- opt. 794[2]
οἴη f. subst. 469[6]
Οἰῆθεν 195, 3
οἰηθη- 762[1]
οἰήθητι 760, 6
οἴηιον 348[3]. 516[5]
-οιην opt. 795[6]; -οίην 796[2]
οἰί dat. sg. att. 573[6]
-οιιν (-οῖιν) gen.-dat. du.
hom. 549[3]. 557[2]. 562[7]. 565[2]
οιιν acc. sg. kret. 573[6]
οιις nom. sg. kret. 573[6]
οἶκα ion. lesb. 541[1]. 624[6], 10.
766[6]
οἴκαδε 424[1]. 552[2]. 584[6]. 619[1].
624[6·7]. II 171[5]
οἴκαδες 625[2]
οἴκαδις meg. 625[2]
οἶκας Alkm. 745, 2. 767, 1
οἴκει loc. 549[5]. 552[2]. 554[6].
622[2]. II 56[7]. 171[5]
οἰκίη arg. 729[4]. 795[2]
οἰκεῖος 348[7]. II 118[7]. 205[4·5]
οἴκεις ptc. lesb. 729[1]
οἰκεῦσα 248[1]
οἰκέω (-εῖν) 726[3]. II 363[5];
– δι' ἄκριας II 453[2]; – ἐπὶ
12*

σφῶν αὐτῶν II 470[7]; – ἐπὶ
τῷ ἰσθμῷ II 466[7]; – ἐς ὀλί-
γους II 460[4]; – μετά τινος
II 483[6]; – παρά τινα II 495[6];
– περὶ Σικελίαν II 504[2]; –
πρὸς νότου ἀνέμου II 515[6];
– πρὸς δυσμέων μετά τινα II
486[4]; – τηλοῦ τῶν ἀγρῶν II
546[2]; – ὑπὲρ Ἑλλήσποντον
II 519[5]; – ὑπὲρ Ἰονίας ἁλός
II 521[1]; – τινὰ ἀμφίς II
439[7]; s. ᾤκεον, ᾤκουν,
ᾤκησα
οἰκηιώτερος ion. 241[6]
οἰκημένος ὑπὲρ Αἰγύπτου II
520[7]; -ον πρὸς ἠῶ II 515[7–8]
οἴκην 241[2]
*οἴκηντς ptc. 729[1]
οἰκήσεται 763[3]
οἰκία 226[2]. II 43[4]
οἰκίζειν II 362[3]; – τινὰ παρὰ
Δίρκα II 493[5]; – χωρίον
ὑπὲρ τοῦ ποταμοῦ II 520[7]
οἰκίζεσθαι ἀπὸ θαλάσσης II
445[8]
οἰκιξόντες kyren. 786, 5
οἰκισθείσας : μετὰ Συρακ. –
II 391[2]
οἰκίσκη 542[1]
οἰκιτιεύς 24[2]
οἰκοδομεῖν τεῖχος II 73[2·4]; s.
ᾠκοδόμησα
οἰκοδόμεσα Koine 753[2]
οἰκοδομημένος, -α 656[7]
οἰκοδομηται her. 793[1]
*οικοηορος 219[3]
οἴκοθεν 552[1]. 625[5]. 628[2]. II
171[5]
οἴκοθι 552[2]. 619[2]. 625[5]. 628[4].
II 171[5]
οἴκοι 57[6]. 191, 2. 376[6·7]. 552[2].
554[6]. 618[6]. 622[2]. II 56[7].
155[5]. 171[5]
οἴκοι 191, 2. 376[6·7]. II 43[4]
οἴκοις loc. II 154[8]
οἴκον δέ 624[5]
οἰκόν δε hom. 624[6]. II 562, 1
οἰκόνδε 551[2]. 552[2]. 611[7]. II
171[5]
οἰκονομεῖν τὴν οἰκίαν II 73[2];
s. ᾠκονομηκότων
οἰκονομεῖσθαι (τὸ) II 370[3]
οἰκονομίαι αἱ κατὰ τὴν πόλιν
II 477[8]
οἰκονόμος 159[4]
-οἶκός suff. adj. 498[1]
οἶκος 292[7]. 458[3]. 584[6]; ἐν τῷ
οἴκωι 618[6]
οἰκόσε 629[2]. II 171[4.5]
οἰκουμένη 524[7]. II 175[5]; ἡ –
II 409[3]
οἰκούμενος 123[5]. II 182[4]
οἰκοφόρος 441, 1. 5. 450[6].
453[5]. 454[6]. 457[5]

οἰκτείρω (= -ίρω) 184[6]
οἰκτερῶ fut. Aesch. Soph.
785[2]
οἰκτιρμός 492[4]
οἰκτίρρω lesb. 283[5]
οἰκτίρω ion. att. 283[5]. 352[3]
725[3]. 785[2]; – τινά c. gen. II
133[7]; s. ᾤκτιρα
οἴκτιστος 539[1]
οἶκτος 501[4]. II 623[4]; ἔχω
τινὰ δι' οἴκτου II 452[6]
*οἰκτρjω 352[3–4]. 785[3]
οἰκτρός 337[6]. 481, 16. 532, 1;
οἰκτρά σύ, τέκνον II 623[4]
οἰκώς ion. 541[1]
Ὀιλεύς 224[2], 1
οἶμα 523[3]. 725, 9
οἶμαι 16, 1. 280[4]. 619[1]. 679[5],
7. 722[1]. II 16[6]. 308[8]. 637[4].
706[3]; – parenth. II 554[6].
555[5]. 583[4], 2. 584[3–4]; s.
ᾠμην, ᾤμην
οἰμάω 725, 9
-οιμεν opt. 795[6]
-οιμι verba lesb. 729, 1
-οιμι 1. sg. opt. 660[2]. 813[5]
-οἶμι opt. 796[2], 1
οἴμμοι att. 103[7]. 238[2.5]
οἴμοι interj. 716[5]. II 66[1].
143[7]. 601[4.5]; c. gen. II 134[6]
οἶμος 381[1]. 492[3], 4. II 34, 3;
οἶμος κυάνοιο II 129[2]
οἰμωγή 716[5]
οἰμώζω 716[5]; s. ᾤμωξεν
οἰμώξομαι 781[8]; -ξόμενος II
296[1]
οἰμώσσω spät 716[5]
διν, οἶν acc. sg. 573[6]
-οιν f. II 35, 1
-οιν gen.-dat. du. 554[4]. 557[2].
562[7]
-οιν 1. sg. opt. 660[1.2], 4
-οἶν infin. Koine 807[4]
οἰνή 348[1]
οἰνή 461[2]. 588[4]. II 305
οἰνίζειν H. 588[4]
οἰνίζομαι 736[1]. II 277[1]; c.
instr. II 166[8]
Οἰνόανδα 61[4]
οἰνοβαρείων Od. 724[2]
οἰνοβαρής 513[2]
Οἰνόηζε Hdn. 625[1], 3
Οἰνόηθεν, -όην 625[1]
Οἰνόμαος 450[6]
οἰνοποτάζω 706[4]
οινος m. 'Eins auf dem Wür-
fel' 588[4]
οἶνος m. 'Wein' 57[5]. 314[5].
458[1]. 459[2]. II 305; οἶνον
οἰνοχοεύειν II 700[7]
Οἰνοτρόποι 720, 4
οἰνοῦς ion. att. 249[6]
Οἰνοῦσσα II 33, 2

οἰνόφλυγ- 424⁵
οἰνόφλυξ 298⁷
οἰνοχοεύω (-ειν) II 363⁴; –
οἶνον, νέκταρ II 700⁷; -εύει
(sc. οἰνοχόος) II 621¹; -εύων
hom. 732⁶
οἰνοχοέω 726⁴; ἐωινοχόει hom.
653⁴; οἰνοχοέω οἶνον II 73²;
ἐωνοχόει νέκταρ II 73²; s.
ὠινοχόει
οἶνοψ 426⁴
-οιντο 3. pl. opt. 665¹. 671⁴
οἰνῶντα acc. sg. H. 588⁴
οἰνωπός 458²
οἰνώψ 426, 4
οιο- 433, 3
-οιο gen. sg. hom. thess. 81⁶.
90⁶. 273². 549³. 554⁶. 555³·⁴,
2. 3. 600³. II 117³
-οιο gen. sg. pron. 609³
οἰόθεν οἶος 628². II 700⁶
οἰοῖ II 600, 4; – – II 600, 4
οἰοιοῖ II 600, 4
-οιοις gen.-dat. du. el. 557³
οἶοιτο II 335⁵
οἴομαι (-εσθαι) 16, 1. II 1227.
234⁴. 347⁶·⁷; οἴει 236⁶. 668².
679, 7; οἴετο 655⁴; οἴοιτο II
335⁵; οἰήθητι 760, 6; οἰο-
μένω II 609⁵; οἴομαι τινός τι
II 132²; – c. infin. aor. II
296⁴; – καρτερεῖν II 296⁴;
ὡς οἰόμενος II 391⁷; s. οἶμαι,
ὀΐομαι
ὀΐομαι hom. 273⁶. 679, 7. II
234⁴
οἶον II 66⁵; c. ptc. II 391⁸;
οἷόν τε II 575³; – – ὂν acc.
abs. II 402²; s. οἷα
οιορπατ Hdt. 585²
οἷός gen. sg. 273¹. 572². 573⁶
(ὅιος gen. sg.) 573⁶
οἷος 348³. 472⁵. 588³. 588⁴;
– ἄνευθ᾽ ἄλλων II 704³; οἰό-
θεν – 628². II 700⁶
*-οιος gen. sg. 346²
-οιος suff. adj. 467⁴·⁵, 5
οἷος pron. 236⁵·⁶. 313¹ [ho-
jos]. 609, 5. 615¹; οἷου gen.
hom. 609, 5; οἷος II 185².
624¹. 640¹. 642². 677⁵. 678⁵;
οἷον Πειρίθοον II 624¹; οἷος
παρρησιάζεσθαι II 624²; –
ὧν οἷος ἔχεις II 626²; – οἴων
αἴτιος ὢν τυγχάνει II 405⁸;
οἷον δή νυ θεοὺς βροτοὶ αἰτιό-
ωνται II 626²; s. folgende
οἷόσπερ II 572¹; οἷός περ οὖν
II 585¹
οἷός τε II 624¹. 642²; οἷός τέ
εἰμι II 576³
οἰότερος 536²
οἰοχίτων 433, 3
-οιρ dat. pl. el. 556⁴

-οιρ acc. pl. el. 556³
δις 381¹. 462⁴. 573⁶; δις acc.
pl. Theokr. 573⁶; δις acc.
pl. 573⁶
οἰσ- 721⁶
-οις nom. sg. ptc. lesb. 566³
-οις dat. pl. 2. decl. 554³.
556³·⁴, 3. 4. 5. 559⁵. 564⁷⁻⁸f.
II 138⁵
-οις dat. pl. 3. decl. 92³
-οις acc. pl. äol. (lesb.) 81⁶.
556³
-οισ᾽ dat. pl. hom. 556⁴
-οῖς 2. sg. Personalend. 658⁴
οἷς 37⁵. 348². 377⁷. 379⁸. 573⁶.
II 31³; nom. pl. att. 573⁶;
acc. pl. 571, 7; οις ark. 225, 3
οἷς dat. pl. relat. Od. 610⁶;
– τισι Aristoph. 616⁴
οἷς adv. 'wohin' delph. 620¹.
622³. 631³. II 647¹
ὀΐσατο hom. 760⁷. 762¹
οἶσε imperat. 756². 788¹·²·⁴·⁵,
3. 804⁴
Οἰσεζέα ΟΝ lesb. 355⁵. 442¹.
445³. 638⁴. 788, 2
οἴσει Herod. 788, 2
οἴσει κε II 352¹
οἴσειν Pind. 788, 2
οἰσέμεν Ilias 752, 9. 788²
οἰσέμεναι 788²
οἴσεται pass. 763⁵
οἴσετε hom. 788²
οἰσέτω imper. hom. 788¹
οἰσεῦμες Theokr. 786⁷
οἶσθα 298¹. 306⁷. 340¹. 510,
5. 662³·⁵. 767³. 769¹. 814⁴;
οἶσθα δήπου II 702⁵
οἶσθας 2. sg. 127⁷. 662⁵
οἰσθήσεται Dem. 763⁵
οἰσί dat. pl. 573⁶
-οισι dat. pl. 127⁸. 554³·⁶.
556³·⁴, 4. 600³. 609³
-οισι dat. pl. äol. 81⁶
-οισι 3. pl. lesb. 270⁴. 663³
(*ὄισμαι) 679, 7
οἴσομαι fut. 752, 9
οἰσόντων Antim. 788²
οἶσος 472⁶. 506⁴
οἰσοφάγος 788, 2
οἰσπάτη 577, 8
ὀΐσσατο 760⁷
οἰστέον 810⁶. II 409⁶
ὀΐστεύω II 104⁸; -εύειν 732⁵
οἷς τισι Aristoph. 616⁴
ὀΐστός ion. att. 503⁶. 752, 9
οἰστράω 731⁵
οἰστρήεις 527⁴
οἰστροπλήξ 425¹
οἶστρος 531⁶
οἰσύα 506⁴
οἰσύη 272²
οἴσω fut. 752, 9. 782, 3. 788².
816⁴. II 258¹. 292⁸; s. ἑοίσοντι

οἴσωμεν Η. 752, 9
οἴσων ptc. 566⁴. (Od.) 752, 9
Οἰταέσσι dat. pl. 575, 4
*οιτϝος 506⁴
οιτινες gort. 616³
οἵτινες hom. 616³
-οῖτο opt. 688²
οἶτος 347¹. 501³; οἶτον ὄληαι
II 74⁷
*οἶτυ- 506⁴
Οἴτυλος 224², 1
-οιυν gen.-dat. du. ark. 548⁸.
549³. 557²
οἴφειν 721⁵
οἰφεῖν 721⁵
οἰφόλης 484⁵, 4
οἴφω 722¹, 1
οἰχέομαι 721⁶
οἴχεσθαι: τῷ – II 360⁴. 371³·⁴
οἰχήσομαι fut. 721⁶
οἴχνεσκον Ilias 711⁴; – πρὸ πυ-
λάων II 506⁶
οἰχνεύων 696²
οἰχνέω 696². 721⁶
οἴχομαι 721⁶. 752, 9. II 229¹.
274⁴·⁷·⁸; c. ptc. II 392³; c.
dat. II 151⁷; – ἐς II 459⁴;
– σύν II 162⁴; – ὑπὸ ζόφον II
530⁴; οἴχη ἀπολιπών II 603¹;
οἴχεται ἀγομένη II 392⁵;
οἴχετο φεύγων II 392⁴;
οἴχεσθαι ἀνὰ στρατόν II
441¹; – κατὰ γαίης (χθονός)
II 480³·⁴; οἴχομαι μετὰ δεῖπ-
νον II 486²; – μετὰ δούρατος
ἐρωήν II 486²; s. ᾤχωκα
οἴχωκα 774, 2; -κε 656⁷; s.
ᾤχωκα
οἰχῶρος 219³
ὀΐω 679, 7. II 234⁴. 584³·⁴.
706⁵
οἴω 679, 7
οἰῶ lak. 722¹
οἰώθη 651, 6
(ὀΐων gen. pl.) 573⁶
οιῶν böot. 182³
οἰῶν gen. pl. att. 573⁶
οἰωνός 491⁴
οἰῶντα acc. sg. m. ptc. H. 588⁴
οἴως 624¹
*-o-jo gen. sg. 555³
ójos 'qualis' ngr. 615³
ὄκα nwgr. dor. böot. pamph.
82². 629²·⁴. II 648⁵. 649³, 0
ὄκαι äol. 299²
o.ka.to.se = Ὄγκαντος kypr.
139²
ὅ κε, ὅκε; s. εἰς ὅ κε
ὀκέλλω 434⁴. 644⁴. 715⁶. II
491⁴
ὅ κέν τις Od. 617, 3
ὅκηι ion. 299²
ὄκκα dor. (= ὅταν) 265⁴.
615². 629². II 650²

ὄκκαβος 316¹
-οκκας Namen 636⁵
ὄκκος 315⁷
ὀκλαδίας 734⁶
ὀκλαδιάω 732³
ὀκλάδις 631⁴
ὀκλαδόν 626³. 734⁶
ὀκλάζω 734⁶
ὀκνείω Ilias 724, 2
ὀκνέω 489, 5. 726³; ὀκνῶ, μή
    II 675⁷; ὀκνεῖτε imper. II
    344⁴
ὄκνος 489², 5; ὄκνοι II 43⁶;
    s. hognos
ὀκο- 299⁴
ὀκοῖα 299²
ὀκοῖος ostion. 86¹·⁶
*ὀκός 629⁴
ὄκοσσος äol. 299²
ὀκότε II 649¹
ὀκότερος ion. 617³
ὄκου adv. 621⁴. II 336⁶. 647
    ²·⁵·⁷; – τῆς χ. II 114⁴; – γε
    ion. II 157, 1
ὀκρίβᾱς 451⁴. 526³
ὀκριόωντο 651, 6
ὄκρις 339⁵. 340². 495²
ὀκρυόεις 434⁵. II 491, 6
ὀκτα- compos. 591⁵
ὀκτάκις Hdt. 597⁶
ὀκτακόσιοι 593²
ὀκτάλια byz. 592, 5
ὄκταλλος 299⁷. 317⁴. 326².
    484¹. 518²
ὀκτάς Aristot. 597²
ὀκτασσός pap. 598³
ὀκτό böot. lesb. 400³. 590⁶
ὀκτοκηδέκατος böot. 594³
ὀκτώ 210⁷
ὀκτώ 292⁸. 380⁸. 557¹. 590⁵
ὀκτώ her. 305⁵. 590⁶ [nicht
    -πτω]. 592³
ὀκτωκαίδεκα 594³
(*ὀκτώκοντα) 592³
ὀκτωκόσιοι lesb. 593²
ὀκτώπους 591⁵
ὀκχέω Pind. 717, 4
ὄκχος 717, 4
ὄκως ion. 299²
ὄκως II 313⁵. 665⁷. 669⁸.
    670³⁻⁶·⁸. 671⁴; – ἂν II 665⁷
-οκωχή 766, 4
ολ für αλ 344⁶; aus zweisilbi-
    gen Formen reduz. 363¹·²
ὀλαί att. 314⁵
ὀλάκερος ngr. 260⁵
-ὀλᾱς Ausg. 484⁵
ὀλβάχνιον syrak. 314⁵
ὀλβιόδαιμον voc. 105⁶. 428, 1
ὄλβιος: -ιε κῶρε γένοιο Theo-
    krit. II 62⁶
ὄλβιστος 539²

ὄλβος 539³
ὀλε/ο- 747¹
*ὄλεθλος 258⁸
ὄλεθρος 258⁸. 533². II 707
    ⁷·⁸; – Αἰγίσθου ὑπὸ χερσίν
    II 526⁴; -ον ἀπόλλυσθαι II
    75⁴
*ὄλειαν 3. pl. opt. 797⁴
ὀλείζων 538³, 4
ὀλέκεσκεν Ilias 710⁵
ὀλέκοντο 651⁶
ὀλέκω 702⁵. 767⁶. 776, 2
*ολενεμι 363²
*ὄλεο imper. 798, 3
ὀλέσθαι II 366⁷; – νέον ἀπ’
    αἰῶνος II 446²
ὀλέσσαι 752⁶
ὀλέσσω -ης II 311³
*-ολϝ̄ᾱ 473¹
ὄληαι II 311⁴
ὀλημερίς ngr. 631⁵
ὀλιβρός 291⁵
ὀλιγάκις 587, 1. 598¹
ὀλιγαχοῦ 630⁵
ὀλιγηπελέων 447². 724³
ὀλίγιστος 357⁵
ὀλίγο adv. ngr. 621⁴
ὀλιγοδρανέων 694⁴. 724³
ὀλίγον II 598⁷
ὀλίγος 347². 411⁸. 538³. 587,
    1. II 180²; ὀλίγοι ἀπὸ πολ-
    λῶν II 116⁷.447⁴; ὀλίγοι ὦν
    ἐντετύχηκα II 641²
ὀλιγοστός 596²
ὀλίγου ‘beinahe’ 621⁵. II
    135¹. 308¹·²; – ἐπελαθόμην
    II 307⁴; – δεῖ II 378⁷; – δεῖν
    II 378⁸. 379⁵⁻⁶
ὀλίγω II 164²
ὀλιγωρῶ c. gen. II 109³; -ῆσαί
    τι πρός τι II 511⁴
ὀλίζονες 435⁷
ὀλιζότερος 539⁵
ὀλίζων 538³
Ὀλιζών f. thess. 69⁸. II 33, 2
ὀλίος, ὀλίον att. 209³
ὄλισβος 496¹
ὀλισθαίνω 700⁴; s. ὤλισθον
ὀλισθανός 490²
ὀλισθάνω 307¹. 700⁴. 704³
ὀλισθε/ο- 748³
ὀλισθεῖν 703⁵; s. ὤλισθον
ὀλισθήσω hell. 700⁴
ὄλισθον hom. 700⁴
ὀλισθράζω Epich. 703⁵. 735²
Ὀλισσεῖδαι arg. 209¹. 318⁴.
    333⁶
ὀλκάς II 242¹
(*ὀλκέω) 721, 3
ὀλκή II 122³
ὄλκος 459³
ὀλλύεις Archil. 698⁶
ὄλλυμαι (-σθαι) II 227⁸. 234¹.
    282⁷; – c. dat. II 148⁴; –

ἀπονόσφιν τινός II 540³; –
    πρὸ πόληος II 506⁷⁻⁸; – κατ’
    ἄκρης II 480⁶; – ὑπὸ γαμ-
    φηλῆσι λέοντος II 526⁴; –
    ὑπό τινος δόλῳ II 526, 3; –
    πρὸς τῆς τύχης II 514⁷; s.
    ὀλέσθαι, ὠλόμην, ὄλωλα,
    ὠλώλεσαν
ὄλλυμι 284¹. 323³. 363². 696⁴.
    747¹. II 227⁸. 234¹. 283, 1;
    – τι c. instr. II 166³; s. ὤλε-
    σα, ὀλώλεκα
ὀλλῦσαι hom. 698⁵
ὄλμος 492⁴
Ὄλμωνες 66⁴
*ὄλνυμέν 363²
*ολνῦμι 284¹
ὀλοαί ark. 314⁵
ὀλόεις 528¹
ὀλοθρεύω hell. 256³
ὀλοίμαν II 328¹
ὄλοιο opt. 798, 3
ὀλοκόττινος 160, 5
ὄλολος 423²
ὀλολυγή 496⁵. 683³. 716⁶
ὀλολυγών f. 716⁶
ὀλολύζω 716⁶. II 600⁴; – Φοί-
    βου ὑπὸ ῥιπῆς II 528⁴; s.
    ἐλελύζω u.folgende, ὠλόλυξα
ὀλολύξαι II 261³
ὀλολύξομαι fut. 716⁶. 781⁸
ὄλολυς 423². 683². 716⁶
ὀλολύττω Menandr. 716⁶
Ὀλόντι kret. 253²
Ὀλοντίοις kret. 253²
ὀλονῶν gen. pl. ngr. 614⁵
ὀλοοίτροχος 446²
ὀλοός 472⁵, 8; s. ὀλοώτατος
ὀλόπτω 411⁸. 704, 12
ὅλος 228³
ὅλος att. 228³. 304². 314⁵.
    472⁵; ngr. II 179⁵; ὅλη
    νεωτέρα II 179⁷; s. ὁλονῶν
ὁλοστός 596²
ὁλοσχερής 128². 513⁴
ὁλότης 529¹
ὁλοῦθε ngr. 628⁴
ὁλοῦμαι 784⁴
ὀλοφυδνός 683³
ὀλοφυρμός 492⁴; – μετὰ βοῆς
    II 178². 485⁵
ὀλοφύρομαι ion. att. 283⁵.
    482, 11. 683³. 725³. II 229²;
    c. gen. II 133⁴; trans. II
    134³; s. ὀλοφυροῦμαι
*ὀλοφυρός 482, 11. 725³
ὀλοφυροῦμαι fut. 785²
ὀλοφύρρω lesb. 283⁵
ὀλοφώϊος 478, 1
ὀλοώτατος ὀδμή 536, 2
ὄλπη 459⁶
Ὀλυμπεῖα 194²
Ὀλύμπια II 43⁷; τὰ – II 52².
    175¹

'Ολυμπίαζε 625¹
'Ολυμπιάνδις dor. 625²
'Ολυμπιάς 508⁴
'Ολυμπίασι loc. II 155²
'Ολυμπιονίκᾱ böot. 560³.561⁵
'Ολύμπιος II 182⁷
ὄλυνθος 61⁶. 352⁸
"Ολυνθος 510⁶
ὀλυρόκριθος 453³
'Ολυτεύς 317⁸
'Ολυττεύς 259³
ὄλωλα 766³. II 227⁸. 234¹.
 237². s. ὠλώλεσαν
*ολωλε Ilias 777, 8
*ὄλωλεε pf. 777, 8
ὀλώλει Ilias 777, 8. 11
ὀλώλεκα 702⁵
ὀλωλέναι att. 808²·⁵, 6
ὀλώληι conj. 791². II 312⁸
ὀλώλω siz. 767⁵
ομ äol. ark.-kypr. für αμ
 343⁸. 344³·⁸. 345¹
ὀμ II 600, 6
ὀμ- 409⁵. 433⁵
ὁμαδέω 508, 8. 726, 5
ὄμαδος 508⁷, 8
ὁμάζω 409⁵. 716⁶. II 599, 2
ὀμᾶι rhod. 550⁴
ὁμαιχμία 433³
ὁμαλής 513⁴
ὁμαλισμός 375⁴
ὁμαλός 483⁷. 837⁸
*ὀμαργ- 344⁷
ὁμαρτεῖν II 160²·⁵
ὄμαρτεν Orph. 748⁸
ὁμαρτέω Ilias 748³
ὁμαρτή 433⁵
ὁμαρτήδην 626⁴. 627, 1
Ομβρικιος 158⁴
'Ομβρικοί 497, 7
ὄμβριμος 257⁶
ὄμβρος 272². 291⁵. 333⁴
ὀμειξ- 754⁷
ὀμείρομαι 413⁴. 715, 10
ὀμεῖται 784, 3
ὀμειχεῖν 721⁵
ὀμείχω 411⁸. 685¹. 754⁷. II
 71⁸. 72, 1
ὁμηγερέεσσι hom. 564⁵
ὁμηγερής 513³
-όμην 2. aor. 758⁵·⁶
ὁμηρέω (-εῖν) 726⁴; – c. instr.
 II 160³·⁵
ὁμῑλαδόν 626⁵
ὁμῑλέω (-εῖν) 726³. II 364¹;
 c. instr. II 160²·⁵; s. ὠμί-
 λησα
ὅμιλος ἵππων II 129³
ὀμιχέω II 226³
ὀμίχλη 379⁶. 411⁸. 483³
ὀμιώμεθα dor. 242⁶. 250¹.
 784 3
ὄμμα 256⁵. 323⁴. 418¹. 524³;
 c. gen. II 122²

-ομνο- > -υμνο- 258³
ὄμνῡ imper. att. 800⁵
ὄμνυε imper. 799³
ὄμνυθι hom. (Ilias) 798, 13.
 800⁴
ὀμνύμενος II 404³
ὀμνύμην infin. mkret. 807⁶
ὄμνῡμι (ὀμνύναι) 363². 642⁵.
 659⁶. 696⁴, 7. II 270⁴; – μή
 + infin. II 595⁴; – πρός τινα
 II 510⁶; – (ὅρκον) καθ'
 ἱερῶν II 480¹; – κατ' ἐξω-
 λείας II 480²; – τοὺς θεοὺς II
 72⁴; s. ὀμνύω etc., ὀμνύναι,
 ὤμοσα, ὀμώμοκα, ὀμοῦμαι,
 etc.
ὄμνῡν infin. lesb. 807⁷
ὀμνύναι infin. ion. att. 808⁴
ὀμνύντων imper. 699¹
ὀμνύς kret. 566⁴
ὀμνύτω 801³
ὀμνύω 642⁵. 699¹. II 270⁴;
 ὀμνύομεν Koine 699¹; ὀμ-
 νύετε NT 699¹; ὀμνύουσι
 663⁵. 698⁵; ὄμνυε imper.
 799³; ὀμνυέτω 698⁶; ὀμ-
 νυ(ο)ντων 699¹; ὀμνύειν 699¹;
 – πρὸ πάντων II 507³; s.
 ὄμνυμι etc., ὤμνυον, etc.
ὀμο- 696⁴, 7
ὀμβώμος 435⁵
ὀμόγλωσσος II 160³
ὁμογνωμονεῖν II 160³
ὁμογνώμων II 160³
ὁμοδοξεῖν II 160³
ὁμόδοξος II 160³
ὀμόθεν 628²
*ὁμόθυμα 632⁵
ὁμοθυμαδόν 626⁵. 632⁵
ὅμοιιος 467, 5
'Ομοίοις (δράματι) II 66⁶
ὁμοιόκρῑθος 429⁴
ὁμοιόπυρος 429⁵
ὅμοιος 383¹. II 160²; ὅμοια
 II 78²; ὅμοιόν ἐστιν ᾧ..
 ἐλέγετο II 641²
ὁμοῖος 588¹. 609, 5; ὁμοῖαι
 Χαρίτεσσιν II 99, 1
ὁμοιοῦν II 160²
ὁμοιωθήμεναι infin. hom.
 806⁴. II 239²; s. ὡμοιώθην
ὁμοίως II 160². 582⁸. 704³
ὁμοκλάω c. dat. II 145³
ομοκλη hom. 558, 3
ὁμοκλή 425³. 743²
ὁμοκλήσασκε Ilias 711⁵
ὁμολογήμεν ptc. lesb. 729²
ὁμολογήσωμες 662, 9
ὁμολογίη γενομένη πρός τινα
 II 510⁸
ὁμόλογος II 160³
ὁμολογεῖται παρά τινος II
 498²; – πρός τινος II 514⁷
ὁμολογοῦμαι c. ptc. II 396⁵

ὁμολογούμενα (τά) II 274⁸
ὁμολογουμένως II 415⁷; –
 ἐξ ἁπάντων II 463⁷
ὁμολογῶ (-εῖν) II 160⁸. 395⁷;
 c. infin. II 296⁵; c. ptc. II
 394⁴; – περί τινος II 503³
'Ομολωείς 196⁷
ὁμομάτηρ 437⁷, 2
ὁμονοεῖν II 160³
ὁμονόοιεν kerk. 252⁷
ὁμονοόντες j.-ion. 252⁷
ὁμόνοος II 160³
ὁμόνω ngr. 701⁴
*ὄμοσται 784, 3
ὁμοούσιος 398⁵
ὁμοπάτηρ 437⁷, 2
ὁμοπάτριος 437, 2. 451²·⁴.
 454³
ὀμόργνῡμι 256⁴. 344⁷. 411⁸.
 696⁴. 754⁷; s. ὀμορξ-
ὀμόργνυσθαι δάκρυα II 231¹;
 s. ὠμόργνυντο
ὀμορξ- 754⁷
ὀμορξαμένην δ. παρειάων II
 94⁵
ὀμόρξω fut. 782⁵
ὁμός 380⁸. 588¹
ὀμόσαι 340⁴·⁶; c. gen. II 130⁷
ὠμόσαντον imper. rhod. 803³
ὀμόσας kret. 566⁴; -σαντες
 752⁶
ὀμόσε 629³, 3
ὀμόσοντι 3. pl. kret. 664³;
 conj. 790⁴
ὀμόσσαι 752⁶
ὁμοῦ 343¹. 358⁵. 588¹. 621⁵.
 II 160². 421²; praep. c.
 dat. II 535²⁻³
ὀμοῦμαι 784, 3
ὁμουρεῖν II 160³
ὄμουρος II 160³
*ὀμοῦται 784, 3
ὁμοφρονεῖν II 160³
ὁμοφρονέοντε νοήμασιν II 612¹
"Ομρικος 277⁴
ὀμφαλητόμος 438⁵
ὀμφαλός 297⁴. 483⁶
"Ομφαλος gen. sg. 484⁶
ὀμφή 297⁷. 460²
"Ομφις 153¹
ὀμώμεκα 775, 3
ὀμώμεχα pap. 772⁵
ὀμώμοκα att. 766⁴. 775²;
 ὀμωμόκαμες dor. 663¹; ὀμω-
 μόκεμεν 767⁴
ὀμώμοκον kypr. 777, 6
ὀμώμοσται 775, 7
ὀμώμοται att. 766⁴. 775, 7
ομωμοτας kret. 423, 4
ὀμώμοχα pap. 772⁵
ὁμώνυμος II 160³. 174⁵
ὅμως 624⁴. II 390²·³·⁴. 414¹.
 554⁵. 555⁴. 578³. 582³·⁷⁻⁸.
 583²⁻⁴. 633⁶. 688⁴

ὁμῶς 624⁴. II 160². 582⁷. 583¹⁻²
ον äol. ark.-kypr. für αν 343⁸
*ον partic. II 587⁴
ὄν lesb. thess. ark. kypr. 82⁴. 88⁶. 259⁸. 274⁷. 275⁵·⁶·⁷. 440¹
-ον acc. sg. 554⁴·⁶
-on acc. sg. 2. decl. ngr. 585⁷
-ov sg. neut. 580⁶. 609³
-ov sg. neut. pron. 609⁵, 6
-ov nom. sg. neut. ptc. 566⁶
-ov adv. 626⁵. 632⁷
-ον 1. sg. Verbalausg. 660, 4
-ον 1. sg. act. aor. 740¹. 758⁵·⁶. 815⁷
-ον 2. sg. imper. aor. 749⁴. 803²·⁴⁻⁵·⁶, 1
-ον 1. sg., 3. pl. plusq. 777³⁻⁴
-ον infin. kyren. 410⁸
ὄν: ὄν τὸ μέσσον II 441²
ὄν acc. abs. II 401⁷. 402¹·³⁻⁵; τῷ ὄντι II 167³
ὄν acc. sg. refl. II 203, 2; ὄν δε δόμον δε Ilias 624⁶
ὄν (= ὅ) relat. pap. 610, 0
-ὀνᾱ suff. 490³, 4
ὀναίμην II 321⁷; ὄναιο 688⁷; ὄναιτο 794⁶; ὀναίμην τῶν τέκνων II 103³
ὀνάλα thess. 460³
ὄναρ 57⁵. 342³. 518⁶. II 30³. 70¹; adv. 621¹
ὀνασεῖ dor. 688⁷
᾽ΟνασικυπρΟν gen. sg. 555, 6
᾽Ονάσιλος 485³
ὄναται 362². 681, 4
*ὄνατος gen. sg. (ὄναρ) 520⁶
ὀνγραφεῖ conj. thess. 792⁶
ὀνγράψειν infin. aor. thess. (Lar.) 808⁶. 809⁴
-ὀνδας suff. 510¹·³
-o.ne gen. sg. kypr. 555⁴, 6. 556, 0
ὄνε thess. 90⁷. 612². II 208⁵, 2
᾽Ονεᾶται 36⁵
ὀνεθεικαεν thess. 90⁷. 664⁴
ὀνέθεικε 90⁷
ὀνἐϑϑαι πάρ τινος II 497⁷
ὄνειαρ 519⁵. 689¹
ὀνειδίζειν: τῷ – II 360⁵
ὀνειδίζω 735⁶; – τινί c. gen. II 133⁶; – ἔπεσιν II 166²; – τινὶ περί τινος II 134²
ὄνειδος 412⁷. II 617³. 623⁴
ὀνείρατα 518⁶. 582⁶; – τά- γαμείμνονος II 119²
ὀνείρατος 520⁶
ὀνείρειος 471, 11
ὄνειρο ngr. 520, 2
ὄνειρον 518⁶
ὄνειρος 57⁵. 471⁵. 518⁶. II 30³
ὀνείρωξις Plat. 733⁷
ὀνειρώσσω 733⁶

ὀνεμείχνυτο Sapph. 697, 5. 769, 6
-όνες Nominalausg. 479⁴
-ονέω verba 731⁶
ὀνηύχιον 831¹
*ὄνηαρ 519⁶
ὀνήϊστος 539¹. 689¹
ὀνηλατέω 731⁶
ὄνησε 755³
᾽Ονήσιμος 162, 2
ὄνησις II 357⁴·⁵·⁶
᾽Ονησιφόρος 162, 2
ὀνήσομαι 782⁶
ὀνήσω 688⁷
ὄνθος 510⁶
ὀνία lesb. 275⁵
ὀνίναμαι 688⁵; – τι ἀπό II 103⁴
ὀνίνᾱμι 688⁵·⁷
ὀνινάντ- ptc. 688⁷
ὀνίνημι τι(να) c. instr. II 166²; ὀνίνης 2. sg., ὀνίνησι 688⁷; s. ὀνήσω etc.
ὀνίσκω Ath. 689¹
ὄννᾱ äol. (lesb.) 225⁶. 283³. 333⁸
-οννας suff. 491⁵
ὄννιθα kret. = (ὄρνιθα) 323²
ὀνοθήλεια 439⁴
ὄνοιρος äol. 256³
ὄνοιτο 681¹. 794⁴. II 245¹
ὄνομα 56⁵. 57³. 343⁵. 352⁶. 380⁸. 412⁷. 523¹, 1. 580⁵. II 39, 3. 66³·⁴. 86²·⁴; ὀνόματος 520⁶·⁷. 552². 630²; ὄνομα gen. sg. 585⁴; ὀνόματα 5⁵; ὀνόμασι 524². 569¹; ὀνόματι II 167³·⁴; ὀνόματα κύρια II 18³; – ἐπίθετα II 18 ³⁻⁴; ὄνομα c. gen. II 122²; – πηγῆς II 122²
ὀνομάζω 724⁵. 734⁵, 7; ὀνόμαζε 651⁶; -άζειν ἐπὶ πατρός II 471³; s. ὠνόμασας, ὠνομασμένος
ὄνομαι 360⁴. 680⁴; -σαι 681¹. 784, 3; -ται 362²; -νται 681¹
ὀνομαίνω 712⁷. 724⁵. 730⁷. 734⁵, 7; ὀνομανέω fut. Hdt. 785²; ὀνομήνω II 311⁴
ὀνομακλήδην 440¹. 626³
ὀνομάκλυτος hom. 440¹
ονομαι altphryg. 152⁶
ὄνομαν ngr. (dial.) 524, 4
*ὀνομανjω 712⁶
ὀνομαστεί Koine 623³
ὀνομαστί 623³
ὀνομαστική II 54², 2
ὀνομαστός: -ὸν γίγνεσθαι ἐπί τινι II 467⁶
ὀνομήνω II 311⁴
*ονομενος gen. sg. 520⁶
ὀνονημένα 86⁷
ὄνονται 681¹

ὄνος 458¹. 459². II 31⁵; – ὑπὸ δένδρον II 531⁷
ὄνοσαι 681¹. 784, 3
ὀνόσαιτο (κεν) II 328⁵
ὀνοσθη- Hdt. 761⁴
ὀνόσσεται hom. 784, 3. 6
ὀνοστός 503¹
ὀνοτάζω 706⁴
ὄνοται 362²
ὀνοτός 503¹. 681, 4
-ονς acc. pl. 81⁶. 554⁴·⁶. 556²
-ονσι thess. 89⁷
ὄντ- ptc. 676⁶. 677¹. 678¹
-οντ- suff. ptc. < -έοντ- 786⁶
ὄντα acc. sg. m. II 389³·⁴
ὄντα pl. neut.: ὡς – II 391⁶; – τὰ παρόντα καινά II 616, 3
-οντα Ausg. ptc. praes. ngr. II 410⁷
-οντας Ausg. ptc. praes. ngr. II 13⁴. 410⁷
ὄντας ngr. (dial.) II 306, 2. 351³. 650³
ὄντες 567². 642⁴; – νέοι II 390⁶
-οντες ptc. pf. act. lesb. thess. 89⁷
-οντι 3. pl. Personalend. 657⁵. 663³
ὄντι μιάστορι II 401⁴
ὄντινα acc. sg. 616³; – γε II 640³
-οντjα ptc. 287⁴
*οντjᾱι dat. sg. f. 320⁵
ὄντων 3. pl. imper. 678¹. 802⁴
ὄντως 36, 2. 624²
ονυ, ὄνυ 'hic' ark. kypr. 612³. II 208⁵, 2. 571⁴. 576⁴
ὀνυ- 352⁶·⁷
᾽Ονύμᾱς 526, 5
ὄνυξ 296⁴. 352⁶. 412⁷. II 33⁵. 704³; ὀνύχεσσι hom. 564⁴
ὀνυρίζεται H. 714, 7
ὀνυχ- 298¹; ὀνύχεσσι 564⁴
ὀνύχιον; s. ὀνηύχιον
ὀνωνημένα 86⁷
-όνως adv. ion. 621, 8
ὀξέα 183⁸
ὀξεῖα (term.) 375⁴·⁵·⁶. 376³; – προσωιδία 373⁷
ὀξεῖα neut. pl. Hes. 581, 2
*ὀξερυγμία 268⁶
ὀξιδ- 465¹
ὄξος 512⁵
᾽Οξουχάρου epir. 182²
ὀξὺ ἀκούειν II 77⁴
ὀξύα 515⁶
ὀξυβάρεια (term.) 373⁸
ὀξύη 267¹
ὀξύεις 527⁴
ὀξυρεγμία ion. att. 268⁶
ὀξυρεπής 311³

ὀξύς 339⁵. 463¹. s. ὀξύ, ὀξέα,
  ὀξεῖα
ὀξύτης 373⁷. 375⁴
ὀξύτονα (term.) 375⁷
ὀξύχειρ κόπος II 178²
ὄξω (τά) ngr. II 27⁵
oo in ω od. Ō,ou kontrah. 249²
-oo gen. sg. hom. 81⁶. 555³·⁴,
  3
ὄον II 30⁴
ὁ ὁποῖος [ o opios] ngr. 615³.
  617⁵. II 643⁴
oou diphth. [= ou] 203⁵
ὄου gen. sg. hom. [= οὖ] 615¹
ὀπ- 'sehen' 32⁸
ὀπ- 'wählen' 32⁷⁻⁸
ὀπ- 305⁵
ὄπα f. 225⁶. 424³
ὀπάζω (-ειν) 719¹, 2. 734⁵;
  – τινά τινι II 160³; – τι διά
  τινα II 453⁸
ὄπαι adv. epir. kret. 550⁴. II
  647³
ὀπᾶι adv. dor. 617³; – ὦν
  ἴσαντι kret. II 584, 4
ὄπασσα II 483³
ὀπάσσω fut. hom. 785⁴
ὄπατρος hom. 106³. 433³.
  437, 2. 451². II 491, 6
*ὀπάω 719¹. 734⁵
*ὀπάω 719¹
ὀπάων hom. 521⁵
ὄπεαρ 519, 7. 527, 4
ὄπεας 527, 4. 543, 1
ὀπεί thess. II 658⁷; ὀπεί κε
  II 465, 6. 660¹
ὄπει dor. 82². 549⁶. 647¹
ὀπειδεί thess. II 465¹, 6.
  658⁸. 660¹
ὄπερ: – καὶ ἀληθὲς ὁ. II 706⁴
ὀπέρ ark. = ὑπέρ 182³. II 518²
ὀπεραμερία II 522⁴
ὀπή 460²; -ῆς gen. II 102², 3
ὄπη kret. (gort.) böot. 550²·⁴.
  II 163³. 647³; s. ὁόπη
ὄπη II 336⁶. 647⁵·⁶·⁷. 671⁴;
  s. ὄπηι
ὀπηδέω (-εῖν) 726⁴. II 160³
ὀπηδός 508, 6. II 160³
ὄπηι hom. 617²; s. ὄπη
ὀπηνίκα II 652²·³·⁴. 661⁴
ὄπι adv. kypr. 400⁴. 551³·⁴.
  614, 6. 622, 6
*ὄπι II 465¹
ὀπιδνός 489⁴
ὀπίζομαι 735⁴
ὄπιθε 628¹. II 540⁵·⁷. 541¹
ὄπιθεν 625³. 628¹. II 465¹.
  540⁵·⁷. 541¹. 543⁵; τῶν – II
  22⁶
*ὄπιν 625³
ὀπῑπεύω 350⁵. 648³
ὄπις 464⁴
ὀπίς f. 300⁶

ὄπισθα äol. dor. II 540⁵
*ὀπίσθατος 535⁶
ὄπισθε 625³. 627, 5. 628¹. II
  540⁵·⁷; τά γ᾽ – II 22⁶
ὄπισθεν 628¹. II 540⁵·⁷
ὀπισθέναρ 263³
ὀπισθίδιος II 540⁷
ὀπίσθιος att. 461⁴. II 540⁷
ὀπισθο- II 540⁷
ὀπισθοβάτης II 540⁷
ὀπισθοβριθής II 540⁷
ὀπισθόδετος II 540⁷
ὀπισθόδομος [so] 263³. 438, 1.
  II 508, 1. 540⁷
ὀπισθόκεντρος II 540⁷
ὀπισθονόμος II 540⁷
ὀπισθόπους II 540⁷
ὀπισθοσφενδόνη II 540⁷
ὀπισθοτίλη II 540⁷
ὀπισθότονος II 540⁷. 543⁷
ὀπισθοφανής II 540⁷
ὀπισθοφυλακέω II 540⁷
ὀπισθοφυλακία II 540⁷
ὀπισθοφύλαξ II 540⁷
ὀπισθοχειμών II 540⁷
ὀπισσόδομος 632⁷
ὀπίσσω 472¹. 550², 7. 628¹.
  II 540⁵⁻⁸, 2. 541¹
ὀπίστατος 535⁶. 595⁴. II 540⁷
ὀπίστερος 535⁶. II 540⁷
ὀπίσω II 540⁵⁻⁸, 3. 541, 1
ὀπίσωρ 836⁷
ὀπισώτατος II 540⁷
ὀπιτθοτίλα böot. 216⁷
*ὀπιτjω 472¹
opjos (k'an) ngr. 617⁵
ὄπλεον Od. 723³
ὄπλεσθαι hom. 253⁶. 723³
ὁπλέω 726³. 736¹
'Οπλήθων 221². 499²
ὁπλίζομαι μεθ᾽ ὕλην II 486¹
ὁπλίζω 736¹; s. ὤπλισα
ὁπλίτης 465, 3; ὁ – II 42¹
ὁπλιτικόν neut. II 39, 4
ὅπλον ngr. 37⁷
'Οπλόσμιος ark. 208⁴
ὁπλότερος hom. II 183⁵
ὁπλοφορεῖν ταῖς χερσί II 165⁵
ὁπόεις 528²
ὁπόθεν II 630⁵. 647⁸. 648²
ὁπόθι ark. 628⁵
ὅποι 549⁶. II 157⁴·⁵. 647¹·⁵·⁶,
  1; – γῆς II 114⁶; – γνώμης
  II 114⁶
ὁποῖ ἄσσα 616⁵
ὁποῖος hom. 617²
ὁποῖος: ὁ – 'lequel' ngr. 615³.
  617⁵. II 643⁴
ὅποιος κι ἄν [ópjos k'an] ngr.
  II 645¹; – – – εἶναι II 319⁶
'Οποντίους lokr. 253²
*ὄπος n. (gen.* ὀψός) 631, 7
-οπός suff. adj. 426, 4
ὁποσάκις att. II 652⁴·⁵

ὁποσαχῆι 630⁵
ὁπόσος 617²·³
ὁποσσάκιν Theokr. 598¹
ὁπόταν II 306³. 650²·³
ὁπότε 'so oft' 617². II
  336¹·⁵·⁶. 427⁷. 648⁵. 649¹·²·⁵.
  650¹·⁴·⁵; ὁπότ᾽ ἄν II 306, 2.
  650²
ὁπότερος 617³. II 216³; -οι
  II 631³; ὁπότερος οὖν II
  216³; ὁποτέρων ἀρξάντων II
  405⁴
ὁποτέρως 624¹
ὁπόττα böot. 320⁶
ὁπόττος böot. kret. 91³. 96⁴.
  318¹
ὅπου adv. 82². 621⁴. II 157²·³,
  2. 647²·⁵·⁶·⁷. 652⁶. 661⁴;
  – ngr. II 645¹·²; ὅπου ἐάν
  II 306⁴; ὅπου γε att. II
  157, 1; ὅπου γῆς II 114⁵
  ὅπου 'welcher, der' ngr. 615³.
  II 645, 2
ὁποῦ 'wo' ngr. II 645¹
ὁποῦ 'der' (relat.) ngr. 615³
'Οπούντιος 528³
ὅπουπερ II 336⁶
ὄππᾱ lesb. 550³. 617²
ὄππαι lesb. 617²
ὄππατα äol. 317³·⁴; -άτεσσι
  564⁵
ὄππη hom. 617². II 647⁴·⁵·⁶
ὀππῆμος II 650⁵
*ὄππο 617, 4
ὁππόθεν hom. 617². II 647⁸
ὁππόθι hom. 617². 628⁴.
  II 157, 2. 647⁸
ὄπποι lesb. 617²
ὁπποιά σσα Od. 616⁵
ὁπποῖος hom. 617²
ὁπποσάκιν II 652⁴
ὄπποσε lesb. 617²
ὁππόσε hom. 617². II 157, 3.
  647⁸. 648²
ὁππόσος 617²
ὁππόσσος hom. 617²
ὁππότε hom. 617². II 312⁸.
  648⁵. 649¹⁻⁴; ὁππότ᾽ ἄν II
  306, 2. 650²; ὁππότε κε II
  306, 2; – κεν II 650²
ὁππότερος hom. 617³
ὄππως lesb. 316⁷. 617²
ὅππως hom. 407⁶. 615². 617².
  II 573². 669⁸. 670²·⁷
*οπσθαλμός (?) 336¹
ὀπτάζομαι 700⁴
ὀπταίνω Eustath. 700⁴
ὀπταλέος 484²
ὀπτάνομαι LXX 700⁴, 2
ὀπτανός 490². 700, 2
*ὀπτανός 'gesehen' 700, 2
ὀπτάντες Epich. 705⁵. 730³
ὀπτάω 705⁵·⁶; – c. acc. II
  102⁷; s. ὀπτη-

ὀπτεύμενος Theokr. 705⁵
ὀπτηθῆναι 705⁵
ὀπτῆσαί τε κρεῶν II 102⁷
ὀπτήσαντες 705⁵
ὄπτησις II 357²
ὀπτίλος 299⁷. 485¹. 518², 3
ὀπτός 295². 299⁷. 412⁷. 503².
  700, 2. 705⁵
ὀπτώ el. 590⁶
ὄπτω spät 704, 12
ὀπύ ark. 682³. II 474, 4.
  523¹, 1
ὄπυι arg. kret. 617¹. 622³
ὄπυι II 1575⁵·⁶. 647²
ὀπυιέμεναι II 367⁷
ὀπυιόλαι 484⁵
ὀπυίω 62⁴. 724⁴. 727, 8
ὄπυς adv. dor. (arg. rhod.)
  199⁸. 620¹. 622³. II 157⁵.
  647²
ὀπυστυῖ dat. kret. 724⁴
ὄπω adv. 409². 550¹. II 90⁸.
  91¹. 647¹·⁴
ὄπωπα 298⁵. 766³. 768⁴.
  816⁴. II 258²
ὀπώπει 777, 11
ὀπωπεῖν 768, 1
ὀπωπή 350⁵. 422³. 423³. 766⁴
ὄπωρ 218⁵
ὀπώρα II 465, 5
ὀπώρης 'im Herbst' II 113¹
ὀπωρινός 490⁵
ὅπως 615². 617². 624¹. II
  311⁷·⁸. 316⁷. 646⁵. 661⁴.
  662⁵. 665⁷. 669⁸ff. 672⁴, 1.
  673¹·². 675³. 676². 689¹; –
  final II 313⁴. 333⁶; – c.
  fut. indic. II 1, 3; ὅπως ἄν
  II 665⁷. 671². 673¹; – – c.
  opt. II 327¹; ὅπως ἄν οὖν
  II 584, 4; ὅπως δή II 670³;
  ὅπως μή II 318¹⁻². 675³.
  676²; ὅπως οὖν II 584, 4.
  670³; ὅπως περ II 670³
ὅπῶς dor. II 669⁸
ὀπωσδηποτοῦν II 670³
ὀπωστιοῦν II 670³
ὄπωτ 548¹. 624, 2
ορ aus r 344¹·²·³. 590³; st.
  αρ 69⁵. 343⁸. 696³⁻⁴, 6;
  aus zweisilb. Formen reduz.
  363¹·²
ορ el. (= ὡς) 410³
ὄρ relat. el. (= ὅς) 614⁶
*ὀρά f. 721, 7
ὄρα ion. att. 250⁵; μηδὲν –
  II 343⁵
ὁράειν 196²
ὁράεις 104³
ὁράεσθαι 104³
ὅραμνος 313, 2
ὁρᾶν 225⁶. 227¹·². 250⁵. 816⁴;
  τό – II 366⁶; τῷ – II 371²;
  s. ὁράω, ὁρῶ, ὅρημι, ὁρόω

ὁρᾷς II 706⁶; parenth. 554⁶
ὁρᾶσθαι II 230¹. 232⁷. 364⁶;
  ὁρᾶταί τι εἰς αὐτήν II 461³
ὁράτε imper. II 341⁶
Ὁρατριον kret. 224²
Ὁράτριος 185³
ὁράω 222⁶. 721, 7. 747³; –
  μή II 354⁶·⁷; s. ὁρᾶν etc.,
  ἑώρων
ὀρβίον = ὀρόβιον 831⁶
ὄρβος kerk. (= ὄρος) 225¹
ὀργάει 'strotzt' 718, 5
ὀργαίνω 733²
ὄργανος adj. 490¹
ὀργάς 508¹
ὀργάω 363¹. 718⁶. 733²
ὀργεῶνες 521⁵
ὀργή 363¹; -ὴν ποιεῖσθαι II
  78⁴
ὀργιάζω 735³
ὀργιάω 732²
ὀργίζομαι (-εσθαι) II 229²;
  – ὑπὲρ τῶν γεγενημένων II
  521⁸
ὀργιζόμενον (τὸ) II 409²
Ὀργομεναί 525, 2
*ὄργος 521⁵
ὄργυια ion. 381⁷. 474⁴. 541³,
  5. II 408³
ὀργυιά 541³
ὀρέανες 40, 2. 487⁴
ὀρέγειν 293¹; s. ὀρέγω
ὀρέγεσθαι: τῷ τιμῆς – II 371²
ὄρεγμα 523⁴
ὀρέγνυμαι 351²
ὀρεγνύς 695³. 697². 698⁵. 771⁷
ὀρέγομαι 683⁴. 754⁷. II 230³; –
  τινος II 104⁶·⁷; – c. acc. II
  105⁶
ὀρέγω 309³. 411⁷. 684⁶. 771⁷.
  II 230³; – χεῖρας c. dat. II
  145⁶; s. ὀρέγειν, ὀρεξ-
ὀρέγων 697²
ὄρει· φυλάσσει H. 721⁵
ὀρειάνες 40, 2. 487⁴
ὀρεῖται hom. (Ilias) 782². 785¹
ὀρειμπόται 40, 2
ὀρεξ- 754⁷. 787¹
ὀρέξη II 312³·⁴. 315²
ὀρέοντο Ilias 719⁵
ὀρεσίτροφος hom. 454⁴
ὀρέσκωιος 450, 4. 679, 4
*ὀρεστάδες 508⁴
Ὀρέστας II 183⁵
ὀρέστερος hom. 534¹. 535³.
  578, 3. II 183⁵
'Ορέστηι II 66⁶
ὀρεστιάδες 508⁴
ὄρεσφι 297³. 550⁶. 551¹. II
  172⁷, 2
ὀρεύς 477³
ὀρέχθεον hom. 703⁵
ὀρέω ion. 242⁸
*ὀρϜίζω 736, 12

ὄρϜος 472⁶; s. ἱόρϜος
ὄρη 3. sg. lesb. 659⁶. 680⁶
ορη- 680⁶. 721⁵, 7
ὄρη 250⁵
ὄρηαι 680⁶
ὄρῆι 680⁶
ὄρημι lesb. 680⁶
ὄρημι lesb. 807⁷
ὀρῆν 190⁶. 250⁵
ὀρῆν 680⁶
ὄρην infin. lesb. 807⁷
ὄρηται 740⁵
ὄρητο 680⁶
ὄρθαι Ilias 740⁵
'Ορθεσίλεως 444¹, 4
ὀρθέσιον 466⁵
ὀρθή (πτῶσις) II 53⁸. 54¹;
  τὴν ὀρθήν II 175⁶
ὀρθηλός 484, 3
ὀρθίαξ 497⁴
ὄρθιον adv. II 69⁶
ὀρθο- 442, 3
ὀρθογόη 260⁴
ὀρθοέπεια (term.) 5⁶
ὀρθόκραιρα 583, 5; -ράων
  452²
ὀρθός 301⁶. 363¹. 472⁵. II
  181³; ὀρθοί 163⁶; s. ὀρθή
ὀρθότης τῶν ἐπῶν 6, 3
ὀρθόω 727². 730⁷; s. ὤρθωσα
ὀρθρίτερον hell. 534⁴
ὀρθρογόη 260⁴
ὄρθρου II 112⁷
ὀρι- 448⁷
ὀριβάτης 448¹
ὀριγνάομαι 351². 352⁴. 695³·⁴,
  2. 719³. II 230³; s. ὠριγνᾶ-
  το
ὀριγνῶιτ(ο) Eur. 695³
ὀριγνῶνται 695³
'ΟρίϜων kor. 521, 3
ὁριζόμεθα ὁριζόμενοι II 388⁶;
  s. ὡρίσθω
ὁρίζω (-ειν) II 279⁷; -ει τῆς
  νεώς II 93²; s. ὤρικα
ὁρίζων 156⁴
ὀρίνδης (ἄρτος) 313⁷
*ὀρῖνϜω 694⁷
ὀρίνομαι: – ὑπὸ καπνοῦ II
  528⁴; ὀρίνθη hom. 761⁶
ὀρίνω 694⁷. 698². 761⁶; – c.
  dat. II 148³; – θυμὸν μετὰ
  πληθύν II 483⁵
'Οριπίων ark. 283³
'Οριππίδας lak. 283³
ὁρισθέντως Dio C. 624²
ὁριστική (ἔγκλισις) II 302⁶.
  303¹
ὀριχᾶται H. 695³
ὀρκίζομαι ngr. II 235⁵
ὀρκίζω ngr. II 235⁵; s.
  ὤρκισα
ὀρκιητόμος 439, 1
ορκιξεω delph. 786⁴

ὀρώρυχα 766³
ὅς relat. 56⁶. 73²⁻⁸. 303⁵⁻⁷.
400¹. 613⁴. 614⁶. 615². II
34³. 335¹⁻². 630⁵. 639⁶.
640¹⁻⁴; (= ὅστις) Koine
616³; ὃς οὐκ ἔχει II 593³;
οἷς ηὐτυχήκεσαν ... ἐκέ-
χρηντο II 641²; ὅς γε II
640³. 644⁷; ὃς δή 615³;
ὃς δήποτε II 216³; ὃς
ἐάν hell. II 306⁴; ὃς καί II
567⁴; ὅς κε II 312⁴⁻⁵; ὃς
οὖν, ὅς περ 615³. II 572⁴;
ὅς τις 335¹. 644¹; ὅς τίς τε
II 575¹. 643, 1; s. ἥ, ὅ, ὅς τε
ὅς 'ich, der ich doch' II 644⁷
ὅς nicht-relat. 611¹
ὅς poss. pron. (= ἑός) 600⁶.
606⁶. 608³. II 182⁷. 192⁵.
200³⁻⁷. 201¹⁻²⁻⁸. 202²⁻³. 203⁶.
204²⁻⁴, 1; (= σφός) 200⁷, 3
-ος suff. 458¹. 554⁶; ngr.
458¹. 585⁶
-ος voc. sg. 555, 1
-ος gen. sg. 547⁷. 549². 562⁷.
839⁵; -ΟΣ altatt. 579³
-ος acc. pl. 81⁶. 556²⁻³
-ὸς acc. pl. ion. att. 839⁸
-ος acc. pl. 1. decl. 586, 6
-ος nom. acc. sg. n. 511⁴ff.
579²; ngr. 582, 1. 585⁷
-ος neut. in d. Kompos. 513, 3
-ός ptc. pf. neut. 580⁵. 582⁷.
810²
ὁσάκις att. II 652⁴⁻⁶; c.
indic. II 336, 2
-οσαν 3. pl. praeter. für -ον
119⁴, 2
ὁσαχῆι 630⁵
ὁσαχοῖ 630⁵
ὁσαχοῦ 630⁵
ὅσδος äol. (lesb.) 330¹. II
491³
ὅσδω c. gen. II 128⁶
*ὅσε II 157, 3. 647⁸
ὁσέοι ark. 301³
ὁσέτη 619¹. II 16⁶
ὁσημέραι 402⁴. 619¹
-Οσι 3. pl. ion. att. 663³
-όσι dat. pl. 540⁴
ὅσιον II 587³
ὅσιος 344⁵
ὀσμή att. 208⁴. 494³
ὅσο 'wie sehr' ngr. 615³;
ὅσο νά II 312²
ὅσον: εἰς – II 653¹; ἐν ὅσῳ
II 652⁷⁻⁸; ὅσον τε II 574, 1.
575³. 576, 1
ὃ σος lesb. (= ὁ σός) 383⁸.
608⁴
ὅσος att. ion. 320⁵⁻⁶⁻⁸. 321²⁻⁵.
612⁶. 615¹. II 677⁵. 678⁵.
640¹; ngr. II 645²; ὅσοι
(= οἵτινες) Koine 616³;

'alle, welche' II 645²; 'wie
viele' ngr. 615³; ὅση (sc.
ἐστί) II 624¹; ὅσην ἔχεις
τὴν δύναμιν II 626³; ὅσα
πράγματα ἔχεις II 626³;
ὅσος δή ion. II 216³; s. ὅσο,
ὅσον
ὅσοσπερ II 572¹
ὅσπερ II 640³. 499⁵. 572¹;
s. ὅς, ὅπερ
ὁσπίτιον 124⁴
ὅσσα 298⁵. 318⁷. 319³. 474²
ὅσσα:–οὖννε κει thess. II 584,
4; – γε II 640³
ὀσσάκι hom. 598, 2. II 652⁴⁻⁵
ὁσσάκις her. II 652⁴⁻⁵
ὁσσάτιος hom. 612⁶
ὅσσε du. hom. 286⁴. 298⁵.
319³. 381¹. 518². 565⁴. II
47². 50²⁻³. 52¹. 609²
ὅσσει H. 781⁷
ὅσσετο 651, 6
ὅσσοισι Hes. 565⁴. II 47, 1
ὅσσομαι 518². 715, 3. II
229². 258². 265³
ὅσσος 321⁵. 612⁶. 615¹
ὅσσων gen. pl. Hes. 565⁴. 582⁶
ὀστᾶ 247⁴
ὀστακός 497¹
ὅστακος 518²
ὅς τε 615³. II 575²⁻³⁻⁴, 0. 7.
576¹. 640³. 642⁷. 645⁶. 706⁴.
714³⁻⁶
ὀστέον 298³. 425³. 518².
551². 562⁴
ὀστεόφιν (= ὀστέων) Od.
551²
'Οστίλιος 303⁴
ὅστιον äol. 518²
ὀστίον dor. 518²
ὅστις 615². 617¹⁻², 2. 3;
ἥιτινι, ἥντινα, ἅς τινας 616²⁻³;
ὅστις II 216³. 336²⁻⁴.
630⁵⁻⁶. 643¹⁻⁷. 644³. 645³⁻⁴;
ὅστις γε II 640³; ὅστις δή-
ποτε II 216³; ὅστις καί II
567⁴; ὅστις οὖν II 216³;
ὅστις τε II 575, 1
ὁστισοῦν II 585¹, 1. 624², 1;
ἥιτινιοῦν II 584, 4
ὀστοῦ pap. 562⁴. 586, 1
ὀστοῦν 562²; ὀστᾶ 247⁴
ὀστρακίνδα 627²
ὄστρακον 497¹, 1. 518²
ὄστρεον 518². II 36⁷, 3
ὀστρινος 491¹
ὀστρύς 263⁸
*ὀσττϜακο- 497, 1
-οσύνη suff. 529²⁻³⁻⁴
-όσυνος suff. 529³⁻⁵
ὀσφραίνομαι 321⁸. 515⁶. 644,
5; c. gen. II 107²⁻; – ὀδμήν
II 107⁶
ὀσφραίνω 440⁴, 7. 645, 0

ὄσφραις f. 645, 0
ὀσφρᾶται 645, 0
ὀσφρε/ο- 748³
ὀσφρέσθαι 297⁷
ὀσφρησις 645, 0
ὀσφρήσομαι 782⁷
*ὄσφρος 645, 0
ὀσφύς 302⁵. 464¹. 518¹; -ῦς
412⁷. 424²
*ὀσχϜός gen. 302⁵
ὄσχη II 491⁴
ὄσχος 434¹. II 491⁴
ὅσῳ II 164²; – ἐλευθερώτερά
ἐστιν II 606⁵
ὄτα lesb. 82². 629². II 564¹.
648⁵. 649, 0
ὄτα 649⁴
ὄταβος 496¹
ὅταν II 306³. 319³. 650², 1.
692³; – ngr. II 304⁴; –
c. conj. ngr. 615³
ὅτε (ὅ τε) II 21². 645³⁻⁴⁻⁶⁻⁷;
s. εἰς ὅ τε
ὅτε 82². 629², 10. II 300¹.
312⁸. 336¹⁻²⁻³⁻⁵. 413⁵. 648⁵,
2. 649¹⁻⁵. 650 ¹⁻³⁻⁴. 661⁴.
688³; – c. opt. II 330³⁻⁴; –
c. conj. II 336³; ὅτ' ἄν
II 306³, 2. 650²; ὅτ' ἄρ'
II 650¹; ὅτε γε II 561, 3;
ὅτε δή (ῥ') II 650¹; ὅτε κε II
306, 2; ὅτε κεν II 650²;
ὅτε μή II 595⁸; ὅτε πέρ
(τε) II 650¹; ὅτε τε II 650¹
ὁτέ indefin. Koine 629². II
649, 0; ὁτέ μέν – ἄλλοτε δέ
II 649, 0; ὁτὲ μέν – ὁτὲ δέ
610⁶. II 649, 0; ὁτὲ μέν –
ποτὲ δέ II 649, 0; ὁτὲ μέν –
ἐνίοτε II 649, 0; ὁτὲ μέν –
ὁτὲ δ' αὖτε II 649, 0;
ὁτὲ δὲ καί II 649, 0
ὀτειᾶ f. kret. (gort.) 294⁵.
609, 5
ὀτειος (ὀτεῖος) kret. (gort.)
609, 5. 616²
ὀτέοισι(ν) dat. pl. Ilias 616⁴
ὀτερος 'welcher von 2' kret.
(gort.) 615¹, 1
-ότερος suff. compar. 534⁵,
10. 11. 535¹
ὅτευ gen. sg. Hdt. 616¹
ὅτευ gen. sg. n. hom. 616¹
ὅτεωι dat. sg. m. hom. 616¹
ὀτεωιΟν ion. II 584, 4
ὅτεων gen. pl. 385¹. 616⁴
(*ὀτϜραλέως) 694⁶
-ότης suff. f. 528⁶ f.
-ότης suff. m. 500⁴
ὅ τι 615². 616¹. 617², 3. II
77⁸. 630⁷. 711³; – θαυμάζοι
II 631¹; – ποιῶ; II 631⁷;
ὅτι ὥρα ngr. 617⁵; ὅτι κι
ἄν ngr. II 645²

ὅτι acc. sg. 581, 3

ὅτι 'daß' II 185². 305². 636¹. 638, 2. 645³·⁷. 646⁵·⁸. 711³; – c. opt. II 326²·⁴·⁵. 335⁵; – c. imper. II 344⁶; ὅτι τί II 630²; ὅτι μή II 595⁸. 646⁵; ὅτι κι ἄν ngr. 617⁵

ὅτι 'weil' II 300¹. 661⁴. 676⁸. 677³. 711²; ὅτι μή NT II 596, 1; ὅτι τί θέλ(ε)ις πράξω II 644²; ὅτι ἤ II 565¹

ὅτιη 386⁵

ὁτιή 'weil, daß' att. 616⁵. II 565¹

οτιμι (ὅτιμι) kret. (gort.) 75⁶. 96⁴. 101⁸. 610¹⁻². 616². 617²

ὅτινα: ὅτιν' ἔργα 616³

ὅτινας acc. pl. Ilias 616³

ὅτινι ark. delph. 617²

ὅτινος 95⁶; delph. kyren. 617²; ngr. 617⁵

ὅτινων gen. pl. ngr. 617⁵

ὁτιοῦν II 586⁴

ὅτις hom. ion. ark. spätagr. 225⁶. 617²·⁵, 3. II 643¹, 2

*ὅτισμι 610²

ὅτλος 412⁷

*ὅτματα 317⁵

ὀτοβέω 726³

ὀτοβος 496¹. 716⁵

ὅτοισι dat. pl. pron. Andok. Soph. 616⁴

ὀτοτοῖ interj. 716⁵. II 600⁴. 601¹

ὀτοτύζω 716⁵

'Οτοτύξιοι 716⁵

ὀτοτύξομαι fut. 716⁵. 781⁸

ὅτου gen. sg. pron. att., Koine 616². 617²

ὀτραλέος 301⁵

ὀτραλέως 694⁶

ὀτρηρός 482, 14

ὀτρύγη 836⁴

ὀτρύνα 694⁶

ὀτρυνέω hom. 694⁶. 785²

'Οτρυντείδης 694⁶

'Οτρυντῆι 694⁶

ὀτρυντύς 694⁶. II 605⁷

ὀτρύνω ion. (hom.) att. 283⁵. 434⁴. 694⁶. 728¹. II 274². 373³·⁴·⁷. 491⁴; s. ὤτρυνον

ὄττα 319³

*ὄττε att. 319³

ὄττεο gen. sg. 616¹. 617². II 643¹

ὄττευ gen. sg. 616¹. II 630⁷

ὀττεύομαι att. 518². 715, 3. 732⁵

οτ'τι 231²

ὄττι lesb. 316⁷

ὄττι 410². 610¹. 615². 616¹. 617², 2. II 573². 645³·⁷. 646¹·³·⁴; – τάχιστα 617²

ὅττινας lesb. 617²

οττινες (ὅ-) arg. 316⁷. 617²

ὄττος kret. 320⁵

ὄττος böot. 308³

ὄττω lesb. 617²

οτυϝοι 68⁴. 824²

ὅτωι dat. sg. m. hom., att., Koine 616¹·²

ὅτων gen. pl. Soph. Xen. 616⁴

ου aus idg. ou 346⁸ f.; ου > att.ū233³; ουatt.(Ionismus) 228⁴; ου dialektecht att. 228⁶; ουunecht 86⁸. 228²; ου geschrieb.Dehn.vono104¹; ου für ω 69⁴; ου thess. für ω 81³. 90⁷; ου thess. < ωι 233⁴·⁵; ου kontrah. aus εο 247¹. 249⁶·⁷·⁸; ου ion. att. usw. aus οε, οǫ 249⁶; ου aus εου kontrah. 249⁸

ὄυ diphth. nicht im klass. Gr. 203⁵

-ου gen. sg. ion.-att. 81⁶. 555³·⁴. 561¹; thess. 555³⁻⁴

-ου gen. sg. 1. decl. att. 553⁶. 561¹

-ου gen. sg. für -ους 579⁵

-ου gen. sg. st. -ος 579, 7

-ου dat. sg. thess. für -ωι 907⁷. 556¹. 586, 6

-ου adv. pron. 621⁴⁻⁵, 10

-ου 2. sg. imper. med. ngr. 659¹. 764³·⁴. 804⁵

-οῦ suff. 479¹, 2

οὐ II 305³·⁴. 309⁵. 320³. 324¹. 591¹·⁴·⁵, 5. 592³·⁴·⁵. 593¹·²·³. 594¹·⁴·⁷, 2. 595³·⁴·⁶·⁷. 596³⁻⁶. 627⁵. 628⁶. 629⁴. 677⁵·⁷; οὐ γάρ II 597⁴. 629⁴. 706⁶; – – ἔτι II 597⁴; – – πώποτ(ε) II 592⁶; οὐ δέ II 597⁴; οὐ δή II 597⁴. 629⁴; – – που II 629⁴; οὐ δῆτα II 597⁴; οὐ θην II 597⁴; οὐ – οὐδέ II 573⁴; οὐ – οὔτε II 573⁴; οὐ μά II 533⁶. 570¹; οὐ μὰ Δία II 88²; οὐ μέν II 569³. 592⁶. 597⁴; οὐ μέντοι II 597⁴. 629⁴; – – ἀλλά II 578⁷; οὐ μή II 317³·⁴⁻⁸. 598⁶; οὐ μήν II 597⁴; – – ἀλλά II 578⁷; οὐ μόνον, ἀλλὰ καί II 578⁵. 633⁶; οὐ νυ II 571³. 597⁴; οὔ πᾶ II 597⁴; οὐ πάμπαν ἔτι II 597⁴; οὔ περ II 597⁴; οὔ πη hom. II 579, 3. 597⁴; οὔ ποθι II 597⁴; οὔ ποτε II 592⁶. 597⁴; οὔ που II 597⁴. 629⁴; οὔ πω II 579⁴·⁶. 592⁴·⁶. 597⁴; οὐ πώ ποτε II

579⁶. 592⁶; οὐ πώποτε II 597⁴; οὐ πώποκα II 579⁷; οὔ πως II 597⁴; οὔ τοι II 592⁶. 597⁴; οὔ τἄν II 597⁴; οὔ τἄρα II 597⁴; οὐ πολὺς χρόνος ἐξ οὗ II 696⁸; οὐ δικαιῶ (κελεύω, νομίζω) II 593⁶; οὐ φάναι II 296⁴; οὔ φημι 593³·⁶⁻⁷, 7. 631⁶; οὔ κε φαίης II 328⁶; οὐ μή c. fut. II 293²⁻³; – – λαλήσεις (προσοίσεις) II 293²·³; οὐ φονεύσεις II 317, 3; s. οὐκ

*οὐ- in compos. 432², 4

οὐ gen. pers. pron. att. 603³

*οὐ dem. pron. 611⁴

οὐ- pron. 611³·⁴·⁶

οὔ 'nein!' II 317⁷. 591⁵. 593³. 594¹. 596⁵⁻⁷ f. 597¹·⁸. 628⁴; οὔ οὔ II 597⁸, 1

οὐ 140⁵

οὗ gen. sg. pron. att. epid. 603³. 605¹. II 193³; refl. 607, 1

οὗ adv. relat. 621⁴. 628⁵. II 157²·⁴, 1. 2. 640¹. 647²

οὐά hell. 313⁷. II 601¹

οὐᾶ hell. II 601¹

οὐαί interj. 313⁷. II 600, 1. 601¹·⁵; – μοι II 143⁷

οὔας 520³

Οὐάστιν 226³

οὔατα hom. 348⁴. II 47², 8. 607⁷

οὐατόεντα 527⁵

οὐγγία 210⁴

*οὐδ II 591, 5

οὐδαμά adv. att. 617⁴

οὐδαμαί ion. 617³

οὐδαμεῖ 549⁶. 617⁴

οὐδαμῇ II 597⁶; – Αἰγύπτου II 114⁵

οὐδάμινος hell. 617⁴

οὐδαμινός II 597⁶

Ουδαμο kret. 194⁴

οὐδαμόθεν II 597⁶

οὐδαμόθι II 597⁶

οὐδαμοί ion. 588¹ 617³

οὐδαμοῖ II 597⁶

οὐδαμός II 597⁶

οὐδαμόσε 617⁴. II 597⁶

οὐδαμοῦ 621⁵. II 597⁶; ngr. 617⁵

οὐδαμῶς 617⁴. II 597⁶

οὐδας (gen. -εος) hom. 242⁸; οὐδάς δε 624⁶; οὐδει 548³ οὐδεῖ II 592⁴·⁵. 593³. 596³. 597⁵·⁶. 633⁶; – γάρ – .. II 598²; οὐδ' εἰ II 688⁵·⁶; οὐδέ ... περ II 389⁷; οὐδέ πη II 579, 3. 597⁶; οὐδέ ποτε II 597⁶; οὐδέ πω II 597⁶; οὐδέ πώποτε II 597⁶; οὐδέ τε II 576³·⁴; οὐδ' ὥς II 577⁴.

597⁵; οὐδὲ εἷς 214⁵. 588, 4.
597⁵; οὐδὲ ἕνα 616⁴; οὐδ' ἴα
lesb. 588, 6; οὐδέ τις 616³.
II 592⁶; οὐδέ τινα acc. sg.
616³; οὐδέ τωι dat. sg. m.
hom. 616¹; οὐδέ τι (οὐδέ τί
που) II 592⁶; οὐδ' ἄλα II
598⁷; οὐδ' ἀπίθησε II 599⁵
*οὔδε II 597⁵
οὐδὲ εἷς; s. οὐδέ
οὐδείς 408². 588². II 214⁵.
597⁵; pl. οὐδένες, οὐδέσι
588²; οὐδεὶς οὐκ II 598¹;
οὐδεὶς ὃς οὐ II 623⁵; οὐδενὶ
οὐδαμῇ οὐδαμῶς οὐδεμίαν II
598²
οὐδέν 587, 1. II 185². 214, 4;
οὐδέν τι ἀπ' αὐτῶν II 116⁷;
οὐδὲν δέον II 401⁵; οὐδὲν
ἧττον II 688⁴; οὐδὲν ἄλλο ἤ
II 710¹; ἐπ' οὐδενί II 468³;
πρὸς οὐδέν 'vergeblich' II
511⁶
οὐδενάκι II 597⁶
οὐδενάκις 598¹
οὐδένεια Ael. 588, 4. II 597⁶
οὐδένες; s. οὐδείς
οὐδενία II 597⁶
οὐδενόσωρος 452³. II 214, 4
οὐδεπώποτε att. II 579⁷
οὐδέτερος II 597⁶; οὐδέτερον
II 28³; -έτερα II 617⁷
οὐδέ τις; s. οὐδέ
ουδις phok. 588, 4
οὐδοπότερος II 597⁶
οὐδός hom. 227⁶. 301⁵. 472⁶
οὐδοστισοῦν II 597⁶
οὔδωρ böot. 183³. 305²
Οὐενετοί 226³
Ουετοριος 158⁴
οὐθ' (= οὐδ') 408²
οὐθαμεῖ II 597⁶
οὐθαμῶς Koine 617⁴
οὔθαρ 348¹. 381¹. 518⁶; οὔ-
θατα II 607⁷
οὐθείς 127⁴. 408²·⁴. 588, 4.
II 597⁶
ουιος böot. 199⁷
οὐκ 299². 403⁶. 404⁶. 409⁵.
II 305³. 569¹. 592²·⁴, 10. 11.
593²·³. 596³; οὐκ ἀλλ' ἤ II
578, 3; οὐκ ἄν II 329³·⁵·⁶;
οὐκ ἄρα II 597⁴; οὐκ ἔμπας
II 582⁴; οὐκ οὖν II 585¹;
οὐκ ὦν II 587⁴·⁶. 589⁶·⁷;
οὐκ ἂν εἵλετο II 350⁵; οὐκ ἂν
c. opt. II 325¹; -- γνοίης II
328⁶. 347¹; οὐκ ἂν πύθοιο II
597⁴; οὐκ ἀέκων II 599⁵;
οὐκ ἀλέγω II 593⁵; οὐκ ἀξιῶ
II 593⁶; οὐκ ἐγώ II 628⁴;
οὐκ ἐθέλω II 593⁵. 594¹; οὐκ
εἰῶ II 593⁶. 594¹; οὐκ εἴα..;
II 558¹; οὐκ εἰς ὄλεθρον II

624⁷. 707⁸; οὐκ ἔμοιγε II
631⁶; οὐκ ἐτός att. 601⁵; οὐκ
εἴπω II 314⁷; -- σοι II 311²;
οὐκ ἔστιν II 631⁶; - - οὐδέν
II 598²; - - ὅπως II 670²;
οὐκ ἔχω.. II 644⁴; οὐκ ἴδης
II 311, 1; οὐκ οἶά τέ ἐστι II
606³; οὐκ οἶδα ὅστις II 643⁷;
οὐκ οἴομαι II 593⁶; s. οὐ, οὐχ
οὔκ II 596⁷. 597¹·²
οὐκ' II 592, 9; s. οὐχ'
Οὐκαλέγων II 593, 4
οὐκέτι II 415³. 593². 597⁵
*οὔ κι II 569¹
οὐκί 299². 404⁶, 1. II 569¹.
575¹. 577, 2. 592¹, 2. 3. 6;
ngr. 87⁴
οὔκις 299³
οὔκουν II 585¹. 587⁴·⁷. 588⁴·⁷.
589¹. 596⁴. 629⁴. 631⁶·⁷
οὐκοῦν II 585¹, 1. 587⁴·⁵·⁶.
588¹·²·⁴·⁶·⁸. 589¹·⁴, 1. 597⁴.
627¹. 629⁴
οὔκως 299³
οὐλαί ion. 314⁵. 472⁶; *-ὰς
χυτάς 439⁴
οὐλαμός 283⁸. 493⁶
οὖλε voc. hom. 723,5. II 14,1
οὐλη = ὕλαι 305²
οὐλή „Narbe" οὐλὴν ἥλασε II
79³; -ὴ γενείῳ II 155²; -
μετώπῳ ὑπὲρ ὀφρῦν II 519⁵;
- ὑπ' ὀφρύν II 531⁵
οὐλόμενος 104¹. 524⁷. II 17¹.
182⁷. 302⁶·⁷; οὐλομένην II
408⁵
οὖλον n. 'Zahnfleisch' II 33,5
οὖλος „kraus"283⁸.363¹;οὐλό-
τατον τρ. πάντων II 100³
οὖλος = ὅλος 228³. 314⁵.472⁵
οὖλος [= ὅλος] ngr. 121⁴
οὖλος „verderblich" II 176⁷
οὐλότατος; s. οὖλος
οὐλοχύτας 439⁴
Οὔλυμπόν δε hom. 624⁶
Οὐλφίλας 163¹
-οῦμαι fut. 784²·⁴·⁵
οὐμέ böot. 602⁷
οὐμές böot. 305². 603¹. 605²
οὐμῖν böot. 604²; ούμῖν böot.
(gramm.) 603⁴
οὐμίων böot. 603³. 605²
οὐμοί (= οἱ ἐμοί) 402³
οὖν neut. böot. 558¹. 562²
-οῦν infin. 249⁷. 727²; s. -όω
οὖν 16, 1. II 283⁸. 284¹·⁴, 2.
553⁴·⁵. 555⁴·⁶. 556¹·⁴, 2.
570². 578³. 584⁵, 4 ff. 586⁸.
587¹·²·⁴. 629⁷. 632, 2. 633⁶;
ἀλλ' οὖν II 585¹; ἐπεὶ οὖν II
585¹. 586⁶. 660⁶; οὖν ἄρα II
559¹; οὖν δή II 563²
-οὖνδας suff. thess. 510¹
οὖνει imper. ark. H. 804, 2

οὕνεκα 413⁵. II 419⁴. 433⁵.
552⁵. 640⁷, 2. 646⁵. 661⁵·⁸.
662¹⁻²·³·⁴
οὕνεκε II 413⁶
οὕνεκεν II 552⁵
οὕνεσθε 681, 4
*οὐνέω 804, 2
*οὔνη imper. 804, 2
*οὔνημι 804, 2
οὔνομα 114². II 66 ³·⁴
οὖνος att. (= ὁ ὄνος) 402²
Οὐολσίνιος 285⁶
Οὐόλσων 158⁶
Οὐουλτουρνος 158⁵
οὑπέρ böot. II 518², 3
οὑπεραμερία II 522⁴
οὔπιγγος 498³
Οὐπισίᾶ mess. 271⁵
οὔπω 355⁶. 559². 622⁴; - Ζεὺς
αὐχένα λ. ἔχει II 706⁵
οὐρά (-ᾶ) 285⁸. 286². 392¹
οὐράδιος 467²
οὐράνη 490¹
οὐρανόθεν552¹; ἐξ - Ilias 628².
II 171⁶
οὐρανόθι πρό 551, 6. 628, 6
οὐρανός 412⁶. 489⁶, 12. 838²;
*οὐράνοο πρό 551, 6; οὐρανῷ
loc. II 154⁸; -οί II 44⁴;
οὐρανοῦ κράτος II 623⁴
οὔρεσι loc. II 154⁷
οὐρεύς 477¹
οὐρέω 285⁸. 720². II 226⁸;
ἐούρησα 654¹
Οὐριεύς 218⁶
οὐριθρέπταν 448¹
οὖροι ther. 228³
οὖρον hom. 286²
οὖρορ [so] 410⁵. 836³
οὖρος ion. 228³. 472⁶
Οὐρφίλας 163¹
ους 'so' thess. 624¹
οὔς acc. pl. pron. relat. Od.
610⁶
οὖς 'Ohr' att. 348⁵·⁶. 377⁸.
379⁸. 520²·³. II 42³
-ους nom. sg. 565, 1
-ους gen. sg. att. 579³
-ους gen. sg. n. ngr. 586²
-ους acc. pl. ion.-att. 81⁶.
556³. 839⁸
-οῦς suff. adj. 81². 468¹. 527².
528². 558¹. 562²
-οῦς Ausg. subst. m. 561²
οὖσα 381⁶. 678¹. II 389³; -
φύσιν II 75⁶
-ουσα ptc. att. 287⁴
-οῦσα Ausg. ipf. 729¹
-ουσατα 283⁴
-ουσι 3. pl. ion. att. 270⁴;
ngr. (dial.) 125⁴; 3. pl. conj.
791, 6
-ούσιος suff. adj. att. 270⁶.
466⁵

-ούστερος suff. 535⁵
ούς τινας hom. 616³
οὖτα hom. 682², 4. 734³.744¹,
2; – τὸν ὑπ' ὀφρύος II 527⁸
οὖτα n. pl. böot. 91⁴. 611⁶
οὐτάζω 705⁵. 773⁵
οὐτάζω 734³
οὐτάμεν infin. hom. 806³
οὐτάμεναι infin. hom. 806³
οὐτάμενος 682²
οὖτᾶν acc. f. böot. 611⁶
οὖτᾶρα att. (= οὗτοι ἄρα)
402⁶
οὖτασε 651, 6. 734³; οὐτάσαι
ἕλκος II 79²·³
οὖτασκε Ilias 711⁵
οὐτάσται 734³. 773⁵
οὐτάω 705⁵; – δουρὶ παρ'
ὀμφαλόν II 495⁵
(*ὁ υτε) 611⁵
οὖτε II 592⁶. 593³. 596³.597⁶;
οὖτε – τε II 574³; οὖτε – οὖτε
II 573⁴. 597⁷. 612². 633⁶;
οὖτ' ἄν – οὖτ' ἄν II 306, 1;
οὖτ' οὖν II 585¹; – – οὖτε II
586³
οὖτεον Parm. 616, 1
οὖτερος j.-ion. 401⁷
οὖ τευ gen. sg. m. f. hom. 616¹
οὐτηθείς Ilias 762¹
οὐτήασκε Ilias 711⁵
οὖτησε 762¹
οὖ τι II 214⁵. 592¹·⁶; – – μὴ
φύγῃ μ. II 317⁴; s. οὖ τις
οὖτι II 214⁵
οὐτὶ γίνυτη böot. II 209, 2
οὐτιδανός 530². 610¹. 616⁵.
II 126¹
οὖ τις 616³. II 213⁶. 214⁵.
592⁶. 597⁴. 623⁵; οὖ τινος
Aesch. 616²; οὖ τινι hom.
616¹·³·⁴; οὖ τινα 616³; οὖ
τινες 616³
οὖτις 377⁵
Οὖτις 377⁶; Οὖτιν Od. 616³.
II 62⁵
(*οὖτο) 611⁴; s .hοῦτο
οὖτο neut. böot. 611⁶
οὐτοΐ 611⁷
οὗτος 600². 611³⁻⁷. II 182³.
190⁴. 208⁴·⁶⁻⁸. 209²⁻⁷, 1. 2.
210¹·²·⁴·⁵·⁷, 1. 2. 211¹. 576⁴;
οὖτον acc. m. böot. 611⁶;
οὖτοι 610⁵. 611³·⁴; οὖτων
gen. pl. böot. 611⁶; αὖτᾶ f.
611³; αὖτη 279⁶. 611³; αὖται
610⁵. 611⁴; οὗτος ἀνήρ II
210⁴; οὗτος σύ att. 600, 1;
οὗτος τί ποιεῖς; 600, 1; αὖτη
ἀρίστη διδασκαλία II 606⁶;
αὖτη δίκη ἐστί II 606⁶; τοῦ-
τον τὸν τρόπον II 78²; s.
τουτ-
οὖτος vor relat. II 21²·³

οὑτοσί att. 611⁶. 612². II
210⁴. 566⁵
οὑτοσίν 405⁷. 406⁵. 611⁶. II
566⁵
οὖτου (= οὖ τινος) 616, 3
-οῦττα suff. f. 527². 528²
οὖτω 404⁶·⁷. 611⁶. 620¹. 624¹.
II 207, 1. 387⁵. 662⁷. 664³;
(sc. ἐστί) II 624⁸
οὖτω gen. sg. böot. 611⁶
οὖτων gen. pl. böot. 611⁶
οὖτως 404⁶·⁷. 406⁶. 409⁸.
410¹. 611⁶. 620¹. 624¹.
II 207, 1. 628⁴. 697⁶; –
ὥστε II 209⁶. 679²; – ὡς II
677⁶; – ἔχον acc. abs. II
401⁷; – ἔχειν περὶ πρήγμα-
τος II 503³; – – περὶ τοὺς
ἰχθύας II 504⁶
οὑτῶς 384⁴
οὑτωσί 611, 3
οὑτωτρόπως spät 632⁶
οὐφεκα (οὐφεκα) 225³. 622, 5.
II 552, 4
οὐφόρει (= ὁ ἐφόρει) 402³
οὐχ 404⁶. 409⁵. II 305³. 592
²·⁴, 11. 596³; – οἷον ἀγανακ-
τοῦντας II 712¹; οὐχ ὅπως...
ἀλλά II 670⁵; οὐχ ὅπως ἀλλὰ
καί II 578⁵; οὐχ ὅτι... ἀλλὰ
II 708²; οὐχ οὖτως (sc. ποιή-
σετε) II 624⁸; οὐχ οὖτως;
II 624⁸; οὐχ ὑπισχνοῦμαι II
593⁶; οὐχ ὥσπερ II 709⁷;
s. οὐ, οὐκ
οὐχ' II 592, 9; s. οὐκ'
οὐχί 404, 1. 624⁴. II 577³.
592¹·², 4. 5. 596⁵·⁶·⁷. 597¹·⁵
*οὐχι II 592². 597⁵
οὐχί ngr. II 591, 5
-όω verba 683⁴
ὄφατα 495³, 6
ὄφειλαν ipf. 754¹
ὀφείλεσθαί τι πὰρ τὰν πόλιν
II 495⁷
ὀφειλέσω fut. Koine 784⁶
ὀφειλέω 720⁵
ὀφειληθη- 762¹
ὀφειλήσω att. 709⁴. 746, 9.
782, 10
ὀφείλω ion. att. 283⁸. 693⁴,
12. 709⁴. 746⁵; c. infin.
810¹; s. ὠφείλησα, ὤφλη-
ὀφελής 513⁵
ὀφέλλο[νσ]ι ark. 281³
ὀφέλλω 575⁵; ὄφελλεν II 308⁵;
ὀφέλλω τινὰ τιμῇ II 166³
ὀφελμός 492⁴
*ὀφελνω 284¹
ὄφελον Satzadv. 619¹. 747,8.
II 308⁶. 346⁶·⁷. 554⁵
ὄφελος 515⁴. II 52¹; – ὄν II
401⁷. 402²
ὄφεος gen. sg. 572, 3

ὀφήλω kret. 284¹. 693⁴
ὀφήλωμα 523⁴
ὀφθαλμηδόν 626⁵
ὀφθαλμιάω 732²
ὀφθαλμιδίω II 47, 4
ὀφθαλμός 317⁴. 336¹. 492, 7.
518², 3. II 42³; -ώ hom.
565⁴. II 47², 4; -οῖιν hom.
565⁵; ὀφθαλμοί II 47², 8;
-ούς II 88²
ὀφθαλμοφανής 513³
ὀφθῆναι II 362⁷; s. ὤφθην
ὄφθητι [so] 760, 6
-όφι cas. 550⁷. 551¹, 2
οφι kypr. 551³
*ὄφι 495, 6
ὀφίδιον 248⁶. 471²
ὄφιν hom. 207⁴
ὀφιόνεος 491, 1
Ὀφιοῦσσα 528²
ὄφις 300⁷. 302⁴. 462, 4
ὀφλάνειν H. 700⁴
ὀφλάνω H. Phot. 709⁴
ὀφλεῖν 746⁵
ὀφλέν infin. teg. 807²
ὀφλέω 709⁴
ὄφλημα 709⁴
ὀφλήσω 709⁴. 746, 9. 782, 10
ὀφλισκάνω (-ειν) att. 708¹.
709⁴. 746⁵, 9; c. gen. II 131
³·⁴·⁵; – ζημίαν c. dat. II 151⁸
ὀφλίσκω Suid. 709⁴
ὄφλοι 459¹
ὄφλω 709⁴
ὀφλών 746⁵
ὀφνίς 297⁷. 314². 495³
Ὀφολωνίδης v.-att. 255⁶
ὄφρα relat. adv. poet. ep.
631¹.II 312⁸.326⁸.651¹·³·⁴⁻⁷,
3. 652¹,1.665⁷.672⁴,1; ὄφρα
καί II 567⁴; ὄφρα μή II 595³.
674⁴, 2
*ὄφρα 631¹
ὀφρῦᾶ 463⁶
*ὀφρυαί 695, 2. 696⁴
ὀφρυγνᾶι H. 695, 2
ὀφρυγνάω H. 725⁵. 731⁵
ὀφρύδι ngr. (dial.) 570⁷
ὀφρυόεσθαι 732¹
ὀφρύοιν 549²
ὀφρῦς 297⁴. 350⁵·⁷. 412⁷.424².
463⁶. 570⁷; ὀφρῦν acc. sg.
571²; ὀφρύα acc. sg. Hdn
571²; ὀφρύας acc. pl. 571¹;
ὀφρῦς acc. pl. 571²
ὀφτά, oftá ngr. (kappad.)
590⁵·⁶
ὀχ praep. ngr. II 461⁶
ὀχ' ngr. (nordgr.) II 592, 2
ὄχα adv. hom. 421⁵. 621². II
185²; ἀρειός.. μήλων ὄχ'
ἄριστος II 606⁴
ὀχᾶν H. 718⁶
ὄχεα II 43⁴

ὀχέεσθαι II 364⁶
ὀχεή 434⁵. II 491, 6
ὀχέομαι (-έεσθαι, -εῖσθαι)
717⁶. 719⁴. II 364⁶; – ἐπὶ
τῆς ἁμάξης II 470⁶; – c. dat.
II 148⁴
ὄχεσφι 551¹. II 172⁵
ὄχετλα 533⁴
ὀχετός 501³
ὀχέω 339². 717⁶, 4. 718⁵. 719
¹⁻⁴. 815⁴. II 71⁵
(ὀχέω 'halte fest') 717, 5
ὀχή f. 718⁵
ὄχε̄ imper. 799¹
-οχή 766, 4
ὀχήμενος lesb. 729¹⁻²
ὀχήσατο hom. 717, 4
ὀχήσεται hom. 717, 4
ὀχθεῖν ἀνὰ δῶμα II 441¹⁻²
ὄχθη 510⁷; ὄχθαι II 43⁵
ὀχθήσας hom. 719⁵
ὄχθος 510⁷
ὄχι ngr. II 592, 2. 593⁴.
628, 2

ὀχλεῦνται τοῦ ὕδατος ὑπό II
528⁴
ὀχλίζω 736¹
ὄχλος: – μετὰ μαχαιρῶν II
485⁵; ὄχλοι II 43⁶
ὀχμάζω 725, 9
ὄχμος 492⁴
ὄχος 225⁶. 512⁴
ὀχτώ ngr. 590⁶
ὀχυρός 482⁴
ὄψ II 33⁶
-οψ in compos. 58³
-οψ suff. 426⁴
ὄψανον 517²
ὀψαρτύω 644, 4
ὀψέ 625³. 631, 7. 632⁵. II
427⁷; – σαββάτων (– μυστη-
ρίων) II 98²; ὀψὲ τῆς ὥρας
II 114⁷; πρὸς – – – 619³
ὀψείω 789³; – τινός II 105²
ὀψείων 812¹; ὀψείοντες Ilias
789¹·³
*ὀψέω desid. 789⁴
ὄψι adv. äol. 622². 631⁵, 7

ὀψι- 632⁶
ὀψί]ην 110, 1
ὀψιμαθὴς τῶν πλεονεξιῶν II
108¹
ὄψιμος 494⁵
ὄψις 293⁸. II 357⁶, 2
ὀψίτερον 534⁴
ὀψίχα adv. byz. 498⁵. 631⁵
ὄψομαι 298⁵. 299⁵·⁷. 781⁵.
788, 1. II 258². 265³. 292⁷.
295⁴; ὄψει 668, 3; ὄψη II
291, 1; ὄψεσθε hom. 788²;
– imper. fut. II 291, 1;
ὄψεο H. 788³; ὄψοιντο II
337³; ὀψοίατο II 337³;
ὄψεσθε αὐτοί II 291, 1
ὄψον 434⁴. 449⁴. II 491⁴
ὀψώνια II 43⁵
-όω verba 673⁶. 683³. 722³·⁴.
723². 727¹⁻³. 728⁴·⁵, 2. 729⁶.
731³·⁴·⁷⁻⁸ f. 733⁶. 736⁴. 739¹.
814⁷. 815³; s. -οῦν
οωι > ωι 249³

# Π

π aus idg. p 290⁸ f.; aus idg.
kw 293⁸ f. 294¹·²·⁴. 705³;
π vor palat. Vok. äol. st. τ
81⁴. 106². 295⁷. 300¹; π und
τ wechseln 293⁸. 302⁸; π
und β wechseln 207⁵, 1.
293⁸; π wechselt mit φ 829¹
π determinativ 289³
πά praep. II 491⁶, 10; πὰ
Δάματρι, -α II 491, 10
πά ngr.: θὰ – νὰ γράφω 813, 2
πᾶ 423, 2
πᾶ- 190⁷
πααίννω τοῦ πόρου ngr. II
137⁴
παγετός 501³
παγη- 759². 760⁵, 7
πάγιος 466²
πάγνῡμι 333²; – ὅρως ἐπί τι-
νος II 470⁵
πάγος 459¹
(*πάγχι) 624, 8
*πάγχνυ 624, 8
πάγχυ 624⁵, 8. 630⁶; ἐπὶ – II
427⁷
πάγω ngr. 674⁵
πάδη dor. (lak.) Aristoph.
81². 719, 6
παδῆι hyperdor. 719, 6
Παδόεσσα ark. 528²
*πᾶϝαρ 520²
παϝις 225⁵
παϝιω kypr. 713⁶, 6
Παλιφᾶι lak. 93⁵
παη- pass. 760¹

παθαίνω : ἔπαθα ngr. 764¹
πάθε imper. att. 799²
παθε/ο- 747⁶
παθεῖν 295⁴·⁶. 343⁴. II 369, 2.
376⁴. 380¹. 708²; – ἀπό τινος
II 446⁶; – ὑπό τινος 757⁴;
τὸ μὴ παθεῖν II 371⁷·⁸; – – –
ἄν II 369, 3
παθεῖται fut. spät 784⁵
πάθη 7⁷
πάθην infin. lesb. 807²
πάθησθα II 310⁷
πάθησι (ἄν) II 311⁴
παθητὸς spät 810⁷
πάθμη 216²
πάθνη ion. 121³. 216²
πάθος 512³
παθοῦμαι fut. spät 781, 2
παθοῦσα nom. abs. II 403⁵;
-θοῦσαι II 389²
*πάθσκω 321⁸. 337⁸. 708³
παι adv. kret. kypr. 550⁴. II
579³·⁵, 6
πᾱι adv. dor. 294⁴. 617¹
παῖ 194, 2; παῖ παῖ II 60³
παιάν dor. 250⁴. 521⁶
παιγνιήμων 522⁴
παίγνιον 208⁶. 215⁷
παιδ- 260⁸
παιδάριον 471²
παίδδω 331⁶
παιδεία ἐπί τινι II 469²
παίδεσι, -εσσι siz. 564⁴
παιδευ- 643⁵
παιδευε/ο- 643⁵

παιδεύματα II 36⁶. 45⁷; –
Πιτθέως II 614²
παιδευόμαί τι II 82⁴; παι-
δευόμεθα 642³; ἐπεπαιδεύ-
μην att. 777²; ἐπεπαίδευτο
776⁴; παιδεύεσθαι ὑπό τινος
II 529⁵; – πρὸς ἀνδρίαν II
512⁵
παιδεύσω fut. 737³
παιδευτοί 154⁵
παιδεύω 737³. II 80¹. 82³, 3;
παιδεύσω fut. 737³; παιδεύ-
σαιεν 664⁴; παιδεύειν παι-
δείαν II 79⁶; – τινὰ κακόν II
83⁶; – τινά τινι II 82⁴; – τινά
c. instr. II 167²
παιδί neut. ngr. 578⁴
παιδικά (τὰ) II 36⁶. 44, 1. 52².
603³⁻⁴
παιδίκεωρ lak. 458⁴
παιδικόν II 36, 6
παιδίον 470⁶
παιδίσκη II 36⁵
παιδίσκος II 36⁵
*παιδνιον 215⁷
παιδοι du. att. 557²
παιδοτρίβης 451⁵. 562¹
παίειν (τὸ) II 370⁴
παίεσθαι παιδιᾶ II 166⁴
*παιϝός gen. sg. 273¹
παίζει 660, 9
παίζω πρός τινα II 433⁵; –
σπουδάζων περί τινος II
503⁴; – ὑπ' ὀρχηθμῷ II 527¹
παιήσω II 292⁷

παιητέα 127⁷
πάϊθεν 628, 2
πάϊν acc. sg. spät poet. 565,3
παίξομαι LXX 781⁷
Παιονίδαι 66⁴
παιπάλη 334³. 423⁴. 647⁴
παιπάλλω 646⁸. 647⁴
παιπαλόεις 527⁴, 7
παιρίν eretr. 218⁵
παίρνω ngr. II 83⁴
παῖς dor. 384¹
παῖς 225⁵. 273¹. 379⁸. 578⁴.
635, 4; παῖ 194, 2; παῖ παῖ
II 60³; παῖδε II 48²·³, 3. 49⁵;
παίδοιν II 49, 4; παῖς ἄτεκ-
νος (= Hermione) II 46¹;
παῖς ἐκ πατρὸς Ἀ. II 463⁶;
– ὑπὸ μητέρα II 531³; παί-
δων ὄντων ἡμῶν II 405³
παῖσα äol. (lesb.) 90². 287⁷.
322¹. 348²
παισειται kyren. 786⁴, 4
παῖσι lesb. 89⁷
Παισικρέοντος lesb. 564³
παιφάσσω 647⁴. 649⁴
παίω (-ειν) 325⁴. 713⁶. 716².
738². II 77¹. 258⁵. 272².
350⁸. 701⁵; ἔπαισα 738²;
παῖε, παῖσον II 341²; παίω
δι' ὀργῆς II 452¹; παῖε παῖε
II 700²; παῖε πᾶς II 609⁷;
παίειν κατὰ κόρρης II 479⁶;
– τι ἐκ κελεύσματος II 464¹
παιών 252⁴. 379⁸
Παίων: τὸν Παίονα II 41⁸
παιωνίζομαι (-εσθαι) κατά
τινα II 477¹; παιωνίζεται II
239⁶·⁸; -ἐπί τινος(τινι)II469⁶
παιωνίζω II 298⁸
*πακjαλος (–ŋlos) 333². 483,8
πακτά unterital. 95²
*πακτί loc. 620⁷
πακτυω II 283⁸
Πακτυω ion. 252⁴
παλάθη 511¹
πάλαι 295¹. 548³. II 415⁷
παλαι- 437⁴⁻⁵. 632⁶
παλαιθέου 437⁵
Παλαιμαγνησία 437⁵
πάλαιμι äol. 676⁴. 730¹
παλαιο- 437⁴
παλαιός 468⁴. II 704²; τὸ πα-
λαιόν II 70²
παλαιότερος 534⁴, 6
παλαισμοσύνη 529³
παλαίστα lesb. 276¹
παλαιστή 501⁵
παλαιστής 500². 676⁴
Παλαιστῖνοι 276, 1
παλαιστριαῖος II 181⁵
παλαίτερος 534⁴, 8
παλαίχθων 46, 1
παλαίω (-ειν) 676⁴·⁵. II 161².
233³

παλάμη 343⁷. 362⁴. II 33, 4
παλάσσω 725⁴
παλαστή 501⁴
παλάτια ngr. II 43, 5
παλαχή 264¹
πάλε ngr. 631⁶
-παλείς ptc. aor. 714⁵
παλεο- (= παλαιο-) 195³
πάλη 421⁸
παλήσειε 676, 3
παλήω böot. 676⁴
πάλι 619⁵, 7
Παλίβοθρα 204⁶
πᾱλίκος dor. 294⁴
παλίλλογος 454 ⁴
παλιμπλαγχθέντας II 239²
πάλιν 295¹. 462⁴. 597, 8. 619⁵.
621¹. II 413⁸; – αὖθις II
704³
παλιν- in compos. 437⁵. 632⁶
παλινάγρετος hom. 726, 1
παλίνορσος 438, 1. 516, 6
παλῖον (= πλεῖον) 278⁷
παλίωξις 437⁵. 644⁷. II 356⁷.
357⁵
παλκός 496⁴
παλλακίς 465²
παλλάς 284²
Πάλλᾱς 526, 5
πάλλευκος 396⁶
παλληκάρι ngr. 497⁴
Παλλήναδε 624⁷
πάλληξ 497⁴
πάλλομαι II 400⁷; – μετά τινος
II 483⁶
πάλλω 714⁵. 748⁶; ἔπηλα aor.
714⁵
πάλμυς lyd. 495⁴
Πάλμυς 463⁶
πάλος 459¹
πᾱλός 285⁵. 295⁴
*πάλσαι 335⁸
πάλτο 335⁸. 748⁶. 751²·³, 1. 2
παλύνω 733⁴; – τι c. dat. II
153⁵
Παλῶδες 121⁴
πᾶμα böot. 82⁵. 414³
Παμβοιώτια 80³
Παμβοιωτοί 80³
πάμε σπίτι ngr. II 68⁷
παμπάζουσιν (= παππ-) 231⁷
πάμπαν hom. 421, 1. II 623⁵.
700²; τὸ – II 416²
Παμπειρίχω böot. 283⁵
παμπήδην att. 301⁷. 620⁵.
626³
παμπησία 301⁷
πάμπρωτος [so] 437²
παμφαίνω 647². 694, 4
παμφαλάω 647²
παμφανάω 694, 4; -νόωσα
647²
πάμφι 622⁴. 624⁵, 8
Παμφυλία 89³

πᾱμωχέω dor. 726⁵
παμῶχος her. 250²
παν: – τόν 585, 3
πάν dor. äol. 566,3.567².840¹
πᾶν 566, 3. 567². 580, 6. 840¹.
II 369⁴; ἐς τὸ – II 460⁵
παν- in compos. 437². 567².
632⁶
Πάν 349⁵. 378³. 562, 2; Πᾱ-
νός gen. sg. 562, 2
παναγορσις ark. 285⁸. 344¹.
450⁵. 505³
Παναθήναια80³;-θηναίοιςatt.
II 158³
Παναιτώλια 80³
Παναιτωλικά 80³
Πανάκτοι, -ωι att. 549⁷
Πανάκτωι loc. II 155¹
Πάναμια (τὰ) 437²
Πάναμμος thess. 238²
Πάνᾱμος dor. 82³. 437². 518⁶
πανάπαλος 80³
πανάριον 471³
παναρκής 437⁴
πανάφιον 471³
Παναχαία 80³
Παναχαικον 80³
Παναχαιοί 77⁵. 80³
πανδαμάτωρ 80³. 340⁵
πανδαμι äol. dor. 623²
Πάνδαρος 482³
πάνδημει 437³. 623²
πάνδημος 80³. 449⁶
Πάνδῑα 80³
πανδοκεύς 477¹
Πανέλλᾱνες 78⁴
Πανέλληνες 77⁶. 80⁵
πανήγυρις 351⁷. 398². 450⁵
πανημαδόν 626⁵
πανῆμαρ 427². 437². 446².
591, 2
πανημέριοι 591, 1
πανημερόν 618⁵
πανήμερος 618⁵
πανθάνω 699⁵
πανθυμαδόν 626⁵
Πανίωνες 80³
Πανιώνιον 80³
πάννυχα II 70²
παννυχιν lesb. 464⁶
παννύχιος II 179³
πανοικεί 623², 5
πανοῦργος 437⁴. 566, 3
Πανόψια 302⁵
πάνσα thess. kret. 284⁵. 287
³·⁵. 322¹. 337⁸
[παν]σεϜδί kret. 623, 7
πανσέληνος : τῇ -ήνῳ II 158⁶
*πάνσσα 337⁸
*παντ 437⁵
πάντα τρόπον II 78²
πάντα δυνατά σοι II 624²;
πάντων ὧν γέγονε II 641¹;
τὰ πάντα II 44⁸

πανταῖ adv. dor. (her.) 384⁴.
550⁴. II 163⁵
Πανταλέων 156². 446²
παντάπᾱσι(ν) 625⁵, 7
πάνταρχος 439⁶
πανταχῆι adv. 622¹. 630⁴
πανταχόθι 630⁵
πανταχοῖ 630⁵
πανταχόσε 629², 3. 630⁵
πανταχοῦ 598³. 621⁵
παντεῖ lokr. 549⁶
πάντες acc. pl. mess. 563⁵
πάντες οὗτοι νόμοι εἰσίν II
606⁶
πάντεσι(ν) delph. ostlokr.
564³
πάντεσσι äol. delph. hom.
89⁷. 92⁵. 321⁴. 564³·⁴
πάντη 201¹. 550³. 618⁶
πάντη πάντως II 704³; πάν-
τως καὶ πάντη II 704³
Πάντηρ 204⁵
παντιβόλος 446⁴
παντίβολος 448³
*πάντjα 284⁵. 287⁵. 322¹.
337⁸
παντο- 437⁴
παντοδαπός 604, 1
παντοῖος 609, 5
πάντοις nwgr. (ätol.) 92³·⁵.
564⁸
πάντοσε ion. att. 629²
πάντοτε 629²
παντοῦ Koine, ngr. 630⁵
*παντφι 624, 8
παντώνια äol. 609, 5
πάντως 624²; – καὶ πάντη II
704³
παντῶς dor. 384⁴. 618, 4
πάνυ 566, 3. 611⁴. 624⁵, 8. II
415⁷. 555³. 576⁴. 628⁴. 697⁶;
οἱ πάνυ II 415⁸; πάνυ γε II
561³
Πανύασσις 60⁶
ΠανυαΤιος 318⁴
πάνυσσα 475⁵
πάξ 620⁵·⁶. II 602¹
παξαμάδιον 461⁶
παξαμᾶς 461⁶
παξιμάδι ngr. 461⁶
πάομαι 676²
παπαῖ 291⁴. II 600⁴, 3
παπαππαπαππαπαππαπαῖ II
600, 3
πάππα 315⁵. 422⁷. 558⁶. II
31³. 61⁷. 411⁶
παππάζω 734⁵; -ειν μιν ποτὶ
γούνασι II 513²
πάππος 315⁵. 423¹
παππῷος II 177⁵
παπταίνω 647⁴; – πρὸς πέ-
τρην II 510⁴
παπυλιών 488¹
πάπυρος 585³
13 H. d. A. II, 1, 3

παρ 82⁴. 259⁸
πάρ praep. II 423³. 491⁶, 9.
492¹. 493⁴·⁶. 494¹·²·⁴·⁵·⁸. 495
²⁻⁴·⁶⁻⁸. 508⁵; –ἄμαρ II 495⁴;
– δύναμιν II 497¹; – Ϝέτος
496⁵
πάρ el. (= περί) II 499⁵
παρ' praep. II 491⁶. 492¹; –
αἶσαν II 497²; – ἐμέ II 497⁴;
– ἔμοιγε καὶ ἄλλοι, οἵ II 623³;
παρ' ἐξ II 428⁶; παρ' ὀλίγον
ποιεῖσθαί τινα II 496²; s.
παρά
παρά 551¹. 622⁵. II 68³. 82².
99⁸. 268¹. 418¹·². 419⁴. 421
⁶·⁷. 425⁵. 427³·⁴. 432⁵. 433³.
435⁶. 491⁶–498. 542³; ngr.
623¹. II 492³; παρά c. gen.
II 237⁵; – τρίχα II 496, 1;
– πόδας 625, 8; – πολύ II
496⁷
παρα- compos. II 429⁴
πάρα praep. 387⁸. 388¹. II
419⁶. 423³·⁴·⁵. 425³. 427⁵·⁶.
491⁶
πάρα (= πάρεστι, -εισι) II
492³. 623³, 3
παραβαίνω II 493²; s. παρ-
βαίνω
παράβακτρος II 498⁶
παράβακχος II 498⁶
παραβάλλεσθαι παρὰ τὸν ἔλεγ-
χον II 496³
παραβάλλω II 493³
παραβασιλεύω II 493³
παραβάτης II 493²
παραβλέπω II 493³
παραβλῶπες 425¹
παραβολή II 493³
παραβώμιος II 498⁵
παραγαύδιον 154⁶
παραγγέλλω ἵνα II 384³; -ει
εἰς τὰ ὅπλα II 708, 1
παραγγέλλων nom. abs. II
404¹
παράγειος II 498⁵
παραγενόμενοι (οἱ, οἵ) II 643⁵
παραγίγνομαι; s. παρεγενήθην
παραγιγνώσκω II 493²
παραγναθίς II 498⁵
παραγράφεσθαι πάρ τινος II
498²
παράγυμνος II 492⁵
παράγω (-ειν) 189⁴. II 493³;
παρῆγε 189⁴; παράγειν ἐκεῖ-
θεν 627, 3; – παρὰ τὴν θά-
λασσαν II 495³
παραγώνιος II 498⁵
παραδαρθάνω II 493¹
παραδείκνυμι II 493³
παράδεισος 68⁶. 193³
παραδέχομαι II 493²
παραδίδοσθαι II 273⁴; s.
παρεδέδοντο

παραδίδωμι II 493²
παράδοξος II 498⁶
παραδοτέα ἐστι II 606³
παραδοῦναι II 362⁸
παραδρώωσι II 493¹
παραθαλασσίδιος 467². II
498⁵
παραθαλάσσιος II 498⁵
παραθείμην κεν II 328³
*παραθενος II 31, 3
παράθεσις (term.) 607, 1;
ngr. II 613, 1
παράθετα 428¹
παραθέω II 493²
παραθεωρέω II 493³
παραθύρα II 492⁴
παραί 448⁶. 548³. 622⁵. II
492¹, 1
παραιβασία II 493²
Παραιβάτας II 492, 1
παραιβάτης 239⁵; -άται II
492, 1
παραιβόλος II 492, 1
παραινεῖν c. dat. II 145⁴
παραινώιην hell. 796³
παραιρεῖσθαι II 711⁸
παραίσιος II 498⁶
παραιτέω II 493²
παραίτιος II 492⁴
παραιτῶ ngr. II 235⁶
παραίφασις II 357³. 492, 1
παρακάββαλον II 429¹
παρακαθεύδω II 421, 4
παρακαίριος II 498⁶
παράκαιρος II 498⁶
παρακαλεῖν ὑπὲρ τούτου II
521⁸; s. παρεκαλουσαν
παρακαλεσευντι kalymn. 786⁵
παρακαλεῦντον imper. rhod.
803³
παρακαταβάλλειν τινὰ κλή-
ρου II 131²
παρακάτω 633², 3
παράκειμαι II 493¹; -κείμενος
II 249¹, 1; παρακεῖσθαι
775, 9
παρακελεύεσθαι c. dat. II
145⁴
παρακέλευσις c. dat. II 145⁴
παρακελευστός 773⁴
παρακλείδιον II 492, 7
παρακλιδόν 507³. 626³
παρακμάζω II 493, 2
παρακοίτης 452¹, 2. II 493¹
παράκοιτις II 493¹
παρακολουθέω II 493²
παράκομος II 492⁴
παρακούω II 493²
παράκτιος II 498⁵
παρακυμάτιος II 492⁴
παραλαμβάνεσθαι II 240³
παραλαμβάνω (-ειν) II 493²;
– τινὰ σύνδειπνον II 83⁷; –
τι ἀντὶ χρημάτων II 443²; –

ἀπό τινος II 446⁴; s. παρέλαβον
παράλασσις 506³
παραλειφθῆναι (τοῦ) II 372⁵
παραλείψω II 293¹
παράλευκος II 492⁵
πιράλιμνος II 498⁵
παράλιος II 498⁵
παραλλάξ 620⁵
παραλλάσσω II 493²
παράλληλος 446, 8
παράλογος 436⁶. II 498⁶
πάραλος II 498⁵
παράλυπρος II 492⁵
παραμείβομαι II 493²
παραμείναισαν 666¹, 2
παραμεινάντεσσι böot. 564³
παραμελῶ τι c. gen. II 109⁴;
  -εῖν ὑπὸ τῆς συμφορῆς II 528⁷
παραμένοιν lokr. 665¹
παραμένω II 493¹; – πρός
  τινα II 510⁴
παραμεύσεται II 493²
παραμήκης II 498⁶
παραμιλλάομαι II 493²
παράμουσος II 498⁶
παραναγιγνώσκω II 493³
παρανεάτη II 492⁴
παρανενόμηκα 766¹
παρανήξομαι II 352¹
παρανήτη II 492⁴
παρανομέω 766¹; παρενόμησα 656¹
παράνομος 386⁵
πάραντα 632⁷⁻⁸. II 493⁵
παράξενος II 492, 7
παράξιος II 492⁵
παραξοφαίνεται ngr. 440, 4
παράπαν 386⁵. 625⁴. 632⁴.
  II 420⁴. 493, 1
παραπείθω II 493³
παραπέσουσιν 666, 8
ποραπετάσματα II 619¹
παραπηδάω II 493²
παραπιτνῶσι sam. 695³
παραπλάσσω II 493³
παραπλέω II 493²
παραπληρωματικοὶ σύνδεσμοι
  (term.) II 556, 2
παραπλήσιος II 97⁵.161⁴.492⁵
παραπόρφυρος 435⁴. II 492⁴
παραποτάμιος II 498⁵
παραπράσσω II 493³
παραπρεσβεύω II 493³
παράρρυθμος II 498⁶
παραρτάω 705⁵
παράσειρος II 498⁵
παρασημεῖα II 492, 7
παράσημος II 492, 7
παράσιτος II 498⁵
παρασκυάζων delph. 198⁵
παρασκευάζομαι (-εσθαι) II
  230⁶. 299¹·³; – τι ἐμαυτῷ II
  236⁴; – πλοῖα II 231²

παρασκευάζω II 230⁶; -ειν
  αὐτῷ τὸν β. II 235⁷; -ειν
  ἑαυτόν II 235⁷
παρασκευαστής ἐπιθυμιῶν II
  614⁸
παρασκευαστικός II 181⁵
παρασκευή 165³
παρασπάς 507⁴
παρασπονδημένος 656⁷
παράσπονδος II 498⁶
παράσσων II 493¹
παράστᾱ imper. ion. att.
  799³
παρασταῖεν Od. 794³
παραστάναι 652³
παραστανέτω 698³
παραστάς 507⁴
παραστείχω c. dat. II 140¹
παράστραβος II 492⁵
παρασύνθετα (term.) 428¹
πάρασχε 390⁸
παρασχεῖν II 363⁸
παρασχῖναι infin. 808²
παράσχοιμεν 796³
παρασχόν II 402²; abs. II
  621³
παρατατικός: – χρόνος II
  ↳491¹·³, 1; – παρῳχημένος II
  249²
παρατάττω II 431⁵
παραταυτότης II 492⁵
παρατείνειν ἐπί τι II 472⁵
παρατεκταίνω II 493³
παρατελευταῖος II 492⁵
παρατίθεσθαι τράπεζαν II
  232²
παρατίθημι II 493¹
παρατίθεμαι 841⁷
παρατρέπω II 493²
παρατρέχω II 493²
παρατυγχάνων (ὁ) II 279²
παρατυχόν II 402¹
παραύα äol. 349⁴
παραυδάω II 493³
*παραῦσᾶ 349⁴
παραυτά 625³. II 592⁵–593¹
πάραυτα 625⁴
παραυτεῖ kret. 549⁶. II 493¹
παραυτίκα II 427⁷. 492⁵
παραυτόθεν II 493¹
παραυτόθι 551, 6
παράφερνα II 492⁴
παράφημι II 493³
παραφθαίηισι Ilias 793, 3
παράφρων II 498⁶
παραχρῆμα 625⁵, 8. II 491, 9.
  493¹, 1
παραχωρεῖν c.dat. II 141⁴·⁷⁻⁸;
  – ὁδῶν II 91⁵; παραχωρῆσαι
  τῆς ἐλευθερίας II 92¹
παραχώρησις II 688, 1
παρβάδαν II 492, 0
παρβαίνοιαν el. 663, 9
παρβαίνω II 491, 9

παρβεῶντας ther. 676, 1
παργεγενημινος ark. 275⁴
παργινύωνθη böot. 672⁴. 698¹
πάρδαλις 462⁶
πάρδειχμα epid. 523⁷
παρδήσομαι 763⁴
παρεγγύς Aristot. 633²
πάρεγγυς II 493¹
παρεγενήθην προσκυνῶν II
  296⁷
παρέβασκε 707, 2
παρεδέδοντο II 288⁸
παρέδραμον II 431⁴
παρειά (hom.) 258². 349⁴. II
  42³
παρεῖαν böot. (= -ῆαν) 665².
  676f. 677²·³. 746¹
παρείας 461³
παρείλκυκε hell. 653, 5
πάρειμι καὶ ἐγὼ καὶ οὗτος II
  612⁵
*παρεῖν 362⁷
παρεῖναι II 299². 350⁶. 434¹.
  493¹; – c. dat. II 144⁸; –
  4μάχῃ II 170²; – ἐς Σάρδις
  II 434²; – κατ' ὄμματα II
  477³
παρεῖς böot. 677²
παρέκ II 541³; – νόον II
  429⁸; – – ἤγαγεν II 429²;
  s. παρέξ
παρεκαλουσαν 666²
παρεκεῖ H. 633². II 428¹
παρεκέσκετ(ο) hom. (Od.)
  652, 3. 679². 711⁴
παρεκπρο- II 505⁵
παρεκπροφυγεῖν II 429²
παρεκπροφύγησιν II 428⁴.
  430¹
παρεκτός 633². II 492⁵.
  541²·⁴
παρεκφυγεῖν II 269¹
παρέλαβον τὴν ἀρχήν II 261³
παρεληλυθὼς χρόνος II 248⁸.
  249¹
παρεκύω; s. παρείλκυκε
παρεμβολή II 705, 1
παρεμπολῶντος γάμους II
  400²
παρέμπτωσις II 705, 1
παρενεισαγωγή II 429⁶
παρένθες 651³
παρένθεσις II 705, 1
παρενόμησα 656²
παρεντίθημι; s. παρένθες
παρέντων Alkm. 678²
παρέξ II 428⁵·⁶. 429⁸. 492⁵.
  541²⁻⁴, 1
πάρεξ II 428⁶. 541²
παρεξ- II 430²
παρεξελάαν II 429². 430¹
παρεξελθεῖν II 429². 430¹
παρέξηι conj. hell. 764, 2
παρεξίμεν II 430¹

πάρεξις II 357²
παρέξω II 292²
παρεόν II 402¹
παρέπαινος II 492⁵
παρέπεισεν Ilias 755¹
παρέπλαγξεν Κυθήρων II 92¹
πάρεργον n. II 492⁴
πάρεργος II 492⁴
παρέρχομαι (-εσθαι) II 272³.
  493², 2; s. παρεληλυθώς
παρεσκεύαστο II 288⁶
παρεστινόσ 148⁸
παρέστιος II 498⁵
πάρεστον II 609⁷
παρέσχον 651³
παρετάξωνσι ark. 737⁷
παρετύγχανε 699⁶
παρευδοκιμέω II 493⁶
πάρευνος II 492³
παρεύντων knid. 678¹
παρέχει (sc. τὰ πράγματα) II
  621³
παρέχεσθαί τι πρός τινα II
  511³
παρέχοιν 3.pl.delph.660¹.665¹
παρέχον acc. abs. II 401⁷.
  402¹. 621³
παρέχω (-ειν) II 277². 493²;
  – τινί τι II 151⁴; – εὐθυ-
  μίας ἐπί τινι II 467¹; – τινὶ
  ἐνδεεστέρως ἢ πρὸς τὴν ἐξου-
  σίαν II 511³; – χρήματα
  πρὸς τὸν βάρβαρον II 512⁵;
  παρέχει (sc. τὰ πράγματα)
  II 621³; s. παρασχ-
παρεών II 297⁴
πάρηεδρος 72³; -οι att. 219²
παρηεταξαμένος ark. 219².
  II 403¹
*παρηά hom. 349⁴
παρηβάω II 493, 2
παρῆγε 189⁴
παρηγορέω -έομαι II 232⁴
παρήιον hom. 349⁴·⁵. 470³
παρηΐς 465²
παρήκειν II 377²
παρῆλιξ II 492⁵
παρήλιος II 492⁵
πάρημαι [so] II 493¹
παρήμερος II 498⁶
παρῆν II 422⁶
παρήορος ion. 246⁴
παρήρτητο 655⁶
παρθένα ngr. 458¹. II 32, 4
παρθένη II 32, 4
παρθενήιος II 177⁶
παρθενική hom. 497⁵, 8. II 28²
Παρθενιν kret. 464⁶
παρθένιος 467, 3
παρθενοπῖπα voc. hom. 350⁵.
  560⁵. 648³
παρθένος 297⁸. 833⁴. II 31, 3.
  176⁴. 491, 9; θυγάτηρ – II
  614⁷; – ἠΐθεός τε II 615, 4

13*

παρθενών 488²
πάρθετο 746, 10
Παρθικός 155²
παρθυσᾶται conj. kret. 792³
παριέναι II 279⁴. 364⁸. 493²;
  – βίᾳ II 162⁷; – ἐς τὸν
  δῆμον II 459³; – παρὰ τὴν
  Β. II 495⁴
pariki (= πάροικοι) 196, 1
παρικότων (τῶν) altion. 685⁴.
  768²
παρικτόν 685⁴
Πάριος λίθος II 37, 6
Πάρις 462⁶. 464⁴. 637⁶
(παρίσκεσις delph.) 708, 4
πάρισος II 492⁵
παρίσταο 668²
παρίστασαι 668⁵
παρίστασο imper. 668⁵
παρίστᾱται indic. 687, 1
παρίστηται 687, 1
παρίσχαιεν kret. 796, 2
παρίσωσις II 702⁶
παριτητέα II 410³
παριὼν κατ' Ἀβραδάταν II
  477¹
παρκατέλεκτο II 429²
Παρμενίδης 509⁶
Παρμενίσκος II 491, 9
παρμένω πάρ τινα II 495⁷
Παρμένων 509⁶, 4. 636⁴. II
  491, 9
Πάρμις 636⁴
Παρμονίδης II 491, 9
Παρνᾱσσός 61¹. II 33, 2
Πάρνης m. f. 510⁶. II 33, 2
Παρνηφός 395⁴
πάρνοψ att. 299¹. 426, 4
παροδῖτες acc. pl. 586⁵
*παροι II 492, 6
πάροιθα II 492, 6
πάροιθε II 492, 6
πάροιθεν 628². II 492, 6
πάροικος II 492³
παροιμία 161¹. II 498⁵
πάροινος II 498⁵
παροινῶ: ἐπαρώινησα 656⁴
παροίξας τῆς θύρας II 102⁶
παροίτατος II 492, 6
παροίτερος 534⁴. II 492, 6
παροιτέρω 628²
παροίχομαι II 493²
παρόν acc. abs. II 401⁷;
  ἐπὶ τοῦ παρόντος II 470⁸;
  ἐπὶ τῷ παρόντι II 468⁵
παροξύνειν ξὺν κατηγορίᾳ II
  490⁶
παροράω II 493²
πάρορνις II 492³
πάρος 342⁴. 387⁸. 622⁵. II
  273⁸. 274¹·². 287⁷. 297, 1.
  361². 492¹. 509¹. 541⁵, 4.
  637⁶. 654¹. 656⁵⁻⁸ f.; c. infin.
  II 361²; τὸ – II 70². 274¹·³

παρουάτιος II 498⁵
Παρράσιον 307⁶
παρρησία 159⁷. 469²
παρσένε 205³
πάρσκεσις delph. 708, 4
*παρστάς 336²
*παρστάτας 336²
παρστῆτε hom. 336⁴
παρτάς 336²·³; παρτάδες 507⁴
πάρφασις II 357³. 492, 1
παρωιδός 379⁶
παρῴχωκεν Ilias 774³
παρώμαλος II 492⁵
παρών II 388⁵
παρώνυμος II 498⁵
παρωτίς II 498⁵
πάρωχρος II 492⁵
πᾶς ion. att. 85⁷. 301⁷. 378¹.
  379⁸. 526¹. 566³, 3. 587, 1.
  II 180³. 182⁶. 336²; bei
  2. sg. imper. II 245⁸; πᾶς
  τις c. imper. II 215¹
πᾶσα 72⁴. 287⁵. 322¹; – κε-
  κριμένα II 179⁷; πᾶσαν ὀρ-
  γάν II 78²
πάσασθαι: – σίτου II 103²
πάσασθαι dor. 301⁷. 620⁴.
  752²
πασέου (μέρους) mgr. 114³
ΠᾱσιάδᾱϜο Gela 560, 8
πασιμέλουσα 446². 526¹
πᾱσις 505⁵
πᾱσίφιλος 446³
πάσκω el. 205⁶. 708³
Πάσνης 312³
πάσομαι 709¹; -ονται conj.
  kret. 790⁴
πασπαλέτης 831²
πασπάλη 260⁸. 334³. 423⁴
πασπέρμη 494³
πασσ- 755¹
πασσακί 398⁸. 623², 6
πασσαλεύω τι c. dat. II 151³
πάσσαλος 319³. 333². 483⁶, 8.
  521³
πασσαλόφι gen. böot. H.
  551, 1
πάσσαξ lak. 497²
Πάσσας 637⁶
πάσσασθαι 773²; s. πάσα-
  σθαι, πατέομαι
πασσυδεί 623², 7
πασσυδί 626³
πασσυδίην 398⁸
*πάσσχω 337⁸
πάσσω ion. (hom.) 320⁷.
  715¹, 2; – c. gen. II 111⁵;
  πάσσε δ' ἁλός II 102⁶
πάσσων 319⁴. 536⁵. 538³
παστάς ion. delph. 336²·³.
  507⁴. II 491, 10
παστάτας delph. 336²
πάσχα 124¹. 585²; πάσχατι
  dat. sg. 585²

πάσχειν (τοῦ) II 360⁸
πασχητιάω 732³
πάσχω (-ειν) 321⁸. 337⁸.
707⁴. 708³. 747⁶. 781⁴.
787². II 240³. 348⁶. 370².
377⁶·⁷. 381⁵; – πάθος II
75⁴; – πήματα II 75²; – τι
μετά τινος II 485¹; – τι πρός
τινος II 514⁷; – τι ὑπό τινος
II 529⁵; – δεινά (δίκαια,
κακά) ὑπό τινος II 529³.
227¹·²; – ἄλγεα ἀμφί τινι
II 438⁵; – κακὸν διά τινα II
453⁶; – – διά τι II 454¹; –
τι πρὸς τὰ παιδικά II 512²; –
κακῶς ὑπό τινος II 529²;
– ὑπ' Ἄρηος παλαμάων II
528²; s. ἔπαθον, πείσομαι
πάσω 715¹
πατάατες ngr. 180⁸
πατάγεσκε Alk. 711⁴, 2
πατάνεψις 450⁵
πατάνη 489⁶
πάταξ 498²
πατάξ 620⁶
πατάξαι: τὸ μὴ – II 380³
πατάρα lokr. 274⁶·⁷
πατάσσω 716². 725⁴; – ἔν
τινι II 458⁵; s. ἐπάταξα
Πατελλοχάρων 526²
πατέομαι 703². 705⁶. 773²;
-έονται τῶν κρεῶν II 103²;
s. πάσασθαι
πάτερ voc. sg. 408⁸. 567⁵. II
59⁶; s. πατήρ
πατέρα acc. sg. 339¹. 343⁴.
358⁴. 553³
πατέρα voc. sg. ngr. 586¹.
II 59, 2
πατέρας acc. pl. 552, 3.
567⁵·⁶
πατέρας nom. sg. ngr. 586¹. II
38³
πατέρες 567⁴·⁵, 4. II 51⁴, 5
πατερεύω ion. 568⁷
πατέρι hom. 548⁵. 567⁵
πατερίζω att. 568⁷. 736¹
πατέριον Lukian 471¹. 568⁷
πατέρος 552⁴. 567⁵
πατέρων gen. pl. 567⁶
πατέω 705⁶. 726³
πατήρ 72⁴. 291¹. 339¹. 340⁵.
353⁶. 355⁵. 356⁵. 357³. 358⁴.
380⁷. 381². 423¹. 486². 530⁴.
552⁴·⁵. 553³. 567⁵. II 31³;
πατὴρ ἀνδρῶν II 118⁸. 135³;
– Ζεύς II 615³; – Πηλεύς
II 615⁴; πάτερ Λυκάμβα II
615³; – ἡμῶν 389⁴; – ὦ
ξεῖνε II 61⁵, 3; s. πάτερ,
πατερ-, πατρ-
Πάτνος spätgr. 215⁸
πάτος 457⁵. 458³. 726³
πατρ- 440²

πάτρᾱ 461¹
πατράδελφος 428⁶
πατραλοίας 451⁵
πατράσι 342². 358⁴. 552⁴.
553³. 567⁴·⁶, 5
*πατρασί 567, 5
πάτρη hom. 106³
πατρί 567⁵, 3
πατριάζω 736⁴
πατρίδα f. ngr. 586⁴
πατρίδαν 563³
πατρική II 45³
πάτριος 458, 1. 466². 467⁴.
479, 9; πατρία ὅσσα II 177¹
πατρίς 465²·³
πατριώτης 500⁵, 6
πατρο- hom. 440, 2
πατρόθεν 628³. II 171⁸
πατροία lesb. 275³
πατροκτόνος 383⁶. 429⁷. II 39⁶
πατρόκτονος 383⁶. 429⁷
*πατροκτονός 379⁵
πατροκτόνου 429⁷
πατρός 358⁴. 381². 552⁴
πατρούεος thess. 275²
πατροφονεύς II 704⁵; -φονῆα
105⁵
πατροφόντης 426⁵
πατρωανς acc. sg. 563⁴
πατρώιζω spät 736⁴
πατρώιος, -ῶιος 200⁵. 479⁶
πατρῶν gen. pl. Od. 567⁵·⁶
πάτρως 479⁶. 480¹·²
πάτταλος 319³
πάττω att. 320⁷. 321²
παῦ 392³. 798, 10. 799¹
παῦε 73². 797, 5. 799¹. II
223². 224⁷. 228²·³. 254⁸
πανθη- 760¹
παυις (= παῖς) 578⁴
παῦλα 483⁴
Παῦλλος 638²
παύομαι II 92⁴. 229⁵.
234¹. 307⁶; παύσομαι 783⁵;
παύσεσθαι II 376⁵; ὡς παυ-
σομένους II 402⁷; παύομαι
νηπιαχεύων II 393²; παύε-
σθαι γόους πρὸ τοῦ θανεῖν II
507⁵; s. ἐπέπαυντο, ἐπε-
παύατο, παῦσαι, παύω
παῦος (= παῖς) 578⁴
παυράκις 598¹
παυρίδιος 467²
παῦρος 347⁶. 481⁶; παυρό-
τεροι πολύ II 87⁶
παῦς m. f. altatt. 575². 578⁴
παῦσαι imper. 396²; – λέ-
γουσα II 393²
Παυσανία gen. sg. hell. 561²
Παυσανίω ion. 252⁴
παυσωλή 484⁴
*Παύσων 349⁵
παύω 686⁴, 6. II 92⁵. 229⁵.
234¹. 283⁵. 396³; παύσω

782³; παύση(ι)σι conj. 661⁷;
παύσωμεν conj. 791²; παύ-
σειεν II 638³; παύω τινά
c. ptc. II 394²; – – λέγοντα
II 386⁷; – – ἀριστεύοντα II
394²; – τι γιγνόμενον; s.
παῦε, παύομαι
pavo ngr. 197²
Παφλαγόνες 487²
παφλάζω 647⁴
παφῶν· κτείνας H. 749¹
πάχετος n. 501³, 3. 512⁶
πάχμα (τὰ) ngr. 516, 1
παχίων 538⁴
*παχjων 536⁵
παχνοῦται Ilias 731⁷
πάχος II 86¹; s. πάχμα
πάχυαῖος 200³
παχυλῶς 485². 618⁵
παχύς 261⁴. 463¹. 538⁴
πάω: θὰ πὰ νὰ γράφω ngr. 813,
2; πάμε σπίτι II 68⁷
Πάων ark. 349⁵. 487¹
παώταρ 500⁵
πε (πὲ) äol. ark. (= πεδά)
832⁵. II 498⁶, 3; – τοῖς
Fοικιάται(ς) ark. 561, 4. II
484, 2. 498, 3; πε [τὸ δι]-
καστήριον II 498, 3
πέ 2. sg. imper. ngr. 800³
πε- pron. 615⁶
[πε͂] πεῖ 141, 6
πεγάδ ngr. (pont.) 186⁵
πεδ' II 498⁶
πεδά 82⁵. 424¹. 622⁶. II
482². 498⁶-499
πεδάFοικος arg. 223⁵. II
482³
pedaiki ngr. 273⁴
πεδαίρω II 482, 6
πεδαίχμιοι λαμπάδες II 487¹
πεδαμάραν kret. 401⁵
Πεδανγελίς böot. II 482, 2
πεδάορος 198⁷
πεδάορος lesb. 245⁵. II 482, 6
πεδαρτᾶν II 499, 3
πεδαρτάσεις II 499, 3
πεδάω 725⁶
πέδε pamph. 89². 210³. 214².
590⁴; s. πένδε
pede ngr. (dial.) 214³
Πεδε(σί)στρατος lak. II 499,
3
πέδευρα lak. 632²
πεδέχ(εν) kyren. II 499, 2
πεδέχην äol. II 103⁷. 482⁵
*πεδFλυτρον 323³. 398⁷
*πεδιFλον 439, 6
πεδίλοιο 426³. 439, 6. 690³
πεδίον 470⁴; πεδίοιο, -ίου II
112⁴; πεδίον δε hom. 624⁶
*-πεδjα 330²
*πεδjός 472¹
πεδόθεν Od. 628, 2

πέδοι att. 549[6]
πέδον 358[3]. 458[5]
πεδόσε II 171[5]
Πεδώ 636[4]
πέζα 474[2]
-πεζα 424[1]
πεζῆι, -ῇ adv. 622[1]. II 163[5]
πέζις 462[6]
πεζομαχίαιν II 49, 4
πεζός 330[2]. 341[5]. 472[1]. II 499[2]
πεθαίνω ngr. 701[4]; -ει τῆς πείνας II 136[4]
πεθαμένος ngr. 779[4]. II 410[7]
ΠΕΙ imper. altatt. 804[2]
πεῖ [pę̄] 140[3·4]. 141, 6
πεῖ adv. dor. 295[6]. 549[6]. 616[6]. 622[2]
Πεῖα 828[6]
Πείαλος gen. sg. 484[6]
Πειηιπ(π)ίς lak. 93[5]
πειθανάγκη 441[1]
πειθαρχέω 730[7]; -εῖν c. gen. II 95[5]
πειθοῖ voc. sg. 572, 5. II 59[6]
πείθομαι 747[4]. 755[2]. 842[4]. II 227[8]. 234[1]. 279[5]; πείθεται 765[5]; πείθομαι c. gen. II 95[4]; – c. dat. II 145[2]; s. ἐπειθόμην, ἐπιθόμην
πειθός 458[5]. 727[2]
πείθω 74[3]. 261[4]. 297[4]. 346[8]. 684[6]. 748[6]. 755[2]. 775[2]. 842[4]. II 170[3]. 227[8]. 234[1]. 259[4·5-8]. 270[6]. 276[5]. 277[7]. 278[1·2]. 279[5]; – τινά II 72[3]; – θυμόν c. dat. II 148[4]; – πέμψειν II 295[7]; s. ἔπειθον, ἔπεισα, ἐπέπιθον, ἐπεποίθεα πειθώ 356[6]. 478[4]; – πρὸς ἀνδρός II 514[8]; s. πειθοῖ
πείκειν Hes. 704, 6
πείκετε Od. 704, 6
πεικόν 458[5]
Πείκῶν att. 684[7]
Πειλεστροτίδας böot. 300[2]
πεῖν 194[2]; εἰς – II 366[1]
πείνασα ngr. II 282[5]
*πεινάσω praes. 724[4]
πεινάω 724[4]
πείνη 476[4]
πεινῆν (τὸ) II 369, 5
πεινῶ c. gen. II 105[4]
πεινῶν II 182[5]
πεῖον: s. τεῖον
πείπτω 648[3]
πεῖρα 72[4]. 283[5]. 456[4]. 474[4], 2. II 31[2]; πεῖραν λαβεῖν II 368[2]; – περὶ θανάτου II 502[6]
πείρᾱ imper. 799[1]
πειράζω 734[5]
πειράθητι Plat. 760, 6

Πειραιᾶ 127[8]
Πειραιέα 252[5]
Πειραιέως 252[2]
Πειραϊκός 266[2]
πειραίνω 724[6]
Πειραιοῖ 549[7]
Πείρανθος 526[5]
πειράομαί (-ῶμαί) τινος II 105[3]; – c. acc. II 105[4]; – c. dat. 161[3]; – μετά τινος II 484[5]; – ἀντιούμενος II 393[1]
πεῖραρ 519[6]
πεῖρας 514[5], 8. 519[6]. 838[8]
Πείρας 526[5]
πειρᾶσθαι II 161[2]. 232[7]. 259[3]. 307[6]. 381[5]
πειρασοῦμαι Archim. 786[6]
πειρατέον II 409[7]. 410[3]
πειράω (-ᾶν) 726[1]. II 232[7]. 381[7]; – τινός II 105[3]; – c. acc. II 105[4]. – πᾶσαν ἰδέαν II 78[2]
πειρήθη 761[1]; πειρηθῆναι σὺν ἔντεσι II 489[5]
Πειρήνη 189[7]
πειρήσατο 760[7]
πειρητίζω 706[4]; – τινός II 105[3]
Πειρίθοος hom. 274[2]
πείρινθος 510[6].
πείρινς ion. att. 287[3]
πείρω 715[5]. 759[6]; – ἀμφ' ὀβελοῖσιν II 438[3]
πεῖσαι (= τεῖσαι) äol. thess. 72[3]. 75[6]. 300[1]
πείσας: ὡς – II 391[7]
πείσει kypr. 88[5]. 295[7]. 300[5]; äol. 88[5]; pe · i · se · i 194[3]
πείσειε Od. 755[2]
πείσεσθαι (πείθομαι) II 295[6]. 364[1]. 375[5]
πείσηι hom. 516[5]
Πεισήνωρ 755[2]
πείσθητι 760, 6
Πεισιδίκα lesb. 300[1]
πεῖσις 504[5]. 505[4]
πεῖσμα 287[6]. 524[1]
πεῖσμα ngr. 524, 1
πεισμονή 524[5]
πείσομαι (πείθομαι) att. 755[3]
πείσομαι (πάσχω) 295[6]. 322[1]. 781[4]. 787[2]. II 226[7]. 265[4]; – τι ἔκ τινος II 463[7]
πειστέον II 409[5]
πείσω 755[2]. 782[4]
πεκτεῖν 704, 6
πεκτέω Aristoph. 704[3],6. 706[1]
πεκτούμενον 704, 6
πέκτω 704[3]
πέκω 684[6]. 723[4]. 754[7]
πέλαγος 496[5]. 513[1]
πελάζειν hom. 695[2]
πελάζω 734[3]. 743[1]. II 548[1]; c. dat. 141[4]. 142[1·2]. 145[7-8].

146[1]; πελάσαι νεῶν II 97[5]; πελασθεῖσα Πανός II 97[6]
πελάθω 695[2]; -εις, -ει 703[4], 6
πελαιτον 503[6]. 538, 8
*πελαίω 676[4]
(*πέλαμι) 682[1]
πέλανος 489[6], 9
πελαργιδῆς acc. pl. Aristoph. 575, 2
Πελαργικόν att. 218[6]; τὸ – τὸ ὑπὸ τὴν ἀκρ. II 531[5]
Πελάρης 519[4]
πέλας 360[3]. 516[3]. 620[4]. II 435[3]. 542[3], 2. 547[6·7]. 548[3·4]; c. dat. II 142[3]. 534[2]; c. gen. et dat. II 435[3]; – τῶν κακῶν, – τῆς Κ. II 97[5]; ὁ πέλας II 42[1]
πελασθη- 761[4]
πελάσαι 360[3]
πελάσσω fut. 785[4]
πελάστατος II 548[1]
πελαστάτω 548[3]. II 548[1]
πέλε ipf. 651[6]. 747[2]
πελέα epid. 325[4]
πέλεθος att. 334[2]
πέλεια 474[1]
πελειάς 508[3]
πελεκᾶν 487[5]
πελεκᾶς 526[3]
πελέκεσσι hom. 564[4]. 571[3]
*πελεκϜάω 314[6]
πελεκκάω 227[5]. 301[7]. 314[6]. 317[1]. 730[7]. 731[5]
πέλεκκον 460[7]. 472[5]
πέλεκυς 293[2]. 463[4]. 832[2]. II 29[3]
πελεκύστερον 830[7]
πελεμίζω 736[1]; -ίζεται ὑπὸ βροντῆς τινος II 528[5]; πελεμίχθη 761[2]
πελέναι infin. Parm. 808[2]
ΠΕΛΕΣ altatt. 575[6]
πελέσκεο Ilias 711[1]
*πελϜja 323[2]
πέληται II 312[4]
πελιδνός 489[4]
Πελίης hom. 470[2]
πελιός 472[5]
*πελιστερά 258[8]
πελιστέρι ngr. (dial.) 258[8]
πέλλα 279[4]. 285[5]. 323[2]. 474[4]
Πέλλᾱνα 476[2]
Πελλαυρυις pamph. 414[1]
πέλλυτρον 323[3]. 398[7]. 426[3]. 439[5]
πέλομαι äol. (hom.) 300[3]. 684[3]. 780, 5. II 229[1]. 232[7]. 624[4]; – ἄριστος μετά τινας II 483[5]; s.ἔπλεο,ἔπλετο,πέλω
*Πέλοπες 80[2·3]. 824[7]
Πελοπίς II 31[2]
Πελοπόννᾱσος 80[2]. 280[2]. 386[5]
Πελοπόννησος 427[2]. 446[1]

*Πελόπων νᾶσος 386⁵
πελός ngr. 87⁴
Πελσῶν 213²
πέλτη: ἡ – ΙΙ 42²
πέλυκυς 830⁴
πέλω (-ειν) 684².³. 780,
  5. 841⁶⁻⁷. ΙΙ 232⁷. 273⁴.
  624⁴; πέλε ipf. 651⁶. 747²
πελῶ fut. 784⁶
πέλωρ hom. 106². 300³. 519⁴
Πέλωρ: ὁ – ΙΙ 37⁵
πελώριος 519⁴
πέλωρος 519⁴
πεμπάζομαι hom. 590⁴; -εσθαι
  587⁴
πεμπάσσεται fut. hom. (Od.)
  734³, 4. 785⁴
πεμπάζω att. (Aesch.) 294⁵.
  590⁴. 734³, 4
πεμπάκι lak. 590⁴. 597, 11
πεμπάμερος kypr. 590⁴
πεμπάς att. (Plat.) 590⁴. 597²
πεμπᾶτος ngr. ΙΙ 174, 1
πέμπε äol. 81⁴. 300¹. 309⁴.
  590⁴, 5
πεμπεκαιδέκοτος äol. 596³
πέμπομαι (-εσθαι) ΙΙ 240³; –
  τινα ἐπί τινα ΙΙ 472⁸; – τι
  παρά τινος ΙΙ 498¹
πέμποτος ark. 590⁴. 596¹
πεμπτάκις Dio C. 597, 11
πεμπτάς f. subst. 597²
πέμπτος 295¹. 596¹
πέμπω (-ειν) 684⁴. 692⁷. ΙΙ
  271⁵. 272². 274⁴·⁷. 278².
  280². 351⁷; πέμψω ΙΙ
  291³·⁴. 292⁵; πέμψαι 261⁴;
  πέμψας 525³; πέμπω τι c.
  dat. ΙΙ 146⁶; – ἐν c. dat. ΙΙ
  461³; – ἐς διδασκάλων ΙΙ
  120⁴; – σὺν θεοῖσιν ΙΙ
  489³; – μετὰ ὄχημα ΙΙ
  486²; – τινὰ ἐπί τινι ΙΙ
  467⁴; – τί τινος ΙΙ 132³;
  – ὄνειρον ἐπί τινι ΙΙ 467, 2;
  – τινὰ σύν ΙΙ 162³⁻⁴; – – σὺν
  νηΐ ΙΙ 490⁵; – – παρά τινα
  ΙΙ 495¹; – – ὑπὸ χθονός ΙΙ
  528¹; – – ἀγγέλλοντα ΙΙ
  296⁷; – πρέσβεις ὡς βασι-
  λέα ΙΙ 533⁷; – ὡς δόμους ΙΙ
  534¹; πομπήν – ΙΙ 75³
πεμπόβολον hom. 590⁴
πέμπων gen. lesb. 590⁴
πεμφθέν c. gen. ΙΙ 119³
πεμφθέντων imper. Plat.
  802⁶
πέμφιξ 291⁴. 496⁴
πεμφρηδών 259¹. 423³
penda ngr. (kappad.) 590⁵
πενδε pamph. 210³. 214².
  590⁴; s. πεδε
pende ngr. 123⁶. 590⁴
Πενέσται 66²

πενέστερος 535²
*πενεττερος 535²
πενῆντα ngr. 260⁷. 265¹. 592³
πένης 499². 543, 1. ΙΙ 176⁴
πένησσα ΙΙ 34⁵
πένθεια 469⁵
πενθείετον Ilias 724²
πενθεῖν ΙΙ 72⁵
πενθερός 287⁶. 381⁴. 482¹, 1
Πενθεύς 295⁷
πενθέω 724²
πενθήμεναι Od. 724². 729².
  806⁵
πενθήμερον Xen. ΙΙ 40²
πενθημίγυον 599³
πενθῆσαι Ilias 724²
πένθος 295⁴·⁶. 747⁶
*πένθσμα 287⁶
*πένθσομαι 781⁴. 787²
*πένθω 287⁶
πενιχρός 498⁵
πένομαι 684³. ΙΙ 93¹; πένοντο
  δαῖτα ὑπὸ δρυΐ ΙΙ 525³⁻⁴
πένπται kret. 596¹
*πενσομαι 322¹
πεντα- compos. 437⁶. 591⁵
πεντάγραμμον 591⁵
πενταέτηρος 282¹
πενταλετηρίδα her. 219²
πεντακάτιοι dor. 590⁴
πεντακαττιδι Issa 592, 3
πεντάκις 597⁶, 11
πεντακόσιοι att. 591⁶. 593², 1
πενταμαριτεύων delph. 274⁷
πεντάμηνος 127⁸
πενταξός 598³
πεντάοζος Theophr. 590⁴
πενταπλῆ 598⁴
πενταπλήσιος Hdt. 598⁵
Πεντάπολις 591⁵
πεντάπρωτος 596, 6
πεντάς 295⁶. 590⁴. 597²
πένταχα Ilias 591⁵. 598³
πεντάχα· χείρ Η. 598³
πεντάχηι 630⁴
πέντε 295¹. 300⁴. 309⁴. 590⁴;
  s. πέδε, πένδε, πέμπε
πεντε- compos. 591⁵
πεντείκοντα böot. 592²
πεντεκαίδεκα 594²
πεντεκαιδέκατος 596³
πεντέλοιπος 591, 8
πεντέπους 591⁵
πεντετριάζομαι 589⁵
*πεντηκατ- dor. 597⁴
πεντήκοντα 592², 3; οἱ – καὶ
  εἷς 594⁵
πεντηκοντάς Soph. 597²
πεντηκοντήρ 531³. 592²
πεντηκοντόγυος Ilias 593⁶
πεντηκοντούτης 593⁶
πεντηκόντων 592²
πεντηκόσιοι Od. 593¹
πεντηκοστεύομαι 596⁴

πεντηκοστή f. subst. 596⁴
πεντηκοστήρ 531³
πεντηκοστός 596²
πεντηκοστύς spart. 597⁴
*πεντηκοτ- 597⁴
πεντῆντα ngr. 592³
πέντοζος Hes. 590⁴
πεντορκία lokr. 590⁴; -ίαν
  218, 2
πέντος amorg. gort. 337⁸.
  596¹
*πένττος 337⁸
πεντώβολον att. 590⁴
πεντώρυγος att. 590⁴
πεξ- 754⁷
πέξαιντ(ο) Theokr. 757²
πεξαμένη aor. 704, 6
πέος 251⁴. 512¹
πεπάγαισιν (-γασιν) lesb. 665⁴.
  ΙΙ 287⁵
πέπᾱγε dor. 647⁷
πεπαγοίην Eupol. 748⁸ f.
  765, 3. 795, 7
πεπαθυῖα 769²; -θυίη 541².
  ΙΙ 401⁴
πεπαίδευκα 774⁵
πεπαιδευκέναι att. 808²
πεπαιδεύμεθα 642³; πεπαί-
  δευσθε 670³
πεπαιδευμένος ὑπὸ παιδοτρί-
  βῃ ΙΙ 526¹
πεπαίνω 486⁴. 725¹. 842³
πεπαίσθω ΙΙ 343¹
πέπαισμαι ΙΙ 239⁷
πεπαίτερος 535³
πέπαιχα 772²
πεπαλαγμένος 769, 6
πέπᾱμαι dor. 414⁵. 649⁴. ΙΙ
  263⁴
πεπαρεῖν Pind. 748⁷
πεπαρεύσιμος Η. 748⁷
Πεπάρηθος 510⁶
πέπαρμαι 769⁵
πεπαρμένος: -ον ΙΙ 239³.
  408⁵; -ον ἥλοισι ΙΙ 166²; -η
  περὶ δουρί ΙΙ 501¹; –
  ἀμφ' ὀνύχεσσι ΙΙ 438³
πεπάσμην Ilias 773²
πέπασθε hom. 102¹. 343⁴.
  663². 769²
πεπάσθω 3. pl. el. 801⁶
πεπάστο el. ΙΙ 341¹
πέπᾱται conj. kret. 793¹
πέπαυσο ΙΙ 341¹
πέπαυται 770⁴
*πεπείθομεν 1. pl. conj. pf.
  748⁴. 769⁴. 790⁴
πέπεικα j.-att. 775²
πέπειρα 475¹. 543³
πεπείρανται 771⁵
πέπειρος 475, 4
πέπεισθι 800⁵
πέπεισμαι att. 773²

πέπεισται 771²
πεπείστειν infin. thess. 205⁶.
809³
πέπεμμαι 337⁸. 771²
πεπεμμένος 323²
*πεπεμμμαι 338¹
πεπερασμενάκις Aristot. 598²
πέπερι 462⁵
πέπηγα 770³. 772³. II 222, 4.
223². 227⁸; πέπηγε hom.
758⁶; πεπήγᾱσιν 664¹; s.
ἐπεπήγει
πεπηρωμένον τὴν χεῖρα II
85²
πέπηχα 772³
πεπιθεῖν hom. 747⁴. 748⁵·⁷.
842⁴. II 375²
-πεπίθησι 748⁵
πεπιθήσω fut. 748⁵. 755².
783⁴. 784¹
πεπίθοιμεν 748⁵
πεπίθοιτο 748⁶. 755³. 796¹
πεπίθωμεν conj. 748⁴
πεπιθών 357². 748⁵
πέπισθι Aesch. 800⁵
*πεπλακται 771²
πέπλεκται 771²
πέπλεχα 772¹
πεπλέχθαι 335⁶
πέπληγα 759⁵. 772²; s. ἐπέ-
πληγον
πεπληγέμεν infin. 777, 4.
806³
πεπλήγετο hom. 776,4.777,4
πέπληγον hom. 777³, 4
πεπλήγοντο Ilias 777, 4
πεπληγώς hom. 716². 777, 4.
II 264⁶·⁷, 1
πέπληθα 770⁶
πεπληρώκοντα 540⁵
πέπληχεν 127⁷
πέπλος 423⁴
πέπλοχα 772¹
πεπλυμαι 770¹; – ται 694⁵
πέπλωκα ion. 774⁵
πέπνῑγμαι 649¹
πεπνυμένω II 48⁵
πέπνυσαι 696, 2
πεπνῦσθαι 696, 2
πέπνῦται 770⁴
πεποιημένος ἐστίνPaus. 812³;
– ἀπὸ ξύλων II 446⁶
πεποίηται hom. att. 769, 10.
771⁴. II 287⁷
πέποιθα 346⁸. 747⁴. 755³.
769².773².775².II227⁸.234¹;
πέποιθε 765⁵; πέποιθα c.
dat. II 145¹. 168⁶
*πέποιθα, -ϑε plusqpf. 777².
778³
πεποίϑεα 755³. 777⁴. 778³; –
ἐπ' ἰϑύν II 473²
πεποίϑει hom. 777, 11
*πεποιθῖμεν opt. 795⁶

*πεποιϑήην 795⁶
*πεποιϑοίη att. (Aristoph.)
795⁶
*πεποίϑοιμεν pf. opt. 795⁶
πεποίϑομεν conj. hom. 748⁴.
769⁴. 790⁴. 795⁶
*πεποιϑς, *πεποιϑτ 777²
πεποιϑώς nom. abs. II 403⁷
πεποιόντεισσι böot. 193²
πεποιόντεσσι böot. 771⁴, 2
πεπόλιστο hom. 735⁵
πέπομφα 771². 772¹
πέπον voc. sg. m. 'lieb' 487, 1
πέπον neut. 569³
πεπονέαται Hdt. 672²
πέπονϑα 295⁶. 747⁶. 769².
771⁵. 781⁴. II 287⁴; – κακά
II 287⁴·⁵
πεπόνϑαμες Aristoph. 778, 1
('πεπόνϑεμες) 778, 1
πεπονθέω spät 767⁶
πεπόνϑοι att. (Plat.) 795⁶.
796¹
πεπόνϑω siz. 767⁵. II 286⁷
πεπονϑώς II 389 ⁴·⁵; -ϑότος
αἰσχρά II 401¹
πέπορδα 769⁴
πεπορεῖν 748⁷
πέποσϑε 769², 3
πέποσμαι · ἀκήκοα H. 182³
πέποσχα syrak. (Epich.)
708³. 771⁵, 3
πέποται 770³
πεποτήαται hom. (Ilias) 718⁶.
719⁴. II 263⁴
πεπότηται hom. 718⁶
πέπρᾱγα 770³. 773³
πέπρᾱκα (= -χα) hell. 772⁶
πέπρακεν infin. pap. 807⁵
πεπράξεται II 289⁴
πεπραξομένου Aristid. 783⁵
πεπράσεται att. 783⁵
πέπρᾱται conj. ther. 793¹
πέπρᾱχα 772³
πεπρεσβεύκων 540⁵
πέπρημαι 770⁴
πεπρήσϑω II 343¹
πεπριωμένου Hippokr. 738, 6
πεπρωγγυευκῆμεν infin. her.
806⁵
πεπρωμένη (ἡ) II 175⁵. 409³
πέπρωται 360⁵. 747¹. 770⁴
πέπτᾱται hom. 770, 6
πεπτεῶτα pf. hom. 746⁴
πεπτηνᾱς 647⁴
πεπτηώς 360⁴. 676⁴
πεπτός 298⁵. 359¹
πέπτω 704⁴. 716²
πέπτωκα 360⁴. 770¹. 774, 2
πεπύϑοιτο 747⁴. 748⁶
πεπυκάδμενος äol. (Sapph.)
208⁵. 773²
πεπυκασμένος Od. 773²
πεπύσϑαι 809³

πέπυσμαι, -σσαι 773²; -σται
669³. 770¹. 773²; -σϑε
670³·⁴; s. ἐπέπυστο
πεπωγμένον H. 770, 2
πέπωκα 340, 1. 709²
πέπων 298⁵. 487¹, 1. 543³
περ (πέρ) 82⁴. 259⁸. II 386, 3.
387⁶. 425⁵. 499⁴·⁵. 555⁶, 2.
571⁵⁻⁷, 3 f. 688⁴; c. partic.
II 389⁵⁻⁶. 390²; c. nomine
II 390³
πέρ (= περί) II 499⁵
περ' (= περί) II 499⁴, 7
πέρα II 492¹. 541⁶·⁷. 542²;
– τοῦ δέοντος II 542¹
πέρα subst. II 714²
περα- verbum 761⁷
περάαν fut. 784⁶
περάασκε hom. 711³
περάγείς 219³
πέραϑεν II 714²
πέραι adv. att. 550⁴
Περαιβοί 663³
περαίνω II 81¹
περαίτερος 534⁵, 2. II 541⁷
περαιτέρω II 542¹
περαιωϑέντες Od. 760⁵
πέρᾱν 621¹. 702⁶, 8. II 68⁶.
541⁶·⁷. 542²; – εἰς II 541⁷;
τὸ – II 541⁷
περάνᾱς ἔχει 812⁷
πέρανδε II 714²
*πέραρ 514⁵
πέρας (τὸ) att. 514⁵, 6.8. 519⁶.
II 70³
περάσητε conj. 791²
*περατατ- 503⁸
περάτηι: ἐν – 503⁸
πέρατος 503⁶
περάτων 228⁸
περᾶν II 271⁵; – πόδα ὑπὸ
σκηνῆς II 527⁵
περβέβᾱται χρόνος II 500³
πέργαμα: τᾱπὶ Τροίᾳ – II
467¹
Περγαμίδης 510¹
Πέργαμος 71¹. 494¹
πέργουλος 334²
περδάζομαι 735²
Περδίκα nom. sg. m. 560⁵
Περδίκκᾱς maked. 637¹
πέρδῑξ 497⁵
πέρδομαι 684³. 747⁶. II
227⁵. 228, 2. 229¹; πέρδεται
291²; -έπαρδον, παρδήσομαι
763⁴
*περϜαρ 519⁶
πέρηϑεν II 714²
πέρην ion. II 68⁶. 541⁶·⁷. 542²
πέρϑαι pass.hom. (Ilias) 746⁵,
10. 751². 757, 1; – πόλιν
σῷ ὑπὸ δουρί II 526⁴
πέρϑετο Ilias 746⁵, 10. 751²
*πέρϑσαι 285²

πέρθω 644⁴. 684³. 747⁵; – τι
κατ' ἄκρας II 480⁷; s. ἔπερ-
σα
περί 387⁴. II 68³. 82³. 268¹·³.
421⁷, 5. 422⁷, 4. 423⁷.
424¹. 425⁴. 432⁵. 433⁴·⁷.
434¹. 437²·³. 492¹. 499⁴, 6-
505; – τινος c. adj. II 108²;
– τι c. adj. II 108²; – τινος
ἕνεκα II 428⁷; – τ' ἀμφί
τε II 430³; – ἑβδομήκοντα
II 504⁵; οἱ περί τινα II
416⁷·⁸. 417¹; τὰ περί τινος
II 417²; ἔχω περί τινα
'habe zu tun' II 504⁴;
περὶ πολλοῦ ποιεῖσθαι II
503⁵; – – ποιεόμενος II
391⁸; – πλείονος ἡγεῖσθαι
II 99⁵; περὶ φρένας ἔμμεναι
II 430⁷; περὶ νά mgr. II 384,1
πέρι postpos. 387⁷, 622⁵. II
420⁶. 421²·³. 423, 4. 427¹·⁵·⁶.
430³. 499⁴·⁵
πέρι 'sehr' II 571⁶
περι- compos. 436¹. II 429⁵
περιάγειν II 78⁶
περίαλλα adv. II 505¹
περίαλλος hell. II 505¹
περιαμπάξ kret. 620⁵. 633²
περιαμπέτιξ kret. 620⁶
περιαμπέτις kret. 620⁶. 631²·³
περιαμφιέννυμι II 429⁶
*περιαμφιπέτομαι 620⁶
περιαμφίς 836⁵
Περίανδρος 451, 1. 634³
περιαυτολογέω II 505²
περιαυχένιος II 505¹
περίαχε II 499, 7
περιβαίνω II 500⁵; – c. gen.
II 109²
περιβάλλεσθαι χλαῖναν II 231²
περιβάλλω (-ειν) II 83⁴. 284¹.
500⁵; – τινί II 500³; – τινά
δώροισι II 500²
περιβαλών nom. abs. II 403⁵
περιβάς c. dat. II 150⁶
περιβολιβῶσαι rhod. 257⁵
περιβραχιόνιον II 505¹
περιβώμιος II 505²
περιβωμίς II 505²
περίγειος II 505²
περί.. γενέσθαι II 431³
περιγίγνομαι (-εσθαι) 690².
II 431³. 500³. 502³; – τινός
τινι II 101³
περιγνάμπτω II 500, 6
περίδδυγα böot. 331⁶
περιδείδια hom. II 500³; – c.
gen. II 109²; – c. dat. II
109². 151⁵; – μή II 675⁵
περιδέξιος II 500²
περιδέραιον II 505¹
περιδίδομαι (-οσθαι) II 130⁵,
3. 226⁵. 233³

περίδρομος II 500⁵
περιδῦσαι H. 693, 5
περιδώμεθον conj. hom. 672⁵.
741⁴, 5. II 315². 500⁵; – τρί-
ποδος II⁵
περιδώσομαι Od. 741, 5;
– ἐμέθεν II 500⁶
περιέζωνται 671⁶
περιεζωσμένος: – ζώνην πρὸς
τοῖς μαστοῖς II 513³; -αι
ἔστωσαν II 341²
περίειμι (περιεῖναι) II 421, 5.
431³. 500³. 502³
περιελθεῖν II 380¹
περιελίσσειν περὶ τὸ σῶμα II
504¹
περιεργάζομαι II 500³
περίεργος II 500³
περιέρχεσθαι περὶ 'Αττικήν II
504²
περιέσεσθαι (τοῦ) II 369, 6
περιεσόμενος : ὡς -σομένους II
402⁶·⁸
περιέσσευεν 656²
περιέσσι γυναικῶν εἶδος II
85⁴. 101³
περιέσχατος II 505²
περιέχομαι II 500⁵
περιέχω II 500³
περιζώννυμι II 500⁵
περιημεκτέω 726⁶; -εῖν c.
instr. II 168²; περιημέκτεον
ἐκπεφευγότων II 394¹
περιηχέω II 500⁵
περίθες 390⁸. 391¹
περίθου 390⁸
περιιεῖν 3. pl. delph. 674³, 5
περιιέναι II 500⁴
περιίστασθαι II 500⁴
περιίστημι II 500⁴
περισχναίνω II 500⁴
περικαλλής II 500²
περικάρδιος II 505²
περικάρπιον II 505²
περικάτω Strattis 633². II
500²
περικατωτροπή II 500²
περίκειμαι II 500⁵
περικεφάλαιος II 505²
Περικλῆς 635³·⁴; – τὰ πρῶτα
τῆς π. II 602⁵
περίκλυτος 435²
περικνήμια II 505²
περικολπίζω II 505²
περικράνιος II 505²
περίκρανος II 505²
περικτίονες 326¹. 486⁸, 4. II
505⁵
περικτίται II 500⁵
περιλείπομαι II 500³
περιμάρναμαι II 500⁵
περιμένω II 500⁴; -νετε II
341³; ἐπερίμενα 656⁸
περιμετωπίδιος II 505²

περιμήκετος 501³
περιμηχανάομαι II 500⁶
Πέριμος 495, 1
περιναιέται II 500⁵
περίνεφρος II 505²
περίνεως II 505². 714⁸
πέριξ 496⁵. 620². II 500².
552⁷⁻⁸ f.
περίξεστος II 500⁵
περίοδος II 86²
περίοιδα II 431⁵. 500⁴
περιοίκιον II 505²
περιοπτέος Hdt. 810⁷; – ἐστί
II 150⁴; -έη ἐστί II 409⁸;
-έος εἰμί c. ptc. II 396⁵
περιοράω (-ῶ) II 396². 500⁴;
– τι διά τι II 454¹; – τινά c.
ptc. II 394⁵; – – c. praedic.
II 395³·⁴
περίορθρον II 505²
περιπατῶ (-εῖν) II 277⁶; ngr.
II 500, 2
περιπέλομαι II 500⁵; s. περι-
πλόμενος
περιπέτεια II 500⁴
περιπετής II 500⁴
περιπεφλευσμένος 773⁴
περιπίμπλημι II 500⁴
περιπίπτω (-ειν) c. loc. II
157¹; – πρός τινος II 226⁸;
– συμφοραῖς διά τινα II 453⁷
περιπλάκηθι att. 759⁵
περιπλέκω II 500⁵
περιπλεχθείς Od. 759⁴
περιπλίγδην 626³
περιπλίξ 620⁶
περιπλόμενος II 500⁵; περι-
πλομένων 295¹. 747². s.
περιπέλομαι
περιπνευμονία II 505²
περίπολος 379⁶. 381⁵
περίπου hell. II 500². 512, 1
περιπρό II 429⁷. 500². 505⁴
περίπρο Ilias 633²
περιπροχυθείς II 430¹
περίπυρον II 505²
περιρανάτω 829⁶
περίρρανσις 505, 8
περιρρέω II 500⁴
περιρρηδής 514¹
περίρρυτος II 242¹
.περισαίνω II 500⁵
περισθενέων 724³. II 550⁴
περισπωμένη (term.) 373⁸.
375⁴·⁵·⁶. 376³
περισσά adv. Pind. 621²
περισσεύω : περίεσσευεν 656²
περισσός 472¹, 1. II 98⁴. 500²
περιστάταιων II 500⁵
περίστειξας Od. 747⁴. 755³
περιστείχω II 500⁵
περιστερά 258⁸. II 31, 5. 32¹
περιστεριώνας ngr. 488⁵
περιστερός II 31, 5. 32¹

περιστεφής c. gen. II 111¹
περιστέφω II 500⁵
περιστρέφω II 500⁵
περισφύριον II 505²
περιτέλλομαι II 500⁵
περιτεμεῖν: τοῦ – II 372⁴
περιτίθεσθαι στέφανον II 231²
περιτίθημι II 500⁴
περιτοξεύω II 500³
περιτρέπω II 500⁴
περιτρέχω II 500⁵
περιτροπέων II 500⁵
περιτροπή II 500⁴
περίτροχος II 500⁵
περιττάκις Plat. 840⁷
περιττεύειν τινος II 101³
περιττός: -ὰ τῶν ἀρκούντων II 99¹
περιττοσύλλαβα (term.) 553, 3
περιτύμβιος II 505²
Περίφᾶς 451⁴. 526³
περιφέρω II 500⁴
περιφραδέως II 500⁶
περιφραζώμεθα νόστον II 500⁶
περίφρον voc. 569¹
περιφρονέω (-εῖν) II 500⁴; c. gen. II 109³
περίφρων 569¹
περιφῦναι II 500⁵
περίχειρον II 505²
περιχεύεται conj. 745⁴
περιχέω II 437⁷. 500⁵
περίχρυσος 435⁴
περιχώομαι II 500⁶; περιχώσατό τινι c. gen. II 133⁶
περιωρεσία siz. 275¹
περιώσιος II 500³
περκάζω 735³
Πέρκαλος lak. 436¹
περκνός 489²
Περμᾶσός böot. 300²
πέρναι j.-lesb. 693, 3
πέρνημι 693²
περνῶ ἀπό ngr. 627, 3
περνῶντας ngr. II 411¹
περονάω 725⁶
περόνη 57⁵
περπατῶ ngr. II 500, 2
πέρπερος 423, 5
Περϙοθαριᾶν lokr. 470¹
πέρρ lesb. Iι 499⁴, 8
Περραιβοί 66³
Πέρραμος lesb. 90⁴. 274⁴
περρέχω II 500³
Περρίδαι 509⁶
πέρροχος lesb. 274³. II 500³
περσ- 755¹
πέρσαι 285². 747⁵
Περσαίπολις 438, 2. 446¹
Πέρσεις pl. 586, 6
περσέπολις 442¹
Περσέπολις 196². 438, 2
πέρσεται Ilias 782²
Περσεύς 442¹

Περσεφόνεια 442¹
Περσεφόνη ion. 281³. 285¹
Πέρσης 285⁶. 562¹; ὁ Πέρσης II 42¹
πέρσι ngr. 622²
περσίζω 736³
Περσικός II 182⁴; τὰ Περσικά II 47³, 7
πέρσις 505, 4
Πέρσους acc. pl. m. 586, 6
πέρσυ 259⁶. 830⁶; vgl. πέρσι
πέρσω 782⁴
περτ' pamph. II 508³, 7; – ἱρἔνι II 508, 7
περτέδωκε pamph. 267⁴. II 508, 7
περτι pamph. 89²
πέρυσι 270⁴. 357⁴. 405³·⁴·⁷. 426². 619⁶. 622². II 16¹. 158⁶
πέρυσιν 405³·⁴·⁷. 619⁶
περυσινός 490⁵
πέρυτι dor. 405³. 619⁶. 622², 3
πέρυτις dor. 270⁴. 357⁴. 405³. 426². 619⁶
περῶ fut. 784⁶
πές ngr. 390¹. 745³
πεσε/ο- ion. att. 746⁴
πεσεῖν: ἔπεσον ὑπό att. 757³; – ὑπὲρ τεσσεράκοντα ἄνδρας II 519⁷
πεσέομαι hom. 784⁴; -σέονται 746⁴
πέσημα 271⁸. 523³; – δορός II 119²
ΠΕσιδος 192³
πεσμένος ngr. 779⁴
πέσος n. 271⁸. 512³
*πέσος 251⁴
πεσοῦμαι att. 271⁸. 360⁴. 746, 6. 784⁵. 786³. II 226⁷; s. πίπτω, πεσέομαι
πεσούνιν (χιόνι) II 391²
πέσσεσθαι πέμματα II 231³
πέσσεται ark. 211⁶. 781⁷
*πεσσορες 590¹⁻²
πεσσός 62¹
πέσσυρες lesb. 590¹⁻²
πέσσω 738. 298⁵·⁸. 319³. 704⁴. 716¹. 754⁷. 781⁷. II 72, 1; ἔπεψα 751⁵
πέσυρες lesb. 300²
πεσυρεσκαιδέκοτος lesb. 596³
πέσωμα 271⁸
πετα- II 498⁶, 7
πετᾶ- 742⁵
Πεταγείτνιος II 498, 2
Πεταγείτνυος 257¹. II 498, 2
Πεταγένης II 498, 2
Πεταλλίς II 498, 2
πέταλον 483⁶, 7
πέταλσι dat. pl. 569, 7
πέταμαι 340⁵. 680⁴. 681³, 9. 742⁴. 770, 6

πεταμν(υφάντειρα) 474,3. 525²
πετάννῡμι 697⁴
πέτασμα 524², 3
πέτασος 61⁶. 516⁷. II 42²
πετάσσας χεῖρε c. dat. II 145⁶
πετάσσω fut. Nonn. 784⁶
πέταυρον 198⁶
πέτε 2. pl. imper. ngr. 745³
πετε/ο- dor. lesb. 746⁴; s. ἔπετε, ἔπετον
*πετεόμαι 271⁸
*πετέομαι fut. 360⁴. 770¹
πέτευρον 481, 4. II 498, 2
πέτηλος 483, 7. 484³
πετήσει fut. att. 742⁵
πετήσομαι 782⁷
Πετθαλοί thess. 90, 1. 300². 318²
Πετθαλός thess. 269¹
πέτομαι (-εσθαι) hom. att. 358³. 360⁴. 681³. 684⁵. 717⁴. 747². 72, 1. 161⁷. 362⁶·⁷; πέτεται 291². 742⁴; πέτετο 742⁴; πέτομαι ποτὶ πτόλιος II 515⁵; – διά τινων II 450⁶
*πετοῦμαι 271⁸
πετούμενα (τὰ) ngr. II 410⁷
πέτρα f. ngr. 578³
πέτρᾱ II 34, 5; πετερᾱ 237⁶
πετρα- böot. 590²
Πετραδίων 597³
πετράς böot. 597²
πέτρατος böot. 590²
Πέτραχος phok. 89⁶. 598³, 6
Πετρέεντος 246³
πετρηδόν 626⁴
Πετρήεις ion. 528²
Πέτρο voc. ngr. 555²
πετρο- thess. 82³. 89⁶. 300²
πετροετηρίδα acc. sg. thess. 590²
πετσί n. [so, nicht -ή f.] ngr. 578⁵
πετταράκοντα böot. 592¹
πέτταρες böot. 82³. 89⁶. 106². 300². 319⁷. 590¹
pette ngr. (dial.) 214³
πεττύκια att. 300, 1. 489, 9
*πέτω (ἔπετον) II 260⁶
πεύθε/ο- 683⁵. II 260⁶
πευθήν 487³
πεύθομαι 297⁴. 699⁵. 701². 747⁴; πεύθεται 261³; πεύθομαι c. gen. II 106⁸; – c. acc. II 106¹. 107⁴; – μετὰ κλέος II 486²; – τεθνηκότος II 393⁸
πεύθω 347⁴. 685¹. 699⁵
πεύκᾶες 527, 3
πευκεδανός 530¹
πεῦκος m. ngr. II 42⁴
Πευμάτ(τ)ιοι böot. 300²
πευσεῖσθαι Aesch. 786²
πεύσεσθαι Aesch. 786²

πεῦσις 504⁶
πεύσοιντο II 337⁵
πεύσομαι 261⁸
πευσόμενοι 786²
πευστέον Plat. 810⁷
πέφαγκα 694³; -γκε 775⁴
πεφάνθαι 809³
πέφανθε 670, 5. 773⁶
*πέφανσθε 670, 5. 773⁶
πέφανται 3. sg. 694³. 770, 7. 773⁵·⁶
πέφανται 3. pl. 672, 1. 769, 13; s. ἐπέφαντο
πεφάσθαι ἀντί τινος II 443³
*πέφασθε 773⁶
πέφασμαι 773⁶
πεφασμένον 773⁵. II 401¹
πέφαται 'liegt erschlagen' (θείνω) 297⁶. 343⁴. 364, 1. 768⁶. 769⁵. 783, 4
πέφαται 'ist gesagt' 364, 1. 783, 4
πεφειράκοντες thess. 89⁶. 106². 302¹. 649³
(πεφείσεται) 783, 4
πέφευγα 649². II 288¹
πεφευγέναι τῆς νόσου II 91⁶; – πρὸς Ἑλικῶνι II 513¹
*πεφευγῖμεν 1. pl. opt. 795⁶
*πεφευγῆην 795⁶
πεφεύγοι Ilias 771¹
πεφευγοίην 795⁶
πεφευγώς 541². 768³; -γότες Od. 771, 1
πέφη H. 770⁴, 7. 773⁵. 783, 4
πέφηνα 694³. 771⁵. II 228¹; πεφήνασιν 664¹
πεφήσεται hom. 694³, 4. 773⁵. 783⁴, 4
πεφθαρμένος byz. 649, 2
πεφιδέσθαι 347¹. 649². 748⁶
πεφιδήσεται fut. Ilias 748⁶. 783³. II 351⁵
πεφιδοίμην 748⁶
πεφίληκα att. 765⁷. 774⁵
πεφιλοτετιμένους 650⁴
*πέφναται 3. pl. 672, 1. 769, 13
πέφνε 748⁵
πεφνε/ο- 746⁴
πεφνέμεν infin. aor. 357². 649³. 748⁵. 769⁵; s. ἔπεφνον
πέφνεν ἀπὸ βιοῖο II 447¹; – (τινὰ) ἐπί τινι II 466⁸
πέφνῃς conj. 748⁵
πέφνω praes. Opp. 686². 749¹
*πέφνω 385⁶
πεφνών ptc. 748⁵. 749¹
πέφνων Aristarch. 749¹
πεφοβήαται 771⁴; -ήατο πὰρ ποταμόν II 495²
πεφόβημαι II 287⁴; -ηται 814³; -ημένος c. gen. II 119³
*πέφουγα 541¹. 771¹

πέφραδε 748⁶. II 577, 1; s. ἐπέφραδον
πεφραδέμεν 748⁶
πεφράδοι 748⁶
πέφρακα 775²; s. ἐπεφράκεσαν, φράσσω
πέφρασμαι 773²
πέφρικα 772²
πέφτω ngr. II 281⁵; πέφτει c. gen. II 136⁶; – τοῦ θανάτου II 137¹
πεφύασι 770⁴
*πέφυγα 771¹
πεφύγγων lesb. 540⁵. 699⁷. 771⁵
*πεφυγῆην 795⁶
πεφυγμένος hom. 347⁴. 525¹. 768³; – ἦεν ἀέθλων II 91⁶; πεφυγμένον εἶναι II 407⁷
*πεφυζην 795⁶
πεφυζώς II 286⁷; -ότες 714⁶. 771⁵
πέφῦκα 737³. 770⁴. 775⁴.777³. II 227⁷. 258³. 624⁴; πεφύκᾶσι Od. 774⁴; s. εὖ πεφυκότων, ἐπέφυκον
πεφύκει 774³. 777⁵
(*πεφύκει) 791, 3
πεφυκέναι πατρὸς ἀγαθοῦ II 94²
πεφύκη 791, 3
πεφύκηι 774³. 791, 3
πεφυκὼς διὰ βασιλέων II 451⁵⁻⁶
πεφυλαγμένος 769, 6
πεφύλακα 771³. 772⁶
πεφύλακται att. 765⁷
πεφύλαχα att. 772²·⁶
*πέφῦμεν 770⁴. 774³
πεφύρσεσθαι Pind. 783⁴
πεφυτευκῆμεν infin. her. 806⁵
πεφυτεύκωντι conj. her. 774⁵. 791²
πεφυώς 770⁴; -ῶτα 541, 4; -ῶτε 540, 4
πεψ- 754⁷
πέψις 505⁵
πέφυγμαι 649, 2
πέψω fut. 716, 2 .781⁷; s. πέσσω
*πϜ 332²
*-p(h)so- 322²
*-p(h)tjo- 322²
πη partic. II 579³, 3
πῆ att. 550³. 676²
πῆ adv. att. 617¹. II 318⁵; s. πῆι
πηγαιμένος ngr. 779⁴
πηγαίνω ngr. 674⁵. 764⁴; -ουν II 621¹
πήγανον 490²
πηγάς 508¹
Πήγασος 62². 153⁸
πηγεσίμαλλος 444¹, 4

πήγνυμαι II 227⁶; -υται hom. 758⁶; -υτο hom. 758⁶. 795⁵; -ῦτο opt. att. 795⁵; s. ἐπάγη, ἔπηκτο, ἐπήχθην
πήγνῦμι hom. att. 697³. 758⁷. II 227⁸. 271⁵; – τι γαίη II 156¹; πηγνύναι ὄμματα κατὰ χθονός II 479⁷; s. ἔπηξα
πηγός 459⁴
πηδάλιον 483⁷
Πήδασος 395⁴. 321⁴
πηδάω ion. att. 719²; πηδᾶν 356⁶. 358³; – μείζονα II 77²; – ἄρδην τάφρων ὕπερ II 521¹
πηδήσσης gen. f. 527⁴, 9
πηδήσομαι 781⁸ f.
πηδόν n. 719, 6
πήζω ngr. 715⁴. 736⁷
πῆι adv. 622¹
πηκτός 502⁶
*πηλ- 323²
πῆλε aor. 748⁶. 755³
Πηλεΐδης 510⁴
Πηλεϊωνά δ(ε) Ilias 624⁶
Πηλειάδης 634⁶; Πηληϊάδεω -δαο 179, 3. 244⁷. 509⁴. II 121¹; – Ἀχιλῆος II 615³·⁶
Πηληϊάδjω gen. hom. 313¹
Πηλητῆδης 634⁶
Πηλήϊος 634⁶; – δόμος II 177²
Πηλητῶν 634⁶
πήληξ II 28, 1
πηλίκος ion. att. 612⁵
Πήλιον II 33, 2
πηλοδευστῶ 685⁶
πηλόθεν äol. II 545⁵
πήλοι äol. II 545⁵
πηλοπατίς 465³
πήλυι adv. äol. (lesb.) 200¹. 300²·³. 622³. II 157⁶. 545⁵
πηλώεις 527⁵
πῆμα 523²; – ἐπὶ πήματι II 468⁶; πήματα II 43⁵; – ἐπὶ πήματι II 156⁴
πημαίνω 724⁶; – ὑπὲρ ὅρκια II 519⁶; – τινὰ διά τινα II 453⁷
πημανθη- 761⁶
*πημή 524⁵
πημονή 524⁵
πῆν dor. 676². 715, 2
Πηνειός 468⁴
Πηνελέωο hom. 557⁶
πηνέλοψ 426, 4
πηνίκα 629⁵. II 652²·⁴; – τῆς ἡμέρας II 114⁶⁻⁷
πήποκα dor. (lak.) 355⁶. 550². 622⁴. II 163⁶. 579⁴·⁶
πηρά ngr. (= πῆρα) 176, 1; s. παίρνω
πήραξον kret. 842³
Πηρεφόνεια 286¹
πηρῖν- 465⁵
πῆριξ kret. (= πέρδιξ) 96⁴. 208². 286⁵

Πηριφόνᾱ dor. 281³. 442¹
πῆρος 383³
πήσασθαι 752³
πήσομαι fut. spät 781, 2
πῆχθεν Ilias 758⁷
πηχθη- 760⁵, 7
πῆχυς 297⁶. 463³; -χεος gen.
sg. Hdt. 572, 3; -χεως 572
³·⁴; πήχως 573⁵; πήχει dat.
Od. 573¹; πήχεε du. hom.
573⁵. II 47²; (πήχει) II
47, 4; πήχεες hom. 553⁴;
πήχεων att. 572⁴; πηχέ-
ων Hdt. 572, 9; πηχῶν
Xen. 573⁴·⁵; πήχεσι dat.
571, 3. 572¹; πήχεας acc.
Hdt. 573³; πῆχας spät 573⁵
πι äol. 832⁵
πιάζω dor. hell. 244¹. 721⁴
πῑαίνω Pind. 486⁴. 725¹
πῑαλος 484⁶
πιάνομαι pass. ngr. II 241⁴;
-ονται II 235³
πιάνω ngr. 244¹. 701⁴
πῑαρ 350¹. 519⁶
πῑαρός 481³, 9
Πιάσται 67⁶
πιατρα kleinas.-gr. 123⁷
πιγκέρνης 194²
Πίγρεϝο kypr. 461⁸
πῑδάω 719⁴
πιδίκνυτι kret. II 465, 7
πῑδύω poet. spät. 719⁴. 727⁵
πίε imper. hom. (Od.) 747³.
799²
πιέ imper. 390¹
πιέ ngr. 764²
πίε böot. 791, 8
πιε/ο- hom. att. 747³
*πιεδjω 713³
*πίε ει imper. 804²
πιέειν II 363¹
πιεζείσθω 721⁴
πιεζεσθαι ὑπό τινος II 529⁷
πιεζεῦσαν 721⁴
πιεζέω 721⁴; s. ἐπιέζησα
πιέζον hom. 656³
πιέζω (-ειν) 713³, 2. 716, 3.
721⁴, 5. II 381⁴·⁵. 426⁶.
429⁶. 465², 7; s. ἐπίεζον,
ἐπίεσα, ἐπίεξα
πίει imper. alt. – att. 798, 8.
800¹. II 316⁴; ΠΙΕΙ 804²
Πίεια 828⁶
πιεῖν II 363⁴·⁵
πίειρα 381². 475¹. 485⁵. 543³.
II 29³
πίεις imper. 800¹. 804²⁻³
πιέξαι epid. 721⁴
πιέξαι Hippokr. 738²
Πιερ- 481¹
πῑερός 481³, 9
πίεσαι 669¹
πιεσμός 493³

πιέσω fut. Diph. 721⁴. 782⁵
*πῑϝερ 485⁵
πίϝων 521³
*πιζ- 721, 5
(πίηι, πίηις conj.) 804³
Πίηρ 569²
πιθε/ο- 747⁴
πιθέσθαι II 364¹
πιθέσθων imper. 802⁴
πίθευ ion. 390¹
πιθηκίζω ὑπό τι μικρόν II
532⁴
πίθηξ 497⁴
πίθι 359⁶. 693³. 758⁵. 800⁴
πίθοιο II 324⁶, 1
πίθος 261⁴; πίθοι οἴνου II
129³
πιθοῦ imper. 799³
(*πιθῶσαι); s. ἐπίθωσε 727²
πικραίνομαι 733²; πικραίνεταί
μοι ὑπέρ τινα II 520⁴
πικρός 333³. 347¹. 481⁵
πιλιπής 585²
πιλνᾷ 3. sg. 695². 659⁶
πίλναι 108⁵
πιλνᾷι Hes. 695²; πιλνᾷ c.
dat. II 145⁸
πιλνᾷις 695²
πίλναμαι 284²⁻⁴. 351². 352⁴.
743¹; πίλνασθαι c. dat. II
141⁵. 142¹⁻²; πίλναται 695²
πιλνόν kypr. 284²·⁴. 352⁴.
489³
πῑμελή 483⁵
πίμπλᾱ imper. ion. att. 689².
799³
πίμπλαμαι 689²; πίμπλασθαι
II 230⁶. 231²; πίμπλαντο c.
acc. II 111²
πιμπλάνεται hom. 689⁴. 700¹
πιμπλᾶσι 689²
πιμπλεῖσαι ptc. 689²
πίμπλη imper. dor. lesb. 689².
798⁵. 799³
πίμπλημι 688⁵. 689². 703¹.
756¹; – c. instr. II 166⁸; s.
ἔπλησα, πίπλημι
*πιμπράασι 665⁴
πιμπράναι 689²; s. πίμπρημι
πιμπράντ- ptc. 689²
πιμπρᾶσι 3. pl. 665⁴. 689²
πίμπρη imper. ion. att. hom.
689². 798⁵. 800⁵
πίμπρημι 688⁵. 689²; – c. gen.
II 111⁴; – τι κατ' ἄκρας
II 480⁷; s. πίπρημι
πῖν 132, 1
Πιναρέοις 565²
Πινδαρικὸν σχῆμα II 608³
πῖνε 799¹
πινέμεν II 380⁷
πίνεσθαι II 237⁴. 364⁶
πίνεσκεν hom. 711²

πῖνον 'Bier' 693, 8
πῖνος 301¹
πινυ- 696, 2. 708⁵; s. ἐπίνυσ-
σεν
πινυμένην H. 696, 2
πινύσκω Aesch. 708⁵
πινυτάς 528, 1
πινυτός 278²·⁴. 301¹. 327³.
696, 2; πινυτή hom. II 176⁷
πίνω 300¹. 346¹. 693³. 747³.
756². 780⁴. II 72, 1. 226².
284¹; – c. acc. II 103²·³; –
αἵματος II 103²; – σκύφει II
170²; – οἶνον, τὸν οἶνον,
οἴνου II 73⁶⁻⁷; – ἐκ φιάλης
II 463³; – ὑπὸ τῆς σάλπιγ-
γος II 530²; – φάρμακον
παρά τινος II 497⁷; – ὕδωρ
ἐπὶ τῷ σίτῳ II 468⁶; s. πῖν,
πίομαι, ἔπιον, πέπωκα, πεπο-
πίομαι fut. 686, 3. 780²·⁴·⁵, 9.
791³. II 265²·⁷; πίομαι 686,
3. 780⁴
πίομαι praes. 686³, 3. 780, 7
πιόμενος ptc. 747³. 780⁴; -οι
πέμφιγας 686³
πῖον n. 566⁶. 580, 6. 585⁵
πῖος 512⁴·⁷
πιότερος 535³
πιοῦμαι Koine 780⁵. 784⁵
*πιπελμι 689³
πιπίζω 315⁶
πιπῑσκω 346¹. 709². 1. 710².
756²; s. πῖσω, ἔπῑσα
πίπλαμεν 689³·⁴
πιπλάνειν 689⁴
*πίπλεμεν 689³
πίπλεντ- ptc. 689³
*πίπλημεν 1. pl. 689³·⁶
πίπλημι 688⁵. 689³·⁶; s. πίμπλ-
πιππίζω 315⁶
πιπρᾱθησόμενος byz. 650⁵.
783, 2
πιπρᾱσκομαι Lys. 710³; -ᾱσ-
κεσθαι II 240³
πιπράσκω δι' ἔνδειαν II 454³
πίπρημι 688⁵; s. πίμπρημι
πιπρήσκω Kallim. 710³
πιπτακαρίου (= πιττ-) 211⁴
πίπτω 266⁵. 648³. 690². 3.
704³. 746⁴. II 258⁵. 260⁶;
πίπτει 640⁵; πίπτω c. loc. II
156¹·²; – ὑπό τινος II 226⁷·⁸;
– ὑπό τινι II 526⁶; – ἐν, ἐπί
c. dat. II 434¹; – μετά τινι
II 484²; – παρά τινος II
498³; – εἴς τι II 459¹; πίπ-
τον ἔραζε II 261¹; πίπτειν
πτῶμα II 75⁴; ἔπιπτον ἑκα-
τέρων II 622⁶; πίπτω πεδίῳ
(πέδῳ) II 156¹; – ἐκ χειρός
II 463³⁻⁴; – ἐν γούνασι II
434²; – ἐς τοσοῦτον αἰκίας
II 433⁴; – περὶ λίθον II 504¹;

– περὶ ξίφει II 501¹; – (ἐν κονίῃσι) ὑπό τινος II 528⁸; – ὑπὸ ἄξοσι II 525⁵; – ὑπὸ χερσί τινος II 526³; s. ἔπεσα, ἔπεσον
p'íru tsak. 216⁶
πιρωμι Hdt. 585²
Πῖσα 476¹
πίσος 61⁶. 516⁸
πῖσος 285⁶. 513¹
πίσσα 319³. 350¹. 474³
πίσσυγγοι lesb. 300, 1
πιστά II 606²; – πιστῶν II 700⁵
πιστεύω 199³. 732⁵. II 347⁴; – c. dat. II 145²; ἐπίστυσε 199³
πίστις 504⁵; – c. gen. II 132¹
πιστός 262¹. 348⁸. 503². II 174¹
πίστωμα 523⁴, 6
πίσυγγος [so] 498⁴
πίσυνος hom. 263⁴. 491⁵. 529⁵; – c. dat. II 145²
πίσυρες äol. (lesb.) hom. 82³. 89⁶. 106². 300²·³. 351¹. 590². 695⁴; πισύρων 272²; πίσυρας ἐκ πολέων II 116⁷. 464²
πῖσω fut. 709². II 80³
Πιτάνη äol. lak. 302¹
πῖτάριον 289²
πιτεύω 346¹
Πίτθων 637¹
Πίτιν delph. 217¹
*πῖτις 505²
πίτνᾶ hom. 695³
πίτναν τε Pind. 695³
πίτναντο hom. 695³
πιτνᾶς hom. 695³
πίτνειν: τὸ μὴ – κακῶς II 371⁸
πιτνέω 351²
πίτνημι 351²·⁶. 831⁶
πίτνω 695³·⁴; – ἱκέτις ἀμφὶ γόνυ τινός II 439¹
πιτνῶ gramm. 695³
*πῖτός 346¹. 419⁶. 502⁶
πίττα 319³
πιττάκιον 317⁷
πιτυοκάμπτης 439⁵
πίτυς 506⁴, 5; πίτυσσι dat. pl. 571³
πιτύστεπτος 506, 6
πιφαυσκέμεν II 382³
πιφαύσκω 747, 2; πιφαύσκει 709¹. 710³
πῖων adj. 543³. 566⁶. II 29³. 182⁷
πῇὸ καλός ngr. II 184, 3
pjos ngr. 617⁴
*πλᾶ- 743³. II 542, 1
πλᾶγ- 702⁵
πλᾱγά 692⁸
*πλαγγjω 333¹. 336⁸. 692⁸

πλαγη- 760⁵, 7
πλάγιαι (πτώσεις) II 53⁸. 54¹
πλάγιος 466²
*πλαγjω 692⁸
πλαγκτός 692⁸
πλάγξε poet. hom. 692⁸
πλάγξομαι 781⁷
πλάγχθη hom. 692⁸. 761³. II 281⁴
πλαδδιάω 732³
πλάδος 509¹
πλάζεσθαι κατ' ἀγρούς II 476⁵; – μετά τινα II 486¹
πλάζω 331⁵. 333¹. 336⁸. 692⁸. 702⁵. 714⁶. 735⁴
πλάζω tar. (= πλάσσω) 715³
πλάζω äol. 715³
πλάθανον 298³
*πλαθjω 320⁷
πλάϊ πλάϊ ngr. 621⁴
πλᾱκ- 702⁵
πλακοῦ voc. gramm. 565, 4
πλακοῦς 528². 565, 4. 566⁴
πλᾱν 621¹. II 413⁷. 542³⁻⁷, 1
πλανάω 694²
*πλανζδω 331⁵. 336⁸
πλάνη 421, 3
πλάνης 499²
*πλανυσκjομαι 716⁷
πλανύττομαι att. 716⁷
πλανύττομεν Aristoph. 733⁵
πλανῶ: ἐπλάνεσα ngr. 753²
πλασ- 755¹
πλᾱσίον lesb. 270⁶
πλάσιον lesb. II 547⁶·⁷
-πλάσιος adj. 598⁵, 10
-πλασίων adj. 536, 3. 598⁵, 10
πλασσ- 755¹
πλάσσεσθαι II 232⁵
πλάσσω ion. 320⁷. 715¹
πλαστός 306⁷
πλάσω fut. 715¹
Πλάταια 474, 1
Πλαταιαί 385³·⁸. 474, 1
Πλαταιᾶσι (loc.) att. 559⁴. 618⁶. II 155²
Πλαταιέσσιν dat. pl. 575, 4
πλαταμών 522³
πλατάνη II 32, 4
πλατάνιστος 66³
Πλατανιστοῦς II 33, 2
πλάτανος m. ngr. II 32, 4
πλατάσσω 733⁵
πλατέα 474, 2
πλατεῖα 381⁶; ἡ – II 175⁶
πλατειάζω 734, 6
*πλᾶτι 621², 6; *πλᾶτί 270⁶. 461⁴
πλᾱτίον dor. 270⁶. 360³. 621², 6. 743¹. II 542³. 547⁶. 548⁴
*-πλάτιος 599, 10
πλᾶτις 190⁷. II 542³
*πλατός 466⁵
πλάττω att. 320⁷. 321². 715¹

πλατυκός 498²
πλάτυμμα 524, 2
πλατύς 298³. 463¹. 538, 6
Πλάτων 323⁸; – λέγει II 270⁵
πλέγνυμι 697³
*πλεεεν infin. 807³
πλέες hom. lesb. 252⁸. 537³, 6
*πλεϜεεν infin. 807³
*πλέϜετε 251⁶
(*πλεεϜjω) 685⁷⁻⁸
*πλέϜω 685⁷⁻⁸. 722¹. 781⁶
πλέθρον att. 259⁸. 533²
Πλειάδες II 52¹
πλεῖν infin. att. 807³
πλεῖν 'mehr' (= πλέον) 127⁸. 249⁸
πλείονερ acc. pl. el. 563⁶
πλειόνοις 564⁸
πλείοντ- ptc. hom. 685⁸
πλεῖος hom. 472⁵, 11; – c. gen. II 110⁸
πλειότερος ngr. 539⁵
πλείους acc. pl. 580¹
*πλεῖς att. 537, 6
Πλεισθένης 263⁴
πλειστάκι 619¹
πλειστάκις 598¹
πλεισταχόθεν 630⁵
πλειστοβολίνδα 627²
πλεῖστον II 185²
πλεῖστος 279⁷. 538, 8. 584⁴. II 182³
*Πλειστοσθένης 263⁴
πλείω 536, 3. 581¹. 585, 3. 621³
πλείων 538³, 8. 539, 4. 584⁴; – ..τῶν ἐνθάδε II 99⁴; πλείω τοῦ ξ. χρόνου II 99⁶; πλείω τῶν φυτῶν II 99³; πλείων καὶ πλείων II 700²
πλειών 488³
*πλειως (*πλειωνα) 479, 4
*πλείως acc. pl. 580¹
πλεκη- 760¹
πλέκομαί τι ὑπὸ παλάμαις ἄλλου II 527, 2; πλέκονται 759⁴
πλεκοῦν 334²
πλεκτάνη 490²
πλέκω 684⁴, 2. 754⁷
πλέκωμα 334²
πλέν infin. ther. kyren. 410⁷. 807³
πλεξ- 754⁷
*πλεξος 252⁸
πλέοισι ther. 288³
πλέον att. 236⁷. II 184, 3; πλέον τοῦ μέτρου II 99⁶; – μοι σοῦ II 99³; πλέον πλέον II 700¹; ἐπὶ πλέον ὑμῶν II 99⁵
πλεονάζω 735²
πλεονάκις 598¹
πλεονασμός 45². II 703⁸

πλεοναχός 598³
πλεοναχῶς 598³
πλεονεκτεῖν (τὸ) II 370⁸
πλεονεκτέω (-ῶ, -εῖν) 731⁶;
– τινος II 101³
πλεονεκτῆσαι II 363³
πλέονες hom. 197⁶
πλεόντω imper. Praisos 802²
πλέος ion. 472⁵, 11
*πλεοῦμαι fut. 786³
*πλεέσσων 538, 6
πλεύμων 522³
πλεῦνες περὶ ἕνα II 504²
*πλευράξ 620⁶
πλευρόν 481, 4
Πλευρών 66⁴
πλευσεῖσθαι Thuk. 786²
πλευσεῖσθε Thuk. 786²
πλεύσοιτο II 638⁴
πλεύσομαι 685⁷. 781⁶
πλευσοῦμαι att. 785⁷. 786².
788, 0; – Theokr. 786⁷
πλεχθείς hom. 761⁵; – περὶ
βρέτει II 501¹
πλέω (πλέειν) 347³.685⁶.781⁶.
II 72⁷, 1. 114². 271⁵; πλεῖν
II 377²; πλέων II 409¹;
πλέω πλοῦν II 75⁵; πλεῖν
θάλατταν II 69³; πλέειν παρὰ
τὴν ἤπειρον II 495³; πλεῖν
ἐπί τι II 473¹; – ἐπὶ κέρας II
472⁴; – ἐπὶ πόντον II 471⁸;
πλεῖν ὡς ἐκεῖνον II 533⁷;
πλέω ἐς Τ. μετὰ χαλκόν II
486¹; s. ἔπλευσα, ἔπλει ἄν
πλέων 538³, 8; πλέω τῶν ἀλ-
λέων II 99³
-πλεως 472⁵, 11; – c. gen. II
110⁸
πληγείς 716²; – c. gen. II
119³; – τὴν κεφαλήν II 81⁵;
πληγέντε Ilias 557⁶; – f. II
35, 1
πληγενής 424⁵
πληγη- pass. hom. att. 759⁵.
760²
πληγῆναι hom. att. 759⁴.760¹
πλήγνυμι 716²
πλήθι dat. sg. ark. 579⁴
πλῆθος 511¹. 703¹. II 86³·⁴;
πλήθη II 43⁶; πλῆθος στρα-
τοῦ II 129³; – πολύ II 700⁶
πληθύνεσθαι Aesch. 728¹
πληθυντικός II 40, 1. 44, 3;
– ἀριθμός II 40, 1
πληθύνω NT 728¹; πληθύνων
πληθυνῶ II 388⁷
πληθύς f. 463⁷, 8. II 39, 4.
602⁶. 603⁴. 608⁶·⁷; πληθυῖ
199⁵. 570⁴; πληθυν 571²;
πληθὺς Λυκίων II 129³
πληθύω ion. att. dor. 727⁵;
– c. gen. II 110⁷; -ύειν c.
dat. II 148⁶

πλήθω 703¹. 812¹; περὶ πλή-
θουσαν ἀγοράν II 504⁵
πλῆι, πλῆις conj. 791, 9
*πληjος 536, 1
*πλήjων 537, 6
πληκτίζομαι 706⁴; -εσθαι II
161²; – τινι II 161³
πλήλης Ägypt. 257⁴
πλήμη 524⁵
*πλῆμι 689³
πλημμελής 280²
πλημμυρίς 280³
πλήμνη 524⁵
πλήμῦρα 475, 3. 593⁶
πλήν 625³. II 533⁴. 542³⁻⁸,
2 f. 583⁴; – ἀλλά II 578³;
– εἰ II 543¹; – εἰ μή II 543³;
– ἤ II 543⁴; – ὅσον II 543¹;
– ὅτι II 543¹; – οὐ II 543⁴;
–τῶνδε τῶν ἐνέλειπεν II 642⁸
πλήν (= πρίν) 830⁵
πλῆντο 'näherten sich' hom.
671⁴. 743¹; s. πλῆτο
Πληξαύρη 444, 5. 6
πλήξιππος 444², 5
πλήρης adj. 513⁴, 8; indecl.
585³; – II 178⁶. 180²; – c.
gen. II 110⁸; – c. instr. II
166⁸; – εἰμὶ θηρεύμενος II
393⁴
πληροσία (= πρηρ-) 258⁷
πλήρωσια (= πρηρόσια) 402⁷
πληροῦμαι (-οῦσθαι) c. gen.
II 111²; – c. acc. II 111³;
– σοφίας παρά τινος II 498²;
– πνεύμασι II 166⁸
πληρόω 513, 8. 732, 2; πλη-
ροῦσιν Eur. 666, 3; ἐπληροῦ-
σαν 666, 3; ὁ πληρώσων II
296¹; πληροῦν c. acc. et gen.
II 111²
πλησάμενος c. acc. et gen. II
111¹
πλήσειαν (κεν) II 328⁴
πλησθη- 761³, 3
πλησιάζω (-ειν) c. dat. II
141⁵. 142³·⁴; – τῶν ἄκρων
II 97⁶; – μετὰ τοῦ ἅπτεσθαι
II 485⁴
πλησίαλλος 621, 6
πλησίον att. 270⁶. 271⁷. 360³.
461⁴. 542³. 621². II 547⁶·⁷.
548³·⁴; – c. dat. II 142³.
534²; – Θηβῶν II 97⁵
πλησίος c. dat. II 142³
-πλήσιος adj. ion. 598⁵, 10.
II 713³
πλησίχορος 621, 6
πλήσμα 494³
πλησμονή 524⁵
Πληστίερος ark. 538, 8
πλῆστος 279⁷
πλήσσομαι (-εσθαι) ἔκ τινος
II 464¹; – σὺν αὐ. μιάσματι

II 489⁸; – τι II 231¹; – περὶ
τινος II 502⁴⁻⁵; – ὑπὸ δήγ-
ματι II 526³
πλήσσω 697³. 702⁵. 716²; s.
πλήττω
πλήσω 782⁵
πλῆτο 'näherte sich' hom.
360³. 695². 743¹. II 542³
πλῆτο 'füllte sich' 703¹. 743¹.
755⁶; – ὄνθου ῥῖνας II 85²
πλῆτρον 532⁵
πλήττω II 814; s. πλήσσω
πληχθη- pass. Eur. 759⁵.
760²·⁵, 7
*πλήων 537, 6. 538, 8
πλίασι(ν) dat. pl. kret. 537²,
6. 567, 5
(*πλιγχjομαι) 692⁴
πλίες kret. 242². 537³, 6
πλίνθος f. II 34, 5
πλίξ 692⁴
πλίσσομαι 692⁴. 715¹
πλίυι adv. kret. 622³
πλοΐζω hell. 736²
πλοϊμωτέρων II 400⁸
πλοῖον 470³, 5. 578²
πλόϊμος 494¹
πλόος 347³. 458⁶
πλος ark. 88⁶. 537, 1
πλότει kypr. 344³
πλουθυγίεια 453, 2
πλοῦς 192, 1. 562²; πλοῦ voc.
577³; πλοῦς ἡμερῶν II 122³
πλουσιώτατος μετά τινα II
486⁵
πλουσιώτεροι ἑαυτῶν II 100⁷
πλούταξ 497⁴
πλουτέω c. gen. II 110⁷;
πλουτεῖν II 283, 1. 376⁷;
– ἀπὸ τῶν κοινῶν II 447¹;
πλούτει II 344¹
Πλουτῆος gen. sg. Halik.
575³
πλουτίζω τινά c. instr. II
166³
πλουτίνδην 627²
πλοῦτος 501³, 10; – βαθύς II
26, 5; πλοῦτοι II 43⁴
πλοῦτος n. 512⁴
πλοχμός 327⁷. 493³
Πλσκᾶς 132, 1. 280⁷
πλύμα 694⁵
πλύναν aor. 694⁵
πλύνει 694⁵
πλυνέουσα fut. 694⁵
πλύνεσκον 694⁵
πλυνέω hom.· 785²
πλύνω: -ὸν πλύνων 626⁶;
πλυνοί hom. 694⁵
πλύνομαι: ἐπλύθη 694⁵
πλυντήρ 347³
Πλυντήρια att. 694⁶
πλύντρια f. 694⁶
πλύσις 505, 8. 694⁵

πλυτήρ 694⁵
πλύτης 694⁶
πλώειν 743, 5
πλωΐζω hom. Hes. 722¹. 736²
πλώϊζω Thuk. 736²
πλώϊμος 722¹; πλωΐμωτέρων
  ὄντων II 606³
πλῶν gen. pl. 562³
πλώοιεν hom. 722¹
πλώρη 258⁷
πλώς 499³
πλῶσαι 752³; s. ἔπλωσε
πλωτός 346²
πλώω 349²; πλώων hom. 722¹
*-πμ- 327³·⁵
(*πνεϜjω) 685⁷⁻⁸
*πνέϜω 647⁴. 685⁷⁻⁸. 696¹.
  781⁶
πνείοντ- ptc. hom. 685⁸
πνείω: πνείουσι 686¹; πνείω
  μένεα II 76⁵; πνείειν ἐπὶ
  γαῖαν III 471⁷
πνέουσα (ἡ) II 175⁷
πνευμάτου pap. 579, 7
πνευσεῖται Aristoph. 786²
πνεύσομαι 685⁷. 781⁶
πνέω 685⁷. 692². 696¹·²·³, 2.
  781⁶; πνεῖν δόρυ, – Ἄρη, –
  πῦρ II 76⁵; – c. gen. II
  128⁶. 129¹; s. ἔπνευσα
πνιγετός 501³
πνιγη- pass. 759⁵
πνιγηρός 482⁶
πνιγίζω 736²
πνίγομαι ngr. II 235⁵; πνί-
  γηκε ἀτός του II 236, 2
πνῖγος 512⁴. II 43³
πνίγω 685⁴. 696, 2. 759⁵
*πνισγω 685⁴
πνιχθη- pass. spät 759⁵
πνοή 189³, 1
πνοιά 469⁶, 7
πνοιή 696¹
Πνύξ 269². 569⁶
Πνυταγόρας 696, 2
πο [= πρός] II 508³·⁴, 9
πο/ᾶ- pron. 615⁶
πόᾶ 188². 189, 1. 472⁶
*πογκσος 302³
*ποδ neut. 615⁶
*ποδ- n. 604, 1
ποδ- 358³. 419⁵. 424¹
πόδα acc. sg. 565, 3
ποδάγρα II 88²
Ποδαλείριος 446²
ποδάνιπτρα 446². 532²
*ποδαπόνιπτρα 446²
ποδαπός 295⁴. 604, 1. 610¹
Πόδαργος 447⁶
πόδας acc. pl. 552, 3; – ὠκὺς
  Ἀχ. II 85⁵
(*ποδδ) 610, 1
πόδε II 47, 4. 49⁵
*ποδεσα acc. pl. II 40, 4

πόδεσι Soph. Sophr. 564⁵
*πόδεσι dat. pl. II 40, 4
πόδεσσι hom. 419⁵. 564⁴. II
  47²
*ποδεσων gen. pl. II 40, 4
ποδεών 488²
ποδηνεκής 513³. II 255²
ποδήνεμος 398²
Ποδῆς hom. 461⁴
πόδι neut. ngr. II 33, 3
ποδί dat. sg. 350¹. 565, 3
πόδιον 470⁶
*ποδ κι 407⁶
ποδοῖιν 557². II 47²
ποδοῖν 557². II 47, 4
ποδοκάκκη 37⁶
ποδός gen. sg. 381²
*ποδσι 419⁵
ποδωκείῃσι II 43⁵
ποδώκης 512⁵
πόει äol. 729, 4
ποεῖ 241⁶
ποεῖν 195⁴
πόεις äol. 729, 4
π]οείσες conj. 661, 4
ποέντω ark. 729³
ποεσιτρόφος 446⁴
*πόεστι ark. 409⁷
ποεχόμενον kypr. 409⁷
ποεχόμενος πὸς τὸν ῥόϜον II
  510²
Ποhοιδᾶνι lak. 217⁴
ποήασσαι el. 205⁴
πόημι äol. 729, 4
πόησθα äol. 729, 4
πόησον II 344⁴
πόθεν 73⁵. 290³. 294⁴·⁵. 619².
  628². II 16¹. 411⁵. 413⁵.
  630⁵; – ἔλθοι II 630⁸; πό-
  θεν; II 631⁷
ποθέν 628². II 413⁵
ποθέω hom. ion. att. 297⁶.
  719⁵. 753³. 755¹. 815⁴; c. acc.
  II 105⁷; πόθεσαν apr. Ilias
  719⁵; s. *ἔθεσσα, ἐπόθεσα
ποθή 719⁵
ποθήμεναι 729²
ποθήσεσθαι 780³
ποθήω äol. (lesb.) 680, 3.
  718². 729⁴
ποθι ʼirgendwoʼ hom. 628⁴, 6
πόθι Od. 619². 627⁵. 628⁴. II
  16¹. 411⁵. 413⁵; – τοι πόλις
  II 630⁶
ποθί II 413⁵. 579³·⁴·⁷
ποθίερον phok. 220¹
πόθικες 424⁵
πόθος 261⁵. 297⁶. 458⁷. 719⁵
ποι 825. II 157⁴, 3. 579³·⁴·⁷
ποι äol. (lesb.) 549⁶. 628, 6
ποι (= πρός) II 508³. 509²·³
ποι- praev. II 509³
ποί 260⁷. II 508⁴. 509³
ποί (= πρός) II 510³·⁵·⁸. 514²

ποῖ adv. 293⁸. 377⁷. 549⁶.
  616, 5. 622². II 157⁴·⁵.
  318⁶.427⁷; ποῖ κῆ(γ)χος [so]
  632³; ποῖ δὴ καὶ πόθεν; II
  707⁸
ποία 314⁵. II 33, 2
ποία παιδείᾳ παιδευθείς II
  405⁵
ποίαν 236⁶; Aristoph. 616, 5;
  ποίαν τινὰ φύσιν ἔχων II
  405⁵
ποιανοῦ [pjanu] gen. sg.
  m. ngr. 617⁴; – εἶναι; II
  136⁸
ποίασε 652². 828⁵
ποιγραψάνσθō imper. arg.
  802²; – ποὶ τὰν στάλαν II
  510³
Ποίδικος böot. II 517, 2
ποιέειν II 382¹; – τι σὺν νόῳ
  II 490²
ποιεῖ 2. sg. med. 668, 3
ποιείμενος nwgr. 642, 2
ποιεῖν: τοῦ – II 372⁶; εἰς
  τὸ – II 370⁵
ποιεῖνται indic. 643, 0. 728,4
ποιεῖνται conj. nwgr. 791, 6
ποίενσι ark. 729³
ποιέοιν ätol. 665¹
ποιέομαι; s. ποιοῦμαι
ποίεσε 652²
ποιεύμενος: – θῶμα II 808⁸;
  ποιεύμενον ἦν Hdt. 813². II
  407⁸; ποιευμένων θῶμα II
  400¹
ποιεῦνται 248¹
ποιέω 348³. 450, 4. 726³, 7;
  ποιῶ (-εῖν) II 71³. 276⁵.
  307⁷. 347⁴. 360⁵. 364³·⁵.
  366¹. 377². 395⁷·⁸; ποιεῖ
  668, 3; ποιῶ τινος II 128⁴·⁵;
  – τι c. dat. II 151³; – τινα
  c. ptc. II 394⁶; – ἄλλα παρά
  τι II 497¹; – δεσπότην II
  83⁷; ποίησιν – II 75³; –
  πόλεμον II 232⁴; ποιοῦντος
  ἐλεημοσύνην II 400⁶; – τι
  ἐκ τῶν ξυγκειμένων II 464²;–
  τι ἔν τινι II 458⁵; – φάρ-
  μακα ἐπί τινι II 467, 2; –
  τι μετά τινος II 485, 2; –
  τι σὺν δίκῃ II 490²; – τι
  ὑπὲρ ἀρετῆς II 521⁸; – τι
  ἀπό τινος II 447²; – τινα
  ἀθανάταν ἀπὸ θνατᾶς II
  446, 6; καλῶς ποιῶν II 390⁸;
  καλῶς ποιεῖν c. dat. II
  144, 1; μὴ ποίει II 343⁶;
  s. ἐποι-, εὖ ποιῶ, ποιοῦμαι
*ποιϜᾶ 188²
ποιϜέω 295⁴. 726³, 7
ποιϜήσανς arg. 566²
*ποιϜός 295⁴
-ποιϜός 450, 4. 472⁶. 726, 7

ποίη 189, 1
ποίη (?) 3. sg. lesb. 659[6]
ποιήασσαι infin. el. 809[5]
ποιήάσσαι el. 217[4]
ποιήᾶται conj. el. 792[3]
ποιηθείη II 335[6]
ποιήμενος lesb. 729[2]
ποιήουσα delph. 729[4]
ποιῆσαι: τοῦ – II 360[7]. 372[5]
ποιησᾶι conj. epid. 792[3]
ποιησάμενοι σύλλογον (ana-
col.) II 617[2]
ποιήσαντες II 390[5]; -ας τοὺς
στρ. II 616[6]
ποιησάτωσαν imper. 802[5]
ποιήσεαν ion. (Teos) [=
-σειαν] 236[7]. 797, 3
ποιήσει conj. ion. 790[4]
ποιήσειαν II 322[8]
ποιήσειν II 295[5·6]. 374[1].
376[4·6]
ποιησειται Kos 786[4]
ποιησέμεν II 295[7]
ποιῆσες conj. kyren. 661[5]
ποιησεω Itan. 786[4]
ποιήσης: μὴ – II 343[6]
ποίησις: γενόμενος ἐν ποιήσι
II 458[6]; ποίησιν ποιεῖν II
75[3]
ποιήσοι 780, 1
ποιήσομαι II 291[5]
ποιησουντος epid. 786[5]
ποιήσω II 291[5·7]
ποιητέον II 410[4]
ποιητέος II 409[8]
ποιητός c. gen. II 128[4]
ποιθέμεν II 509, 7
*ποιθέω 842[4]
ποικεφάλαιον delph. II 517[2]
*ποικι- 484, 5
ποικίλλω 323[1]. 725[2]
ποικιλόδειροι 228[8]
ποικίλος 333[2]. 347[1]. 379[2].
484[7], 5
ποιμαίνεσκεν hom. 711[2]
ποιμαίνω 343[3]. 486[5]. 724[5];
– ἐπ᾽ ὄεσσι II 467[3]
ποίμανδρος 451, 1
*ποιμανδρῶν 451, 1
ποιμάνωρ 111[2]. 451, 1. 454[1]
ποῖμεν infin. böot. 806[5]
ποιμένισσα 522, 3
ποιμέσι dat. pl. 569[2]
ποιμήν 58[5]. 347[8]. 356[5]. 380[7].
522[2]. 568[8]. 569[2]; – λαῶν
II 615[6]. 692[5]
ποίμνη 486[5]. 524[5]
ποινή 294[5]. 380[8]. 489[1]; –
Πατρόκλοιο II 130[7]
ποῖο gen. sg. 621, 10
ποιοῖ 3. sg. opt. 252[5]. 796[5], 1
ποιοίατο 671[3]
ποιοῖς 2. sg. opt. 796, 1
ποιοῖτο 252[5]

ποῖον: τὸ – ; II 25, 7
ποιόντασσι(ν) her. 93[4]. 253[2]
ποιόντες j.-ion. 252[7]
ποιόντων delph. 253[2]
ποῖος pron. 72[3]. 294[4]. 609, 5.
615[6]. 616[2]. 617[4]; ποίου
Aesch. 616, 5; ποῖος II
212[4], 3. 213[2]. 644[2]; ποῖον II
35[3]; – τὸν μῦθον ἔειπες II
626[3]; ποῖόν σε ἔπος φύγεν;
II 626[3]; ποῖα δὲ ποίου βίου
μιμήματα II 630[2]
ποιός 391[6]. 615[6]. 616, 5. II
213[2]
ποιός [pjós] ngr. 617[4]; ποιοῦ
[pjú] 617[4]; s. ποιανοῦ
ποιότης 40[3], 3. 616, 5
ποιοῦμαι (-έομαι), -εῖσθαι II
78[4]. 122[7]. 123[3–4]. 124[3].
277[2]; – c. gen. II 125[2].
128[4·5]; – ἐξ, ἀπό c. gen. II
128[5]; – τι c. gen. II 131[8];
– διά τινος II 451[6]. 452[3]; –
γνώμην II 246[5]; – τὴν δίωξιν
ὑπὸ σπουδῆς II 530[3]; –
λείαν II 80[8]; – τὰς μελέτας
μετὰ κινδύνων II 485[3]; –
τοὺς λόγους II 364[2]; – λό-
γους μετὰ παρρησίας II
485[4]; – παῖδα II 83[6]; –
παρακέλευσιν μετὰ τῶν νό-
μων II 485[2]; – πλοῦν
(= πλεῖν) II 232[5]; – πό-
λεμον II 232[4]; – πρόχυσιν
II 80[8]; – σπονδὰς πρός τινος
II 516[4]; – σπουδὴν ὑπὲρ
τοῦ βλάψαι II 522[1]; – συμ-
φοράν II 231[3]; – σχεδίην II
231[3]; – τὰς τιμωρίας σὺν
τῷ ἀγαθῷ II 490[1]; – τρο-
πήν (= τρέπεσθαι) II 232[5];
ποιοῦνται ἔκπλους λανθά-
νοντες II 388[5]; ποιεῖσθαί
τι πρός τινα II 510[8]; ποιεῖταί
(pass.) τι πρός τι II 511[4];
– τι περί τι II 232[2]; – τὸν
ἀγῶνα περί τινος II 502[5];
– τι δι᾽ οὐδενός II 452[7]; –
τινα πρόθυμον II 83[7]; –
τινα φίλον II 231[4]; – τι
χρημάτων II 128[1]; -εῖσθαι
ἐπ᾽ ἑωτῷ II 468[4]; – τι
ὑπ᾽ ἑωυτῷ II 434[4]. 525[6]; –
τι ὑφ᾽ ἑαυτῷ II 525[7]; – τι ὑφ᾽
ἑαυτόν II 530[8]. 591[1]; –
περὶ παντός II 503[5]; – πρὸ
πολλοῦ II 507[2]
ποιούντωσαν imper. meg. 802[7]
ποιπνύω 647[4]. 649[1]. 737[4].
ποιπνύσω 783[2]; s. ἐποί-
πνυσα; ποιπνύοντα διὰ δώ-
ματα II 453[2]
(*ποισϝ-) 726, 7
(*ποῖσι) 616, 2

ποιτάσσω delph. II 509[6]
Ποίτιος kret. [= Πυ-] 195[1]
Ποιτρόπια neut. pl. II 517, 2
Ποιτρόπιος delph. II 517, 2
ποιφύσσω 647[4]. 737[4]; ποι-
φύξω 783[2]
πok böot. 317[2]
πόκα nwgr. dor. böot. 299[4].
629[2·4·5]
ποκάμισο ngr. II 523, 15
ποκγραψάμενος thess. 231[6];
-μένοις [so] 317[3]. 407[6]
ποκχι thess. 610, 1. 616[5];
ποκχί 317[2]. 407[6]. II 644[2], 1.
646[7]
πόκτος 704, 6
πολέα n. pl. Aesch. 584[3]
πολέας acc. pl. 584[3]; f.
Kallim. 584[3]
πόλεας acc. pl. 573[3]
πολέες nom. pl. hom. 563, 2.
584[3·4]; f. Kallim. 584[3]; – τε
καὶ ἐσθλοί 584[4]
πολέεσσι dat. pl. [πολύς]
hom. 564[4]. 572[1]. 584[3]
πόλεϝος 265[2]
πόλεϊ dat. sg. pap. 572[2]
πόλειdat.sg. att. 248[6].572[2·3];
hell. 571, 2
πολεῖ dat. sg. poet. spät
584[3]
πόλεις gen. sg. Zelea 572, 4
πόλεις nom. pl. 573[6]
πόλεις acc. pl. 572[3]
πολεῖς pl. 584[3]; acc. pl.
hom. 563, 2
Πολεμαγένης att. 439[2]
πολεμεῖσθαι ὑπό τινος II
240[8]; πόλεμος ἐπολεμήθη
II 74, 2
πολεμέω 726[3]; πολεμεῖν II
161[3]; – τινι II 233[4]; –
μετά τινος II 484[5]; – πρὸς
ἀλλήλους μετά τινος II 484[5];
– ἐξ εἰρήνης II 464[3]; – τινι
ἐναντία II 534[4]
πολεμησείοντας Thuk. 789[1]
πολεμήσοντες: ὡς – II 391[6]
πολεμία (ἡ) II 175[5]
πολεμίζω 105[6]. 325[4]. 736[1];
-ίζειν 805[7]. II 161[2]. 363[1];
πόλεμον – II 74[4]; – ἄλληκ-
τον II 77[1]
πολεμικώτερος 456[4]
πολεμίξω fut. hom. 785[5];
πολεμίξομεν 737[7]
πολέμιόν ἐστι κτιζόμενον II
393[6]
πολέμιος (ὁ) II 42[1]. 175[1]
πολεμιστής 737[7]
Πολεμῶ 315[6]
πολέμων δε 624[6]
πόλεμος 748, 6; – τῶν θεῶν
II 121[6]; – ὑπὲρ τὰ Μηδικά

II 520²; – περί τινος II
503²; πόλεμον ἀναιρεῖσθαι
II 161²; – πολεμίζειν II
74⁴; πόλεμος ἐπολεμήθη II
74, 2
πολέμω καὶ εἰράναρ II 113²
πολεμῶν II 391⁵
πολέοιν gen.-dat. du. att.
573⁵
πόλεος 248¹. 572³, 3; hell.
571, 2
πολέος gen. sg. hom. 584³·⁵
πόλεσι att. 572¹
πολέσι dat. pl. 584³
πολέσσι dat. pl. 584³
πολεύω 720¹
πολέω 719⁵ f.
πόλεων gen. pl. att. 379⁷.
572⁴
πολέων gen. pl. 584³
πόλεως 245⁷. 382⁸. 572², 3.
835⁴
*πολϜjᾶς 265²
πόληα acc. sg. Hes. 573²
πόληας acc. pl. Od. 245⁷.
572³, 6. 573²·³
πόληες hom. 572². 573²
πόληϊ dat. sg. hom. 356⁶.
572²
πόληι dat. sg. att. 248⁶.
572³·⁴
πόληος hom. ion. 85⁸. 241⁷.
572²
*ποληυ loc. sg. 314⁸. 572⁵
πόλι lesb. thess. usw. 248⁶
πόλι voc. II 59⁶
πόλι f. ngr. 586¹
Πόλι II 24, 2
πόλῑ dat. sg. 572³
πολιᾱ- 439, 5. 573³
Πολίαγρος 439, 5
Πολιανίτης ngr. II 24, 2
πόλιας acc. pl. 244⁷. 572³.
573³·⁴
πολιᾶτας 500⁴
πολιᾶχος dor. 439, 5
πόλιες Od. 572³. 573⁶
πολίεσι Pind. 564⁵
πολίεσσι lesb. hom. Thuk.
564³·⁴. 572¹
Πολιηύς ther. 575⁵
πόλιθθι kret. 316³. 321⁶
πόλιθι dat. pl. kret. 549¹.
566¹, 2. 571⁶, 5
πόλιι pamph. 571⁶
πόλιν δε hom. 624⁶. II 313⁵;
πόλινδε II 68¹
πόλινς acc. pl. 571⁶
πολιορκέω 726⁵
πολιορκηθέντες: οἷα – II 391⁸
πόλιος gen. sg. 81⁶. 85⁸. 244⁷.
572²
-πόλιος gen. in Namen 572, 3
πολιός 472⁵; f. II 32, 5

Πολιούξενος böot. 183⁴
πολιοῦχος 439, 5
πόλις 325⁴. 344⁵. 350³. 462⁵.
II 33³; – hell. 571, 2
πόλις gen. sg. 572, 4
πόλις nom. pl. äol. 573²
πόλῑς nom. pl. äol. 564²
πόλῑς acc. pl. 572³. 573⁴
-πολις in compos. 634¹
πολίσσαμεν hom. 735⁵
πολισσο- 439, 5. 573³
πολισσονόμος 439, 5
πόλιστος 538², 3
πολῖτα att. 560⁶
πολῖται ἄνθρωποι II 614⁷
πολίταισι dat. pl. lesb. 556, 4.
559⁵
πολίτευμα τὸ πὰρ ἀμμέ II
495⁸
πολιτεύομαι (-εσθαι) II 232³.
368⁴
πολιτεύονσι dat. pl. kret.566²
πολιτεύω II 232³
πολῑτικός 840¹
πολίχνᾱ 489⁴
πολίων gen. pl. hom. 572, 8
πόλjας acc. pl. Od. 573³
πόλλ' 387⁶·⁷; πόλλ' ἀέκων
II 87⁶
πολλά neut. pl. 584³. II 413⁸;
– καὶ ἐσθλά 584⁴. II 568¹
πολλά adv. 621²
πολλα- compos. 584⁴
*πολλᾱ́ 265²
πολλαγόρασος 452⁴. 516⁷
πολλάκι 299²·³. 405². 598,
2. 619¹. 620¹. 624⁵. II
569¹. 575¹
πολλάκιν dor. 405³. 620¹
πολλάκις 299²·³. 405²·³. 409⁸.
587, 1. 597⁶. 598, 2. 620¹.
630⁴. II 336². 414⁶·⁷; –
τοῦ μηνός II 114⁷
πολλαπλασίαν ἧς ἔχεις II 98⁷
πολλαπλάσιος 446². 591⁶.
598, 10
πολλαπλασίων 536, 3
πολλαστός 446². 596, 4
πολλαχῆι 630⁴
πολλαχόθι 630⁵
πολλαχόσε 630⁵
πολλαχοῦ τῆς γῆς II 114⁵
πολλαχῶς 624²
πολλάων 584²
πολλέων gen. pl. f. 584³
πολλή 265¹·³. 584³; πολλῆς
νυκτός II 113²
πόλλιος thess. 274³
πολλό/ᾱ- 584²
πολλοί 584³; – 'Αχαιῶν II
116³
πολλόν: τὸ – τῆς στρατιᾶς
II 178³; πολλὸν σαρκός hom.
584⁴

πολλόν adv. 584³; – ἄριστος
II 87⁶
πολλός hom. ion. 584³;
πολλόν acc. sg. m. Hdt.
584³; τὸν – τὸν χρόνον Hdt.
584⁴; πολλός εἰμι λισσόμενος
II 393⁶
πολλοστός 584⁴. 596²
πολλοῦ gen. sg. 584³·⁵
πολλοῦ adv. 'sehr' II 135²
πολλοῦ δεῖ· II 378⁷. 379⁶; –
δεῖν II 379⁶; – ποιεῖσθαι II
125²·⁵·⁶; – τιμᾶν II 125⁵;
– τιμᾶσθαι II 125⁵·⁶
πολλῶι 584³. II 185²; πολ-
λῷ II 164²
πόλος 295¹
πόλτος 501³
πολύ 265¹⁻³. 584². II 697⁶;
ἐπὶ τὸ – 625³. 632⁴
πολύ adv. 'sehr' 621². II
87⁵. 185². 413⁸; – ngr.
621⁴; – μεῖζον II 87⁶
*πολῡ 299³. 581³
πολυ- compos. 584⁴
πολυάρητος 299⁸. II 150¹
πολύαρνι dat. Ilias 568⁶
Πόλυβος 456⁶
πολυγηθής 513³. 703⁴
πολυγράος 456⁶
πολυδάκρυτος 503⁴. II 150¹
Πολυδάμα voc. att. 561, 6
Πολυδάμᾱς 526, 5
πολύδαμνος 456⁶
Πολύδδαλος böot. 331⁷
πολυδέγμων 452²
πολυδηνής 286⁶·⁷. 438¹
πολύηρος 424³
πολύθεστος 297⁶
Πολύϊδος 227⁶
πολυϊδρείησιν II 43⁶
πολύιππος 439⁵
πολυκαισαρίη II 693⁶
πολύκερως φόνος II 178¹
ΠολυκλϜεις böot. 242⁴
πολυκοιρανίη II 602⁵. 605⁷.
623⁴. 693⁶
Πολυκράτη voc. delph. 579⁶
πολυκτήμων c. gen. II
111¹
*Πολύκττωρ 531, 8
Πολύκτωρ 519, 6. 531⁴, 8
*πολυλᾶ f. 265²·³
*πολυλᾶς 265²
*πολυλο- 483⁷
*πολὺ μνηστός 434³
πολύμνηστος 434²
Πολύμνια 447, 2
πολύν acc. sg. 584²
πολύοινος 454³
Πολύοκτος 299⁸. 502⁶
πολυπάμμων hom. 238²
Πολυπέρχων 334³
πολυπλάσιος 446²

Πολυποίτης 452, 2
πολύριζος 311[3]
πολύρρην ep. 227[5]. 357[7].
 568[6]; -ι dat. H. 568[6]
Πολύρ(ρ)ην kret. 568[6]
Πολυρρηνία 357[7]
Πολυρρήνιοι 568[6]
πολύρριζος 227[6]
πολύς 265[1-3]. 463[2]. 538[2·3], 8.
 584[2·4·5]. 585[5]. 587, 1. 635[4].
 II 176[6]. 179[3], 1. 180[2·3].
 181[1], 1. 182[3]; – c. gen. II
 178[3·4]; – πλήθεϊ II 168[5];
 πολλοῦ λόγου εἶναι – II 125[1];
 s. πολύ, πολλός, πολλή
*πολῦς acc. pl. 563, 2. 572[1].
 584[3]
πόλυς 520, 1
Πολυσπέρχων 334[3]. 526[1]
πολυστεφής c. gen. II 111[1]
πολυτελεστέρως 624[2]
πολυτίματος παρά τινα II
 495[7]
*πολύτλαντς 385[5]
πολύτλᾶς 385[5]. 451[4]. 526[3]
πολύφλοισβος II 182[7]
πολυφόρβην hom. II 38[4]
Πολυφράδμων 636[5]
πολύχεσος 516[7]
πολυχούστερος 535[5]
πολυώδυνος 398[2]
πολύως 520, 1
πομπεύειν 732[4]
πομπήν πέμπειν II 75[3]
πομπός 355[6]. 459[2]. 460[4]
πομφός 291[4]
πονάω 719[1], 1
πονε̄θε̄ 758[1]
πονέομαι hom. 719, 1; πο-
 νέεσθαι λισσόμενος II 393[1];
 – περὶ δόρπα II 504[3]; πο-
 νέοντο κατὰ κρ. ὑσμίνην II
 476[6]
πονέω att. 719, 1; πονεῖν
 (σφᾶς subj.) II 243[3]; –
 παρά τινα II 497[2]; πονῶ
 πόνους II 75[8]; s. ἐπόνησα,
 ἐπόνεσα, πονε̄θε̄
πονηρός τινος II 128[2]
πόνηρος 380[3]. 383[3]
πόνος μάχης ἐστὶ περί τινι
 II 501[8]; – ἀμφὶ πόνῳ II
 438[4]; ἔχειν πόνον περὶ νηός
 II 502[4]; πόνοι πόνων II
 700[5]; πονῶ πόνους II 75[8]
πόντος 298[3]. 458[3]. 503[6]
Πόντος II 33, 2; ὁ – II 24[2]
πόνῳ πονηρέ II 700[6]
πονωπονηρέ II 700[6]
πονωπόνηρος 446[4]. 550[1]
πόπανον 298[5·8]
Πόπη ngr. 637[2]
ποπίζω 716[6]
Ποπίτσα ngr. 637[2]
14 H. d. A. II, 1, 3

ποππάν 316[7]
ποππύζειν 315[5]; -ύζω 647[3].
 716[6]
Ποππώνιον 214[6]
πόρ lak. (H.) 565, 3
πόρδᾱξ 497[4]
πόρε imper. hom. 799[3]
πορε/ο- 747[1]
πορεῖν 361[1]. 362[7]; s. ἔπορε
πορεύομαι (-εσθαι) II 265[5];
 – (ἅμα) c. dat. II 162[4]; –
 ἐν c. dat. II 461[3]; – διά
 τινος II 433[4]; – διὰ πολε-
 μίας II 450[7]; – ὑπέρ τινος
 II 520[6]; – ὑπό τινος II
 529[2]; – ὑπὸ φανοῦ II 530[1]
Πορθάων 521[5]
πορθεῖσθαι κατ' ἄκρας II
 480[7]; – ὑπό τινος II 529[6]
πορθέω 720[1]; πορθεῖν II
 363[3]
πορθμός 362[8]. 493[1]
*πόρθος 833[4]
πόρις 462[5]
πόρκης 461[2]
πόρνα du. II 49[5]
πορνάμεν 344[3]. 693[1]
πορνάμεναι H. 693[1]
πόρνη 362[8]. 489[3]
πόρνοψ böot. lesb. 299[1]. 344[2]
πόρπη 423[4]
πόρρω II 505, 8. 544[4·5·7].
 545[2-4]; – c. gen. II 360[7];
 – τῶν νυκτῶν II 114[7]
πόρρωθεν II 544[4·8]
πορρωτάτω II 544[4·6]. 545[2·3]
πορρώτερος 534[3]
πορρωτέρω II 544[4]. 545[1]
πορρωτέρωθεν II 544[4·3]
πορσαίνω 733[2]
πορσανέω fut. hom. 785[2]
πόρσιον 539[2]. II 544[4·6]
πόρσιστα 539[2]. II 544[4]
πορσυνέω fut. hom. 785[2]
πορσύνω 733[2]
πόρσω 539[2]. II 505, 8.
 544[4·5·7]. 545[4]
πόρσωθεν II 544[4]
πόρσωπον hell. 267[3]
πόρταξ 497[1]
πορτί kret. 267[4]. II 508[3]. 511[7]
πορτίαθθαν kret. 320[5]. 678[2]
πόρτις 271[2]. 462[5]. 504, 3
πορτιφωνέω kret. II 509[5]
πορφύρω 258[4]. 351[8]. 647[3], 4
πος (πός) pamph. ark. kypr.
 82[5]. 89[1]. 400[7]. 401[2·3]. II
 508[3·5], 8. 510[2]
ποσάκις att. 598[1]
ποσάπους 591[6]. 612[6]
ποσαχῶς 630[5]
πόσε 'wohin?' ion. att. 271[7].
 629[2], 3. II 16[1]. 157, 3. 411[5].
 413[5]

πόσεϊ dat. 572, 2
Ποσειδᾱ ϝων 521[5]
Ποσειδάων 271[1]. II 701[6]
Ποσειδεών 488[3]
Πόσειδον voc. att. 569[1]
Ποσειδῶ acc. att. 569[7]
Ποσειδῶν 271[1]. 380[1]
Ποσειδώνιος 637[1]
Πόσεος gen. erythr. 572, 3
πόσθη 425[3]. 511[2]
πόσι voc. 271[1]
ποσί 321[6]
πόσιας acc. pl. m. Ilias 573[3]
Ποσιδάνιν 120, 2
Ποσιδᾶνος 120, 2
*Ποσιδᾶς 271[1]
Ποσιδήϊον 468[3]
Ποσίδηϊος 193[6]; -ήιον ἄλσος
 II 177[2]
ποσίνδα 627[2]
πόσις kypr. hom. 271[1·2].
 339[1]. 381[1]. 504, 3. 505[2]
Ποσιττῆς ion. 231[6]. 637[1]
*ποσμι dat. sg. pron. 610[2]
Ποσοιδᾶν (-ᾶν) ark. 88[6]. 271[1];
 -ᾶνος ark. 250[4]
ποσός 391[6]. 615[6]. 616, 5. II
 213[2]
πόσος 612[6]. 615[6]. II 212[4].
 213[2]; πόσην κατειργάσατο
 σπουδήν II 626[4]; πόσον τι
 νάπος ὁ Π. II 626[4]
*ποσοστός 263[4]. 596[2]
ποσότητος δηλωτικά (term.)
 587, 1
ποσποιήσει II 233[2]
ποσσάκι Kallim. 598[2]
ποσσῆμαρ Ilias 591, 2. 612[6]
ποσσί dat. pl. 321[6]. 566[1].
 II 47[2]
πόσσος 612[6], 4
*ποσσοστός 263[4]. 596[2]
πόστος 596[2]. 612[6]
ποστός 263[4]
ποτ' [so] Soph. 391[7] (s.
 600, 3*)
πότ (= πρός) II 508[3·4], 9. 510[6].
 514[3]
πότα lesb. 629[2]
ποταίνιος 'neu' dor. 612[2].
 II 508[1]. 517[4]
ποταμηδόν 626[5]
Ποτάμιλλα m. syrak. 561[4].
 II 37[4]
ποταμός 493[6], 11. II 33[2]; –
 Κύδνος ὄνομα II 86[2·4]
πόταμος äol. (lesb.) 90[3].
 383[5]
ποτᾱνός dor. 490[3]
ποτάομαι poet. 717[4]. 718[5·6].
 719, 3; ποτᾶσθαι ὑπὲρ θα-
 λάσσης II 520[5-6]; s. ποτῶ-
 μαι
ποταποπισάτω böot. 300[1]

ποταπός hell. 256⁸. 604, 1.
II 498, 2
ποταπῶ H. 632³
ποταρμόξαιτο el. 734². II
131¹
*ποταυδᾶ 237⁶
ποτε encl. 629, 2. II 573¹
ποτέ 391⁶. 629, 2. II 413⁵.
415³. 629⁷; ποτὲ μὲν –
ποτὲ δέ II 649, 0; s. ποτ'
πότε 55⁷. 271⁸. 629²·⁴. II
413⁵. 579⁶; ἐς – II 427⁷; ἐς
πόθ' ἔρπες kypr. II 462³
*ποτει voc. sg. 271¹
Ποτειδᾶ acc. Kos 569⁷
ΠοτειδάϜων kor. 560, 8.
840³
Ποτειδάν dor. 271¹. 384⁵.
396⁶. 560, 8
Ποτειδᾶν dor. 250⁴
Ποτειδᾶς dor. 271¹. 562¹.
572²
Ποτείδᾱς 446¹
Ποτείδεια att. 258²
Ποτειδοῦν nwgr. 90⁸
ποτελάτω arg. 681⁴
ποτέομαι poet. 358³. 717⁴.
719⁴, 10; ποτέονται Alk.
729⁵
πότερα II 617⁷; πότερα – ἤ
II 629². 630⁷
πότερον 610, 0. II 579³·⁵.
617⁷; – ; II 555¹; πότερον –
ἤ II 580². 629². 630⁷; πό-
τερον – ἤ – ἤ II 579⁵⁻⁶
πότερος 381². 534¹. 595⁵. II
213²·³. 580³
ποτέρως 624¹
ποτεῦ Kallim. 719, 10
ποτεχει adv. her. 623, 13;
ποτεχεῖ arg. her. 549⁶
ποτεχές adv. 549⁶
*ποτέω 755, 2
ποτή Od. 718⁵
πότη(ι) äol. Sapph. 719, 10
ποτήμενος Theokr. 719, 10
ποτῆρι νερό ngr. II 616, 2
ποτήριν 156⁷. 165¹
ποτήριον 165¹
*ποτής 529¹
ποτῆτος 529¹, 1
ποτι 610, 1
πότι 387⁸. 400⁸. 401²·³
*πότι 'wie viele' 612⁶
ποτι- praev. II 509 ³·⁵
ποτὶ δέ II 424³
ποτί 106⁶. II 508³·⁴. 509³, 1.
510¹·². 511¹·⁵·⁶. 512³·⁶.
513²·⁴·⁵
ποτιδέγμενος II 80². 509⁶; –
δῶρον c. dat. II 151⁵
ποτιδέρκομαι II 509⁵
ποτιδόρπιον II 517¹
ποτίζω ngr. II 80, 1. 83⁵

ποτικάρδιος II 517³
ποτικεφάλαια II 517²
ποτικλᾶιγον her. 685⁵
ποτικλάιγωσαν her. 685⁴
ποτίκρᾱνον II 517²
ποτιπεπτηυῖα 541²
ποτιπίαμμα kyren. 839²
ποτίσταται (γυναῖκες) 535⁶
ποτιφωνήεις 527⁵
*ποτj 400⁷
*ποτ κι 407⁶. II 644²
πότμος 492⁴, 10. 755, 2. II
623⁴; πότμος πότμος II
700¹; πότμος ἑτοῖμος μετά
τινα II 486⁵
πότνα voc. sg. Od. 559⁷. II
59, 2
πότνα nom. sg. 559⁸
πότνι voc. 559⁷; – 'Αθη-
ναίη Ilias 559⁷
πότνια 381²·⁷.473¹. 488⁵; voc.
hom. 559⁷. II 59, 2
Ποτοιδᾱς 572²
ποτόρην infin. lesb. (Sapph.)
807⁷
πότορθρον II 517³
ποτός 346¹. 419⁶. 502⁶
πότος 501⁴
ποτόσδον γλυφάνοιο II 128⁷
*ποτς 401²
ποττόν dor. nwgr. 265⁴
ποτῶμαι ἀμφὶ ῥέεθρα II 439²
που adv. 621⁴. II 114⁴.
157²·³, 1. 579³·⁴. 580¹
ποῦ 'wo?' 619². 621⁴, 10. II
157²·³·⁴, 1. 556, 2. 579⁴;
ngr. II 645¹·²; 'wohin' ngr.
621⁵; ποῦ γῆς; II 469⁵;
ποῦ ἴδω; II 311²
ποῦ pron. relat. ngr. 615³;
– τόν 'welchen' ngr. II
645¹; ποῦ δέν ngr. II 678³;
ποῦ νά ngr. II 678³
ποῦθε 'woher?' ngr. 628⁴
πουκάμισο ngr. II 523, 15
πουλί: τοῦ πουλιοῦ τὸ γάλα
ngr. II 27⁶
πούλιμος böot. 434³. 615⁶. II
626⁵
-πουλλος ngr. 636¹
Πουλυδάμᾱ voc. sg. 526², 5.
565, 4
πουλύπουν acc. sg. m. 565, 3
πουλύς 584²
πουμμα· πυγμή spätlak. 215²
πουνιάδδω lak. 735³
ποῦρος delph. 185²
πους (= παῖς) 578⁴
*πους 578⁴
πούς att. 381². 565, 3. II
33⁴. 42³; – c. gen. II 122²;
s. ποδ-
ππ 301⁸. 316⁷
ππάματα böot. 301⁷

πραγαματος 278⁷
πρᾶγμα II 175, 3. 605⁸;
πράγματα II 18³; ἔχω –
ὑπό τινος II 529⁴; πρᾶγμα
πρᾶγμα II 700¹
πρᾶγος 512². 716²
πράδδεσθαι kret. 316³
πράδδω kret. 715³. 716²
πράδησις 505⁶
πρᾱεῖα f. att. 574⁶
*πρᾱϜατος 840⁶
πράζω ngr. 715⁴
πράζω 265⁸
πραθε/ο- 747⁵
πραθη- 761⁷
πραθήσεται 783⁵
Πρᾱισος 59⁵, 3. 276, 1
πραίτωρ 531, 6
πρακος delph. 702, 8
πρακσηται 786⁴
(*πρᾱκσjω) 787, 7
πρακτέον II 409⁶·⁸
πρᾱκτωρ att. 530⁷
πρᾶμα ngr. 335⁴
πρᾶμαν ngr. 524, 4
πρᾱμος 494, 2. 595, 3
πρᾶν 250²
πρᾶν dor. 621¹
πρᾱνής II 505, 2. 6
πρᾱξας Alkm. 566³
πράξασθαι II 296⁶
πρᾶξει her. 791, 1
πραξικοπεῖν II 711⁸
πρᾶξις βία II 166⁶
πράξοντι conj. kret. 790⁴
πράξω fut. 787, 7. II 291⁵
πρᾱόνως Aristoph. 574⁶
πρᾶος att. 574⁶
πραότης 574⁶
πραπίδες 302⁷. II 52¹
Πραράτιος arg. 362²
Πρᾱράτιος epid. 402⁷
Πρασιάς (λίμνη) 70⁴
πράσον 58³. 307⁵. 342². 352⁴.
370³·⁴. 516⁸
Πρασος 276, 1
Πρασούς [so]: 'ς τούς – ngr.
59, 3
πράσσειν (τὸ) II 371⁶
πράσσομαι (-εσθαι) II 127⁸;
– τι ἀπό τινος II 446⁵
πρασσόντασσι II 521⁷
πρασσόντωσαν imper. kyren.
(Koine) 802⁷
πράσσω 333¹. 496⁶. 702⁵, 8.
716². II 82¹; πράσσειν II
362⁷. 363³; πράσσω τι διά
τινος II 451⁵; – πρός τινα
II 510⁸; – τι ἀγ. ὑπέρ τινος
II 521³; – ὑπὲρ τᾶς πόλιος
II 521⁷; s. πράττω, πρήσσω
Πρᾱτίνας 490⁷
πρᾱτιστος ther. 595⁴
πρᾱτος 81³.250¹.595²·³.II 505⁴

πράττειν: τὸ μὴ – II 371[7];
ἐν τῷ – II 370[2]
πράττεσθαι (τὸ) II 369, 1
πράττομαι (pass.) τοὺς φό-
ρους II 82[2]
πράττω 128[2]. 186[2]. 187[6].
716[2]. II 227[8]; πράττειν II
361[4]; πράττω ἀγαθόν τί
τινα II 81[1]; – τι πρό τινος II
506[7]; – κακῶς ἔκ τινος
II 464[1]; s. πράσσω, πραξ-,
εὖ πέπραγα
Πρατύλος 485[3]
πρᾶΰς 480[4], 1. 574[6]
πραΰτης LXX 574[6]
Πραύχαε böot. 194[6]
πρᾷως att. 574[6]
πρεγγευτής 231, 1; -αί kret.
216[6]
πρεζβευτάς 217[7]
πρείγᾶ 461[2]
πρείγαι lokr. 464[6]
πρειγευταί kret. 216[7]
πρείγιστος gort. 539[2], 1
πρεῖγυς kret. 96[4]. 276[3]
πρείγων 539, 1
Πρειιας pamph. 209[1]
πρειν kret. (gort.) 537, 6. 631[2]
*πρεις 537, 6
πρεισβεία thess. 276[2]
πρεῖσγυς 298[6]
πρέμνον 489[2]
πρέπον (τὸ) II 409[2]; s. πρέπω
πρέπω 684[4]; -ειν II 376[1]; -ει
II 621[8]; πρέπειν c. dat. II
144[3]; πρέπει ἀγγέλλων II
392[3]; – τινὶ ἐπιμελομένῳ II
393[8]; – μοι ἄρχειν II 374[5];
– νὰ δουλεύῃς ngr. 384[4];
πρέπων c. gen. II 127[1];
πρέπον acc. abs. II 401[7]; –
ἐστί c. dat. II 144[3]
πρές II 508[3·5]
πρεσ- II 508[5]
πρέσβα voc. f. 476[3]; – θυ-
γατρῶν II 116[6]
πρέσβE du. Karp. 573[5]
πρέσβεα f. 476[3]
πρέσβεας acc. pl. Hdt. 573[3]
πρέσβεια acc. sg. kleinas.-
äol. 573[2]
πρεσβεία II 39, 4
πρεσβειουν thess. 241[7]
πρέσβειρα 543[3]
πρέσβεις 584[1]. II 42, 3; οἱ
– περί τινα II 504[3]; s. πρεσ-
βευτής
πρεσβεύειν εἰρήνην II 232[1]
πρεσβεύεσθαι II 232[1]
πρεσβευτής 584[1]; ὁ – II 42, 3;
πρεσβευταί pl. 584; s. πρέσ-
βεις
πρεσβη du. altatt. 575[5];
πρεσβῆ Aristoph. 573[2]
14*

πρεσβῆες Hes. 476[7], 6. 573[2]
πρέσβιν acc. 464[6]
πρέσβιστος 539[2], 1
πρέσβος 512[5]
πρέσβυ voc. att. 572[2]
πρέσβυς 298[6]. 463[2]. 539, 1.
II 42, 3. 508[3]. 509[1]
πρεσβύτᾶτα: ἀνὰ – II 441[4]
πρεσβυτέριον 163[3]
πρεσβύτης 500[6]
Πρεσβυτῶ Chios 252[4]
*πρετί II 508[2–4]
πρευμενής ion. 111[1]. 574[6]
πρη- 755[1]
πρηγιστεύω 276[3]
πρήγιστος koisch, kret. 216[7].
283[4]
πρῆγμα II 605[8]
πρηγορέων 398[5]. 402[7]. 488[1]
πρηθ- 755[1]
πρῆθμα 523[5]
πρήθω 703[1]; s. ἐπέπρητο
πρηκτήρ hom. 530[6]
πρημαίνω 724[6]
πρημονῶσαν Herod. 725[6]
πρηνηδόν Nonn. 626[5]
πρηνής 189[5]. II 505, 2. 6
Πρηξάσπης 153[5]
πρῆξις 505[4], 6. II 356[1]. 357[6]
πρήξοισιν conj. chi. 790[4]
πρηξών 517[2]
πρηροσίαι 258[7]
πρηρόσια 402[7]
πρησ- 755[1]
πρήσας ἐν πυρί II 458[4]
πρῆσε [sc. τὸ αἷμα] κατὰ
ῥῖνας II 478[6]
πρησθη- 761[3], 3
πρήσκω ngr. 712[2]
πρήσσεσθαι περί τινα II 504[7]
πρήσσεσκον hom. 711[2]
πρήσσω ion. 716[2]. II 259[7]
πρηστήρ 382[2]. 531[5]. II 33[5]
πρήσω 782[5]
πρητήν 487[3]
πρηΰνω ion. 574[6]
πρηΰς adj. ion. 574[5]
πρῆχμα ion. 206, 1. 523[7]. II
357[2]
πρῖᾶ imper. dor. 743[5]
πριαίμην 743[5]
πρίαμαι 295[4]. II 72, 1; s.
πρίασθαι
πριαμόομαι Kom. 727[2], 3
Πρίαμος 494[1]. 637[6]; Πριά-
μοιο βίη II 177[4]; – ἄνακτος
II 615[2]. 618[2]
Πριαντές nom. kret. 563, 2
Πριανσοῖ kret. 549[7]
Πρίανσος kret. 86, 1. 286[8]
πρίασθαι 363[4]. 743[5]. II 127[4];
– τι c. dat. II 169[4]; – τι(να)
instr. II 167[1]; – τινα παρά
τινος II 497[7]; s. πρίαμαι

πρίασο imper. böot. 668[6].743[5]
πριᾶται conj. lesb. 792[3]
πρίατο hom. 743[5]; s. ἐπριά-
μην
Πριήνη ion. 286[8]
πρίν 537, 6. 631[2·3]. II 300[1].
313[3·4]. 415[7]. 533[4]. 543[5].
637[6]. 654[1] f. 656[1·4–5]; πρίν
537, 6; πρίν att. 631[2·3];
πρίν hom. 631[3]; τὸ πρίν II
70[2]. 87[1]. 654[2]; πρὶν ὥρας II
435[2]. 654[3]; πρὶν φάους II
435[3]; πρὶν ἤ II 313[3]. 656
[3·4]; πρὶν οὗ II 654[4]; τὸ πρίν
II 617[7]; πρίν c. conj. II 336,
2; – c. opt. II 323[1]. 334[6·7];
s. πλήν
πρίνινος 289[8]
Πρινοέσσας kret. 528[2]
*πρῖς 537, 6
πρισγεῖες böot. 276[2]. 573[2]
πρίστις 504[4]
πρίω 686[4]
πρίω imper. 743[5], 13. 799[6]
πριῶι conj. her. 729[5]. 738, 6
πρίωμαι 743[5]
πριώμασι · πρίσμασι H. 738, 6
πρίων 'Käufer' Aristoph.
743, 13
πρῖων 487[1]. II 33[5]
πριωσεῖ fut. her. 738, 6. 775[1]
πριώω praes. 738, 6
πρό 291[2]. II 99[8]. 267[7]. 268[2·3].
411[5]. 422[1]. 426[2]. 428[5]. 432[5].
492[1].505[3],1 – 508; – c.gen.et
praep. II 98[1·2]; – c. abl. II
96[8]; πρό τινος II 507[6]; τὰ
πρό τινος II 417[2]; πρὸ ἡλίου
δύνοντος II 391[2]; πρὸ τοῦ II
21[3]. 415[7]. 420[4]. 507[4]; τὸ
πρὸ τοῦ II 507[5]; τὸ πρὸ τού-
του II 70[2]; πρὸ τοῦ ἤ c. in-
fin. II 657[5]; πρὸ πολλοῦ τῆς
πόλεως II 96[7]; πρό τ' ἐόντα
II 426[4]. 506[2]; πρὸ (τῆς) κε-
φαλῆς ngr. (kypr.) II 436[3].
507[7]; πρὸ προσώπου 'vor'
II 435, 2; ἐπαινεῖν ἀδικίαν
πρὸ δικαιοσύνης II 507[1];
*πρὸ ἦμαρ 633[3]
προ- II 429[4]
προάγομαι ὑπὸ κέρδους II
528[7]; s. προηγάγετο
προαγορεύειν II 377[1]
προάγω II 505[5]; πρόαγε II
341[7]
προάγων 435[6]. 488[1]
προαγών 488[1]
προαιδεῦμαι c. dat. II 150[9]
προαιρέομαι II 505[6]
προαισθάνομαι II 506[1]; προ-
αίσθεσθαι II 375[6]
προαμύνεσθαι c. gen. II 130[6]
προανταναιρέω II 429[7]

προάστειον 470⁵
προάστιον II 508¹
προάστιος II 508¹
*πράτος 595²·³. 596³
προαφῖκτο II 288⁵
πρόβᾱ imper. 798, 9
προβαίνω II 505⁵; πρόβαινε
  II 341²; προβαίνειν τὸν χρό-
  νον διὰ χρ. II 451⁴
προβάλεσθε ἴτυν λαιᾷ II 506¹
προβάλεσκε Od. 711⁵
Προβάλινθος 60⁷
Προβαλινθοῦντι 528²
Προβαλίσιος 272¹
προβάλλω II 505⁵
προβάτερος 536²
πρόβατον 37⁵. 499⁴. 573⁶.
  838⁵. II 505⁵
προβέβηκε II 264⁵
προβέβουλα 771⁵, 5. II 227⁵.
  505⁶
προβειπάhας lak. 224⁶
προβιβάσαι II 360³
πρόβλημα χειμώνων II 96²
προβλής II 505⁵
πρόβολος II 505⁵
προβουλεύω II 506¹
πρόβουλος f. II 32⁴
προβῶντες 676, 1
προγεγενημένος II 408⁷
προγεγονοίσαις kyren. 288²
προγεκιμένας pap. (= προ-
  κεκ.) 775, 9
προγενής II 506¹
προγίγνομαι II 506¹
*πρόγνυ 328¹·²
πρόγονος 460⁶; – πρὸς ἀνδρῶν
  II 514⁴
προγράφω II 505⁶; -ειν πρῶ-
  τον II 700⁸
προδεδικασμίνας ark. 275⁴
προδεδιχμένον lesb. (Alk.)
  769, 6. 772⁵
προδεδώκασιν ἡμᾶς 641³
προδείγνυτι 696, 8
προδεικνύει Hdt. 698⁶
προδείσας εἰμί II 407⁸
προδίδοσθαι ὑπό τινος II 529⁷
προδιδούς (ὁ) II 274⁸
προδίδωμι II 287⁴. 505⁵;
  s. προδεδώκασιν, προδοῦναι
προδιεξέρχομαι II 429⁶⁻⁷
προδικίαν ποὶ Δελφούς II
  510⁸
προδίκνῦτι kret. 96⁴. 696⁴, 8
πρόδομον (τὸ) II 508, 1
πρόδομος 435⁶. II 508, 1
πρόδομος adj. II 508, 1
προδοῦναι 808⁷. II 365⁷
προδοὺς γένηι Soph. 812⁶. II
  407⁸
προδωσέταιρον 444²
προδωσεω Itan. 786⁴
προεδρία II 505⁶

πρόεδρος 402². II 505⁶
προειπεῖν II 400⁴
προεῖπον II 505⁶. 506¹
προελήλατο πρόσω τῆς νυκτός
  II 622¹
προεληλυθοίης att. (Xen.)
  795⁶
προελθεῖν ἐπὶ βῆμα II 472⁸
προέλκω II 505⁵
προενοίκησις c. gen. II 135⁷;
  – τῆς Κ. 114⁸
προεξορμᾶν II 164²
προέξω 402²
προέρυσσαν ἐρετμοῖς II 166¹
προέρχομαι 241⁶. 402²
προερῶν II 296¹; – οῦντα acc.
  sg. II 388³
πρόες imper. 397⁴. 741³
*προεσελέειν 724⁴
προεσόμενα (τὰ) II 506²
προεστήξομαι 783⁶
προέστηκα II 506¹
πρόεστι II 505⁵
προεστῶτες καὶ Θρ. ἔπεισε II
  611²
προετέρει 656²
προέχω τινός τινι II 167²
προεχώρησε τὰ πράγματα II
  621²; s. προυχώρει
προϜαστίδες 223⁵
*πρόϜατος 595³
προϜειπάτω kret. (gort.) 745³.
  754²
προϜειπέμεν kret. 745³. 806⁴
προηέδρα 219²
*πρόhοδος 269²
*προhορά 219³. 721, 7
προηγάγετο ὧν ἔκρινα δικαίων
  II 641³
προήκης 436¹
προῆμαρ Sem. 633³
*πρὸ ἦμαρ 633³
προήσθησις 505⁴
προθέλυμνος hom. 435⁴. 590,
  2. II 505⁴
προθέουσι conj. hom. 687, 4.
  722⁵
πρόθεσις II 14⁴·⁵. 420⁶
πρόθετος 435, 2
προθη conj. lesb. 792⁶
πρόθθα kret. 216⁶. 629¹
Προθθώ kret. 636⁷
(*προθίεται) 687, 4
προθίημι äol. 687, 4
προθμίς (= πορθμίς) 267⁵
Προθοήνωρ 105⁶
Πρόθοος 105⁶
προθοῦ II 420³
προθυμέομαι II 105⁶
προθυμητέον II 409⁶
πρόθυμος II 623⁶
Πρόθῡμος 157⁸
προθύραια II 508¹
πρόθυρον II 508¹

προϊάλλω II 505⁵
προϊάπτω II 505⁵; προΐαψε
  741, 8. II 261⁶; προΐαψεν
  hom. 754⁵. II 419³; προ-
  ϊάπτω τι c. dat. II 146⁵
προΐει τινὰ ἐπί τινα II 472⁸
προΐεμαί τινα ἀδικούμενον II
  394³
προϊέναι II 368¹. 505⁵
προΐημι II 283⁷. 505⁵; – τινα
  c. dat. II 146⁵; s. προΐει,
  προτην usw.
προτην 687⁴
προικ- 424⁵
προῖκα adv. 621⁴. 632⁵. II
  87¹. 617⁸ f.
προικός 'als Geschenk' hom.
  621⁴. II 126⁴. 413⁸
προίκτης 299⁷. 725, 5
*προΐξ 377⁷
προΐξ 299⁷. 377⁷; προῖξ II
  608⁵
προΐονται 688³
προΐσσομαι Archil. 725⁴, 5
προΐσταμαι II 505⁶, 5; s. προ-
  στησάμενοι
προΐστημι; s. προστήσας
Προῖτος 502⁵
προκ- 424³
πρόκα adv. 621². 629⁴
πρόκακα II 505⁴
προκαλέομαι c. dat. II 139⁵,
  2; – τινα c. infin. II 139, 2;
  -οῦνται πρόκλησιν 79⁶; –
  -εῖ προκαλούμενος II 388⁷; –
  -εῖσθαι II 368³
προκαλίζομαι (-εσθαι) 736².
  II 278⁵; – c. infin. II 139,
  2; – τινα c. dat. II 139, 2
προκαλίζω 105⁶
προκάς 508²
προκατα- II 505⁵
προκαταλαμβάνω II 506¹
προκατάρχεσθαί τινος c. instr.
  II 165²
πρόκατε ion. 496⁶. 629, 5
προκατέσχετο II 429³
προκατέχομαι; s. προκατέ-
  σχετο
πρόκειμαι II 505⁶
προκινδυνεύω II 506¹; – τινί
  II 161³; – c. gen. II 109³;
  – ὑπὲρ τῆς Ἑλλάδος II 521³
Προκλείδας gen. sg. m. akarn.
  560⁴
Προκλεῖος böot. 243⁷
Προκλέος meg. 252⁷
Προκόννησος 280²
Πρόκριδ- 583, 5
προκρίνω τι(νά) τινος II 101⁴
προλαβὼν indecl. mgr. 585⁴
προλαμβάνειν τῆς ὁδοῦ, – τῆς
  φυγῆς II 102⁷
προλείπω II 505⁵, 9

προλελεγμένοι II 505⁶
προλέλοιπα II 505, 9
προλιπόντε f. II 35, 1
προλοχίζειν ἐνέδρας II 76²;
– ἐνέδραις II 166⁴; προλελο-
χισμέναι ἐνέδραι II 76²
προμαθεῖν: τὸ μὴ – II 370³
Προμαθεύς 153⁸
προμαντεύομαι II 506²
προμαχέω 736⁵
προμαχέω 521⁵
προμαχίζω (-ειν) 105⁶.II 278⁵;
προμάχιζε imper. Ilias 736²
προμάχομαι II 506¹
πρόμαχος II 506¹
προμηθεῖσθαι: τῷ – II 360¹
προμηθέομαι c. gen. II 109²;
– c. acc. II 109⁴
προμνηστῖνος 491²
πρόμοιρος II 508²
πρόμολε imper. 799²
πρόμος 494⁴, 2. 595³. II 505⁴
Προναία delph. 219, 0
προναῖος II 508, 1
πρόναον (τὸ) II 508, 1
πρόναος II 508, 1; -οι βωμοί
II 508, 1
πρόναος II 508, 1
προνειοι altatt. II 508, 1
προνεοι II 508, 1
προνήιον II 508, 1
προνήιος II 508, 1
προνοέω II 506¹·²; προνοῶ c.
gen. II 109³; προνοεῖν τι τῇ
γνώμῃ II 165⁵; – τινος, ὅπως
μή II 676⁵
προνοήθην infin. lesb. 807⁷
προνόηνται 3.pl.lesb.671⁴.729²
πρόνυξ ion. 633³
προξεννία 274³
προξεννιοῦν thess. 250⁴
πρόξενος II 505, 7. 508, 2
προξενῶ; s. προὐξένησα
προοίμιον II 508²
προοῖτο opt. Plat. 741⁴. 795¹
προόντες (οἱ) II 506²
προοπτέον c. gen. II 109²
πρόοπτος II 505, 2
προορᾶν (τὸ) II 370⁴
προορῶ 402²; προοράω II 506
¹·²; προορᾶν τοῦ σίτου II109²
πρόπαλαι II 505⁴
προπαλαιπαλαίπαλαι II 700²
πρόπαν hom. 566, 3
πρόπαν ἦμαρ, πρὸ πᾶν ἦμαρ
hom. 633³
πρόπαππος 435⁶. II 505⁴
πρόπαρ II 491, 9. 505⁴, 5
προπάροιθε(ν) 628². II 505⁴
πρόπας 436¹. 633³. II 505⁴
προπάτωρ 530⁴
προπέμπω εἰς Ἀίδαο II 120²
προπέποται τῆς χάριτος II
128¹

προπεφραδμένα Hes. 773²
προπηλακίζω 736¹
προπιεῖν (gespr. propīn) II
359⁶
προποδίζω 735⁶
προπομπός (χοάς) II 73⁷
Προποντίς 452²
προπρηνής 436¹
πρόπρο 421, 1
προπρό II 428, 2. 505⁴
προπροκυλινδόμενος II 428².
700²
προρέω II 505⁵; προρέοντι
hom. 414⁵
πρόρριζος 435⁴. II 423⁶
πρός 400⁷. 401²·³. II 68². 99⁸.
268¹. 418¹. 424³·⁴. 427²·³·⁴·⁵.
428⁷. 432⁵. 433³·⁵. 492¹.
508², 3–517; – c. gen. II
237⁵; – c. dat. II 434¹; – c.
acc. II 434⁷; πρὸς βορέω . .
τῶν Ἀγβατάνων II 96⁵; πρὸς
γενείου II 516⁶; πρὸς σε
γονάτων (sc. ἱκετεύω) II
624⁷; πρὸς Διός II 516, 2; –
θεῶν II 516⁷; πρὸς τούτῳ
(τούτοισι) II 514¹; πρὸς τού-
τοις II 514²; πρὸς δέ 'dazu'
II 412⁷. 419⁶. 421⁶. 424³·⁴;
πρὸς δ᾽ ἔτι II 424⁴; πρὸς δὲ
καί II 424⁴; πρός τινα II
512²; πρὸς βίαν II 511⁸;
πρὸς δεξιά II 112, 4; πρὸς
καιρόν II 512¹; πρὸς ὀλίγον
(sc. ὕδωρ) II 511⁶; πρὸς
ὀργήν II 512¹; πρὸς οὐδέν
'vergeblich' II 511⁶; πρὸς
μὲν κυνήσειν II 426⁴
προσ- compos. II 429⁴. 509³⁻⁶
προσαγγέλλω II 509⁴
προσαγορευτικὴ πτῶσις II
54²; προσαγορευτικὸν πρᾶγ-
μα II 54²
προσαγορεύω II 509⁵
προσάγω II 509⁴; – ἐς τὸν
κίνδυνον διά τι II 454⁴; s.
προσηγάγοντο
προσάδω II 509⁵
προσαιρέομαι II 509⁵
προσαίρω II 509⁴
προσαιτέω II 509⁶
προσαλείφω τινί II 509⁴
προσάλληλος II 517⁴
προσάλλομαι II 509⁴
προσάλπιος hell. II 517³
προσαμύνω II 424, 1. 509⁵
προσαμφιέννυμι II 509⁶
προσανα- II 509⁶
προσανηλώσασαν 666¹
προσαντι- II 509⁶
προσαπο- II 509⁶
προσαπολλύεις Hdt. 698⁶
προσάπτω II 509⁴
*προσαραρεται 790, 5

προσαραρίσκω II 509⁴
προσαρήρεται Hes. 790, 5
προσαρήρηται 790, 5
προσαρήσεται 790, 5
προσαρκέω II 509⁶
προσάρκτιος II 517³
προσαυδᾶν II 259⁴; προσαυ-
δάτω II 342⁶; προσαυδήτην
667¹. 729²⁻³; s. προσηύδα
προσαύλειος II 517³
προσαυξάνω II 509⁶
προσβαίνω II 509⁴
προσβάλλω II 114². 509⁴; –
c. gen. II 128⁶·⁷
προσβιάζομαι II 509⁶
προσβιβάζω II 509⁴
προσβλέπω II 509⁵
προσβοάω II 509⁵
προσβόρειος hell. II 517³
πρόσβορρος II 517³
προσβώμιος hell. II 517³
πρόσγειος II 517³
προσγελάω II 509⁴; -ᾶν II
73¹; -ῶ γέλων II 75⁴
προσγίγνομαι II 509⁴
προσγράφω II 509⁴
προσδαπανάω II 509⁶
προσδείμου (= προστίμου)
207⁶
πρόσδενδρος hell. II 517³
προσδεόμεθά σευ τῆς ἐξ. II 92⁸
προσδέρχομαι II 509⁵
προσδέχομαι (-εσθαι) II 400⁷.
509⁶
προσδέω II 92⁷. 509⁴
προσδια- II 509⁶
προσδιδέναι infin. 688³. 808²
προσδίδωμι II 509⁶; s. προσ-
δοῦναι
προσδοκάω 718⁶. II 509⁶
προσδόκιμος c. dat. II 162⁵
προσδοῦναι μηδενὸς ἀγαθοῦ
II 102⁸
προσδρακεῖν ὄμμα II 79⁷
προσεβήσετο 788³
προσείειπον II 509⁵
προσεῖδον II 509⁵
προσειλέω II 509⁴
πρόσειμι (εἶμι) 'adeo' II 509⁴
πρόσειμι (εἰμί) 'assum' II
509⁵; προσεῖναι 674, 7
προσεισ- II 509⁶
προσεκύνησα 692³. 737⁵
προσελαύνω II 509⁴; – τῷ ἵπ-
πῳ II 165⁷
προσέλεκτο II 509⁴
προσεληναῖοι 46, 1
προσεμπικρανέεσθαι Hdt.
763, 3
προσεν- II 509⁶
προσενεγκάτω II 621²
προσεννέπειν II 245²; -ω II 509⁶
προσεξ- II 509⁶
πρόσεξε ngr. 764, 2. II 257⁶

προσεπι- II 509⁶
προσέπταν 742⁵
προσέρδω II 509⁶
προσερεύγομαι II 509⁴
προσέρχομαι II 509⁴; – c.
　dat. II 140¹. 142⁸. 143¹;
　προσέρχεσθαι σὺν στρατεύ-
　ματι II 489²
προσέσπερος 436⁷
προσέταιρος miles. II 509³
προσετετάχατο Hdt. 812³
προσέτι 619, 3. 633². II 427,
　2. 564²
προσεύχομαι II 509⁴; – c.
　dat. II 145⁴; προσευξάμενοι
　εἶπαν II 301³
πρόσεχε ngr. II 257⁶
προσέχω (-ειν) II 73¹. 509⁴;
　– τὸν νοῦν II 631³
προσηγάγοντο τῶν πόλεων II
　102⁷
προσηγορία II 66⁵. 509⁵; -ίαι
　II 18³
προσήϊκται, -ξαι 653, 8
προσήκει II 374²; προσῆκε(ν)
　II 308⁴·⁷; προσήκει c. dat.
　II 144³; προσῆκε c. infin.
　II 353⁸
προσῆκον acc. abs. II 401⁷
προσῆκόν ἐστι att. hell. 813³
προσήκοντες (οἱ) II 409²
προσηκότων 768²
προσήκω II 509⁵; s. προσήκει,
　προσῆκον
προσήλυτος 347². 769, 7
πρόσημαι II 509⁵; προσήμε-
　νος καρδίαν II 76, 1
προσήνεμος II 517³
προσηνής 513⁴. II 444³.509³,5
προσηύδα II 509⁵; – (μιν)
　ἔπεα II 79⁸
πρόσθα lesb. dor. 628¹·⁶. II
　505⁴. 543⁵, 2
προσθαγενής ark. 628⁶
πρόσθε 551¹. 627, 5. 628¹·⁶.
　II 505⁴. 540⁷. 543⁵⁻⁸ f.;
　πρόσθεν II 505⁴. 543⁵⁻⁸ f.;
　ἐς – II 427, 7; – ἤ II 654¹.
　657²·⁵
πρόσθη 425³
προσθησομένοισι dat. pl. lesb.
　556, 4
προσθίδιος II 543⁷
πρόσθιος 461⁴. II 543⁷
προσθόδομος 438, 1. 2. 632⁷.
　II 544³
προσθοῦ imper. 799³
πρόσθου imper. 799³
προσθύμιος II 517³
προσθυραῖος hell. II 517³
προσιδέσθαι II 365¹
προσιέναι παρὰ ναῦν II 495¹
προσιζάνω II 509⁵; – πρός
　τινα II 510²

προσίημι ion. 687, 4; προσίε-
　μεν 674⁴; προσίει 674⁴
προσκάθημαι II 509⁶
πρόσκαιρος II 517³
προσκαλοῦμαί (-εῖσθαί) τινα
　c. gen. II 131²·⁴
προσκατα- II 509⁶
πρόσκειμαι II 162⁶. 509⁵;
　προσκείμενον ὑπὸ τοῦ θεοῦ
　II 227³
προσκεφάλαιον II 517²
προσκηδής II 517, 1. 714⁸
προσκλίνω II 509⁴
πρόσκοιτος II 517²
προσκτάομαι II 509⁶
προσκυνέω II 509⁴; -ῶ 737⁵;
　-εῖν ΙΙ 73⁶; s. προσεκύνησα,
　πρός
πρόσκωπος II 517³
πρόσλαβε imper. 799³
προσλαβοῦ imper. 799³
προσλεύσσω II 509⁵
προσλογιστέα neut. pl. II
　606³
προσμάχομαι II 509⁴
προσμένω II 509⁵
προσμετα- II 509⁶
πρόσμορος II 517²
προσμυθέομαι II 509⁵
πρόσοδος II 616²; -ον ποιεῖ-
　σθαι II 78⁴
προσοίγνυμι τὴν θύραν ὀπίσω
　μου II 540⁸
πρόσοικος II 509, 6
προσοίσω II 293²·³
προσοράω II 509⁵; s. προσό-
　ψομαι
προσόσσομαι II 509⁵
προσουδίζω 736¹
προσοφλεῖν II 485⁴
προσοχθίζω LXX 719, 13
προσόψομαι II 291⁷
προσπαίω ὕμνον τὸν Ἔ. II
　801
Προσπάλτιος 270⁷
προσπαρα- II 509⁶
προσπαρδέτω att. 801, 2
προσπελάζω II 509⁴
προσπεπλασμένος πρὸς ὄρεσι
　II 512⁸
προσπερι- II 509⁶
πρόσπεσε imper. att. 799²
προσπίλναμαι II 509⁴
προσπίπτω II 509⁴
προσπιτνεῖν II 73¹
προσπίτνω c. dat. II 162²
προσπλάζω II 509⁴
προσπλεῖν σὺν ναυσί II 489⁷
προσπνεῖ c. gen. II 128⁷
προσπολεμῆσαι II 364²
πρόσπου II 512, 1
προσπτύσσομαι II 509⁴; προσ-
　πτύξασθαι II 362²
προσριζόφυλλος hell. II 517³

πρόσσοθεν Ilias 628². II 505⁵.
　544⁴·⁷
προσστείχω II 509⁴
προσσυν- II 509⁶
πρόσσω 321⁵. 550². II 163⁴.
　505⁵, 8. 509³. 540⁶. 544⁴, 1f.
πρόστα delph. 629¹
πρόσταγχθιῇ 207¹
προσταγχθιῇ 207¹
προστακτική II 339⁵; – ἔγκλι-
　σις II 302⁶
προσταχῶτος gen. kret. 540,
　4. 652³
προσταλαιπωρεῖν (τὸ) II 371⁵
πρόστᾱν infin. lesb. 807⁷
προστάσσω II 509⁶
προστατεῖμεν infin. böot.806⁵
προστάτης II 704⁵
προστατῆσαι II 363⁵
προστάττεσθαι II 400⁸; προσ-
　ταχθῆναι κατά τινα II 476⁷;
　προσταχθέν acc. abs. II401,
　3. 402²; s. προσετετάχατο
προστεθηκότες 128²
προστέλλομαι ὁδόν c. dat. II
　152¹
προστένειν: τῷ – II 360⁴
προστησάμενοι ὦτα τοῦ νοῦ
　II 506¹
προστήσας πρὸ Ἀχαιῶν II
　506¹
προστιζίδν el. (= προσθιδίων)
　205⁶. 467²
προστίθεσθαί τι πρὸς κακοῖσι
　II 513⁸
προστίθημι II 509⁴; προστι-
　θέναι παρ’ ἑαυτοῦ II 497⁸;
　προστίθημι ὀβολὸν πρὸς τὸν
　μισθόν II 510³
προστίθησθον lesb. 687²
προστρέπω τινά τι II 82, 1
προστρέχω II 509⁴
προστρέψομαι II 292⁴
προστρόπαιος II 517, 2
προστυγχάνω τινός II 104⁴
προστῷοι τόποι II 508²
προστῷον II 508¹
προσυπερ- II 509⁶
προσυπο- II 509⁶
*προσφα 503⁶
πρόσφατος 503⁶. 630, 1
προσφάτως 128²
προσφερής II 161⁴
προσφέρω II 509⁴; – τι πρὸς
　τὴν δωρεήν II 510³; s. προσ-
　οίσω
πρόσφημι II 509⁵; – c. dat.
　II 162⁶
προσφθέγγομαι II 509⁵
προσφθεγκτὸς σοῦ φωνῆς II
　119³
προσφοιτάω II 509⁴
προσφυγ- 424⁵
προσφυγεῖν II 363¹
προσφυής II 509⁴

πρόσφυξ 357⁴
προσφύομαι II 509⁴
προσφωνέω II 509⁵; προσφωνῶ τινα προοίμιον II 79⁸
προσχάραιος 398⁵. 436⁷. II 508¹
πρόσω 321⁵. II 509³. 544⁴, 1 f.; προελήλατο – τῆς νυκτός II 622¹; (εἰς) τὸ πρόσω II 69⁷
πρόσωθεν 628². II 544⁴·⁸
προσωιδία 373⁵·⁶·⁷; -ῳδία 7⁸. II 509⁵; βαρεῖα – 373⁷
προσώνυμος II 509³
πρόσωπα II 714⁸
προσώπατα 105⁵. 515, 3. II 43⁵
πρόσωπον 426, 4. II 244, 1. 517, 1; – τόλμης II 122³
προσωποῦττα att. 528²
προσώτατα II 544⁴
προσωτάτω II 544⁴·⁶
προσωτέρω II 544⁴. 545¹
προταινί II 507⁸; – τάξεων Eur. 619, 3
προταίνιον II 507⁸. 508¹
προταίνιος II 517⁴
πρότανις 595⁴
*πρότατος 595³
προτεραῖος 468⁵
προτερειᾶι her. 258²
(προτερην lesb.) 807⁷
πρότερον II 274². 657³; – ἤ II 313³. 654¹. 657¹·³
πρότερος 456⁴. 533⁶. 534³. 535¹·². 595⁵. II 179⁴. 183⁴. 184². 505⁴; – ἦλθεν II 413²; πρότεροι ἦλθον II 210⁶. 602⁴; προτέρην τῆσδε II 99³; προτέρα τῶν Παναθηναίων II 98⁶; προτέρα Κύρου II 98⁶; πρότερος ἤ II 657⁴
προτέρω adv. 534³
προτερῶ: s. προετέρει
προτέρωσε 629²
προτετιμῆσθαι II 365⁷
προτηνί dat. böot. 612². 619, 3. II 507⁸
προτί 106⁶. II 425⁶. 508²·³·⁴. 509³, 1
πρότι 387⁸. 400⁸. 401²·³. II 68²
προτι- praev. II 509³·⁵
Προτιάονος 521⁵
προτιάπτω II 509⁴
προτιβάλλεαι II 73¹
προτίδεγμαι 678⁶
προτιειλέω II 509⁴
προτιείποι II 509⁵
προτίθεμαι (-εσθαι) πρὸ τῆς οἰκίας II 507⁷; – τι πάρος τινός II 541⁵; προθοῦ II 420³
προτίθημι II 505⁵; – τί τινος II 101⁴

προτιθηντι mess. 792³; προτίθηντι conj. dor. 688¹
προτιμάω II 506¹; προτιμᾶν II 365⁷; s. προτετιμῆσθαι
προτιμυθέομαι II 509⁵
προτιμωρήσεσθαι II 295⁷
προτιόσσομαι 397⁶. II 509⁵
*προτj 400⁷. 401²
*προτjω 550, 7
πρότμησις 505²
προτοῦ 618⁷. 625³; – νά ngr. II 384⁴
προτρέπω II 505⁵
προτροπάδην 626⁵
*προτς 401²
προυλέσι H. 572¹
προύνεικος 827³. II 505, 2
προύνικος II 505, 2
προυννέπω II 505, 2
προὐξένησα 656²
προυξεμφίεσο 668⁵
προὔπεμψε 402². 651, 4. II 505, 2
προϋπεξορμάω II 429⁷
προῦπτος 398³; προὔπτος II 505, 2
προυργιαῖος 437¹
προυργιαίτερος 534⁵. II 508¹
προύργου 402². 625³; – γίγνεσθαι II 507⁷; προύργου II 505, 2
προυργός 460⁶. II 505, 2
προυσελεῖν att. 724³
προῦτος thess. 250¹. 595²
προὐφαίνετο II 621²
προὔχει τέχνας II 101⁴
προὔχων (ὁ) II 408⁷
προυχώρει [so] II 621²
προφαίνομαί τινι ποθοῦντι II 152³; προφαίνεσθαι II 272³; s. προὐφαίνετο
προφαίνω II 505⁶
πρόφασιν adv. 'angeblich' 621¹. 632⁵. II 87¹. 618¹. 706⁴
πρόφασις: προφάσει II 167³
προφερής 513³
προφέρτερος 535⁷
προφέρω II 505⁵. 506¹; -ει τινός τινι II 101⁴
προφεύγω (-ειν) II 268². 505²; s. προφυγ-
προφθαδίην Nonn. 626³
προφορουμένων II 609³
πρόφρασσα hom. 473⁷, 8. II 34⁵
προφρονέως hom. 624²
προφρόνως 624²
πρόφρων: πρόφρονι θυμῶι 624³
προφυγεῖν II 269¹
προφύγη II 388⁵
προφωνεῖν πρὸ θυρῶν II 506³; – τινι ἐπί τινι II 469³

προχειρίζεσθαι II 508²
πρόχειρος II 508²
προχέω II 505⁵
πρόχνυ 206⁴. 328¹·². 357⁴. 621². 624, 8. 632⁵. II 505, 6
πρόχοος 460⁶. II 33⁶
προχώνη 491⁴. 838³
προχωρῶ: προυχώρει II 621²; προεχώρησε τὰ πράγματα II 621²
πρόχωρος II 508²
πρυλέες hom. 495³; πρυλέεσσι 572¹
πρύλις 495³
πρύμνα att. 476¹
πρύμνη (ἡ) [ναῦς] II 175⁵
πρυμνήσιος 466⁵
πρυμνός 524, 6. II 505³
πρύτανις 62⁴. 462⁶. 595⁴. II 505³; πρυτάνιος gen. 572, 3; -εος 572, 2; -εως 572³; acc. pl. 572, 6. 573²
πρωαίτατα τῆς ἡλ. II 114⁷
πρώαν 250²
πρωεί 622²
*πρωϜατος 595³
*πρωϜος 595²
πρώην adv. 621¹. II 70¹
πρωθήβη 460⁴
πρωΐ 622². II 505³; πρωὶ τῆς ἡμέρης II 114⁶
πρωΐα (ἡ) II 175⁵
πρωϊζά 632¹
[π]ρωΐην 110, 1
πρώιην adv. 621¹. II 70¹
πρωϊνός 490⁵
πρωΐος 461⁴
πρωίραθεν 628²
πρωκτός 361². 501⁴
πρών 377⁷. 487,3. 521⁴; πρωνός gen. 562, 2
Πρῶννος ON 638⁴
Πρώννων kephall. 280³
πρωνός gen. sg. 562, 2
πρωπέρυσι 354³. II 505, 3
Πρῶρος 460⁶
πρῶτα (τὰ) II 41⁴. 44³. 602⁵. 605⁶. 614². 617⁷
πρῶτα adv. 596⁴. 621². II 87¹
Πρωτεσίλαος 443, 8
πρωτεύω 596⁴. 732⁷; -εύειν μετ' ἀρετῆς II 484⁶
πρώτιστος 535⁸. 539⁶. 595⁴
πρωτόγονος 454⁴
πρωτόθρονες 837⁴
πρῶτον adv. 596⁴. 598². 621². II 87¹. 706⁴; πρῶτον μὲν – ἔπειτα II 711⁵·⁶; τὸ πρῶτον II 23³. 70². 87¹. 617⁷
πρωτοπαγής 513³
πρῶτος 250¹. 595²·³·⁴. 596³·. II 179⁴·⁵. 181². 505⁴; πρώτοις dat. pl. lesb. 556, 4; τὴν πρώτην II 70³. 175⁶; ἐν

πρώτοις 124⁸; πρῶτος εἴς τι
II 460³; ὁ πρῶτος 595, 1; –
ἔσχατος II 185⁴
πρωτός 360⁵. 361²
πρωτύτερος ngr. 539⁶
πρωυδᾶν att. 203⁴. 398⁵
πρώτως adv. 596⁴. 624¹
πσ für ψ geschr. 211⁵
*πστάρνυμαι 335⁷
πτ aus idg. pj 325⁷. 705², 4;
πτ für ττ 211⁴; πτ-äol. kypr.
für π- 106⁵; πτ > ττ 211³·⁴
πτᾱ-: πτω- 681, 9
πτᾱγ- 702⁵
πτᾱζω äol. (lesb.) 702⁵. 715³.
716²
πταῖμα 676⁴
πταίρω spät 696³. 714⁴
πταῖσμα 347⁷. 676⁴
πταίσω 676⁴
πταίω (-ειν) 325⁴. 676⁴. 686⁴;
– περί τινι II 501⁵
πτᾱκ- 702⁵
πτακάδις 631⁴
πτακεῖν att. 359⁴. 748². 772²
πτακών 702⁵
πτάμενος ptc. 742⁴; πταμένα
θαλάμων II 91⁵; s. ἐπτάμην,
ἔπτατο
πτᾱνός 324¹
πτάξ 340³
πταρεῖν; s. ἔπταρον
πταρῆναι; s. ἐπτάρην
*πταρθένος 833⁴
πταρμός 492⁴
πτάρνεται spät 696³
πτάρνυμαι 326⁷. 335⁶. 336⁴.
696³. 747⁵. II 227⁵
πταρῶ fut. 'Hippokr.' 785¹
πτάσθαι aor. 742⁴·⁵
πτάσσω 340³
πτάτο Ilias 742⁴
πτᾱχ- 702⁵
-πτε II 572⁶·⁷
πτε/ο- att. 747²
πτείρω spät (Hdn) 696³.
714⁴. 715⁵
πτέλας 326⁸
πτελέα 325⁴
πτέον att. 183⁸. 325⁴
Πτερέλας 326⁸
πτέρις 462⁴
πτέρνα 335⁸. 489⁴
πτέρνη 279⁴. 325⁴. 381¹
πτερόν 57². 324¹
*πτερυχjομαι 725⁴
πτέρυξ 296⁴. 498², 5; – χιόνος
II 129⁶
πτερύξομαι 725⁴
πτέρω 714⁴
„πτέσθαι 324¹. 325². 356⁷.
357². 742⁵; s. ἔπτετο
(*πτϜραπεδjα) 337⁵
πτηνός II 242¹

πτήσομαι 782⁶
πτήσσω 319, 1. 359⁴. 702⁵.
716²; πτήσσειν ποτὶ γαίη II
513⁴
πτῆται conj.hom.(Ilias) 742⁴.
791²
πτίλον 485¹, 2
πτιλώσσω 733⁶
*πτίνουσι att. 692⁴
(*πτινσjω) 692⁴
*πτινσοντι urgr. 692⁴
πτισάνη 325⁴. 517². 692⁴
πτίσαντες Hdt. 755²
πτίσσω 325⁴. 692⁴. 755². 841⁸
πτίττω hyperatt. 319, 1. 692⁴
ΠτōιἐϜι böot. 223⁶. 575²
πτόλεϊ dat. hom. 572, 2
Πτολεμαῖος 156²
πτολεμίζω 736¹
πτόλεμος hom. 325⁴
πτολίεθρον 533³, 4. II 121⁷.
122¹
πτόλιϜι dat. sg. kypr. 88⁷.
223⁶. 314⁸. 572⁵
πτολίπορθος hom. 151, 1.
439⁴
πτόλις kypr. hom. 64⁶. 88³f.
106⁵. 139². 325⁴·⁵; s. πτό-
λεϊ, πτόλιϜι
πτόμενος 356⁷
πτόρθος 325⁷. 511, 2. 833⁴
πτόρος 696³
πτυγη- pass. 760²
πτύελον att. 243⁷. 482⁴
πτύελος 483⁵
πτυέντα pass. 758, 1
πτυκτίον 260⁶
πτυκτίς 260⁶
πτυκτός 260⁶
πτύον 325⁴. 458⁶
.πτύρομαι 714⁵
πτύρω 351⁸
πτυσθη- 759, 1
πτύσσω 319⁴, 1. 325⁷. 400⁸.
715¹, 3. 755, 2. II 465², 7
πτυχ- 424⁴
πτύχα acc. sg. Eur. 584⁶
πτύχες pl. hom. 584⁶
πτυχή 459⁷. 584⁶
πτύω 325⁷. 686³. II 226³
-πτω verba 704²,4.705¹⁻²,4.5.
725⁵
πτωκ-: πτακ- 565⁵
πτωκαζέμεν 708¹
*πτωκjω 708, 2
πτῶμα 360⁴. 676⁴. 746⁴;
πίπτειν – II 75⁴
πτώξ 424³. 748²; πτῶξ 377⁸
πτῶσις 416, 1. II 53⁷, 1; –
ὀρθή II 303¹
πτωσκαζέμεν 708¹, 1
πτωσκάζω 708¹. 709¹. 735¹
πτώσσω ion. 708, 1. 716²;
πτώσσεις 708¹; πτώσσω ὑπό

τινι II 526⁶; – ὑπὸ κρημνούς
II 530⁴
πτωχός 340³. 359⁴. 458⁶.
496⁵. 702⁵. 772¹; f. 458, 1
πῦ adv. 621, 10. 622³
πυ- pron. 615⁶
*πυ [pŭ] 621, 10. 622³
*πῦ- 501³
πῦα II 43²
πύαλος hell. (nicht att.) 243⁷
Πυανεψιών 302⁵
πύανος 302⁵. 494¹
πύαρ 519⁶
πύας acc. böot. 461³. 519⁶. II
33, 2
πυγ- 632⁶
πυγίζω: ἐπυγίζοσαν 666¹
πυγμάχος 437⁶
*πυγοντ- 526²
πυγών 526²
πύελος att. (nicht hell.)
243⁷ 483⁵
πυήρ 481¹
πυθε/ο- 683⁵. 747⁴. II 260⁶
πυθέσθαι II 365¹; – τῆς Π.
κατειλημμένης II 394¹; –
ἐπὶ νούσων II 470⁷
πυθέσθαι (τὸ) II 370²
πύθεσθέ μου ταδί II 95¹
πύθεται ep. 703²
Πυθεῦ (aus *-εᾱο) 248⁴
πύθηι caus. Hes. 703², 6
Πυθῆς 562³
Πυθιονίκᾱ böot. 560³
πυθμήν 522², 4
Πυθόθεν spät 628²
πυθοίμην τοῦ π. ἀποφθιμέ-
νοιο II 393⁸
πυθόμενός τι δι' ἀπορρήτων
II 452²
πύθοντο 683⁵
πυθοῦ imper. 799³
Πυθώ 479⁴
Πυθῶ gen. Chios 252⁴
πύθω 350²
Πυθώδε 624⁶
Πυθῶθεν Pind. 552¹. 628²
πυι adv. 610, 7
πύκα adv. 622⁵
πυκάζω 734⁵. 736¹; πύκασε
737⁷
πυκιμήδης 490⁶
πυκινός 490⁶
πυκνά adv. 621²
πυκνάκις 598¹
πυκνός .II 179³; δρυμὰ πυκνά
[so] II 453²
Πυκνός gen. sg. 269². 569⁶
πυκνότερος παρά II 496³; -αι
παρὰ τά... II 100¹
*πύκος n. 620, 6
πύκτα II 49, 2
πυκτεύειν II 233³
πυκτίον 260⁶

πυκτίς 260⁶
Πυλάδης 510¹
πύλαι II 44⁵; -ῶν gen. pl. att. 249⁸
Πύλαιος 468⁴
πυλᾱωρός 438⁵
πυλευρός ion. 248³
πύλη; s. πύλαι
*πυληορός 248³
πύλιγγες 498³
Πυλοιγενής 452⁴
πυλῶν gen. pl. att. 249⁸
púma tsak. (= πῶμα) 185¹
πύματος 503⁷. 595⁴. II 444²; πύματ' ὄν 264⁶
*πυμνος 524, 6
*πύμητος 524, 6
p'undá tsak. 213⁶
πύνδαξ 71¹. 333⁴. 497¹
πυνθάνομαι (-εσθαι) 74³.347⁴. 699⁵. 701². 747⁴. II 274⁴·⁶. 395⁶, 1; πυνθάνου II 341⁴; πυνθάνομαι c. gen. II 106⁶; – c. acc. II 107¹·²; – τινα c. ptc. II 394⁵; – ὑπέρ τινος II 522²·³; – τι παρά πυρσῶν II 497⁴; s. ἐπυνθάνετο, πυθε-
*πύνθομαι 701²
πύννος 322⁷. 489, 8. 833³
πύξ 620⁶, 6
πύξος 157⁸. 516⁸
πῦον 458⁶
πύος 512⁴. 703². II 88³
πῦός m. 519⁶
πυππάζω Kratin. 735²
πῦρ 52². 350⁶. 378¹. 424². 520². 582³. II 30². 691, 4
πυρ- 440³
πυρά (τά) 460⁷. 582³
πυρά f. 582³; πυραί νεκύων II 117⁷
πύραθος 334²
Πυραιμένης 448⁶
Πυραίχμης hom. 561⁵
πυρακτέω 731⁷
πυραμίς 465¹
πύραστρον 259⁶·⁷. 440³. 450²
πύραυνος 333⁷
πυραύστης 333⁷. 440³
Πυρβαλίων arg. 225¹
πυργηδόν hom. 626⁵
πύργος 71¹. 151, 1; – θανάτων II 96¹

πύρεθρον 533⁴
πυρέσσω 725³
πυρεταίνω 733²
πύρϝος 335⁸
*πυρηκης 446, 5
πῦρήν 487²
πῦρητόκος 440³
πυρηφόρος 439¹, 1
Πυριβάτους gen. sg. 561³
πυριβήτης 452⁴
πυρήκης 446, 5
πυρίκαυστος 446²
Πυριματιος 182⁵
πυρίπαις 446⁴
πυρίπνοος 446⁴
πυρίχη 829⁶
πύρνον 489³
πῦρο- 440³
πυρός 58⁵. 334². 458⁶. 481⁴, 11; οἱ πῦροί II 43²
πύρπνοος 446⁴
πυρπολέω 726⁴
πυρρίχη 829⁶
πυρρός 336¹. 472⁵
Πύρρος II 693⁷
*πυρσϝος 336¹
πυρσός 516⁶
πυρφλέγοντα 836⁸
πυρφόρος 239⁵
πῦς adv. dor. syrak. 199⁷. 200¹.617¹.622³.626¹.II 157⁵
πῦσε Kallim. 703²
πῦσε aor. 703²
πῦσει fut. 703²
πυστιάομαι 732³
πύστις 504⁵
πῦτία 501³
πῦτίζω 260⁶
πυτίνη 491³
πύυρ 104⁵
πω partic. II 163⁶. 579³·⁴·⁶; οὔ πω II 163⁶
πώ partic. II 556, 2
πῶ adv. dor. 82⁶. 359⁶. 550¹. 621, 10. II 90⁸. 207, 1. 647¹; πῶ μάλα dor. II 579⁵
πῶ 2. sg. imper. 'trinke l' lesb. (Alk.) 758⁵. 798²·⁴. II 339¹. 620⁶; s. εὖ πῶ
πώεα hom. 573⁴
πώεσι dat. pl. hom. 571, 3
πῶθι imper. 693³. 798⁴. 800⁴
(*πῶι) 616, 2

*πωιομαι 780⁴
*πωju 347⁸
πώλᾱ f. Sophr. 720, 8
πωλεν infin. arg. 807³
πωλέομαι 295¹. 720³; -εῖσθαι δὶς πρὸς ἀργύριον II 511⁵
πωλέσκετο Ilias 711⁴
πωλεῦντι dat. pl. 272¹
πωλέω Hdt. att. 720³, 8. II 127⁴·⁵; – c. gen. II 126¹·³·⁴; πωλῶ τι πρὸς τὰς τιμὰς τῶν κριθῶν II 511⁵; s. πωλέομαι, πωλησ-
-πωλέω 731⁶
πωλή 460³
πώλης 451⁵. 461³. 836⁵
-πώλης 451⁵
πωλῆσαιν infin. 808³
πωλήσεαι fut. Ilias 720³
πωλησευντι rhod. 786⁵
πωλοδάμνης 451⁵
πῶλος 458⁶, 4. 578⁴
πωλοῦντι conj. 791, 6
πῶμα 523²
πωμάζω 735²
πώμαλα dor. II 579⁵, 5
πῶνε imper. lesb. 798²
πώνω lesb. 346¹. 693³. 747³. 780⁴. II 226²
πώποτε 550¹
πως partic. II 579³. 580²
πώς dor. 358³
πῶς 377¹. 565⁶, 3. 619². 624¹. II 157⁵. 207, 1. 414⁸; – ἐθέλεις; II 307⁴·⁷; – λέγεις; II 275²; – εἶπας II 626³; πῶς ἴδης; – φύγητε II 311³; – κεν τελέσειας II 625⁶; – τὰ πᾶτε; ngr. 614⁵; πῶς δ' οὔ; II 631⁷; – δύσκολόν ἐστιν... εἰσελθεῖν II 626⁴; – ἄν c. opt. II 328¹·⁶. 625⁷; – γάρ τοι δώσουσι II 627¹; – μήν II 570⁴; – δυσδιάβατον τὸ πεδίον II 626⁴
πῶς recit. 'daß' II 638, 2 [ngr.] 645³. 646⁶. 662⁷ [NT, ngr.]. 675⁴ [ngr.]
Πωσφόρος 204⁴. 261⁷
πωτάομαι 356⁵. 358³. 717⁴. 719¹, 3
πωτᾶμαι fut. dor. 719, 3
πῶϋ 347⁸. 480⁴


ϙ


ϙόππα 140²
ϙοππατίας 141¹
ϙόραξ 238⁷
ϙοσμία ἡμί rhod. II 693⁶
ϙυϙνυς w.-ion. 182⁵

# P

ρ: *r* uvular 14[4]. 15, 5; –
expressiv 15, 5; ρ aus σ 87[2];
– aus intervok. *z* 218[4]; –
dial. für *z* 218[4]; ρ stark
palatal 212[6]; ρ gedehnt
229[6]; ρ vor *i* tsak. 212, 1;
ρ und λ wechseln spontan
213[2]; Ägypt. 213[1]; ρ geht
im Zusammenhang dis-
similator. verloren 264[4];
Wirkung von ρ auf Vokale
274[7]; ῥ 332[2]; ῥ nicht gra-
phisch 212, 2; ῥ in byz.
Zeit 212[3]; ρ:ρ > ι:ρ 259[2];
ρ:ρ < ν:ρ 259[1]
ῥ- anl. 310[3]; für urspr. *r*-
310[3·4]; aus Fρ- 309[7]. 310[1];
aus *\*sr*- 309[7]. 310[2]; s.
*\*hρ*-
-ρ el. spätlak. für -ς 92[7].
410[3]
-ρ < -ρς 409[7]
*ṛ* ngr. (lesb.) 342[1]
*r/n*-St. 52[1]. 73[1]. 517[2] ff.; –
als Vordergl. in compos.
441ᵈ[1]; Reste ngr. 520, 2
ῥ' II 558[3]
ρα gr. 341[5]. 342[2]; ρᾶ ion.-att.,
dor. 85[5]; ρα für idg. *ṛ* 342[4];
367[3]. 440[1]. 747[5]; ρα inl. vor
Kons. für idg. *ṛ* 342[2]; ρα
durch ρο ersetzt 440[2]; ρα in
Verbalwz. 685[2], 2; s. ρασ
ρᾶ Starkst. 360[7·8]; att. ρᾶ <
ρη 275[3]
ῥά (lies ῥα) 622[7]
ρα 310[4]
ῥά 414[1]. II 556[4], 2. 558[3·4], 4.
559[2·3]
'Ρᾶ 310[3]
-ρα suff. 475[1]
-ρᾱ- Ausg. 483[1]
ῥαβάσσω 310[3]
'Ραββατάμμανα 310[3]
ῥαββί 165[4]
ῥάβδος 163[6·7]. 324[2]. 508[7]
'Ράγαι 310[3]
ῥαγη- pass. hom. att. 759[2]
ῥαγῆναι 340[8]. 359[4]; s. ῥήγ-
νυμαι
ῥάδαμνος 524[6]
ῥάδιον II 623[5]; s. ῥᾴδιος
ῥαδίως II 415[1]
ραεισηι pap. 736, 9
ῥάζω 310[3]
ῥαθαπῡγίζω 644[7]
ῥᾴθῡμος 539[3]
ῥαιβός 302[2]. 314[3]
ῥαίδη 310[3]
ῥαιδιέστερος 127[7]
ῥαίδιος 539[3]

ῥαΐζω 736, 9
'Ραικός 80[7]
ῥαίνω 714[5]; s. ἔρρᾱνα, ῥανῶ
ῥαισθη- 761[3]
ῥαιστήρ 530[4]
ῥᾶιστος 539, 3
ῥαιστώνη 491[4], 4
*\*ῥαίσω praes. 706[7]
ῥαίω 686[4]. 706[7]; ῥαίῃσι 3. sg.
II 313[5]
ῥάιων att. 538[3]. 539[2]
ῥάκος 512[2·3]
ρακτοί 299[8]
'Ρακῶτις 310[3]
'Ραμ(ν)ούσιος att. 256[7]
ῥάμφος 516[1]
'Ραμψίνιτος 310[3]
ῥαμψόν 322[2]
ῥαμψός 516[6]
ῥαντίζω 706[4]
ῥανῶ fut. 714[5]. 785[2]
ῥάξ 310[3]. 425[2]
ῥαπίζω 314[3]; s. ῥεραπισμένων
ῥάπται 299[8]
ῥάπτομαί τί τινος II 128[4]
ῥάπτω 314[3]. 704[6]. 759[6]
ῥάπυς 310[3]. 463[5]
ῥάρος 310[4]
'Ρᾶρος 310[4]
ρασ aus idg. *ṛs* 307[6]
ῥάσσω 314[3]. 715[2]; s. ῥάττω
*rasta* ngr. (südital.) 80[7]
ῥᾶστα λῆξαι II 606[2]
ῥάστη (sc. ὁδός) II 623[5]
ῥάττω att. 715[2]. 716[2], 4;
s. ῥάσσω
ραυδους Koine (Ägypt.) 198[2].
207[8]
ῥάφανος 212[3]. 490[3]
ῥαφη- pass. 759[6]
ῥάφυς 463[5]
ῥάχετρον 532[5]
ῥᾱχία 314[3]. 716[2]
ῥάχις 462[5]; ῥάχεις 159[7]
ρε äol. für ρι 106[3]. 274[8]. 275[2]
ῥέγκω 684[4]. 692[7]
ῥέγμα 310[4]
ῥέγος 310[4]
*\*ρεγχϜα 302[4]
ῥέγχω 684[4]. 692[7]
ῥέϜω 347[2]. 722[1]. 743[4]; -ει
781[5]
ῥέζεσκον hom. 711[2]
ῥέζω [= ἔρδω] 716[1], 2.
754[7]; ῥέζοι II 325[6·7]; ῥέζω
τι c. dat. II 146[6]; – αἴσυλα
περὶ ἀνδρῶν II 502[3]; –
ἑκατόμβην ὑπέρ τινος II
521[3]; s. ἔρεξα, ἔρρεξα, ῥέξω
ῥέζω 'färbe' 310[4]. 716[1]
ῥέθος 314[3]

ῥεῖα II 324[2·7]; – ζώοντες II
408[6]
ῥείω 686[1]
ῥέμβομαι 314[3]. 692[6]
ρεξ- 754[7]
ῥέξειν II 375[4]
'Ρηξίας 225[2]
ῥέξω 782[5]. II 291[3]
ῥέος 512[3]
ῥέπω 684[4]
ῥεραπισμένων 649[4]
ῥερῖφθαι 649[4]
ῥερυπωμένα hom. 649[4]
ρετσίνα ngr. 271[4]
ῥεύει [*révi*] ngr. 755, 3; s.
ἔρρεψε
ῥεῦμα 347[2]
ῥεύσει fut. 781[5]
ῥευσεῖται Aristot. 786[2]
ῥεῦσις 505[5]
ῥεύσομαι 685[7]; -σεται ion.
743[4]. 755[4]. 781[5]
ῥευσοῦνται Aristot. 786[2]
(*\*ῥεύω) 745, 4
ῥεύω [*révo*] ngr.: ἔρρεψε
755, 3
ῥέω 348[4]. 685[7]. 743[4]. 745, 4;
ῥέει 781[5]; ῥεῖ 414[2]. 659, 1.
760[5]. II 244, 2; ῥέουσι 659,
1; ῥέειν II 612[3]; ῥεῖν II
226[6]; ῥέω c. dat. II 148[3].
164[4]; ῥεῖ c. gen. II 111[6];
ῥέει κρήνη ὑπὸ σπείους II
527[4]; ῥέειν κατὰ βλεφάρων
II 480[5]; ῥεῖν γάλα, μέλι II
76[6]; – κατὰ τῶν ἄκρων II
480[5]; – ὑπὸ τῆς πλατάνου II
528[1–2]; s. ἔρρεε, ἔρρεον,
ἔρρευσα, ἐρρύᾱ, ἐρρύην, ἐρ-
ρύηκα, ἔρρυκα, ῥευσ-
ρϜ 332[3]; – zu υρ 267[3]
ph aus *\*sr* 304[6]
ph- 309[7]
phoϜά kerk. 310[2]; phoϜαῖσι
212[2]. 223[6]. 559[5]
ρη zu att. ρᾶ 275[3]
ῥῆα adv. 467[2]. 539[3]. 622[5]
ῥηγμίν 310[1]; ῥηγμῖνι 229[6]
'Ρήγμων 492[6]
ῥήγνυμαι II 227[8]; ῥήγνυται
765[5]; ῥήγνῦται conj. Hip-
pon. 792[3]; s. ἐρράγην, ἐρ-
ρήχθη, ῥαγῆναι, ῥήγνυντο
ῥήγνῦμι 310[1]. 333[1]. 340[4].
359[4]. 414[2]. 697[3]. 770[1]. II
227[8]. 269[1]. 691, 5; ῥηγνύ-
ᾶσι att. 665[3]; ῥήγνῦσι 3. pl.
664[6]; ῥηγνῦσι 3. pl. 664[6].
665[1]. 698[5]; ῥήγνῦμί τι ἔν
τινι II 458[2]; ῥήγνῦμι φωνὴν
ὑπὸ δέους II 528[6]; s. ἔρ-

ῥυδόν 626³. 743⁴
ῥυείς ptc. 743⁴. 758³
ῥυζεῖν 721⁵
ῥύη Od. 743⁴. 757⁵. 759¹
ῥυῆι conj. att. 743⁴; – akret. 792, 2
ῥυῆναι 758³
ῥυήσομαι 685⁷. 782⁶; -ήσεται 743⁴. 755⁴
ῥυθμός 493¹, 1
ῥυΐσκομαι ion. 709³
ῥῦμα 523²
ῥυμηδόν 626⁵
ῥῦμός 310¹. 492³; s. ῤρυμός
ῥῠμουλκός 157⁸
ῥυμφάνω 351⁷
ῥύομαι 681². 686³; – ὑπό τινος II 527, 3
ῥυπόω 727²; s. ῥερυπωμένα
ῥυππαπαί 310³
ῥύπτω 705¹
ῥῦσαί με δουλοσύνης II 93³
ῥῦσθαι 681¹

ῥύσις 505⁵. 743⁴
ῥύσκε(ο) Ilias 711¹; ῥύσκευ 681¹. 711¹
ῥῦσός 321⁵. 516⁶
ῥυστάζεσκεν hom. 711²
ῥυστάζω 706⁴
ῥυστακτΰς 706⁴
ῥυτόν II 175⁶
ῥυτός 347². 743⁴. II 242¹
ῥύτρυς 495⁴
ῥυφάνω Hippokr. 720, 1
ῥυφέω ion. 351⁷. 720, 1. 834⁵
ρω Stark- u. Schwachst. 361²
ῥῶ 140⁴. 153³. 310³
ῥωβίδας lak. 509⁷
ῥωγαλέος 484²; -έα neut. pl. II 611⁶
ῥωγή 460¹
ῥώθων 310²
Ῥωκίονς kret. 199⁴
Ῥώμα voc. 567, 2

Ῥωμαῖος 78⁶. 156⁵; s. Romjós
Ῥώμη 154⁸. 155³. 159⁷. 310³
ρωμσις 277⁸
Ῥωμυλίδαι 509, 3
ῥώννυμαι; s. ἔρρωμαι
ῥώννῡμι 697⁴; ῥωννύναι 392⁸
ῥώξ 424³, 4. 425²
ῥῶξ äol. 378⁴
Ῥωξάνη 310³. 327⁶
ῥώομαι 349³; ῥώοντο, ἐρρώοντο, -ώσαντο 722¹; ῥώομαι μετὰ πνοιῆσ' ἀνέμοιο II 484³
ῥῶπες 424³
Ῥωπηυς keisch 548⁸; Ῥωπήυς 196³
ῥῶπος 458²
*ρωρυ- 258⁴
ῥώσαντο 722¹
ῥωσθη- 761³
ῥώσκομαι 708⁶
ῥωτακίζω 736⁴
ῥωχμός 493³
ρωψ 277⁸; ῥώψ 310³

## Σ

s: erhaltenes s ungr. 69, 3; s charakter. Kons. für Stammbild. 419⁷; s- suff. 511⁴ ff.
σ 216⁴ f.; in Kons.-gruppen ψ ξ ζ 328²ff.; σ intervok. u. ausl. stimml. 217⁵; σ aus idg. s 306⁴; aus idg. s+s 366⁸; aus ss < ts 321⁸. 322¹; σ att. alt für σσ 231⁴; aus τj ϑj 272⁴; für τ 270⁶; ʍ ark. für τ 301³; σ lak. aus intervok. ϑ 814⁴. 93⁵. 205³; σ tsak. aus ϑ 205³, 1; s ngr. aus þ 205, 1; σ(σ) spätgr. für σϑ 205, 2; σ nach Kons. ρ λ μ ν 284⁴ff.; σ = Ausspr. z vor stimmh. Kons. 306⁴; σ nach ṇ (= α) u. ɽ (= ρα) erhalten 307⁵; σ in Formen festgehalten 307⁷; -σ- inl. vor ρ λ ν 311⁷; σ bzw. z zwischen Verschlußl. od. in Gruppen mit Liqu. od. Nas. 335⁵ f.; σ vor Kons. u. ausl. fest 366⁷; σ unetymol. im Verb 762⁴; σ > h 217³·⁴. 279⁸. 365⁵·⁶. 370⁵. 832⁷; anl. σ vor Vok. zu h 307⁴. 370³; -σ- > -h- 370³; -σ- > -h- lak. kypr. 233⁴; σ und h schwanken intervok. 94⁴; σ und h wechseln 217, 1; σ wechselt mit h od. Null 306⁵; σ geschwunden 282³·⁴.

307⁴. 333⁷; σ aus ρσ + Kons. gefallen 336²·³; σ > z 365⁵·⁶; σ mit ζ verwechselt im Schreiben 217⁸. 218¹; σ als ρ 217⁵; σ vor μ wiederhergestellt 333⁸; wurzelhaftes σ vor Kons. bei s-St. 440⁴
-σ- für -σσ- 308³. 321⁴
-σ- fut. 738¹. 781², 1
-σ- aor. 738¹. 749³·⁴, 2. 750⁵·⁶. 752¹
-σ- aor. conj. 784³
-σ- pf. med. 772⁷
-ς aus idg. -s 408⁸; aus -ss < -ts 321⁸; für -st 409¹; aus -νς 566³; aus -τ bzw. -δ 409⁸; -ς fehlt vor Dent. u. Nas. 217¹; -ς in pap. nicht geschr. 410⁶·⁷; -ς hiatustilgend 404⁶·⁷. 405²; -ς vor Vok. verhaucht 409⁶·⁷; -ς schwindet ngr. 661, 1; -ς assimiliert 216⁵, 1 f. 217²; -ς wird dem anl. l- n- assimiliert 312¹
-ς nom. 85⁷. 549². 562⁸; m.-ngr. 586²; 1. decl. m. 561⁴; 3. decl. 569⁵⁻⁶
-ς gen. f. ngr. 586²
-ς pl. 547¹
-ς adv. 619⁵, 5. 631³⁻⁵
-ς Personalend. 657⁵. 659³·⁵; 2. sg. aor. indic. 750⁴; 2. sg. imper. 800¹⁻², 3

σ- anl. 308²; – aus *tsw- < t'w' 320¹·³; vor Vok. in Fremdw. 308¹
σ' agr. (= σε) 604, 3. 606⁵. II 187⁶
σ' hom. (= σοι) 604,3. II 187⁶
σ' (= σου) ngr. (nordgr.) 606⁴·⁵
'ς praep. ngr. II 455¹; c. acc. II 171²; 'ς τοὺς φίλους II 140⁴; s. στοῦ, στῆς
σα (σά) megar. 319⁵. 614, 3. 616, 8. 623¹; σὰ μάν 'wieso' 616, 8
σα- praef. 434⁵. 615, 8
Σᾰ- in Namen 558, 1
-σα 1. sg. aor. 754³·⁶·⁸. 755¹. 814⁴⁻⁵·⁶. 815⁷; ngr. 763⁷
-σα 2. sg. ngr. (maniat.) 764⁶
-σα- aor. 739⁵·⁶. 749³·⁴·⁶, 2. 752²⁻753
σᾶ f. att. 558, 1
σᾶ neut. pl. (σῶς) 554, 4–558, 1
σάάμον 304⁵
σάβανον 308¹
σάββατα 409⁶. II 43⁷
σάββατον 124¹. 316¹; -άτωι 162⁶
σαγ- 771⁷
σάγδας 329³
σαγήνη 323⁴
σάγμα pl. 585⁴
Σαδάμω ark. 250³
σαδράπαν äol. 206³
σαδράπης 333⁶

ΣαϜάναξ lak. 263⁴
σαϜος 472⁵
σάϑη 511¹
-σαι Personalend. 657⁵; 2.sg. 667⁴. 668¹ f.
-σαι 3. sg. opt. 796⁷
-σαι 2. sg. imper. aor. med. 750⁴. 803²·⁷⁻⁸, 4 f.
-σαι infin. aor. 548³. 750⁴. 805⁵. 808⁵⁻⁶, 7. II 242³. 260⁷. 358⁵
-σαιεν 3. pl. opt. 796⁷
-σαιμεν 1. pl. opt. 796⁷
-σαιμι 1. sg. opt. aor. 660³
σαίνω 320². 714⁵.; s. ἔσανα
σαίρω 322³. 714⁴; s. ἔσηρα
-σαις 2. sg. opt. 796⁷
Σάϊς 250³
σακέσπαλος [so, nicht -πάλος] 398⁷
σακκέω 726³
σάκκος 308¹. 458¹
Σακλῆν 250³
σακνός 489³
σάκος 414³. 515⁵
σᾶκός 320²
σάκτας böot. 500¹
σάκχαρ 308¹. 316³
σαλάκων 497²
Σαλαμινία II 34²
Σαλαμίς 308¹·⁷. 465⁵
Σαλαμῶνα el. 278⁶
Σάλαρς Hdn 569⁶
Σαλάρτιος 569⁶
σαλάσσω 733⁵
Σαλμακιτέων gen. 464⁶
Σαλομών 164⁶
*σαλπιγγίζω 336⁸
σάλπιγξ 322³. 498³
σαλπίγξω fut. 781³
σαλπίζει II 621²
σαλπίζω 311⁵. 336⁸. 735⁴; s. ἐσάλπισα, ἐσάλπιγξε
*σαλπινzδω 331⁵. 336⁸
σαλπίσσω praes. 733⁵
[Σα]λφηδόν' 213¹
σᾶμα 322³, 1. 346⁵; - τόδε Ἀρνιάδα II 623³
σαμάδιμο pamph. 494⁶
Σάμαινα 837⁶
σαμαν kypr. 524, 4
Σαμαρεῦ voc. 478³
σαμάτεσσι delph. 564³
σαμβαλίσκα 542¹
σάμβαλον äol. ion. 303²
Σαμβᾶς 461⁷
Σαμβάτιος 123⁵. 231⁷
*σάμβατον 231⁷
σαμβύκη 62¹. 308¹. 379⁶
σάμερον 397⁷. 613⁴, 7
-σάμην 1. sg. aor. med. 758⁶. 761¹. II 238¹·²; hell. poet. (= -ϑην) 757, 1; s. -σαντο
Σαμιάδευς ion. ['rhod.'] 561,3

Σαμοϑράικη 439³
Σαμόϑρηικες 439³
Σαμοϑρήικιος 439³
Σάμος 308¹
σαμπῖ 149⁴
σαμφόρας 141, 2
Σαμψῶν 277⁷
σάν dor. (Buchst.) 141¹. 308¹
σάν 'cum, als' ngr. 615³. II 304⁴. 306, 2. 351³. 663³. 666⁴
-σαν 3. pl. 665⁷.751¹·².802⁴⁻⁵
σᾶν 377⁸
σανδάλιον 470, 1
σάνδαλον att. 303². 308¹
Σᾶνδρίδᾱ 248⁷
Σανδρόκοττος 156⁶
Σᾶνδρος att. 248⁷
σάννας 315⁶
σάνταλον 156⁶
-σαντο 3. pl. aor. 672³
Σαόννησος 80². 280²
σαόντες 723, 2
σάος 320². 558, 1. 723, 1
σαοστρεῖ 726³
σάου 728, 2
σαόω 723, 2. 727². 728, 2. II 352¹; s. σαωϑ-, σαωσαπη- 759²
σαπουνίζω, σαπούνισμα ngr.II 384¹
σαπρός 319⁴. 481⁵
σαπύλλω 736⁶
σάπφειρος 161⁵. 308¹. 316³
Σαπφώ 211⁶. 260². 329⁴
σάραγος 498²
σᾶραι kret. 714⁴
σαράντα ngr. 265¹. 592³
Σαραπιγῆον pap. 312⁷
Σαραπιεῖον: τὸ πρὸς Μέμφει – II 513²
σαράπους 438, 4
σαργάνη 319⁶. 489⁶. 490¹
σαργῖνος 491³
σαρδάνιος 322³. 343³. 486⁴. 530²
Σαρδιανός hell. 189⁸. 490⁴
Σαρδώ 479⁴
Σάρδῳος 467⁵
*σαρδών 530²
σάρι n. 582⁷
σαρίν n. 582⁷
σάρισα 475⁵
σαρκ- f. 424⁴
σάρκες (αἱ) II 43²
σαρκίζω 736⁴, 11
σάρξ; s. σαρκ-, σάρκες
Σάρος 329³
Σαρπᾱδών 187³
Σαρπηδόντος 105⁵
Σαρπηδών 187³. 308¹
Σαρπινγί[ς] böot. 213³
σαρῶ fut. 785²

σας, σᾶς ngr. 606⁴
-σᾶς suff. 461⁷
σάσσω 715²
σαστήρ 531⁵
Σασώ 479⁴
sa. ta. si. ku. po. ro. se kypr. 139²
σᾶτες äol. dor. 319, 2. 613, 7
σατήρ hell. (= στατήρ) 260⁶
sáti tsak. 93⁸
σάτιλλα 308¹. 837⁶
σατίναι 308¹
Σατνιόεις 526, 8
Σάτνιος 466³
-σατο 3. sg. aor. 672³
σάτον 254¹. 504²
Σατορνῖλος 259²
σατραπεύω c. gen., dat., acc. II 110⁴·⁵
σατράπης 206³. 329⁶
σάττομαι c. gen. et acc. II 111²
σάττω att. 715². II 432²
Σαυ- in Namen 248²
σαυκρός 496⁵
σαῦλος 329²
Σαῦλος 638²; - ὁ καὶ Παῦλος II 567, 5
Σαυνῖται 199⁴
σαῦσαξ 516⁸
σαυτόν II 196¹; s. σεαυτ-
σαυτοῦ att. II 195⁴. 196²; τὰ – 607, 3
σαύτω, σαύτωι lesb. 607, 4
σάφα adv. hom. 622⁵. 624²
σάφ' εἰδέναι II 376¹; τοῦ – – II 360⁷; σάφ' ἴσϑ' ὅτι II 590²
σαφηνής 513⁴
σαφής 558, 1
Σάφιος gen. argol. 260²
σαφῶς att. 624²
σαχνός 340⁴
σάω 676². 728, 2
(σάω aor.) 728, 2. 743, 8
σαω- 443, 3
ἄαωϑεν 736⁵
σαωϑήτω II 342⁸
σάως praes. lesb. 729²
σαώσαι opt. II 328³
σαώσω fut. 736⁵
σαώτερος II 184⁵
*σβείνῡμι 697⁵
σβεννύεις Pind. 699²
σβέννῡμι att. 295⁷. 697⁴·⁵. 743¹; s. ἔσβεσα, ἔσβην, σβεσ-, σβη-
σβεσ- 706⁷
(*σβεση-) 743, 1
σβεσϑη- 761³
*σβέσνῡμι 697⁵
σβέσσαι 706⁶
*σβέσω praes. 743, 1
σβη- 743³, 1

σβῆναι 706⁶. 743, 1. 759⁶
σβήσομαι 782⁶
σβῆτε Sophr. 743, 1
σβήτω 801⁴; * – 801, 2
σβο- 295⁷
*σβοάω 719¹
σγουρός ngr. 328⁶
σδ aus γj δj 272⁴
(*σδασκιος) 330³
σδε- 295⁷
*σδεσ- 330¹
Σδέυ voc. sg. lesb. 576⁵
Σδεῦς lesb. 330². 383⁵·⁶. 576⁵
σε ion.-att.320²; für τε 271⁷·⁸
σε acc. encl. 602². II 424⁷;
　ngr. 606⁴
σέ acc. 227⁵. 308². 600⁵. 601⁸.
　602². II 88¹; σὲ αὐτόν II
　195³; σέ γε II 561³
-σε adv. 271⁷. 552². 629²·³, 4.
　II 171⁴·⁵
-σε 3. sg. aor. 749⁴. 750¹
-σε 3. sg. conj. 661⁴. 791²
-σε 2. sg. imper. aor. hell.-
　ngr. 803⁶
-σε/ο- fut. 779⁷. 781¹·². 783²–
　784. 785⁷⁻⁸–786¹, 1. 787²
*-σεα (< *-sejm̥) 660³
Σέαινις 205⁴
σεαυτ- 607³; s. σαυτ-
σεαυτό acc. neutr. att. 607⁴
σεαυτόν att. 607, 4
σεαυτοῦ att. II 193². 195⁴
σεαυτῶι att. 607, 4
σέβας c. gen. II 122²
σέβασις 128²
σεβάσμιος 493⁵
σεβασμός 493⁵
σέβομαι 322³. 684⁵. II 229².
　234⁴
σέβω II 234⁵
σέ γε II 561³
-σεε/ο- fut. dor. 779⁷. 781¹·².
　785⁷ f.
σέες nom. pl. gramm. 578⁵
σέθεν gen. lesb. hom. 552, 2.
　602². 605¹. 628². II 171⁶.
　172¹⁻⁴
-σει fut. 786³
-σει conj. 661⁴·⁶. 790⁴, 9.
　791¹
*-σει 3. sg. opt. 660³
-σει- fut. 786⁶
-σεια 1. sg. opt. aor. 660³. 797²
-σειαν 3. pl. opt. 796⁷
-σειας 2. sg. opt. 796⁷
-σειε 2. sg. opt. 796⁷. 797, 1
*-σειμεν 1. pl. opt. 797³
σεῖν 278⁴. 307⁸. 406⁶; [sēn]
　307⁸; [sīn] 307⁸. 406⁶
-σειν infin. thess. (Larisa)
　805, 2
-σειν infin. aor. 809, 2

σεῖο gen. sg. hom. 602³. 605⁴,
　5. 609¹. II 206¹; σεῖ᾽ 604⁴;
　s. σέο, σεῦ
Σειρῆνες 275². 487²; Σειρή-
　νοιιν II 177⁴
σεῖς ngr. 606⁴
-σεις 2. sg. conj. 661⁴·⁶. 790⁴,
　9. 791¹. II 315⁶; s. -σες
*-σεις 2. sg. opt. 660³
-σεῖς 2. sg. fut. 780¹
σείσας ὁ Ποσειδῶν II 621⁴
σεισάχθεια 36⁵
σεισθη- 761³
σεισίφυλλος 442⁶
σεισίχθων 442⁶
σεισμός 493³
σεισο- 442⁶
*σεισος 517²
σεισόφυλλος 442⁶
*σείσω praes. 706⁷. 775²
σείσων 517²
σείω 348³. 706⁷. 747³. 775²;
　s. ἔσεισα, σέσεικα, σέσεισμαι
-σείω verba 780². 789¹⁻⁴
σεκάνες H. 632³
σέλα 516²
σελαγέω 496⁵
σελᾶνᾶ dor. 72². 81⁵. 281⁸
σελάννᾱ äol. (lesb.) 72³. 81⁵.
　89⁹. 281⁸. 489⁵
σέλας 322³. 514⁵
*σελᾶσνᾱ 187³
Σελεγ(ε)ίδος gen. 209⁵
Σελεῖδος gen. 209⁵
Σελευκέσι dat. pl. mgr. 575,4
Σέλευκος 69⁵. 154³. 330³. II
　448, 4
σεληναίη 469⁶
σελήνη ion. att. 72². 81⁵.
　187³. 281⁸
σέλῑνον 322³. 491³
Σελινόντιοι megar. 253²
Σελινούντιος 528³; -ιοι 270⁶
Σελινοῦς 528²; m. f. II 33, 2
Σελλᾶντι dor. 528²
Σέλλητες 78²·³
Σελλητική 78³
σελλίζεσθαι 211⁶
Σελλοί 78³
σέλλωμα ngr. 523⁴
σέλμα 322². 523²
Σελύμιος pamph. 225³
Σελύμιυς pamph. 181, 2
Σελύμιυς pamph. 314⁸
Σεμέλη thrak. 68⁶. 326³.
　483⁷; Σεμέλας acc. pl. II 45⁴
σεμίδαλις 190⁴. 308¹
σεμνός 256⁵. 332⁴
σεμνύνεσθαι c. instr. II 168²
σεμνύνω 733³
-σεν 2. sg. imper. Koine 803⁶
σέν spätgr., ngr. (pont.) 604⁴
σένα ngr. 606⁴
se.o, se.o.i kypr. 205, 3

σέο gen. sg. ion. hom. 602³.
　605¹, 5. II 206¹·³; σεο encl.
　602³; s. σεῖο, σεῦ
-σεο- fut. 786³; s. -σεε/ο
-σεο imper. 788²⁻³. 799⁶
σεός gen. sg. 578⁵
σεπτάς pythag. 587, 2. 590, 8
Σέραπις hell. 258⁴
séri tsak. 93⁸
seríndu tsak. 212, 1
σέρ(ι)φος 495⁵
σερός el. (H.) 632³
Σερούχ 162⁵
σέρτης 501¹
σέρφος 495⁵
-σες 2. sg. conj. 661⁴. 791¹. II
　315⁶
σέσεικα 775²
σέσεισμαι 773³·⁵
σέσελι 462⁵
σέσελις 308¹
σεσεύανται H. 672³
σέσηπα770³. 772².II 227⁷; σέ-
　σηπε 639⁶.II 224⁷.263³. 264⁴
σέσηπται 779³
σεσιγαμένος II 393⁵
*sesl- 281⁷
σεσόβημαι 649⁴
*σεσοχα 767, 6
σέσυφος 423⁶
σέσωκα 736⁵
σέσωμαι, σέσωσμαι 736⁵
σευ gen. sg. encl. 602³. II
　201³. 206²
σεῦ gen. ion. hom. 248¹.602³.
　605¹
-σευ- fut. 786³
σευα- 740³
σεῦαι hom. 348⁸
σεύαιτο opt. 745⁵
σευάμενος 745⁵
σεύαντο 745⁴
σεύας ptc. 745⁴
σεύατο 745⁴
σεύεσθαι παρ᾽ ἐρινεόν II 495³;
　– νεῶν ἄπο II 446¹⁻²; – ἐπὶ
　τεύχεα II 472⁸; s. σεύομαι
σεύηι conj. 745⁴
σεύμαι 740³
σεύομαι hom. 685⁷. II 234²;
　s. σεσεύανται, σεύω
σεῦται 679⁴, 5
σεῦτλον 319⁶. 533⁴
σεύω 319⁴. 347⁴. 685⁷. 720².
　721⁶. II 234¹
-σέω fut. 779⁸. 786³. 787⁴,
　11. 788, 0
σέων gen. pl. Aristoph. 578⁵
σεωυτόν ion. 607, 4
σεωυτοῦ ion.607².II 193².195⁴
σεωυτῶι ion. 607, 4
σϝ 282²
*-σϝ- 332³
*σϝιαλος 448¹

*σϝοδ II 573²; 'so' 617³
*σϝος gen. sg. (σῦς) 308⁵
*σϝω 601⁴
σζ 238⁷; σζ = ζ 218²·³
σῆ lak. H. 685⁶
-ση- fut. 786³
σήθω ion.-hell. 320³. 676².
703¹. 745, 4. 752, 4
-σηι conj. 661⁶. 790⁴. 791¹
-σηις conj. 661⁶. 790⁴. 791¹
σήκασθεν Ilias 734⁶ [so,
nicht -άσθεν]. 761³
σῆμα 523²; s. σᾶμα
σημαία 470, 6. 724⁶
σημαίνω 724⁶; σημανέω hom.
785²; σημαίνω c. gen. II
110²; – ἐπί τινι II 467⁴; –
πολεμίων ὕπο II 395³; s.
ἐσήμανε, ἐσήμηνε
σημασία 469³
Σημβρόνις 210⁴
σημεῖα 470, 6
σημεῖον 470⁴
σήμερα ngr. 621⁴
σήμερον adv. ion. 308³. 319⁴.
414². 621²; ἡ – II 175⁵
σημύδα 508⁷
σήν: τὴν σὴν ἀνδρείαν II 614⁴
σηπίδιον 248⁶
σήπομαι II 227⁷. 229³; σή-
πεται 639⁶. II 224⁷
σήπω 685³. II 227⁷
σῆραγξ, -ριγξ 498³
σής m. Pind. 575². 578⁵. 694⁵;
s. σητός, σῆτες, σητῶν
σῆσαι 320³
σήσαμον 308¹. 494¹
Σήσαμος 494¹. II 37⁶
ση[σαυρ- tauromen. 205⁴
Σηστός II 33, 2
σητάνιος 158²
σῆτες 319, 2. 613, 7. 621²
σῆτες nom. pl. 578⁵
σητο- compos. 578⁵
σητός gen. sg. 578⁵
σητῶν gen. pl. 578⁵
σήψ 424³
σθ: aus Aspir. + Dent. 306⁸
f.; σθ > nwgr. dor. στ 233⁶;
σθ > spätgr. σ(σ) 205⁴, 2
-σθ-: aus -th + t- 663²; aus
dh + dh oder dh + t 703, 7
-σθ-809⁵; aor. u. fut. 761³⁻⁴;
med. Ausg. 658³
-σθα 2. sg. pf. act. 662³·⁴
-σθαι infin. 805⁵. 809³⁻⁶.
II 242³. 358⁵; infin. als
imper. 801⁷, 6
(*-σθαι imper.) 799, 7
-σθᾶν du. 670⁵. 672⁵
-σθε adv. 727³·⁵
-σθε 2. pl. Personalend. 301⁶.
657⁵·⁶. 670¹·³⁻⁵, 3. 6 f. 671¹;
imper. med. 799⁵, 7

*-σθει dat. sg. 809, 2
-σθειν infin. thess. (Larisa)
805, 2. 809³⁻⁴
*-σθειν infin. aor. pass. 809, 2
-σθεν adv. 627³·⁵
σθεναρός 482, 5
Σθενείαι τὸ Νικιαίōι II 177⁵
σθενής 513⁵
σθένος 328⁵. 513¹; – c. gen.
II 122¹
-σθη aor. 723⁴. II 170³
-σθη aor. 761²; -σθη- att. 761¹
-σθη infin. böot. 809³
-σθην aor. 762⁴
-σθην 3. du. 672, 10
-σθης 2. sg. med. aor. 749⁵.
751⁴
Σθλάβος byz. 277⁷
-σθον 2. du. 670⁵. 672⁵
-σθον 2. du. imper. med.
799⁵, 7
-σθω du. 670⁵
-σθω 3. sg. imper. med. 801
⁵⁻⁶. II 342¹
-σθων 3. pl. imper. 801⁷.
802³⁻⁷, 4
-σθωσαν 3. pl. imper. 802⁵
σι ion. att. ark. kypr. äol.
(lesb.) (aus τι) 62⁸. 81³. 88⁴.
89⁶. 106⁶; in Koine 128⁶;
-σι vordor. 85⁵; σι- für τι-
inl. vor Kons. 270⁵
-σι- suff. 504³, 2 ff.
σι in d. Kompos.-fuge 443
¹·², 1
σι- praef. 434⁵. 615, 8
-σι loc. pl. 548⁷·⁸. II 138⁴;
aus idg. -su 551⁵; dat. pl.
549³. 562⁸
-σι 3. sg. Personalend. 270⁴
-σι 3. pl. 130². 270⁴. 657⁵.658².
659²·³; -σι ngr. für -ν 666, 8
-σῑ- opt. pl. opt. 794²
σί: σί βόλε kypr. 668, 3
-σία suff. 128². 469²·³, 2
σίαι, σῖαι kypr. H. 325⁸.752,4
Σιαλέται 78³
σίαλον 325⁸
σίαλος att. 243⁷. 308⁶. 322³.
448¹. 483⁷
σιβακθανει 163²
Σίβυλλα att. 256³
σιβυλλιάω 732³
σιβύνη 331⁴
σῖγα adv. 622⁵·⁷
σῖγα 'stille' II 257, 1
σιγαλόεις 527⁴, 6
σιγάλωε 443³
σιγάλωμα 527, 6
σιγᾶν 307⁸. II 377³
σιγάω 722, 3. 726, 1; σιγῶ
II 257⁴
σιγεν, σιγέν infin. kyren.
410⁷. 807³

σιγηλός II 173⁴
σιγῆν infin. lak. (= θιγεῖν)
807²
σιγήσομαι 782¹
σίγλος 308¹
σίγμα 140⁵ f. 141¹. 716³
σιγμός Aristot. 716³
πιγύνη 491⁵
σίδα 307⁷
σίδᾱρος 482⁵
σίδη 61⁷. 308¹
σίδηρος 61⁸. 308¹. 837⁸
Σιδών 153²·³
σίελον 482⁴. 483⁵
σίελος 243⁷. 483⁵
*-σιεν 3. sg. opt. 663, 9
σίζω hom. att. 307⁷. 716³
-σιη-: -σῑ- opt. 794²
σίκα lak. 308⁶. II 61, 6
Σικελικαὶ περιστεραί II 181⁵
Σικελιῶται 94⁷
Σικελός 308²; -οί 483⁵
σίκιννις 62¹. 308¹
σικυώνη 491⁴
σικυωνία 491⁴
σικχός 307⁸. 316²
σιληπορδεῖν 726⁶
silindu tsak. 205⁴
σίλλος 485⁴
σίλφη 319⁶
σίλφιον 308¹
Σιλωάμ 161⁶
Σιμάδας 509⁵
σίμβλος 308¹
*-σίμεν 1. pl. opt. 660³
σιμικίνθιον 162, 2
Σίμιχος 498⁵
σιμμα 215². 523⁴
-σιμο ngr. 506²
Σιμόεις 526, 8
Σιμοείσιος hom. 528³
-σιμος suff. adj. 494⁵·⁶, 3
σιμός 494⁴
Σῖμος 637³
Σιμοτέρη II 184¹
Σίμων 637³; παρὰ Σίμωνι βυρ-
σεῖ II 618³
-σιν loc. pl. 548⁸. 549¹; s. -σι
σίν (= θεόν) spätlak. 472³
Σινα 154⁵
σινάμωρος 426⁴
σίναπι 308¹. 462⁵
σίναπυ 308¹
šinda tsak. 212, 1
σινδρός 277⁴. 481⁵
σινδών 161⁴. 308¹. 530¹
σινέομαι 694⁵
σίνεται hom. 694⁵
σίνις m. 694⁵
σιννεται Sapph. 694⁵
σίνομαι 320²; s. ἐσίναντο
σίνος n. 512⁵. 694⁵
σίντης 500¹. 694⁵
Σίντιες 504, 3; – ἄνδρες II 614⁶

σίξα Theokr. 716³
-σιο- adj. 561⁶
-σιομεν fut. 786³
σίοντα 193⁶
σιόντα aor. Anakr. 685⁶. 747³
-σιος suff. adj. 466⁴·⁵
Σιούνεσις böot. 183⁴
Σίπομπος spätlak. 472³
σιρικάριος 256²
-σις suff. 449², 2. 505⁶ f.
584⁷. II 356⁴, 1; – st. -στις
504⁶ f.; Unterschied zw.
-σις u. -μα 506²; -σις in
d. Koine 128⁴; -σις durch
-σιμο verdrängt ngr. 506²
σις kypr. 300⁵. 301³.308⁵.616¹
Ϝις, σις, σις ark. (= τις) 88⁵.
301³. 308⁵. 616¹
*σίσαι 325⁸
σίσαρον 308¹
*sisl- 281⁶
*sism- 282⁸; *sismerjō 715,10
σισύρνα 308¹
Σίσυφος 423⁶
σῖτα 581, 6
σιτάρα hell. 245²
*-σῖτε 2. pl. opt. 660³
σιτεῖσθαι παρά τινι II 494²
σῖτέω 726³
σίτησις II 614¹
σιτία ἡμερῶν II 122³
σῖτος 308¹. 503⁵. II 41⁵
σίττα 140³. 211, 1. 278⁴. 307⁸.
329³. 409⁶
σίττακος 329³
σίφων 307⁷
-σιω fut. 786³; -σίω 779⁸.
786, 8
σιώ lak. 205³. II 47³
σιῶ lak. 205³
σιωπή 460³
σιωπήσομαι 782¹
σιωπῶ: σιωπᾶν 307⁸. II 257
⁴·⁵, 1; μὴ σιωπάτω II 343⁴;
σιωπῶ c. dat. II 150⁶
σκ ätol. aus σχ 829¹
-σκ- praes. 706⁶–712; Iterativpräs. 727³; Iterativprät.
710⁴,₊9–712. II 305, 2
σκάζω 298⁶. 714⁶. 736⁶
σκαιός 58⁴. 266³. 347⁵. 472⁵
σκαίρω hom. poet. 334⁴. 714⁴
σκάλλω 323¹. 334⁴. 342⁴. 714⁵
σκαλμός 492⁴
Σκάμανδρος 328³. 334⁴
σκαμβός 298⁶. 496¹
σκαπάνη 333³
σκάπετος 334⁴. 498, 13
Σκαπτησυλίτης 452³
Σκαπτὴ ὕλη 427²
σκάπτω 705¹, 5. 772⁴; σκάπτε
II 250, 5; σκάψον II 250,
5; s. ἔσκαφα
σκαρ- 644, 2

Σκαρδαμυλα 66⁴
σκαρδαμύσσω 334⁴
σκαρθμός 714⁴
σκαρίζω pros. spät 714⁴
σκαρῑφᾶσθαι 644²
σκατόν ngr. 520, 2
σκαῦρος 481⁶
σκαφη- pass. 759⁶
σκαφθη- byz. 759⁶
σκαφώρη 334⁴
-σκε verb. iter. II 305, 2
σκεάζω 198⁸
σκεδάννυσθαι καθ' ἁρπαγήν
II 479⁵; ἐσκέδασμαι 649⁵
σκεδάννῡμι hom. 334³. 697⁴;
s. ἐσκέδασα
σκεδασθη- 761⁴
σκέδασις II 356⁶
σκεδασμός 493⁴
σκεδάω 683¹. 695³
σκεδῶ fut. 784⁶
σκεθρός 261⁶. 481⁴
σκείλει' Ilias 756¹
σκέλη du. II 49⁴
σκέλεαι att. 837⁶
σκέλει du. att. 565⁴. II 47, 4
σκελετός 502³. 743, 3
σκελίσκοιν II 47, 4
σκελιφρός 495⁶
σκέλλομαι Aesch. 715⁶
σκελλός 334⁴
σκελοῦνται 784⁴
σκένος äol. 266⁸
σκεο- 198⁸
σκέπα neutr. pl. 520¹. 581⁴, 5
σκέπαρνος hom. 491⁶
σκέπας ἀνέμοιο II 96¹. 121²
σκεπάω 726¹
σκεπη- 760¹
*σκεπjομαι 705²
σκέπομαι 684²
σκέπτομαι 268². 704⁵. 705².
II 229³; σκέπτεο, σκέπτετ'
705²; s. σκεψ-
σκέπω 684²·⁵
σκέραφος 334³
σκερβολέω 334³
σκέρβολος 449, 3
σκερτῶν hell. 275¹
σκευᾶν fut. att. 785³
σκευασθηντι mess. 792³
σκευάων el. 181¹
σκευόω 705²
σκεψάμενος 705²
σκέψομαι 720, 2
σκήλει' Ilias 756¹
σκηνίπτω 705¹
σκῆνος n. 512⁷
σκήπτομαι 705¹
σκηπτοῦχος II 615⁴
σκῆπτρον 532³. II 225; σκῆπτρα II 44³
σκηρίπτομαι (-εσθαι) 644², 1.
705¹

σκητεύς (= σκυτ-) 827³
σκιά 334⁴. 359⁷. 833⁸
σκιάδιον 467²
σκιάζω 734⁴
Σκίαθος 242². 328³. 510⁶
σκιαρός 482², 8
σκιδαρός 482²
πκιδάφη 495⁵
σκίδναμαι hom. 334³. 351²;
σκίδνασθαι κατὰ κλισίας II
477⁴
σκίδνημι 695³
σκιερός 482¹·³
σκιμβός 275⁵. 352⁴
σκίμπους 263²
σκίμπτω 334⁴. 692⁵. 705¹
σκίμπω 692⁵
σκίναρ 518⁷
σκίνδαφος 334⁴
σκινδαψός 334⁴
σκινθός 352⁴
σκιόειν Ap. Rh. 566, 3
σκιόεις 527⁴, 8
σκίουρος 334⁴
σκιρτάω 352⁴. 705⁵·⁶
σκιρτέω Opp. 705⁵
Σκίρτος 705⁵
Σκίρφαι 334⁴
Σκίτᾱλος 484⁴
σκίφος äol. dor. 266⁸. 329⁶
(*-σκjω verba) 708, 2
Σκλαβηνοί 337⁶
σκληρός 346⁴. 481⁵
σκληρότηρ eretr. 218⁵
σκλήσομαι 782⁶
σκληφρός 495⁶
σκνῖπ- 424⁴
σκνῖπός 334⁴
σκνίπτω 705²
σκνίφη 334⁴
σκνίψ 334⁴
-σκο/ᾱ suff. 541³. 707, 1
σκοιός 359⁷
σκολιός 472⁵
σκόλλυς 463⁵
σκολνῶντας ὁ χορός ngr. II 13⁴
σκολόπενδρα 533⁵
σκόλυμος 494¹
σκολύπτω 705¹
*σκον 'ich war' 708, 6. 711⁶
-σκον verb. iter. II 350⁴.
351¹; aor. II 278³·⁴
σκόνυζα 334⁴
Σκόπα (Σϝόπα) thess. 334³.
560⁴
Σκοπάδαι 560⁴
Σκόπας 334³
σκοπάω Aristoph. 720, 2
σκοπεῖν II 258⁴. 382¹. 631²;
– μή II 676⁷; – πρός τι II
511³; – πρὸς ποσίν II 513²;
– τι κατ' ἀνθρώπων II 479⁶;
– τὸ πρὸ ποδῶν ἄρειον χρῆμα
II 506⁴; τὸ μὴ σκοπεῖν II 371⁸

σκόπελος 483⁴, 6
σκοπέομαι II 232⁴; s. ἐσκέψεται
σκοπέω Pind. att. 720¹, ². II 229³. 232⁴; σκοπεῖτε II 341⁴; σκοποῦσα αὐτὴ ἐφ' αὑτῆς II 470⁷
σκοπή 720, 2
σκοπιάζομαι 734⁴
σκοπιάζω 720, 2
σκοπιάω 720, 2
σκοπός 459²
σκοραδᾶν 835¹
σκορακίζειν 334⁷
σκορακίζω 392³. 413⁸. II 456, 0. 460⁸. 624⁷
σκόρδον 124⁷. 259⁶. 264⁴
σκόρδυλα 334⁴
σκόρνος 334⁴
σκόροδον 259⁶
σκοταῖος 467⁶. II 179¹
σκοτόμαινα 837⁶
σκότος m. 458³. 503⁶. 512⁴
σκότος n. 458³. 512⁴. II 38²
Σκοτοῦσσα 528²
σκοτωμός ngr. 493⁶; εἶναι τοῦ σκοτωμοῦ II 137¹
σκοτώνομαι ngr.: σκοτώθηκε άτός του II 236, 2; σκοτωμένος τῆς δουλειᾶς II 119⁵
σκρ- 644, 2
σκριβλίτης 644, 2
σκρίνιον 644, 2
*σκυδθρός 533²
σκυδμαινέμεν II 381²
σκυδμαίνω 724⁶
σκύζα 296³. 474³
σκυζᾷ 296³
σκύζεσθαι 714⁶; σκύζομαι II 229²
Σκύθα voc. sg. 560⁶
Σκύθης 562¹; s. Σκύθα, Σκυθῶν πόλις
Σκύθις 464⁵
σκυθρός 533²
Σκυθῶν πόλις 446, 3
σκύλαξ 57⁵. 296³
σκυλῆναι spät 714⁶
Σκύλλᾶ att. 476, 1
σκύλλω 351⁸. 714⁶; s. ἔσκυλα
σκύμνος 524⁵
σκύξιφον 642²
σκυρθάλιος 334⁴. 351⁸. 484² (nicht σκυρθαλέος)
σκύρθαξ 831³
σκῦτος 513¹
-σκω verba 701¹⁻⁴. 816⁶. II 260⁴
σκῶ ngr. (dial.) 736⁶
σκῶμμα 280¹·²·³
σκωπ- 424³
σκώπτω 705²; -ειν εἰς τὰ ῥάκια II 460³; s. σκώψεται
σκώρ dor. 384¹. 519³
15 H.d.A. II, 1, 3

σκῶρ att. 377⁸. 519³
σκωρία 519³
σκῶρος ngr. 578⁵
σκώψεται 781⁷
σλ verändert sich 81⁵
σλιφομαχος 153¹
sm > tsak. m 217¹
-σμα Ausg. 523⁷
-σμαι pf. 773³⁻⁶
σμαλερός 311⁶
σμάραγδος 311⁶. 833¹
σμαραγέω 311⁴
σμάρδικον 311⁵
σμαρίλη 311⁵
σμαρίς 311⁵
σμᾶσαμένᾱ 675⁴
σμᾶται 675⁴
-smen- suff. 208⁸
Σμενεόν 311⁵
-σμένος ptc. 773²
σμερδαλέος 311⁴. 484²
Σμέρδις 311⁶
σμερδνός 311⁴. 489⁴
σμῆγμα 159⁴·⁶
σμῆμα 159⁴·⁶
σμήν 311⁴. 675⁴. 702⁴
σμῆνος 311⁵. 512⁷
Σμῆνος 311⁵
σμηρία 311⁵
σμῆριγξ 311⁵
σμήρινθος 311⁵
σμήχω 57³. 676¹. 702¹·⁴
σμίγω spät- u. ngr. 306, 1. 311⁶. 829⁴
σμικρός altatt. ion. dor. 310⁵. II 185¹; σμῑκρός 311⁴; σμικρὸς μεγάθει II 168⁵; σμικροῦ δεῖ II 379⁶
Σμῖκρος 420⁵
σμικρότερος, -ότατος II 183²
σμῖλαξ 311⁵
σμίλη 311⁴
σμιλιγλύφος 448²
σμιλίν 164²
Σμινθεύς 311⁵. 477⁴
Σμίνθη 311⁵
σμίνθος 311⁵. 510⁶
σμινύη 495⁴
-σμο- suff. 491⁷. 493³, 3. 8
σμογερόν 310⁶
σμοῖος 311⁵
σμοκορδοῦν 644²
σμορδόω 311⁵; -οῦν 833¹
-σμός 128²
σμόω 311⁵
σμυγη- pass. 760²
σμύλ(λ)α 311⁵
σμύξω 310⁵
σμύραινα 311⁵
σμυρίζω 311⁶
σμύρνα 491⁶
Σμύρνα 311⁵·⁷. 491⁶
σμυρνίτης 164²
σμύχειν 311⁴. 333¹

σμῶδιξ 497, 5
σμώχω 676¹
σν verändert sich 81⁵
*-σνῦμι 697⁵
σο (='ς τόν) ngr. (dial.) II 27⁴
-σο 2. sg. Personalend. 657⁵. 667⁴. 668¹·³ f. 669⁵. 762³
-σο 2. sg. imper. med. 799⁵⁻⁶, 8
-σό- suff. adj. 516⁶
-σο/ᾱ- suff. 516⁴ f.
σοβαρός 482²
σοβέομαι 720²
σοβέω 322³. 720²; σοβήσω 720²
*σο(F)ακος 497³
*σοϜοομαι 679⁴; *σοϜόεται 249²
σοι dat. sg. encl. 602⁴. 606⁵. II 189³·⁵. 201³; refl. II 193⁸; σ' hom. 604, 3
σοί 602⁴. 604², 4; *σοί dor. < *τϜοι 604, 4; σοὶ αὐτῶι hom. 607¹, 3. II 195³
-σοιμι fut. opt. 780, 1. 796⁴
-σοιμι aor. opt. spätgr. 796⁴⁻⁵
σοῖο 609¹
Σōκλēς 830²
Σόλοι II 43, 3
σόλος 62¹
Σόλυμοι 494¹
Σολφίκιος 204⁶
Σόλων 637⁴
-σομαι fut. 782³⁻⁷. II 238², 1. 266³
Σομφόρω böot. 182³
-σον 2. sg. aor. act. imper. 749⁴. 750¹. 803²·⁴⁻⁶. 804⁵
σόομαι 721⁶
σόομαι 721, 9
σόπα 254³
σορέλλη 485⁴
σορός 320². II 34, 2
σορωνίς 255⁷
-σος suff. n. 513¹, 1; barytone Appell. 516⁷; für -σσος 516⁸
-σος Ausg. in Fremdw. 516⁴
σός pron. 320². 383⁸. 600⁵. 608³. II 14². 200³·⁴. 202²⁻⁶, 2. 203¹⁻⁶; – ἀδελφός II 25⁶; τὴν σὴν ἀνδρείαν II 614⁴
Σοτυλλίς böot. 260⁶
σου gen. att. 602³. 608³; ngr. 606⁴
-σου 2. sg. imper. mediop. ngr. 764³·⁴. 804⁵
-σου- fut. 786³
σοῦ gen. sg. [σύ] att. 251⁵. 602³. 605¹. II 193⁴
σοῦ imper. 679⁴

Σουβρίδης spätatt. 183⁶
σοῦδα 828⁴
Σουίδαι 90⁷
Σουίδας 185². 828⁴
σουλώνθω imper. böot.`802²
σουλῶντες böot. 250²
σούν [= σύν] böot. II 487, 2. 490⁴
σουνεπιννευόντων böot. 238²
σουνεπτᾶσθαι H. 705⁵
*-σουσι conj. 790⁴, 9
σοῦσον 308¹
σοῦται att. 249². 679⁴
σοφία 468⁵
Σοφία 637⁴
σοφιβόλος 448²
σοφιΕισι(ν) ion. (del.) 194². 243⁴
σοφίζομαί τινός τι II 107⁷⁻⁸
σοφός 423⁶. 459³⁻⁴; c. gen. II 108²; – περὶ τῶν τοιούτων II 503⁴; – ὧν τὴν σοφίαν II 86¹; σοφοὶ ἦσαν II 708⁵; σοφὼ ἤστην II 708⁵; σοφὴ πολλά II 85⁸; ὁ σοφός II 176¹; s. σοφώτατος, σοφώτερος
σόφος lesb. 383⁵
σοφῶς 384⁴
σοφώτατος πάντων II 100⁴
σοφώτερος 354³; – πάντων II 100⁴
σόωσι hom. 736⁵
σπ ätol. aus σφ 829¹
σπάδιξ 497⁵
σπάδιον arg. 302⁸. 498, 13. 583, 6
σπάδων 530¹. 676²
σπαδών 530¹
σπάζει 'ist brünstig' 716⁷
σπάθη 511¹
σπαίρω 272⁶. 342³. 714⁴
σπάκα 479³
Σπακώ Hdt. 479³
σπαλίς 266⁸
σπᾶν νεοσσὸν ὑπὸ πτερῶν II 527⁴
σπανιάκις 598¹
σπανίζω II 93¹
σπανός 426¹
σπάομαι: s. ἐσπασάμην, ἔσπασμαι
σπαράσω 526, 6
σπαράσσω 733⁵; σπαράξομαι 781⁷
σπαργανάω att. 731⁵
σπαργανίζω 731⁵
σπαργανόω 731⁵
Σπαργαπείθης 206¹
Σπαργαπίσης 206²
σπάργω 685²
σπαρη- pass. 759⁶
*σπάρjω 272⁶
σπάρξαν 685²

*Σπαρτάτης 500⁴
Σπάρτη 60, 2. 328³. 634²
Σπαρτιάτης 500⁴
Σπαρτιήτης: ὁ – II 41⁷
Σπαρτοί 46, 1
σπάρτον 503⁶
σπαρτός 342⁵
σπασθη- 761³
σπασμός 493⁴
*σπασω praes. 706⁷. 775²
σπάσω fut. 782³⁻⁵
σπᾶτάγγης 461²
σπατάλη 483⁷
σπατίζω 706⁴
Σπάττιος 318²
σπάω 676². 706⁷. 775²; s. ἔσπακα
σπεῖος hom. 243⁴⁻⁶
σπείρειν (τοῦ) II 372⁵
σπείρεσκον Hdt. 711³
σπειρηδόν 626⁴
σπείρης gen. sg. f. 587, 0
σπείρομαι; s. ἔσπαρμαι, ἔσπαρθε, ἐσπάρθαι
σπείρω 715⁵, 11. 759⁶; ngr. II 83⁵
σπεισ- 754⁸
σπείσασκε Od. 711⁵
σπείσω 781, 2
*σπεκjομαι 268²
σπέλεθος hell. 334². 381⁸. 511¹
σπελεθός 381⁸
σπέλιον äol. 329²
σπελλάμεναι äol. 295⁶
σπέλληξ hell. 334²
σπέλλιον äol. 266⁸
σπένδεσθαι II 160⁴. 233⁴; σπένδεται μέλιτι II 239⁶; s. ἐσπείσθη, ἔσπεισται
σπένδω 309². 684⁴, 8. 717⁵. 754⁸. 775². 781, 2. 841⁷; – τινός II 124⁴; s. ἔσπεισα, ἔσπεικα
ΣΠΕΟΣ 102⁷; σπέος 512²
σπέραδος 509¹
σπέργουλος 334²
σπερηδόν 529⁷
Σπερθίης 634⁴, 2. 702¹
σπέρμα 338³
σπερμαίνω 724⁶
σπέρνω ngr. 764⁴
σπέρσω gramm. 782²
σπέρχειν II 232⁶
Σπερχειός 468⁴
σπερχθείς Hdt. Pind. 761⁵
σπέρχομαι 297⁶. 684³. 702¹⁻⁵. II 223²; σπέρχεσθαι II 232⁶; – c. dat. II 144⁵
σπέρχω 684³. II 223²
σπερῶ att. 785¹
σπΕσ- 754⁸
σπεσθέωσι ion. 287⁶
σπέτε· εἴπατε H. 747, 4

σπεύδω 347³. 685¹. II 72⁶; σπεύδε[ις[ 660, 9; σπεύδω εἴς τινα II 459³; σπευδόντων (sc. αὐτῶν) II 400⁷; σπεύδειν τι πρὸς τὴν ὄψιν ταύτην II 511⁷; σπεῦσε πονησάμενος II 393¹; s. ἐσπευκότος
σπευσιω kret. 786⁴
σπεύσομαι hom. 781⁴
σπευσόμενοι 786²
σπηλάιδιον 265⁸
σπήλαιον 470⁵
σπιδής 513, 11
σπιδνός 489⁴
Σπιθραδάτης 206³
σπινθαρίς 480⁷
σπινθήρ 480⁷
σπίτι ngr. 124⁴. 413⁶
σπλάγχανα 489, 1
σπλάγχνον 489¹, 1; σπλάγχνα II 52²
σπλάχνον 216²
σπλαχρός 481⁵
σπλεκοῦν 334²⁻⁷. 413⁸
σπλέκωμα 334²
*σπληγχ 408⁷. 489, 1
σπληδός 508⁷
σπλήν 408⁷. 424²
σπλήνεσι Hippokr. 564, 1
σπληνιάω 732³
σπόγγος 159⁶. 161⁶. 829²
σποδέω 720, 6
σποδός 459¹
σποϜδδαν kret. 194³. 238³
σπολάς att. 295⁶
σπόλος thess. 458⁶
σπονδαὶ μετὰ τὸν Μῆδον II 486⁶; σπονδὰς ποιεῖσθαι II 160⁴; – – πρός τινα II 510⁸
σπόνδιξ 497⁵
σποράδην 626⁵
σποργίλος 334². 485, 1
σπουδάζω (-ειν) II 396³; – περί τινα II 504⁸; – ὑπὲρ τῶν πραγμάτων II 522³
σπουδαῖος ὑπὲρ Τίτου II 522³
σπούδαξ 497⁴
σπουδάσομαι 782¹
σπουδή 347³
σπουδῆι (-ῆ) adv. 622¹. II 162⁷. 413⁸
σπύραθος 334². 511¹
σπυραμινος 494¹
σπυράς 334²
σπυρθίζειν 702¹, 2
σπυρίδα 161⁶
σπυρίς 159⁸. 162⁵. 351⁷
σπυρός dor. 334³⁻⁶
σρατηγός 207⁷
Σροτυλλίς böot. 260⁶. 328⁶
σσ ion. 86¹. 115², 1. 317⁶⁻⁷ff.; Koine 127³; σσ u. ττ wechseln 231³. 318² f.; σσ äol. altion. für jüngeres σ 321⁶;

σσ att. als fremdes Element 316⁴; σσ für ξ 211⁵; für ψ 211⁶; σσ el. für σθ 205⁴; σσ aus σ+σ 321³; σσ aus *d, t+t* 56³; σσ bzw. ττ aus kj 272⁴. 319². 367¹; aus kj < idg. *kʷj 298⁵.654⁴; aus χj 272⁴. 319². 367¹; aus τj θj 272⁴. 367¹; aus *tj 833²; aus tj od. Dent. + σ 321³; aus *tw (τϜ) 301⁵. 319⁷·⁸ f. 833²; aus τ, δ, θ + σ 366⁸; σσ intervocal. erhalten 321⁷; σσ > att. σ 231⁴. 321⁵
-σσ- 809⁴·⁵; -σσ- > -σ- 308²·³. 321⁴
-σσ- suff. in ON 60⁷
-σσ- fut. 738, 3. 781², 4. 785⁴
-σσ- aor. 738, 3. 754, 3. 755, 2; aor. conj. 784³
σσα pl. 319⁵. 413⁴
-σσα neut. pl. pron. 616⁵
-σσα suff. 527, 2
-σσα, -σσα- aor. 752⁵ f. 754 ⁶·⁸. 755¹
-σσαι 2. sg. pf. 773³
-σσειε praes. opt. 797⁴
-σσεύεσθαι 745⁵
(*σσεύjω) 745, 4
-σσεύομαι 745, 4
*σσευσω praes. 745⁶
σσεύω 745⁶, 4
-σσις suff. 505⁵, 7
σσμ 238⁷
-σσος 39¹
σστ 238⁵·⁷
-σσω Verbalausg. 706³. 714 ¹⁻². 716⁶⁻⁷ f. 733⁴⁻⁵
στ aus dt, tt 56³; aus σθ 205⁵·⁶; στ > kret. ττ 216⁶
-στ- für -σθ- 670⁵; -στ- el. aus -σθ- 205, 4. 801⁶, 5
στᾶ- aor. 742²
-στᾶ imper. 676, 1. 742, 3
στάγες 424⁵
σταγη- pass. 760²
σταγών 487¹. 714⁶
στάδα λίμνην Hdn. 584⁶, 5
σταδαῖος 467⁶. 626³
στάδην 626³; – ἑστῶτες 626⁶
στάδιον n. att. 303¹. 583⁷
στάδιος 467¹. 626³; στάδιοι pl. 583⁷
*στάεναι 808⁴
στάζω 714⁶; στάζειν κατὰ ῥινῶν II 479⁶; στάζων κάρα ἱδρῶτι II 85³
-στάζω verba 706⁴
σταθεὶς ἀπὸ πύργου II 434⁵; σταθεῖσαν μετὰ δούλων II 483⁶
σταθη- Od. 761⁴
σταθήσεται att. 817²
15*

στάθητι II 241³
στάθμη 492⁶
σταθμήσασθαι 732¹
σταθμόν 492⁶
σταθμός 492⁶, 12
σταθμώσασθαι Hdt. 732¹
σταθνός spätgr. 215⁸
στᾶθος 185³
-σται 3. sg. pf. 773³
-σται infin. nwgr. 809³
σταιη- 641⁷
σταίην opt. 742³. 795¹; σταῖμεν 795¹; σταίησαν Ilias 794³
σταίμην, σταῖτο 795¹
σταίνω; s. στένω
σταῖς n. 516⁴
στακτική 164²
στάλα ngr. 421, 3
στάλᾱ dor. 283⁸
σταλάω 676⁵
σταλάσσω 725⁴
σταλη- 759⁶
σταλῆναι 342⁴
σταλθη- spät 759⁶
στάλιξ 496⁴
στάλλᾱ lesb. thess. 283⁸. 284³
*σταλνᾱ 283⁸. 483, 3
στάμα 839¹
σταμάγορις 450⁵
στᾶμεν infin. Pind. 806⁴
*στᾶμεν conj. 793²
σταμίν- 465⁵
στάμνος 524⁶. II 32, 4
*στᾶνον 489¹
(*στάνς σκον) 711⁶
σταντ- ptc. 525³. 742³
στάντε II 609⁵
στανυέσθων kret. 696⁴
στάνω spät 688³
στάξω 714⁶
στάομεν conj. 793²; s. στήομεν
σταρέστω delph. 274⁷. 709³. 747⁵
*στάρνῡμι 361³. 363²
σταρτός kret. 267⁴. 363³. II 608⁷
στάς 525³. 566³; – ἐς τὴν ἀρχήν II 434²; – ἐκ τοῦ ἔμπροσθεν II 434⁵; στᾶσ' ἐξ Οὐλύμποιο II 434⁵; στᾶσα μετά τινος II 484⁷
στᾶσαι infin. aor. thess. 809⁴
στᾶσΕς conj. arg. 661⁵
στᾶσι dat. pl. 566³
στασιάζω (-ειν) 735⁴. II 161²
στασίζω kret. 735⁴
Στασίκυπρος 139²
στάσις 298³. 340⁵. 505⁵; στάσιν ἑστάναι II 74⁴. 76⁶
στάσκε(ν) 711⁴. 742³. II 278⁴; στάσκον 711⁶
στάσου ngr. 764³
στατεῖρας thess. böot. 185⁷; s. στατήρ

-στατέω 731⁶
στατήρ 32⁸. 155⁴. 159⁴; hell. 260⁶; στατῆρε II 49⁴; στατῆρες 154³; -ῆρες acc. pl. phthiot. 563⁵; στατήρου pap. 579, 7; s. στατεῖρας
στατίζω 706⁵
στατός 357⁴. 359⁴. 380⁷. 502⁵. 761⁵
σταυρός 347⁶. 349²·³. 481⁴
σταυροῦν τινα σύν τινι II 489²
σταυρωμένα τὰ χέρια ngr. II 411¹
σταφίς 836⁴
σταφυλή 485². 692⁶
σταφύλη II 30⁵. 37⁵
Στάφυλος II 37⁵
σταχύεσσι hom. 564⁴
στάχυς 463⁵
*στᾶω conj. 240²
*στε imper. [εἰμί] 799⁴
στέαρ 518⁶; στέᾱτος gen. 245⁷
στεγανός 334⁵
στεγάσσιος gen. sg. epid. 271⁴. 505, 7
στέγειν 334⁴
στέγη 334⁴
στεγνός 334⁵. 489²; ngr. 215³
στέγος 334⁴. 512¹
στέγω 292². 684⁶. 754⁷; -ειν 334⁴
στέθμα 523⁷; στέθματα 317⁴·⁵
στείβω 346⁸. 684⁶
στεῖλαι 285²
στειλειή 469, 3
στείλησθε conj. 749⁵
στεῖνος 512⁵·⁷
στειπτός II 150¹
στεῖρα 381⁶. 474²; 'Kiel' 474⁴
στεῖρος 474². II 46¹
στείχω 297⁴. 346⁸. 685¹. 747⁴. II 226¹; στειχέτω τις II 609⁸; s. ἔστειξα
στείω 103³
στέκα imper. ngr. 804⁵
στέκομαι ngr. II 235⁵
στέκω ngr. II 235⁵
στελγγίς 267⁸
στέλεχος 496⁵. 513¹
στελέω 785¹
*στελjω 712⁶
στέλλα 474²
στέλλαι äol. 300⁴
στέλλομαι II 230⁶; στέλλεται att. 758²; s. ἔσταλμαι, ἐστάλη
στέλλω 323¹. 712⁷. 715⁶. 751⁴. 759⁶. II 230⁶. 281⁸; – c. dat. II 151¹; – τινά c. instr. II 165⁶; s. ἔστειλα, ἔσταλκε, στελῶ
στέλνω ngr. 701⁴
στελῶ att. 785¹
στέμα 839¹

στέμβω 333⁴. 684⁴. 692⁶
στέμφυλα 692⁶
στενάζω 735¹; -ειν c. instr. II 168²; στενάζων nom. abs. II 404¹
στεναρόν Koine (lyk.) 205, 4
στεναχίζετο γαῖα ὑπὸ ποσσί II 525⁴
στεναχίζω 105⁶. 736²
στενάχω 702⁵. 735¹
*στενϝος 512⁵
στένει äol. 684³
στενός 463². 472⁴
στενότερος att. 239⁷. 534⁵
στενυγρός 496⁴, 9
*στένυς 463²
στένω 684³. 702⁵. 715⁶. II 226⁵. 368³; – πρὸς δίκης II 515³; – ἐπί τινι II 134²; trans. II 134³; – ὑπέρ τινος II 134²; – τινά c. gen. II 133⁷
στένω ngr. 688⁵; [so, nicht σταί-] 753²; s. ἔστεσα, στήνω
στεξ- Polyb. 754⁷
στέπτω 704⁴
στεργάνος 520⁵
*στεργανός 520⁵
στέργω 684³; -ειν II 168³; – c. instr. II 168²; s. ἔστοργα, στέρξαντες
στερείς pass. aor. att. Eur. 709³. 760¹
στερείτω 709²
στερέμνιος 489²
στερέμνος 334⁵
στερεός 472⁵
στερέσαι Od., Thasos 709³; – με τῆς ληΐδος II 93⁴
*στερέσαι 361³
στέρεσθαι II 366⁵
στερέω 721¹; s. ἐστέρησα, ἐστέρηκα, στερήσω, στεροῦμαι, στερῶ
στερηθη- 760¹. 762¹
στερηθῆναι (τὸ) II 371³
στέρησις 709³
στερήσομαι 709³
στερήσω fut. 709³. 783¹
στεριά ngr. II 88⁸; στεριᾶς II 137⁴
ΣτΕριᾶθεν 192³
*στερίζω 709³; s. ἐστέρισεν
στερίσκομαι c. gen. II 134⁴
στερίσκω 709²
στέριφο ngr. (unterital.) 95²
στέριφος 474². 495⁵. II 32⁴
στέρνον 362⁷; στέρνα II 43⁵; ἔχω διὰ στέρνων II 452⁷
στέρξαντες II 387, 1
*στερο- 360⁸
στέρομαι 684². 709³
στεροπή 360¹. 426²
στεροπηγερέτα hom. 560¹

στεροῦμαι: s. ἐστερήθην, ἐστέρημαι, ἐστερῆσθαι
στέροψ 426²
στερρός att. 265⁴. 274⁴
στέρφος 334⁵. 512¹
στερχανά 490²
στέρψανον 517²
στερῶ fut. Aesch. 709³; 783¹
*στες conj. 793³
στεῦμαι II 229³; στεῦται, στεῦτο 679⁴, 5
στεφαλίβανος 489, 13
στεφανηπλόκος 438⁶
στεφανηφόρος 438⁶
στεφάνοι 3. sg. lesb. 659⁶. 687, 3. 729⁵
στεφάνοισι praes. lesb. 729²
στέφανος 489⁶; c. gen. II 129²; – ἀπὸ ταλάντων ξ' II 446⁷
στεφανόομαι II 230⁶
στεφανοῦμαι c. dat. II 80⁵; – med. c. dat. II 151¹; στεφανοῦσο 669¹
στεφανόω 727², 5. 730⁷. II 230⁶; στεφανῶ (τινα) εὐαγγέλια II 79⁷; s. στεφανώω, -ωέτω, -ώτω
*στεφάνω instr. sg. 727, 5
στεφάνω du. II 49³
στεφανωέτω delph. 241⁴. 729⁴
στεφανῶν infin. Astyp. 807¹
στεφανώνομαι pass. ngr. II 241⁴
στεφανωσάμενον Pind. 757, 1. II 239⁴
στεφανώτω ark. 729³
στεφανώω 807⁴
στέφομαι; s. ἔστεμμαι
στέφω 684⁵. 692⁶. 704⁴
στεφών 487¹
*στέχω (?) 720¹
στέωμεν conj. ion. hom. 244⁴. 792⁵; s. στήομεν
στῆ hom. 377⁸. 385². 651⁶. 798, 6; – γνὺξ ἐριπών II 301²; s. στῆν, στῆναι
-στη infin. böot. 809³
στήδην Nikandr. 626³
στήετον conj. hom. 792⁵
στήηι hom. 187, 2
στήηις conj. hom. 187, 2. 792⁵
στῆθ' (= στῆτε) II 76, 1
στήθεα II 43⁵
στήθεσι hom. 564⁵
στήθεσσι(ν) hom. lesb. 321⁴. 564⁵. 580¹
στήθεσφι(ν) 551¹. II 172, 2
στῆθι imper. 687¹. 742³. 797, 5. 800⁴; s. στῆθ', στῆτε
στῆθος 511²; s. στᾶθος, στή-θεα, -εσι, -εσσι, -εσφι
στῆι conj. hom. Hdt. 792⁶; s. στήομεν

στήκω hell. 767⁶. II 286⁷
στήλᾱ (τὼ) att. 557⁵. II 35, 1. 48, 3
στήλαιν II 48, 3
στήλη ion. att. 283⁸. 284³. 483³, 3. 522, 6; s. στήλα, στήλαιν, στάλᾱ, στάλλᾱ
στήμεναι infin. hom. 742³. 806⁴
στημνίον 524⁵
στήμων 522³. II 33⁶
στῆν aor. 742³; s. στῆ
στῆναι infin. hom. ion. att. 742³. 808⁴; – ὑπὲρ κεφαλῆς II 520⁶; s. στῆ, στῆν
στηνίον 511²
στήνω ngr. 688⁵; s. στένω
στήομεν conj. hom. 241⁷. 792⁵; στήουσι 792⁵; s. στή-ηις, στῆι, στάομεν, στήω
στήρ 518⁶
στήριγξ 498³
στηρίζω (-ειν) 735⁴. II 283⁷; – κάρη οὐρανῷ II 155⁷; s. ἐστήριξα
*στηρίπτομαι 644, 2
στῆς: στῆς μάννας του ngr. II 120⁵; s. 'ς praep.
στῆσαι II 71⁷. 374⁷; – ἀμφὶ πυρί II 438³; – τινα κατά τινας II 477²
στῆσᾱς ion. att. 566³; στή-σᾶσι dat. pl. 566³; στήσας ἔχω 817²; – ἔχεις Soph. 812⁷
στήσομαι 781⁵. 782⁴. 783⁶. 788, 1; στήσεται 817¹·²
στῆσον 687¹
στήσω fut. 781⁵. 782⁴; στή-σει 817²
στῆτε imper. 799⁵; s. στῆθ', στῆθι
στήτην 742³
στητώδης dor. 250⁷
στήω conj. hom. 240². 742²; στήωσι 792⁵; s. στήηις, στήομεν
στιά 329²
στίβος 346⁸
στιγεύς 714⁶
*στιγjω 292⁴
στίγμα 149⁴
στιγματίας 270⁷
στιγμή 294⁵
στίζομαι; s. ἔστικται, ἐστιγμένος
στίζω 334⁵. 714⁶. 751⁵. 754⁷. 815³; s. ἔστιξα
στίλβω (-ειν) 685³. II 226⁶
στίλην II 598⁸
στίμμι 333⁷
στιμμίζω Demokr. 735⁵
στιξ- 754⁷
στίζω 714⁶
Στίπων 487⁶

Στῖρις 66⁴
-στις Ausg. ion. att. äol.
504⁵, 6; – verdrängt durch
-σις 504⁶ f.
στιφρός att. 127⁸. 481⁵
στιχάομαι συνάμα τινί II 491²
στίχες pl. hom. 424⁴. 584⁶
στίχος 346⁸. 584⁶; στίχοι 458²
στιχός gen. sg. 584⁶
στίχω 685¹·³
(*-στjον ipf.) 724, 6
*-στο 3. sg. 672³
στοά att. 244³. 349². 469⁶
Στόᾱξ 497⁴
στόβος 692⁶
στοιά 349²
στοιβή 346⁸; στοιβαί II 556, 2
στοίχεις ptc. lesb. 729²
στοιχέω 720¹
στοιχηδίς 631⁴
στοιχηδόν 626⁵
στοῖχος 346⁸. 458⁶
στολή 295⁶
στολίζω ngr. II 83⁵
στολίς τρυφᾶς II 129⁵⁻⁶
στολμός 492⁴
στόλος II 608⁸
*στομ (?) 524, 5
στόμα 524³, 5; ἔχω τινὰ διὰ –
II 453²
στομαλίμνη 440¹
*στομεν conj. 793³
στόμις m. 462, 3. 465³
στομίς 465³
στόμφαξ 497⁴
*στον imper. [εἰμί] 799⁴
στοναχή 362². 460². 498⁵.
702⁵
*στονή 460²
στονόϝεσαν kerk. 223⁶. 527²
στορέννυμαι χαμεύναν II·231³;
s. ἐστόροται
στορεννῦμι 361³. 697⁴; s. ἐ-
στόρεσα, στορέσαι, στόρνῦμι
στορέσαι 360⁵·⁸. 361³
στόρθυγξ 498³
στόρνῦ imper. lesb. att. 798⁵,
13
στόρνῦμι 256¹. 361³. 363².
696⁴. 697⁴; s. στορέννυμι
Στορπαῖος ark. 344². 360¹
Στορπᾱ̃ Διός 88⁵
στορπάος ark. 236⁷
-στορῶ fut. 784⁶
-στος ON-Ausg. 66². 503⁵
στοῦ: – κουμπάρου ngr. II
120⁵; s. 'ς praep.
στοχάζομαί τινος II 104⁸
στοχάζω 735²
στοχέω 720¹
-στρα suff. 532⁶
στραβός 692⁶
στράβων 487⁵
Στράβων 637³. II 18⁵

στραγγ- 424⁴
στραγγός 692⁶
*στράκτω 705, 3
στράπτω 705¹, 3
στραταγέντος ptc. thess. 729³
στρατᾱγός 354³. 397⁸. 398².
447²
στράτευμα II 64⁵
στρατεύομαι (-εσθαι) II 232⁴.
363⁴. 365⁴. 381⁸; – ἐπί τινα
II 472⁷; – ἀμφὶ Μίλητον II
439²; – ὑπὸ συρίγγων II
530²; στρατεύσομαι II 291⁴
στρατεύω (-ειν) II 232³. 363⁸.
365⁴
στρατηγέω (-ῶ, -εῖν) c. gen.
II 110²·³; – τινος παρά τινι
II 494²; – ἐν II 109⁷; –
στρατηγίαν II 75⁵
στρατηγιάω 731²
στρατηγός 155⁴. 156¹. 159⁴.
II 470⁷. 614⁵; – ἐπί τι II
472³; s. σρατηγός
στρατηγῶ II 50⁴
στρατηούς 209⁴
στρατήρ 257⁶
στρατιά 270⁷. II 608⁷
Στράτιππος 635⁵
στρατιώτης 155⁴; στρατιῶται
II 614⁵
*στρατοάγός 397⁸
Στρατονίκη 154³
στρατόπεδα (τὰ) II 607⁷
στρατοπεδεύεσθαι πρὸς 'Ολύν-
θου II 515⁷; – ἀντία τινί II
534³
στρατόπεδον II 608⁸; -δα pl.
II 607⁷
στρατός 363³. 503⁵. II 608⁷;
ἀνὰ στρατόν II 433¹; s.
στροτός
στρατόφι: ἀπὸ – II 173¹
στρατόω: s. ἐστρατόωντο
Στράττις 230³. 315⁶
Στρατυλλίς delph. 464⁶
στραφη- att. 759⁴
στράφω dor. 685²
στρεβλός 483³. 692⁶
στρεβλόω 732¹
Στρείβουν 684⁶
στρεπτίνδα 627²
στρεπτὸς ὁ περὶ τῇ δέρῃ II
500⁷
στρεύγομαι ὑπό τινι II 526⁶
στρέφεται conj. Ilias 791, 6
-στρεφη- 760¹
στρεφθείς 759⁴. 761⁵
στρέφομαι (-εσθαι) c. gen. II
108⁸; – στροφάς II 75⁸; s.
ἔστραμμαι, ἐστρεμμένα
στρέφος dor. 267⁵. 334⁵
στρέφω 684⁴; s. ἔστροφα
(*στρεψανς σκον) 711⁶

στρέψασκον Ilias 711⁵
Στρεψίαδες voc. Aristoph.
561, 3
Στρεψιάδης 509⁶
στρεψοδικέω 442⁶
στρῆνος 512⁷
στρηνύεται 699²
στρηνύζω 716⁷
στρηνύω 716⁷
στριγγ- 424⁴
στριγμός 334⁵
στρίγξ 692⁶
στριφνός 127⁸. 481⁵. 489³
στροβέω 720¹
στρόβος 692⁶
στρογγύλη 159⁴
στρογγύλλω 725²
στρογγύλος 692⁶
στρόμβος 333⁴. 692⁶
στροτός böot. lesb. 81³. 89⁶.
344²
Στρούθας 206²
στρουθίν 472²
στρουθός 383⁴; -οι ὑπὸ τῆι
τραπέζηι II 525⁵
στροῦθος 383⁴. 510⁶
Στρούσης 206²
στροφαλίζω 735⁴
στροφέω 720¹
στρόφις 462⁴
στροφοδινοῦνται 645¹
Στροφφῆς delph. 315⁶
στρόφω äol. 685²
Στρύμων 68⁶
*στρῦτός 361¹
στρυφνός 489³; s. στριφνός
στρύχνος 334⁵
στρώματα 520⁷
στρωμή 524⁵
στρωματεῖς 477²
στρωμνή 524⁵
στρώννυμαί τινος II 128⁴; s.
ἔστρωται
στρώννῦμι 361³. 697⁴. II 72,
1; στρώσω 782⁵; s. ἔστρωσα
στρωτός 360⁵. 361¹
στρωφάομαι 719²; -ᾶσθαι II
363⁶
στρωφάω 719²
στυγ- 424⁴
στυγάνωρ 442⁵
στυγέω (-ῶ, -εῖν) ion. att.
721³. 723, 7. 747⁴. 754⁴.
756². II 364⁵; – c. gen. II
133⁷; – c. infin. II 396³; s.
ἔστυξα, ἔστυγον, ἐστύγησα,
ἐστύγηκα, στυγήσομαι, στύ-
ξαιμι
στυγήσομαι pass. 721³; -ήσεται
Soph. 756⁶
στύγιος 466²
στυγνός 214⁸. II 173⁴
στυγόδεμνος 442⁵
στύγος 515⁵
στυγός II 52¹

Στυγὸς ὕδωρ 427²
στυμνός 489²
Στυμφαία 334⁵
Στύμφη 334⁵
στύξ 357⁴. II 34¹
στύξαιμι Od. 747⁴. 756²
στυπάζει 334⁵
στυπτηρα (= -ρία)hell. 245²
Στύρα 328³
Stúra ngr. 182⁶
στυρβάζειν 334⁵
στυφελίζειν II 283²
στυφελός 273³. 278⁷. 334⁵
στυφλός 483³
*στυφμα 489²
στύφω 685⁴. 702⁴
στύω 686³
στῶ att. 742³; στῶμεν 244⁴
*στωϜιά 349²
στώιδιον 349²
στωικός 349²
Στωϊκός 498¹
στῶμιξ 522, 8
στωμύλματα 523, 6
στωμύλος 485², 3
συ aus τυ 308⁵
σύ 'du' att. 272⁴. 308⁵. 600¹.
602². 604³. 606⁵. II 187³·⁷·⁸.
188¹·². 189¹; σύ [si] ngr.
606⁴; σύ γε II 188³·⁴·⁵, 3.
561²·³; σὺ δέ II 188⁴·⁵, 3;
σύ τοι σύ τοι II 700²
συ- compos. II 487³
σύ: – ΔιϜί (= σὺν Δ.) II 489⁴,1
σύαγρος 439³, 3
σύαγχος 439⁵
Σύβαρις 66⁴
σύββολονdelph. 317². II 487,4
συβῶτα voc. sg. hom. 560⁵
σύγγαμβρος II 487³, 2
συγγενέα acc. sg. 580¹
συγγενέες kret. 579, 4
συγγενεῖσι(ν) dat. pl. 564².
580¹
συγγενεῦσι dat. pl. NT 580¹
συγγενής 155⁴. 209⁶. II 160⁴;
– τοῦ πατρὸς πρὸς ἀνδρῶν
II 514⁴
συγγενίεν 579, 4
συγγενίς 465². 543³
συγγενοῦ gen. sg. 586, 2
συγγιγνώσκω II 396¹; – c.
ptc. II 396⁸; – τινί c.ptc.
II 393⁷; s. συνγιγνώσκω
συγγνοῖτο Aesch. 795⁴
συγγνώμην (so): ἔχειν – II
377⁴. 406⁷
συγγνώμων τῶν ἁμαρτημά-
των II 108¹
συγγραφεύς 477¹
συγγράφομαί τινος II 128²
συγγράψω II 291⁶
σύγε ion. hom. att. 606³. II
189¹

συγενές 209⁶
συγκαλεῖν II 368³
συγκαλυπτέος Aesch. 810⁷
συγκασίγνητος 435²·⁵
συγκατανευσιφάγος 439⁴
συγκαταστρατοπεδεύονται
644⁵
συγκατείστησα 654⁵
συγκεντηθήσεσθαιHdt.763,3
*συγκεντσεσθαι 763, 3
*συγκΕσεσθαι 763, 3
συγκεχωρήκειν infin. rhod.
807¹
σύγκλητος f. II 32⁴
σύγκλυς att. 507³
συγκολλῶ II 432²
συγκομίζειν II 377¹
συγκοπή (term.) 45²
συγκρητίζω 736³
συγκρητισμός II 12, 1
συγκριτικὸν (ὄνομα) II 183, 4
σύγκρουσις 399⁴
συγκύρω 721³; -κύρσειαν 753⁴
σύγκωμος II 488⁴
συγχαίρω τινί c. gen. II 134⁴
σύγχεας 745⁴
σύγχέαι II 376⁴
σύγχορτος II 488⁴
σύγχρωτα adv. 623, 1
*σύγχρωτος 623, 1
συγχώρησις II 688, 1
συγχωρῶ: συγχωρήσομεν τῆς
ἡγεμονίης II 92²; s. συγ-
κεχωρήκειν, συχωρεῖ
σύδην 626³
σύεσσι hom. 564⁴
συζεύγνυμί τί τινι II 431⁵.
432²
συζῆν 331⁴. 835⁸. II 160⁴.
487³
συζητεῖν 336⁸
σύζυγ- 424⁵
*συζύγες 379⁶
σύζυγες 379⁶
συζυγία 416, 1
σύζυγος 336⁸. II 488⁴
σύζυξ 357⁴
συῆλαι 484³
*συηλός 484³
συθη- 761⁴
σύθι· ἐλθέ H. 740³. 800, 6
συκάμινος 308¹
συκέᾱ II 304⁴
συκέη 468, 3
συκία lesb. 468, 3
σῦκον 617⁷. 458⁸. II 304⁴
συκοφαντεῖν II 73³
συκχάς 316³
σῦλαίη opt. el. 729⁴. 795²
σύλασκε Hes. 711³
σύλάω 329⁶. II 82⁵; s. συλή-
σω, συλήτην, συλήτω
σύλέοι, -έοντα, -έων delph.
728⁶

συλεύειν 732⁴
συλήοντες delph. 729⁴
συλήσω II 291⁷; -ήσων II
295⁸
συλήτην du. 667². 729³
σῦλήτω delph. 728⁷
Σύλλα gen. sg. hell. 561²
σύλλαβε μόχθων II 103⁸
συλλαβῆ 235⁷
συλλαβόντι εἰπεῖν II 378⁵
συλλαμβάνω (-ειν) 235⁷[Bed.].
II 160⁴; τὰ πλοῖα πρὸς τῷ Γ.
II 513²; s. σύλλαβε, συλλα-
βόντι
συλλέγεσθαι ἀμφὶ ποταμόν II
439¹; – τι παρά τινος II 498¹
συλλέγω 32⁶ [Bed.]. 772¹. II
230⁶. 434¹; συλλέγουσιν II
245⁵; s. συνείλοχα
συλλήβδην 626³
σύλλογος (Bed.) 31³
συλλυπηθήσομαι Hdt. 763, 3
σύλον (=ξύλον) 211⁵
Σύλοχος delph. 263⁵
σῦμα lak. 205³
συμβαίνει II 366²; -ειν II
160⁴; s. συμβῆναι
συμβαλεῖν: τὸ μὴ – II 371⁸
συμβάλλειν II 364⁴; – τι πρός
τι II 511³; – ἐν πρὸς ἕν II
511³; s.συμβαλεῖν,συνβάλλειν
συμβάλλετον II 609³. 612³
συμβῆναί τινι μετά τινος II
485, 2
συμβληθῆναι II 364⁶
συμβλήσεαι Ilias 782⁶. II 351⁵
συμβολή 399⁴
συμβόλικτρον 532³. 737⁷
συμβουλεύεσθαι II 711⁸
συμβούλιον λαμβάνειν NT 40¹
σύμβωμος hell. 435⁵
σύμενον Pratin. 740, 1
συμμαθητής 435⁵
συμμαχέω II 488⁵; s. συν-
μαχησην
συμμαχικὸν (τὸ) II 175²
συμμάχομαι II 488⁵
σύμμαχος II 488⁴
σύμμε (= σύν με) 836²
συμμετρεῖν s. συνεμετρήσαμες
σύμμετρος 430⁶. II 488⁴, 2
σύμμιγα 622⁵, 7. II 160⁷; – c.
instr. II 585⁴
σύμμικτος 771²
σύμπαντες 598, 11. II 488⁸;
s. σύμπας
συμπαραγενέσθαι ἐπὶ τὴν θεω-
ρίαν II 473¹
συμπαρομαρτεῖν II 160⁵
σύμπας 435²·⁷; s. σύμπαντες,
σύνπαντα
σύμπειρος II 488⁴
σύμπεντε II 488³
συμπέπτωκε ἐοῦσα II 392⁴

συμπιπισκεν delph. 710, 2
συμπλακη- Hdt. att. 759⁴
σύμπλεως c. gen. II 110⁸
συμπλῆι ion. (chi.) 791, 9
σύμπληξις 399⁴
συμπληρῶ τι ὑπ' ἀρετῆς II 528⁶
συμποιεῖν att. II 422, 3
συμπολιτεύομαι II 711⁸
συμπόσια καί συμπόσια II 700³
συμποσιάζω hell. 735³
συμποσοῦμαι II 488, 2
σύμπους II 488⁴
συμπράσσειν II 160⁴; σύμπραξον II 344⁴
(συμπρηισκεν delph.) 710, 2
συμπρόες 391¹. 651³
συμπροστάτης II 488³
σύμπυκνος II 488⁵
σύμπω imper. II 256, 2; s. πῶ
σύμπωθι 798⁴
συμφάναι II 160⁴
συμφέρειν c. dat. II 144⁸; – τινὶ πράξαντι II 393⁷
συμφέρεσθαι II 160⁴. 233⁵
Συμφέριμος 523⁵
συμφέρον (τὸ) II 409²
συμφερτός II 176⁷
συμφής 390⁸
συμφιλεῖν II 363²
συμφορή II 605⁶
συμφράδμων 522⁴
συμφυλακίτης II 488³
σύμφωνα (term.) 169⁵
σύμφωνος II 160⁴. 488⁴
συμφωνῶ (-εῖν) II 160⁴; – ἐκ δηναρίου τὴν ἡμέραν II 463⁸
συμψέλιον 231⁷
σύμψηφος II 488⁵
συν- II 488¹; – vor praep. II 429⁴
σύν praep. 551¹. II 138⁸. 159⁷, 2. 160¹. 161⁶⁻⁷. 268²⁻³. 422²⁻³⁻⁶⁻⁷. 424³. 425⁵⁻⁶, 7. 432⁵. 487³, 1. 2. 489¹⁻⁸; – c. gen. II 490⁷⁻⁸; – c. acc. II 436²; σὺν δέ II 424⁴⁻⁵; σὺν καί II 491²; σύν τε II 424⁴⁻⁵; σὺν τε δύο II 422, 2; σύν τε δύ' ἐρχομένω II 488, 3; σὺν θεῷ II 488¹, 2. 489³⁻⁴; σὺν παντί II 490⁴; σὺ(ν) τύχα kypr. 550⁴; οἱ σύν τινι II 416⁷; σὺν εὖ πάσχω II 422³ s. ἅμα σύν
σύν (= ξύν) 211⁵
σῦν acc. sg. 571²
συναγάγαι kret. 754¹
συναγάγας kret. 754¹
συναγαγέν infin. ther. 807¹; s. συνήγαγα
συνάδειν II 160⁴

συνάδελφος II 491²
συνάζω: ἐσύναξα ngr. 656³
σύναιμος II 488⁴
συναίρεσις 246⁶
συναίτιος II 488⁶
συνάλισε 655⁶
συναλοιφή 401⁴
συνάμα ngr. 623¹
συνάμα II 422, 3. 491². 534, 2
σύναμα Theokr. 633²
συνάμφω 589⁴. II 488³
συναναιρεῖταί τι διά τινος II 451⁷
συνανοίγνουσα 699, 2
συνάνταις ptc. lesb. 729²
συναντέσθην ἀλλήλοισι II 607²
συναντήτην 667¹. 729²
συναπόδημος II 488³
συνάρθμιος II 488⁶
συναναρ[ε]στέοντος delph. 198⁵
συνάχθομαί τινι c. gen. II 134⁴
συνάωρ poet. 458⁴
συνβάλλειν II 383²
συνβεβιώκουσι 765, 2
συνγιγνώσκω ἀνπί τι II 439³
συνδεῖν II 268³
σύνδειπνον II 488⁵
σύνδενδρος II 491³
σύνδεσμος II 144⁴⁻⁶. 556, 1
σύνδηλος II 488⁶
συνδιαβάς II 390⁷
συνδιαπολεμεῖν τὸν πόλεμον μετά τινων II 484⁵
σύνδικος II 485⁵
συνδιοίκησεν 655⁴
συνδόξαν II 402²
σύνδουλος 435⁵
συνδράσουσα: ὡς οὐχί – II 391⁶
συνδυάδος ἀλόχου 597, 3
σύνδυο 324. 599⁶. II 488³
συνδώδεκα II 488³
συνέαν el. 663, 9. 677⁴
σύνεγγυς att. 619, 3. 633². II 488³
συνεδριάζω 735³
σύνεδρος II 488⁵
συνεείκοσι II 488³
συνεθθᾶι conj. kret. 792⁷
συνείδησις 505⁶. 755⁴
συνειδός (τὸ) II 125, 1
συνείλοχα arg. 684⁶. 685⁴
συνείλοχα 772¹
συνεισπίπτω II 272²
συνεισπραττόντων II 342⁴
συνεκέκλειντο 671⁶
συνεκφώνησις (term.) 244⁶
συνελεθρὲν 726⁵, 10
συνελευθερώραντι eretr. 218⁴
συνεληλυθότες ἦσαν II 407⁷
συνελόντι II 152⁴, 1
συνέμειξα pap. 771²

συνεμετρήσαμες ἀρξάμενοι II 281⁴. 301³
συνεξελεύθερος II 488³
συνεοχμός 423⁵; -μῶι 492⁴
συνέπεια (term.) 376⁵
συνέπομαι II 431⁵
συνεργεῖν II 160⁴
συνεργός II 160⁴. 488, 5
συνέριθος 435⁵. II 488³
συνέρραφεν H. 747⁶
συνέρρηκται Od. 759²
συνεσσεομαι 786⁴
συνεστέον Plat. 502³. 678². 810⁷
*συνεστῆι pf. 792⁷
σύνεστι 678²
συνέστιος II 488⁴
συνετός 391¹; – τὰ οἰκτρά II 73⁸
συνετρίβην τὴν κλεῖν II 85¹
σύνευνος II 488⁴
συνέφηβος II 488³
συνεχές hom. 288⁵
συνεχής 513³
συνέχθειν II 363²
σύνϝοικος delph. 223⁵
συνηερξοντι her. 219³
-συνη suff. 456⁶
-σύνη suff. 379⁶. 529²⁻⁴
*-συνή suff. 379⁶
συνήγαγα 753⁷
συνήγοσαν 666¹
συνήθεια 118, 1
συνήθης II 488⁴
συνήθως 624²
συνηιδέατε 2. pl. Hdt. 778²⁻⁷
συνηλάκχειν 772⁶
συνήλισε (συνάλισε) 655⁶
συνήνεικε II 307⁷
συνῆπτο 655⁵
συνήστην II 609⁵
συνθέλω II 427⁷
σύνθεο 668²
συνθεσίη 469²; συνθεσίαι τε καὶ ὅρκια βήσεται II 611¹
σύνθετα 428¹
σύνθημα II 66⁵
συνθηρᾶν II 277²
συνθιασίτης II 488³
συνθιώμεθα conj. att. 792⁷
συνθνήσκειν II 160⁴
συνθοῦ 390⁸; s. σύνθεο
συνθύξει H. 708³
σύνθυξα H. 781, 4
συνθυσουντι kephall. 786⁵
συνιεῖν infin. 687⁶
συνιέντ- ptc. 688⁴
συνιερεῖσι dat. pl. spät 564²
συνιερεύς II 488³
συνίζησις (term.) 244⁶
συνίημι 656⁵; – c. acc. II 107⁴⁻⁵; – κωφοῦ II 94⁷; s. ἐσύνηκα
συνίοντ- ptc. 688³

συνίστωρ (κατά) II 73⁷; –
   c. acc. II 105⁴
συνισχανεῖ Eur. 785³
συνίτην II 609³
συνκλἄιχθείς rhod. 685⁵
συνμαχησην 786⁴
συνμείσχι[ν fut. 771²
σύνναοι θεοί 158²
συννένοφα 684⁵
συννέφω 684⁵
συννῇ gort. 238²
-συνο- 272³
συνοδηγός II 488³
σύνοδος, σύνοδος 159⁷. 460⁵
συνόδους II 488⁴
σύνοιδα c. ptc. II 394⁴·⁵, 2;
   – c. dat. ptc. II 393⁷; –
   ἐμαυτῷ c. ptc. II 396⁸; s.
   συνηιδέατε
συνοικεῖν II 160⁴. 363⁸
σύνοικος II 488⁴
συνοίσειν gramm. 788, 2
συνοῖσον gramm. 788, 2
συνοκωχότε Ilias 766, 6. II
   472⁴
σύνολος II 488³
συνομολογεῖσθαι II 233⁵
σύνοξυς II 488⁶
συνοράν τὰ κακὰ ἐφ' αὑτοῦ II
   470⁸
σύνορθρος II 491, 1
συνορμάς 508¹
-συνος suff. 529³·⁵
συνουσία ἀνδρῶν II 121⁶
σύνοφρυς II 488⁴
*συνοχότε 766, 6
*συνοχόω 766, 6
συνοχωκότε 766, 6;–ἐπὶ στή-
   θος II 472⁴
σύνπαντα 86⁷
σύνπεσαι Koine 803⁶
συνστρώσει att. 337¹
σύνταξις (term.) II 5, 3
σύνταρρος II 488⁴
συντάσσω πρὸ πάντων II
   507³
συντάττεσθαι ἔκ τινος II 463⁶
συντελέη 724, 3
συντελεῖν II 266, 2. 268⁴
συντελείντω 642, 2
συντελεῖται conj. 791, 6
συντελικὸς χρόνος (term.) II
   249²·⁴
συντετριμμένος τι II 81⁵
συντηρεῖν II 268⁴
συντίθεσθαι II 160⁴; s. σύν-
   θεο, συνθοῦ
συντίθησι 2. sg. 659, 7
σύντρεις Od. 598⁶. II 488³
συντρίβομαί τι II 81⁵; s. συν-
   ετρίβην, συντετριμμένος
συντρῖψαι τῆς κεφαλῆς II 102⁸
σύντροχος II 160⁴
συντυγχάνω c. dat. II 141⁴·⁷

συντυχία II 468⁵
συνῳδός II 160⁴
συνώμεθα conj. Ilias 741⁴
συνωχαδόν 626⁵
συοκτόνος 439⁵
συός gen. sg. [Ausspr.] 350⁶.
   552⁵
(συποδιον s. koptisch)
σύπω Dodon. 798⁴
Σύρα II 38²
Συραιγύπτιος 453³
*Συράκάσιος 525, 7
Συράκοσαι 344⁶. 525, 7
Συρακόσιος 525⁶, 7; -κόσιοι
   344⁶
Συράκοσσαι 525, 7
Συρακοῦς gen. sg. Epich. 638⁴
Συράκουσαι 525⁶, 7
σύρβα 623, 1
συρβάβυττα Aristoph. 623, 1
σύρβη 308⁵
συρβηνεύς 476⁷
Συρηκόσιος ion. 525⁶
Συρήκουσαι 525⁶
συριγμός 492⁵
σῦριγξ 155⁷. 319⁴
σῦρίζω 735⁴
Συρίη 329³. II 62⁵
συρίσδες dor. 384². 659⁶
Συρίσκος 542³
συρίττω Koine 733⁵
σύριχος 498⁴
συρμαία lak. 467⁶
σύρξ 308⁵
σύρομαι: ἐσύρην spät 714⁵
Συροπερσικός 453³
Σύρος 157⁷
Σύρτις dor. 505¹
Σύρυλ(λ)α 256³
συρφαξ 497⁴
συρφετός 501²
σύρω 351⁷. 714⁵; συρῶ 785²;
   s. ἔσυρα
σῦς 308⁵·⁶. 350⁶. 420⁸. 552⁵.
   II 31³; σῦν acc. sg. 571²;
   σῦσί dat. pl. 570⁵; σῦς acc.
   pl. 571²; s. σύεσσι
*σῦσί dat. pl. 570⁵
συσκευάζεσθαι II 374⁸
συσκευάζω 336⁸
συσκοτάζοντος τοῦ θεοῦ II
   621⁴
σύσσιτος II 488⁴
σύστασις 336⁸
συστέλλειν II 487³
σύστεμα 523⁶; συστέματι 280⁴
σύστομος II 488⁴
συστρατιώτης II 488³
σῦφαρ 518⁷
συφορβός 439⁵
συχνάκις 598¹
συχνός 308⁵. 327⁶. II 182⁵
συχωρεῖ spätgr. (lyk.) 207¹.
   216²

συχωρεμένος ngr. 524⁷. II
   410⁷
σφ für ψ 211⁵; σφ ngr. 205,
   4; σφ > ätol. σπ 829¹
σφ- refl. 600⁶. 601⁶⁻⁷
σφ' (= σφε) hom. 604, 3
σφ' (= σφι) hom. (Ilias) 604,
   3. 605³
σφαγεῖον 470⁴
σφαγείς σᾶς ἀλόχου II 119³
σφαγη- pass. 759⁶
σφάγιον 470³·⁴
*σφαγjω 333¹
σφαδάζω 341⁴. 692⁶
σφαδάζω 265⁸
σφάζομαι; s. σφαγείς, σφαχ-
   θεῖσα, ἔσφακται
σφάζω 332⁸. 715². 815³; s.
   σφάττω
σφαῖρα 159⁴. 161⁶. 298². 474⁴.
   627³
σφαιρηδά 626⁵
σφαιρηδόν 626⁵
σφαιρίζειν 334³
σφαιρωτήρ 334³
σφάκελος 334³
Σφακιά (so) 119⁴.
σφαλάγγι ngr. 334³
σφάλαι opt. 756²
σφαλη- pass. att. 759⁴
σφαλῆναι ἐλπίδος II 93²; τοῦ
   σφαλῆναι II 361¹
σφαλῆς: μὴ – II 344⁵
σφαλθη- Gal. 759⁴
σφάλλεσθαι: τὸ μή – II 371⁶;
   – c. instr. II 167²; – τι
   περὶ αὐτῷ II 501⁶; s. σφα-
   λῆναι, σφαλῆς, σφαλῶ, ἐ-
   σφάλην
σφάλλω 298¹. 714⁵; s. σφάλ-
   λεσθαι, ἔσφηλα, ἔσφαλεν
σφαλός 459³
σφαλῶ fut. 714⁵. 785¹
σφαραγέομαι 298¹. 726²
σφάραγος 298¹. 362⁴·⁵
σφας Ilias, Parmen. Theokr.
   606¹·². 607⁵
σφάς 605³. 606¹
σφᾶς ion. att. 251². 603².
   606²; – αὐτούς 607, 2. II
   196¹·²; – – (= ὑμᾶς αὐτούς)
   II 197⁶
σφάττω j.-att. 333¹. 759⁶.
   715²·³
σφαχθεῖσα II 404³; s. σφα-
   γείς
σφαχθη- 759⁶
σφε refl. lesb. hom. dor.
   603². 607⁵·⁶. 608, 1. II
   190⁴·⁵, 4; σφ' 604, 3
σφέ acc. 601⁶. 604². 607²
σφέα neut. ion. att. 603¹.
   605³; acc. 603²; II 191⁴.
   193⁵; σφέα αὐτά ion. att. 607⁴

σφεὰ γούνατα Alkm. 608⁴
σφέας acc. ion. hom. 603².
605³. 607, 2. II 195¹; σφέας
einsilbig hom. 605³; σφέας
αὐτούς 607, 2. II 195⁴
σφεδανός 692⁷
σφέες gramm. 605, 7
*σφει 601⁵·⁶
σφεις dat. pl. (= αὐτοῖς) ark.
601⁶. 603⁴. 604³
σφεῖς nom. pl. refl. Hdt. att.
603¹. 605³. 607⁴, 1. II 193⁵.
199⁵·⁶·⁷. 635, 4. 638, 1. 639³·⁴
σφείων gen. hom. lesb. dor.
603²·³. 605³
σφέλμα 523⁵
σφένδαμνος 524⁶. 839²
σφενδόνη 692⁶. 838³
σφεός II 204⁵·⁶
σφετερίζομαι (-εσθαι) 608⁵.
II 205, 1
σφετερίζω att., Koine 608⁵
σφετεριξάμενοι Aesch. 738²
σφετερισμός 493, 9. 608⁵
σφετεριστής 608⁵
σφέτερος 608⁴. II 200⁴·⁷.
201¹·². 202³. 203⁶·⁷. 204¹·³·
⁵·⁶. 205¹·³·⁴
σφεων gen. II 190⁵, 4; neut.
Hdt. 605³
σφέων gen. hom. ion. 603³.
605³. 607, 2. II 206²;
σφέων einsilbig ion. 605³;
σφέων αὐτῶν att. 607²
σφηκ- 424³
σφηκόομαι; s. ἐσφήκωντο
σφήν 298¹. 487, 7
σφΗνόποδι 186¹
Σφηττός 328⁴; -ττοῖ att. 549⁷
σφί, σφι dat. pl. ion. ep.
405⁷. 551⁴. 601⁶·⁷. 603⁴.
604³, 6. II 189⁶. 190⁵, 4.
191¹·²·³; σφ' hom. 604, 3;
neut. Ilias 605³; s. σφίν
σφίγγομαι; s. ἔσφιγμαι
σφίγγω 334³. 684⁵. 692⁶
σφιγκτήρ 692⁶
σφιγμός 492⁵
σφίγξ 692⁶
Σφίγξ 334³
σφιν dat. pl. refl. ep. 334³.
405⁷. 601⁶·⁷. 603⁴. 607⁵·⁶
σφίν opt.; σφίν αὐτοῖσι 607²
σφίσ' αὐτοῖσι [so] II 195⁴
σφίσι ion. att. 603⁴. 604³, 6.
II 199⁶
σφισιν II 190⁵
σφίσιν hom. ion. att. 603⁴.
604³, 6. II 189⁶. 195¹
σφόγγος 161⁶. 829²
σφόδρα II 413⁸. 415⁸. 416⁴;
σφόδρα ἄτε att. 621²; ἡ –
ἄγνοια II 355, 1; αἱ – γυναῖ-
κες II 602⁵

σφοδρός 692⁷
σφός lesb. dor. hom. 601⁶.
608⁴. II 200⁷. 202³, 1. 203⁶.
204³·⁵, 4
σφραγῖδε II 49⁴
σφράγιν acc. 465⁵
σφρᾱγίς 465⁴
σφραΐδων 209⁴
σφριγάω ion. att. 719⁴
σφριγῶν 816³
[σφυδόω]; s. ἐσφυδωμένος
σφυδρά 239⁸
σφῦρα 474⁴
σφυρίδα 161⁶
σφυροῖν att. II 47²
σφυρόν 458⁶
σφυροπέλεκυς 453⁴
σφυχή 266⁷
σφω' du. Ilias 603⁵
σφώ nom. acc. hom. att.
Antim. 603⁵·⁶; 'ihr' 600⁶.
601⁴·⁷
σφωε II 190, 4. 191¹
σφωέ acc. du. hom. 603⁵, 2.
604². 607⁵
σφῶε 603, 2
σφῶϊ nom. acc. du. hom.
603⁵; σφῶι 603⁶·⁷
σφῶιν dat. du. hom. 603⁵. II
190, 4. 191¹
σφῶιν 607⁵
σφῶιν gen. dat. hom. 603⁵.
604²; σφῶιν hom. att.
603⁵·⁶
σφωΐτερον Ilias 603⁵
σφωΐτερος hom. 608⁵. II 200⁴.
202³. 204⁶; – spätep. (=
σφέτερος) 608⁵
σφῶν att. 603³. 605³. II
195¹. 206³; – αὐτῶν 607², 2.
II 193⁶. 195⁵·⁷·⁸, 2. 206⁶
σχ für ξ 211⁵; σχ ngr. 205, 4
σχαδών 529⁷
σχάζω 716⁷. 782, 9; s. ἐ-
σχάζοσαν
σχάσω fut. 782⁵, 9
σχάω 782, 9
*σχέ imper. 798, 6
σχε/ο- hom. att. 747²
σχεδία 469³
σχεδιάζω II 548¹
σχεδίην adv. hom. 621¹. 626³
σχέδιος II 548¹
σχεδόθεν 626¹. 628³
σχεδόν adv. 328⁸. 626². II
413⁸. 415¹. 535⁶. 547⁶·⁸.
548¹·³·⁴; – c. dat. II 142⁵.
534³
σχεδύνη 521⁴
σχέθε 652, 7
σχεθεῖν hom. 257³. 704¹
σχεθη- 761⁴
σχέθοι κεν II 329⁶; – ἐρέ-
φοντα II 394²

σχεῖν II 262³. 362¹
σχελυνάζειν 334⁴
Σχέμαχος 798, 6
σχέμεν infin. hom. 806⁴
σχέμεναι hom. 806⁴
Σχενοκλῆς 266⁷
σχέο imper. hom. 799⁶
*σχερόν n. II 469¹
σχερός II 469, 2
*σχερώ instr. II 469¹
σχερῶι: ἐν – 619¹. II 469¹, 1
σχές imper. 798, 6. 800¹, 1.
II 339²
σχέσθαι II 381²
σχέτλιος 533⁴. II 65⁸; – c.
gen. II 134⁵
σχῆμα 159⁴·⁶. 328⁴. 523³, 4;
– Ἀλκμανικόν II 612³; –
Ἀττικόν II 607⁵; – Βοιώ-
τιον II 608³
σχῆσις 505, 2
σχήσοι Pind. 780, 1. II
337³
σχήσομαι 782⁷
σχήσω 782⁴·⁷. II 265³·⁸.
266²; – σε τῆς βοῆς II 93³
σχῆται 675, 8
σχίδα acc. sg. 507³
σχιδή 754⁸
σχίζα 474³
σχίζεται pass. 714,3
σχίζομαι med.; s. ἐσχισάμην
σχίζω 298¹. 714⁶, 3. 751⁷
754⁸. II 72, 1; σχίσσω,
σχίσω 751⁷; s. ἔσχισσα,
ἔσχισα
σχινδαλμός 492, 7. 692⁵
σχίννινος 289⁸
σχισ- 754⁸
σχίσις 505¹
σχίσμα 321⁸
σχισμός 493³
σχίσσω, σχίσω 751⁷
σχοίην opt. att. 796²; σχοίης
796³; σχοίη 796³; σχοῖμεν
747²; σχοίησαν Hyperid.
796, 3
σχοῖνος 489²
σχοινοφιλίνδα 627²
σχολαίτερος 534⁴
σχολή 484⁶
σχολή II 413⁸
σχολήν nom. sg. f. 586, 6
σχομένη ἄχεϊ Od. 757²
σχώημεν 796, 4
-σω fut. 782³⁻⁵. 787, 7
-σω conj. aor. 661⁴. 750¹
-σῶ fut. 780¹
-*σώὰ 555, 0
σώεσκον Ilias 711⁴. 723, 2
σῴζεσθαι II 296⁶. 365⁵; –
διά τινα II 453⁷; σῴζεται
τὰ οἰκεῖα II 607⁴

σωζέσθω thas. 801⁶
σῴζομαι II 704²; σωθέντος σὺν τῶι Διί ΙΙ 489⁴; s. σέσωμαι, σωθῆναι, σώθητι σῴζω II 259⁴; s. ἔσωσα, σέσωκα, σώιζω, σώσω σῴζων hom. 736⁵
σωθῆναι κακῶν II 93⁴; - μοῦνον ἐξ ἁπάντων II 464² σώθητι att. 262². 760, 6. 800⁵
σῶι dat. sg. 558, 1
σώιζω att. 736⁵. 785⁴
*σωιῶ fut. 785⁴
σῶκος 497²
Σώκρατε lesb. (gramm.) 580⁴
Σώκρατες: ὦ - II 61²·³
Σωκράτη: οἱ ἀμφί - II 622⁷
Σωκράτην acc. j.-att., Koine 561³. 579⁴·⁵
Σωκρατίδιον 471, 1; ὦ - II 61⁷

Σωκράτους gen. sg. 561³
σωλήν 487²
σωλούς 308⁶
σῶμα 320². 523². II 192, 1; σώματα II 18³; σῶμα ἀνδρεῖον hell. II 36⁶; - σποδοῦ II 129⁶
σῶμαι dor. 679⁴
σῶν acc. sg. n. 558, 1
σωννύω spät 699⁴. 736⁵
-σωντι conj. delph. her. 791²
σώοντες hom. (Od.) 723, 2. 736⁵
σῶος 558, 1. II 704⁵; s. σῶς
σωρηδόν 626⁴
σωρός 356⁵. 457⁴. 458⁶
σῶρυ 463⁶
σῶς 320². 424³. 472⁶. 554, 4. 558¹, 1. 723, 2; σῶς acc. pl. 558, 1; s. σῶι, σῶν, σῶος, σᾶ
-σωσι 3. pl. conj. hom. 790⁴
Σωσίας 636⁶, 5

Σωσίδημος 636⁶, 5
Σωσικλῆς 516⁷
Σωσίπατρος 162⁵
Σωσίστρατος 636⁶, 5
σώσω fut. 785⁴⁻⁵
σώτειρα 485⁵
σῶτερ voc. att. 568⁸; - Ζεῦ II 60¹
σωτήρ 82². 485⁵. 530⁴·⁶, 2. 568⁸; - βλάβης II 96¹; - κακῶν II 95⁸
σωτηρία c. dat. II 153⁶; -ίαν τῆς ἀπορίας II 95⁸
σωτήριος 530, 5
Σωτηρίχα 498⁵
σωφράτερος 535³
σῶφρον voc. 569¹
σωφρονεῖν (τὸ) II 370³
Σωφρονίσκος 635⁷
σωφρονοῦντε II 609⁵
σώφρων 438³. 569¹; - ἄν II 302⁷
σώχω 329². 676¹
σωῶ fut. altatt. 736⁵. 785⁴

# T

τ aus idg. t 290⁸f.; aus idg. kʷ 293⁸f. 294⁴. 295⁵; für iran. d 829²; τ vor α, ο 295⁶; τ mit δ vertauscht 207⁵; Wegfall von -τ 279⁸, in Flexion 408⁵. 409¹·²; τ geht zw. Verschlußl. u. ρ verloren 337⁵; τ als Hiatuskons. 289¹·²; τ > σ 270⁶; τ > ark. ϻ 301³; τ+σ > σσ 366⁸
τ- Flexion nachhom. 514⁴
-τ- suff. 498⁶, 14 ff.
-τ- in Präsensbild. 704²–706
-[τ] Personalend. 657⁵. 658¹. 659³
τ el. ¡= τοῖς usw.) II 23⁵
τ' ngr. (nordgr.) (= του) 606⁵
τ' dat. sg. hom. (=τοι) 604, 3
τ' (= τοι) 404²; τ' ἄρα II 559¹·²
τ': (τ' ἔνται kyren.) 780, 4
τά pron. demonstr. II 44¹; τὰ καὶ τά II 21, 8. 216²
τά pl. neut. art.: τά τε II 611⁸; τά τ' ἄλλα II 576⁴, 5; τὰ ἔν τινι II 417²; τὰ μέταξε 625, 2; τὰ πρῶτα II 70²; τὰ ἑαυτῆς II 119⁶; τὰ Fά αὐτᾶς kret. (gort.) 607, 3. II 119⁶; τὰ τῆς τροφῆς II 117⁷; τὰ τῶν Ἑλλήνων πράγματα ἐφθάρη II 607⁴; τὰ τῶν θύραθεν II 117⁷; τὰ ἀπὸ τῶν Ἀθηναίων II

446⁴; τὰ κατ' ἀνθρώπους II 477⁷; τὰ κατὰ πόλεμον II 477⁷; τὰ καθ' ἑαυτούς II 198¹; τὰ πέραν II 541⁷; τὰ περί τι(να) II 504⁶; τὰ ποτ' ἀσφάλειαν τᾶς πόλιος II 512²; τὰ πρὸς ἑαυτοῦ τῶν σταυρωμ. II 96⁶; τὰ πρὸς ὑγιείην II 512⁵; τὰ ὑπὸ τὴν ἄρκτον II 530⁷; τὰ ὑπὸ γῆς II 527⁶; τὰ ὑπὸ τὸν λόφον II 531⁶; s. τό art.
τά 'warum' 109⁸. 616, 8
τά pron. relat. ngr. 615³
-τα adv.-Ausg. lesb. 629²·³·⁴
-τᾰ voc. sg. m. 560⁵·⁶, 6
-τα nom. sg. m. 560¹⁻³, 1. 6
-τά adv. ngr. 626, 1
-τᾱ suff. m. 560², 6
τᾶ, τᾱ kypr. 550, 2. 613¹
*τᾶ pron. demonstr.: *τᾶ υ τᾶ 611⁵
-τᾶ f. Verbaladj. 810³
τᾶ du. f. att. 557⁵
*τᾱ- [τάκω] 776¹
τὰᾶ ngr. 180⁸
ταβάσις Ägypt. 255⁷
τάβλα 635⁶
ταβλιόπη Anth. P. 635⁶
ταγ- 771⁷
τάγανα· ταῦτα kret. H. 613¹
ταγευσεω delph. 786¹
ταγέω c. gen. II 110²
ταγη- pass. 760¹
τάγηνον att. 268⁶

Ταγῆς 209⁵
ταγός 69⁴. 459³, 3
τάδε II 44¹·²; - πάντα II 211¹; - λέγει NT 612¹; - τελεῖται II 607⁴; - τὰ πρὸ χειρῶν II 506⁵; ἐπὶ τάδε 'diesseits' 625⁴. II 472⁴; ἐπὶ τοῖσδε, ὥστε II 468². 677⁷. 679⁵; s. τόδε, ὅδε
τάδε: ὁ - ngr. 612¹·⁵. 614⁶. II 216³
*τάδε ἔνα 612⁴
*ταδεῖνα 612⁴
ταδεινοῦ: τοῦ - ngr. 612⁵
ταδΕν, ταδέν n. pl. arg. 612¹. II 566³
τάδες: ὁ - ngr. 612⁵. 614⁶
τᾶFος urgr. 381². 527². 528³. 611². II 413⁶
τάFυτὸ 223³
τάζω ngr. 715⁴
-τάζω verba 705⁵. 706⁴, 1. 735¹
ταθ Θυγατέρας 216⁶
ταθη- 761⁵
-ται 3. sg. 347⁵. 657⁵. 658¹. 667⁴, 3. 669²
ταί nom. pl. pron. 91³. 610⁵. 611³. II 21¹
ταΐζω ngr. II 80, 1
ταιμίας 273⁴
ταινι dat. sg. f. ark. 612²
ταινία 473, 3
ταιννι dat. pl. ark. 612²

ταιννυ ark. 612³
ταίς lesb. (= τάνς) 287⁷
τακερός 482¹
τακη- 758²
τακτικά (term.) 587, 1
τακτικός 270⁵
τᾰκω 340³. 702⁵. 776¹
ταλα- 360¹. 831⁶
Ταλαι- 448, 2
Ταλαιμένης 448⁴
τάλαινα πολλά II 85⁸
ταλαιπαθής 448⁵
ταλαιπωρ- 448⁴
ταλαιπωρέω 726⁵; s. τετα-
  λαιπωρημένοι
ταλαίπωρος 360¹
ταλαίφρων 448⁴
τάλαντι 526¹, 1
τάλαντον 526, 1. II 44⁵; τά-
  λαντα II 44⁵. 607⁷
ταλα(ν)τΟν gen. sg. kypr.
  555, 6
ταλαπενθής 343⁷
τάλαρος 343⁷
τάλᾱς 569⁶; c. gen. II 134⁵;
  s. τάλαινα
ταλάσσαι 362⁶
ταλάσσω fut. Lykophr. 784⁶
ταλαύρινος hom. 224⁴
τάλης 190⁶
Ταλθύβιος 636²
τᾱλίκος dor. 346⁵. 612⁵
*τᾱλις adj. 495³
τᾱλις 495³
τᾶλλα 401⁸
*ταλνᾱμι 742, 5
τᾱμά att. 402³. II 175²
ταμε/ο- aor. 746⁴
ταμεῖν ὅρκια II 76³
ταμεῖον 194². 248⁶
ταμεσίχρως 362⁶
τάμια 473¹, 3
ταμία gen. sg. hell. 561²
ταμιᾱ (τὼ) II 47³
ταμίας m. att. 561⁴. II 31⁴.
  692⁵
ταμίᾱσι 'dat.' altatt. 559⁴
  618⁶
ταμιεύεσκε Soph. 711³
ταμιεύομαί τι II 241¹⁻²
ταμιεύω II 232⁴
ταμίῃ f. hom. 469³. 561⁴. II
  31⁴
ταμίης 470¹
τάμισος dor. f. 61⁶. 95². 517¹
*ταμjα 473, 3
ταμμέσωι 148²
*ταμνᾱμι 362⁷
τάμνω hom. ion. dor. 362⁷.
  691⁵. 693, 1. 693³. 695⁴.
  746⁴. 841, 8; τάμνειν τρί-
  χας ἐκ κεφαλέων II 463⁴;
  s. ταμεῖν, τέμνω
τᾱμον thess. II 651, 1

τᾱμος 527². 528⁴·⁵. 611²
τᾱμόσδε II 651, 1
Ταμυνηθε 628, 4
*τάμω 693, 1
τάμωμεν II 638²
ταμών 525, 4
Τάν 577²
τάν, τᾱν: ὦ – II 52¹
τᾶν acc. sg. f. 408⁶; *τᾶν
  υ II 576⁴
τᾶν gen. pl. art. böot. 611²
τᾶν voc. sg. 16, 2. 547⁴. 584⁷.
  II 52¹
*τᾶν ϝικα 629⁵
τᾶν att. (= τοι ἄν) 402⁵; ἤ
  τᾶν II 582²
τᾶν ion. (= τὰ ἐν) 402³
-τᾶν 2. 3. du. 666⁵. 667, 2
Τᾶνα kret. 577¹
ταναός 473¹
ταναύποδα 438³
τἀνδρός 402⁵
τάνε thess. 612²
ta. ne. po. to. li. ne kypr.139²
τανηλεγής 103⁴
τἀνθε(ι)α böot. 580⁴
τανίσφυρος 258³
τανίφυλλος 258³
τὰνν ἡμίναν gort. 238²
τάν(ν)ε kypr. 612³
τᾱννι gen. sg. pl., acc. pl.
  ark. 612². 629⁵
τανταλίζω 213⁷. 259¹. 647³
Τάνταλος 533¹
τάνυ n. ark. 612³. II 571⁴
ταννυ- 441, 4
*τάνῡμι 737, 3
τανύοντο hom. 699¹
τανύουσι hom. 698⁵
τανύπεπλος 441⁴, 4
τανυπτέρυξ 441⁴, 4
τανυσθη- 761⁶
τανύσκομαι 708⁵
τανύσσαι II 381⁸
τανύσσασθαι διὰ μήλων II
  450⁷
τανύσσομαι 737⁵; τανύσσε-
  ται 643⁶. 691⁵. 816⁷; –
  pass. Archil. 756⁶
τανυστύς 737⁵
τάνυται hom. 669². 696⁵
τανύω 643⁶. 696⁵. 699¹. 737⁵,
  3; τανύω 698⁵; τανύειν
  699¹; – τι c. dat. II 151³;
  – τι ὑπὸ στέρνοιο II 527⁶;
  s. ἐτάνυσσα, ἐτάνυσα
ταξάμενος ἦν mgr. 813³
Ταξίλος 485³
ταουρωυ delph. 197⁴
Τάοχοι 153⁶
ταπεινός 489⁵
τάπης 499³; – ἐρίοιο II 129²
τἀπὸ τοῦδε II 70²
-ταρ adv.-Ausg. 630³

τᾱρ (= τῆς) el. 410³·⁴
τᾱρ (= τῆς) tsak. 410⁴
τᾱρα II 558³; ἤ τᾱρα II 582²
ταραγμός 492⁵
Ταραντῖνος 491³
Τάρας 66⁵. 526⁴. II 33, 2
ταράσσεσθαι περὶ ἀλλήλους
  II 504¹
ταράσσω 319⁴. 715², 4
ταράττω 319⁴. 360³. 362⁵.
  831¹
ταραχή 362⁵. 498⁵
ταρβέω 724³; ταρβεῖν, εἰ
  II 677¹; – τινα c. instr. II
  168¹
τάρβος (τὸν λεών) II 74¹; –
  ἐστί τινι δρῶντι II 393⁸
ταργαίνω 299⁸
ταργεῖō arg. 402⁶
ταργήλια ion. 413⁷
τᾱρέω böot. 726⁵
τάρῑχος 498⁴. 644²
ταρίχους gen. sg. pap. 579⁵
ταρμόσσω 733⁵
τᾱρόν dor. 281⁶
ταρπη- hom. 759³
τάρπησαν ὁρόωντες II 393¹
ταρπώμεθα aor. 747⁵. 748⁶.
  759³
ταρρός 285¹
ταρσῆναι 684³
Ταρσόν [so] II 461²
ταρσός 285¹. 459³; ταρσοὶ
  καλάμου II 129²
ταρτᾱμόριον delph. 596, 2
Τάρτᾱσι 260⁴. 569, 7
ταρτημόριον Koine 590, 2.
  596, 2
(*ταρτός) 596, 2
ταρφέα adv. 621²
ταρφειαί 385³·⁸
τάρφθη Od. 759³; s. ἐτάρφθην
ταρφύς 462⁶; – τις 29⁸
τάρχα 360³
τάρχαῖον II 70²
ταρχή 362⁸
ταρχύνω 644²
τάρων βολῶν 75⁴. 392³. 596,2
-τᾱς suff. m. 82¹. 560, 6.
  561⁴
τάς (= αὐτάς) pap. 614⁵
τᾱς 85⁷. 287⁵; s. ταϑ ϑ.
τᾱς adv. dor. II 650⁵
τάσις 357⁴. 505⁵
τάσσεσθαι II 232⁵; – παρά
  τινος II 498²; s. τάττεσθαι,
  ἐτετάχατο, τετάχαται, τα-
  ξάμενος, τεταγμένος
τάσσω 715²; – τινὰ ἐπὶ τοὺς
  ἱππεῖς II 472³; s. τέταχα,
  τάττω
*τᾱσυ nom. pl. f. pron. de-
  monstr. 611⁴
-τᾱτ- suff. 528⁵

τεθνάτω 360³. 774⁵. II 340⁷
τεθνεός att. 246²
τεθνεώς ion. att. 244³. 540¹.
774⁵; -ῶτος gen. 245⁵; -ῶσα
f. 540⁶
*τεθνηϜώς 241⁷
τέθνηκα 710¹. II 228²; -κε
641³. 770³. 774². II 252⁴.
257, 2. 263³. 268⁶·⁷. 287³·⁷.
398⁴; τεθνήκαμεν 774⁵; τέ-
θνηκα τῷ δέει τι(νά) II 74, 1;
τέθνηκε c. dat. II 150⁶.
151⁷; – πρὸς αὐτῆς II
515⁴; s. τεθνα-, ἐτέθνασαν
τεθνηκυῖα 541²
τεθνήξομαι Aristoph. 783⁶.
II 257⁵
τεθνήξω att. 783⁶. II 289³
τεθνηυῖα 541²
τεθνηώς hom. 241⁷. 770³.
II 174¹; -ῶτα 540, 4
τεθορεῖν 748⁷
τεθορυίης Antim. 708⁶
τέθραμμαι 769³·⁴; τεθραμ-
μένος ὑπό τινι II 526¹; τε-
θραμμέναι μητέρων II 94²
τεθράσθαι 360⁵. 361⁷
τέθριππον 219³. 306¹
τέθυται 770¹
τεθωγμένος 770¹
τέθωκται 359⁵. 770¹
τει adv. demonstr. 616⁶
*τει < *kwei 616⁶
-τει 3. sg. praes. med. thess.
669³, 4. 809, 2
*τεῖ 604, 5
τεί böot. 195¹
τεί acc. Alkm. 604, 5
-τεί adv. 622⁴. 623³
τεῖδε (loc.) dor. thess. 549⁵;
II 413⁵. 581⁵
τειδενυ ark. 612³
Τεῖhις lak. 93⁵
Τειλε- böot. 91³
Τειμοθευ 197⁷
τεῖν hom. dor. 600⁵. 602⁴.
604²
τεινεσμός 493, 6
τείνομαι; s. ἐτάθης, ἐτέταντο
τείνῡμι 642⁵. II 72, 1
τείνυται hom. Hdt. 697¹
τείνω 643⁷. 697¹, 1. 715⁶. II
72, 1; s. τείνομαι, τενῶ
τεῖον· ποῖον 294⁵.
609, 5. 616² [so, nicht πεῖον]
*-τειος Verbaladj. 811³
-τειός Verbaladj. 811²⁻³
τεῖος 609, 5. II 650⁶
-τειρα suff. 474⁵·⁶; s. -τηρ
Τειρεσίας 308⁷
τείρομαι (-εσθαι) ὑπ' ἀέ-
θλων τινός II 528⁴; – ὑπ'
εἰρεσίης II 528⁵
τείρω poet. hom. 715⁵

τεῖσαι 72³. 75⁶. 300⁴
τείσαιεν 663, 9
τείσασθαι II 296⁴. 364³; – c.
gen. II 130⁵·⁶; – ἔργον II 79⁶
*τεισατ- ptc. 750³
τείσεια, -σειαν opt. 663, 9
τείσεσθαι II 295⁵
τείσετε conj. hom. 749⁵. 790⁴
τεισηται fut. gort. 786⁴
τείσητε conj. 749⁵
τεισθη- 761³
τείσομεν conj. hom. 102¹.
641⁷. 790⁴
τείσω 294⁵. 782⁵; s. τίνω,
τίσω
τειχεσιπλήκτης, -πλήτης 446⁴
τειχέω 724³
Τειχίεσσα ion. 528²; -ιέσσης
253¹
τειχίζεσθαι τεῖχος νεῶν ὕπερ
II 521²⁻³; s. ἐτειχίσσαντο,
τετειχισμένας
τειχίξασται dor. 738, 1
τειχιόεις 527⁴
τεῖχος 68⁶. 347¹. 512²; –
ἑπτὰ σταδίων II 122³; –
ἔκ τινος II 463⁷; – τὸ πρὸ
τῆς K. II 506⁴; τείχη περὶ
Δαρδανίας II 502⁴
τειχύδριον att. 471, 8
τείω conj. aor. ark. 685⁷.
750⁵
*τείων gen. pl. pron. 609, 5
(τείως) adv. 528, 3; s. τῆος
τεκε/ο- 746⁴
τεκέεσσι hom. 564⁵
τεκεῖν 769⁴; s. ἔτεκον, τίκτω,
τέκοι, τεκόντες, -ών
τεκέν kyren. 807¹
τέκεσσιν dat. pl. hom. 580¹
τεκμαίρομαι 342³. 724⁶; -ε-
σθαι c. instr. II 167³; s.ἐτε-
κμηράμην, τεκμαροῦμαι
τέκμαρ 326². 519¹·⁴
τεκμήριον 470, 4. 519⁴. 724,
10
τέκμωρ 326². 519⁴. II 483³
τεκνα (= -χνη) lokr. 204⁵
τεκνίδιον 471²
τέκνον 338⁸. II 36⁶. 64⁵; τέ-
κνα II 45⁷
τεκνοσσόος 38, 1. 450, 4
τεκνοσυνάων II 43⁵
τεκνώσασα 527, 1
τέκνωμα 523⁴, 6
τεκνώσει παῖδα τῆς ν. II 94²
τέκοι II 322². 713⁷
τέκοισι conj. lesb. 791²
τεκόντες (οἱ) II 45¹; 'der Va-
ter' II 45⁶
τέκος II 36⁶; s. τεκέεσσι, τέ-
κεσσιν
τεκοῦσα (ἡ) II 121, 4. 408⁵·⁸.
704⁵

τέκταινα 272⁸. 343³. 381⁶
475⁴. 486⁵
τεκταίνομαι 724⁵
τεκταίνω 272⁸. 343³
*τεκτεσ- n. 326²
*τεκτμ 326²
Τεκτονίδης 509⁶
*τεκτονᾱ 326²
τέκτων 326². 381¹. 487¹.
838¹; s. τέκταινα
τεκών (ὁ) II 121, 4. 408⁸.
409²; s. τεκόντες
τελα- 360¹
τελαμΟ arg. 569⁵
τελαμών 343⁷. 522³, 6. 569⁵.
742⁶
Τελαμωνιάδης 509⁴
Τελαμώνιος 106⁷. 466², 5.
II 177³; – Αἴας II 89⁷
τελάσσαι H. 752⁴
τελέει 273³
τελέειν θέμιστας ὑπὸ σκήπ-
τρῳ II 525⁶; s. τελεῖν
τελέεσθαι fut. 782, 2. II 239²
τε]λέζεται Kos 716, 7
τελέζω 716⁷. 734³
τελέθοντ- 703³
τελέθω II 274¹. 624⁴; -ει,
-ουσι 703³; τελέθει ψαφισ-
θέν II 392⁵; – πρὸς γῆρας
II 512⁴
τέλει 2. sg. imper. 799¹
*τελειει 273³
τελεῖν II 353⁴; – χόλον ἐπί
τινι II 468⁴
τελείομαι II 237¹; -εσθαι II
239³; ἐτελείετο 651⁶
τέλειος 241⁷. 273⁸. 472⁶, 12;
– χρ. II 249²·⁴; – παρωχη-
μένος II 249²; – μέλλων II
249, 3; – τῆς ἀρετῆς II 132⁸
τελεῖσθαι II 400⁸; s. τελοῦ-
μαι
τελείω praes. 724¹
τελείω fut. äol. hom. 273²·⁸.
724, 2
τέλεος att. 246². 282²
τελέσαι II 364³
τελεσθέντων (πυρᾶν) f. II
34⁴
τελεσθη- 761³
*τελεσje imper. 799¹
*τέλεσjος 282²
*τέλεσjω 799¹
τελέσκω Nikandr. Suid. 707⁵.
708⁴
τελέσσαι 321⁴
τελέσσατο 652²
τελέσση II 312⁸
τελέσσω 782³, 2
τελέστα el. 560¹
τελεσφορέντες kyren. 253³.
729⁴
τελεσφόρος 449³

\*τελεσφόρος 449³
\*τελεύειν 841⁶
τέλευν kyren. (= τέλειον)
248¹
τελευτᾶν II 92⁴. 272⁵˙⁷; –
c. dat. II 148⁵; – πρὸ γάμοιο II 506⁸; – ὑπό τινος II
226⁸
τελευτάω 726¹
τελευτή 683⁴. 841⁶; – βιότοιο II 356⁷
τελευτῆσαι II 363⁸; – ἐκ
τοῦ τρώματος II 464¹
τελευτῶν 'endlich' II 390⁸
τελέω 240². 273⁸. 682⁴. 724¹,
3. 771³. 775², 5; s. ἐτέλεσσα,
τελέειν, -εῖν
τελέω fut. 782, 2
τέλεως koisch 245⁶. 282²
τελη- äol. 724, 3. 775, 5
τέλη (τὰ) II 52². 603¹. 607⁶
τελήεις hom. 228¹. 243⁵˙⁶.
282². 528¹
τελήέσσας acc. pl. f. hom.
527³
τέληος ion. kret. 241⁷. 282²
τέλθος 511¹
τελίσκω hell. 708⁴. 710¹
τελίτō (= τελείτω) 193⁴
τέλλω 716¹
τέλομαι dor. 295¹. 703¹. II
229¹. 258³. 265⁷
τέλομαι conj. dor. 780³, 5
τέλος 295¹. 300⁴. 512². II
52²; τὸ – II 70³
τέλος δε hom. 624⁶
τέλου gen. sg. 579⁵
τελοῦμαι τελετάς II 80⁵; s.
τελεῖσθαι
τέλσας acc. pl. 285⁵
τέλσον hom. 285⁵. 460⁷. 516⁵
τέλσω 782²
\*τέλται 213⁴. 780³, 4
τελῶ 724¹. II 328¹
τέλωρ 519⁴
τεμα- 746⁴
\*τέμανος 362⁶. 513¹
\*τεμασίχρως 362⁶
τέμαχος 360³. 362⁶. 496⁵.
513¹. 702⁴
τεμε/ο- 746⁴
τέμει 684³
τέμενες acc. 579⁴
τεμένηος Alk. 580⁴
τέμενος 192³. 255⁶. 362⁶.
513¹; τεμένE 192³
τεμέω 784⁴
τέμμαι· τίνι H. 548³. 610².
616²
τέμμειν 684⁵
Τέμμῑχες 79²
τέμνω att. 691⁵. 693³. 746⁴;
– c. acc. II 102⁷; – τῆς
γῆς II 102⁷; -ειν πέλαγος

εἴς τι II 459⁴; s. ἔτεμε, ἐτέμοσαν, τάμνω, τεμέω
τεν- 768⁶
τὲν lokr. (= τὰ ἐν) 402³
τέναγος 496⁵. 512⁶
τένδω 324³. 684⁴. 702⁶
Τένεδος 508⁷
Τενθεύς 295⁷
τενθρηδών 423³. 529⁷
τένθω 684⁴
\*τενjω 279⁵
τέννει lesb. 334⁵. 715⁶
τένται kyren. 95⁶. 213⁴.
780³, 4. II 229¹. 265⁵˙⁷.
273³
τενῶ att. 785¹
τένων 525⁷. 810, 3. II 408³;
τένοντε II 47³, 8
τέξομαι fut. 746⁴. 781⁶
τέξω Od. 781⁶
τεο gen. sg. m. hom. (= τινός) 616¹˙². II 213⁴
τέο 'wessen?' (= att. τοῦ;)
ion. att. hom. 273³. 294⁵.
555, 5. 615⁵, 7. 616⁴. 621,10
τέο 'wessen' neut. hom. 616¹,
1
τέο gen. sg. 'deiner' dor.
602³. 605¹
-τεο- II 410⁵
te.o(.i) kypr. 205, 3
τεοῖο gen. sg. pron. 605, 1.
605⁴. 609¹, 1
τεοισι, τέοισι dat. pl. kret.
575, 2. 616⁴
τεόν 244⁷
-τέον n. Verbaladj. 810⁵⁻⁸.
811²˙³. II 242⁴. 358⁶; – c.
acc. II 150, 1; -τέον ἦν II
308⁴
\*-τεον 2. sg. imper. 803⁵
τέορ gen. dor. 602³
τέος (=σοῦ) dor. 602³. 605¹
τεός lesb. hom. dor. 600⁵.
608³. II 200³. 202³⁻⁷
-τέος suff. Verbaladj. 501⁵,
12. 810⁵⁻⁷. 811¹⁻²˙³. II 150
¹˙². 623⁵⁻⁶
τέου gen. sg. pron. Archil.
616¹
τεοῦ gen. sg. dor. 602³. 605¹.
609¹
τεοῦς gen. sg. dor. böot. 602³.
605, 1
τέουτος lesb. (liter.) 609, 5.
612⁷
τεππά H. 590, 8
-τερ adv. 630³
τέρ ngr. (kappad.) 25, 3
τέρά 516²
τερα- 360⁵
\*τέραβνον 489¹
τεραΐζω 515, 2
\*τέραινα II 34, 11

τέραμνον 489¹, 2; τέραμνα
332⁴. 489, 2. 523, 5
τεράμων 522⁴
τέρας 514⁵; – μερόπων ἀνθρώπων II 617⁴; s. τέρά
\*Τεργετω 268⁷
τερέβινθος 61⁶. 259³. 267⁷
τέρεινα 486⁷. II 34⁵, 11
τέρεμνα 332⁴
τέρεμνος 334⁵
τέρεν n. 580, 6
τέρενος 458²
τέρεος ion. 242⁸
τερέσσαι 360³
τέρεσσεν H. 752⁶
τέρετρον 360³. 532². 720¹
τερηδών 529⁷, 4
τέρην 486⁷
τερίμη 495, 1
τέρμα 362⁷. 380⁸
τερμάζω 735²
Τερμησός att. 300²
Τερμῖλαι 64⁸
τέρμινθος 61⁶
τέρμιος 524³
τέρμις 495³
τερμονίζω 735²
τερμονίξουντος epid. 786⁵
τέρμων 522³
-τερον adv.621, 8
τεροπῆ (= τροπῆ) 278⁸
Τεροπων att. 100⁴. 278⁵
-τερος suff. adj.535². II183³;
– kontrastierend II 183⁴
-τερος pron. 595⁵
τερπικέραυνος 444³, 9
τέρπιστος 539²
τερπνός 539²
τέρπομαι 684³. 748⁶; τέρπεται 759³; τέρπεσθαι II 277⁴;
– c. instr. II 167⁸. 168¹; τέρπομαι δαινύμενος II 393²;
– τινι παρά τινι II 493⁴; s.
ἐτέρφθην
τέρπω 684³. 747⁵. II 228⁶;
τέρπειν II 376⁸
τέρρητον lesb. 274⁴
τέρσαι aor. poet. hell. 684³.
759²
τέρσασθαι 338²
Τερσειχόρη att. 211⁶
τερσήμεναι Od. 759²
τερσῆναι Ilias 759². 760¹
τέρσομαι hom. ion. 285¹.
307⁶. 684³. II 229³; τέρσεται
759²
Τέρτιος äol. 595, 5
τέρτος lesb. 275². 595⁷
\*τερτραξ 423⁴
τέρυ 286³
τερύνης 491⁴
τέρυς 463²
τερύσκεται H. 708⁵
τέρφος 334⁵

τέρχνος 512⁷
τερψάμενος 748⁶
τέρψατο 759³
Τέρψιλλος 485³
τερψίμβροτος 271³. 277³. 445⁵
τέρψομαι conj. 748⁶
-τέρως adv. ion. 621, 8
-τερώτερος 535⁸
tésera ngr. 590⁵
τεσσερακαιεβδομηκοντοτης Paros 594²
Τͱσιμενεις 193⁴
*τεσμι dat. sg. 610²
τέσσαρα 300⁴
τεσσαράβοιον hom. (Ilias) 590³; -βοια 594, 4; -βοιος 273¹. 577⁵
τεσσαρακαίδεκα Strab. 594²
τεσσαράκοντα 581, 4; – καὶ ὀκτώ π. 594⁵; – παρὰ μίαν NT 594⁴
τεσσαρακοντάς Hippokr. 597²
τέσσαρες 589¹. 590¹·², 3
τέσσαρες acc. pl. Koine 563⁶. 564¹
τεσσαρεσκαιδέκατος 596³
τέσσερα alt- u. ngr. 590³
τεσσεράκοντα ion. 319⁷. 592¹; -κόντων 592²
τέσσερες ion. 82³. 227⁵. 258⁴. 295⁵. 301⁵. 319⁷. 589⁶
τεσσερεσκαίδεκα ἔτεα Hdt. 594²
τέσσερις ngr. 589⁶
τέσσεροι ngr. 589⁶
τέσσουτος lesb. (gramm.) 609, 5
*τέσσυται 649⁶
*τετᾶ pf. 776¹
τεταγμένος: – πρὸς ταῖς ἐπιστολαῖς II 513⁷; -οι κατὰ μίαν ναῦν II 477⁵; – κατ' ἴλας II 477⁴; -αι κατ' ἄνδρα II 477⁵; τεταγμένοι ἦσαν Thuk. 812³; s. τεταμένους τεταγμένοι hom. (Ilias) 291¹. 647⁶. 748⁶; – ποδός II 129⁸
τέτᾱκα 775³. 776¹; -κε 776²
τέτακτοι 669³
τεταλαιπωρημένοι ἦσαν II 407⁷
τέταλτο 769⁵
τεταμένους (= τεταγμ-) 215²
τετανός 423⁵
τέτανται 672¹
τετάνυσται 696⁵. 761⁶
τετάνυστο περὶ σπείους II 502⁴
τετάξεσθαι II 289⁷
τεΤαράκοντα ephes. 318³. 592⁷
τεΤαρες ephes. 590¹; -ας acc. 319⁷
τετάρπετο aor. 747⁵.748⁶. 759³

τεταρπόμενος 748⁶; -οι σίτου II 103²
τεταρπώμεσθα [so] 748⁶
τετάρτης att. 590³
Τεταρτίων 596¹
τέταρτος 381⁴. 590². 596¹; – καὶ δέκατος 596³; -ον ἡμιτάλαντον 599³
τετάσθην hom. 777²
τέταται 768⁶. 769⁵
τέτατο 3. sg. 672, 1
τέταχα 772¹
τετάχαται 671³
τέτεγμαι 771²; -μένος 835¹
τέτεισμαι 773⁴·⁵; -σται 773⁴
τετειχισμένας dor. 738, 1
τετέλεκα 775²·⁴, 5
τετέλεσμαι 773⁴; -σται 771³. 811⁶; -σθε 670³
τετελεσμένος: – ἐστί II 239³; -ον ἐστί hom. 811⁶; – ἔσται 812⁶. II 223⁵ 239³. 289⁷
τετελευτᾱκούσᾱς delph. 540⁵
τετελημένος kret. 724, 3
τετεύξεται hom. 783⁵. II 289⁴
τέτευχα 767¹
τετευχεν infin. koisch 807¹
τετεύχημαι 770⁵
τετευχώς hom. (Od.) 768³, 2. 769⁴. 771, 1
(*τετͰρατος) 337⁵
τέτηκα 770⁶. 772². II 227⁷; -κε 759²
τετιμένος hom. 768³. II 263, 1
τετιηώς Ilias 768³. 770⁵
τέτιλκα 775⁴
τετιμάκει inseldor. 767⁶
τετιμένος hom. 770⁴
τετίμηκα 774⁵
τετιμῆσθαι II 289⁵
τετιμῆσθαι 809³; τῷ – II 370⁷
τετίμηται pass. 771⁴. II 237⁵
τετιμῶνται el. 727³
tétjos ngr. 612⁷
τέτλαθι 770³. 800⁵. II 340, 1
τετλαίην 795¹; -αίη 770³
τέτλαμεν 770³, 6
τετλάμεν infin. hom. 770³. 806³
τετλάμεναι hom. 770³. 806³. II 381⁵
τέτληκα 770³. II 264³·⁵; -κας 774³; -κε 774³. II 287⁴; s. τέτλαμεν
τετληότ- 770³
τετληυῖα 541². 770, 6
τετληώς 541²; -ότες εἰμέν II 407⁶
τέτμε aor. 748⁵. 816³
τέτμηις conj. 748⁵
τέτμημαι 770⁴; -μένος c. gen. II 112²
τετμήσεται att. 783⁵

*τέτνατο 3. pl. 672, 1
τέτοια ὅμορφη κ. ngr. II 179⁷
τέτοκα 769⁴. 781⁶; -κε II 264⁴
*τέτολα 770, 6
τετολμήσθω II 341¹. 343¹
τέτορα dor. 581¹. 590³
τέτορεν 748⁷
τέτορες dor. nwgr. 82³. 92¹. 295⁵. 590¹, 1
τέτορες acc. delph. 589⁵
τετορήσω Aristoph. 783⁴
τετορταῖος Theokr. 590³
τετόρταν ark. 590²
τετρα- 89⁶. 301⁵. 440¹. 590²
τετραβαρήων Alk. 580⁴
τετραδεῖον 597³
τετράδη f. ngr. 597³
τετράδι dat. sg. 597³; – ἰσταμένου att. II 158⁵; – ἐπὶ δέκα II 468⁷
τετράδιον 597³
τετράδυμος 589³
τετραενής 424³
τετραετηρίς att. 590²
τετραίνω 646⁶. 648¹. 689⁵. 717¹
τετρακαίδεκα 594, 4
τετρακαιεικοστῆς 594³, 4
τετρακάτιοι 592⁴
*τετράκατον 592⁴. 593²·³
τετράκι 619¹
τετράκιν 58⁶
τετρακίνη Hippon. 590³
τετράκις 58⁶. 591⁵. 597⁶, 10
τετρακισχίλιαι 829¹
τετρακιχηλίος dor. 593⁵
τετρακόσιος 593²; -ιοι 590². 593²·³; -ία ἵππος 593³
τετρακτύς Pythag. 597³
τετράκυκλος ion. att. 590²
τετραμαίνω 648¹
τέτραμμαι 772⁴; -μένος πρὸς τοῦ Τμώλου II 515⁶
τέτραμος 423⁵
τετρᾶναι 187⁶
τετρανέω 689⁵
τέτραξ 423⁴
τετραξός ion. 322². 598³
(*τετραπεζα) 590, 2
τετραπλῆ 598⁴
τετράπους 449⁶
τέτραπται 771⁷. 814³
τέτραπτο 771⁷
τετράϟοντα chalkid. 87³. 592³
τετράς Hymn., Hes. 597¹
τετρᾶς siz.528². 599⁴
τέτρασι dat. 590¹·², 1. 596¹
Τετράσιον ὄρος ark. 89⁶.598,6
τετρασσός Euseb. 598³
τέτρατος dor. hom. 337⁵. 503⁷. 590¹·². 596¹
τέτραφα (τρέφω) 769³; τετράφᾱσι 665⁴

τετράφαται 3. pl. 771⁷. 772⁴;
-ατο 771⁷. 772²
τετράφθω 771⁷; μὴ – II 343⁴
τέτραχα 591⁵. 598²
τετραχῆι 630⁴
τετραχθά 598³
τετραχίζω 598²
τετράχμον 263⁴
τετράχυκα, -χυσμαι 775⁴
τέτρεφας 771¹
Τετρηκοστή Mylasa 592, 2
τέτρημαι 770⁴
τετρήμερον Aristot. II 40²
τετρῆναι 187⁶
τέτρηχα 360³. 702⁵
τετρήχει 770⁴. 777, 11. II
288³
τέτρῑγα praes. pf. 716⁴; τε-
τρίγει 777, 11; – νῶτα ἀπὸ
χειρῶν II 447²; τετριγώς II
263, 1
τετρίποδας amorg. 590, 2
τέτριφα 772¹
τετρίφαται ion. 771⁷
τέτροφα [τρέφω] 769⁴; -εν
Od. 771, 7; τετρόφαμεν att.
769³
τέτροφα [τρέπω] 772¹
τετρω- 592, 2
τέτρωγμαι 770⁶
τετρώκοντα dor. ion. 361².
590³. 592², 2
τετρωκοστός 596²
τέττα 315⁵. 339⁴. 422⁷. II 61⁷
τέτταρα 590³
τεττᾰράκοντα att. 592¹
τεττᾰρακοστός 596²
τέτταρες att. 82³. 227⁵. 295⁵.
301⁵. 319⁷. 590¹·²
τέτταρσι(ν) dat. att. 590¹·²
τετυγμένος hom. 768³
τετύγμην hom. 777²; s. ἐτε-
τύγμην
τετυκεῖν 748⁶. 760⁷. II 262⁴
τετυκέσθαι, -κοίμεθα, τετύ-
κοντο, τετυκώμεθα 748⁶
τέτυκται 69¹. 769⁴. 783⁵; τέ-
τυκτο hom. 777²
τέτυμμαι 759⁵
τετύποντες Kallim. 749¹
τετύπτηκα 775¹, 2
τετύπτημαι 770⁵
*τετυπ- 590¹
τετύσκετο H. 710²·³
τετύχηκε Od. 774³
τετύχησι 748⁷
τετυχηώς Ilias 774³
τετύχθω II 342⁸
*τετωρκοντα 592²
τευ gen. sg. (τις, τι) hom.
Hdt. 616¹
τεῦ gen. sg. (τίς) hom. 616¹
τεῦ gen. sg. dor. 'deiner'
602³. 605¹

*τεῦμα n. 725, 9
*τεύμᾱ 494, 1
τευμάομαι att. 494, 1. 706⁴.
725, 9. 745, 4
Τευμησσός 300²
τεῦξαι 760⁷
τεύξεσθαι: πάντων – ἐπαίνου
II 94⁶
τεύξομαι 781⁶, 4; -ξεται 760⁷.
783⁵
τεῦς (= σοῦ) dor. böot. 602³.
605¹
Τεύτα 66⁵
τευτάζω att. 319⁴. 706⁴
Τεύταμος 494¹
Τεύφιλος kret. 261⁷; -φίλω
205⁵
τεύχεα II 22⁵. 52¹
τεύχεσιν dat. pl. 580¹
τευχέω 724³
τευχηστής 500, 1
τεύχομαι II 162²; – c. gen.
II 128⁴; – c. dat. II 170⁵;
– παρά τινος II 497⁸; τεύ-
χεσθαι κεράεσσι II 166⁸; –
τι περὶ ἄλλων II 502¹; s.
ἐτύχθην, τετυγ-, τετυχ-
τεῦχος II 52¹; s. τεύχεα,
-χεσιν
τεύχω 347⁴. 685¹. 699¹. 748⁶.
756². 760⁷. II 262⁴·⁵; – τι
c. dat. II 151²; τεύχειν
οἶνον ἀπ' ὄμφακος II 446⁶;
s. ἐτεύχετο, ἔτευξα
-τεύω verba 732⁷. 811²
*τέφονα 662³
τέφρᾱ 307³. 327⁸
τεχινίτης 278⁷
τέχνᾱ 326²
τεχναμένω ptc. lesb. 729²
τέχνη II 704²; τέχνη γραμ-
ματική (term.) 7⁵
τεχνηέντως 624²
τεχνήματα II 614¹
-τέω verba 705⁴·⁶ f. 720⁵.
726⁴, 9. 731⁶. 732⁷
τεωι dat. sg. (= τινί) 616¹·⁴
τέωι dat. sg. (= τίνι;) ion.
Hdt. 615⁵, 7. 616¹·²·⁴; τέω
575, 2
τέων gen. pl. hom. Hdt.
[= τίνων;] 616⁴
τέως ion. att. 381².528³.621².
631³. II 413⁶. 642⁵. 649, 0.
650⁵, 4. 651²
Τέως 349, 1
τϝ 314⁵. 320²·³. 332²; τϝ-
369²; -τϝ- 320¹; τϝ > σσ
bzw. ττ 319⁷·⁸ f.
τϝε acc. (= σε) kret. 308².
600⁵. 601⁸, 2. 602²
*τϝε (= σέ) 308⁵
*τϝε gen. 604³
*τϝοι dat. sg. 604, 4

τζ mgr. < lat. c 332¹
Τζαισαρ mgr. 332¹
τζανδάνα byz. 156⁶
Τζασθλαβος byz. 277⁷
τζερτος mgr. 332¹
τζετρα- ark. (?) 590, 4
τζετρακατίαι 301⁴
-τζῆς suff. ngr. 455, 2
Τζιβιτα Νοβα 332¹
Τζιμίσκης 278⁴
*-thj- 320⁶·⁸. 321¹·⁵. 322³
*-ths- 321⁵
-τη 3. sg. böot. 669²
τῆ partic. 'tiens, da, hier!
nimm!' 550², 2. 613². 799⁴.
II 16²·⁶. 381⁸. 579¹·²·³. 601⁷
τῆ 'wo' dor. (syrak. kret.)
550², 2. II 163³. 642⁵
τῆ 'wo' dor. II 642⁵
τῆδε (instr.) el. ther. 550².
II 413⁵
τῆδε (τῆ) νυκτί II 158³·⁶
*τηενος 613²
τηθαλλαδοῦς 510²
τήθεα 183⁸. 511²
τήθη 193⁸. 423¹. II 31³
τηθίς 423¹
τῆι dor. 622¹
τῆι > ion. τη vor Vok. 233²
τῆιδε adv. att. 550⁴
Τήιος ion. (= Tēijos) 312⁷
τῆις dat. pl. 559⁴
τηκατηι (= τῆ Ἐκ-) 220⁷
τήκομαι II 227⁷; τήκετο hom.
759²; τήκομαι διά τι II 454³
τήκω 685³. II 227⁷
τηλαυγής II 545⁷
τῆλε hom. 295¹. 300². 627, 4.
630⁵. 631⁵, 10. II 545⁵, 1 f.;
– ἀπό II 445⁷
τηλε- 632⁶. II 545⁶
Τηλεας 636⁴
Τηλεβόας II 545, 2
τηλεβόλος II 545⁷
τηλέγονος II 545⁷
τηλεδανός 604, 1. 631, 6. II
545⁷
τηλεθάοντ- hom. 720³
τηλεθάω 703³
τηλεκλειτός II 545⁷
τηλεκλυτός II 545⁷
Τήλεκρος (= -κλος) 258⁸
Τηλέμαχε voc. hom. 555, 1
Τηλέμαχος 636⁴. II 545⁷
Τήλεμος 494¹. 495, 1
τηλέπομπος II 545⁷
τηλέπορος II 545⁷
τηλέπυλος II 545⁷
τηλεσκόπος II 545⁷
τηλεφανής 513³. 694³. II 545⁷
τηλέφαντος II 545⁷
Τηλεφάνω kypr. 301³
τηλέφατος II 545⁷
Τηλέφιλος II 545⁷

Τήλεφος 156¹
τηλικαύτη 612⁷
*τηλικοντόνδε 612⁷
τηλίκος 495³. 496⁶. 612⁵·⁷.
840⁸. II 208⁶; – ·· ὥστε II
678⁷
τηλικόσδε pros. 612⁷. II 210⁵·⁶
*τηλικος ὅδε 612⁷
*τηλικος οὗτος 612⁷
τηλικοῦτον neut. pros. 612⁷
τηλικοῦτος pros. 612⁷. II
210⁵; f. Soph. 612⁷. II 33¹
Τηλίμαχος 444⁴
τήλιστος 539². II 545⁵
τηλόθεν 630⁵. II 545⁴·⁶. 546¹
τηλόθι 628⁴. 630⁵. II 545⁵·⁶·⁸
τηλοῖ 549⁷
Τηλοκλῆς II 545⁷
τηλοπετής II 545⁷
Τῆλος 636⁴. 637²
τηλόσε 629², 3. 630⁵. II 545⁵.
546¹
τηλοτάτω 534⁴. II 545⁵·⁶
τηλοτέρω II 545⁵
τηλοῦ adv. 621⁵. 630⁵. II 545
⁵·⁶·⁸. 546¹; – ὑπὲρ πόντου II
521¹
τηλουρός II 545⁷
τηλύγετος 426³. 502⁴
Τηλυκράτης 636⁴
Τῆλυς 463⁶. 636⁴
Τήλων 636⁴
τηλωπός II 545⁷
τήμ art. (= τήν) 407⁷. 408¹.
409⁴: τὴμ πόλιν
τημά dor. 402³
τημελέω c. gen. II 109³
τήμερον att. 308³. 319⁴. 397⁷.
414³. 613⁴, 7. 621². II 70²
(τημιρηναιᾶν delph. 218, 2)
τῆμος 528⁴. II 650⁵. 651³
τημόσδε 528⁴
τημοῦτος 528⁴. II 651, 1
τὴμ πόλιν 407⁷. 408¹. 409⁴
-την 2. du. 667², 2; 3. du. att.
666⁵
τήν art.: – πρὸς ἠῶ χ. τῆς
Σύρτιος II 96⁶; τὴν ἄλλως
II 69⁷. 175⁶
τήν acc. sg. pron. relat. ngr.
(dial.) 615³
τῆνα 331⁶
Τῆνα kret. 414³
τὴν ἄλλως II 69⁷. 175⁶
τηνδεδῖ 611, 3
τηνεῖ dor. 384⁴. 549⁶, 2. 613, 1
τήνελλα II 620²
τήνελλος 460⁷
τηνίκα 629⁴·⁵. II 413⁶. 652²·³·⁴
τηνικαῦτα II 415³. 652²·³; –
τοῦ θέρους II 114⁷
τηνικαυτί 611, 3. 619⁴
τῆνος dor. 81⁷. 613², 5. II
208⁶. 579²
16 H. d. A. II, 1, 3

τηνῶ adv. 550¹. II 90⁸
τηνῶδε (abl.) II 413⁵
τηνῶθε dor. 550¹. 622⁴. 628¹.
II 90⁸
τηνῶθεν dor. 622⁴. 628¹
τηνῶς 384⁴
τῆος hom. 528, 3
τήπαρῆι ion. (= τῆι ἐπ-) 402²
-τηρ suff. 82¹·². 569³; s. -τειρα
Τηρεύς, -έως 6, 3
Τήρης, Τήρεω 6, 3. 560, 8
τηρέω 726⁵
τῆρηι (= τῆι "Η.) 221¹. 402²
-τήριον suff. 456⁴·⁶, 4. 470⁴·⁵
-τήριος suff. adj. 467³·⁴
της ngr. (= αὐτῆς) 614⁵
-της suff. f. 528⁵ f.
-της 1. decl. m. 561⁴
-τής (-της) suff. m. 82¹·². 85⁷.
499⁵. 500¹·²·³·⁷. 531², 2.
542, 3
τῆστηλης 338²
-τητ- suff. 528⁵
τηται ion. att. 81¹
τητάομαι 705⁵; τητᾶσθαι c.
gen. II 181, 2
τῆτε partic. (imper.) Sophr.
550², 2. 799⁴. II 16². 579¹;
s. τῆ
τῆτες att. 319, 2. 613, 7. 621²
τήτη 501⁴
τῆτος 501⁴. 505, 1
Τηΰγετος 502⁴
τηΰσιος hom. 313³. 466⁴.480⁴.
528, 5
*τῆφος n. 511, 6
Τήχιππος eretr. 538, 4
τϑ gort. für σϑ 216⁶
τι dor. böot. thess. pamph.
755⁵. 81³. 270⁷. -τι- dor. vor
Vok. 270⁶; τι > σι 75⁵.
270² ff. 271⁵·⁷. 366⁴. 831⁴
τι pron. n. 615⁵. 616⁵. II 29⁶.
185². 212⁵. 213¹⁻⁸–216. 215²;
kypr. 301³; τίς τι att. II
214¹; s. τις
τι adv. 616⁵
τι partic. 581, 3. 624¹
-τι- suff. 357⁴. 504³, 2 ff.; in
Denominativen 271⁴·⁵
-τι 3. sg. Personalend. 270⁴.
657⁵. 658¹⁻². 659²
-τί adv. 622⁴. 623³⁻⁵
τί pron. indefin.: τί καὶ τὶ II
216³
τί interrog. 409¹. 600¹.609³·⁵.
615⁵, 7. 616⁵. II 18². 29⁶.
35². 212⁵. 213¹⁻⁴. 318⁵. 605⁸.
629⁷·⁸; τί δαὶ δή; II 563, 3;
τί ἤ (τιή) II 565¹; τί ἤ II
629⁷; τί μήν II 570⁴. 631⁷;
τί ποτε II 572⁷. 573¹; τί
ἐμοὶ καὶ σοί; II 143⁶; τί
ἡμῖν καὶ σοί; II 624²; τί

ποτε λέγεις τοὺς β.; II 606⁸;
τί γένωμαι; II 311¹·²; τί λέ-
γοιεν II 630⁸; τί μαθών II
391⁴. 629⁷; τί πάθω; II 311¹;
τί παθών; II 391⁴. 405⁶; τί
ποιῶ; II 703⁴; τί φής; II
275²; τὸ τί; II 25, 7; τί χρῆ-
μα; II 78³; τί ἄθρωπος ngr.
617⁵; τί νά ngr. II 319⁶; τί
νὰ κάναν; ngr. II 350¹
τί 'warum' II 77⁸. 78¹; τί
ἦλθες; II 77⁵
τί artic. ngr. (pont.) 404⁴
*τῖ neut. pl. 581²·³
τιάρα f. 562². 582⁴. II 37²
τιάρας m. 582⁴
τιάρις m. 562²
Τιαστάνης 156⁶
τιγγιβάρι att. 829³
τίγρις 464⁴
Τίγρις 268⁷
τιγροειδής 439⁵
*τιδ 615⁵. II 572⁶
(*τιδjω) 616⁵
τιεσκόμενοι inschr. 711⁶
τίζω att. 616⁵. 735⁵, 5
-τίζω verba 705⁵. 706⁴⁻⁵.
736²
τιή 'warum denn?' att. 616⁵.
II 565¹; τίη 616⁵. II 629⁷
τιήρης m. ion. 562²
τιθαιβώσσω 648²; -ουσι Od.
733⁷
*τίθασι 665⁵
*τίθαται 3. pl. 671⁷
*τίθατι 664²·⁶. 686⁶
τιθέαμεν 665⁴
τιθέασι att. 241⁴. 665⁴
τιθέαται 672²
τίθει 688⁴
τίθει ipf. 687³·⁵
*τίθει äol. 687⁴
τίθει imper. 687¹·³. 688².
799³; s. τίθημι
τιθεῖ 3. sg. 687⁴·⁵. 688⁴
τιθείην 790, 1. 794⁵
τιθεῖμεν opt. 794⁵·⁶
*τιθεῖμέν, encl. τιθεμεν opt.
794⁵
τιθείμην 669⁶
τίθειν 688⁴
τιθεῖν infin. 687⁶. 688³·⁵.
808, 1
τιθεῖντο 671⁶
τιθεῖς äol. 902². 687⁷
τιθείς ion. att. 389⁸. 525³.
566²
τιθεῖσα lesb. 287⁸
τιθεῖσι 3. pl. 688, 1; *– 665¹
τιθεῖσι 3. pl. ion. hom. 665
¹·⁵. 687⁴·⁵. 688¹, 1
τιθεῖσι dat. pl. ion. att. 566²
*τίθειτο opt. med. 794⁶
τιθεῖτο opt. 669⁴. 794⁶

τίθεμαι 686⁶; τίθεσθαι 809³.
II 122⁷. 123⁴. 232⁵. 277¹;
τίθεμαι γέλωτα II 83⁷; -σθαι
δαῖτα II 231³; – νόμους II
231³; – οἰκία περὶ Δωδ. II
504²; – τὰ ὅπλα II 231².
377²; – υἱόν II 231³; – ἄορ
κολεῷ II 156¹; – ἐπιστροφήν
πρό τινος II 506⁷; – τὴν
ψῆφον σὺν τῷ νόμῳ II 490¹;
– ἐπὶ τὰ γόνατα II 472³; –
παρά τινα II 494⁷; – παρ'
οὐδέν II 496²; – (τινά) λώ-
βαν II 80⁷; – τι ψήφους II
80⁷; – τι πρὸς τοῦ λογιστι-
κοῦ II 516²; s. ἐτίθετο, ἐθέ-
μην, τέθειμαι, τιθ-
τίθεμαι pass.; s. ἐθέθην,
ἐτέθην, τεθήσεται
τίθεμεν 357¹. 686⁶. 794⁵
τιθέμεν infin. thess. 806³
τιθέναι; s. τίθημι
τιθένς 396⁸
τίθενται 671⁷
τίθεντι 3. pl. 665¹·⁵, 1. 687¹
*τιθεόντων 688⁵
τιθές nom. ptc. 396⁸
τίθεσθε 670⁴
τίθεσθε imper. 687¹
*τίθΕσι 3. pl. 665⁵
τίθεσκεν 711²
τίθεσο imper. att. 799⁶
τίθετε imper. 799⁵
τιθέτω 794⁵. 801³
τίθευσο 841⁴
τίθη 3. sg. äol. (lesb.) 90³.
659⁶. 687⁴
*τίθη imper. 799³
τιθη-: τιθε- 741¹
τιθῇς conj. att. 792⁶
*τίθημαι 793²
τιθήμεναι infin. hom. 687².
806, 8. II 382⁴
τιθήμενον 687²
τίθημι 354⁸. 359⁴. 642⁵. 649².
686⁶, 8. 687¹. 782⁴. 794⁵. II
72, 1. 284²; τιθέναι infin.
808⁴. II 122⁷. 123³·⁴. 434¹;
τίθει τοίνυν II 341⁶; τίθημι
ἄτιμον, – ἄυπνον II 83⁶; –
νεκρόν II 83⁷; τιθέναι ἔγχος
κατ' ὄχθης II 479⁵; – περὶ
κνήμῃσιν II 434²; – κνημῖ-
δας περὶ κνήμῃσιν II 500⁶⁻⁷;
– νόμους II 231³; – νόμον
παρά τινος II 497⁶; – νόμον
ἐπί τινι II 468⁵; – ἄλγεα c.
dat. II 147¹; – ἐλέγχεισθαι.
dat. II 151⁸; – ἀλκὴν πρὸ
ἀσπίδων II 506⁸; – ἀμ βω-
μοῖσι II 441⁵; – ἀνὰ μυρίκην
II 441¹; – ἐπὶ φρεσί II 434¹;
– τι ξυγχώρησιν II 83⁸; –
παλαίσματα ἀμφί τινος II

438⁸; – τὰ ἄνω κάτω II
536⁶; – παρά τι (τινα) II
496¹; s. ἐτίθειν, ἐτίθην, ἐτί-
θουν, ἔθηκα, ἔθεμεν, ἔθεσα,
ἔθεαν, τέθεικα, τέθηκα, τε-
θήσειν
*τίθημι (θήσασθαι) 423⁵
τιθηνέω 726⁴
τιθήνη 315⁵. 423⁵. 489³
τίθησθα 662⁴
τίθησι 271⁶. 642⁶
τίθηται att. 792⁷
τίθητι dor. 648⁵. 722⁵
*τίθμεν 686⁶
τιθοῖτο j.-att. 688²
τιθόντων 688⁵
Τίθορρα 66⁴
τίθου imper. med. 668⁶. 688²
τιθύμαλ(λ)ος 423⁶
τίθω 642⁵. 688⁴
τιθῶ 642⁵. 688⁴. 790, 1. 792⁶
τίθωμαι conj. att. 792⁷. 793²
τιθῶμαι att. 793¹
Τιθωνός 65⁵
-tika 1. sg. aor. ngr. 764⁵
τίκτεν II 383⁵
τίκτεσθαι φῶτα II 231³; – c.
dat. II 148⁶
τίκτοντας (= Andromache)
II 46¹
τίκτουσα (ἡ) II 408⁸; s. τε-
κοῦσα
τίκτω 265⁵·⁶. 289⁴. 325⁵. 690².
704³. 746⁴. 781⁶. 831³; -ειν
II 276⁴. 278⁷; – τι c. loc. II
156³; τίκτει II 272⁵, 2;
τίκτειν τινὰ ὑπό τινι II 526⁵;
– τι ὑπὸ λαμπάδων II 529⁸f.;
τοῦ μὴ τίκτειν II 372⁵; s.
ἔτεκον, τεκεῖν, τέτοκα, τέ-
ξομαι
Τιλείας ark. 275⁸
τίλλεσθαι c. acc. II 72⁴; τιλ-
λέσθην II 612¹; s. ἐτίλην,
ἐτίλθην
τίλλω 714⁵, 8; s. τιλῶ
τῖλος 702⁵
τιλῶ fut. 714⁵
τιμά äol. 300⁴
τῑμᾶ imper. att. 799¹. II 257⁵
*τιμάεν urgr. 72². 396⁴
τιμαϝεσσα pamph. 527²
τίμαι 3. sg., τίμαις 2. sg. lesb.
729⁵·²
τιμᾶι 3. sg., τιμαῖς 2. sg. 660,
9. 728⁵
*τίμᾱιεν 396⁴
Τιμακράτη rhod. 562³
Τιμακράτης 438⁴
*τίμαμι 729⁷. 730². 752²
τιμᾶν 396⁴. II 283⁶. 351⁷; –
c. gen. II 125²; – τινα c. dat.
II 152²; – διά τινος II 450⁷;
s. τῑμάω

Τιμᾶναξ rhod. 248⁷. 250².
438⁴
Τίμανδρος 635⁵
Τιμανόρη rhod. 562³
τιμᾶντι 3. pl. Dodon. 730³
τιμάομαι; s. ἐτιμάθην, τιμῶ-
μαι
*τιμάοντι 3. pl. 730³
τιμάορος 111¹
τιμαορός dor. 438⁵
Τίμαος 236⁷
*τῑμάοσθων 802⁶
τιμαρός lak. 94¹
τιμᾶς gen. sg. 382⁴. 554, 1
Τιμασης kypr. 561, 2; Τιμά-
σεῡ 461⁸; Τιμασην 561, 2
τιμᾶσθαι (τῷ) II 360⁴; s. τι-
μῶμαι
τιμᾶσι· τισίν H. 616, 4
τῑμᾶτός 739²
τιμᾶτω lesb. 801⁴
τῑμάω 725⁶. 729⁷. 731¹. 752²;
τιμῶ att. 791⁶; – τι(να) c.
dat. II 151¹·²; – τινί τινος
II 126¹⁻²·⁵; s. τιμᾶν, ἐτίμᾱ-
σα, τιμηθ-, τιμησ-
τιμάω fut. H. 780⁶ f.
τιμάωρ poet. 458⁴
Τιμέας att. 241⁴
τιμέω dor. 242⁸
τῑμή 294⁵. 697, 4. 821⁴. II
41⁵. 126⁵, 1; τιμαί II 43⁶;
τιμὴ μετὰ σωφροσύνης II
485⁵; ἔχειν τιμὴν πρός τινος
II 514⁵; s. τιμά, τιμᾶς
τιμήεις πρός τινος II 514⁷⁻⁸;
s. τιμῆς
τιμηθήσομαι II 265⁸; -θήσε-
ται 756⁵
τιμῆις dor. 728⁵
Τιμηκράτης ion. 438⁴
τίμημα II 125¹
τιμῆντα ion. att. 249¹
τιμῆς adj. ion. att. 249¹. 527,
2. 535⁵. 566³
Τιμησίθεος 634³
τιμήσομαι II 265⁸
τίμησον II 257⁵
τιμήσονται pass. Thuk. 756⁶
τιμήσω fut. 781³. 782⁵
τιμῆται 791, 9
τίμιος 'teuer' II 125, 4. 126⁴;
τιμιώτατον κτημάτων π. II
605⁵
Τιμόθεος 161⁵
Τιμοκράτη dor. 250⁶
Τιμοκρέων 449⁵
Τιμοκρῆυν rhod. 566⁵
Τιμόλλει 636, 3
τῖμος 492³
τιμΟστΟν (= -ώστων) imper.
el. 802⁶
τιμοῦς adj. 535⁶; τιμούστερος
535⁵

Τιμοχάριϝος kypr. 88[7]. 314[8].
572[5]. 573, 1
Τιμοχάριϳος kypr. 840[3]
τῑμόω 727[1]
τῑμῴην 796[2]
τιμῶμαι med. II 347[4]; – c.
gen. II 126[3]; – τινα πρὸ
χρημάτων II 507[2]
τιμῶμαι pass. – μέγιστα II
80[6]; – περὶ πάντων II 502[2];
– τιμήν II 126, 2; – τούτου
II 606[8]; – τινί τινος II 126[5]
τιμώντωσαν imper. kyren.
(Koine) 802[7]
τιμωρέομαι (-οῦμαι, -εῖσθαι):
– τινα II 130[7]. 231[7]; – c.
acc. et gen. II 130[6]; – ὑπὲρ
τῆς Ἑλλάδος II 521[3]
τιμωρέω 726[5]; – c. gen. II
130[6]; -εῖν II 73[6]; – c. dat.
II 144[7]. 231[7]; – τι c. dat. II
146[4]
τιμώρημα c. dat. II 144[8]
τιμωρήσοιντο II 335[5]. 337[4]
τιμωρητέον εἴη II 335[6]
τιμωρία ἀπό τινος II 446[4]
τιμώριαι [so] j.-att. 383[3].
835[6]
τιμωρός II 31[5]. 174[3]; -ροὶ τοῖς
ἐν τῷ ὄρει II 619[1]
τιμώστων imper. el. 802[6]
*τιν acc. sg. 616[3]
*τίν acc. sg. 616[3]
τίν dat. sg. dor. böot. 602[4].
604[2], 5. II 580[5]
τιν' acc. sg. 616[3]
τινα acc. sg. hom. 616[3]
τίνα acc. sg. m. f. 615[5], 7.
616[3], 7
*τιναχϳω 733, 4
τινας acc. pl. hom. 616[3]
τίνας οὖν ὑπὸ τίνων εὕροιμεν
ἄν II 630[2] /
τινάσσω 299[5]. 733, 4
-τινδα adv. 627[3]
Τινδαρίδαι 65[5]
τινε du. Od. 616[3]. II 213[3]
τινεν, τινέν j.-kret. 551, 8.
616[3]
τινες nom. pl. Od. 616[3]. II
27[3]. 213[3]
τίνες nom. pl. Od. 616[3]
τινές [nicht τίνες] 'einige'
615[6]
*τινϝοντι 3. pl. 663[5]
*τινϝω 642[5]
τίνη dat. dor. 606[3]
τινι dat. att. 616[2·3]; τινί Pind.
616[3]
τίνι dat. Pind. 616[3]
τίννῡμι spät 697[6]
τινοις nwgr. 616[3]
τίνομαι att. 697[2], 4; -εσθαι II
231[7]

τινος gen. sg. att. 616[2·3];
τινός 391[6]
τίνος τίς ὤν; II 405[6]. 630[2]
τίνουσι 663[5]
τιντόν epir. 204[5]
τίνυμαι 357[3]; τίνυσθαί τινα
ὑπὸ γαῖαν II 530[7]
τίνυσθον II 609[3]
τίνω ion. [ῑ], att. [ῑ], hom.
228[3]. 642[5]. 697[1·2], 4. 698[2];
– c. instr. II 166[1]; τίνειν
θωήν, – ὕβριν II 231[6–7]; s.
ἔτινον, ἔτεισα, τείσω
τίνων gen. pl. Aristot. 616[4]
τίοισι dat. pl. lesb. 616[5]
τίομαι c. instr. II 167[6]
τιός böot. 608[3]
τίος gen. dor. 602[3]
τιοῦς gen. böot. 602[3]. 605, 1
τιούχα böot. 183[4]
τίποτε c. neg. 'nichts' ngr.
617[5]. II 598, 2
τίπτε 266[6]. 325[5]. 610[1]. 631[6].
II 572[6·7]. 573[2]
τιρ el., j.-lak. 218[5]. 616[1]
τίρ el. (= τίς) 410[3·4]
Τίρυνς 60[6]. 352[8]. 510[6]. 566[2]
τις thess. äol. ark. 299[2]. 300[4].
301[3]. 388[3]. 615[5·6], 7. II 29[6].
116[2·3]. 118[2]. 186[5]. 212[5].
213[1] – 216. 424[7]. 573[3]. 609[6].
629[6]; 'einer' II 620[7]; 'ich'
II 318[4]; τὶς – ἄλλος II 216[3];
τὶς – ἕτερος II 216[3]; τὶς –
ὁ δέ II 216[3]; τίς τε II 574,1.
575[1], 2. 629[6]. 643, 1; τίς τι
att. II 214[1]; τὶς c. partit.
II 116[2·3]. 118[1]; s. τι
τίς 55[7]. 72[3]. 73[5]. 290[3]. 293[8].
294[5]. 388[3]. 599[6]. 600[1]. 615
4·6, 7. II 18[2]. 29[6]. 186[5]. 212[5].
213[1–4]. 629[6·7]. 630[5·6]. 644[2·3];
τίς τ' ἄρ II 575[2], 3; τίς εἴη
II 630[8]. 631[1]; – c. partit.
II 116[2·3]. 118[2]; τίς θεῶν II
115[4], 2; τίς ἂν θεῶν δοίη II
625[6]; τίς πόθεν εἰς II 630
2·6; – – μολών II 405[7]. 630[2];
τίς ποτ' ὤν II 405[5]; τίς
οὗτος; II 623[4·6]; τίς τέχνη
ὀψοποιία; II 606[8]; s. τί
-τις suff. f. 464[5], 6. 561[6].
II 356[4], 1
*τισθε 670[4]. 686[6]
τισι(ν), τίσιν dat. pl. 616[4]
τίσις 294[5]. 505[2]. II 356[5·7].
357[1·3·4]; – ἐστί II 384[7]; –
ἔσσεται Ἀτρ. Od. 811[8]. II
130[7]
τισοτις argol. 617[1], 1. II 213, 1.
700·
τίσω 102[6]. 697, 4; s. τείσω,
τίνω
τίσωσι II 262[4]

τιταίνω 717[1]. 737, 3
Τίταν 62[2]
Τιτάνη 302[1]
τίτανος 301[8]. 423[6]. 490[3]
τίταξ 62[2]. 497[6]
τίτας kret. 500[2]
τιτήνας 717[1]. 737, 3
τίτθεν· τίκτειν 690[2]
τίτθη 315[5]. 423[5]
*τιτκω 265[5–6]. 289[4]. 325[6].
690[2]
τίτλος 278[8]
τιτοϝτός kret. 194[4]
Τίτος 162[5]
τιτουϝέσθω kret. 194[4]. 732[6]
*τίτπε 266[6]. 325[5]. II 572[7]
τιτράναι 689[5]
τίτραται 689[5]
τιτράω 648[1]
τίτρημι 688[5]. 689[5]
τιτρώσκω 710[2]. 743[2]; – διά
τινος II 450[5]; s. τρώσω
τιττί 472[4]
*τίττι 617,2
τιτ(τ)υβίζω 315[5]
Τιτυρεία II 177[3]
τιτύσκομαι hom. 648[6]. 710[2];
– τινός τινι II 104[7]
Τιτώ 65[5]
τίφθ' (= τίπτε) II 572[6]
τίω gen. dor. 605[1]
τίω 686[3], 2. 697, 4. II 72, 1;
τίειν τινὰ περὶ ὁμηλικίης II
502[2]
τίωι dat. sg. lesb. 616[5]
*-tj- 320[6·7·8]. 321[1–5]. 322[3];
tj > att. böot. kret. ττ
308[3]. 320[4·5·7·8]
*τj 367[1]; τj > σσ bzw. ττ
272[4]. 367[1]; τj+σ > σσ
321[3]; τj > σ 272[4]
(*-τjε) 629, 4
*τχ 325[5]
τλᾱ- 360[1]
τλᾶ- 360[1]. 743[3]
τλᾱμων 522[4]
Τλᾱσίαϝο kerk. 560, 8
τλάσομαι 782[6]
τλᾱτός 343[7]. 361[4]
τλῆθι 800[4]
τλήμων II 614[3]; – εὐνάν II
73[8]; – c. gen. II 134[5]; –
ἀπ' εὐτόλμου φρενός II 447[2]
τλῆναι καθαιμάξαι τι II 296[4];
ἔτλα σπείρας II 393[1]; s.
ἔτλην, τλῆθι, τλήτω
τλῆς: μή – II 343[4]
τλησι- 443[5]
τλήτω 801[4]
-τλο/ᾱ- suff. 533[1·4]
Τλωΐτοις 565[2]
τμ > τν 216[1]
τμαγεν 702[4]
τμαγη- hom. 759[4]

16*

τμάγω 702⁴
τμᾶτός 360³
τμήγω 57³. 748²
τμήδην 626³
τμήξας 702⁴
τν < τμ 216¹
τνᾱτός kret. 96¹. 204⁴
τό pron. 609⁵. 611²·³; demonstr. 610³·⁵. II 207⁵.
208¹·³·⁴. 642⁶, 1; (= τοῦτο)
II 370². 372³; attribut. II
23¹; adj. pron. II 35². 173⁴;
s. ὅ, ἥ
τό 'deshalb' II 20⁵
τό pron. relat. ngr. (dial.)
615³
τό art. 600¹. II 22³. 190⁴; –
c. infin. II 359¹; ἐν τῷ c.
infin. II 388¹; τό c. gen. II
117⁷; τὸ μή II 372, 1;
τὸ μὴ οὐ II 372¹⁻²; τὸ μὴ
οὐχί II 372²; τό γ' εἰς ἑαυτόν
II 460⁴; τὸ πρὸς Αἰγίνῃ στρά-
τευμα II 513¹; τὸ ὑπὸ ταῖς
γεωμετρίαις II 526²; τὸ
ὑπὸ τοῖ κορυφαῖοι II 526⁸;
τὸ εὖ εἶναι II 124; τὸ τῆς
ἀνάγκης δεινόν II 117⁷; τὸ
τῆς αὔριον II 117⁷; τὸ
λοιπόν II 70²; τονυ[so]'hunc'
kypr. 612³; τὸ νῦν εἶναι II
378⁷; τὸ ἀπὸ τοῦδε II 447,
2; τὸ δέ 'während hingegen'
II 562⁵; τὸ ἐπί τινι II 467⁵;
τὸ ἐπὶ τούτῳ II 70²; τὸ
μετὰ ταῦτα II 486⁷; τὸ πρὸ
τοῦ II 507⁵; τὸ πρὸ τούτου II
70²; τὸ πάρος II 70². 274¹·³;
τὸ πέραν II 541⁷; τὸ πρίν
II 70². 87¹. 654²; τὸ πρῶτον
II 23³. 70². 87¹; τὸ λεγό-
μενον II 78³; τὸ δὲ λεγόμενον
II 87¹; τὸ δὲ μέγιστον
II 617⁶; τὸ ποῖον; II 25, 7;
τὸ τί; II 25, 7; τὸ ἑωθινόν
II 70²; τὸ μεσημβρινόν II
70²; τὸ παλαιόν II 70²; τὸ
τῶν ἀφρόνων ἡ σφοδρά ἡ-
δονή II 606⁵; s. τά art.
neut. pl., ὅ, ἥ
το- pron. St. 600²
-το partic. 611⁴
-το 3. sg. Personalend. 657⁵.
658¹. 667⁴, 3. 669⁴, 4
-τό- Verbaladj. 357⁴
τόα (= ζῶια) 331⁶
-το/ᾱ- suff. 501¹, 1 ff. 503³;
ordin. 595¹·³
*τοδ 74⁴; *τοδ υ τοδ 611⁵
τὸ δέ; s. τό art.
τόδε 611⁷; τόδ' ἐκεῖνο, τοῦτ'
ἐ. II 209, 1; τόδ' ἡμέρας II
116⁴; τόδ' ἱκάνεις II 77⁵
τοζ rhod. (= τόδε) 208²

τόθεν II 413⁵. 648¹·³
τόθι Od. 628⁴. II 413⁵.
642⁵; 'wo' II 648¹·³
τοι partic. 334⁸. 602⁷. II
149⁴. 554⁴⁻⁵. 555³. 570².
580⁴⁻⁸, 2. 581¹⁻³·⁵. 703²⁻⁴;
τοι ἄρα II 559²; 580⁶; τοι
δή II 580⁶; ἀλλά τοι II
580⁶; ἐπεί τοι II 660⁶; ἐπεί
νύ τοι II 571³; ἦ τοι II
582²; ἤ τοι II 565¹; ἤ τοι –
ἤ II 580⁶; s. τ' (= τοι), τοί,
τάν, τάρα
τοι, τοί dat. (= σοί) lesb.
dor. hom. 600⁵. 602⁴·⁷.
604, 4. II 148¹·²·³. 189³·⁴,
4. 580⁵; s. τ' (= τοι)
τοί partic. II 556, 2; τοί
γάρ hom. II 580⁴. 581³·⁴·⁵
τοι du. art. arg. 557²
τοί nom. pl. pron. demonstr.
dor. hom. böot. 81⁷. 91³.
92¹. 382². 554³. 605⁵. 609⁵.
610⁵. 611³·⁶. II 21¹. 40⁴; s.
ταί pron.
τοῖ gen. sg. art. (= τοῖο,
τοῦ) ostthess. 555³, 3. 611²
τοῖ adv.: τοῖ – τοῖ 549⁶
-τοι 3. sg. ark. (= -ται) 88⁶.
344⁷. 669³, 4
τοῖ el. böot. (= τόδε) 612².
II 208⁵. 566⁵
τοίᾱς gen. sg. 610³
τοιαύτη ἀγαθή II 179⁷
τοιγάρ II 556⁴. 560⁷. 581³·⁴·⁵,
1. 582³; – οὖν II 581⁴
τοιγαροῦν II 553⁴. 560⁷.
581³, 1. 633⁶
τοιγάρτοι II 553⁴. 560⁷. 581³·⁴,
1. 633⁶
τοιγαρῶν II 581⁵
(*τοῖδε) 581⁵
τοιθορύσσειν 647³·⁴
τοιτ böot. II 208, 1
τοῖιν du. 557²·³
τοῖν du. art. 557⁵. II 35³
τοῖν· τίποτε kret. H. 617, 6
τοῖνδε II 49³
τοίνεος, τοῖνεος gen. sg. thess.
600². 612²
τοινι dat. sg. ark. 612²
τοινταυτ' (= τῶι ἐνταῦθα) 404⁴
τοίνυν II 553⁴·⁵. 569⁴. 571³.
581⁶·⁷, 1. 2. 582¹. 633⁶; μὲν
τοίνυν II 582¹
τοῖο (= σοῦ) H. 609, 1
τοῖο gen. sg. pron. demonstr.
hom. 273²·⁸. 348³. 555⁴, 3.
609⁵. 610⁵. 611²·³. II 21¹·²;
*τοῖο λύκοιο 273²
τοῖος pron. 609, 5. 612⁷. II
208⁶; τοῖος – οἷος II 677⁶;
τοίου γὰρ καὶ πατρός (sc.
εἰς) II 623³

[τοιός] lies: ποτ(ἑ) Soph.
391⁷ (s. 600, 3*)
τοιόσδε 389¹. 612⁷. II 210⁵
*τοῖόσδε 389²
τοίου gen. sg. hom. 609, 5.
II 623³
τοιοῦδε gen. hom. 611³
τοιοῦτο(ν) neut. 127⁷. 406¹.
609⁵, 6; – καὶ τοσοῦτον,
ὥστε II 678⁷
τοιοῦτος 612⁷. II 181⁶. 210⁵·⁶;
– c. adj. II 179⁷; – οἷος II
181⁶. 678⁵·⁶; – ὥσπερ II
668⁷; – ὥστε II 677⁶
τοῖρ el. (= τοῖς) 410³
τοῖς acc. pl. äol. (= τόνς)
280⁸. 287⁷. 831⁸
τοῖς dat. pl. art. 281⁵. 556⁴,
4. 611²
τοῖς du. ark. 557²·³
τοῖσ' dat. pl. art. hom. 556⁴
τοῖσδε dat. pl. 611³
τοῖσδεσι hom. (Od.) 556⁴.
611³
τοῖσδεσσι, τοῖσδεσσι 611³.
612¹, 2
τοῖσι dat. pl. pron. 556⁴.
609⁵. 611²·³
τοῖσι dat. pl. pron. interr.
616⁴, 2
τοισίδε II 694²
τοῖσιν dat. pl. pron. interr.
Od. 616⁴
*τοιυ nom. pl. pron. de-
monstr. 611⁴
τοῖχος 68⁶. 347¹. 458⁷; τοί-
χου τοίχου ngr. II 137⁴
τόκα nwgr. dor. böot. el.
629²·⁴·⁵; τόκα μὲν – τόκα δέ II
649, 0
τοκάω 731⁵
τοκέσι dat. pl. poet. spät
575, 4
τοκεῦσιν (= der Hekabe) II
46¹
τοκεών ion. 839¹
τοκῇε du. Od. 575⁵. II 45, 1
τοκῆες hom. II 45¹
τοκήεσσα 527⁴, 10
τοκῆς pl. II 45⁷
*τοκός 629⁴
Τολεμαῖος thess. 316⁸. 414²
τόλμα 283⁶. 360¹. 362⁸
τολμᾶν II 380²; τῷ – II 360¹
*τόλμια 283⁶
τολμῶ ἔρωσα II 393¹
τολμῶν II 408⁹
Τολοφώνιος delph. 278⁶
τΟλυμπίαι 404³
Τόμαρος 278⁶
τομίας lesb. 344³
τομός 381³. 383⁶. 420³
τόμος 381³. 383⁶. 420³. 457,
5. 459²

τόν acc. sg. m. pron. de-
monstr. 408⁶. 611¹; τὸν
καὶ τόν II 21³; τὸν δ' ἄορι
πλῆξ' αὐχένα II 617²
τόν anaph. (= αὐτόν) spät-
gr. II 190³. 191⁸; ngr. II 27⁴
τόν relat. ngr. (dial.) 615³
-τον 2. du. 666⁵. 667¹; 3. du.
667¹
τονδεονΕν arg. 612¹. II 208⁵
τὸνδεονέν arg. II 566³
τόνε thess. 612²
τονθορύζω 259¹. 647³
τονθρύζω 647³
τονθρύς 423³
τόνς acc. pl. 15⁴. 337². 396⁸;
knos. 556, 2
τὸνσσ έ- kret. 238³
τόντις 'wirklich' ngr. 622¹.
631⁵. II 170⁷
τονυ [so] 'hunc' kypr. 612³
*τόν υ II 576⁴
τοξάζομαι 734⁵
τοξεύω (-ειν) II 365⁴; – τινός
II 104⁸; – c. acc. II 105⁶;
– ὑπὲρ τῶν πρόσθεν II 521¹
τόξον 459². 517¹. 827⁵. 837⁴;
– φίλον voc. II 62²; τόξα II
43⁴. 51³
τοξότα voc. sg. 560⁶
τοπάζω 735²
τόπος II 102³; -οι οἱ περὶ
Φωκίδα II 503⁸
τορβηλος 258⁷
τορεῖν 362⁷; s. ἕτορον
τορέω 720¹, 3. 747¹, 1. 754⁴;
*– 720¹
τορῆσαι aor. hom. 720¹; s.
ἐτόρησα
τορμᾶν 267⁵
τορμήσῃ 213²
τόρμος 360³. 362⁸. 492⁴
τορνευτολυρασπιδοπηγοί 453¹,
1
τόρνος 259⁸. 362⁸
τορός 459⁴
τοροτίξ 620⁶
τόρρα hom. 407⁶. 610¹
τὸρρέντερον II 379, 3
τορύνη 491⁴
τορύνω 733⁴
Τορώνη 255⁷
τός acc. pl. (= τόνς) 15⁴.
396⁸; el. 404³; knos. 556, 2
-τος suff. adj. 500³·⁴. 501⁵,
11; Verbaladj. 502⁴ f. 706³.
810³. II 150¹. 241⁷ f.
-τος Ausg. adv. 630²⁻³
-τος Ausg. n. 513¹
-τος suff. gen. neut. 520⁷, 4f.
552², 2
-τος suff. ngr. 503⁴. II 410⁶
-τός suff. Verbaladj. tsak.
812, 1

τοσαυτάκις att. 598¹
τόσο ngr. 612⁷
τόσος neut. 612, 3. II 35³
τόσον adv. 621²
τόσος 612⁶·⁷. II 208⁶; τό-
σος – ὅσος II 677⁶; τόσος
καὶ τόσος II 216²; ngr. 612⁷.
614⁵
τοσόσδε 389¹. 391⁵. 612⁷. II
210⁵
τοσοῦτο δέ II 618¹
τοσοῦτον n. 406¹; – .. ὥστε
II 678⁷
τοσοῦτος 612⁷. II 210⁵·⁶.
216³; τοσούτῳ II 164²
τόσσαι Pind. 755, 2
τόσσαις böot. (Pind.) 82⁶.
755, 2
τοσσάκι hom. 598¹,2.II 652⁵·⁶
τοσσάτιος spätep. 612⁶
τοσσῆνος dor. 612⁷. 613²
Τόσσις att. 211⁵
*τοσ(σ)οντόνδε 612⁷
τόσσος 612⁶·⁷. II 208⁶; τόσ-
σοι 'so viele' 461⁴. 612⁶
τοσσόσγε 389¹
τοσσόσδε 612⁷
*τόσσος τῆνος 613²
τοσσοῦτον n. hom. 610, 0
τοτέ 629²; τοτὲ μέν – τοτὲ δέ
610⁶. II 649, 0
τότε ion. att. ark. 629². II
269⁸. 413⁵. 415⁷. 427⁷. 554¹.
634³. 649, 0; τότ' ἄλλος,
ἄλλοθ' ἄτερος II 649, 0;
οἱ τότε II 416¹. 622⁶
τότες ngr. (dial.) 631⁵
*τοτι 461⁴
*τοτjοι 'so viele' 612⁶
τοτο altatt. 611⁵
τοτοί II 601¹
τοτοτοῖ II 601¹
τότω att. (= δότω) 207⁵.
257¹
του 'du' böot. 602¹
του (= τινός) 616¹·². II 213⁸
του (= αὐτοῦ) ngr. 613⁶. 614⁵
τού acc. pl. (= τούς): – νό-
μους 217¹
του- pron. 611⁴·⁶
τοῦ: τὸ πρό – II 507⁵
τοῦ (= τίνος) att. 615⁵, 7.
616²
τοῦ relat. ngr. 615³
τοῦ gen. sg. m. art. 611²; c.
infin. II 359². 362⁵; – –
LXX II 372⁴; τοῦ μή
II 595⁷; τοῦ λοιποῦ II
70². 113³; τοῦ λοιποῦ χρό-
νου II 113³
τουβί(ν) 132, 1
τούγα böot. 606³
τοῦδε gen. hom. 611³; –
εἵνεκεν Hdt. II 672⁶

τουμβᾶς 132, 1
τούμόν (= ἐγώ) att.· II 202⁶
τούμπαλιν II 69⁷
τούν 'σύ' böot. 606³
τούνεκα, τούνεκα II 413⁶.552⁵.
628⁷
τούνεκεν II 552⁵
τούνη lak. (H.) 606³
τούννεουν gen. pl. thess. 612²
τούν νόμους delph. 408²
τούνομα 402²; – ἐπὶ πατρός
kret. 551³
τούξανιστάναι II 371⁶
τούπὶ σέ II 308²
τούπίσω: εἰς – att. 540⁶
τοῦπος 402¹·³
Τοῦρκος: ὁ – II 42⁴; Τούρ-
κους τρεῖς χιλιάδες ngr. II
616, 2
τους acc. pl. pron. encl. m. f.
ngr. [nicht τες] II 201⁷
τούς acc. pl. art. 15⁴. 280⁸;
s. τού
τοῦτα delph. eretr. 611⁶
τουτάκι 598, 3
τουτάκις delph. eretr. Theo-
gnis, Pind. 598¹, 3. 611⁶
τούτει Kyme 611⁶
τουτεῖ 384⁴. 549⁶
τουτεινοῦ gen. sg. (τοῦτος)
ngr. 614⁵
τουτέων gen. pl. m. 114³. 611⁷
τούτην Koine, ngr. 611⁶
τουτί att. 400⁴
τοῦτο 611³·⁴·⁵. II 468²; τοῦτο
δέ NT II 618¹; τοῦτο πηγὴ
καὶ ἀρχὴ κ. II 606⁸; τοῦτ'
αὐτό att. II 211⁸; τοῦτο
ὅτι II 209⁶; τοῦτο ὡς II
209⁶; τοῦτ' ἀφικόμην II
77⁵; τὸ πρὸ τούτου II 70²
τοῦτο 'deshalb' II 77⁷; vgl.
τό
τουτογί 611⁷. II 561, 3
τουτοδί 611³
τοῦτοι nom. pl. dor. 611⁴
τούτοιν f. att. 611⁶
τούτοισι hom. 611³
τοῦτον τὸν τρόπον II 78²
τοῦτος ngr. 614⁵
τουτοτρόπως 632⁶
τούτου gen. 611³
τουτουί att. 400³
τουτουμενί 611⁷
τουτουνοῦ gen. sg. m. n. 614⁵
τουτῶ adv. lak. koisch 550¹.
II 90⁸. 647¹
τουτῶθεν dor. 628². II 171⁶
τουτωΐ att. 400⁴
τούτων gen. pl. f. att. 559³.
611⁶; – ὧν σὺ δεσποινῶν
καλεῖς II 641³
τουτῶν gen. pl. m. n. dor.
556³. 609⁵, 5

τουφαγο (= τοῦ Εὐφάγου) II 517, 7
τουφυλιδα (= τοῦ Εὐφ-) II 517, 7
τούχα böot. 182¹
τοφιών 488²
τοφιῶνας her. 344⁴
τόφρα 631¹. II 642⁵. 649, 0. 651³·⁷, 4
*ττ 325⁵
-τρᾶ suff. verbal. 532⁵·⁶
τραγάω 731⁵
τραγε/ο- 748²
τραγεῖν 359⁴
τραγέλαφος 453²
Τραγεύρινα 224⁴
τράγος II 31³
τραγουδῶ ngr. II 281⁵
τραγωδεῖν II 73³
τραγώιδιαι j.-att. 383³
τραγωιδιδάσκαλος 263⁷
τράδα ngr. (dial.) 214³
τράμις 495³
τράμπις 829⁷
τρανής 360³
τρανός 360⁶
τραπε/ο- 747⁵
τραπεδίτης 827³·
τράπεζα 337⁵. 352². 473⁶. 590, 2; τραπέζῃ loc. II 154¹; ἐπὶ τῶν τραπεζῶν II 470⁶
τραπεζῆες 477¹
τραπεζιτεύειν (τοῦ) II 361⁶
τράπε(ϑ)ϑαι πὰρ τᾶι ματρί II 494²
τραπεῖν 342². 358⁷
τραπέμπαλιν Pherekr. 633³
τραπέσϑαι c. dat. II 148⁵
τραπέω 720, 4
τραπη- att. 759³
τραπήομεν conj. hom. 342². 759². 792⁵
τράπ ΟΝΤΟ ἐπὶ ἔργα II 472⁵
τραποῦ imper. 799³
τράπω 685²
τράρόν dor. 281⁶. 482, 14
τρασιά 469, 8; τρασιαί 307⁶
*τράσρ- 281⁶
*τράσρων 187³
τραυλός 483⁴
τραῦμα 347⁷. 523¹. 743²
τραυματισϑεὶς πολλά II 79³
τραύξανον 517²; τρ κύξανα 346². 359⁷
τραύσανον 215⁵. 517²
τραφε/ο- 747⁵
τραφέμεν II 376³
τράφεν 759, 3. II 239²; s. ἔτραφον
τραφεὶς κ. πατρός II 94²
τράφη ion. 268⁸
τραφη- hom. 759³
*τράφηντ 759, 3

τραφϑη- hom. 759³
τραφϑῆναι 771⁷
τράφον 759, 3
τράφω 109⁸. 357². 685²
τράχεῖ du. ion. (Choirob.) 573⁵
Τράχίς 465⁵
τράχύνω 775⁴
τράχύς 463²; – τῇ φωνῇ II 168⁵
τράχυτής 382⁷
τράχω 685²
τρέ · σέ kret. 223¹. 320²
τρέες kret. (gort.) 241⁵. 251⁵. 313². 571⁶, 4. 589⁴
τρεῖς att. 248⁸. 291². 309². 377⁷. 553⁴. 571⁷. 589⁴·⁵; – acc. pl. att. 589⁵; – καὶ δέκα 594²; – ἥμισυ ngr. 599⁴
τρεισκαίδεκα 445⁸. 594². II 176²
τρεισκαιδέκατος 596³
τρέμιθος 267⁷
τρέμω 684⁴. 720¹. II 226⁵; ngr. 764³
τρέξιμο n. ngr. 809⁷
τρέπεδδα böot. 256¹. 275¹. 589, 4; τρεπέδδας 331⁶
τρέπομαι (-εσϑαι) II 230⁴; – τινα II 231⁶; – ἑκάς II 538, 2; – ἀπονόσφι II 540³; s. ἐτρεψάμην
τρέπω 295⁶. 358⁷. 684⁴. 685². 747⁵. II 230⁴; – c. abl. II 91⁶; s. ἔτραπον, ἔτρεψα, τέτροφα, τρέψω
τρὲς ion. att. 73⁷. 313²
τρεσ- 755²
τρεσᾶς 461⁷
τρέσητε conj. 791²
τρεσσ- 755²
τρέσσαι 418⁷
τρεφϑη- Eur. 759³
*τρέφοια 665¹
τρέφοιν 1. sg. 660¹. 665¹
τρέφομαι II 234¹. 624⁴; τρέφεται II 224⁷; τρέφομαι ἐμαυτῷ ϑρέμμα II 236¹; s. τέϑραμμαι
τρέφω 684⁴. 747⁵. 771¹, 7. II 80¹. 234¹; s. ἔϑρεψα, τέτροφα
τρέχα imper. ngr. 804²
τρέχας ngr. 800²
τρεχέδειπνος 430²
τρέχνος 512⁷
τρεχούμενα νερά II 410⁷
τρέχω 747⁶. 755³. 781⁶; – -ειν II 258⁴; – περὶ ἑωυτοῦ II 502⁶; τρέχει χρυσὸ φίδι τὸ νερό ngr. II 619, 1; s. ἔτρεξα, ἔϑρεξα
τρεψάμενοι Od. 755³
τρέψω fut. [τρέπω] 747⁵. 782⁵

τρέω 685⁵. 706⁸. 755². II 226⁵; s. τρέσσαι
τρηγαλέον 223¹
*τρηδών 529, 4
τρῆμα 149². 346⁴. 360⁴. 523³
τρηματιζόντεσσι Sophr. 564⁵
τρηματικτᾶς dor. 360⁴
τρήρων ion. hom. 187³. 190¹. 281⁶. 487⁵. II 34⁴; – πέλεια II 176⁴
τρῆς äol. (lesb.) dor. ther. 248⁸. 313². 589⁴
τρῆσαι att. 360³
Τρητὸν ὄρος 360⁴
τρητός 346⁴. 360⁴. 361⁴
τρηχέη 474, 2
τρηχείων neut. Hippokr. 581, 2
τρι- compos. 589⁵, 4. 5
-τρια suff. f. 473¹·². 475²·³
τρία n. pl. 581², 4. 589⁵; – καὶ δέκα 594²
(*τρία n. pl.) 581, 4
τριαγμός 589⁵
τριάδελφαι (αἱ) or. Sib. 589, 5
τριάζω 589⁵, 5
τρίαινα 475, 6. 589⁵
τριακάδιοι kyren. 597¹
Τριακαδίων 597¹
τριακάς 597¹. 599²
τριάκις lak., Soph. 598¹
τριάκοιστος lesb. 287⁸. 596²
τριάκοντα att. 581, 4. 591⁴. 592¹. II 176²; οἱ – II 25³. 471²; – πέντε 594⁶
*τριάκοντα 592¹
τριακοντάκις Plut. 598¹
τριακοντοδράχμου lokr. 593⁶
τριακόντορος 255⁶
τριακοντούτᾶς acc. pl. 580, 1
τριακοντούτης Thuk. Plat. 593⁶
τριακόσιοι 593¹. II 182³
τριακοστόδυος Nikom. 596³
τριακοστός 596²
τριάντα ngr. 265¹. 592³, 5; ὁ – 595, 1
τριάς 597²
τριᾶς siz. 528³. 599⁴
τριβακός 497¹
τριβη- pass. 759⁵
τρίβολος 439⁴
*τριβολωλ- 263²
τρίβος 459¹. II 34, 3
τρίβω 302². 685⁴. 702⁴. 759⁵. 771⁷
τριβώλετερ lesb. (Alk.) 263². 569⁸
τριβωλέττηρ 568⁸
τρίβων c. gen. II 108²
τριγλοφιᾶν delph. 182³
τριγόλας 484⁵
τριγύρω 'ς II 437³
τρίδιπλος spät 598, 8

τρίδυμος 589³. 598, 8
Τριενδασις 152⁷. 202⁶
*τριέρητον 274⁴
*τρίεσσι dat. pl. 589⁵
τρίετες hom. 514, 1
τριέτην acc. sg. j.-att., Koine 579⁴
τριέτηρος 482⁶
τρίζειν 334⁴; -ω 716³
τριημίγυον her. 219²
τριηκάς Hes. Hdt. 597¹
τριήκοντα ion. 581, 4. 592¹
τριηκόντεσσι Anth. P. 592²
τριηκόντων gen. pl. ion. Hes. 592². II 176²
τριηκόσιοι ion. 344⁴. 593¹
τρίήμερον II 40²
τριημίγυον 599³: s. τριημ.
τριημιολία 264¹. 599³
(τριηρημιολία) 264¹
τριήρης 578²; τριήρην j.-att., Koine 579⁴; ἡ τριήρης (ναῦς) II 175⁵; τριήρους ἧς.. καινὴν ἀποδώσειν II 641³; s. τριήρων
τριήρων gen. pl. 382⁸. 579³
*τριηρῶν gen. pl. 579³
τρίινς acc. pl. kret. (gort.) 575, 2. 589⁵
Τρίκκα ON 638⁴
*τρῖκοντα 592¹
Τρικόρυνθος 60⁷
Τρικορύσιος 272¹
*τρικόσιοι 593¹
τρίχρος 583, 5. 589, 5
τρικτευαν delph. 459, 7. 597⁴
τρικτύα Epich. 597³
τρικτύς Sophr. 597³, 5
τριμίσκον 542³
τρῖμμα 523, 6
*τρινς acc. pl. 589⁵
τριξᾶς siz. 599⁴
τριξός ion. 322². 598³
τρίοζος 397⁶. 439⁵
τριοῖς 564⁸. 565¹
τριοῖσι dat. ion. Hippon. 565¹. 589⁵
τριοττίς att. 298⁵. 319³. 518²
τρίπαλαι 589, 5
τρίπεζα 275¹
τριπήχη Xen. 573⁴
τρίπλαξ hom. 598, 8
τριπλῆ 598⁴. II 163⁵
τρίποδ- 438¹
τρίποδας amorg. 590, 2
τρίπον acc. sg. m. Anth. P. 565, 3
τρίπος hom. 565, 3
τρίπους, -πουν Aesch. 565, 3
Τριπτόλεμος v.-att. 100⁴. 255⁶
τριπτυς keisch 597⁴; -ύν 87¹
-τρίς suff. 465², 1

τρίς adv. 597⁶; – ἐννέα 594⁶; – μύριοι Hes. Hdt. att. 593⁵; – τῆς ἡμέρας II 114⁷; εἰς (ἐς) τρίς II 460¹; ἐπὶ – II 466¹. 472⁶
τρίς nom. pl. her. 564¹
τρίς nom. pl. 589⁵
τρῖς acc. pl. altatt. 87⁵. 287⁵. 589⁵; vgl. 563, 1
τρισειναδα Hes. 591¹
τρισί dat. 589⁵
trisirés (= τρεῖς σ-) ngr. 230⁵
τρισκαίδεκα 337³. 589⁵. 594²
τρισκαιδέκατος 596³
τρίσμακαρ 632⁶
τρισσάκις Anth. P. 598¹
τρισσάτιος Anth. P. 598⁴
τρισσεύω 598³
τρίσσι dat. lesb. 589⁵
τρισσός 598³
τριστοιχεῖ 623⁵
τριταγωνιστής 453, 5
τριταΐζω 596⁴
τριταῖος 596⁴
τριταρτημόριον Poll. 596, 2
τριτάτη μοῖρα 599²
τρίτατος hom. 504¹. 596¹
τριτεῖα n. pl. 596⁵
τριτεύω 596⁴
τριτημόριον 599²
τριτημόριος 438⁴
Τρίτιος ark. 595, 5
τριτο- compos. 589, 5
τριτοπάτορες 453, 5
τρίτος 381⁴. 595⁷. 596³; – ἀπὸ Διός II 447⁵; τῇ τρίτῃ II 158⁷; τρίτον ἔτος τουτί II 69⁸; τρίτος αὐτός II 211⁴; – καὶ δέκατος 596³
τριτώωσα σελήνη Arat. 596⁴
τρίτρα gort. 532². 596⁵
τρίττοι(ι)α 597³
τριττός att. 598³
τριττύς att. 316⁸. 597³·⁴
τριφάσιος 598⁵
τριφθη- 759⁵
τριχ- 566¹
τρίχα 598²
τριχάϜικες 93⁴. 437⁶
τρίχες II 43⁵
τριχῆι 630⁴
τριχθά 598³
τρίχινον II 446, 5
τριχόθεν 630⁴
τριχοίνικος 450⁶
τριχοῦ 630⁴
τριχῶς 630⁴
τριχώσιος 'über B.' II 133²
τριώβολον 398²
τριώβολος 454³
τριῶν gen. 589⁵; – ἥμισυ στ. Strab. 598³
τριώρυγος 352¹

trjá ngr. 245⁴
-τρο- suff. 530⁵, 4. 531²
Τροζάν 276²
Τροιζάνιος ῀arg. 276²
Τροιζήν 276⁵
Τροίη 104²; Τροίη 79⁵. 469¹
Τροίηθεν 552¹. II 90, 1; ἀπὸ – Ilias 628². II 171⁵⁻⁶
τρομᾶν (= τολμᾶν) 267⁵
τρόμεσκε Hes. 711⁴
τρομέω hom. poet. 339². 720¹; s. ἐτρόμησα
Τρόμης 635⁶
-τρον suff. für -τον 532³
τρōōσάντōν, τρōōσει kret. 738, 6
τρόπα 623, 1
τροπάδια 623, 1
τρόπαιον 383¹; – c. gen. II 132¹; τρόπαια βαρβάρων II 121⁵
τροπαλίς 484³
τροπέοντο H. 720, 4
τροπέω hom. 720², 4
τροπή 358⁷; (term.) 45²
τρόπις 462⁴
τρόπος 821³; τρόπω II 162⁷; – ὁτωιοῦν II 584, 4
τροπός 459³
τροφέοντο hom. 720²
τροφεύς II 32²
τροφή II 32²; c. dat. II 153⁶
τρόφηξ äol. 497⁴
τρόφι hom. 542, 4. 609⁴
τρόφις 462⁴. II 176⁶
τροφείς 527⁶
τροφός m. f. 459². II 32²
τροφώ spätgr. 478⁵. II 32, 4
Τροφώνιος 205⁶. 255⁷
τροχίλος 485¹
τρόχις 462⁴
τρόχμαλος 492⁴
*τροχμός 492⁴
τροχός 339². 381³. 459³. II 258⁴
τρόχος 381³. II 258⁴
τρυγάω hom. 725⁶. 731⁵; τρυγῶσιν II 245⁵
τρύγη 836⁴
τρύγοιπος 299⁶. 836⁷
τρυγοιπός 426³
τρυγών 487¹
τρύζειν 334⁵; -ω 714⁶. 716⁴; s. ἔτρυξα
τρύπανον 702⁴
τρῦσος 516⁶
*τρυτός 337⁵. 596¹
τρυφάλεια 351². 352². 357⁵. 590²
τρύχνος 334⁵
τρῦχος 496⁵. 512⁴
τρύχω 685⁴. 702⁴
τρύω 686³. 702⁴
Τρωάδα 162⁵

τρωγοδύται 830⁸
Τρωγοδύται 260⁴
τρώγω 340⁴. 359⁵·⁶·⁷. 685⁴.
　748². 781⁶. II 226²; s.
　ἔτραγον, ἔτρωξα
τρώει hom. (Od.) 685⁴. 722¹
Τρῶες hom. 480³. II 45³
Τρωιαί 473, 1
Τρωϊκά (Τρωικά): τὰ - II
　175¹. 486⁶
Τρώιλος 485¹
τρῶμα 346²
τρωματίζω II 272²
τρωννύω 699⁴
τρώξ 424³
τρωξαλλίς 346²
τρώξανον 517²; τρώξανα 346²
τρώξομαι 781⁶
Τρωός gen. II 45³
τρωπάομαι hom. 719²
τρωπασκέσθω H. 711⁶
τρωπάσκετο Ilias 711³
τρωπάω hom. 358⁷. 719²
Τρώς 378³; s. Τρωός, Τρῶες
τρώσεσθαι II 295⁴
τρώσω 782⁵
Τρώτιλον II 86²
*τρωτός 361⁴
*τρώυγω 346²
τρῶυμα ion. 346²
τρωχάω hom. 719²; τρωχᾶν
　περὶ τέρματα II 504¹
*ts 321³·⁵·⁸; *ts > ττ bzw.
　σσ 308³. 320⁴·⁵
Τσάκωνες 825²
τσί (= τούς) ngr. (dial.) 563⁷
*tsw- 320¹
ττ 86¹; att. eub. böot. 75⁵f.
　81⁴. 87². 91³. 115², 1. 316⁷.
　317⁶·⁷·⁸ff.; Ausspr. kret.
　el. 331⁷; ττ aus tj bzw. ts
　att. kret. 320⁴·⁵; ττ in
　Koine 121³. 127⁷; ττ böot.
　< -ts- < -tj- 308³; ττ att.
　< tj 320⁷·⁸; ττ < πτ
　211³·⁴; ττ kret. < κτ 256⁷;
　ττ kret. < στ 216⁶; ττ att.
　st. σσ 81⁴. 320⁴⁻⁸. 723, 8
-ττ- fut. aor. böot. 738¹
ττα neut. pl. pron. att. 319⁵.
　413⁴; ἀλλά ττα 115, 1. 616⁵
-ττα 616⁵
Τ(τ)ῆνα kret. 331⁶. 414³. 577¹
Ττηνί dat. kret. 577², 3
Ττηνός kret. 577¹, 3
ττολι- thess. 325⁴
ττολίαρχος thess. 88⁴. 90⁷.
　105⁸. 316⁸. 414³
τυ anl. geblieben 272⁴; τυ >
　böot. τιου 233³; τυ nach
　Vok. > συ 272²
-τυ- suff. 506³ ff.; s. -τύς
τύ 'du' dor. lesb. (gramm.)
　600⁵. 602¹·⁷

τυ acc. sg. (= σέ) dor. phok.
　602². 603, 1
τῦβι 462⁵
τύγα dor. 606³
τύγχανε hom. 699⁵⁻⁶
τυγχάνειν τοῦ II 360⁶
τυγχάνω 699⁶. 701². 747⁴.
　756². 781⁶. II 16². 377⁴.
　624⁴; - c. acc. II 104⁵; - c.
　infin. II 396⁴; - c. praedic.
　II 395¹; - c. ptc. II 392¹⁻⁵,
　3. 6; - τινός II 104³; - -
　παρά τινος II 497⁷; - - πρός
　τινος II 514⁵; - - παρά τινι
　II 494⁴; - τιμωρίας ὑπό
　τινος II 227²; - παρών II
　386⁷. 392²; - ἐών II 392⁴;
　λελαβηκώς II 392⁵; -εις
　δρῶσα II 392³; s. τυχεῖν
τῦδε adv. H. 622³
Τυδέα acc. sg. hom. 576²
Τυδέος gen. sg. hom. 576²;
　- υἱός 576². II 177⁴
Τῦδεύς 477⁴. 478¹
Τύδης Antim. 575⁶
Τυδυς 478¹. 576²
τυῑ · ὦδε kret. (H.) 622³
τυῑ 'diese' böot. 612². II
　208⁵, 1
τυῑ 'hierher' II 157⁶
*τυῑ 'da' 610, 7
τυῖδε adv. äol. 200¹. 622³.
　II 157⁶
τυίν (= τούτῳ) H. 610, 7.
　622³
*τυκνός 327⁶
τυκτός 347⁴
τύκω 685³
τύλη 308⁵
Τύλισος ngr. (kret.) 395⁴
τυλίσσω 733⁵
τύμβος 295⁶. 308⁵. 496², 2
τύμπανον 490, 1. 702¹
Τυμφαία 334⁵
Τύμωλος 278⁶
τύν nom. böot. 840⁷
Τυνδαρίδαι 509⁵
Τύνδαρος 157⁸
τύνει böot. 606³
τύνη hom. dor. 602¹. 606³
τυννοῦτος Aristoph. 612⁷
τύντλος 533¹
τυπ- 702¹
τύπανον 490, 1
τυπείης Ilias 759⁵
τυπείς 757⁵
τυπέντ- 759⁵
τυπήσω fut. 783²
τύπος 459¹
-τύπος 450⁶
τύπτε, τύπτες ther. 660, 2
τυπτήσειν II 376⁵
τυπτήσω fut. 127⁷. 752⁴.
　783²; s. ἐτύπτησα

τύπτομαι II 230⁵; - c. acc·
　II 72⁵; - πληγάς II 80⁷;
　τύπτεται ἕλκος II 79⁴; -ε-
　σθαι ὑπ' ἄκοντι II 526⁴
τύπτω 334⁵. 702¹. 705¹.
　752³·⁴. 759⁵. II 230⁵;
　-ειν πληγάς II 75⁶; - τινά
　κατὰ τοῦ τραχήλου II 479⁸;
　s. τυπτήσειν, -ήσω
τυραννεύω c. gen. II 109⁶.
　110²·⁵
τυραννέω II 109⁶
τυραννί voc. 565, 4
τυραννίς f. 465³. II 605⁸; -
　ἡ περὶ Φίλιππον (= Φιλίπ-
　που) II 504⁶
τύραννος 316¹. 491⁵. II 31⁵.
　614⁵
τύρβα adv. 623, 1
τυρβάζειν 334⁵
τῦρέω 726³
τυροπωλῆσαι τέχνην II 73²
τῦρός 481, 11; οἱ τυροί II 43²
Τύρος 153²
τυροῦττα 528²
Τυρρηνός att. 285⁷
τύρσις 64⁶
Τυρταῖος 337⁵. 590²
Τύρταμος 590²
*τυρτο- 381⁵
*τυρτος 'vierter' 590². 596¹
*τυρτός 337⁵
Τυρώ 478, 6
-τύς f. suff. 505⁴. 506⁵-507².
　596⁵. 597³⁻⁴. II 356⁴
τύσσει H. 715²
Τυτάρεως 257¹·²
τυτθά adv. 621²
τυτθός 316². 511, 2
*τυτύσκομαι 648⁶
τῦφεδανός 343³. 486⁴. 530²
*Τυφειδίδης 257²
τυφλὸς ἐκ δεδορκότος II 463⁷;
　- εἰ τά τ' ὦτα II 85⁵
τυφλώσσω 530³
τύφω 261⁵. 685⁴. 702⁴. 759⁶.
　831¹
Τυφωεύς 477¹
Τυφώς att. 480³. 558¹
τύχα II 623⁴
τύχα instr. 550⁴
τυχάγαθῆι 402⁴
τυχάνη delph. 207¹
τυχε/ο- 747⁴
τυχεῖν II 376⁴. 380². 382⁷;
　ὦν σου - II 94⁶; τὸ - II 370³
Τύχη σωτήρ II 385¹·⁶
Τύχης nom. sg. f. 562¹
τύχησε ἐρχομένη II 392³;
　τυχήσας ὑπὸ στέρνοιο II
　527⁶; s. ἐτύχησε
τυχικόν 156⁵
Τύχικος 162⁵
τύχοι II 322⁸

τυχόν adv. 621². II 413⁸
τυχόντες σου ταῦτα II 94⁶
τυχόντως 624²
τύχωμι 661⁵
*τύψαια 1. sg., -ψαιαν 3. pl.
opt. 797²
τύψε II 81, 2
τύψεια Choirob. 796⁷. 797²
τώ 557⁵. 609⁴. II 35³; τὼ
δέ II 609⁴; τὼ θεώ II 609⁴
τώ partic. Ap. Dysk. II
579¹, 1
-τω verba 704²
-τω 3. sg. imper. 801¹⁻⁵, 1. 2.
802⁵·⁶. II 339². 340². 342¹.
380⁶. 383⁶
τῶ partic. (abl.) 'so, dann,
deshalb, darum' hom.

404⁷. 623⁶, 14. II 20⁵. 411⁷.
579¹·², 1. 647¹; τῷ 579¹
τῶ kleinas.-äol. < τῶι 233²
Τωβίας 162⁵
τὠγαθῶ dor. 402⁵
τωι (= τινί) att. 616¹·²
τῶι (= τίνι;) att. 615⁵, 7.
616²
τῶι > kleinas.-äol. τῶ 233²
τωινυ ark. 612³. II 576⁴
τωλυμπιω 404⁴
τὤμισυ 402¹·⁶
-των 3. pl. imper. 802³⁻⁷
τὼν äol. (= τῶν) 383⁷
τῶν gen. pl. art. 611²
τώνα kret. 331⁶
τῶνδεων Alk. 612¹
τὤνδρες dor. 402⁵
τωνι gen.sg. ark. 612². II 208⁵

τωννυ ark. 612³
τῷ ὄντι II 170⁷
-τωρ suff. 531⁴, 11; in PN
531, 4
τώρα 'jetzt' ngr. 622¹
τωρακλέος (= τοῦ 'Ηρ.) 221¹
τως (= αὐτῶν) ngr. (dial.)
614⁵
τώς adv. 'so' dor. 15⁴. 280⁸.
II 577⁶·⁷
τῶς adv. 'so' 404⁷. 409⁸.
410¹. 611². 623⁶. 801². II
91². 577⁶·⁷. 642⁵. 662⁷
*τῶς 410¹
-τωσαν 3. pl. imper. 127⁷.
802⁵·⁶⁻⁷
τῷ τρόπῳ πόθεν λαβών; II
405⁶
τὠυτό ion. dor. 203³. 402⁵

# Υ

υ 143²; (= u) 87²; alte Aus-
spr. 91. 155¹; lak. Ausspr.
als u 94¹; (= ü) ion. att.
81². 85⁷. 156²; in Koine
128⁶; υ als Kürze u. Länge
349⁷·⁸ f.; υ vor Vok. als uʷ
ausgespr. 399⁶·⁷; υ wech-
selt mit ū 350⁶·⁷; ū ion. att.
aus ū 621, 10; υ aus idg.
ū 349⁷·⁸; aus idg. o 350⁷;
υ böot. für οι 91²; υ aus λ
81⁴; υ assimiliert α 256¹;
assimiliert ε 255⁸; assimi-
liert ι 256¹·²; υ wird assi-
miliert durch ι 256²·³; υ
dissimiliert zu ι 351⁶; ῠ
> ion. att. ū 233²; υ = i
256³; υ > kleinas.-Koine i
123⁵; ü > spätgr. i 184¹; υ
(= ü <υ und οι) >i 233⁸; υ
aspiriert spät 304⁷. 305³·⁴; υ
Rest einer Stufe we 350³; ῠ
Schwachst. zu ευ 350²; ῠ
ablaut. als Schwachstufen-
vok. 350²; υ:ε Ablaut 571⁵;
υ (=u) vor ungleichem Vok.
unsilbisch 244⁶·⁷; υ in Ver-
balwz. 685³; υ unkontrah.
in Kompos.fuge 397⁶; ū
Schwachst. zu we 350⁴; ū
Reduktionsvok. von ē ō
ā+u 350⁵; ū aus υι 795, 4;
ū kontrah. < υυ 248⁶; ū-
augmentiert 655¹; s. *hυ-
-υ: kein Hiat vor Vok. 399⁶
-υ ark. < -ο 88⁶
-υ subst. 463⁵, 3
-υ adv. 620⁴
-υ dat. sg. böot. 556¹
-υ nom. pl. böot. 556²

*-ū loc. sg. hom. 570, 1
-υ- suff. 462² ff.
ὑ- 433¹
*ὑ- pron. 601⁶
ὑ- praep. kypr. 434⁵. 631, 2.
II 432⁵
υ pamph. (= ὁ) 182⁴
ῠ augm. 655¹
*υ partic. II 560, 1. 576⁴
-u f. (gen. -us) ngr. 585⁷
ū aus ou 192⁶·⁷. 577, 9; –
aus oo kontrah. 249²
ὁ praep. II 517⁴
ὁ praep. 631, 2. II 517⁴ f.;
ὁ τύχα kypr. 550⁴. II 517⁵
ὁ Ϝῆρι, ὁ πίϝαϝι II 517, 5
ὄ, ὃ Schnüffellaut II 599, 2
ὅ 160⁴. 163⁵; – (ψιλόν) 140⁵
υα f. 'filia' lesb. 574, 2
-υα neut. pl. 581²
ὑα- < ϝα- 305⁴, 3
-υᾶ acc. sg. < -υέα 579³
'Υαγνις 305, 3
'Υάδες 508². II 52¹
ὕαινα 475⁴, 5
ὑάκινθος 224², 1. 305⁴. 510⁶
ὑαλᾶς 128⁵
ὑαλέος 484³
ὕαλος att. 243⁷. 305, 3
'Υάμπολις 399, 1
"Υαντες 526⁴
-υας acc. pl. 571²
υασις 153¹
'Υᾶται 36⁵
ὑβ- [= ὑπό] II 522⁶
ὑββάλλειν hom. 265⁵. II 522,4
'Υβρέστας thess. 275¹
ὕβρεως gen. sg. 572, 3
ὑβρίζειν II 380¹; ὑβρίζω
735⁵; ὕβριζαν 754¹; -ίζω

ὕβριν II 75²; – (εἴς) τινα II
73⁷
ὑβρίζομαι ὕβριν II 80⁵
ὕβρις 495²; – κατά τινος II
480²; s. ὕβρεως
ὑβρίσματα συγγόνου II 121⁴
ὑβριστής 543⁴
ὑβριστ(ικ)όν 542, 3
-υγγ- suff. 498³, 6. 521⁵
ὕγγεμος kret. kypr. 324².
II 487, 3. 517, 5
ὑγεία hell. 194²
ὑγεῖα 469⁵
'Υγεῖνος hell. (= ὑγιεινός)
15³. 248⁶
ὑγῖα 254³
ὑγιάζω 732¹. 735⁴
ὑγιαίνω 733². II 280³; -ειν
τὰς φρένας II 85³
ὑγιᾶνα 653²
ὑγιγαίνις (= ὑγιαίνεις) hell.
209⁴. 312⁷
ὑγιείᾱ, ὑγιείη 469⁵
'Υγίεια 469⁵, 4
*ὑγίεις 527, 3
ὑγιέστερος 535⁴
ὑγιῆ acc. sg. 189⁵
ὑγιῆν acc. sg. 579⁴
ὑγιήν acc. sg. 586, 6
ὑγιηρέστερος 535⁴
ὑγιηρός 483¹. 586³
ὑγιής 189⁵. 298⁶. 304². 425¹,
1. 433¹. 513⁵. 586, 6. II
624¹; s. ὑγιῆ, -ῆν, -ήν,
ὑγιοῦ, ὑγιέστερος
'Υγῖνος hell. 248⁶
ὑγιοῦ gen. sg. 586, 6
ὑγιόω 732¹
ὑγιώτερος 535⁴
ὑγράζω 735²

ὑγρός 298⁶. 305¹. 481⁵
ὑγρώσσων σπόγγος Aesch.
  733⁶
ὑδ- 519, 3
*ὑδαίνω 519, 2
ὑδαλέος 519³
Ὕδαμος rhod. II 517, 7
ὑδαρής 481³, 7. 519³
Ὑδάρνης 182⁸
ὑδαρός 481³
Ὑδάσπης 182⁸
ὕδατα II 43²
ὑδαταίνω 519, 2
ὑδάτιον 470⁶. 519³
Ὑδατοσύδνη 475⁶
ὑδατοτρεφής 519³
ὕδει 519³, 3. 548³
ὑδείομεν 685³
ὑδεράω 731². 732³
ὑδεριάω 732³
ὕδερος 305, 2. 481¹. 519³
-υδις adv. äol. 619⁴
*-υδλιον 323³
ὕδνης 519³. 520⁵
ὕδος 519, 3. 548³; s. ὕδει
ὕδρᾱ 460⁷. 481²
ὑδράγυρος 260⁴
ὑδραίνω 519, 2. 733¹; s.
  ὑδρηναμένη
ὑδρᾱνας 487⁴
ὑδράργυρος 260⁴. 519³
ὑδρεύω 519³; -ειν 732⁵
ὑδρηλός ion. 484³. 519⁵
ὑδρηναμένη 519³, 2
υδρια 222²
ὑδρία 519³
ὑδριαφόρος att. 438⁴
-ύδριον suff. 471³, 8
ὑδρίσκος 542²
ὕδρο- 519³
ὑδρόμελι 519³
*ὕδρον 838⁸
ὕδρος hom. 305, 2. 460⁷.
  481². 519³
ὕδρω 838⁸
ὕδρωψ 426, 4. 481²; ὕδρωπα
  II 88²
ὕδωρ 52¹. 73¹. 350³. 424⁴.
  519³; ἡύδωρ 304⁷; ὕδωρ
  519, 3; ὕδωρ gen. äg.-gr.
  585³; ὕδωρ II 30². 41⁵;
  ὕδατα II 43²; s. ἡύδωρ
υε 240⁵
ὕε imper. 799¹
ὕε Ζεύς II 621⁴
ὑέεσσι (υεσσι) siz. (syrak.)
  564⁴. 574³
ὕει 58⁶. II 72⁶. 621⁴; – ὁ
  θεός II 621⁴; – οὐδέν
  II 76⁶; – ποτὶ ἕσπερον II
  512³; s. ὕε, ὕσε
ὑετοί 196⁷
υετοις 200²
Ὑελῆ 224²

ὕελος 243⁷
υεργων 224¹
υεσις 224¹
ὑετός 501³
Ὑεττός böot. 321²
ὑευξάμενος kypr. II 517, 6
ὑϜαις kypr. II 517, 5; υϜαις
  ζαν 303⁶. 631, 2
-ύζω verba 736⁶, 12
ὕθλος 533³
-ύθω verba 703⁵
υι neuer Diphth. im Gr. 73⁷;
  – aus *υσj 273²; υι > att.
  υ 233⁵
υι adv. kret. 622³
-υι adv. lesb. 622³
-υῖ 'dat. sg. hom. 570, 1
υῖ adv. 'wohin' kret. II 157⁶.
  647¹
υῖ' du. Theokr. 573, 4; s.
  υῖε
υῖα acc. sg. 573⁷, 5. 574⁴
-υῖα f. ptc. pf. 540¹·⁶. 580⁵.
  764, 3. 810¹; aus *-υσja
  473⁶, 7
ὑιαίνομεν 209⁴
υῖας 573⁷, 4
υἱάσι dat. pl. 567, 5. 574¹·³, 1
υἱδοῦς 562⁴
υιΕ 573, 4
υἱέ voc. 574¹·³
υῖε du. 573⁷. II 48²·³·⁴
υἱέα acc. sg. 573⁷, 5. 574, 3
υἱέας acc. pl. 573⁷, 5. 574², 3
υἱέες nom. pl. 573⁷. 574²
υἱεῖ du. altatt. 573⁵, 4; s. hυιΕ
υἱέι dat. sg. 573⁷. 574²; υἱεῖ
  573⁷. 574²·⁴
υἱεῖς 573⁷. 574²
υἱέοιν gen.-dat. du. Plat. 573⁵
υἱέος gen. sg. 573⁷. 574²
υῖες nom. pl. 573⁷
υῖες Ἀχαιῶν II 614³
υἱέσι dat. pl. 574²·³
υἱέων gen. pl. 574²
*υἱϜος 348⁴
υιηυς nom. sg. altatt. 574²
υἱή 460⁴
υἱῆα acc. sg. Nikandr. 574⁴
υἱῆας acc. pl. Ap. Rh. 574⁴
υἱῆες nom. pl. Ap. Rh. 574⁴
υἱῆϊ dat. sg. Anth. P. 574⁴
υιἡν 224¹
υιἱ dat. sg. 573⁷
υἱιδεύς att. 510²
υἱο- hell. 574⁴
υἱοθετεῖν 426⁵
υἱοῖσιν dat. pl. Od. 574¹
υἱόν acc. sg. 574¹·³
υἱος gen. 348¹·³. 385⁵. 572².
  573⁷; s. ἡυιος
υἱός 58⁵. 200²·³·⁴. 304². 458³.
  574¹·²·³. 583³. 635, 4; s.
  ἡυιός

υἱοῦ gen. 574¹
ὑ⟨ι⟩παδυκιοίο[ις] el. II 523, 4
υις adv. rhod. 200¹, 1. 622³
υἵς nom. sg. Simon. 574²
υἵς 'wohin' dor. 631³. II157⁵.
  647¹
υἱύν acc. sg. ark. kret. (gort.)
  574²·³
υιυνς acc. pl. kret. (gort.)
  571². 574²
υἱύς nom. sg. altlak., gort.
  574². 583³. II 31³
υἱώ du. Theokr. 573, 4
υἱῶν gen. pl. 574¹
υἱωνός 480³. 491⁴. 562⁴
-υκ- suff. 497⁴·⁵
ὑκερός hell. 269⁶
*ὑκόντ- 678⁴
ὑκτό- 381⁵
-ῦλα aor. 753⁵
ὕλαγμα 706²
ὑλαγμός 706²
ὑλακάω 706²
ὑλακόμωροι (κύνες) 706²
ὑλακταίνω Qu. Sm. 706²
ὑλάκτει 706¹
ὑλάκτεον 706²
ὑλάσκω 706²
ὑλάσσω 706²
ὑλάω 305¹. 412⁷. 683²
ὕλη 304². 483⁴. II 51⁶
ὑλήεις f. II 32, 5
Ὕλλεῖς 65⁷. 66⁴
Ὑλλῆς 79³, 1
-ύλλιον suff. 323³
-ύλλω verba 736⁶
ὕλογος pamph. 89¹. II 487, 3
ὕμ äol. 140, 5. 409⁵
ὑμ- 'ihr' 600⁵. 601²
ὑμᾶς att. 603². 605³; ion. att.
  606²
ὕμᾱς encl. att. 603²
ὕμας Babr. 606²
ὑμέ acc. dor. 602⁷. 603²
ὑμέας acc. ion. hom. 603².
  605³
ὑμεδαπός 604¹, 1
ὑμέες 605, 7
ὑμέες gramm. 605, 7
ὑμεῖς 57². 303⁵·⁷. 603². 605
  ²·⁵; – οἱ ἄνδρες 600, 1
ὑμείων hom. 603². 605²
ὑμέν j.-kret. 605²
ὑμέναιος 522, 5; – μετὰ κιθά-
  ρας II 485⁵
ὑμεναίουν 653²
ὑμές dor. 603¹. 605²
ὑμέτερόν δε hom. 624⁶
ὑμέτερος 534¹. 608⁴. II 183⁴.
  200⁴. 202³·⁴. 205³·⁴
ὑμέων ion. dor. 603²·³. 605².
  II 206²
ὑμέων zweisilbig hom. 605²
ὑμήν 304, 3. 522²

Ὑμηττός att. 61¹. 317⁷. 321².
II 33, 2; s. Ὑμμητός
ὖμῖν dor. 603⁴. 604²
ὖμῖν ion. att. 603⁴. 604². II
189⁶
ὖμῖν hom. 603⁴. 604²
ὖμιν encl. dor. ion. att. 603⁴.
604²
ὖμίων kret. 605²
ὖμμ- 'ihr' äol. 600⁵
ὖμμ' (= ὖμμε) hom. 604, 3
ὖμμ' (= ὖμμι) hom. 604, 3
ὖμμε äol. 106⁴; nom. 605³;
acc. lesb. hom. Pind. 603²;
ὖμμ(ε) 604, 3
ὖμμες lesb. thess. hom. 603¹;
nom. 605²
ὖμμέων lesb. 603². 605²
Ὑμμητός 268³
ὖμμι lesb. hom. 405⁷. 603⁴.
604². 610¹; ὖμμ' hom.
604,3
ὖμμιν lesb. hom. Pind. 405⁷.
603⁴. 604². 610¹
ὖμμος lesb. 608⁴
ὖμνείουσαι Hes. 724, 2
ὖμνεῖσθαι ὖπό τινος II 529⁶
ὖμνην infin. lesb. 729¹
-υμνο- < -ομνο- 258³
ὖμνος 209¹. 524⁶; – c. dat. II
153⁶
ὖμοι äol. 549⁶
υμοιοις ark. 275⁵
ὖμοίως lesb. 182⁴
υμολογίας lesb. 275⁵
ὖμος hom. 608⁴
ὖμός dor. 608⁴. II 202³⁻⁷, 1
ὖμων encl. att. 603³. 608³
ὖμῶν att. dor. 603³. 605²
-υν acc. sg. 571⁶. 574, 0. 839⁶
-υν gen.-dat. du. ark. 557³
-ῦν acc. sg. 570⁵⁻⁷. 571²
ὖν ark. kypr. 824. II 440¹
ὖν- ark. kypr. 275⁵
ὖν- kypr. pamph. II 487³, 3
ὖν (= σύν), ὖ(ν) kypr. 217⁴.
II 517, 5
-ῦνᾶ suff. 491⁴
ὖνέθεκε kypr. 275⁵. II 517, 6
ὖνέθυσε ark. 275⁵
ὖνευξάμενος kypr. II 501⁵.
517, 6
-υνθη aor. 761⁶
(*-υνjω verba) 694⁶
-υννα suff. 491⁵
-ύννω verba lesb. 694²
-υνο- suff. 491⁵
-ῦνος suff. 491⁴
-υνς acc. pl. 571⁷
-υνσις suff. 505⁵, 8
-υνται, -υντο 3. pl. 671⁵
-ῦνω verba 673⁶. 694²·⁶·⁷.
722⁴. 723². 727⁶ f. 733³⁻⁴.
754³. 785². 815³

-ῦνῶ fut. 785²
ὖξον· βοήθησον H. 803⁷
ὖο- (= υἱο-) hell. 574⁴
ὖόμενος II 72⁶
ὖοντος II 401²
ὖός gen. sg. 314⁷
ὖός att. 199⁵. 258⁴. 574⁴
ὖοσκύαμος 446¹
ὖπ äol. 265⁵. 404¹
ὖπ' (= ὖπό) II 522⁶; ὖπ' ἐξ
II 428⁶; s. ὖπό
υπα böot. lesb. II 523¹, 2. 6
υπα- wlokr. el. II 523¹, 4
ὖπά II 523, 2
ὖπά II 523, 2
ὖπα II 523, 2
ὖπάγγελος II 532⁶
ὖπάγομαι ὖπὸ δικαστήριον II
531²
ὖπάγω 674⁵. II 525¹; – τινά
θανάτου II 131⁶; – τῆς ὁδοῦ
II 112⁵; – τινά ὖπὸ τοὺς
ἐφόρους II 531²; ὖπαγ' ὦ II
601⁵; ὖπαγε πρῶτον διαλ-
λάγηθι II 633⁴; ὖπαγε ὀπί-
σω μου II 540⁸; ὖπάγω (ὖπῆ-
γα) ngr. 764³
ὖπαδεδρόμᾱκε äol. (Sapph.)
718⁶. 774⁵
ὖπαδύγιον el. II 532, 5; ὖπα-
δυγίοις II 523, 4
ὖπαδυκιοίοις du. el. 207⁵.557³
ὖπάετος II 524²
ὖπαί II 425⁶. 523¹, 7. 524⁴.
527⁴. 528¹·⁵. 531⁵; – ἴδεσκε
II 524⁷
ὖπαιδείδοικα II 523, 7
ὖπαιθα hom. 628⁶. II 523, 7.
524⁴
ὖπαιθρος 155⁴. II 532⁵
ὖπαίσσω II 524⁷; ὖπαΐξας
βωμοῦ II 917⁷
ὖπαισχύνομαι II 524⁶
ὖπαίτιος II 532⁶
ὖπαιφοινίσσεται II 523, 7
ὖπακουός 379⁶
ὖπακούω II 525²; ὖπάκουσον
II 422⁶; ὖπακούω c. gen. II
95³; – c. dat. II 95⁴. 145²;
ὖπακούων σχολῇ ὖπήκουσα
II 388⁶
ὖπαλέομαι II 524⁷
ὖπαλεύομαι II 524⁷
ὖπάλυξις II 356⁵. 357⁴. 524⁷
ὖπαλύσκω II 524⁷
ὖπαμμος 829⁵
ὖπαναδύω II 524⁷
ὖπάνδρος II 525⁶
ὖπανέστη II 428³
ὖπανίστανται θάκων II 92¹
ὖπανιστέαται c. dat. II 141⁷
ὖπαντα II 524⁴
ὖπαντάξ 620⁶. II 524⁴
ὖπαντάω II 525³

ὖπαντιάζω II 525³; -ιάσαι τὸν
εὐεργέτην II 97⁸; s. ὖπην-
τίαζον
ὖπαντρος II 524³
ὖπαπιέναι II 525¹
ὖπαποκινέω II 524¹
ὖπαπροσθιδίον wlokr. 467².
II 523, 4
ὖπαπροσθίδιος II 523, 6. 524⁴
ὖπαποτρέχω II 525¹
υπαρ, ὖπαρ pamph. 274⁸.
518⁶. 621¹. II 518², 2
ὖπαρ n. II 523², 9
ὖπάργυρος 435⁴. II 423⁶. 524³
ὖπάρκτιος hell. II 532⁷
ὖπαρνος II 524³
ὖπαρξεῖ τινι πὰρ τᾶι πόλει II
494⁵
ὖπάρξω II 292²
ὖπάρχειν II 419³. 431⁴. 711⁸;
– c. dat. II 143⁴; – πρὸς τῆι
οἰκίαι II 513²; – τι πρὸς τῆς
σωτηρίας II 516⁴; s. ὖπάρχω
ὖπαρχέμεν böot. thess. 806⁴
ὖπαρχιτέκτων II 524²
ὖπάρχον acc. abs. II 401⁷.
402¹·³
ὖπάρχουσι dat. pl. thess. 566²
ὖπαρχόντεσσι thess. 566²
ὖπαρχος 435⁷. II 524¹
ὖπάρχω II 267⁵. 525, 2; –
ἄδικα ποιέων II 393³; s.
ὖπαρξ-, ὖπάρχειν, ὖπαρχέμεν
ὖπασπίδιος 467³. II 532⁵
ὖπάτη, ἡ [χορδή] II 175⁵
Ὑπατόδωρος böot. 305, 1
ὖπάτων 'coss.' II 47, 3
ὖπατοπά τι II 532⁴
ὖπατος 503⁷. 504¹. II 523²;
(Bed.) 39⁴
ὖπαυλέω II 524⁶
ὖπαυλος II 532⁵
Ὑπαχαιοί 79⁵
ὖπεδύσετο 788³
ὖπεικαθέων Opp. 703⁵, 6
ὖπεικάθοιμι 703⁴
ὖπείκω II 524⁷; -ειν c. dat.
II 141⁴
ὖπεῖναι II 524⁴; – (ὖπεστι)
ὖπὸ γῆν II 530⁷
ὖπείξομαι, -ξω 781⁷
ὖπείρ 388¹. II 518³; – ἅλα II
519³
ὖπείρεχεν ὤμους II 85²
ὖπείροχος II 518³⁻⁷
ὖπεισ- II 525, 1
(ὖπείσας) 653, 2
ὖπέκ 'unten bevor' II 428⁵.
429⁷
ὖπεκθέων II 429²
ὖπεκκέεται εἰς II 434²
ὖπεκπροέλυσαν II 430¹
ὖπεκπροθέω II 525¹; -ει II
429². 430¹

ὑπεκπρολύω II 525¹; s. ὑπεκπροέλυσαν
ὑπεκπρορέει II 430¹
ὑπεκπρορρέω II 525¹
ὑπεκπροφεύγω II 525¹; -φύγῃ 429³; -φύγοιμι II 428⁴; -φυγών II 430¹⁻²
ὑπέκρεεν II 429²
ὑπεκσαόω II 524⁷; ὑπεξεσάωσεν II 429²
ὑπεκφέρω II 524⁷; ὑπέκφερον II 429²; s. ὑπεξέφερεν II 429²
ὑπεκφεύγω II 524⁷; κεν ὑπέκφυγε II 348⁴; ὑπεκφυγεῖν II 269¹
ὑπελάτη II 524²
ὑπελθετέον Strab. 810⁷
*ὑπέμησε 774³
ὑπεμνήμῡκεἰhom.774³.II 525²
ὑπεν- II 525, 1
ὑπένερθε(ν) 627⁵.633².II524⁴. 539⁴⁻⁶. 540²
ὑπέξ II 428⁶. 524⁴
ὑπεξαγάγοι II 429². 430¹
ὑπεξάγω II 524⁷
ὑπεξαλέασθαι II 429². 430¹
ὑπεξαναδύς II 429². 430¹
ὑπεξελαύνω II 351¹
ὑπεξέλυσαν II 429²
ὑπεξεσάωσεν II 429²; s. ὑπεκσαόω
ὑπεξήλυξε II 429³
ὑπέρ 304⁷ [ὑυπέρ]. 309². II 68³. 130⁷. 418⁵. 422²·⁴, 4. 432⁵. 433⁴. 500¹, 1. 503⁶. 518¹–522. 571⁵; – c. gen. II 167⁷·⁸; ὑπὲρ ἐγώ II 518⁴; ὑπὲρ μόρον 621³; – τὸ βέλτιστον II 519⁶; – τοῦ μὴ c. infin. II 521⁴⁻⁵; – τᾶς ἄλου II 521²; – μὲν ἄ. ἐλθόντες II 426⁵
ὑπερ- 436⁷, 2. II 429⁵
ὕπερ 387⁸. II 427⁵. 518²
ὑπέρᾱ f. 461⁴. II 518²
ὑπεραβέλτερος II 518⁶
ὑπεράγαθος II 518⁶
ὑπεράγαμαι II 519²
ὑπεράγᾱν hell. 633². II 518⁴
ὑπεραγανακτέω II 519²
ὑπεραγαπάω II 519²
ὑπεραγρυπνέω II 519³
ὑπεράγω II 519¹
ὑπεραγωνίζομαι II 519³
ὑπεραής II 519²
ὑπεραίρω II 519¹; s. ὑπερῆρεν
ὑπέραισχρος II 518⁶
ὑπεραισχύνομαι II 519²
ὑπέρακμος II 522⁵
ὑπερακοντίζω II 519²
ὑπεράκριος II 522⁴
ὑπεραλγέω II 519²·³; -ῶ c. gen. II 133⁵

ὑπεράλλομαι II 518⁷
ὑπέραλλος II 522⁴
ὑπεράλπιος II 522⁵
ὑπεραμερία, ὁπεραμερία, οὑπεραμερία II 522⁴
ὑπεράμερος II 522⁴
ὑπεραναίσχυντος II 518⁶
ὑπεράνω j.-att., hell. 633². II 428¹. 518⁴. 536, 1
ὑπεράνωθεν hell. II 518⁴
ὑπεραποθνήσκω II 519³
ὑπεραποκρίνομαι II 519³
ὑπεραπολογέομαι II 519³
ὑπεραρρωδέω II 519³; -δέοντες τῇ Ἑλλ. II 151⁵
ὑπέρασθμος II 518⁵
ὑπερασπάζομαι II 519²
ὑπερασπίζω II 522⁵
ὑπέραυχος II 518⁵
ὑπεράφανος dor. 438⁶
ὑπεράχθομαι II 519²
ὑπερβαίνω II 518⁷
ὑπερβάλλω II 518⁷
ὑπέρβαν 520⁴
ὑπερβαρής II 518⁵
ὑπερβᾶσαν intr. hom. 742, 3
ὑπερβασίη II 518⁷
ὑπερβατόν II 697², 1
ὑπερβεβλῆσαι spätgr. 205, 2
ὑπερβιάζομαι II 519²
ὑπέρβιος II 518⁵
ὑπερβλύζω II 519¹
ὑπερβολή II 518⁷
ὑπερβόρειοι II 522⁴
ὑπέργειος II 522⁵
ὑπεργέλοιος II 518⁶
ὑπεργεμίζω II 519²
ὑπέργηρως II 518⁶
ὑπερδέα hom. 252⁷
ὑπερδέδοικα II 519³
ὑπερδεής II 518⁵
ὑπερδειμαίνω II 519²
ὑπερδέξιος II 522⁴
ὑπερδίδωμι II 519³
ὑπέρδικος II 522⁴
ὑπερδισύλλαβος II 518⁶
ὑπερδώριος II 518⁶
Ὑπερείδης att. 579, 6
ὑπερέκεινα NT 633²
ὑπερεκπερισσοῦ NT II 422, 4. 518⁴
ὑπερεκπερισσῶς II 518⁴
ὑπερέλαφρος II 518⁶
ὑπερεμπίπλημι II 519²
ὑπερενιαυτίζω II 522⁵
ὑπερεξακισχίλιοι II 518⁶
ὑπερεξηκοντέτης II 522⁴
ὑπερεπαινέω II 519²
ὑπερέπτω II 524⁷
ὑπερέρχομαι II 519¹
ὑπερεσθίω II 519²
ὑπερέτης 275¹
ὑπερετίθεα 1. sg. 687⁶
ὑπέρευ att. 633². II 518⁴

ὑπέρευγε hell. II 518⁴
ὑπερευρίσκω II 519¹
ὑπερέφθιτο πατρός II 519²
ὑπερεχθαίρω II 519²
ὑπΕρεχον hom. 288⁵
ὑπερέχω II 518⁷; – τι c. dat. II 146⁴; s. ὑπερσχόντες
ὑπερζέω II 519¹
ὑπερηδέως II 518⁶, 7
ὑπερήδομαι II 519²
ὑπερημερία II 522⁴
ὑπερήμερος 189⁵. II 522⁴
ὑπερήμισυς II 518⁶, 7
ὑπερηνορέων II 518⁵; -ρέοντες 731⁶
ὑπερήνωρ II 518⁵. 522, 2
ὑπερῆρεν II 422⁶
ὑπερῆσεν II 518⁷
ὑπερηφανέοντες 724³. 731⁶
ὑπερήφανος 189⁵. 489⁶, 14. II 518, 8
*ὑπερήφων 489, 14
ὕπερθα II 518⁵
ὑπερθάλασσος II 522⁵
ὑπερθαυμάζω II 519²
ὕπερθε 627⁵, 5. II 518⁵. 539 ⁴⁻⁸ f. 540¹
Ὑπερθεμιστοκλῆς II 518⁷
ὕπερθεν 627⁵. II 518⁵. 539 ⁴⁻⁸ f. 540¹
ὑπερθετικόν (ὄνομα) term. II 183, 4
ὑπερθέω II 519¹
ὑπερθνήσκω II 519³
ὑπερθρώσκω II 518⁷
ὑπέρθυμος II 518⁵
ὑπερθύριον II 522⁴
ὑπέρθυρον II 522⁴
ὑπεριδεῖν (τὸ) II 371¹
ὑπερικταίνοντο II 519¹
Ὑπεριονίδης 509⁶
ὑπερισθμίζω II 522⁵
ὑπερίσταμαι II 519³
ὑπερίστωρ II 518⁶
ὑπερίσχυρος II 518⁶
Ὑπερίων 536, 1
ὑπέρκαιρος II 522⁵
ὑπέρκαλος II 518⁶
ὑπερκάμνω II 519³
ὑπερκαταβαίνω II 519¹; – τι c. dat. II 162⁴; ὑπερκατέβησαν II 429²
ὑπερκείμενος ὑπὲρ τὰ ἐργάσιμα II 519⁵
ὑπερκέφαλα II 522⁵
ὑπέρκομπος II 518⁵
ὑπέρκοπος II 518⁵
ὑπερκορέννυμι II 519²
ὑπερκόσμιος II 522⁵
ὑπέρκοτος II 518⁵
ὑπερκρέμασθαι II 519¹
ὑπερκτάομαι II 519²
ὑπερκύδᾱς 526, 5; -δαντας hom. II 518, 8

ὑπερκύπτω II 519¹
ὑπέρλαμπρος II 518⁶
ὑπέρλευκος II 518⁶
ὑπερλίαν hell. II 422, 4. 518⁴
ὑπερλύδιος II 518⁶
ὑπερμαχέω II 519³; -εῖς ταῦτα II 77⁶
ὑπερμάχομαι II 519³
ὑπέρμαχος II 519³
ὑπέρμεγας II 518⁶
ὑπερμεγέθης II 518⁵
ὑπερμενέων II 518⁵; -νέοντες 724³
ὑπερμενέτης II 518⁵
ὑπερμενής II 518⁵
ὑπερμετρεῖσθαι II 240²
ὑπέρμετρος II 522⁵
ὑπερμήκης II 518⁵
ὑπερμισέω II 519²
ὑπέρμορα hom. 621³. 632⁴
ὑπέρμορον hom. 386⁵. 436⁷. II 420⁴
ὑπέρμορος II 522⁴
ὑπερνέφελος II 522⁵
ὑπερνεφής II 522⁵
ὑπερνότιος II 522⁵
ὑπέρογκος II 518⁵
ὑπεροικέω II 519¹
ὑπέροπλος II 518⁵
ὑπέροπτος II 519¹
ὑπεροράω II 519¹; – c. acc. II 109⁵; – c. gen. II 109³
ὑπερορία II 522⁵
ὑπερόριος II 522⁵
ὑπερορρωδέω II 519³
ὕπερος 381². 461⁴. 533⁶. II 518²
ὑπερουράνιος II 522⁵
ὑπεροψία II 519¹
ὑπερπαγής II 518⁵
ὑπερπαίω II 519²
Ὑπερπερικλῆς II 518⁷
ὑπερπηδάω II 519¹
ὑπέρπικρος II 518⁶
ὑπερπίμπλημι II 519²
ὑπερπίνω II 519²
ὑπερπίπτω II 519¹
ὑπερπληρόω II 519²
ὑπερπλούσιος II 518⁶
ὑπέρπλουτος II 518⁵
ὑπέρπολυς II 518⁶
ὑπερπονέω II 519²
ὑπερπόντιος II 179⁵. 522⁴
ὑπέρπτατο hom. 742⁴
ὑπερτυππάζω II 519²
ὑπέρπυρος II 518⁵
ὑπερπυρριάω II 519²
ὑπερράγη II 524⁵
ὑπερσεμνύνομαι II 519²
ὑπερσκελής II 518⁵
ὑπέρσοφος II 518⁶
ὑπερστατῶ c. gen. II 109³
ὑπερστένω II 519³
ὑπερσυντελικός II 249¹, 1

ὑπερσχόντες nom. abs. II 403⁶
Ὑπερσωκράτης II 518⁷
ὑπέρτατος II 518⁵
ὑπερτείνω II 519²; -ειν ὑπὲρ τοῦ τείχους II 521¹
ὑπερτελής II 522⁵
ὑπερτέλλω II 519¹
ὑπέρτερος 533⁶. II 518⁵
ὑπερτετρακισχίλιοι II 518⁶
ὑπερτίθημι II 519¹; s. ὑπερετίθεα
ὑπερτιμάω II 519²
ὑπέρτολμος II 518⁵
ὑπερτρέχω II 519²
ὑπερτρισύλλαβος II 518⁶
ὑπέρυδρος II 518⁵
ὑπερυθριάω; s. ὑπηρυθρίασε
ὑπέρυθρος II 524, 3
ὑπερύψηλος II 518⁶
ὑπερφαίνεσθαι II 519¹
ὑπερφαλαγγέω II 522⁵
ὑπέρφατος II 522⁴
ὑπερφέρω II 519¹·²; – τινός τινι II 101⁴
ὑπέρφευ 633². II 518⁴. 519⁶
ὑπερφεύγω II 519¹
ὑπερφθίνομαι; s. ὑπερέφθιτο
ὑπερφίαλος 301⁶. 483⁷. II 518, 8
ὑπερφιλέω II 519²
ὑπερφιλοσοφέω II 519²
ὑπερφιλότιμος II 518⁶
ὑπέρφοβος II 518⁶
ὑπερφρονῶ (-εῖν) c. gen. II 109³; – c. acc. II 109⁴
ὑπέρφρων II 518⁶
ὑπέρφυμον (= ὑπέρφημον) 132, 1
ὑπερχαίρω II 519²
ὑπερχειλής II 522⁵
ὑπέρχειρ II 518⁵
ὑπερχθόνιος II 522⁵
ὑπέρχολος II 518⁶
ὑπέρχομαι II 525¹
ὑπέρχρεως II 518⁵
ὑπερχρονέω II 522⁵
ὑπέρψυχος II 522⁵
ὑπέρψυχρος II 518⁶
*ὑπέρω II 518⁴
ὑπερῴα II 518⁵
ὑπερῴδυνος II 518⁵
ὑπερωέω II 524⁷
ὑπερῴη 520⁴; -ῴη II 518⁵
ὑπερῴιον, -ῷον II 518⁵
ὑπερωκεάνιος II 522⁵
ὑπερώμια II 522⁵
ὑπερῷν (= ὑπερῷ[ι]ον) 202, 1
ὑπερῷον II 518⁵
ὑπέρωρος II 522⁵
ὑπερώτατος II 518⁴
ὑπέσας 653, 2
ὑπεύθυνος c. gen. II 131³
ὑπέχω II 524⁵. 525¹

ὑπῆγα aor. ngr. 764³
ὑπήκοον (τὸ) II 175²
ὑπήκοος 348⁵. II 95⁴. 525²; – c. dat. II 145²
ὑπήλυθε II 81⁴
ὑπήνεμος II 532⁵
ὑπήνη II 532, 4
ὑπηνήτης II 532, 4
ὑπηντίαζον τὴν στρατιήν II 97⁸
ὑπηοῖος hom. II 532⁷
ὑπηρεσία II 524, 1
ὑπηρετέω 731⁶; -εῖν II 299⁵; -ῶ c. dat. II 144⁸. 145¹; -εῖν πρὸς τῆι γεφύραι II 513⁶⁻⁷
ὑπηρέτης 500¹. II 524, 1
ὑπηρετικός c. dat. II 144⁸ f.
ὑπηρυθρίασε II 524, 3
ὑπηχεῖ II 77²
ὑπιέναι II 524⁶, 2
ὕπισθα lesb. 182⁴
ὑπισχνέομαι att. 690². 696³, 5. II 525¹; s. ὑποσχέσθαι, ὑποσχομένος
ὑπίσχομαι 690². II 525¹; – ποὶ (θεοῦ) II 516⁵, 1
ὕπνος 304³. 350³. 489².552, 4; ὕπνοι II 43⁶, 4
ὑπνῶοντ- 724⁴, 8
ὑπνώσσω 733⁶
ὑπνάω hom. 733⁶
ὑπό 304⁷ [ὑυπό]. 551¹. II 68³. 268¹. 411⁵. 425³, 4. 7. 426². 432⁵. 433⁵. 522⁶, 3–533; – c. gen. 757³⁻⁴. II 167⁷⁻⁸. 237⁵; – c. dat. II 237⁵.526⁵; – in Zeitbegriffen II 532³; ὑπὸ Ἑλλανοδικᾶν (Zeitangabe) II 528²; ὑπ᾽ Ἄρηος παλαμάων II 427¹; ὑπὸ μάλης att. 584⁷. II 527⁷. 528², 1; ὑπὸ τὴν ἀναπνοήν II 532¹; ὑπὸ τὴν ὄψιν II 531⁸; ὑπὸ χεῖρα II 531⁸; ὑπ᾽ οὐρανόν II 530⁷; ὑπὸ τὸν ὄρθρον II 532²; ὑπό τι II 426², 1. (᾽ein wenig᾽) II 532⁴; s. ὑπ᾽, ὑπ, ὑπό, ὑπ᾽ ἐξ
ὑπο- 434⁶. 436⁴·⁵. II 429⁵; demin. II 533¹
ὕπο 183³. 387⁷. II 423³. 522⁶
ὑποβάλλω II 525²
ὑποβαρβαρίζω II 524, 3
ὑποβάρβαρος 77, 1
ὑποβλήδην II 525²
ὑπόβοικοι kret. 224⁷
ὑποβολιμαῖος II 525²
*ὑποβόλιμος 494⁶
ὑπόβρυχα 427². II 532³, 3
ὑποβρύχιος 351⁷. II 532⁵
ὑπόγαιος II 532⁶
ὑπογεγραμμένος II 522, 4
ὑπόγειον 156⁴
ὑπόγειος II 532⁶
ὑπογλυκαίνων II 524⁶

ὑπόψαμμος II 532⁶
ὑποψία II 524⁷
ὑπόψιος II 524⁷
ὑππρό thess. 265⁵. II 430¹.
522, 4. 524⁴; – τᾶς II 522, 4
ὕπτιος 270⁷. 304³. 503²·³. II
523², 10
*ὕπτός 270⁷
ὑπυ unterital. 182⁶; s. hυπύ
ὑπωιάδιος 467¹
ὑπώπιον att. II 532⁵; ὑπώπια
II 532⁵
ὑπώρεια II 532⁵
ὑπωρόφιος II 532⁵
ὑπώροφος II 532⁶
ὑπωρυφία epid. 352¹
*ὑπωσjω 724, 8
υρ (bzw. ρυ) 590¹; aus idg. r̥
351⁷·⁸ f.
ὑράξ 'vermischt' 620⁶
ὕραξ 497¹
Ὑρίαθος 183¹
ὕριγγα (= σύριγγα) 217⁴
Ὑρίη kampan. 218⁶
Ηυρι[ητέων] w.-ion. 305²
*-υρjω 351⁸
Ὑρμίνη 465⁶
*υρο 'her' 632²
-υρο- Ausg. 482⁴, 10
Ὕρτιος 466³
ὕρχη 305¹. 496⁵
*ὕρω 714, 7
-ύρω Verbalausg. 714⁴⁻⁵
-υς < -ος 89¹
-υς adv. dor. 619⁴. 622³
-υς Ausg. subst. 463⁵, 3. 570⁷
-υς suff. 478¹·².
-υς nom. sg. pamph. 89¹.
555². 571⁶. 839⁷
-υς dat. pl. böot. 556⁴
-us acc. pl. ngr. 585⁷
-us nom. sg. m. ngr. 585⁷
-ῦς Ausg. 570⁵·⁷
-ῦς nom. pl. 564¹. 571²
-ῦς acc. pl. altatt. 563⁵
-ύς suff. adj.357⁵.536,2.538⁴.
584⁵
-ύς nom. sg. 552⁴
-ῦς Ausg. subst. m. 561²
ὗς att. 248⁶; s. hυύς, hῦς
ὗς adv. arg. 199⁸. 622³. II
647¹
ὗς 37⁵. 304³. 308⁵. 424². 463⁶;
f. 570⁷; 731, 1
ὕσδος lesb. 182⁴
ὕσε χρυσόν II 76⁶
ὕσθησαν 761³
-υσι dat. pl. 571³·⁶·⁷, 3
Ὑσιαί böot. 218⁶
*-υσjα f. ptc. pf. 540¹
ὕσκυθά H. 577, 8
-υσμα suff. 524¹, 2
-υσμαι Verbalausg. pf. att.
773⁶

ὑσμῖν- 303⁵
ὑσμίνη 465⁵, 4
ὑσμίνην δε 624⁶
ὑσμῖνι 465⁵
-ῦσο opt. II 321, 1
Ὑσομε[δων] ark. 211⁶
Ὑσπάβαρος 183¹
ὑσπέλεθος 334². 577, 8
ὕσπληγξ II 517⁵
Ὕσπορος 577, 8
ὑσσός kar. 62¹. 305³
-ύσσω verba 716⁷. 733⁴·⁵
ὕσσωπ(ος) [so] 161⁴. 315⁸
Ὑσταίχμας 183¹
υσταριν el. 631²
ὑστάς 507, 4
Ὑστάσπης 153⁵. 183¹
ὕστατα adv. 621²
ὕστατος 595⁴. II 517⁵
ὕστερα πρὸς τὸ ν. ξ. II 100¹
ὑστέρα 533, 8
ὑστεραῖος 468⁵; τῆ ὑστεραίη
II 158⁷; ὑστεραία τῆς μάχης
II 98⁶; ἡ ὑστεραία II 175⁵
ὑστερέω 726⁴; -εῖν II 164¹;
– τινος II 101³; -ῷ c. dat. II
142⁶
ὕστερι ngr. (chi.) 631²
ὑστερίζειν τινός II 101³
ὕστερον adv. 621²; – ἡ II
657⁶; – χρόνῳ II 164²
ὕστερος 304⁷ [hύστερος]. 381².
533⁶. 595⁵. II 179⁴. 517⁴
ὑστήρια 531³
ὑστοθήκην 191, 1
ὕστριξ 577, 8. II 517⁵
ὕστρος 533, 8
ὕσχλοι 305¹
-ύσω fut. 739¹
*υτε partic. II 564⁴. 576⁵
-ύτερος suff. compar. 534⁶,
11. 538⁴, 12; ngr. 535², 2
-ύτης suff. f. 528⁶, 7
-ύτη-ς 500⁶
ὑτθόν 216⁷
Ὑττηνία att. 62³
υυ kontrah. zu ῡ 248⁶
ῦῦ 303³
ὑύς 200⁴ [hυύς]. 480⁴. 574²·³·⁴
υυυψψαα II 600, 3
ὑφ' (= ὑπό) II 522⁶
ὑφαγεμών II 524, 1
ὕφαιμος 435⁵. II 524³
ὑφαίνεσκεν (κεν) II 351, 1
ὑφαίνω 305¹. 350³. 694⁴. 702⁴.
737⁵. II 71³; – ἱστὸν πρὸς
ἄλλης II 515¹; s. ὑφᾶναι,
ὑφανῶ, ὕφηνα
ὑφαιρέω II 524⁷
ὕφαλος II 532⁶
ὕφαμμα n. inschr. 524, 2.
773⁶
ὑφᾶναι 189⁶
ὑφανάω 700⁵

ὕφανσις att. 287³
ὑφάντρα 475⁶
ὑφανῶ fut. att. 737⁵. 785²
ὑφαρπάζω II 524⁷
ὕφασμα 524¹, 2
ὑφάω 683¹. 719, 8
ὑφέαρ 519⁶, 8. II 517, 5
ὑφέλκω II 524⁷; ὕφελκε ποδοῖιν II 130¹
ὑφ' ἕν πάντες II 532¹
ὑφέντες προτόνοισιν II 166¹
ὑφέσπερος II 532⁷
ὑφεττός kret. 316⁸
ὑφή 702⁴
ὑφηγέομαι II 524, 1
ὑφηγητήρ: -ῆρος οὐδενός II
384, 4
ὑφηγητής II 384, 4
ὕφηνα 654⁷
ὑφῆναι att. 187⁷
ὑφηνίοχος II 524²
ὑφήσσων II 524³
ὑφιδόμενος 121²
ὑφιέρεια II 524²
ὑφίεσθαι II 92⁴
ὑφίετο πόνων II 92⁶
ὑφίημι II 525²; s. ὑφέντες
-ύφιον suff. 471³, 7
ὑφίσταμαι (-σθαι) II 525²; –
c. dat. II 141⁴·⁶
ὑφίστημι; s. ὑποστήσας
ὑφοράω II 524⁷
ὑφορβός hom. 708²
ὑφορῆται ion. 680, 5. 791, 9
ὑφοψία 220⁴
ὑφόωσι Od. 719³, 8
ὕφυδρος II 532⁶
Ὑφυλίδας rhod. II 517, 7
ὑχήρων gen. sg. kypr. 409⁷;
ὑχέρον II 517⁶
-υχος Ausg. 498⁴, 11
*ὑψέ 631⁵
ὑψηλός 484³, 3. 631⁵. II 182⁵.
523², 11
ὕψι 304⁷. 539². 622². 630⁵.
631⁵. II 157⁵. 158². 523²
ὑψι- 632⁶
ὑψίκερων 385¹. 392⁶
ὑψίκερως 514¹
ὑψιπετήεις 528¹
ὕψιστος 539², 2
ὑψίτερος 534⁴
ὑψίων 539²
ὑψόθεν 630⁵. 631⁶
ὑψόθι 628⁴
ὕψοι lesb. 549⁷
ὕψος 513¹. 631⁶, 7
ὕψόσε 629². 630⁵
ὑψοτάτω 534⁴
ὑψοῦ adv. 621⁵. 630⁵. II 523²
Ὑψώ 478⁶
ὕω 304³. 686⁴
-ύω verba 686²·³·⁴. 696¹. 717
²⁻³. 727⁴⁻⁵. 739¹. 814⁷. 816⁷

# Φ

φ aus idg. *bh* 297³; aus idg.
*gʷh* 297⁶; gr. φ = lat. f
233⁸; äol. φ für ϑ 106²; φ =
Ƒ pamph. 205⁵; φ < lat p
204⁸; φ > got. f 206⁷; φ
im Späthebr. > b und
ww 206⁵; φ nicht f in
Ägypt. 204⁵; φ und ϑ
wechseln 302⁸
φά imper. ngr. 800³
φᾶ- praes.-st. 664⁵. 673³;
  φᾶ-:φᾶ- 674¹
-φα pf. 771⁶
φαάνϑη hom. 723³. 759⁴
φαάντατος 535⁷
Φαβέννου lak. 281³
φαγᾶς 461⁶
φαγέ imper. 390¹. 799²
φάγε imper. 799²
φαγε/ο- 748²
φαγέδαινα 530¹
φαγεῖν II 72, 1. 258⁵. 363⁵;
  s. φάγες, ἔφαγον, φαγών
φαγεῖν (τὸ) 585¹. II 370³.
  383⁸; s. φαγί
φαγέμεν böot. 806⁴. II 368¹
φάγες κρέα II 103³
φαγί (τὸ) 'Essen' ngr. 809⁶.
  II 242⁴. 369⁵, 5. 383, 3
φάγιλος 485¹
φάγιον 470³
Φαγοδαίτης 442³
φάγομαι fut. hell. 780⁴, 9.
  791³. II 258³
φαγόν- 487¹
φάγος 459³
φᾱγός 346⁵. 457⁶. 748². II
  32²
φάγρος 481⁴
φαγωμένος ngr. II 410⁶
φαγὼν λωτοῖο II 103¹
φάε 747², 2
φαέϑοντ- 703³
Φαέϑων 637⁴
φαεινός ion. att. 81⁵. 281³·⁸.
  489⁵
φαείνω Od. 283⁶. 723³. 759⁴.
  II 310⁵
φαεννός äol. 81⁵. 281³; -ὸν
  φάος c. dat. II 152¹
φάεννος lesb. 281⁸
φάεσσα 499, 3. 525, 4
*φαϜεσνϳω 283⁶
*φαϜεσνο- 281⁸
*φαϜετϳα 499, 3
*φάϜος 281⁸. 377⁷. 578⁵
φαημένον τοῦ σκουλουκιοῦ
  ngr. (kypr.) II 119⁵
Φαήνᾱ ark. 281⁸
φανός dor. 81⁵. 281³. 489⁵
Φάηνος dor. 281⁸

φάϑι imper. 390¹. 675¹. 800³
φαϑί imper. 390¹. 675¹. 800³
φαι lesb. 659³, 2
φάϊ 193⁴
Φαίακες 67³. 79²
φαιδιμόεις 527⁶
φαιδρός 297⁷. 481⁶
Φαίδρους acc. pl. II 45⁵
φαιδρύνω 733³, 3
φαιδΰνω 733³, 3
Φαήκων ἀνδρῶν II 614⁶
φαίην 675¹. 795¹; φαίης Il
  244⁷. 328⁶; φαίη τις ἄν
  att. II 214⁷; φαίημεν att.
  794³; φαίητε 794, 3; s.
  φαῖμεν
φαιλόνης hell. 268⁵. 484⁵
φαιλόνι ngr. 484⁶
φαῖμεν 1. pl. opt. 675¹.
  795¹
φαίμην 795¹
φαῖμι lesb. 274². 675¹; s.
  φαῖσι
Φαινέλας 441⁶
φαίνεσϑαι (τὸ) II 360⁶; τοῦ –
  II 361¹
φαινίνδα 627²
φαινο- 442⁴
φαινόλης 484⁵
φαίνομαι 812². II 224⁴. 234².
  395⁷. 624⁴; -εσϑαι II 122⁶.
  123⁵·⁶. 282¹; φαίνεται 759⁴;
  φαίνομαι c. dat. II 152³;
  – c. ptc. II 396⁴; –
  αἰσχρός II 395⁴; – ἐναντιού-
  μενος II 297⁴; φαίνεται
  οἰκουμένη II 297⁴; φαίνε-
  σϑαι εἰς II 434¹; – εἰς ὁδόν
  II 434²; – διά τινος II 450⁵;
  – μετ' ἀστράσι II 484³; –
  μηδένα παρά τινα II 496¹;
  – παρά τινι II 433³; – ὑπεὶρ
  ἅλα II 519³; φαίνεται νὰ
  μὴν ἄκουσε ngr. II 596²;
  s. ἐφάνην, -νϑην, φανε-,
  φανη-
φαινομένηφι 550⁶
φαινομηρίδες 442⁴
φαίνω 647². 694², 4. 737⁴.
  770, 7. 771⁵. II 227⁸. 234²;
  – c. ptc. II 396⁷; s. ἔφᾱνα,
  ἔφηνα
φαίνων nom. abs. II 403⁵
φαιός 472⁵
φαιρίδδειν 334³
φαιρωτήρ 334³
φαῖσι lesb. 659³
(φαῖτε 2. pl. opt.) 794, 3
φάκελος 334³
Φακιασταί 66²
φαλαγγηδόν 626⁵

φάλαγξ 334³. 498³, 7
φαλακρός 481, 2
φαλαμεσσιν 230⁸
Φαληρεῖ 549, 1. 831²
φαληριόωντα hom. 732³
φαλίζει 297⁷
φαλίπτω 302¹
φάλλαινα 158¹
φαλλός 486⁴
φάλλος 831⁸. 838¹
*φάλλων 838¹
*φάλνος 838¹
φάλος 302¹
φάλυρον arg. kret. 268⁴
*φαλφαλάω 647²
Φαλωριασταί 66²
φάμα c. dat. II 153⁵
φαμέν 357¹. 686⁵. II 631⁶
Φαμενός 380⁴. 420⁶
φάμενος II 233¹. 241⁷; ἔβαλε
  – II 301²; ὡς – II 301, 1
φᾱμί 359⁴. 641⁸. 675¹. 686⁵.
  781⁶
φᾱμι äol. 687, 3·
φάν ipf. 664⁵. 675¹
φάναι 675¹. 808⁴. II 381¹;
  s. φᾱμί, φημί
*φανᾱμι 694²
φανᾶν H. 719⁴
φαναρός 256³
Φανατεύς delph. 256³
φανδόν 694³
φανεῖ fut. hom. 694³
φανείην 795²
φανεῖμεν 795³
φανείς ἐστι II 255⁴⁻⁵
φανεῖσϑαι II 266²
(*φανένς σκον) 711⁶
φανερός 482¹. 694³; – εἰμι
  c. ptc. II 396⁴; – – ἀπικό-
  μενος II 393⁵
φάνεσκον 711⁶; -σκε(ν) Ilias
  711⁵; – μετά πρώτοισι II
  483⁴
*φανέσω fut. 787, 9
φανέω fut. hom. 785². 787, 9
φανέω, -έωσι conj. Hdt. 792⁶
φανη- pass. hom. att. 759⁴
φάνη aor. 758, 5
φανῆι conj. hom. 792⁵
φάνηϑι Ilias 758⁵. 800⁵
φανῆι conj. Hdt. 792⁶
φανήμεναι II 375¹
φανῆναι εἰς τὸν τόπον II 461²
φανήσεται II 266²
φανησέω dor. 763⁵
φανήτω Od. 758⁵
φάνϑη- att. 759⁴. 761⁶
φανίσσω thess. 733⁵
Φαννόϑεμις 86⁵
φανοίην Soph. 796⁴

φᾱνός att. 192⁵. 250⁵. 281⁸.
  489⁵. 535⁷
Φάνοτος 503⁵
φανοῦ imper. 764⁴
φανοῦμαι att. 785²
*φᾱντατος 535⁷
φαντί 3. pl. dor. 664⁵. 674⁶
φᾱντι conj. her. 792⁶
Φάνφαιος att. 257²
φάνω 694³
φανῶ fut. att. 737⁴. 785².
  796⁴
Φανώτη 66³
φάο hom. 799⁶
φάος 224⁵. 512³·⁷; – ἀγνόν
  voc. II 62²
*φαρ 631, 1
φάρ = lat. far 836⁶
φᾶρ = φᾶρος 584, 6. 836⁵
φάραγξ 498³, 8
(φαράω) 719, 7
φαρέμεν 82¹
φάρεν delph. 81². 274⁷
φαρέτρᾱ 342⁴, 358⁵
φαρέτρη hom. 532⁵
φάρην el. 274⁸
*φαρής 736, 5
φαρθένος ark. 256²
-φαρίζω 736, 5
Φᾱρις 462⁶
Φαρκαδών 530²
φάρκτεσθαι H. 704³
φάρμακον φόβου II 96²
φαρμακοῦν σὺν ἐλαίῳ II 490⁵
φαρμάσσω 725⁴
φάρος (τὸ) 512³·⁷
φάρος ion. 228³. 584, 6
φαρόωσι Kallim. 719, 7
φάρσος 513¹, 2
φαρυγ(γ)ίνδην spät 627, 1
φάρχμα epid. 523⁷
φάρω nwgr. 92³
φᾶς ptc. 675¹
φάσ' ἐλθέμεν II 297³
φάσαν hom. 665⁷
φασγάνεται H. 700⁴
φάσηλος 484³
φάσθαι II 277³. 278¹·². 282³.
  381². 382³
φάσθε II 354⁶, 2
φασι äol. 687, 3
φᾶσι 3. pl. praes. 674⁶
φασί(ν) II 245³·⁴; – τινα
  εἶναι II 297³; – Μενοίτιον
  ζώειν II 620⁸
φάσις 156⁸
Φᾶσις 153⁶·⁷. 271³. 506²
φάσκον iter. 336³. 710, 8.
  712²; φάσκε ipf. 708². 813⁴
φάσκω 357³. 641⁸. 652, 3.
  II 261⁷. 278¹. 280². 381³·⁸
φάσκωλος 484⁵

17 H. d. A. II, 1, 3

φάσκων ptc. praes. 675¹. II
  389²; -οντες II 616⁸; s.
  φάσκω
φᾱσομαι 781⁶
φάσσα 473⁶
-φαται 3. pl. pf. med. 771⁶·⁷
φατειόν 811²
φατειός Hes. 810⁶. 811²
φατέον 811²
φᾱτί 640⁴
φάτις 106⁶. 271². 821⁴; –
  μνηστήρων II 132³; – ὑπὲρ
  τὸν ἀ. λόγον II 519⁶; –
  ἔχει τινα ὑπό τινος II 529³
φάτνη ion. 269¹
-φατο 3. pl. plusq. med. 771⁶·⁷
φατός 297⁶. 359⁴. 502², 1
φᾱτρίᾱ 260⁵
φάτω 675¹. 801³
φάτως imper. 803²
φατῶς· ἀνάγνωθι H. 803¹·²
(φατῶσαν· γνῶθι H. ) 803¹·²
Φαυίδας ark. 224⁵
φαῦλος 260⁵. 483⁴
Φαῦος kret. 224⁵
φαυοφόροι 224⁵
φαῦσιγξ 498³
φαύσκει 709¹
Φάϋττος thess. 318¹
*φαύω 686, 1
φαῶθι 462⁵
-φάων Namen 566⁴
φαωτὰν delph. 236⁸
φαῶφι 585²
φέβομαι hom. 684⁵. 717⁶.
  718⁴·⁵. II 229²; – ὑπό
  τινι II 526⁶
φέγγος ἔτους II 180⁵⁻⁶
φέγγω 684⁴
ΦΕδίλας lak. 192¹
ΦΕδίō lesb. 192¹
φεῖ 140³
Φειδᾶς 526, 5
Φειδιππίδης 635, 5
φειδίτια 504²
φείδομαι 347¹. 703¹. 748⁶; –
  c. abl. II 92⁶, 1
φειδός 458⁵
φειδωλή 461², 1
φειδωλός 484⁴; – c. abl. II
  96³
φείδων 487⁶
Φειδωνίδης 635, 5
φείσομαι 782⁴
φεκκάριν ngr. (dial.) 214³
φελγύνει 298¹
φενάξ 497⁴
φεογέτω ion. 197⁶
(*φεράμεν conj.) 792¹
(*φερᾶν) 670, 0
(*φεράτε conj. ) 792¹
φερβεσθαι ὑπό τινος II 529⁶
φέρε 417³, 4. 643⁵. 746³.
  797, 5. 799¹. II 228³.

245⁶·⁷. 341⁷. 620⁵. 695⁶;
  als pl. II 40¹. 609⁶
φέρε partic. II 304³. 309⁶.
  314⁴·⁵. 340⁵. 581¹. 584¹⁻².
  601⁶; – δή II 245⁷·⁸. 314⁵.
  563⁴
φερε/ο- praes.-St. 673³
φέρεαι 240². 658, 2. 668¹
φερέγγυος 441⁶. 442²
φερέδειπνος 445³
*φερεεν 807²
φέρει 3. sg. 599, 2. 642⁶.
  661¹·³·⁴, 2. 841³
*φέρει 2. sg. 660⁴
φέρειν 807²
φέρεις 2. sg. 659⁵. 660⁴.
  661³; lesb. 660, 9
Φερεκλῆς 634³
Φερεκράτης thess. 580⁴
φερέμεν infin. hom. 806⁴
φέρεμεν infin. 807²
φέρεν infin. 807¹. II 383⁵
φέρēν II 383¹
φέρενα 476²
φέρεο ipf. 669⁵
φέρεο imper. 668². 799⁶
φερέοικος 429⁵. 441⁵, 5. 453⁶.
  454⁵·⁶
φέρεσαι ngr. 668, 3. 669²
φερέσβιος 442², 2. 445²
φέρεσθαι 809³·⁴
φέρεσθε 670³
φερέσθω 801⁵. 802¹
φερέσθων imper. 802⁴·⁷
φερέσθωσαν imper. 802⁵
*φέρεσι 2. sg. 660⁴
*φέρεσj 2. sg. 841³
φερεσσακής 308². 320¹. 414².
  513²
φέρετε indic. 642⁸. 643⁴. 663¹
φέρετε imper. 799⁵. II 339²
*φέρετι 661⁴
Φερετίμη ἡ Βάττου II 120¹
φέρετον indic. 667¹
φέρετον imper. 799⁵. II 339²
φέρετρον 532¹
φερέτω 801¹·⁵. 802¹·⁵
φερέτων du. imper. 802⁷
(*φερέτων) 802⁵
φερέτωσαν imper. 802⁵
φέρη conj. 661⁶
*φέρῃ 3. sg. conj. 661¹·⁶
φέρηαι 668¹
φέρηι conj. 661⁶. 668², 2
φέρηι indic. 668², 2
φέρηι 2. sg. < -ησι 661⁷
φέρης conj. 661⁶·⁷
φέρησι conj. hom. 661⁷
Φέρης 462¹
*φέρης 2. sg. conj. 661¹·⁶
*φέρησι (< -τι) 661⁷
φέρησι II 311⁵
φέρητε 791⁴. 792¹
*φερητι 660²

φέριστος 300, 2. 538¹, 1. II
183, 2
φέρμα 523⁵
φερνή 489¹. 693, 13. 838²
φέρνω ngr. 701⁴. 764³. II
281⁵
*φέροα 660²
φέροι 796¹. II 328⁵, 1
*φεροια 1. sg. 25³
*φέροια 3. pl. 663, 9
φέροιεν 663, 9. 664⁴
φέροιμεν 796¹
φέροιμες dor. 663¹
φεροίμην 669⁶
φέροιμι 660¹
φεροιν 1. sg. 660¹
φέροιο 669⁵
φέροις 796¹; – ἄν II 329³
φέροισθε 670³
φέροιτε 663¹. 796¹
φέροιτο 669⁴
φέρομαι II 230⁴. 231⁴; -εται
669². II 236,5; -εσθαι 746³. II
364¹; – c. dat. II 162¹; –
κέρδος (μισθόν) II 234⁶; –
κατὰ ῥοῦν II 478⁶; – κατὰ
τῶν πετρῶν II 480⁵; s.
ἐφερόμην
φερόμᾶν 669, 8
φερόμεθα 670¹
φέρομεν 642⁸
φερόμενος 642, 2; 'im Sturm,
Flug' II 388³
φέρομες nwgr. 92¹. 663¹
φερόμεσθα 670², 4
φέρον 580⁶; – εἰς βλάβην II
409¹; – εὔκλειαν II 617⁵
*φερον imper. 803⁵
φέρον (τὸ) 566⁵
φέρονσι 3. pl. ark. kret. 270⁴
*φερονσι dat. pl. 272²; φέ-
ρονσι 419⁷
φέροντ- 642, 2
φέροντα neut. 581¹
φέρονται 671⁴
φέροντε 565⁴
φερόντεσσι lesb. 564³
φέροντι 3. pl. dor. 270⁴. 391⁶.
642⁸. 643⁴⁻⁵. 664²
φέροντον imper. lesb. 803³
*φεροντσι dat. pl. 419⁶
φερόντω imper. 583. 802¹·⁶·⁷
φερόντων imper. hom. ion.
att. 802⁶, 4
φερΟσθΟ 3. pl. imper. med.
epid. 802², 2
φερΟσθΟν imper. med. alt-
att. 802⁶
φέρου imper. 799⁶
φέρουσι ion. att. 81⁴. 287⁵.
419⁶. 664³
Φερρέφαττα att. 281³. 285¹.
442¹
*φερς 661³

φερτάζει H. 706⁴
φέρτε 2. pl. indic. 259⁷. 643⁴.
683⁶. 684³
φέρτε imper. hom. 678⁴.
799⁵. II 341⁷; ngr. 678, 4
φέρτερος 300, 2. 535⁷; – σέο
II 98⁵; – βίῃ II 168⁴
φέρτρον 532¹
Φερφερέτα (Διί) 501¹
φέρω 297³. 338⁷. 353⁶. 355⁶.
358⁵. 390⁶. 643⁸. 660³.
684². 723⁴. II 72, 1. 230⁴.
250, 6; φέρειν II 258¹.
362⁷. 383⁴. 695¹; – τι c.
dat. II 146⁵; – – c. loc. II
156³; – κέρδος, – μισθόν II
234⁶; φόρον – II 75³; – ἐπ'
ὤμου II 470⁵; – ἐπ' ὤμοις
II 466⁷; – ἐ μετά τι II
484⁴; – κῦμα κατὰ ῥόον
II 478⁷; – τι παρά τινος II
497⁸; – νίκην ἐπί τινι II
467³; – τινὰ προτὶ ἄστυ II
509⁷; – τι ἀντίον τινί II
534³; – τὴν ψῆφον ὑπὲρ τῆς
αἰσχύνης II 521⁴; – ἐπὶ τὸ
αὐτό II 472⁵; – τινὶ κακὰ
σιγῇ II 162⁶; – ῥίμφα ἅρ-
μα ὑπ' ὁμοκλῆς II 528³; –
τινὰ ζώνης ὕπο II 528¹; – τι
πράως II 83⁷; βαρέως – II
168³; – χαλεπώτερον c. gen.
II 134³; s. ἔφερον, ἔφερα,
φερ-
φέρω ngr. 764³; s. ἤφερα
φέρωμεν 791⁴. 792¹
φέρωμες II 315¹
φέρων 515³·⁵·⁶. 566⁴. II 388⁴; –
ἀπερείσι' ἄποινα II 388³
φέρωντι dor. 664³
φέρωσι conj. 664³
Φεστίας böot. 300²
φέτος ngr. 625³
Φετταλός böot. 269¹; -οι
90, 1; Φέτταλοι 300²
φεῦ interj. 377⁸. 716⁵. 798⁵,
10. II 600, 1. 601¹·⁴; φεῦ
φεῦ II 600, 4; φεῦ δᾶ(ν)
577, 4; – c. gen. II 134⁶; –
τῆς ἀνοίας II 624⁸
*φευγ 798, 10
φεῦγας ngr. 800¹
φευγᾶτος ngr. 503⁵. II 174, 1
φεῦγε hom. 797, 5
φευγε/ο- 673³
φεῦγεν infin. Theogn. 807¹
φεύγεσκεν hom. 711²
φεύγω (-ειν) 347⁴. 685¹. 747⁴.
781⁶. II 226⁵. 259⁶. 261³.
269¹. 372³. 274⁴⁻⁸. 276³.
362⁶. 375¹; – c. acc. II
91, 3. 240²; – c. gen. II
131². 226⁸. 227¹. 529¹; –
c. gen. d. Sache II 131³; –

c. gen. ngr. II 136⁵; φεύγω
ἀνάγκη II 167⁶; – φυγῇ II
166⁴; – δίκην φόνου II 131⁶;
– δίκας ὑπό τινος II 227¹;
– ἀνὰ κράτος II 441³; – διὰ
κῦμα II 453²; – διὰ τῆς
πόλεως II 450⁶; – διέκ τινος
II 450⁵; – ἐκ κακῶν II
463⁴; – ἐπ' αἰτίᾳ φόνου II
131⁶; – ἐπί τινι II 467⁶; –
ἐφ' ἵππου II 470⁶; – περὶ
δείματι II 501⁶; – περὶ θα-
νάτου II 502⁶; – πὸτ τῶ
Διόρ II 514³; – ὑπὸ τὰ
τείχη II 531⁴; – ὑπό τινος
c. gen. II 131⁵; – ὑπ' ἔγ-
χεος II 528³; – ὥς τινα ὑπό
τινος II 529⁴; s. ἔφυγον,
φυγεῖν, φυγών
φεύγων II 388⁵·⁶; -γοντες II
390⁷; φεύγων ἐστί II 255⁴;
– τὴν δίκην II 393¹
φεύζω 716⁵. 722, 3. 815³
φευκτέον II 410²
φευξεῖται 786²
φευξείω Eur. 789¹
φευξῇι Theokr. 786⁷
φεῦξις II 357⁵
φευξοίαϑ' Aesch. 780, 1
φεύξομαι hom. att. 781⁶.
786²
φευξοῦμαι att. 785⁷. 786²·³.
II 226⁷
φεύξω spät 782²
*φεύσομαι 262¹
*φευτύω 301⁶
φέψαλος 328⁸. 423⁵
φεῶν 205, 3
φη 3. sg. 660¹. 674⁶
φή 'wie' II 577¹⁻³
Φήβα ngr. 303¹
Φηγηύς 196³
φήγινος 490⁶
φηγός f. 58³. 457⁷
φήι conj. 675¹
φήις conj. hom. 792¹
*φηι 'sagst' 659⁵
φῆι conj. 675¹
φῆις 659⁵, 5. 6. 674⁶
φῆισθα hom. 674⁶
φῆισι conj. 675¹
φήμη περί τινος II 503²
φημί 389⁶. 673⁴, 1. 674⁶.
686⁵. 816⁷. II 259¹. 261⁷.
350⁷; – c. gen. II 132¹; – c.
ptc. II 394⁴; – ἄλλα παρά
τι II 497¹; – παρεῖναι II
297⁵; φησι ἰᾶσθαι τὸ τρ.
II 297⁴; φημὶ οὐκ εἰδέναι
II 595⁵; – τινα κρύπτειν II
297⁴; s. φάναι, ἔφαν, ἔφην,
ἔφησα, φη-
φημίξωσι Hes. 737⁷
φῆμις 495³

φημοσύνα 529⁴
φῆν ipf. 674⁶
φῆναι att. 187⁷
φήνη 489²
φήρ äol. hom. 106². 300³.
302¹
Φῆρες hom. 89⁶. 300³. 302¹
φής 659⁶, 7
φησί II 272⁸. 621³; s. φημί
φήσω fut. 675¹
*φήσω fut. (φαίνω) 736⁵
φϑ graphisch für πτ‘ 210⁷;
= syr. ft 233⁸
*φϑᾶεναι 808⁴
φϑαίρω dor. 342³. 714⁴
φϑάμενος hom. 742⁴
φϑάν 3. pl. Ilias 742⁴
*φϑανϜω 698³
φϑάνω 326⁸, 1. 699⁴. 742⁴, 4;
  φϑάνω att. 698³; φϑάνω
  ion. hom. 228³. 698³; II
  272². 301²; οὐ – II 392, 4;
  – c. ptc. II 392³; – c. infin.
  II 396³; οὐ φϑάνοιτ’ ἂν ϑνή-
  σκοντες II 392³; s. ἔφϑᾶν,
  -ην, -ασα
φϑαρέω fut. 785¹
φϑαρη- att. 759⁴
φϑαρῆναι 759⁶
-φϑαρήσομαι 714⁴
φϑᾶς ptc. 742⁴, 4
φϑάσαμε ngr. II 282⁵
φϑάσας ptc. att. 742, 4
φϑατήση H. 705⁵
φϑέγγομαι 327¹. 684⁴, 9.
  692⁷. II 229¹; – μεῖζον II
  77⁴; – αἶνον εἴς τινα II
  460³; s. ἔφϑεγμαι
φϑέγμα 214⁸. 523⁵
*φϑείομαι 790⁴
φϑείρ 326³. 424³; φϑεῖρας II
  88²
φϑεῖραι att. 285²
φϑείρομαι II 228¹; s. ἐφϑά-
  ρη, ἔφϑαρμαι, ἔφϑορα
φϑείρω ion. att. 283⁵. 326³.
  714⁴. 715⁶. 785³. II 228¹;
  s. ἔφϑειρα, ἔφϑερρα, ἔ-
  φϑαρκα, φϑείραι, φϑαρέω
φϑεῖσαι 755⁶
φϑεισήνωρ 444²
φϑεισίμβροτος hom. 443³, 4
φϑείσομαι hom. 740³. 782⁵
φϑέραι opt. ark. 283¹. 285².
  745, 5. 746, 0. (753⁵). 797¹
φϑερέω fut. 785¹
φϑέρρω lesb. 283⁵. 323¹
*φϑέρσομαι opt. 746, 0
φϑέρσαντες Lykophr. 753⁴
φϑερῶ att. 714⁴. 785¹·³
-φϑη aor. 761²
φϑῆναι infin. ion. att. 742⁴.
  808⁴; τοῦ μὴ – II 372⁴
*φϑηραι opt. 746, 0

φϑήρω ark. 283⁵
φϑήρων 88⁵
φϑίεται conj. hom. 740³.
  790⁴
Φϑίη 77⁶. 326⁸; -ην μητέρα
  μήλων II 615⁶
φϑήϊς conj. 740³
Φϑίηφι 551³
*φϑιjῖτο 795⁵
φϑίμενος ptc. 740³; – μετ’
  ἄλλων II 483⁶; – ὑπὸ χερσί
  τινος II 526⁸
*φϑινϜω 697¹
(*φϑίνημι) 697, 2
φϑινήσας Hippokr. 697, 2
φϑινόκαρπος 442⁴
φϑίνομαι οἶτον II 76¹
φϑίνοντος (μηνός) II 175⁵
φϑινόπωρον 442⁵·⁶
φϑινύϑεσκε hom. 711²
φϑινύϑω hom. 326². 697¹.
  703⁵. 740³
φϑινύλλα att. 475, 2. 485⁴
*φϑίνυτι 698¹
φϑίνω hom. 326³. 673, 1.
  698². 741³. 756¹. II 72, 1;
  – c. instr. II 168⁴; s. ἔ-
  φϑεισα, ἐφϑι-, φϑι-
φϑιόμεσϑα conj. 790⁴
φϑῖσαι 755⁶
φϑισιάω 732²
φϑίσϑαι infin. 740³. II 296³
φϑίσις 313³. 357⁴. 505⁵;
  φϑίσιν II 88²
φϑίτο 790⁴
φϑῖτο opt. 740³. 795⁵
φϑιτός 326³. 357⁴
φϑόη 189³, 1. 313³. 326³
φϑοῖς m. 377⁸. 462, 5. 573⁶
φϑόϊς 326³. 462⁵, 5
φϑονέω 326³. 720, 6. II
  133³, 2; -εῖν II 711⁸;
  -οὖντες II 390⁶; φϑονεῖν c.
  dat. II 144⁶; – τινι c. gen.
  II 133⁶·⁷; – – τῶν ἀγαϑῶν
  II 134²
φϑόνος 326³. 459¹. 720, 6;
  – χαλεπώτατος νόσων II
  606⁴; οὐδεὶς – II 623⁵
φϑόρος f. II 614²
φϑόσις 505, 9
φι äol. 301¹·²
-φι casus-suff. 57³. 102¹.
  297³. 405⁸. 406². 546⁶.
  549⁴. 550⁵·⁶ f. 551². 619, 5.
  II 171³–173
-φι adv. 551². 619, 5. 622⁴
φιάλα du. II 49³; s. φιάλη
Φιαλεύς ark. 209³
φιάλη 154⁷. 165². 243⁷. 484¹
φιβαλέος 484³
Φιγαλεύς γένος II 86³
fiete (= φύεται) 184¹
Φιϑάδας böot. 257²

Φίϑε 636, 3
Φίϑων böot. 257²
Φῖκα acc. böot. 334³. 692⁶
φίκατι pamph. 89². 205⁵.
  225³. 233⁷. 591³
Φίκιον (ὄρος) 334³. 692⁶
Φιλαγόρας kypr. 153²
Φιλάγροιο gen. 555³
φῖλαι imper. Ilias 718⁴
φῖλαι aor. infin. 754, 2
Φιλαῖδαι 265⁸
Φίλαινα 475⁴
φιλαίτερος 535⁷
φιλάνϑρωπος 442⁶
φιλατίας als Titel II 131⁷
φίλατο hom. 718⁴; – (τινα)
  περὶ πάντων II 502²
φιλαυτία 469²
φίλε: – τέκνον II 38⁵
*φιλέεαι 252³
φιλέει προσημαίνειν II 621, 2
φιλέειν hom. 807⁴, 3
φιλέειν infin. hom. 807⁴
φιλέεσϑαι παρά τινι II 494¹
φιλέεσκε(ν) hom. 711². II
  278⁴
ΦίλεϜο kypr. 461⁸
φίλει imper. 248⁸. 799¹
φιλεῖ att. 249⁴. 841³
φιλείην lesb. 795²
φίλειμι böot. (gramm.) 729³
φιλεῖν (τὸ) II 371⁶. 383⁸
φιλεῖσϑαι ἔκ τινος II 463⁷;
  – ὑπό τινος II 529⁷
φίλεισι lesb. 664⁵
φιλεύω ngr. II 80, 1
φιλέω 718²·³·⁴. 726⁴. 754, 2.
  815²; φιλῶ 249⁸. 791⁶; – c.
  acc. II 105⁷; – τινα ὑπέρ
  τινα II 520¹; – τινα ἐκ
  ϑυμοῦ II 463⁴; – δρῶν
  II 392⁶; s. ἐφίλησα, φιλε-,
  φιλήσω
Φιλεωνίδεος gen. sg. ion.
  561³
φίλη imper. lesb. 248⁸. 798⁵
φιλῆι att. 249⁸. 252³. 791⁵
φιλῆις att. 791⁵
φιλήμεναι 729²; s. φίλημι
φίλημι äol. (lesb.) 89⁶. 659³·⁶.
  730². 795². 815¹; s. φίλειμι
*φίλημι 807⁷
φίλημμι lesb. 729¹
*φίλην infin. 807⁷
φίλησϑα äol. 90⁴
φίλησι lesb. 659³
φιλήσω 782⁵
φιλῆτε att. 791⁵
φιλήτης 500³
φιλί n. ‘Kuß’ ngr. 809⁶. II
  383, 3
φιλία II 479³
φιλία [γῆ] II 175⁵
φιλικῶς 624²

17*

φιλῖμεν infin. böot. 806⁵, 9
Φιλῖνος 491³
φίλιος: ἡ φιλία (γῆ) II 175⁵
Φιλιππήσιοι 162, 2
φιλιππίζω 736³
Φίλιπποι gen. sg. 90⁶. 555, 3
Φίλιπποι ΟΝ 638⁵. II 33, 2
Φιλιππος 159⁶
Φίλιστος 535⁷
φιλίων 535⁷, 1
Φίλ(λ)ēϜο kypr. 461⁸
Φίλλει 636, 3
φιλο- 442³·⁵, 3
φιλοθύτης 430⁴
φίλοι acc. pl. ngr. (dial.) 563⁷
φιλοίην att. 794²·⁶. 796²·⁵;
  φιλοίη 796²; φιλοῖμεν 794⁶
φιλοίκτιστον II 605⁷
Φιλοκλείδα nom. sg. m.
  leukad. 560⁴
Φιλοκλευς gen. 197⁷
φιλοκτεανώτατε 442, 3
Φιλοκωμάσιον 636¹
φιλομέτοχοι II 386⁶, 2
φιλομμειδής 310⁶. 513²
φίλον adj.: σοὶ μὲν οὐ – II
  617⁵; – ἐστί τινι κεκλημένῳ
  II 393⁷
φιλονικέω; s. ἐφιλονικήσουσιν
φιλονικίαι II 43⁷
φιλόξεινοι 442, 3
φιλοξενέστερος 535⁵
Φιλόξενου 156³
Φιλόξηνος kyren. 228⁴
ΦιλόπαϜος gen. kypr. 578⁴
φιλόπολις 542, 4
φίλος 62⁵. 483⁴. II 182⁵·⁷·⁸;
  φίλοι II 45⁷; φίλος voc. II
  63²; – ὦ M. II 63⁵; φίλε
  κασίγνητε II 61⁴. 63⁶; φίλε
  τέκνον II 38³; φίλε voc. ngr.
  II 59, 2; φίλων gen. pl. f.
  559³; s. φίλον
Φιλοσκήτης 326¹
φιλοσοφεῖν φιλοσοφίαν II 75²
φιλότης 528⁶
φιλοτῑμέομαι 727¹
φιλοττάριον 265⁴. 471, 3
φιλοῦν II 409¹
Φιλόφειρος thess. 302¹
φιλοχρηματίᾱ 270⁷
φίλτατ' Αἰγίσθου βία II 602⁸
φίλτερος 535³·⁷, 1
Φιλτός gen. sg. f. rhod. 479, 1
φίλω du. II 48, 3
φιλῶ conj. II 331, 1
φιλώιην hell. 796³
φιλῶμεν att. 791⁵
φίλων gen. pl. f. att. 559³
φιλῶσι att. 791⁵
φιλώτερος 535⁷
φῑμός 492³
φιν dat. pl. lak. 334². 601⁷.
  603⁴

-φιν casus-suff. 405⁸. 406².
  550⁵·⁶·⁷. 551¹
-φιν adv. 622⁴
φίνις 495³, 9
φίντατος dor. 213⁴
Φιντίας 81⁴. 213⁴
Φίντωνι delph. 213⁴
-φις adv. 619, 5. 622⁴
*φιστος 262¹
φιτρός hom. 531⁶
Φίττακος ion. 269¹
Φίττων ion. 269¹
φῖτυ att. 301⁶. 506⁴
φῑτυποιμήν 506, 6
φῖτυς 506⁴
φιτύω 301⁶. 727⁵
φλαδε/ο- Aesch. 747⁶
φλάζω 747⁶
φλανύσσω H. 699². 733⁵
φλασμένος 767¹
*φλαῦλος 483⁴
φλαύροισι 556, 4
φλαῦρος 483⁴
φλάω ion. att. dor. 303¹
φλεβ- 424³
φλεγέθει 703³
φλεγεθοίατο 703³
φλεγέθοντ- 703³
φλεγη- 760¹
φλεγμαίνω 724⁶
*φλεγμή 524⁵
φλεγμονή 524⁵
φλεγμός 492⁵
φλεγυρός 482⁴
φλέγω 297⁴. 684⁴
φλέδων, φλεδών 530¹
Φλειάσιος 527, 4
Φλές (τὸ) ngr. 519⁶. 520, 2
φλέω 685⁷
φλέως 349⁵
Φλέως ion. 557⁷
φληδᾶν H. 356¹·⁵. 719³
φληναφάω 731⁵
φληνύω 699²
φλιβη- 759⁵
φλῑβω äol. ion. 302².303¹.685⁴
φλιδή 508⁷
φλόγ- 424³
φλογμός 492⁵
φλοιός 348⁶
φλόνος 494¹. 830⁷
φλοῦς 577⁴
φλύαξ 497³
φλυαρία: -ίας εἶναι ταῦτα II
  607¹
φλυαρός 482⁵
φλυάσσω H. 725⁴
φλυδάω 683¹. 703¹
φλυζάκιον 474³
φλύζω 298⁷
φλυκτίς 298⁷
φλύσσω 717¹
φλύω 685⁷. 686³. 703¹
φλωός gen. sg. 577⁴

*-φμ- 327³·⁵
φνεί 696, 2. II 600, 6
*φνόντι 52²
-φο- suff. 495⁴·⁵·⁶
φοβέαι j.-ion. 252⁷
φοβεῖσθαι: ἐπὶ τὸ – II 370⁵
φοβέομαι 355⁶. 717⁵. 718⁵.
  719⁴. 815⁴; -οῦμαι II 354⁵.
  675⁵·⁷·⁸.676¹.677²; φοβουμέ-
  νω II 609⁵; φοβήσομαι, ἐφο-
  βήθην 717⁵; φοβοῦμαι (-εῖ-
  σθαι) μή (οὐ) II 598⁶; – τινας.
  instr. II 168¹; – ἀμφί τινι II
  438⁵; – πρός τι II 512¹
φοβέρα ngr. 422, 0
φοβερός 482¹
φοβεσιστράτη 443⁵, 11
φοβεστράτη 721⁵⁻⁶, 8
φοβέω 714, 2. 717⁶. 718⁴.
  721⁵, 8; s. φοβήσω
φοβήθηκα ngr. 652⁴⁻⁵
φοβήσω 717⁶. 718³·⁴·⁵
φόβον δε 624⁶
φόβος: – φίλων II 121⁵; φό-
  βῳ τοὺς Θηβαίους II 74¹;
  φόβοι II 43⁶
φοβοῦμαι; s. φοβέομαι
*φόθος 261⁵. 297⁶
φοιβάζω 299⁷
Φοιβάμμων 635, 1
φοῖβος 299⁷. 459⁴
φοίνα äol. 303¹
φοινήεις 528¹
φοινίζω spät 734³
φοίνικανς acc. pl. kret. 563⁴
Φοίνικες 79²
Φοινικήϊα (γράμματα) 141³
Φοινίκισσα 475⁵
φοινικιστής 500⁶
φοινικοῦς II 182⁴
φοῖνιξ 391⁶
φοῖνιξ 165². 497⁵; – ἔρσην,
  – βαλανηφόρος II 305
φοίνισσα 543³
φοινίσσω 725⁴. 734³
φοισκος (= φίσκος) 827³
φοιτάς 508¹
φοιτᾶ̈ᾶν äol. 667²
φοιτάω 705⁵. II 162⁶; φοι-
  τᾶν παρά τινα II 495¹; –
  ὑπ' αὐγὰς ἠελίοιο II 530⁶; –
  περὶ βόθρον II 504¹
φοιτέω ion. 242⁸
φοιτήτην du. 667². 729³
Φοιτιάς akarn. 569⁶
φόλλις 164²
Φολουιος 158³
φονᾶ φονᾷ II 700²
φονϜς ark. 575⁶
φονεύειν: τὸ μὴ – II 371¹
φονεύω II 275¹; φονεύσω II
  291⁴
φονιάς: τοῦ φονιᾶ τὸ πηγάδι
  II 27⁵

φόνος 31⁴. 42³. 73⁵. 297⁶·⁸.
837⁴. II 34, 4; – Πελίαο II
614¹; – ἐπὶ φόνῳ II 156⁴
φονός II 34, 4
φοξός 516⁶
φοράδην 626⁵
Φόρβαντος θυγάτηρ II 615⁵
Φορδίσις pamph. 413⁸. 472².
636, 1
φορε/ο- 643⁵
φορεῖ 643⁷
φορέομαι σύν II 162⁴
φορέω 353⁶. 720². 754, 2.
815². II 71⁵; φορῶ II 250,
6; φορεῖν τινα κατὰ ῥόον
II 478⁵; – τι ὑπὸ τοῖς χιτω-
νίσκοις II 525⁵; s. ἐφόρη-
σεν, φορε-, φορη-
-φορέω 726⁵
φορη- 643⁵
φορήμεθα lesb. 680, 3
φορήμεναι infin. hom. 729².
806⁵; – εἰς φόβον ἀ. II 460²
φόρημι äol. 718². 814²
φορήν ngr. (dial.) 87⁴
φορῆναι infin. 808⁴. II 363⁶
φορήσει 643⁷
φόρησεν Ilias 720²
φόρκες 299⁸
Φόρκῦνος gen. 488⁵. 582⁶
φορμηδόν 626⁵
φορμίζω 735⁴
φορμός 492⁴
φοροίη Od. 796²
φόρος 355⁷. 358⁵. 459²; φόρον
φέρειν II 75³
φορός (γῆ) II 32⁴. 34, 10
φόρτος II 176⁷
φορτώνω ngr. II 83⁵
φορύνω 733⁴
φορύξας 715, 12
φόρυς 463⁵
φορυτός 501⁴
φορῶ; s. ἐφόρεσα, φορέω
-φος suff. 455, 4
-φρα adv. 631¹, 1
φραγέλλιον 258⁸
φραγη- pass. 760²
φραγμὸς δι' ὤτων II 451⁷
φράγνυμι att. 696³
φραδᾶ 715¹. 754⁸; φραδᾶν τὸς
ark. 746, 0
(φραδαντ- ptc. ark.) 745, 5
φράδδω kret. 715³
φράδεν H. 748³
φραδή 460³
φραδής 513, 11
φράδμων 522⁴
Φράδμων 636⁶
φράζομαι 748⁶; – ἀμφίς II
439⁶; -εσθαι σύν τινι II
489⁴; – μή II 676³; φρά-
ζετο θυμῷ II 155⁴; s. ἐφρα-
σάμην, ἐφράσθης, φράσαι

imper., φράσομαι, φρασσ-
φράζω 715¹. 754⁸. 775². II
381⁵; – τινός II 132²; –
πρός τινος II 516³; s. φρά-
σαι, φράσω
Φραηιαρίδας arg. 217⁴
*φρανός, -ῶν gen. sg., pl.
569¹
φράξαι II 365⁶
φράσαι imper. hom. 803⁷
φράσαι: τὸ μὴ – II 380²
φρασαίατο 671³
φράσαιμι ἄν II 329⁶
φρασί dat. pl. att. 102¹. 343⁴.
552⁴. 569¹·²
Φρασιηλίδης 258⁸
Φρασικλῆς 446²
Φράσμων att. 208⁴
φράσομαι fut. hom. 785⁴
φρασσ- 754⁸
φράσσομαι fut. hom. 785⁴
φράσσω 715². 772, 4
φράσω II 291³
φράτερσι 568⁵
φράτηρ 49³. 297³. 346⁵. 355⁶.
380⁷. 421, 3. 567, 7. 568⁴.
840²
φρᾱτήρ dor. 380⁷. 384⁴
φρᾱτρία 260⁵. II 39⁵. 176⁸
φράτωρ att. 380⁷. 568⁵, 3
Φρεάντλης 24²
φρέᾱρ 57⁵. 519⁵
Φρέαρ(ρ)οι att. 519⁶
φρεᾱτία 519⁶
φρέᾱτος gen. 245⁶
Φρεαττύς 519⁶
φρέμπαρος 440, 5
φρένες 552⁴. II 52¹
φρενετίζω 736, 1
φρενῑτίζω 736, 1
φρενόθεν 628³
φρενός gen. sg. 569¹
φρενώλης 440⁴
φρενῶν gen. pl. 569¹
φρεσί dat. pl. 569². II 57⁵;
ἐνὶ – II 57⁵
Φρεσσεφόνη 100⁴
φρήατα hom. 245⁶
φρῆϜαρ 519⁶
φρήν 355⁵. 424¹. 486²·⁷.
569¹, 2
-φρήσω 689⁵
φρήταρχος ion. 260⁴
φρήτιον siz. 250⁷
*φρήτηρ 532⁵
φρητός dor. 250⁷
φρήτραρχος ion. 260⁴
φρήτρη 532⁵
φρήτρηφιν 551¹. II 172, 2
φρῑκ- 424⁴
φρῑκες 299⁸
φρίν (= πρίν) lokr. 92⁵. 631²
φρίξ f. 716⁴

φρῑξός 516⁶
φρίσσω 716⁴
φροίμιον 219³. II 505, 2.
508²
φρονέην infin. äol. 807, 3
φρονεῖν: τῷ – II 360¹; τοῦ –
II 361⁵
φρονεοι (= φρονέωσι) kypr.
217⁴
(φρονέσιν) 807, 3
φρονέω 725, 1; φρονεῖν τὰ
ἄριστα II 77⁴; – τὰ τῶν
'Ε. II 77⁶; – κατ' ἄνθρω-
πον II 478¹; φρονέω ἐπὶ
τοσοῦτο II 472⁶; φρονῶν
τυραννικά II 405³; – ὑπὲρ
ἑαυτόν II 520¹; κακὰ φρο-
νέω c. dat. II 147¹; κακῶς
φρονοῦντες II 388²; s. εὖ
φρονεῖν
-φρονέω 725, 1
φρονέω[h]ι kypr. 287⁶
φρονησεῖν: κακῶς – II 376⁶
φρόνιμος παρ' ἑαυτῷ II 494⁵;
– περί τινος II 503⁴; φρο-
νιμώτερος ὑπέρ τινα II 520³
φρόνις f. 462⁴. 725, 1
φρόνος äol. 303¹
φροντίζω (-ειν) II 396³. 631²;
– c. gen. II 109¹; – τι c.
gen. II 109⁴; – μή II 676⁴;
φροντίζειν περὶ ἑαυτοῦ II 502⁷
φροντίς 465, 2; – ἡ παρὰ ποδός
II 498⁴
φροντίσδω lesb. (Sapph.)
330². 735⁵
φροντιστὴς τὰ μετέωρα II
73⁸. 121³
φροῦδος 219³. 269¹. 386⁵.
398³. 436⁸. II 505, 2. 507⁷.
508¹. 623⁶
*φροὔξω 402³
φρουρά 219³·⁶. 721, 7. II
505, 2
φρουρεῖσθαι ὑπό τινος II
529⁶
φρουρέω II 505, 2; φρουρῶ
402²; – c. gen. II 112³
φρουρούμενα II 611⁷
φρυάσσομαι 725⁵
Φρύγες 67⁸. 158¹
φρυγη- pass. 759⁶
Φρυγία 469¹
Φρυγίη loc. II 154⁸
φρυγίλος 485¹
φρυγίνδα 627²
φρύγω 685⁴. II 226⁶
φρύδι ngr. 570⁷
φρύνη 489¹
Φρὺξ ἀνήρ II 314⁷·⁸; s.
Φρύγες
φρυχθη- 759⁶
-φρῶ aor. conj. 689⁵
-φρων 426⁴

φσ att. für ψ 211⁵. 233²˙³
*ft* ngr. 130¹
φτερνίζομαι ngr. 696³
-φτω verba ngr. 705³
φτωχός: τῆς φτωχῆς κόρης
  τὸ σπίτι II 27⁶
φῦ II 601¹
φῦ- 743³
φυά 425³; πρὸς εὐάνθεμον
  φυάν II 512⁴
φύγαδε 424⁴. 584⁶. 624⁷
φυγαδείην el. 728³
φυγάδεσσι el. 564⁴
φυγαδεύάντι conj. el. 728³.
  792³
φυγάδην 626⁴
φυγάδις 631⁴
φυγαίχμης 442⁵
φυγάς 508²˙⁵˙⁶. II 173⁴
φυγγάνω 699⁷. 747⁴.771⁵.781⁶
φύγδα 626³
φυγε/ο- 673³.˙747⁴
φύγεθλον 533³
φυγεῖν 640⁶. 673³. II 261⁴.
  282²
φύγεν ἕρκος II 81⁴
φύγεσκε Od. 711⁵. II 278⁵
φυγέτω 801⁴
φυγή 459⁷. 584⁶. II 34¹;
  φυγῆς ἧς ἔφυγον II 641²
φυγίνδα 627²
φυγο- 442³
φύγομαι fut. hyperatt. 780⁵
φυγόντα: ὡς – II 391⁶
φυγοπτόλεμος 442³
φυγῶ fut. spät 784⁵
φυγών 673³; – ὕπο ν. ἦμαρ
  II 426⁵; ὡς φυγόντα II 391⁶
φύεται [*fiete*] 184¹
φύζα 474³. 771⁵
φυζακινός 32⁶. 456⁶
φυζάναι H. 700⁴
*φύζω hom. 714⁶. 771⁵
φυη- ion. 759, 1
φυὴν χερείων II 85⁶; s. φυά
φυήσομαι 782⁶
φυίη opt. 795⁵
φυίω äol. (lesb.) 199⁵. 686⁴, 5
Φυκός kyren. 253²
φυκτά II 606²
φυκτός 347⁴
φυλάδδω kret. 734²
φυλαῖν du. II 49⁶
φύλακ- hom. 458⁵
φύλακες ἄνδρες II 614⁶
-φυλακέω verba 731⁶֊
φυλακή: – τῶν λειστῶν II
  121⁵; φυλακαὶ πρὸς Αἰθιό-
  πων; φυλακὰς εἶναι περί τι
  II 504²; – φυλάττειν II 75²
*φυλακjω 414³. 712⁶
φυλακο- hom. 458⁵

φύλακος 381⁸
φυλακός 381⁸; -ούς 385⁷
φυλακτέον εἶναι II 409⁶
φύλαξ; s. φύλακ-, φύλακες
φύλαξαι II 341³
φυλάξατε II 341⁴
φυλάξῃ: ὁ θεὸς – ngr. II 316³
φυλάξοι 796⁴
Φυλᾶς 526, 5
φυλάσσεσθαι c. instr. II
  165⁷; – παρά τινι II 494²;
  – τι πρὸ πολλοῦ II 507⁵;
  – ὅπως μή II 676⁵; – ἵνα μή
  II 676⁶
φυλάσσω 72⁴. 290². 319³.
  414³. 725⁴. 771³. II 370²;
  – ἐπὶ νυκτί II 468⁷; s.
  φυλάξατε, φυλάξῃ, φυλάξοι,
  φυλάττω
φύλατον imper. hell. 803⁶
φυλάττομαι (-εσθαι) II 353⁴;
  – c. infin. II 676⁶; – μή II
  676⁵; φυλάττου, φύλαξαι I I
  341³
φυλάττω 290². 319³. 712⁷.
  815⁴. II 363⁶; φυλακάς – II
  75²; s. φυλάσσω
φυλή 381³
Φυλῇ loc. II 155²
Φυλιαδῶν 530²
φύλλον 239¹.323¹.351⁸;φύλλα
  γίγνεται II 607³; – πίπτει
  73². II 11⁵. 17³. 39⁵. 607³
φυλοβασιλεῖς 453⁴
φῦλον 381³
φῦν infin. Parm. 808¹
φῦναι .infin. ion. att. hom.
  808⁴. 809². II 258³; – c. abl.
  II 94¹; – ἐκ τῶν αὐτῶν II
  94³; – Λάϊον ἐκ τοῦδε II 94³;
  s. φύντες, φύομαι
*φύνδαξ 333⁴
φύντες μιᾶς μητρός II 94²
φύνω spät 698⁴
φύξηλις 517², 1
φύξιμον 494⁵
φύξιμος ion. att. 270⁵; – c.
  acc. II 73⁸
φύξις 505². II 356⁵. 357⁵
φύομαι II 227⁷; – c. dat. II
  143³
φυόμενα II 241⁷
φύοντες 205, 3
φύραω 719⁴
φύρδην 626³
*φύρjω 719⁴
Φύρνιχος 267⁵
φύρομαι; s. ἐφύρη, ἐφύρθη,
  φύρω, πεφυρ-
φύρσω Od. Pind. 782²
φύρω 714⁵. 715, 12. 719⁴; –
  c. acc. et gen. II 111⁵

φῦσα 298². 516⁵
φύσαντες (οἱ) II 45¹
φύσεος gen. sg. 572, 3
φυσιασμός 492⁴˙⁵
φυσίζοος hom. 330⁵. 355⁵
φυσικός 497, 9
φυσιολόγος 439⁵
φύσις 350⁷. 505². 821³
φύσκη 541⁶
φύσομαι 782⁵. 788, 1
φύστις 504, 6
φύσω fut. 755, 10
φυταλιά 484¹
φυτάλμιος 494³. 503²
φυτευθέντες κείνων II 94²
φυτεύομαι pass. II 241³
φυτεῦσαι II 341³
φυτεύσαντες (οἱ) II 45¹
φυτευτέον τὴν γῆν att. 810⁵
φυτεύω 732⁷
Φύτιος ion. 269¹
φύτλη 533⁴
φυτόν 350⁷
φύω 41². 297⁴. 686², 1. 755⁶.
  756¹. II 227⁷. 276⁴; s. ἔφῦσε,
  φύσαντες, φύομαι
φώγνυμι 697³
φώγω 685⁴
φώζω (= φώγω) 716³
φῶι dat. sg. att. 578⁵
Φωκᾶΐς 266¹
φώκη 496⁴
φωλεός 67³
φωνά 359⁴. 720, 10
φωνᾶντα dor. 250⁵
φώνασε Pind. 720, 10
φωνάω 720, 10. 728⁷
φωνεῖν 720, 10. II 380¹; –
  πρό τινος II 506⁸
φωνέω 720, 10. 728⁷; s. φω-
  νεῖν, φωνήσας
φωνή 7⁴; s. φωνά
φωνεις II 174³
φωνῆεν 527¹;   φωνήεντα
  (term.) 169⁵
φωνήσας II 390⁸; – προσηύδα
  II 301, 1
φώρ 355⁷. 358⁵. 424³; s. φώρ-
  τατος
φωρά 460³
φωράω 719, 5
φώρη f. 719, 5
φωριαμός 385⁷. 448²
φώρτατος 536²
φῶς 378³. 499³; – Ἡρακλῆς
  II 614⁸; s. φῶτε
φῶς 377⁶. 514⁴. 578⁵
φώσκει 709¹
φωσφόρος 338⁷
φῶτε II 48⁵
φωτιά ngr. 578⁵
φώψ 302¹. 424³

# Χ

χ: aus idg. kh, gh, ǵh, gwh
  297[1·4·5]; für ind. kk‘ 204[6];
  – vor hellen Vok. 206[7]; gr.
  χ durch dt. h wiedergege-
  ben 218, 1
-χ- in Präsensbild. 702[4–5]
-χ- suff. 496[5]. 498[4·5]
χά: χά χά 14, 1; s. χαχά
-χα adv. 598[2–3], 7
-χα pf. 771[6·7]. 772[5·6·7]
Χάββειος thess. 231[6]
Χάββεις thess. 315[6]
*χαδάνω 700[7]. 701[1]
χαδεῖν 358[6]; – τι c. dat. II
  147[5]; s. κέχονδα
*χάδην 694[3]; *χάδην ῥύβδην
  626[4]
χάδην 'abgesondert' Hippo-
  krat. 626, 2. 7
χάϝος 694[3]
χάζομαι 748[7]. 770[3]. II 229[1];
  – ἐκ II 463[1]; χάζοντο κε-
  λεύθου II 91[4]
χάζω 715[1]
χαίνω 694[3]. 771[5]; s. ἔχανον,
  κεχάνατι, χάνοι
χαῖρε II 341[2]
χαιρε- 441[6]
χαίρειν (τὸ) II 370[3]
χαιρεκακία 441[6]
χαιρεν infin. pap. 807[5]
Χαιρεσ(τ)ράτη [so| att. 260[6]
χαιρετίζω 736[1]
χαιρηδών 529[7]
χαιρήσειν hom. 714[4]
χαιρήσω 752[3]. 755[4]. 763, 5.
  783[2]. 785, 1
Χαιριω ion. 252[4]
Χαιροκλῆς att. 442[4]
Χαιρόλας delph. 442[4]
χαίρομαι II 234[7]; ngr. II 235[4]
Χαιρωνέα böot. 238[2]
χαίρω 342[3]. 714[4]. 748[6]. 752[4].
  759[4]. II 260[3]. 377[1]; – c.
  instr. II 167[8]; – c. dat. ptc.
  II 393[6]; – μέγα II 77[3]; –
  ταὐτά II 77[6]; – ἡδοναῖς II
  166[5]; – ἐπί τινι II 469[3]; –
  τινὶ προσιόντι II 393[6]; – δια-
  λεγόμενος II 392[6]; – τιμώ-
  μενος II 392[6]; s. χαῖρε,
  ἐχαίρησα, ἐχάρην, κεχάρηκα,
  κεχάρημαι, κεχαρηώς, χαρ-
  χαίτη 501[5]
Χαλάδριοι 258[7]
χάλαζα 474[4]
*χαλάζω 682[6]
χαλαίπους 448[4]
χαλαίπυρον 448[4]
χαλαίω 676[5]
χαλάξαις ptc. 682[6]

χαλαρός 683[1]
χαλάσσομεν conj. Alk. 790[4]
χαλάσω fut. 682[6]
χαλάω 682[6]; s. ἐχάλασα, -σσα,
  χαλάσω
Χαλειέα: τὸν – II 41[8]
χαλεπαίνω 705[1]. 733[1]; – c.
  instr. II 168[2]; – τινί c. gen.
  II 134[4]; – ἐπί τινι II 467[5].
  469[3]; – πρὸς τὰ παρόντα II
  511[8]
χαλεπός 426, 4. 496[2]; c. dat.
  II 144[4]; – εἰμι c. dat. II
  150[6]; χαλεπή τοι ἐγὼ
  μένος ἀντιφέρεσθαι II 623[3]
Χάλεπος 420[5]
χαλέπτει 506, 12. 705[1]
χαλεπτύς 506[6], 12. 705[1]
χαλεπῶς II 414[7]. 415[1]; – φέ-
  ρω c. instr. II 168[2]; – – τι
  II 134[3]; – – τινός II 134[3]
χαλί ngr. 121[4]
χαλιμάς 507, 7
χαλῖνός 156[4]. 491[3]
χάλις 462[4]
χαλίφρων 448[4]
Χάλκᾶς ion. 269[1]
χαλκεγχής 398[5]
χαλκέη 252[1]
χάλκεος 468[2]
χαλκεο- 438[3]
χαλκεόπεζος 473[6]
χαλκεους 197[5]
χαλκεύειν 732[4]
χαλκεύεσθαί τινί τι II 236[1]
χαλκεύω γλῶσσαν πρὸς ἄκ-
  μονι II 512[7]
χαλκεών 488[2]
Χαλκῆ rhod. 250[7]
χαλκῆς ἄνδρες II 614[6]
χαλκήϊος 468[2]
Χαλκιδεύς: ὁ – II 41[7]
χαλκίνδα 627[2]
χαλκοβατές 512[6]
*χαλκόβηλον (δῶ) 512[6]
Χαλ(κο)κονδύλης 263[2]
χαλκός II 34, 4
χαλκοῦς II 182[4]
*χαλχαλάω 647[2]
χαμάδις hom. 625[2]
χαμάζε ion. att. 330[2]. 343[3].
  625[1], 2
χαμάθεν Koine 625, 2
χαμάθεν att. 189[5]. 625, 2
χαμαί 326[8]. 343[3]. 548[3·4–5].
  568[6]. 622[1]. 625[2]; ngr. 622[4];
  χαμαί II 140[2], 2; – πέσε II
  260[8]
χάμαι ngr. 622[4]
χαμαι- 632[6]
χαμαιεῦναι [so] 446[3]

χαμαιευνάς 508[3]
χαμαικοίτης 452[5]
χαμαίπιτυς 506, 6
χαμάνδις dor. 625[2]
χαμβλός ngr. (thess.) 277[7]
χάμευνα 476[1]
χαμεῦνα 437[5]
χαμηλός 484[3]
χαμο- 438, 1
χάμου ngr. 622[4]
χάμω ngr. 622[4]
*χανᾶμι 694[3]
χανδά 626[3]
χανδάνω 297[5]. 343[6]. 692[6·7].
  701[3]. 748[1]. 781[6]; χάνδανεν
  699[5]; s. ἐχάνδανον, ἔχαδον,
  κέχανδα, κέχονδα
χανδόν 626[3], 2. 7. 699[5]
χανε/ο- 748[3]
(*χανϳω) 694[6]
χάνοι II 321[7]
χάνομαι; s. ἐχάθη
χάνος n. 694[3]
χάνός gen. sg. 286[7]
-χανοῦμαι fut. 785[1]
*χανσος gen. sg. 515[6]
Χανύλαος 694[3]
χανύσσω 694[3]
χανύω 694[3]
*χάνω 694[3]
Χάονες 66[4]. 521[4]
χάος 512[3]
χαράδεος gen. her. 255[7]
χαράδρᾶ 360[3]. 481[4]
χάραξ 299[8]
χαράσσω 725[4]
χαρείη φρένα II 85[2]
χαρη- hom. att. 759[4]
χαρῆναι II 261[1]
Χαριάδαι dat. II 468[8]
Χαρίδᾶς 526, 5
χάριει voc. gramm. 565, 4
χαριεῖ 669, 2
χαρίεις 527[1·3]. 528[3]. 565, 4.
  566[4]. II 181[3]
χαρίεσσα 2. sg. 669, 2
χάριεν, χαρίεν 380[3]
χαριέντως 624[2]
χαρίεσαι 669[1]
χαρίεσσα II 34[5]
χαριέστατος II 182[5]
χαριέστερος 535[2]
χαρίϝεττα böot. 527, 2; -αν
  223[6]. 320[6]. 527[2]
χαρίζομαι 735[5]; – c. dat. II
  144[7]; χαριζομένη παρεόντων
  II 102[6]
χαριηνται fut. äol. 785[6]
χάριμμα ngr. (chi.) 217[1]
χάριν adv. 464[4]. 619[5]. 621[1].
  II 87[1]

χάριν praep. II 421². 427⁶.
430⁴. 551⁷⁻⁸ f.; – c. gen. II
435²·³·⁴. 551⁷⁻⁸ f. 618¹; –
πλησμονῆς II 552¹; χάριν
ἕνεκα II 552⁵; τινὸς – ἕνεκα II
428⁷; χάριν postpos. II 420⁶
χαριξιομεθα Istron 786⁴
χαριοῦνται ion. att. 785⁶
χάρις 464²·⁴, 3. 714⁴; χάρις
(sc. ἔστω) II 623⁶; χάριν
ἐμήν II 435³; – ἄχαριν II
551⁸; ἔχω χάριν τινὶ πρὸ
ἄλλων II 507²; – – – ὑπὲρ
τῶν εἰρημένων II 521⁷; s.
χαριτ-
χαρίσσονται äol. 785⁵
χάριτανς knos. 556, 2
χάριτερ acc. pl. el. 563⁶
χάριτες II 43⁶
χαρίτεσσι böot. 564³
Χαρίτεσσι hom. 564⁴
χαριτόεις 527³
χαρκωματᾶς 128⁶
Χαρμένου 263⁴
χαρμονή 524⁵
χαρμόσυνος 529⁵
χάροντο H. 748³
χαροπώτερα πολλὸν 'Αθάνας
II 99⁴
Χάρος ngr. 458³
χαροῦμαι fut. Koine 785, 1
χάρτης 500⁷
Χάρυβδις f. 626⁴, 2. 694³
χαρῶ fut. Koine 785, 1
Χαρώνδας 510¹
χάσκω ion. att. 335¹. 694³.
708². 748³; ngr. 712²
χάσμη 494³. 694³
χασμωδία 399³
χάσσονται ὑπ' ἔγχεος II 528³
-χαται 3. pl. pf. med. 771⁶·⁷
χατέω 705⁶. 735⁵. II 93¹
χατίζω 705⁶. 735⁵
χάτις 340⁴·⁸. 359⁴
χᾶτις 505, 1
-χατο 3. pl. plusq. med.
771⁶·⁷
χαυλιόδους 446, 5
χαυλιόδων 566⁵
*χαυλόδους 446, 5
χαύναξ 497⁴
Χαῦνοι 521⁴
χαυνοις 687, 3; χαύνοις Alk.
729⁵
(χαύνοις) Alk. 687, 3
χαχά 303³; s. χά
χεϜα kypr. 652, 1
*χέϜω 722¹
χεζανάγκη 441¹
χεζητιάω 732³
χέζω 716¹. 754⁸. 769⁴. 781⁷.
II 71⁸. 226²; s. ἔχεσα, ἔχε-
σον, κέχοδα, κεχεσμένος,
χεσ-

χεῖ 140³
χειλιάς 597²
χείλιοι ion. böot. 56⁷. 72².
281⁶. 312³. 593³
χεῖλος 491⁴. 838⁴
Χείλων 637³
χεῖμα 358⁴. 522³. 524³. II
34¹; χείματος 520⁷: – 'im
Winter' II 113¹
χειμάζει (ὁ θεός) II 621⁵
χειμάζον: ὡς – II 402⁶
χειμάζω 724⁶
χειμαίνω 724⁶; s. κεχείμανται
χείμαρος 481³, 5
χειμάρρους 440¹
χείμαστρον 532²
χειμερινός 490⁵
χείμετλον 262³. 533⁴
χειμίη 486⁵. 522³
χειμών 297⁵. 347¹. 522³. 569³.
II 34¹; – ἤδη (sc. ἦν) II
405¹; χειμῶνος 'im Winter'
II 113²
χείρ 38². 57⁵. 286³. 446, 4.
569³. II 33, 4; ἡ χείρ II 42³;
μιᾶς χειρός II 135¹; χεὶρ
νίζει χεῖρα II 233⁷; ἔχω τι
διὰ χειρός II 451⁶; s. χεῖρε,
χεροῖν
χεῖρε II 47³, 4. 8. 50²·⁴
χείρεσι hom. 564⁴
χείρεσσι hom. Sophr. Eur.
564⁴·⁵
χείριξις dor. 271⁴. 737⁷
χειριξουντος kerk. 786⁵
χειρίς 465⁴
Χειρίσοφος 446², 4
χειρογάστωρ 449³
χειρόμακτρον 532⁴
χεῖρον ἑαυτῶν λέγοντες II
100⁸ f.
χειροποίητος 449⁶. 453⁵
χειρότερος (auch ngr.) 539⁵
χειροτονεῖν στρατηγούς II 73⁴
χειροτονία 469²
χειροτονοῦμαι τὴν ἀρχήν II
80⁷
χειρόω 732¹
*χειρώμαρκτρον 532⁴
χείρων 286². 538³, 10. 539, 4
χείσεται 699⁵. 748¹
χείσομαι 358⁶. 781⁶
χείω Od. 786²
*χελϜος(?) 491⁴
ΧελιδϜον kor. 223⁷
χέλιδον voc. lesb. 569¹
χελιδών 529, 4. 569¹. II 32¹
Χελιδών m. II 37⁵
χελίδων lesb. 569¹
χέλληστυς lesb. 593⁵. 597⁴, 6
*χελλητ- 593⁵. 597⁴
χέλλιοι äol. thess. 56⁷. 72³.
89⁸. 90⁴. 281⁶. 283¹. 312³.
322⁵. 593³

*χελλο- 593⁵. 597⁴
*χέλνος 838³
χέλυδρος 447, 2
χελύνα äol. 346²
χελυνάζειν 334⁴
χελύνη 491⁴
χέλυς 463⁵, 3
Χελῦτις 491⁴
χελώνη 346²
Χέμμις 153¹
*χενδσ- 358⁶
χέομαι βέλεα II 231²; s. χέω.
ἐχύθην, ἔχυτο
χέρα f. ngr. 569, 6. 840²
χέραδος 360³. 509¹
*χερεεϜες 282³
χέρεια εἶο II 98⁷
*χερειος 539⁴
χερειότερος 539⁴·⁵
χερείων 538, 10. 539⁴·⁵; –
δέμας II 85⁶
*χερεσϜ- 538, 10
χέρεσι Sophr. 564⁵
χέρηες hom. 243⁵·⁶. 282²·³.
II 176⁶
χέρηϊ hom. 243⁵·⁶; – ἀνδρί
II 182⁷
χέρι n. ngr. 569, 6. 840². II
33, 4
*χερjων 538, 10
χερμάς 508³
χερνήτης 561⁶
χερνῆτις 451⁶, 5
χέρνιβ- 424⁵
χέρνιβα 293³. 298⁵. 299⁷
*χέρνιξ 299⁷
χερνίπτου Aristoph. 704⁴
χέρνιψ f. 440³. 644⁶
χερνίψαντο 644⁶
χεροῖν: τοῖν – 557⁵
Χερόνησος 283²
χέρρας 286⁴
χέρρον äol. 538, 10
*χερς nom. sg. 286⁴. 569⁶
*χέρς gen. sg. 286³
χερσόνησος 453, 2
χερσονομή 453⁴
χέρσος 458⁵. 516⁶. II 32⁵, 6
*χερσός gen. sg. 286³·⁴
χεσ- 754³
χέσαιτο II 234⁶
χεσᾶς 461⁷
χεσεῖ Aristoph. 786²
χεσεῖσθαι Aristoph. 786²
χεσείω Aristoph. 789¹
Χέσιππος 24²
*χεσλ- 281⁶. 322⁵
*χεσλιο- 593⁴
*χέσλιοι 593³
*χεσλο- 483³. 593⁴
χέσονται 786²
χεσοῦμαι att. 716⁴. 746, 6.
786³
χεσοῦνται Aristoph. 786²

χευα- 740³
χεῦα hom. 745⁴
χεῦαι infin. hom. 348⁶. 745⁴. 808⁶
χευάντων (von Dienern) II 621²
χεύας ptc. 745⁴
χεύεσθαι II 232⁵
χεύηι conj. 745⁴
χεῦμα 347². 523²
*χεῦμι 745⁵. 780⁵
χεύομεν conj. hom. 790⁴
χεῦον imper. 745⁴
χεύω 685⁷. 721⁶. 740³
χεύω fut. 745⁴. 780⁵
(*χεύω) 745, 4
χέω hom. att. 685⁷. 740³. 745⁴, 4. 755⁵. II 277²; – c. dat. II 148³; – τι χθονί II 155⁷; s. ἔχεα, ἔχυσα, κέχυται, -τ(ο), ἐκέχυτο, χέω fut., χεύω
χέω fut. att., Koine 780²·⁵
χεῶ fut. spät 784⁵
*χϜ 332²
χήλιοι dor. (lak.) 72². 281⁶. 312³. 593³
χηλός II 34, 2
χην- 569³
χήν 297⁵. 515⁶, 5. 580⁴. II 31⁵
χῆν äol. 378⁴
χηνάλωψ 426, 4
χηνός gen. 286⁷
χήρ 286³·⁴. 424³. 569⁶, 6. 840²
χήρα 340⁴
χήρατο 714⁴. 759⁴
χῆρε böot. 194⁷
χήρη 460³
χηρίθεκνα kret. 269¹
Χηρικράτης mess. 446, 4
χῆρος 359⁴·⁶; – c. abl. II 96³
χηρωστής 426³. 434⁴. 452¹
*χήσομαι 688⁷
χήτεϊ 505, 1
*χῆτις 505, 1
χῆτος 340⁴·⁸. 513¹
*χῆτος n. 505, 1
*χητός 688⁷
χϑ graphisch für kt' 210⁷; χϑ im Demot. gth 211¹; -χϑ- < gh+dh oder gh+t 703, 7
-χϑά adv. 598³, 7
χϑαμαλός 326³. 343³. 409⁵. 483⁷. 484⁶. 568⁶
χϑές 325⁶. 326⁶. 620⁵. 631⁶ f.
*χϑεσδϳα 256⁴
χϑεσινός 490⁵
-χϑη aor. 761²
-χϑη- pass. att. 759² f.
χϑιζά adv. hom. 256⁴. 351³·⁴. 621³. 631⁶. II 70³
χϑιζός 472². 632¹. II 179³
Χϑιμενηνός ·kleinas. 211³

*χϑj 319³
χϑόνιος 309⁵. 466², 4
*χϑώμ 326³
χϑών 30³. 68⁶. 326³·⁴. 343³. 366³. 408⁶·⁷. 424¹. 492¹. 568⁶. 569⁶. II 33⁴. 51⁶. 469⁶
Χϑὼν Μᾶ 326⁶
-χι partic. 624⁴, 7. II 554³. 561, 2. 577³. 592², 8
χιάζω 735⁴
χῖδρον 481⁵
χιέζω 244⁸
χἱκετεύετε (= καὶ ἱκετεύετε) 402⁷
χιλέοι kret. (gort.) 402⁷
χίλια: χίλια δυό ngr. 592, 4
χιλιάδες κόσμος ngr. II 616, 2
χιλιαδῶν gen. pl. 383¹. 597²
*χιλιάζω 597⁴
χίλιαι (αἱ) II 175⁶; s. χιλιῶν
χιλιάκις 598¹
χιλιάς 593⁵. 597²
χιλιασταί 597⁴
χιλιαστύς ion. 597⁴
χίλιοι 56⁷. 193⁷. 256². 312³. 322⁶. 350⁸. 351⁴. 593³; χιλίους ἀπὸ τετρακισχιλίων II 116⁷
χιλιόμβη 426³. 456, 3. 593⁷
χιλιονταετηρίς Chrysost. 594¹
χιλιονταετία Euseb. 594¹
χιλιοντάς 594¹
χιλιόπαλαι 589, 5. 592, 4
χίλιος 593³. II 42, 2
χιλιοστός 596²
χιλιοστύς Xen. 597⁴
χιλιῶν (sc. δραχμῶν) 383¹
χιλός (= χειρός) 830⁵
χίμαιρα 475¹
χιονίζει ngr. II 621⁵
χῖρες acc. pl. 586⁵
χιτών att. 64⁷. 268⁸. 488¹;
χιτῶνες acc. pl. Koine 563⁶
χιτωνίσκος περὶ τῷ ἀγ. II 500⁷
χιών 297⁵. 347¹. 358⁴. 408⁶·⁷. 424, 1. 492¹, 1. 596⁶. II 34¹. 41⁵
*χϳ 272⁴. 319²·³·⁶. 367¹
*-χϳω verba 737⁵
χλ(= clh) 204⁷
χλαῖνα 309⁵. 473²
χλαμύδιον 467³
χλαμύς 159⁴. 309⁵. 465⁶
χλάνδιον 471, 4
χλῆδος 508⁷
χλιδᾶν c. instr. II 168²
χλιδή 508⁷. 702⁶
χλῖδος 509¹
χλιερός 482³·⁴
χλίω att. 686³. 702⁶
χλόη 297⁵
χλοιδέσκουσαι H. 708⁴
χλούνης 461³

χλωρός ὑπαὶ δείους II 528⁵; χλωρὸν δέος II 180, 5
χμ > χν 216¹; χμ [Ausspr. ḥm] 327⁸
-χμα suff. 523⁷
-χμαι 1. sg. pf. 769, 6
χν [Ausspr. ḥn] 327⁸; χν < χμ 215⁸. 216¹
χναύω 328¹
χνόη 189, 1
χοᾶ acc. sg. att. 246¹. 576, 2
χόδανος 754⁸
χοδιτεύω H. 732⁷
χοεύς 732⁶
χόϜω 722¹
χοῖ 249⁴
χοῖαχ 585²
χοίνικε II 49³
χοῖνιξ 156⁶. 165¹
χοῖνις (= -ιξ) 211⁵
χοίρᾳ II 32, 4
Χοιρεᾶται 36⁵
χοιρογρύλλιος 161⁴
χοῖρος 37⁵. 272⁸. 471⁵. 570⁷
χολάδες 507⁷
χόλαισι äol. (lesb.) 275⁸. 344³. 682⁶
χολέρᾳ 482²
Χολλήιδης 201⁴
Χολοζύγης 635⁶
χολοιβόρος 452, 5
χολόομαι c. praep. II 134²; -οῦσθαι c. dat. II 144⁵; s. κεχολω-, χολω-
χόλος 459¹
χολωθείς II 239²; – ἀμφί c. dat. II 134³
χολώθη 761¹; – c. gen. II 133⁵
χολώσασθαι II 261³
χολώσατο 761¹
χολωτός 503⁴
χόνδρος 159⁶
χόος 347²; s. χοῦς
χοός gen. sg. 582⁵
χοόω 721, 9
χορδή 508⁷
χορεύω II 72⁷; – φροίμιον II 76³
χορηγέω (-ῶ, -εῖν) c. gen. II 110³; c. instr. II 165⁶; – Διονύσια II 76⁵; χορηγίας χορηγεῖ II 75²
χορηγός 189⁴
χορηγοῦμαι; s. κεχορηγηθέντι
χοροιτύπος 239⁵
χορόνδε hom. 624⁶
χόρος 458⁷
χορός 459³
χοροῦ adv. 621⁵
χορτάζομαί (-εσθαι) τι II 80⁶; – ἀπό II 447⁴
χορτάζω II 80³; ngr. II 80, 1
χόρτης 159⁶

χόρτος 501³. 838⁵
-χος Ausg. n. 513¹
χοῦ gen. sg. 577³
χοῦν acc. sg. 582⁵
χοῦς m. 582⁵; s. χόος
χοχλάζω ψεῖρα ngr. (dial.)
    II 111, 3
χόω 721⁶
*χραℲός gen. 578⁴
χραίνω 694⁴
χραῖσμε Ilias 723³. II 262³
χραισμε/ο- 723³. 748³; s. ἔ-
    χραισμε
χραισμεῖν infin. hom. 807⁴
χραισμέω 347⁷. 493, 7. 676⁴
χραίσμη 494³
χραισμηι 723³; χραίσμη c.
    dat. II 144⁷
χραισμήσει 723³
*χραισμός 493³
χρανῶ fut. att. 785²; s.
    χραίνω
χρᾶσθαι ion., hell. 675⁵, 8.
    721, 6
χραύζομαι II 487, 7
χραυζόμενον 716⁶
χραύομαι 88⁴
χραυόμενον 716⁶
χραύσηι 748²
χραύω äol. 578⁴. 685¹. II
    487, 7
χράω 676². 686¹
χρέα 516²
χρεεσται el. 205⁵
χρέεσται el. 721⁵
χρειεῖσθη böot. 721⁵
χρειμάτων ὧν ἔγραψαν αὐτῆ
    II 641¹
χρείμενος nwgr. 642, 2
Χρειστιμίδας böot. 263⁴
χρειώ 478⁵, 5. II 52¹. 366⁴
χρείων 675, 8
χρεμέθω 703³
χρεμετίζω 736¹
χρέμπτομαι 705¹
χρεόν II 401⁷. 402¹
χρέος 244³. 246²
χρεώ II 366⁴
χρέωμαι ion. 721⁵
χρεών att. 245⁷. 557⁶. II 401⁸.
    623⁵
χρή 378⁴. 424⁴, 10. 558, 3.
    II 15⁸. 52¹. 304³. 307⁶. 366⁴,
    3; – καταλέχθαι II 623⁷; –
    σέ (σοί) τινος II 72⁴
*χρῆ 558, 3
χρήατα ark. (= τὰ χρῆα)
    518, 6
χρηείσθω megar. (Kalch.)
    241⁶. 721⁵
χρηέομαι 721⁴, 6
*χρῆℲος 721, 6
χρήζων εἶτα II 389³
χρῆθθαι kret. 216⁶. 316³

χρῆι 402⁴. 644⁵
χρηια kret. 241⁶
χρήιδδω 331⁶
χρηῐ̈ζομαι 736²
χρηῐ̈ζω II 93¹
χρήιη 402⁵
χρηισκονται Hdt. 709⁵, 7
χρῆμα 377⁴. 523². 600⁷. II
    468¹. 605⁸; – ὑός, – θηλειῶν,
    –τυράννου II 122²; – (= τι)
    'etwas' 600⁷. II 16²; χρή-
    ματα χρήματ' ἀνήρ II 270⁶
χρήμασι(ν) thess. 524². 564³
χρημάτεσσι ostlokr. 564⁴
χρηματίζεσθαι II 231³
χρήμμα[τα kleinas.-äol. 238²
χρῆν 402⁴. 644⁵. 652². II 308
    ⁴·⁵·⁶; s. ἐχρῆν
χρῆναι 402⁴
χρηννυόμεθα 699²
*χρηομαι 721⁵
χρῆος gen. sg. 241⁷. 515⁵, 4
χρῆσαι II 367⁴; – τὰν χέρα
    ὑπὲρ αὐτάν II 520⁴
χρήσασθαι II 362¹
χρῆσθαι 249¹. 675⁵, 8. II
    362¹. 377³. – c. dat. II 167
    167⁴·⁵. 170⁶; – – (ὡς) II 619
    ¹·²; – νόμῳ περί τινος II
    503³; – τινί τι II 77⁶⁻⁷
χρησθέν II 402²
χρησθη- 761³
χρησθῆναι II 240⁷; –τινος II
    132²
χρήσθων pl. imper. att. 802⁴
χρήσιμος ἐπί .. οὐδέν II
    473²; – πρός II 512⁵; – τι
    II 77⁷; χρησίμοιν II 49, 4
χρησίμως: ἔχω – c. gen. II
    132⁵
χρησιμώτατον ἁπάντων κτη-
    μάτων II 606⁵
χρῆσις 676⁴
χρησμός 493³; – ἔχει περί
    τινος c. dat. II 151⁸ f.; –
    ἐστι c. infin. aor. II 296⁷
χρήσοιτο II 337⁴
χρησόμενος τῷ χρηστηρίῳ II
    388³
χρῆσται (= χρὴ ἔσται) 402⁴
Χρήστη 420⁵
χρηστηριάζεσθαι ἐπὶ τῆ χώρη
    II 467⁷
χρήστης 500²
χρηστὸς ἐν τοῖς οἰκείοισιν II
    116⁷
χρῆτθαι gort. 216⁶
χρήω 689²
χριθ[όν] 87⁵
χρίμμα äol. 280³
χρίμπτομαι 705¹
χρίμπτω 684⁵. 692⁶; – σύ-
    ριγγα ὑπὸ στήλην II 531⁷

χρίομαι; s. κέχριμαι
Χριστιανός 490, 6
Χριστοῦ: τοῦ – 'Weihnach-
    ten' ngr. II 137⁵
χρίω 686⁴. II 230⁴
χρόα acc. sg. 578⁴
χροΐ dat. sg. 578⁴
χροιή 578, 2
χρόμαδος 362⁸. 508⁷
χρόνια (τὰ) ngr. 582, 1
χρονίζειν περὶ Αἴγυπτον II503⁷
χρόνοι gen. sg. ostthess. 555³
χρόνος 124⁸. 373³. 490³; ngr.
    582, 1; II 248⁸ f. 249⁸. 472
    ¹·²; – ἀμφὶ τὸν χειμῶνα II
    439⁴; χρόνος 212²; χρόνοι
    nom. pl. ngr. 582,1. II 43⁵;
    χρόνῳ II 158⁷. 159¹·². 163
    ²·⁵·⁶, 1; τῷ χρόνῳ II 163²·⁵·⁶,
    1; σὺν χρόνῳ II 163²·⁵·⁶;
    τοῦ χρόνου ngr. II 137⁵
χρονόω Plot. 842³
χρΟνσθΟ imper. arg. 802²
χροός gen. sg. 578⁴. II 102², 2
χροτιή (= χροιή) 578, 2
χρουσός spätatt. 183⁶
χρουσός ngr. (kret.) 182²
χρῦσᾶ 251¹. 585⁵; χρυσῆ
    251¹; -αῖ 251²
χρῦσάττικος 439⁴
χρύσεος ion. hell. 562⁴. II
    182⁷; χρυσέωι hom. 516, 2
*χρυσέος 379⁸
Χρυσηΐδων II 45⁴
Χρύσης hom. 575⁶; -ην ..
    ἀρητῆρα II 615⁴
Χρύσιππος 635⁶
χρυσοκόμης 454², 2. II 176⁶
χρυσοραγής 310⁴. 513⁶
χρυσόρραπι voc. 572²
χρυσός subst. 64⁷. 516⁸, 2.
    II 34, 4; – ἐπῶν II 122²
χρυσός adj. ngr. 586, 1
χρῦσοτρίαινα 536²
χρῦσοτρίαινα nom. voc. m.
    att. 560⁴
χρυσοῦς 379⁷. 554⁷, 4. 562².
    II 182⁴
χρυσοφορεῖν c. dat. II 148⁴
χρυσοχάλινος II 182⁴
χρῶι dat. sg. att. 578⁴·⁵; ἐν
    χρῶι 578⁴·⁵. 625²
χρώιζω att. 736, 10
χρῶμαι att. 721⁵; – c. dat.
    II 152⁴; χρῶ χειρί II 633³;
    χρώμεθα νόμοις etc. II 612⁶;
    χρῶμαι χρείαν II 75⁵
χρωματίζω 736, 10
χρῶν acc. 578⁴
χρώς 424². 514⁴. 575². 578⁴;
    s. χρῶι, χρῶν, χρωτ-
χρωσηι 748²
χρῶτα acc. sg. Hes. Od.578⁴
χρῶτες pl. Aristot. 578⁵

χρωτί dat. sg. Pind. 578⁴
χρωτίζω 736, 10
χρωτός Ilias 578⁴
χσ für ξ 211⁵. 233²
χσύν (= ξύν) II 489⁴
χτ ngr. 130¹
χτϑ 238⁸
χτυπῶ; s. ἐχτύπηκα
χύδην 626³
χυϑη- 761⁴
χυϑρίς orop. 257³
χῦλός 483⁸, 4
-χύμενος 740³
χῦμός 492⁸
χύνω spät 698⁴. 755⁵
χὑπό (= καὶ ὑπό) 402⁷
Χυρίλος 195²
Χυρίων 195²
χύσω 685⁷
χύτλον 533⁴
χύτο II 230⁶
χυτός 347². 703¹

χύτρᾱ att. 532⁶
χυτρεψός 831¹
χυτρίνδα 627¹
χυτρῖνος 491³
χύτρος 532¹
χωί (= καὶ οἱ) 402³
χωλεύειν 732⁵
Χωλοτειχῖται 439²
χώομαι 349⁸. II 229². 398³·⁴;
  χώεται 722¹; χώομαι c. gen.
  II 106²; χωόμενος c. gen.
  II 135⁵; χωόμενον περὶ βου-
  σίν II 133³; s. ἐχώσατο
χώρᾱ 187⁶. II 33³. 40⁶. 56³
χωραξάντων Andan. 735²
χωρασάντων Megalop. 735²
χωράφι ngr. 471, 6
χώρει δεῦρο πᾶς ὑπ. II 245⁸.
  609⁸
χωρεῖτε II 609⁷
χωρέω (-ῶ, -εῖν) 720,10.726³.
  II 272³. 279⁸; – c. dat. II

141⁴; – c. abl. II 91⁴; – κατὰ
  τὰς τάφρους II 476⁶; – ὑπ'
  αὐλητῶν II 530²; – παρὰ
  σμικρά II 496²; χώρησεν
  ἐπάλξιος II 91⁴
χώρη 187⁶; τὴν πρὸς ἠῶ χώρην
  τῆς Σύρτιος II 96⁶
χωρήσομαι 782¹. II 292⁷
χωρί II 546²·³·⁵, 1; – δια-
  τμήγω II 546³
χωρίζομαι; s. κεχωρίσθαι
χωρίζω II 546³
χωρίς 340⁴. 495². 620⁴. II
  415¹. 435⁶. 546²⁻⁶, 1; – c.
  gen. II 360⁷
χωροῖμ' ἄν Soph. 796, 1;
  χωροῖς ἄν II 329⁶
χῶρος 359⁴. 458⁶. II 623³
χωρῶν ἀπείλει II 389¹;
  χωροῦντες nom. abs. II
  403⁸
χωσϑη- 761³

## Ψʼ

Ψʼ 328²·⁷·⁸ f.; φσ att. für ψ
  211⁵. 233²·³ -ψ ausl. 409¹
-ψ- fut. 781²
-ψα aor. 754⁶·⁷
ψάγδας 152⁸. 329³
ψαέναι infin. H.742, 4.808⁴,5
ψαθάλλω 328⁸. 736⁶
ψαθυρός 328⁸. 482⁴
ψαῖμα 676³
ψαινυθίζω 329¹
ψαίνυμι 676¹
ψαίνυνθα 629¹
ψαινύντες 696⁵, 9
ψαίρω 329². 714⁴, 6
ψαῖσμα 676³
ψαιστόν 676³
ψαίω 328⁸. 676¹·³. 686⁴
ψακάς 328⁸. 497²
ψακτός 328⁸
ψαλάσσω 328⁸
ψάλιον 329¹
ψαλίς 159⁸. 329¹
ψάλλω 328⁸; s. ψαλῶ
ψαλμός 162⁴. 165⁴. 492⁴
ψαλτήρι(ο)ν 154⁶
Ψαλυχιάδαι 329³
ψαλῶ fut. 785²
ψάμαθος 328⁸. 511¹. II 43³;
  ψάμαθοι II 43³
ψαμμακόσιοι 593²·⁶
ψάμμη II 32, 4
Ψαμμήνιτος 329³
ψάμμος 328⁸. 492⁴
Ψάπφω lesb. 260². 636⁶
ψάρ 329². 424². 569³, 3
Psará ngr. 329³
ψάρι ngr. 471¹, 2

Ψάρος 329³
ψατᾶσθαι 326⁵·⁸. 705⁵
ψαύσω II 291⁶
ψαύω 328⁸. 686⁴; -ειν ἀνδρός
  II 130²
ψάφα 516²
ψαφαρός 328⁸
ψᾶφιγξ lesb. 498³
ψαφίδδονσι τᾶι πόλι II 603⁵
ψάφισμα kret. (gort.) 215².
  523⁴
ψαφιξάμενος thess. 738¹
ψαφιξασθειν infin. aor. thess.
  809⁴
ψαφίξηται kalymn. 786⁴
ψάφιξις dor. 271⁴. 505, 7
ψάφιξξις 238⁶. II 357⁴
Ψᾶφίς 328⁸
ψαφισειται Halaesa 786⁴
ψᾶφος 328⁸. 458⁶
Ψάφων 260²
ψέ acc. syrakus. 266⁸. 267².
  601⁷. 603²; – αὐτόνς kret.
  607²
ψέγω 329². 684⁶. II 601, 1
ψεδνός 328⁸
ψεῖ 140³
ψεῖρα ngr. 326⁶
ψείρει 326⁵
ψεκάς 258⁴
ψέλιον 329¹. 483⁵
ψελλός 329¹
ψευδάγγελος 398⁴. 440⁵
ψευδᾶς altatt. 580¹
ψευδέα lokr. 621, 7
ψευδήμων 522⁴
ψευδής 513, 11. 552⁵

ψεῦδις 462⁴
ψεύδομαι 685¹. 703¹. II 232⁵.
  234²; – κατά τινος II 480³;
  – γνώμῃ II 167²; ψευδόμενος
  II 388²; ψευσθῆναι ἐλπίδος
  II 93²
ψευδομάρτυρ 540²
ψεύδω 329². 347⁴. 685¹. II
  234²; μὴ ψεῦσον II 343³
ψευσίστυγ- 424⁵
ψευσίστυξ 439⁴
ψεύστης 154⁶
ψέφας 329². 514⁵. 516²
ψέφει 329³. 684⁵
pséftis ngr. 154⁶. 197²
ψέων gen. pl. pron. dor. (sy-
  rak.) 603³. 605³
ψῆι 675⁴
ψηκεδών 328⁸
ψηλαφᾶν 329¹; -άω 644⁷
ψηλαφητά [so, nicht -ιτά]
  ngr. 626, 1
ψηλαφίνδα adv. 627²
ψήλου: τοῦ – 'an Höhe' ngr.
  II 137³
ψημύθιον 329³
ψήν 487, 7
Ψήν 637³
ψῆν 328⁸. 676³. 702⁴. II 226⁶
ψηρός 328⁸
ψηφίζομαι: ψηφίσασθαι τὰ
  δίκαια II 368²; ψηφισθῆναι
  II 240⁵; s. ἐψάφιστει
ψήφιζμα 217⁶
ψήφισις 271⁴
ψήφισμα c. gen. II 132¹; ψέ-
  φισμα τὸ τὸ φ. II 131⁸

ψῆφος f. II 34, 5; m. II 38²; c. gen. II 131⁸
ψήχω 328⁸. 676¹. 702⁴
ψιά 329²
ψίαθος att. 243⁷. 329³
ψίθυρ äol.dor. (gramm.) 569⁴
ψιθυρίζω c. dat. II 145³
ψιθυρός 329¹
ψιλά (term.) 169⁵
ψίλινος 329³
ψίλιον hell. 256²
ψίλον 271⁷. 329²
ψῖλός 328⁸; – c. abl. II 96³
ψίλωσις 220⁶
ψιμύθι(ον) 155². 329³
ψίν dat. pl. dor. (kret. syrak.) 266⁸. 601⁷. 603⁴; ψίν αὐτοῖς kret. 607²
ψίνδομαι H. 692⁶
ψίνοντος kret. 96⁴
ψίνω kret. 326⁵
ψίξ 328⁸
ψίσδομαι 329¹
ψίττα 211, 1. 329³. 351³. 622⁷. II 600, 5

ψιττάζω 716⁶
ψίττακος 329³
Ψιχάρπαξ 635⁵
ψίχη 496⁵
ψιχή 676³
ψίω 328⁸. 676³. 686³
ψό 329¹. II 601¹, 1
ψόγος II 601, 1
ψόθος 329²
ψοῖαι 329²
ψολόεις 527⁴
ψόλος 328⁸
ψουδία kret. 194⁴
ψόφος 329²
ψυγη- pass. 759³. 760²
Ψυδρεύς 481⁵
ψυδρός 329¹. 347⁴. 481⁵
ψύθος 329¹
ψύλλα 268². 329¹·⁵. 474²
Ψύρα 329³
Ψυρίη 329³
ψύττα 329¹
Ψυττάλεια 329³
ψυχά du. II 49⁶
ψύχεται 759³

ψῡχή 329². 460², 3. 496⁵. 606⁷. II 192, 1; τὰ τῆς ψυχῆς II 622⁶; ψυχὰς ἡρώων II 42⁵; s. ψυχά
ψυχη- pass. att. 759³
ψυχθη- pass. 759³. 760²
ψυχικὴ διάθεσις II 304, 1
ψῡχοπομπός 454⁵
ψῦχος 512⁵
ψύχω (-ειν) 329². 333¹. 685⁴. 702⁴
*ψύω 329²
ψώειν 676³. 702⁴
ψωθία 328⁸
ψώια kret. 326⁵
ψωλός 328⁸
ψωμᾶς 461⁶
ψωμός 328⁸. 492²
ψώρα 328⁸
ψωραγριάω LXX 732²
ψωρός 675⁵
Ψωφίς 328⁸
ψώχω 328⁸. 676¹. 702⁴
ψώω 675⁵

# Ω

ω 345² f.; Ω für o 86⁸; ω aus o 228²; ω dor. aus εο 249⁶·⁷; aus εω 249⁸; ω ion. att. aus οᾰ 250¹; ω strengdor. aus οε, οε̄ 249⁶; ω aus οο 249²; ω < οη 249⁶; ω<ωε,ωη 249⁷;ω<ωυ 743²; ω<ωι 233⁵;ω>thess. ου 233⁴; ω in Wz. 680³; ω in Verbalwz. 685⁴
ω:η ablaut. 770¹; ω:ᾱ 770¹; ω:ο 770²
-ω (nom. acc. voc.) du. 549³. 554⁴. 557¹. 565²
-ω gen. sg. dor. böot. thess. lesb. 81⁶. 90⁶. 555³·⁴. 586, 6
-ω gen. sg. eretr. < -εος 579⁵
-ω dat. sg. 556¹
-ω abl. sg. 549⁴. 624³
-ω instr. sg. 548⁵. 549⁴. 624³
-ω adv. pron. 623⁵·⁶, 14 f.
-ω 1. sg. Personalend. 657, 4. 658². 660⁴; verba in -ω 642⁵. 721⁵ f. 683⁴–688
-ω 1. sg. conj. 790²
-ω- Erweiterung pf. 738⁵·⁶, 6
-ω- Konjunktivbild. 309³. 790². 791⁴–792⁴
-ώ nom. sg. 456⁵. 478³ f. 479 f. 575¹; -ώ (gen.-οῦς) 579, 2. 582⁶
-ώ f. indecl. mgr. 585⁴

ὤ interj. 716⁵. II 600³; ὢ ὤ II 600, 4; ω ω ω ω II 600, 4; ὢ τῆς ἀναισχυντίας II 622⁴
ὤ (μέγα) 140⁵
ὤ interj. II 600³, 1. 7. 601⁴·⁵, 5; – εῖα II 558¹; ὤ τοῦ θαύματος ngr. II 134⁷
ὤ partic. voc. 547³. II 605·⁶, 7. 65⁸. 66¹. 620²; ὢ μέλε m. f. 584⁷; ὢ οὗτος 600, 1. 611⁷; – – Αἴ. 600, 1; ὢ τᾶν 16, 2. 584⁷
ὤ 1. sg. conj. att. [εἰμί] 677³
ὤ dor. II 662⁵·⁶
ὤ adv. 550¹. II 90⁸. 647¹·⁴
ὤ du. pron. relat. 610⁶. II 35, 1. 50³; f. II 35, 1
ὤ instr. pron. 623, 14
ὤ 'wie' dor., Ap. Rh. 624¹
-ὤ 1. sg. Personalend. 658²; kontrah. Verba 673⁶; ngr. 736⁶·⁷ f.; -ῶ (-άω) verba 814⁷; -ῶ (-ᾷς) verba ngr. 729¹ -ῶ (-έω) verba att. 724¹⁻²; -ῶ (-εῖς) verba ngr. 729¹
-ῶ (-ᾷς) fut. 779⁸. 784². 785³·⁴
-ῶ (-εῖς) fut. att. 779⁸. 784²
-ῶ fut. zu -άζω 815⁷
-ῶ 1. sg. conj. aor. ngr. 764⁵
ὤαφ' 520, 1
'Ωαρίων 241⁵

ὠβά lak. 224⁶
ὠβάλλετο 295²
ὠγαθέ 402³
ὤγκωμαι 650²
ὠδαγμένος Soph. 721³
ὠδάγμην H. 723³
ὠδάξατο Anth. P. 723²
ὤδαξον Xen. 721³
ὤδε 550¹·². 600, 4. 610⁵. 622⁴. II 163³·⁴. 207, 1. 209⁶. 534¹. 647¹. 662⁷; ὢδ' ὅπως II 670²
ὤδεθεν pap. 628⁴
ᾠδή: s. ἀοιδή
-ῳδης suff. 418⁶. 426⁴. 455⁶. 836⁶
ὠδί 611, 3
ὠδίνουσαν Ilias 727⁵
ὠδίνω 465⁵. 723⁴
ὠδίς 465⁵
ὠδοποίουν 653²
ὠδός dor. 301⁵
ὠδύσαο τόσον II 77⁵
ωε > ω 249⁷
ωει > ωι 250⁸
-ώεις suff. 527²·⁵
ὤεον dor. 460⁷
*ωϝιον 349³
ὤζησα aor. 715¹. 752⁴
ὤζω 716⁵
ωη > ω 249⁷
ὠή interj. II 600⁴. 601⁵·
ωηι > ωι 250⁸
ὠθέοι 730, 2
ὤθεσκε Od. 711⁴

ὠθέω 225⁶. 720³. 755¹. 782⁵.
  II 701⁵; – προτὶ ἄστυ
  II 509⁷ f.; s. ἐώθουν, ἔωσα,
  ὠσ-, ὤσω, ὤθησα
ὤθησα aor. spät 720³
ὠθήτω lesb. 801⁴
ὠθοῦμαι: ὠθεῖται II 239⁶;
  ὠθούμην 654²; s. ὠσθη-,
  ὤσασθαι
ωι < εωι, ωει, ωηι 250⁸; ωι
  < οωι, ωοι 249³; ωι > att.
  ω 233⁵, lesb. thess. ω (bzw.
  ου) 233⁴·⁵, böot. (vereinzelt)
  οι 233⁵
-ωι dat. sg. 348⁸. 549³. 554⁶.
  556¹
-ωι adv. 622⁴
ὠῖ ngr. II 600⁴
-ῶι 3. sg. indic. 729⁵
-ῶι 3. sg. opt. 796, 1
ὠΐγνυντο hom. 696⁴. 698⁵.
  771⁷, 8. II 491⁴; s. οἴγνυμι,
  ἀνεωιγνύμην
ωιδαεισι delph. (= ῳδαῖς)
  193⁶. 195⁵
ὤιδεε ipf. 651, 6. 700²
ὠιδῆ 5, 3. 250⁸
ὤικεον hom. 654, 3
ὤικησα 654²
ὠικοδόμησα 655⁷
ὠικονομηκότων att. 806⁵
ὤικουν 655³
ὠικότριψ 401⁷
ὤικτῑρα 753⁵
ὤιμην 679, 7
ὤιμωξεν 651, 6
ὦινος 401⁷
ὠινοχόει att. 653⁴
ὤιξε, ὤιξε 653, 10
ὠιόν att. 349³. 356¹. 460⁷
ὠῖσθη 760⁷. 762¹
ωιτε (= ὦτε) II 669, 1
ὦι τινι Hes., ᾧτινι Lys. 616¹·²
ὤιχηκα hom., spät 721⁶
ὤιχωκα Hdt. att. 721⁶;
  s. οἴχωκα
-ωκα pf. 766, 6. 774, 8. 775¹·²
ὦκα adv. 622⁵, 9
ὠκέα 474, 2
ὠκεανός 679, 4. II 491⁵, 7
ὠκέας ἵππους 573³
ὤκιμον 495¹
ὤκιστος 538¹·⁴
*ὦκος n. 512⁵
ὠκύαλος 450, 4
ὠκυμορώτατος ἄλλων II 100³
ὠκύν acc. sg. 573³
ὠκύροος hom. 311³
ὠκύς 292⁷. 339⁵. 380⁷. 463²,
  1. 538⁴. II 182⁸; πόδας –
  II 85⁵. 86⁵
ὠλε(νό)κρᾱνον 263¹
ὤλεσα 702⁵. 752⁴. 756²; s.
  ὄλλυμι

-ωλή 478, 1
ὠλήν 284²
ὤλισθον 700⁴; s. ὀλισθεῖν,
  ὄλισθον
ὠλλόν 280³. 284². 486⁴
-ωλο/ᾱ Ausg. 484⁴·⁵
ὠλόλυξα 716⁶
ὠλόμην 756²
  (ὠλώλεμεν) 777, 1. 778¹
ὠλώλεσαν 665²
ὠμαδίς 631⁴, 3
-ῶμαι fut. 784²
ὦμαι conj. 678³
-ωμεν conj. 791⁶
ὤμεν conj. hom. 792⁵
ὠμήλυσις 449, 2
ὤμην ἄν II 347⁶; s. οἶμαι
ὠμηστής 398¹
-ωμι verba 728⁶. 729⁶. 739¹
-ωμι conj. 1. sg. 661⁵, 3. 790³
ὡμίλησα 653²; s. ὁμῑλέω
ὤμνυον hom. 698⁵
ὤμνυον 663⁵. 699¹; s. ὀμνύω
ὠμοβρώς 425, 2
ὦμοι interj. II 60, 7. 143⁷.
  601⁴; – c. gen. II 134⁶
ὡμοιοῦμην 653²; s. ὁμοιοῦν
ὠμόργνυντο 698⁵; s. ὀμόρ-
  γνυσθαι
-ωμός suff. ngr. 493⁶
ὠμός 458⁶
ὦμος 279⁵. 286⁷. 381¹. 458⁶,
  5. 516⁶; s. ὤμω
ὤμοσα 654⁷. 752⁴; s. ὄμνυμι
*ωμσος 279⁵. 286⁸
ὤμω II 47³
ὤν ptc. 525³. 566⁴. II 389⁵;
  ἅτε ὤν II 391⁸; ὢν ἔπειτα II
  389³; ὢν περὶ τὴν φιλοσοφίαν
  504⁴; ὢν ἐπὶ τῷ θεωρικῷ II
  467⁴; ὢν hineinempfunden
  II 395²; ὁ ὤν adj. II 409³;
  s. ὀντ-, ὄντα, ὄντες, ὄντι,
  οὖσα
-ων suff. 537¹
-ων gen. pl. 549³. 554⁶. 555⁴,
  6. 556². 562, 2
-ων (gen. -οντος) ptc. 566⁴·⁵·⁶.
  567¹. 767⁶. II 386³
-ων 1. sg. conj. 790³
-ών suff. m. 488¹⁻⁵
-ών (gen. -όνος) 582⁶
-ῶν gen. pl. 81²·⁶. 240⁷.
  244⁴. 548⁶. 559². 579³; der
  ᾱ-St. 559²; d. 3. decl. 384⁴;
  neut. 579, 4
-ων- suff. 485⁴ ff.; substan-
  tivierend 487⁵·⁶·⁷
ὤν 16, 1. II 283⁸. 284¹·²·³·⁴,
  2. 584⁵, 4. 585³. 586⁷·⁸.
  587¹·²·³·⁴; ἀλλ' ὢν II 584,
  4; ὢν δή II 563⁸
ὧν gen. pl. pron. 603³;
  'eorum' Epich. 607⁶

ὠνά: – πὰρ Ξένωνα II 495⁸
ὠνάμην 689¹; ὤνατο 755³
-ώνδας suff. 509⁸. 510¹·³, 1
ὠνέομαι (-εῖσθαι) 313³. 726³.
  743⁵. 807³. II 127⁴·⁵·⁷.
  231⁴. 240³·⁴; – τι c. gen. II
  126²; – τι c. dat. II 169⁷;
  ἐωνούμην 654¹; ἐωνησαμέ-
  νων 656⁵
ὠνέσθαι infin. kyren. 253⁷.
  807³
ὠνέω gort. 225⁶. 726³
ὠνή att. 283⁸. 333⁸. 489¹
ὠνῆν gort. II 232⁴
ὤνησα 688⁷
ὠνησάμην 744¹
ὠνητή Od. 743⁵
ὠνητιάω 732³
ὠνητός c. gen. II 126⁴
ὠνήρ ion., ὡνήρ dor. 402⁵
-ώνης 451⁵
*-ωνι 1. sg. 661, 3
-ωνιά suff. 469⁷
ὠνίαυτος äol. 402³
ὤνιος c. gen. II 126⁴
ὤνν ἄν sam. 238²
-ώννυμι verba 673⁶. 697⁶.
  736⁶
-ώννω verba ngr. (dial.) 701⁴
ὠνόμασας 651⁶
ὠνομασμένος II 614³
ὦνος 282⁸
-ωνος, -ωνᾱ suff. 491³·⁴
-ωντ- Namen 567¹
-ῶντα(ς) ptc. praes. ngr. II
  410⁷
-ωντι 3. pl. conj. 791⁶
ὤντι dor. 677³
-ώνω verba ngr. 691⁵. 736⁶.
  815⁴
ωοι > ωι 249³
ὠόπ att. 409⁵. II 600, 6
ὠοπόπ II 600, 6
ὤξυμμαι, ὤξυσμαι Polyb.
  773⁶
ὦπα 424¹. 426, 4. 584⁶. II
  52¹¹; εἰς ὦπα 619¹. II 441⁷
-ῶπις 385⁶
ὥπλισα 653²; s. ὁπλίζω
ωποθεκαριο 153³
ὦ πόποι II 600⁴, 2. 601⁴;
  – – c. gen. II 134⁶
-ωπός suff. 426, 4
-ωρ suff. 519³·⁴
*-ώρ 494, 6
ὤρᾱ ·225⁶
ὥρα 156⁴. 303⁵. τὴν ὥρᾱν att.
  II 70³; ὥρα τοῦ σπείρεσθαι
  II 370⁶
*ὥρα (= ὄρωρα) 650⁸
ὠρᾴζων ἡλικίᾳ 736, 9
'Ωραίας: τῆς – τὸ κάστρο II
  27⁶
ὠρᾱῖζεϑ' 266²

ὡραϊζομένη 265⁸
ὡραίη γάμου, – ἀνδρός II 132⁸
ὡράκιᾶν 314²
ὡράνη 489, 12
ὡρανίαφι Alkm. 551, 5
ὡρανός 412⁶
ὥρᾶσι 'rechtzeitig' 559⁴. II 158⁶
ὤρεγμαι hom. 766³
ὠρεῖον 159⁷
ὠρέξατο 655²
ὥρετο 740⁵. 746⁵. 747¹. 749². 760⁶. 768¹
ὠρεύειν c. dat. II 148⁴
-ωρή suff. 258⁸
ὥρη II 623⁵; τὴν ὥρην II 70³; ὥρη II 158⁵
ὥρηκα ion. 766³. 775¹. II 258²
ὤρθεν Korinna 760⁶
ὤρθωσα 654²; -σε 651, 6; s. ὀρθόω
ὤριγα mess. 772⁷
'Ωριγένης 638¹, 2
ὠριγνᾶτο Hes. 695³; s. ὀριγνάομαι
ὠριγνήθη 761⁶
ὤρικα Dem. Aristot. 772⁷
ὤριμος 494, 6
ὡρίσθω II 343¹
ὤριστος ep. 402⁵
ὥρκισα 653²; s. ὁρκίζω
ὡρμείδιον II 61⁷
ὡρμήθη, ὡρμήσατο 760⁷; s. ὁρμᾶσθαι, ὁρμάω
ὥρμησε 651, 6; s. ὁρμάω
ὡρμίδιον (= ὦ 'Ερμίδιον) II 36, 2. 61⁷
ὤρνυε 698⁶; s. ὄρνυμι
'Ωρογένης 638, 2
ὥρορε hom. 740⁵. 749²; s. ὄρνυμι
ὅρος kret. 228³
"Ωρος 303⁴
ὤρουσα 754³; s. ὀρούω
ὦρσα 696⁴. 740⁵. 749². 756¹; ὦρσε 782²
(ὦρσαι); s. ὄρσαι
ὦρτο hom. 696⁴. 740⁵. 746⁵. 749². 760⁶. 768¹; – ἐπ' αὐτούς II 472⁷
ὤρυξα 655²; s. ὀρύσσω, -ττω
ὠρύομαι 258⁴. 260⁵. 434, 4. 647³. 686³. II 491⁵
'Ωρώπιος 466⁴
Ωρωποθεν 628, 4
'Ωρωπός II 33, 2
ὡσ- 755¹
-ως suff. f. 514²
-ως suff. m. f. 479⁵·⁶
-ως ion. att. 557⁶ f.
-ως nom. sg. ptc. dor. 511⁴·⁶. 566³

-ως acc. pl. dor. 81⁶. 556³
-ως adv. 623⁵⁻⁶. 624¹⁻⁴, 6
-ως (gen. -ωτος) 582⁵
-ώς f. (gen. -οῦς) 514². 579¹, 2. 580⁴
-ώς ptc. pf. act. 539⁶ ff. 540³, 4. 580⁵. 582⁷. 764, 3. 768³. 810². 812⁵. II 242²
-ώς adv. dor. 384⁴. 624⁴
ὡς praep. II 68². 533³·⁷. 534²; 'zu – hin' II 434⁸; 'bis, solange als' II 650⁵, 5; ὡς ἐπί hell. II 551, 1; ὡς πότε ngr. II 551, 1; ὡς τόσο ngr. II 551, 1
ὡς relat. adv. 615¹; 'wo' ätol. Theokr. 623¹; 'von wo' ätol. II 91²; 'insoweit' ark. 623⁵. II 91²
ὡς relat. conj. 404⁷. 409⁸. 410². II 99⁷. 185². 311⁷. 313². 316⁷. 401⁷. 402⁴·⁵ f. 404⁸. 405¹. 427⁴. 432⁵. 636¹. 645³·⁶. 646⁴·⁵. 647²·³. 661⁴. 662⁵·⁶·⁷, 1. 663¹⁻⁴. 665⁶·⁷. 672⁴, 1. 675³. 676². 677⁶. 681¹⁻⁵; 'wie' 624¹. II 557, 1. 577¹·⁵, 4; ὡς ὅτε 'wie wann' II 313². 648, 2. 664⁴, 1; ὡς ὁπότε II 313²; 'weil' II 335³; temporal II 665⁸. 666². 711³; nach verba dicendi et sentiendi (= ὅτι II 670⁵; final II 313⁴. 333⁶. 665³⁻⁸; modal II 672⁴; verdeutlichend II 619¹; exclam. II 577⁶. 668²⁻³; c. ptc. II 391⁶·⁷. 397²·³; c. gen. abs. II 399²⁻⁵; c. conj. II 312⁸; c. cupit. II 345⁴; c. opt. II 320⁵. 321⁵. 323². 326²·⁴·⁵. 335⁵; ὡς ἄν c. opt. II 326⁸. 327¹; ὡς – ὡς II 533⁷, 3; ὡς ἄν II 665⁷. 664⁴. 669⁵. 672, 1. 692³; ὡς εἰ II 669⁵·⁶; ὡς ἄν εἰ II 669; ὥς κε II 312⁴. 330⁴. 672, 1; ὡς μή II 674⁴, 2; ὥς νύ περ II 571³; ὥς τε II 313². 575³, 4. 645⁶. 669²⁻⁵; ὥς τε – ὥς II 575, 6. 577⁵; ὡς οὖν II 585¹. 586⁶; ὡς – ὥς II 666²; ὡς λέγουσι II 706⁴; ὥς φησι Κτ. II 711³; ὡς φασαν ἡ πληθύς II 602⁶; ὡς καλόν (sc. ὄν) II 405¹; ὡς ὄλοιτο II 322²; – ἀπόλοιτο II 668⁵; – ἀπεικάσαι II 378⁶. 379². 663⁷; – εἰκάσαι II 378⁶. 379²; – δηλῶσαι II 379³; – ἐμοὶ δοκεῖν II 378⁵. 379²; –

ἐμοὶ χρῆσθαι κριτῆ II 379²; – εἰπεῖν II 379³. 663⁷·⁸; – συντόμως εἰπεῖν II 663⁸; – ἔπος εἰπεῖν II 379³. 663⁸; – λόγῳ εἰπεῖν II 379³; – συλλαβόντι εἰπεῖν II 378⁵; ὡς συνελόντι II 152⁴; – – εἰπεῖν II 152, 1. 379³; ὡς εἶναι (= ἐξεῖναι) II 663⁷·⁸ f.; ὡς ἄνοον κραδίην ἔχες II 626³; ὡς ἀνεξερεύνητα τὰ κρίματα II 626³; ὡς καλός μοι ὁ πάππος II149³;ὥς σ'ἀτιμάζει ὁ π. II 626²; θαυμαστῶς ὡς II 667³; ὡς ἀληθῶς II 415⁸. 577⁶, 3. 626⁵; ἀληθῶς ὡς II 626⁶; ὡς ἀληθῶς τῷ ὄντι II 704³; ὡς ἑτέρως II 577, 3; ὡς (ἐπὶ) τὸ πολύ II 667³; ὡς τί II 630²; ὡς πρὸς τί χρείας; II 512⁵; ὡς nach Kompar. II 667¹; ὡς c. superl. II 666⁵; ὡς ἄριστος 623⁵⁻⁶. II 666⁶; ὡς μάλιστα, ὡς ῥᾷστα II 666⁵; ὡς τάχιστα II 666³·⁵; ὡς ἐς ἐλάχιστον II 666⁶; ὡς ἐν βραχυτάτοις II 666⁶; ὡς ἐδύναντο ἀδηλότατα II 666⁶; ὡς ἐπὶ πλεῖστον II 667³
ὡς demonstr. II 301⁴, 1; ὡς εἰπὼν ἀπέβη II 301⁴; – – προΐει II 301, 1; ὡς αὕτως II 577, 3
ὥς demonstr. äol. (Sapph.) II 577⁴
ὥς adv. 'so' 611². 624¹. II 577⁴·⁵, 3. 664³·⁴. 667⁶⁻⁷. 669². 688⁴; ὡς φάμενος (φαμένη) II 301, 1; ὡς φάσαν ἡ πληθύς Ilias II 603⁴. 608⁶; οὐδ' ὡς ἐξήχθη διώκειν II 711³; ὡς – ὡς II 577⁵; ὥς (= τοῖος) II 414⁸; ὡς – ὥς II 666²; ὥς τε – ὥς II 575, 6. 577⁵; ὥς δ' αὕτως II 577⁶
-ῶς Ausg. subst. m. 561²
ὥς dor. (= ὁς) 348⁶. 520²·³
ὥς adv. 'so' 610⁵. II 662⁷; καὶ ὥς II 577⁴; ἀλλ' οὐδ' ὥς II 577⁴. 597⁷
-ωσα ptc. f. dor. 287⁴
-ωσα Ausg. aor. 754³. 817¹
ὡσανεί II 669⁷
ὡσασθαι τείχεος II 91⁷
ὥσασκε Od. 711⁵
ὡσαύτως II 577⁶
ὥσδε(ν) II 128⁶
ὡσεί II 669⁷
ὡσθη- 761³; s. ὠθοῦμαι
ὦσι 3. pl. conj. 677³
ὥσμαι 656⁷
ὡσμός 493³

ὥσπερ II 99⁷. 401⁷. 564⁴.
565⁵. 572¹. 662⁵. 663². 667¹.
668¹ f.; – c. ptc. II 391⁸
397²; ὥσπερ ἄν II 669¹·⁵·⁶;
ὥσπερ ἄν εἰ II 669⁶; ὥσπερ
γε II 668⁸; ὥσπερ εἰ II
669⁶; ὥσπερ – ὡς δέ II
577⁵; ὥσπερ – ὧδε II
668⁷; ὥσπερ καὶ – οὕτω καί
II 668⁷
ὡσπερανεί II 669⁷
-ωσσω verba 733⁶⁻⁷ f.
ὥστε 404⁷. 409⁸. 410². 624¹.
II 305². 344⁶. 574, 1. 576³.
662⁵. 663². 668¹. 669²⁻⁵.
676⁸. 677⁶·⁷, 1. 678 ff.
689²; c. infin. II 362⁵; c.
ptc. II 391⁸; ἐπὶ τοῖσδε,
ὥστε II 468². 677⁷. 679⁵
ὡστίζεσθαι II 161². 233⁴
ὡστίζω 706⁴
ὥσω fut. [ὠθέω] 720³. 782⁵
-ωσω fut. 739¹
ὥτ᾽ Alkm. 624¹
ὦτα 250¹. 348⁵. 520³. II
607⁸
ὥτε ᾽sicut᾽ dor. (delph.) 217¹.
404⁷. 409⁸. II 662⁵. 663².
669²·³, 1

ὦτε 550²
ὠτειλή hom. 532⁷
*ὠτελjᾶ 532⁷
ὠτέλλα äol. 532⁷
-ώτερος suff. 534²·⁵, 10.
11. 12. 535¹
-ώτης suff. 500⁵, 5
ὥτι gen. gort. 581,3
ὥτινε du. f. II 35, 1
ὥτοιν II 47, 4
ὠτοκάταξις (*-τάξιος) 449, 2
-ωτός suff. 727, 5
ὠτρῦνον Soph. 694⁶; s. ὀ-
τρύνω
ὠττικίων II 41⁸
ὠτώεις 527⁵
ωυ in ägypt. Namen wech-
selt mit ωι ω ου αυ 203⁵
ωὐριπίδη 402³
ὤφειλησα Aristoph. 782, 10
ὤφελε(ν) 654². 746, 9
ὠφελέω (-ῶ, -εῖν) 720³. II
73⁶; -τινα II 72⁸; s. ὠφέλουν
ὠφελήσεται 763³
ὠφελητέα ἡ π. II 409⁸
ὠφελητέον II 409⁷
ὠφελητέος II 150²
ὤφελλεν 654²; -ον c. infin.
II 353⁷; s. ὀφέλλω

ὤφελον hom. att. 746⁵. II
308³·⁴·⁶·⁷. 345⁷⁻⁸. 346⁶.
554⁵; – c. infin. II 345⁶;
ὡς (μή) ὤφελον II 346¹
ὠφέλουν ipf. att. 688⁷
ὤφθην II 258²; s. ὀφθῆναι
Ὠφιλίων att. 256². 350⁸
ὥφλε 746, 9
ὤφληκα 709⁴. 746, 9; s.
ὀφείλω
ὠφλήκοι Lys. 795⁶
ὤφλησα Lys., spät 709⁴.
746, 9. 752³; s. ὀφείλω
ὦφλον ion. (Hdt.) att. 709⁴.
746⁶. 747². 782, 10
ὠχεῖτο 654²
ὤχετ᾽ ἀποπτάμενος II 392³;
s. οἴχομαι
ὤχθησαν hom. 719⁵
ὤχρα II 174⁵
ὠχραίνεσθαι II 173, 2
ὠχρ(ι)ᾶν II 173, 2
ὠχρός 481⁵, 14
ὦχρος 481, 14
*ὥψ 426, 4
ὤψεον Sophr. 789⁴, 2
-ώω verba 717²⁻³. 724⁴, 9.
728⁶. 730³. 814⁸

# II

## WÖRTER, SUFFIXE, LAUTE:

## ANDERE SPRACHEN

# A. INDOGERMANISCH

# B. INDOGERMANISCHE SPRACHEN

## 1. ALBANISCH

## 2. ARISCH (INDO-IRANISCH)

## a. INDISCH

Nicht besonders bezeichnete Wörter usw. sind altindisch

a- 343[1]
á- negat. II 570[7]
a- privat. 56[5]
-a voc. sg. 555[1]
-a 1. 3. sg. pf. 662[3]
å II 564, 4
-ā nom. sg. 583[1]
-ā loc. sg. 572[4]
-ā du. ved. 557[1]
-ā n. pl. 581[3]
abibhḗt 777[1]
ábharadhvam 670[2]
ábharam 659[3]
ábharāmahi 670[1]
ábharan 664[3]
ábharanta 671[5]
ábharat 56[5]. 74[1]
ábharata 74[1]. 663[1]. 669[4]
ábharatam 666[5] f.
ábharatām 667[1]
ábharathās 669[6]
ábharāva 666, 10
ábharē 669, 8
ábharēthām 672, 10
ábhārṣam 753[4]
abhí 387[8]
abhi II 437, 0
-ābhis instr. pl. 559[6]
abhítas 631[3]. II 423, 2. 437[1]
abhrá- 277[2]. 291[5]. 333[4]
ā bhū- II 94[1]
ábhūma 743[2]
ábhūt 743[2]
abhutsmahi 842[5]
ábhūvam II 258[3]
abhy 245[4]
áčaiṣam 279[6]. 659[4]
áčcha 550, 3. 630[1]
áčinvan 664[1]
āçír- II 161, 2
åçīrta- II 161, 2
åçiṣṭha- 538[1]
açíti- f. 590[5]
áçmā 339[7]. 381[1]
áçman- 293[3]. 522[3]
açnóti 795[5]. II 258[1]
açnuván 664[1]
açnuvánti 663[5]
açnuvītá 795[5]
áçrēt 761, 6
áçri- 495[2]
áçrōt 3. sg. 664[1]
áçru 292[8]. 339[8]. 495[4]
āçú- 292[7]. 463[2]
āçús 380[7]
áçva- 301[7]
áçvapati- 499, 6
açvayúṣ 477[5]
áçvya- (-ia-) 312[8]. 466[2]

açyā́m 794, 2. 4
açyā́ma 794, 4
-ād/t ablat. sg. 548[2]
åda 766[4]
ádadhām 659[3]
ádām 741[1]. 794[4]
ádanam n. 805[5]
adāsyam II 350[2]
ádāt 722[6]
addhí imper. 713, 6
ádikṣi 754[7]. 842[5]
ádita 669[4]. 742[3]
áditi- 505[5]
ādityā́t II 96[8]
adithās 762, 3
ādivás- ptc. 766[4]
ádmi 678[4]. 780[5]
ádṛçam 720, 2
ádṛçan II 258[4]
adṛçat 341[6]. 747[5]
áduhi 669, 8
ādúṣ- ptc. 766[4]
-advan- 521[4]
adyá 256[4]. 351[3]. 625, 2. II 282[4]
adyāt 794, 2
ádhām 741[1]. 763[1]. 794[4]
ádhāma 741[3]
ádhara- 480, 4
ádhāt 56[5]. 297[3]. 345[4]. 651[2]. 722[5]
ádhi 'auf' 627[4]
ádhita 741[3]. 742[3]
ádhithās 741[3]. 762[4]
ádhvanīt 361[7]
adhvaná- m. 725, 2
adhvaryántā ptc. du. 725, 2
-adhyai infin. Ausg. ved. 809[4]
ágām 742[4]
āgama- 651, 1
āgas 35, 1. 512[1]
agasmahi 755, 9
ágāt II 225[7]
ágata 742, 3
agnå loc. sg. 572[4]
ágnāꝫi 478[2]
agnáu loc. sg. 547[4]. 572[4]
agní- II 30[2]
aghas aor. II 258[2]
ąh- 515[5]
ahám 293[6,7]. 604, 2. II 561, 2; sá — II 25, 6. 188[6]
aham Indras II 188, 5
áhan 746, 3
áhanī II 50[5]
áhar devắnām āsīt II 124[2]
ą́has 515[5]
áhās 2. sg. aor. ved. 750[1]
ahāsata ved. 750[2]

áhata- 431, 7
áhi- 462[4]
āhnika- 497[5]
áiččhat 654[7]
āima ipf. 653, 12
-ais (-aiṣ) instr. pl. 556[4]. 624, 6
*aiti II 420[3]
āja 650[2]
ájāgar 777[1]
ájais 3. sg. ved. 750[1]
ájaiṣam 751[5]
ájaiṣma 1. pl. ved. 750[2]
åjam 654[7]
ajánata 640[5]
ájati II 258[4]
ájí- 340[1]
ájījanat 648[3]
ajnāsam 756, 1
ajnāsthās 762[4]
ajnāta- 432[2]
ájra- 481[4]
ajríya- 381[6]
akāri II 224[6]
Akathukrēyasa m.-ind. 156[3]
ákrīnan 664[1]
akṣáram 235[7]
akṣata 343[2]. 740[4]
ákṣathās 762, 3
ákṣi 326[2]. 518[2]
akṣī du. 381[1]. 565[4]
akṣipát 448[1]
ákṣiti (-tam) çrávas (-ḥ) ved. 42[4]. 57, 0. 821[5]
akṣṇ- [nicht ak n-] 317[4]
akhkhala 303, 1
álarti 647[5]. 749[2]
ali m.-ind. 462, 6
alokayati 432, 3
-ālu- suff. adj. 644[3]
-am pron. Ausg. n. pāli 610, 0
-am (-ám) absolutiv 626[6]
-am partic. II 587[3]
ām [s. ān] 361[7]
-ām acc. sg. 579[5]
-ām gen. pl. 382[2]. 548[6]
amå 'daheim' ved. 601[1]
āmåd- 398[1]
ámąsta 3. sg. ved. 750[2]
ámatra- n. 324[3]
amba 558[6]
ambā nom. 558[6]
ámbē voc. 558[6]
amha m.-ind. 602[7]
āmīt 340[6]. 654[7]. 696, 7
Amitasa m.-ind. 156[2]
amitrayántam ved. 726, 8
ámīvā 309[6]
amlá- 277[4]

amma pāli 558⁶
āmra- II 30⁴
ámr̥ksam 754⁷
amŕ̥ta- 277³. 344²
an- (aus n̥) 343¹·². II 570⁷
-an nom. sg. ptc. 566⁵
ān für idg. n̥ 361⁷ [lies: ām ān]
ā(n) partic. II 509, 5
-ān acc. pl. 556²
ana- pron. 612³
an̥a- prākr. 432, 2
ānaça dēvēṣu amr̥tatvám II 169⁵
ānā́ça pf. 292⁷. 647⁶. II 258¹
-ānām gen. pl. skr. 556³
anāgás- 512¹
anaikṣīt 754⁷
ánaiṣṭa 2. pl. ved. 750²
ānait 744, 8
anala- 503, 2
ánapihitas 378⁶
ándhas- 297⁴. 339⁸. 512¹
andhati pāli 213⁵
anga- n. 591, 7
-āni 1. sg. conj. 661, 3
-ānī- suff. f. 479³
ánīka- 426, 4
ánila- 339⁷. 340⁶. 362¹. 493⁶
ániti 340⁵. II 173⁵
án̥kas 292³. 512¹
ankuçá- 379²
ankura- 485²
ánta- II 442¹
-antām 3. pl. imper. med. 803⁵
antár 533⁵. 631¹
ántara- 533⁵
*antás 630, 2
ánti 387⁸. II 441⁶
-anti 3. pl. 663, 7
antidevá- ved. II 442⁴
ántigr̥ha- II 443⁵
Antikona m.-ind. 156¹
Antiyōka m.-ind. 156²
ántyūti- ved. II 442²
ánu II 444¹
anuçatí 525⁴
anudrá- 381⁵. 432²
ánvavēdam 777¹. 778⁴
anya- II 99¹
ányad 609⁵
anyatra 326⁷
anyō'nya- 446, 8
anyō'nyaiḥ 446, 8
anyō'nyam 446, 8
anyō'nyasya 446, 8
å̄p- II 30²
āp- II 481, 4
ápa 291³. 381². 387⁸. II 444¹
ápa aj- II 445¹
ápa as- II 444⁶
apabhaya- 436⁷
ápačiti- 435¹. 505²
ápačitis 43². 378⁶. 421³
ápa čyu- II 445¹

apadhå̄ f. 722⁵
ápa dhā- II 445¹
apagalbha- skr. II 444⁵
apahata 740, 4
ápa hate II 231⁶
ápa-i- II 445¹
ápāiti II 420³
apa kṣi-~II 445⁵
Apaladatasa m.-ind. 156²
apanyāka II 444³
apaptat aor. 358, 3
ápara- 595⁴
ápas- n. 718¹. 724, 1
apás- 724, 1
ápa sthā- II 445¹
apasyå̄t ved. 724, 1
apasyáti 718¹
ápatam II 200⁶
ápatat 640⁵
apavaktå̄ II 445, 1
Apelāe[s]sa 195⁶
ápi 381². 387⁸. II 467, 1
ápi dhā- II 466¹
ápi gam- II 466¹
ápihita- 435¹
ápi i- II 466²
api-já- II 466²
apīpatat [so] 648³
ápnas 513¹
āpnōti II 465, 8
āpōklima- m.-ind. 156⁴
áprās 3. sg. 755⁶
áprāt 689³
ápsv ántar 387⁶
Apulaphanasa m.-ind. 156²
åra 766⁴
åraik 3. sg. 655, 1. 755⁵
arātiyáti 727, 6
arautsam 751⁷
árbhaká- 496¹
ari- 434, 1
áričam 651³
áričat 56⁵. 358, 4
arigūrtá- 434, 1
ariṣṭutá- [so] 434, 1
aritå̄ 379⁶
arīta 794, 2
aritár- 500¹
arítram 493, 2
árjuna- 293¹. 339⁷. 491⁵
árjunyōs gen. du. f. II 174, 2
Arkhēbiyasa m.-ind. 156³
arpáyati 648⁴
arpipat 648⁴
ārta 740⁵
arutsi 'ich hemmte' 751⁶
as- II 233, 1
-as voc. 579²
-as nom. sg. ptc. 566⁵
ās ved. 81⁷. 406⁴. 409¹. 659⁴. 677²
-ās nom. sg. 579²·⁵
-ās nom. pl. 556². 559¹·⁶
-ās acc. pl. 559²

-as acc. pl. 556²
ás̥a- 279⁵
ás̥a 650³. 677². II 258³, 3
āsádē 515⁵
-asam acc. sg. 579²
-asām gen. pl. 579²
ás̥am 343⁴. 651². 659⁴. 677².
 II 258, 3
asambhramat 656³
āsan 3. pl. 663⁵. 677²
āsānā- 680, 1
ás̥āni 661⁵. II 310⁵
ásanvan 699, 1
ás̥as 381¹
-asas gen. sg. 579²
-asas nom. acc. pl. 579²
asas(i) 677³
ás̥ata 671³
ás̥atē 671³. 679⁵
ásat(i) conj. 677³. 780³
asáu 613¹
ás̥au II 47³
-asē dat. sg. 579²
-asē infin. 658, 2
ási 659⁵. 677¹
-asi loc. sg. 579²
Asiknī f. II 33²
ásita- 307⁵
ás̥itha 2. sg. 677². 766²
áskr̥dhōyu- 351⁸
asm- 'wir' 600²·⁵
ás̥ma 1. pl. 282⁴. 333⁸. 677²
asmábhyam dat. 604³
asmad- 604¹
asmadíya- 604¹
ásmai 610¹
asmå̄n acc. 281⁸. 601²
asmå̄su 604³
asmátsakhi- 604¹
asmē 604³
ásmi 281⁷. 659³. 677¹. II 258³
ásmin loc. 605³
Āsphujit m.-ind. 156⁵
ás̥r̥k 408⁸. 517³
-assa gen. sg. m.-ind. 555⁴
-as(s)u loc. pl. 579². 580, 2
ás̥ta 2. pl. 677²
ás̥tam 666⁵. 677²
ás̥tām 666⁵. 677²
-astara- 535³
ástariṣam 752⁵
ás̥tē 346⁵. 668¹. 669². 679⁵
ásti 389⁶. 659³. 677¹. II 272⁷
ásti sma II 569³
ástōṣi II 282⁴
ástōṣṭa 679, 5
ást ta- s.-str̥ta-
ásthām 659³. 742³
ásthās 742³
ásthāt 640⁴. 742³
asthāta 2. pl. 742³
asthi 298³. 425³. 518²
ásthi aor. med. ved. 762²
ásthidhvam ved. 762²

píbāmi 693³. II 226²
pīḍā f. 721, 5
pīḍáyati 721, 5
pináṣmi 692⁴
pináṣṭi [so] 325⁴
pinjūla- 268⁶
píparmi 689³; pipṛmás 689³·⁴
pïsánti 692⁴
pītá- 346¹
pitár- 340⁶; pitár voc. 408⁸;
pítar ved. 567⁶; pitā́ 291¹.
358, 8. 380⁷. 381². 567⁶;
pitā́ máma II 200²; pitáram
343⁴. 358, 8. 567⁶; pitúr
567⁶; pitrḗ dat. 567, 3; pi-
tári 567⁶; pitrā́ instr. 355⁴;
pitáras nom. pl. 567⁶. II 51⁵;
pitṝn acc. 552, 3. 567⁶;
pitṝṇā́m gen. 567⁶; pitṛ́ṣu
loc. 342². 355⁴. 358, 8. 566⁶,
6; pitárāu du. ved. 565³.
II 50⁵; pitárā ved. 565³. II
51, 1
pitrártham 440²
pítrya- 466²
pītudāru- 506, 5
pívan- 350¹
pīvara- 481³
pívarī [so] 381². 475¹
pīyatē 686, 3
plaviṣyati 786³
plōṣyati 781⁶. 786³
pra 595²; prá II 267⁷. 505³
prá... dṓdhuvat ved. II 426,2
prá hanyate 396⁴
prá i- II 505⁵
práiṣṭha- 279⁷
prajā́patim acc. II 67⁸
prajnú- 328¹
pramaganda- 436²
pranapāt 435⁶
prapā́ 425⁴
praparṇa- 435⁴
prā́si 'fülle' 799, 6. 800²
prastúmpati 334⁵. 490, 1
prácastas narā́m II 116, 2
prācu- 436¹
prātár II 505³
prátavas- 436¹
práti 387⁸. II 508⁴·⁵. 511, 1.
654, 3
práti bhar- II 509⁴
práti çī- II 509⁵
práti darç- II 509⁵
pratidōṣám 436⁷
práti dhā- II 509⁴; – dhāsyā-
mi 400⁷
práti gam- II 509⁴
práti i- II 509⁴
práti īkṣ- II 509⁵
prátīka- 426, 4; -am 350⁵.
II 517, 1
práti vač- II 509⁵
pratyák 604, 1

pratyáñč- 604, 1
prathamá- 595²; -ā II 53⁵
prá vā́tā vānti ved. 680, 4
prāyas 538, 8
práyasta- 330⁵
práyukti ved. 620⁷. 623⁴
pṛččhāmi II 81, 4; papraččha
707⁵
pṛṇḗthām sṓmasya II 111²⁻³
pṛ́tanā f. 725, 7
pṛtanāyántam 725, 7
pṛthivī f. 474, 1
pṛthú- 298³. 344³. 463¹
pṛthvī 381⁶
psā́ti 328⁸. 675⁴
pulaka- 498³
punar II 444²
punāti 801³
punītāt 801³
punjīla- 268⁶
pūr 325⁴. 344⁵. 462⁵
purā II 274²; purá II 361².
492¹. 657¹
purás 342⁴. II 274¹·². 492¹.
541⁵, 5. 656⁵
purogavá- 298⁶
pūrtá- 361²
pūrtí- 361²
purú- 463². 584⁴. II 87⁵; pu-
rū́n acc.pl. 572¹; purú víçvas
II 87⁷; purū́ pl. n. ved. 299³.
581²
purū́ čid ved. 299³. 597⁶;
purū́čid 409⁸
purudáⁿsas- 286⁷; 438¹
pū́rva- 595²
pūrvī́ [so] 584⁴
Pūṣán- 349⁵
putau 322⁷
pṓyati 703²
pyúkṣṇa- [so] 325⁷

phalgú- 298¹
Philusinasa m.-ind. 156³

raghú- 302⁴
rāj- 68⁴
rā́jā 411⁷
rā́japutrá- 453, 5
rajyati 310⁴. 716¹
rakṣ 329⁶
rákṣas 326²
rákṣatāt 803¹
rákṣate II 232, 2
rákṣati 706⁷
ram- II 491⁵
rāsabha- 381⁷
rathḗṣṭhā́s 558, 2
rekṣyate 358, 4
rḗpas 512⁴
rič- 655, 1
ričánt- 380⁸. 390¹
riḥphā m.-ind. 156⁵
riréča 358, 4. 771²

riričḗ 771²
riričyāt 794, 2
ririkṣḗ 668¹
riṣphā m.-ind. 156⁵
Romaka m.-ind. 156⁵
rudh- 352²
rudhirá- 239⁶. 297⁴
rujáti 453, 5
rukṣá- 327⁶

ṛghāyáti 719⁵
ṛjrá 260². 481⁵
ṛ́kṣa- 49⁵. 342³
ṛ́kṣas 381¹
ṛnjátē 695, 2
ṛ́ṇōmi 390²; -ti 696⁴
ṛṣabhá- 284⁸. 342³. 381⁷
ṛṣvá- 286²
ṛtā́van- 521⁶

-s Personalendg. 659³
sá 304². 610⁵. 611¹. II 20³.
208³; – ahám II 25, 6. 188⁶;
– ča 629, 10. II 648, 2; – gha
II 561², 5; – sma II 569³;
– tvám II 188⁶
sā́ 304². 610⁵. II 35⁴
sač- II 160³; sačḗ II 229¹;
sačatē II 70; sáčantē II 224³
sačádhyai ved. 809⁴
sáççasi 748⁵; -ti 647, 6
sádas 74⁸. 304¹. 380⁸. 515⁵
sādhú- 350⁴
ságarbhya- 261³. 295⁵
saghnṓti 328⁵
sáḥ 611¹
sahá II 535³
sahásra- 567. 281⁶
sahásram n. 593³
sahasríya- 593³
sáhate 261²
sáhuri- 482⁴
sāhyāma 766, 6
sakṛ́t 343¹. 358, 11. 588¹. 620⁷
sákṣva 2. sg. med. imper.
678⁴
sám II 160³. 267⁶. 487, 7
sam- II 431, 1
samá- ved. 358, 11. 617⁴. II
160³. 582⁷
samáčinuṣva 651³
samāna- 450⁶
samás 380⁸
sāmi- 599³
sámṛtā 433⁵
san (= ásan) 664, 1. 677, 8
sána- 304¹
sánā 381²
sanaká- 304¹. II 36⁶
sánas 56⁶
sandhí- 395⁶
-sani infin. Ausg. ved. 809²
sanṓmi 304²; -ṓti 696⁵

19*

## b) IRANISCH

Nicht besonders bezeichnete Wörter usw. sind awestisch (doch sind die im Buch als gathā- und jungawestisch besonders bezeichneten Wörter auch hier so bezeichnet)

# 3. ARMENISCH

## 4. BALTISCH

Nicht besonders bezeichnete Wörter usw. sind litauisch

## 5. GERMANISCH

mik got. 309². 606, 1. II
555². 561¹·³, 2
mikils got. 484⁷. 584²
miliþ got. 518¹
mimz got. 282⁸. 481³
mīnen mhd. schweizd. 608⁵.
II 205, 1
mīnigen nhd. 608⁵. II 205, 1
Minne nhd. 40²
Minneapolis engl. 61³
mirki ais. 335⁸
mit d. II 485⁶
mit- nhd. II 422⁷
mitgehen nhd. II 267⁴
mit(i) ahd. II 481, 3
mitkommen nhd. II 267⁴
miþ got. II 481, 3. 483, 1.
484, 2
miþ- II 422⁷
miþniqam got. II 423, 1
mizdo f. got. 328⁵. II 32, 4
mjǫk 'sehr' aisl. 584²
*mōðár- germ. 381⁸
mögen nhd. II 320⁴; mögə
schweizd. II 331, 1; er mag
eintreten II 329⁵; das mag
so bleiben II 329⁵
Mohn d. 381¹
mojn (= Morgen) d. 16²
momentan (term.) mhd. II
252⁶
mon ags. 275⁶
Mord d. 277³. 362⁴
Mordiō nhd. II 60, 7
More (term.) 373⁴
Mr. Thingumbob engl. 612³
Müller nhd. II 615, 2; Mül-
lers gen. II 9, 1
munaiþ got. 343²
munda- got. 343²
muns got. 495, 8
muot ahd. mhd. 174⁵. 473, 6
muoter mhd. 309¹
müssen nhd. II 304². 339⁴;
ich muß dies tun II 373⁶

m'm̥ schweizd. 171, 1

nachdem nhd. II 659, 5
nachfolgen d. II 169, 2
nachschreiben nhd. II 267³
Naen (Ναιν) got. 162⁵
nāen ahd. 675³
Nagel d. 352⁶
nagĺ schweizd. 342¹
naguĺ schweizd. 342¹
namnjan got. 256⁷. 724⁵
namo got. 523¹, 1
-nan verba got. II 237²
nap engl. 414⁷
nasjan got. 274⁶
nast d. dial. 396³
nd d. (für nt) 210³·⁴
nē got. II 591, 3
20*

nehmen nhd.: den Hand-
schuh – 37²; ein Weib – II
234⁶
Neikaudemus got. 162⁵
nein nhd. II 620³. 628⁴;
nein! 15²
neinā ahd. mhd. II 564, 4.
601, 6
Neinsager d. 430, 6
nemmen d. 256⁷
nemmezen mhd. 734, 7
nennen d. 256⁷
nerren ahd. 274⁶
neun d. 589, 0
Neustadt d. 427, 3
nevertheless engl. II 582⁷
ni germ. got. 431⁴. II 591¹:
ni nunu ōgeiþ got. II 149,1;
ni waíht þizei gesēhvun got.
II 641³; ni aiw got. 347⁸;
ni wāri ahd. 25⁴
nicht- compos. d. 432³
nie nhd. 347⁸. 416, 2
nih got. II 573, 4; nih – nih
II 573⁴
nihein ahd. II 573, 4
nioro ahd. 297⁷
niun got. 591²
niuwōn ahd. 727, 4
N. N., Müller nhd. II
615, 2
noma ags. 275⁶
nór m. aisl. 578¹
Norway engl. 291²
nosu ags. II 44, 5
nu got. ahd. mhd. II 571¹·³,
1; nū ahd. II 571¹; nú aisl.
ibid.
Null d. 587, 1
nun nhd. II 571, 1
núna aisl. 619⁶. II 571¹
nur nhd. 25⁴. 416, 2
Nüstern nhd. II 52¹
Nymfan got. 163, 1

ō got. II 60, 7
-ō neut. pl. got. 581³
ob nhd. II 687, 2
oba ahd. II 522, 6. 523³
obschon nhd. II 687, 2
of an. II 522, 6; ags. I 275⁷;
engl. II 444¹
ōg got. 696⁴
ohne nhd. II 535⁵; keine
Rose – Dornen II 623⁴
oi interj. a.mhd. II 600, 5
ok an. 303, 3. 313⁵
ók aisl. 650²
ōl got. 340¹
on ags. II 440¹
-ōn verba germ. 717, 4
once engl. 226, 1
one engl. 226, 1. II 27²·⁷
-ōno gen. pl. ahd. 559³

Opər schweizd. 317³
ōᵖmə schweizd. 317⁴
*Opmər schweizd. 317⁴
öpper schweizd. II 212, 5
öppə 'etwa' schweizd. II
305, 3
-ōs nom. pl. got. 556².
559¹
-ōs acc. pl. got. 559²
Osmose d. 273⁴
ōst(a)ra ahd. 349⁴
Ostern nhd. II 43⁷
ovan ahd. 295⁴
Oxytonese (term.) d. 392⁸

Paar: ein – nhd. II 48,4
Parallele d. 265⁴
paraskaiwe got. 162⁶
Pawlus got. 162⁶
Pein d. 294⁵
p'end (pfänd) schweizd. 207⁴.
222³
per: – Pfund nhd. II 435, 1
perfektiv (term.) nhd. II
252⁵
perks engl. 16, 1
perquisites engl. 16, 1
Personalausgang (term.)
657, 1
Personalendung (term.) 657,1
pfänd schweizd. 207⁴
Pfärer nhd. dial. 14²
Pferd nhd. 25⁴. II 522, 5
Pferfrīt mhd. 25⁴. II 522, 5
Pfingsten nhd. II 43⁷
Pfund nhd.: à – II 435, 1;
per – II 435, 1; drei – II
40, 2
Philine d. 491³
Piccolomini: die – nhd. II
45²
pitch engl. 372⁵
Plusquamperfekt (term.)
nhd. II 287²
Pole: der Pole d. II 41⁷
praizbytairein got. 163³
präparativ – konfektiv (term.)
II 253¹
Präposition (term.) nhd. II
419¹. 420, 4
Professorchen nhd. II 36, 2
psalmon got. 162⁴
pst nhd. 171⁵. 276⁷. II 16⁵.
600, 5; pst! II 620¹
Punkt nhd. 172⁵
punktuell (term.) nhd. II
252⁵: -e Wurzeln II 255, 1

qēns got. 343³. 582, 3
qiman got. 343²; qēmum
daupjan 806, 1
quast mhd. 302³
Quecksilber d. 294, 1
queen engl. 343³

understand engl. 675, 2
ungr an. 313⁵
unpersönlich (term.) nhd.
  II 244³
uns got. 600⁵. 601³. II 18²
-uns acc. pl. got. 571⁶
unsar got. II 200⁴
untarthio ahd. II 524¹
unterirdisch d. 450²
unwissend nhd. II 385⁸
unwitands got. II 385⁸
uphéah ags. II 524²
upp an. II 523, 12
upp(e) ags. II 518¹
ur germ. 341⁷. 342⁴
urbar nhd. 338⁷
us- got. II 267²
-us nom. sg. got. 571⁶
usqiman got. II 426³
uswalugjan got. 725, 6
ut, üt d. 17⁵
ūt got. II 517⁴. 591, 5
ūtǝr schweizd. 518⁶

vār an. 282⁸
Vater kommt nhd. II 200, 1
vēch mhd. 333³
ve(h)ement engl. 222¹
ver- nhd. II 267²
verbleiben nhd. II 428⁴
verehren schweizd. 230⁶
vergëbene mhd. II 126⁴
vergessen: auf etwas – nhd.
  II 435⁶
Vergißmeinnicht II 6, 4
Verhältniswort nhd. II 420, 4
verjüngen nhd. 730⁷
verkligen schwed. II 589, 1
verrêren schweizd. 230⁶
verstehen (Bed.) d. 32⁷
Victoriden d. 509, 3
vielleicht nhd. 386¹. II 304²
vilia aisl. II 330²
vitr an. 495, 3
vøkua an. 298⁶
voller nhd. 585, 3
von – wegen nhd. II 428⁷
vorr aisl. 286²
vut mhd. 322⁷

wachsen nhd. 706⁷. 707, 1
wäfenä mhd. II 60, 7. 63¹.
  601, 6
wahrnehmen nhd. II 258²;
  s. auch warnehmen
wai got. II 601¹
waist got. 20². 298¹. 662³
wait got. 346⁸. 766⁶. II 263⁵
Walthari d. 223, 2
wan mhd. II 589, 1
Wand nhd. 42³
war nhd. II 258³
wara ahd. 721, 7

warm d. 297⁸. 494⁴
warnehmen d. 222⁶. 225⁶
was ? nhd. II 213³
wäs nhd. 15³
wās ? schweizd. 15³
was (pl. wārum) ahd.
  218⁵
wāsǝlǝ schweizd. 735, 5
was gišt was häšt schweizd.
  II 583, 2
wassen d. 211⁷
Wasser in d. Rhein II 156,
  2
watō got. 519, 3
wau d. 313, 1
waurkeiþ got. 716, 2
waúrts got. 352³
waz du tuo mhd. II 344⁵
wazzar ahd. 519, 3
weary engl. 314²
wëban ahd. 350³
weben d. 305¹
Webers: bei –, zu – d. II
  120⁵
weder nhd. 534¹
weh mir d. II 143⁷
wehen nhd. II 252, 4
Weihnachten nhd. 427, 3. II
  43⁷
weihnai got. II 237²
weis got. 601². II 18²
weiß nhd.: ich –, wer du bist
  II 631²; ich –, daß du kommst
  II 645⁶
weißt nhd. 21¹
weitgehender nhd. II 184⁴
weitwod- got. 540²
welcher d. II 643⁴
wenn doch nhd. II 557, 1
weorpan wæteres ags. II
  111, 2
wer ? nhd. II 213³; wer ist
  es ? II 628³; wer kommt ?
  II 627⁵; wer von euch ? II
  115, 2
werben nhd. 302²
werden: ich -e gehen nhd.
  II 637⁷
werfen nhd. 314⁴. II 71².
  250, 2
Werk nhd. 223⁵. 309².
  339²
wetma ags. 833⁷
wh- engl. 227²
what engl. II 213³
wheel engl. 296²
which engl. 225, 4
whisky engl. 306⁴
who engl. 225, 4. 227³. II
  213³
whole engl. 306⁴
widemo ahd. 338³
wie mhd. nhd. 227². II
  565⁶, 6: – nâch ich ertr. was

mhd. II 308, 1: – ich das
  sah nhd. II 663¹
wīhen nehten: ze – – mhd.
  II 43⁷
wīl schweizd. II 102³
wiljau got. II 330²
willu ahd. II 330, 2
winden nhd. 42³
winistar ahd. 537⁴
Winter d. 172¹
wirkiu as. 716, 2
wissen wie nhd. II 664⁵˙⁶
wit got. 601³; wituþ 663¹;
  witum 766⁶
wo schweizd. II 645¹
wohin nhd.: – gehst du ?
  II 627⁵. 628³
wohl nhd. II 304²
wōkrs got. 363⁷
Wolle d. 314⁴
wollen nhd. II 304²; willst
  du ? II 631¹; ich will nach
  Hause II 293, 1
wo-n-i schweizd. 289¹
wōrig as. 314²
worms, worsm ags. 269²
worse engl. 539, 3
wraiqs got. 314³
wrimpen mnd. 314³
write engl. 225, 2
Wucher nhd. 363⁷. 706⁷
*Wulfila got. 485³
wulfs got. 352²; -fōs 58³.
  79⁷
wulpa ahd. 570⁶
wünschen nhd. 707, 1
wuorag ahd. 314²
wurchit ahd. 716, 2
würdig bewundert zu wer-
  den nhd. II 241⁶
Wurm d. 495³, 4
Wurzel d. 225, 2

yes engl. 606, 2
yfer aisl. II 518³
ylgr an. aisl. 381⁶. 570⁶
ymbe ags. II 437⁷
youth engl. 561⁴

-za 1. sg. got. 667⁴, 5
Zähre d. 339⁸
Zange d. 364¹. 770³
Zaum d. 492, 9
zeihhur ahd. 568³
zësawa ahd. 291². II 175⁵
ze wäre mhd. II 569⁴
zīdelaere mhd. 277³
ziellos (term., = infektiv) d.
  II 253¹
zoraht ahd. 502³
zu nhd. II 372⁴; – Hilfe! II
  380⁴

zuerst nhd. II 179⁶
zufrieden nhd. II 176¹
zuhtōn ahd. 705⁴
zum nhd. II 435⁶
zuo ahd. aschweizd. 624, 9.
  II 487, 7

zur nhd. 16¹. II 27⁴
zur- ahd. 432⁴
zuschließen nhd. II 432²
zwälf d. 17, 1
zwē d. 24, 1

zwei d. 24², 1
Zwerg d. 320¹
zwingen d. 296¹. 320¹
zwō nhd. 24², 1
zwölf 17, 1
zwotens nhd. 24, 1

# 6. HETHITISCH

-ā loc. sg. 572⁵
-ad pron. encl. 609⁵
adanza- II 241, 1
-aetsi 3. sg. 729, 5
Agniš II 30²
ah 739, 1
-ahantsi 3. pl. 729, 5
-ahi 3. sg. 729, 5
-ahmi 1. sg. 729, 5
-ahti 2. sg. 729, 5
-ahweni 1. pl. 729, 5
Aḫḫijavā 79⁴·⁵
-ai loc. sg. 572⁵
a(i)iš n. 520⁴
-āis gen. sg. 573, 2. 840³
-ā(i)si 661⁴
-āitsi 661⁴
Aj(a)valas 79⁴
Alaksandus 79⁴·⁵
-alu 1. sg. imper. 798, 1
-ami 1. sg. 729, 5
-āmi 1. sg. 730²
amug 'me' 604, 2
an 823¹
-an acc. sg. 839⁶
-an gen. sg. u. pl. 556, 0. 839⁷
anas 422, 3
anda 625⁵
andan 547⁵. 625⁵
anis 613²
-anki 597, 9. 840⁶
annas 836⁶
ansas 601³
-ant- ptc. II 241⁶
-anta 3. pl. praes. 669⁴
-ants ptc. 566⁵
-antsi 3. pl. 729, 5
apad 609⁵
arnumi 696³
arsas (aršaš) 284⁸. 516⁵
arwa/e- 725, 8
as (aš) 613⁴. 840⁷
-as nom. sg. 839⁶
-as gen. sg. 839⁵
asants 678¹
asantsi (ašanzi) 271³. 663, 6.
  677². 678, 0. 841⁵
-asi 2. sg. 729, 5
aššuš 433, 1
atas 422, 3. 562²
-ateni 2. pl. 729, 5
-ats (-az) abl. 624⁴. 630². 839⁵
attas 836⁶

-aweni 1. pl. 729, 5

dahhi II 226⁵
dalugasti (so) 297⁴. 504, 6
da-ma-aš-zi 752, 6
dan indecl. 589¹
dayugas 589¹
-duma 670⁵

ed 'iss' 678, 0. 798, 10
e-eš-(ḫ)ar 517³
-er 3. pl. praet. 664²
es (e-eš) 678, 0
es imper. 799⁶
es verb. denom. 706, 2
esa 'sitzt' 660, 1
-eske/a- verba 707, 1. 712¹
esmi (ešmi) 281⁷. 677²
ēsta (e-eš-ta) 2. 3. sg. 659⁴.
  677, 5
estsi (ešzi) 'sitzt' 271³. 663, 6.
  677². 679⁴
eswan 808⁷

gimanza (gi-im-ma-an-za)
  358, 5. 521¹

ḫa-ar-aš-ni loc. 840⁴
ḫapatis 508, 6
harkis 447, 5
hasa hantsasa II 51, 4
hasdwer II 491, 4
ḫastāi 518²
Ḫatti 52²
Ḫattušaš 50³, 2
Ḫepit 218, 1
-hi 1. sg. verba 667, 6. 768, 4
Ḫipit 218, 1
ḫu-u-wa-an-te-eš 680, 4

-i 3. sg. 662³
-ī partic. 840⁸
i-i-t 674³
-iskiya- Praesensbild. 708, 2
-iya- verb. denom. 730, 0
-iyami 1. sg. 729, 5
-iyantsi 3. pl. 729, 5
-iyasi 2. sg. 729, 5
-iyateni 2. pl. 729, 5
-iyaweni 1. pl. 729, 5
-iyetsi 3. sg. 729, 5

jugan 292⁵. 330⁶. 409⁵

kán II 476³
kate 548⁴
katta (kat-ta) II 474, 3. 4.
  476, 4
kattan (kat-ta-an) II 474, 3.
  4. 476³
katte II 474, 4
katteras II 183, 3
katti II 474, 4
ke II 567, 2
kē/ir 518³
kenu 463⁴
ki-eš-šar 569, 6. 840²
kitta 679¹
kittari 679¹
Kubaba 62²
kue 616, 1
kuenzi 3. sg. 52². 297⁶
kuid 615⁵
kuin acc. sg. 615⁵
kuis (kuiš) 293⁸. 615⁵
kuiskuis 617¹
kunanzi 3. pl. 52². 822⁴
Kupapa 62²
kwit 609⁵

lāman 352⁶
lamniya- 724⁵
Lazpas 79⁴
lē II 591¹
-lu 1. sg. imper. 798, 1

ma 'aber' 65⁵
-ma II 569, 3
mahhan II 569, 3
maḫlaš
man II 569, 3
-mant- suff. 528⁴
me-ik-ki neut. 584, 3
me-ik-ki-iš 584, 3
melit 518¹
memesk- 710, 1
-meni 662, 9
mes (mi-iš) 608, 3
-mi 1. sg. verb. 659³
mi pron. 602⁷
mi-im-ma-i 841⁷
Mursilu 270⁶

-n Verbalausg. 659⁸
nas (na-aš) 840⁷
-nas encl. 601⁸

natta 431, 8. 591[1], 2
nekumanza 43[3]
nekuts (nekuz) 352[6]. 499, 5
*nek[w]ts 499, 5
nenk- 647, 7
newah- 727, 4
-nt- ptc. II 241, 1
-ntsi 3. pl. praes. 663, 1
nu II 571, 2
-nu- infix. verb. 691, 2

pa-ai- 696, 9
pa-aḫ-ḫa-war 520[2]
paḫḫur 52[2]
paisi 2. sg., -tsi 3. sg. 674[2]
pānza- II 241, 1
parā II 492, 2
pariyan II 492, 2
par(r)anda II 492, 2
pedan 409[5]. 458[5]
piran II 492, 2
-pit, -pe(t) II 572[8]

-s Verbalend. 659[3]
šakkar 519[3]
SAL-na-aš gen. sg. 840[4]
SAL-za 840[4]
san acc. pron. 610[5]
šar-ni-ik-zi 691, 1
šar-ni-in-kan-zi 691, 1
sas 'is' 610[5]. 611[1]
sastas 501, 1
-si Verbalend. 659[3]
si-ip-ta-mi-ya 590, 8

ši-pa-an-ti 841[7]
sipt- 590, 8
-sk- verba 707[1], 1
-ske/a- Verba 707, 1. 711[7]. 842[1]
-smas encl. 601[3]
spantantsi 3. pl. 684, 8
spanti 684, 3
spariyatsi 715, 11
*sr̥nektsi 691, 1
*sr̥nkantsi 691, 1
stamar 524[3]
sumes 2. pers. 601[3]

-t Verbalend. 659[3]
-t 2. sg. imper. 800, 4
-ta 2. sg. 662[3]. 762, 2
-ta 3. sg. 669[4], 4
tamais 614[2]
-tani 2. pl. 663[1]
tāru 463[4]
tas (ta-aš) 840[7]
-tati 2. sg. 762, 2
Tavag(a)lavas 79[4.5]
tegan 326[5]
-tel suff. 532[7]
-ten 2. pl. praet. 663[1]
-teni 2. pl. 663[1]
te-ri-ya-al-la 590, 8
ti pron. 602[7]
-ti 2. sg. 662[3]
-ti 3. sg. 667, 4
tri- 589[4]
Tru(v)isa 79[5]

-tsi suff. 504, 2
-tsi Verbalend. 659[3]
tsin(n)a- 697, 2

u-e-es (= wēs) 601[2]
ug 'ego' 293[6]. 604, 2
ú-i-iš-ki-iz-zi 707, 2
uk 293[6]
-un acc. sg. 839[6]
-us acc. pl. 839[8]
utne 512, 6; udne 838[7]
úwitar 519, 3

Vilusa 79[4.5]
walḫanesku 709, 6
-want- suff. 526[6], 8
was- 225[6]
wassiyanzi II 222, 1
-wasta 1. pl. 670, 4
watar (wa-a-tar) 52[1]. 350[3]. 519, 3. 838[8]
wek 'frage' 678, 0. 798, 10
wekmi 678[5]
-weni 662, 9
wēs (u-e-es) 601[2]
wesketsi 707, 2
wetenas gen. sg. (watar) 52[1]
wettei 515[5]

ya- 'machen' 714, 2

I-as 588[5]
I-edani 588[5]
III-ya-al-la 590, 8
VII-mi-ya 590, 8

## 7. ILLYRISCH, VENETISCH, MESSAPISCH

Acrabanus illyr. 67[1]
Apenestae illyr. 66[3]
Aquincum pannon. 67[2]
Argyruntum illyr. 67[1]
-aro- suff. 482[3]
-as nom. sg. messap. 555[2]. 576[1]
-as gen. sg. messap. 558[4]
Astii illyr.-lat. 67[6]
atavetes messap. 513, 3
Atavus illyr. 840[6]
Ateste illyr. 66[3]
Αὐδολέων (Αὐδω-) päon. 68[4]. 614[1]
Azali pannon. 66[4]

b messap. (aus bh) 67[3]
Bandusia illyr. 541, 4
-bas dat. pl. messap. 67[3]. 548[7]
Basta thrak.-illyr. 70[4]
βαυρία messap. 67[3]
Beusant- illyr. 526[4]

-bis instr. pl. messap. 551, 4
Bora illyr. 66[5]

Cleuas illyr. 580[4]

Damatura messap. 576, 8
Δαζιμος illyr. 840[6]
Δειπάτυρος illyr. 576, 8. II 615[2]
Dimallum illyr. 66[5]
Ditus illyr. 840[6]

eχo venet. 67, 1. 293[6]. 606, 1
Enena illyr. 840[6]
Ennius illyr. 840[6]
-es nom. sg. messap. 576[1]
est venet. 677[2], 2

g (aus gh) illyr. 67[3]
-gnus venet. 67, 1
gunakhai messap. 583, 4

hipades messap. 69[1]. 749, 2. II 523, 6

hipakaϑi messap. II 523, 6
Hister illyr. (?) 482[3]
Ὑδροῦς messap. 526, 8
Humiste illyr. 66[3]

-idio- illyr. 467, 1
*-idjos messap. 510, 4
-iko- suff. illyr. 497[5]
-imo- suff. 495[1]
in messap. II 454, 5
ἰν illyr. 69[6]

Logetibas messap. 505, 5
louzeroφos venet. 482[1]

(m)aχetlom venet. 533[4]
meχo 'mich' venet. 606, 1
-meno- suff. illyr. 525, 2
met- illyr. II 481[3], 4
Metaurus illyr. II 481, 4. 482, 2
Metubarbis illyr. II 481, 4

Nevetum illyr.-lat. 66[4]
-nt- suff. illyr. 526[4]

'Ορуоμεναί illyr. 67³
oroagenas messap. 67, 1
-os venet. 555²
Oseriates illyr. (?) 67²
ostiiakon venet. 497, 11

Pantia illyr. 840⁶
pido messap. 69¹. 741¹
Pravai illyr. 840⁶

-φος venet. 548⁷

Raecus illyr.-lat. 80⁷
-rn- illyr. 491⁶

Sestus illyr. 840⁶
sselboi–sselboi venet. II 197⁴

st (aus tt) illyr. 56, 2
-st- suff. illyr. 66²
(Syrakus) illyr. 66⁵

Tara illyr. 526⁴
Tergeste illyr. 66³
Tharandt illyr. 66⁵
Tiliaventus illyr. 526, 8
Trimallum illyr. 66⁵
Tritus illyr. 840⁶
tsi (aus ti) messap. 67³
-tsi enclit. messap. 67³
tsw (aus tw) messap. 67³

Uria messap. 218⁶

Varro illyr.-lat. 66⁵
vastei messap. 572, 2

vasteos gen. sg. messap. 573¹
Veneti illyr. 226³
Fερζαν (gen. -αντος) illyr. 567¹
Vesclevesis gen. sg. illyr. 67¹. 513, 3
vhaχsϑo [so] venet. 67, 1. 749, 2
vhraterei dat. sg. venet. 67, 1

Zis messap. 577, 1
zonasto 3. sg. aor. venet. 67, 1. 208, 1. 345⁴. 669⁴. 739². 749, 2. 750², 1. 752². II 262, 1
zoto venet. 67, 1. 669⁴. 741⁴. II 262, 1

# 8. ITALISCH (AUCH ROMANISCH)

Lateinisch unbezeichnet

ă lat. = gr. ι 351²
-a voc. sg. umbr. 558⁵
-a nom. sg. alat. 558⁴
ab 339⁸. II 444¹. 446¹. 463¹; s. ab urbe condita, abs, absque
ab- II 444, 9
abavus II 444³
abba sard. 294, 1
abdīco II 445¹
abditus 434⁷
abdo II 445¹
abeamus II 315²
abiisti II 249, 6
ablātīvus II 54³
abnormis 436⁷
abs 329⁴. II 461⁵. 481, 6
absisto II 445¹
absque II 550, 3
ab urbe condita II 391². 404².⁵
ăc- 340¹
Acaviser etr.-lat. 62⁴
acca 478⁵
accent frz. 372⁵
accentuation frz. 372⁵
accentus 373⁵
-accio italien. 456, 5
accubare II 267²
accūsātīvus II 54⁴; acc. Graecus II 84³
Acheropita 254³
Achillēs 576¹
Achīvī 77⁵
aciēs 476⁴
Aciles 204⁶
action pure et simple (term.) frz. II 253¹
acula 470⁶

acupedius 451²
adagio II 440⁷
adagium 678⁵
ad Apollinis II 120⁵
adaxint conj. 787²
addfc(e) 378⁶
adesse II 267⁴
adiectivum (nomen) II 174, 0. 613, 1
adipiscor II 465, 8
adire aliquem II 70⁷. 72⁸
adnomen 208⁷
ad quo alat. II 658²
advenat alat. 645⁶. 790, 1
adverbium II 413, 1
adversus adv. 620³
Aeacus 194, 3
Aeas 194, 3
aedēs 347⁶
aegrōtus 503⁴
aēnus 282⁵
aequum erat II 307⁴
aes n. II 34, 4
aestās 347⁶. 512¹
aestimāre: magnī – II 125³
aestus 347⁶
aeteis gen. sg. osk. 274⁶. 321⁴. 347⁵
aeti- osk. 280². 494⁵
Aeuporista 158²
Aevaristus 158². 198⁴
aevom 223⁶. 347⁸
-af acc. pl. umbr. 558⁴. 559²
Afanacia 158³
Afenodorus 158³
affert 69¹. 652, 5. II 233¹
afficio 262⁴
afficit 69¹. 652, 5. II 233¹
agatho agaso 158³

age II 228³. 304³. 583⁷
agēa 183⁸
ager 339⁷
agere II 358⁴
agī 808, 7. II 358⁴
agli amici italien. II 140⁴
agmeon 210, 1. 769, 6
agna 327⁶
agnōmen 208⁶
agnus 295⁴. 332⁴. 489¹. II 32²
agō 49². 338⁶
agricola 451⁵
agro- 481⁴
Agustus 198⁸. 199³
aha umbr. 197, 1
Ahala 197, 1
Ahalas acc. pl. II 45, 3
ahesnes dat. pl. umbr. 282⁵
-ai dat. sg. alat. 558⁴
-ai nom. pl. alat. 558⁴. 559¹
aiai II 600, 1
Āiāx 157⁵. 194, 3
aĭ caseĭ rumän. II 21, 10
Aiiax 157⁵. 194, 3
aime frz. 72⁷
aio 678⁵. II 440⁷
-aís dat. pl. osk. 559⁵
aiunt II 245³. 620⁸
à la vérité frz. II 569⁴
albēsco 723, 1
albus 495⁶
ale caseĭ rumän. II 21, 10
alere 285⁶
Alčus 194¹
Alexandrēa 157⁶
algor 512¹
aliqui II 215⁸
aliquid II 215¹.²

hic: – fons, hoc principium est II 606[8]
hiems 297[5]. 522[3]. II 34[1]
Hilurii alat. 65[7]
hirundo 529, 4
hīsco 694[3]
hognos = ὄχνος 210, 1
Homerus 221, 1
homo 326[3]. 569[4]; – frūgī II 176[1]; – nequam II 602[5]; centum hominum alat. 592[4]. II 176[2]
honestus 503[4]
honor 204[4]; -ōri esse II 140[3]
honōs 204[4]. 514[2]
hordeum 352[4]
horreum 159[7]
*hortei loc. osk. 418[3]; s. húrtín
hortus 501[3]
*horzd- 352[4]
hospitium 124[4]. 413[6]
hospitum gen. pl. 561[6]
hostia 329[5]
hostis 329[5]
hu frz. 303[4]
hūc 549[6]
hulpe rumän. 227[3]
humer frz. 303[4]
humī 548[4]
humilis 326[3]. 343[3]. 483[7]
humus 326[3]. 408[6]. II 51[6]
húrtín loc. osk. 418[3]. II 55[7]
Hydaspes 305[4]
Hygīnus 15[3]
hypotēnūsa 157[6]. 193[8]

ī imper. 420[8]. 674, 6. 798[4]
-ī gen. sg. falisk. lat. 555, 4
-ī nom. pl. 556[2]
iaceo 713[6]
iacio 125[1]. 713[6]. 741[6], 8; s. iēcī
iamiam 421, 1. II 700[2]
īcī pf. II 258[5]
īcio 519[2]
-ico suff. italien. 497[6]
ictus 376, 1
-icus suff. 395[4]. 497[6]
id 609[5]. 613[3]
īdem II 211[3]; idem atque II 161, 3
idolum 392[7]
iēcī 741[5,6], 8. 9; iēcit 303[7]
iecur 303[5]. 342[3]. 517[3], 3
*iēqui 741, 8
ignarus II 174[7]
ignis II 30[2]
iisti II 249, 6
il a pris la ville frz. 811[6]
īlico II 420[3]
īlĭō [so] 392[5]. 835[8]
illui dat. v.-lat. II 190, 1

*illum istum ipsum, *illum met ipsimum roman. II 211, 1
im 'eum' alat. 608, 1. 613[3], 6. II 190[2]
-im acc. sg. 571[6]
immānis 495, 8
impedīre II 120[7]
imperativus (term.) II 302[6]
imperfectum (term.) II 249[1.2]
impersonaliter II 244[3]
impetrato ptc. absol. II 398[1]
implentur 671[4]
implicīscor 709[3]
impression frz. 39[5]
impūne 623, 2
īmus 674[2]
in 289[8]. II 68[3]. 454, 4. 455[1.3], 3
in- negat. partic. 343[1]. II 591[1]
incānus 436[5]
inclīnārī II 230[3]
inclinatio II 302[6]
inclutus 292[6]
inde 627[4]. 628[5], 7
indéterminé (term.) frz. II 252, 7
indicativus (term.) II 302[6]
indo II 457[4]
induo 706[8]
Indus 221, 1
inedia 469[2]
inermis 450[5]
-ineus suff. 491[1]
infinitivus (modus) [term.] 805, 1. II 302[6]
inflexibilia II 411[3], 1
inguen 295[5]. 486[7]
-īno- suff. italisch 350[1]
inquam 675[1]
-inquos 295[4]
insciens II 385[8]
insece 747[2]
insero II 457[4]
insideo II 457[4]
insidiae II 455, 4. 457[4]
instar II 551[6]
instīgō 292[5]. 334[5]. 714[6]
intensité (term.) frz. 372[5]
inter 631[1]. II 482[4]
interdiu nocte II 113[1]
interdiūs II 113[1]
interi 533[5]. II 183[1]
interiectio (term.) II 601, 3. 705, 1
interim 628[5]
interior 539[5]
intermittere II 482[4]
interpositio (term.) II 705, 1
interrex II 443[7]
intestīnus 629[1]
intrā II 455[2]
intus 630[1]. II 455[2]
-inus suff. 490[6]
inveterāscere 707[2]

invictus 501[5]
invidēre II 224[5]
invidiae esse II 224[5]
invītāre 302[3]
invītus 681, 3
io interj. II 600, 1
io italien. 242[5]. 604[1]
Iō 479[5]
iouxmenta 523[7]
ipse 266[8]. II 211[2]; et – II 209[5]
-ique suff. frz. 497[6]
īre: – ad aliquem II 70[7]. 72[8]; – publicā viā II 163, 0; – balneis spätlat. II 140[3]
is 588[3]. 599, 2. II 190[3]
-is nom. sg. 571[6]
-īs dat. pl. 559[5]
-īs acc. pl. 571[6]
Isfalangius spätlat. 205, 4
isídúm osk. 156[7]
-ismus suff. westeurop. 736[3]
ispīritus v.-lat. 413[3]
isque II 209[5]
-isso 157[8]
-ist suff. westeurop. 736[3]
istārum 58[3]. 554[3]. 559[3]. 609[5]
iste II 203[5]. 208[5]. 573, 5
istrada: in – italien. 123[6]
istud 609[5]
istum acc. 408[6]
ita me di ament, ut... II 668[5]
itāre 705[5]
it clamor caelō II 140[3]
ithos = ἦθος 174[6]
itinera duo, quibus itineribus II 704[5]
ītō 801[3]
ītur II 240[1]
iú 'ich' osk. 604[1]
iubeo 303[6]; iubet virum ire II 373[3]; iubebo II 292, 1
iudice populo II 384, 4
iuga 581[4]
iūgera 330[5]. 512[1]
iūgis 303[6]
iūglāns 446[1]. II 692[5]
iugum 57[2]. 181[5]. 292[5]. 330[5]. 643[7]. 691[1]. II 37[3]
iungo 643[7]. 697[2]. II 230[6]; -it 691[1]; -or II 230[6]; -xī 754[7]
Iupater umbr. 576[5]. II 615[2]
Iūpiter 576[5]. II 63[1]. 615[2]
Iuppiter 58[3]. 421[4]. 560,7
iūs 330[6]. 333[8]
-ius 537, 1. 555[2]
iuvencus 293[2]. 497[1]
iuvenem 331, 8
iuventa 501, 2
iuxtā II 487, 7

jambe frz. 157[8]
janitrīcēs [so] 303[6]

socius 298[4]
socrus 304[6]. 460[3]. II 30, 5
soeur frz. 20[6]
sōl 518[4]
solessa italien. 475[5]
sollos alat. 228[3], -us alat. 304[2]
sōlus II 211[4]
solvo II 431[6]; solvī II 230[6]
somnus 350[3]. 489[2]. 552, 4
sōna 157[8]
sont- 678[1]
sont frz. 20[6]: – morts et bien morts II 269[1]
sōpio (sōpīre) 717, 2. 3
sopor 724, 8
sorbeo 351[7]
sorbillare spätlat. II 222[8]
sorex 497[1]
soror 226[6]. 568[5]; – cum ... posuerunt II 609, 1
sorte frz.: de lá – II 16[7]
Soszomene 158[2]
sovos alat. 304[2]. 600[6]. 608[3]
spatiārus alat. 669[5]
spatium 302[8]. 498, 13
speciēs 476[4]
specio 268[2]. 705[2]. II 229[3]
-spicit II 258[4]
spissus 507[3]
spondeo 309[2]. 684, 8. 717[5]
sporta 159[8]
spre rumän. 594[3]
spuo (spuere) 325[7]. II 226[3]
ss (aus dt, tt) italisch 56[3]
stā imper. 798[5]
stāgnum 512[6]
statim 506[1]
statio 340[5]. 505[5]
Σταττιηις osk. 156[7]
status 340[5]. 502[5]
statūtus 739[2]
stella 57[3]
sterĭlis 474[2]
sterno 361[3]
sternuere 326[7]
stesso: lo – italien. II 211, 1
sto: stā imper. 798[5]; stetī 649, 1; stetimus 767[2]
strāmenta 520[7]
strātus 361[1]
struo 361[1]
stupila v.-lat. 268[6]
stuprum 334[5]
sturnus 483[6]
suad alat. II 667[6]
suādēre 224[4]. 226[5]
suāvis 463[1]
sub 304[7]. II 518, 5. 522[6]; 532[2]; c. abl. II 525, 3; – eā condicione II 527, 2; – lege esse II 531[2]; – potestate constitutus II 531[2]; – hasta vendere II 531[8];

c. acc.: – haec dicta II 532[3]; – galli cantum II 532, 2; – montem succedere II 531[3]; – tectum II 530[6]; – noctem II 532, 2; subdere – solum II 530[4]
subblandire II 222[4]
subdere II 525[2]; – sub solum II 530[4]
subditus 434[7]
subducere II 524[7]
subesse II 524[4]
subigere II 525[1]
subire II 523[3]
subiunctivus (term.) II 302[6], 1
subniger 436[4]
*subs II 522[6]
substituere II 525[2]
subūcula 706[8]
suburbānus 450[3]
succedere II 523[3]: sub montem – II 531[3]
Suculae 508[2]
sūdor 514[3]
suere 321[1]
sui gen. sg. 606[6]. 609[1]. II 192[3]
suīnus 491[3]
sulcum 303, 4
Sulla 157[7]
Sulpicius 204[6]
sum 304[2]. 814[1]. II 258[3]
summus (magistratus) 39[4]
sūmo II 522[6]
sunt 663[5]
suōpte II 572[7]
suovetaurilia 428, 4
συπ osk. II 522[6]
super 304[7]. 309[2]. II 518[2], 5. 519, 1
super umbr. II 518[2], 5
superbus 301[6]. II 518, 8
superescit 303, 4
superlativus (gradus) II 183,4
superne 612[2]
superscando II 518, 9
superus II 518[2]
suppum 303, 4
suppus 304, 2
suprā II 518[2]
surgo 262[4]
sūs 304[3]. 308[5]. 570[5]; suis gen. sg. 570[5]; suem 69[5]; suum gen. pl. 570[5]
suscipere II 525[2]
suspicio II 267[4]
susque II 522[6]
sustineo II 522[6]
sustuli II 431[6]
suus 226[4]. II 192[3]. 204[4], 2
svaí 'si' osk. II 683, 2
syllaba (term.) 235[7]
synhodus 157[4]. 219[3]
synnāvi di 158[2]

Syrus cum illo ... consusurrant II 609, 1

-tā- suff. 528[6]
Tabennensis 161[6]
tābēs 702[5]. 776[1]
tabula 635[6]
tadait osk. 581, 4
tagat 790, 1
Tagliamento italien. 526, 8
tago 748[6]
Taillefer frz. 445[3]
tālis 495[3]; -e quiddam esse animum II 606, 1
tango (tangere) 291[1]. 748[6]; tetigī 647[6], -it 748[6]
*tantae fortunarum II 178[5]
tantōn(e) 378[6]
tantos de haberes aspan. II 178[5]
Tarentum 66[5]; -ī II 155[1]
tarpessīta 267[5]
-tāt(i)- suff. lat. osk. 528[6]
ταυροµ osk. 156[7]
taurus 347[6]
tē 600[5]
-te (demonstr.) II 573, 5
teatro 157[8]
Tecumēssa 158[1]
tefra umbr. 327[8]
tego 292[2]. 334[4]. 353[6.7]
tempus 124[8]
tendo 684[4]
Tenegaudia spätlat. 445[3]. 634, 1
teneo 684[4]; tenui 769[5]; tentus 343[4]
tenero- 486[7]
tēnesmus 193[3]
tenez frz. 355[3]
tenor 433[4]
tentus 343[4]
tenues (term.) 169[5]
tenus 433[4]. 514[1]
tepēre 327[8]
ter 597[7]
tereí osk. 549[5]
terenum sabin. 486[7]
tergus 512[1]
terminus 522[3]
tero 486[7]. 715[6]
terra: terrārum 58[3]
terruncius 597[6]
tertius 275[2]. 595[7], 5
Tesipho 325[5]
tetigī 647[6], -it 748[6]
tetinī alat. 769[5]
*tetudī alat. 43[2]
texere 326[2]; tēxī 754[7]
thesavrúm osk. 156[6]
Thraex 67[6]. 157[5]. 202[4]
Thrāx 157[5]. 202[2]
-tī 2. sg. pf. 662[3]
tibī 600[2]. 604[2]

## 9. KELTISCH

docer air. 683[1]
do-moiniur air. II 229[2]
driss air. 352[4]
du- air. 432[4]
duine air. 309[5]
-dwy gerundiv. kymr. 811[3]

ē- negat. ir. II 591[2]
Eburo- gall. 93[4]
eh praepos. kymr. II 461[4]
ειωρου agall. 159[1]. 714, 2
éithech air. 430, 3
eitne m.-ir. 58[5]
Elembiu agall. 495[5], 12
en kelt. (air. akymr. abret. corn.) 341[7]. II 455[1]
*ensedom kelt. II 455, 4
enuein akymr. 352[6]
Epenos (Ἔπηνος) gall. 158[8]
Epona agall. 301[7]
Eppius gall. 301[8]
er air. II 503, 1
er- air. 436[1]
*erbos kelt. 495[5]
erchosmil air. II 500[4]
ess praep. air. II 461[4]
essedum agall. II 455, 4
éssi pl. air. 361, 1
ex- agall. II 461[4]
Exobnus agall. II 461[6]

ferg air. 363[1]
*fertu kelt. 507, 1
fiche air. 591[4]
fichet gen. air. 591[4]
fichim air. 93[4]
firu, firʿ ir. II 59, 3
fiu air. 708[4]
fo- air. II 522[6]
for air. II 518, 4; for deis (sc. laim) air. II 175[5]
for- air. II 518, 4
-frīth air. 709, 2
froech air. 314[2]
froen kymr. 310[2]
-fuar air. 709, 2

gan nkymr. II 474[1]
gant bret. II 474[1]
garan kymr. 292[4]
gegoin 3. sg. air. 662[3]
gegon air. 297[6]. 662[3]
genni kymr. 700[7]
-ges conj. air. 753[3]; -gessan pl. air. 753[3]
gnāth air. 292[6]
go- kymr. 436[4]
guidim air. 297[6]
-guidiu air. 753[3]
guo- akymr. II 522[6]

had- kymr. 351[2]
haiarn kymr. 220[2]
hanter corn. bret. 614[3]

hen britann. 304[1]
híairn air. 220[2]

I (: ī) Ablaut air. 713, 2
iach kymr. 303[7]
ibim air. 693[3]. II 226[2]
*ide kelt. 612, 1
ieuru agall. 159[1]. 714, 2
imb air. II 437[1]
in- air. 343[1]
in- negat. ir. II 591[2]
inber air. 449, 3
ind air. 628, 5
ingen air. II 455, 6
ini- air. II 455[1]
inigena air. (Ogam) II 455, 6
innocht air. 352[6]
ir air. II 503, 1
Isara agall. 482[3]

*-jos n. lat.-kelt. 537[1]
*-jōs m. f. lat. kelt. 537[1]

Κασσιταλος gall. 159[1]
*-kerat kelt. 683[1]

lacc air. 310[5]
laigiu air. 538[2]
lām air. 343[7]. 362[4]. II 33, 4
lautro agall. 532[5]
legasit agall. 752[3]
Lemovices gall. 93[4]
lenim air. 693[2]
less air. 538, 6
less- air. 787[1]
Letavia agall. 474, 1
*lēwink- kelt. 498[3]
līa air. 498[3]
ligid air. 787[3]
lilsit air. 787[3]
lingid air. 692[4]
lud- air. 358, 6
luid ʿer gingʾ air. 347[2]. 704[1]
luig- air. 717[5]

maicc ir. 273[4]
maqi air. 273[4]
māthir air. 309[1]. 345[4]. 565[3]
meamna neuir. 208[7]
Meḍḍillus gall. 159[1]
Mediomatrici gall. 638, 11
memm(a)e air. 522, 13
menme air. 208[7]
Μεθ(θ)ιλλος gall. 159[1]
Mettis kelt.-lat. 638, 11
midiur air. II 229[3]
mīl air. 345[4]
mīr air. 481[3]
mnā gen. sg. air. 296[2]. 583[1]
mnāi air. 348[8]
mussu air. 606[2]
myrdd ʿMyriadeʾ kymr. 597[3]

nac m.-kymr. II 573, 3
nach- air. II 573, 3
nag corn. bret. II 573, 3
nech ir. II 591[1]
νεμητον gall. 158[8]
ni air. II 591, 3
nicria ʿematʾ air. 743[5]
nigid air. 714[6]
no guʿdʿu air. 719[5]
no rannam air. 729[7]
Novio(dūnum) gall. 472[2]

ochtmoga m.-ir. 592, 4
ōen air. 348[1]. 588[4]
-oi nom. pl. agall. 556[2]
oou (= ou) gall. 203[5]

*pacausios air. 349[4]
paraveredus kelt.-lat. II 522[5]
peswar corn. 320[1]
pet m.-bret. 612, 4
petru- agall. 590[2]
Petrucorii agall. 93[4]. 272[5]. 352[2]
pinpetos agall. 596[1]
*plām air. 343[7]
prynu kymr. 295[4]. 744[1]
pwy kymr. 294[1]

ra- m.- u. n.-bret. II 267[7]
re- corn. II 267[7]
regaid air. 702, 6
renim air. 693[2]
reraig air. 649[4]
ress- air. 787[1]
Rhēnus lat.-kelt. 157[4]
ri kelt. 341[7]
ro- praef. abret. air. gall. 417, 1. 651, 2. II 267[7]. 505[3]
ro carad air. 811[7]
ro-fitir air. II 232, 3
ruad air. 297[4]
ry- a.-u. m.-kymr. II 267[7]

-s- praet. air. 752[3]
-s- aor. kelt. 753, 1
-s- fut. air. 787[3], 4
said- air. 351[2]. 717, 3
-saʿlcim air. 721, 3
-se partic. air. 610, 6
sechithir air. II 160, 1. 224[3]
secht n- air. 304[1]
sechtmogo air. 592, 4
sechur air. II 229[1]
sen air. 304[1]
Senognatus agall. 304[1]
sess- air. 787[1]
si air. 601[3]
siniu air. 536[4]
slucim air. 310[5]
-smen- kelt. 524[1]
Σμερτομάρα kelt. 311[5]

snigid air. 297[7]
snīm air. 310[7]
so 'dies' air. 610, 6
srebann air. 334[5]
srón air. 310[2]
ss (aus dt, tt) kelt. 56[3]
Suadugenus gall. 226[5]
suid- air. 717, 3
-sur air. 750[2]
svexos agall. 226[5]. 596, 3

t- praeter. ir. 762, 5
tailm air. 522, 6
tānaic air. 647[6]
tanow corn. 473[1]
tarvos agall. 267[3]. 555[2]

tech air. 334[4]. 512[1]
Teutalus agall. 485[3]
-the air. 669[5]; -t(h)e 2. sg.
   air. 762[3]
-the -d 2. pl. med. ir. 671, 1
-ther 2. sg. air. 762[3]
-thi gerundiv. air. 811[3]
tīagu air. II 226[1]
tig akymr. 292[2]
tin- air. 697, 2
tria air. (Ogam) 589[5]
tricontis gall.-lat. 592[1]
Tricorii agall. 272[5]
trigaranos gall. 292[4]
tu pron. air. 603[7]
tussu air. 603[7]. 606[2]
tynged kymr. 701[2]

-u nom. voc. pl. air. 556[2]
ulach m.-ir. 683[2]
uxello- gall. 484, 3. 631[5]
Uxellodūnum agall. 484, 3

Veliocaϑi gall. 159[1]
ver- agall. II 518[2]
Vercingetorix agall. II 518[2]
verēdus gall.-spätlat.II 522,5
Virotuti dat. gall. 507, 1
Vivisci agall. 541, 6
vo- agall. II 522[6]
*wiroi kelt. II 59, 3
*wrēto- kelt. 709, 2

y sawl 'so viel' m.-kymr.
   612[5]

## 10. MAKEDONISCH

αβηρ 70[5]
ἄβρουτες 69[3]
ἄγχαρμος 69[5]
ἀδ- 69[6]
ἄδαλος 70[4]
ἄδδαι 69[6]
ἀδῆ 69[2]. 70[4]. 569[4]
ἀδραιά 70[4]
αἰδῶσσα 70[4]
ἄκρουνοι 69[4]
ἄλιζα 69, 3. 473, 5. 824[4]
ἀλίη 70[5]
-αρ 69₅
Ἀράντισιν 837[4]
ἄσπιλος 69[5]
Αὐδοναῖος 614[1]

b (d, g) aus bh (dh, gh)
   70[1] f. 297[1]
Βάλακρος 69[3]
Βάλας 68, 3

Βερενίκη 69[3]; s. auch griech.
Βίλιππος 69[3]

Γέτα 560, 6

δάνος 69[3]
δεδαλας 69[5]
δεκανός (?) 71[3]

ἐδέατρος 69[5]
Εὐδαλαγῖνες 69[5]

Ζειρήνη 189[7]

ἰν 69[6]. II 454, 5

κάναδοι 71[3]
κεβαλή 71[2]
κεβλ- 70[8]. 71[2]
κοῖος 71[3]
κόμβους 71[2–3]

κόρανος 69[5]
κύδαρ 71[1]

Λᾶγος 248[7]. 635[5]

Μάγας 69[3]

νιβα 70[8]

ὀϜαν 69[5]

Περδίκκας 637[1]

ρουβοτός 69[5]
-ρρ- 69[5]

σαυτορία 69[5]
Σέλευκος- 69[5]. II 448, 4

υετης 69[6]

-ωσα 69[5]

## 11. SLAWISCH

Nicht besonders bezeichnete Wörter usw. sind altkirchenslawisch (oder allgemein slawisch). χ zählt als ch,
ь folgt auf i, ъ auf u.

-a nom. etc. du. 557[1]
ače II 567, 2
-aхъ loc. pl. 56, 3. 559[4]
adъ 164[7]
anatema 165[2]
anъgelъ 165[3]
ankjura 165[4]
Avъgustъ 165[1]
azъ 293[6]

bchła poln. 833[5]
bě 759, 1
bělъ 68, 3
berěmъ imper. 796[1]
berete 663[1]

berěte imper. 663[1]. 796[1]. II
   303, 6
berǫ 297[3]. 338[7] [so]. 662[1]
berǫtъ aruss. 664[3]
bes prěsmene 523, 3. 839[1]
bezъ 432[3]
biila serb. 105[4]
bijela (grada) südserb. 105[4]
bīla (grada) inselserb. 105[4]
bilъ (jestъ) II 174, 1
*błъḱá poln. 329[1]
blъха 329[1]
bo II 577[2]
bojǫ sę II 223[6]
Boris 636[4]

Borislav 636[5]
borjǫ 713[3]
brati 713[4]
brát'ja russ. II 39, 5
brěmę 523[5]
brit' russ. 68[6]
briti 68[6]
búdu pisát' russ. II 250[3]
byхъ II 258[3]
byl jsem čech. II 188, 5
bylъ (-la, -lo) russ. 483[2]. 811[7]
bystъ 755, 10
byti 806, 5
bzdětъ russ. 326[7]

svojъ II 200⁴
syny 565⁴

šъdъ II 258⁴

-ta suff. 528⁶
-ta 2. du. 667, 2
tajati 776¹; tajǫ 702⁵
Tat'ana russ. 318, 2
-te 2. pl. 663¹
tebě 335¹
tečetъ 723¹
těχъ gen. pl. II 35³
-tel suff. 532⁷
telënokъ 526⁴
telęt- 526⁴
tesla 326²
tęti 693, 6
-ti infin. 504, 2. 805⁵. II 358⁵
tъma 593⁶
tъnǫ 693, 7
-to partic. 611⁴
toju du. 557³
tolikъ 612⁵
trepetъ 508, 8
tretъjъ 589, 4. 596, 3
trъje 291² [so]. 313²
Trst 66³
tъ II 20³
-tъ supin. II 358⁴. 365, 1
tvojъ II 200⁴

u 66⁵
u- II 448⁶
ubo II 589⁵
ucho 520³
-ujǫ 728, 1
ukrijenъ russ.-ksl. 744¹

uméjet: on – pisát' russ. II 250³
úmer russ. II 257, 2
umirájet russ. II 257, 2
umirál russ. II 257, 2
umrě II 257, 2
umrjót russ. II 257, 2
uraziti 314³
us russ. II 532, 4
uši II 47²

-ъ gen. pl. 548⁶

va 'ihr 2' 601³
vašъ II 200⁴
vědě 665, 3. 667, 6. 678⁶.766⁶. II 232, 3. 263⁵
věděti 680, 6
věmъ 665, 3
věno 227¹. 282⁸
veresъ russ. 314²
vesna 282⁸. 424⁴. 518⁴
věsъ 751⁵
vezetъ 717⁷
vid: – glagóla russ. II 250⁴
viděti 778⁴
vidiši li sъjǫ ženǫ? II 628⁷ f.
vidъ m. II 250, 8
vidъsaida 163, 1
vino novo(je) II 20,0
vit- 163, 1
vitθagii 165²
viždǫ 331⁵
vlk čech. 171⁴
vlъkъ 352²; -u du. 557²
voda 350³. 519, 3
võdīm serb. 718, 1
vodka russ. 278⁴
vonja 226, 1

vosa čech. 226, 1
vozitъ 717⁷
vrъχъ 352⁴
vrъχъ 314⁴
vъtorъ 614³
vъz- II 517⁴
vъzъ II 517⁴
vymę 348¹. 524³
vysokъ II 523³

-y acc. pl. 839⁸
-y instr. pl. 556⁴

začęti 271¹
zelije 297⁵
zemlja 68⁶
Zemlja (Novaja) russ. 326³
-zi partic. (in pron.) bulg. kleinruss. serb. 577³
-zi kleinruss. II 561, 2
zima 297⁵
zlakъ 68⁴
zmija 466, 4
znamę 523⁵
znati 292⁶; zna 762⁴; znaχъ 756, 1
zolotaja kosa russ. 454⁷
zǫbъ [so] 71³. 293¹. 309². 824⁴
Zubatý čech. 309²
zvěrъ 302¹
zvъněti 720, 10

že II 562, 1
želěti 297⁷. II 365, 2. 491⁵
želǫdъ 343⁷
želǫdъkъ 507⁷
žena: acc. ženǫ 746, 3
žeravъ 292⁴
žrěbę 295⁴

## 12. THRAKISCH-PHRYGISCH

(Anordnung nach dem deutschen Alphabet)

αββερετ 3. sg. praes. j.-phryg. 68⁷. 297³. 652, 5. II 233¹·²
αββερεται phryg. 667, 4. II 233²
αββερετορ phryg. II 233²
αββιρετορ phryg. 68⁷
αδδακετ j.-phryg. 69¹. 652, 5. 741⁶. II 233¹·²
αδδακεται phryg. II 233²
αδδακετορ phryg. 669⁴. II 233²
αεμνοζ gen. sg. phryg. 68⁷. 520⁵
am (aus ṃ) phryg. 56⁴
-αν acc. phryg. 547⁷
αναρ j.-phryg. 568⁴
Αρεζαστις phryg. 434, 1
Αὐλοζένης thrak. 513, 3

αϝταζ aphryg. 152⁶
αϝτυν phryg. 68⁷. 614¹
Βαστα thrak.-illyr. 70⁴
Βετεσπιος thrak. 68³. 614¹
βονοκ phryg. 152⁶. 583³
βρατερει phryg. 68⁷
βρίλων thrak. 68⁶
Burvista thrak. 560, 6

-δακετ phryg. 741, 7
δακεται phryg. 667, 4
Daciscus thrak. 541, 6
Dausdava thrak. 68⁶
-dava thrak. ON 68⁶
Δενθηλητοι thrak. 206⁴
δεος (δεως) instr.-dat. pl. j.-phryg. 556, 5
-deva thrak. ON 68⁶

Διείνυσος thrak. 547⁷
διεσεμα thrak. 68⁶. 547⁸
-διζος thrak. ON 68⁶
Δραβησκος thrak. 541⁶

εδαες aphryg. 56⁵. 69¹. 651². 652, 5. 749, 2
ενεα thrak. 840⁵
*espos thrak. 68³
εσταες phryg. 69¹
ετιτετικμενος phryg. 766, 9
εϝε pron. phryg. 68⁷. 602⁷
evisθo thrak. (?) 56, 3

Γδανμαα phryg. 326⁶
γεγαριτμενος phryg. 766, 9
γεγρειμεναν phryg. 766, 9
Γέρμη thrak. phryg. 68⁶. 297⁸

ιαν : ιαν ιοι phryg. 614, 6
ιανατερα phryg. 303⁶
ιοι 'ei' j.-phryg. 613⁴. 614, 6
ιοσ 'wer' j.-phryg. 56⁶. 73²·⁸.
303⁵. 555². 614⁶. II 639⁷;
ιοσ κε phryg. II 573, 2;
ιοσ νι 614⁶. II 573, 2. 639⁷
-isk- suff. thrak. 541⁵

Κακαθιβος thrak. 68⁴
Κακασβος thrak. 68⁴
κε phryg. 68⁷. II 573, 2
κνουμανει dat. pl. 520⁶
κοσ phryg. 615⁵

λαϜαλταει phryg. 68⁷. 560, 6

ματαρ aphryg. 567⁶
ματεραν acc. aphryg. 56⁵.
567⁶
ματερεζ gen. aphryg. 567⁶

nd (für nt) phryg. 210³·⁴
νησκο (?) thrak. 709, 9
νι phryg. 612³. 614⁶. II
573, 2. 639⁷

ονομαν phryg. 56⁵
Ορεσκιον thrak. 541⁶
-ως instr.-dat. pl. j.-phryg.
556, 5
οτυϜοι [so] aphryg. 68⁴.
840⁶; – Ϝετει 595, 3
Ουτασπιος thrak. 68³. 614¹

-para thrak. 68⁶
Pulpodeva thrak. 68⁶

'Ρασκούπορις thrak. 310³

Σεμέλη thrak. 326³. 483⁷; s.
ζεμελω

σεμου phryg. 613¹
σεμουν phryg. 68⁴
st (aus tt) phryg. 56, 2

*Trausikes thrak. 824²
Τρίβαλλοι thrak. 589, 5
Τρίσπλαι thrak. 589, 5
τυτυται phryg. 69¹. 765, 4.
766, 9

Ϝανακτει phryg. 68⁷
Ϝεν pron. phryg. 68⁷. 602⁷.
606, 4. 614¹; – αϜτυν 68⁷

ζέλκια phryg. 68⁴
ζεμελω dat. pl. j.-phryg.
556, 5
ζεμελως instr.-dat. j.-phryg.
556, 5
ζευμαν phryg. 524⁴
ζυπ thrak. II 522, 7

## 13. TOCHARISCH
Tocharisch A und Tocharisch B sind als A bzw. B bezeichnet

-ā- conj. 792¹
aitsi B 696, 9
ālak A 614²
ālu gen. pl. A 614²
ālyāk f. A 614²
-āmi verb. denom. 730, 1
āmpi m. A 589⁴
āmpuk f. A 589⁴
a(n)- (aus *n̥-) B 431⁵
ārki A 447, 5
Ārśi 49, 2. 821⁷

-č 2. pl. A 663¹. 670⁵. 671, 1
-čär 2. pl. praes. med. A
671, 1
če-m A 609⁵
či acc. sg. B 601, 2
čkāčar [so] 293⁶
ču acc. sg. A 601, 2. 603⁷

-e 1. sg. A 669, 8
em- (aus *n̥-) A 431⁵
e(n)- (aus *n̥-) B 431⁵

-ī- opt. A 793, 4. 842⁵

känt A 49³
känte B 49³
kanwem A 463⁴
ke 616, 1
kon cas. obl. A 568⁶
ktsaitsəńńe B 697, 2
ku (cas. obl. kon) A 568⁶
kuč pron. A 615⁵
kukäl A 296, 1
kumsam A 707, 2
kupre 'ob' A 631¹

kuprene 'wenn' A 631¹
kus pron. A 615⁵

mā 56⁶. II 591², 6
mā- compos. II 591², 6
māk 584, 3
malto- A 596, 3
-māṃ ptc. II 241⁶·⁷
-man A 525¹
mar(r) II 591, 6. 594, 4
-mäs A 662⁶
-mät 670²
mīsa B 481³

-nā- Verbalinfix 691, 2
nai B II 570, 2
näṣ m. A 604, 2
nmuk A 592, 1
no II 571, 2
-nt- ptc. II 241⁶
nu II 571, 2

-ñč 3. pl. praes. A 663, 1
ñi A 602⁷
ñuk 'ich (Frau)' A 604, 2

-oi- opt. B 793⁶. 842⁵
okar A 706⁷
okät A 590⁵
oksismān A 706⁷
okt B 590⁵
oktuk A 592, 1

p praef. A 798, 1. 804⁴
parna B II 492, 2
pärne A II 492, 2
pärwe-ṣṣe B 596, 3

pi 594³
pñāk A 592, 1
poke A 463³
pre A II 492, 2

-re 3. pl. A 664²

-s- verba A 707, 1
säksäk A 592, 1
säm f. A 588²
sas nom. m. A 588²
säs A 611¹
-sk- verba A B 707¹, 1
skai B 707, 1
skē A 707, 1
-ske/o- verba 842¹
soy(ä) [so] B 58⁵. 304². 480⁴
suwaṃ B 304³
suwan 58⁶
suwo B 314⁷
swese 58⁶. 684⁴
swese B 304³

s'äṃ nom. A 583, 2
s'anweṃ A 463⁵
s'emäl A 499⁵
-s'ka suff. f. 541, 6
-s'ke suff. m. 541, 6
s'nač dat. sg. A 583²
s'naṣi adj. poss. A 583, 2
s'nu plur. A 583, 2
s'pāl A 483⁶
s'twarāk A 592, 1

-ṣ- verba B 707, 1
ṣa A 588²
ṣäptuk A 592, 1
ṣe nom. m. B 588²

şñaura B 481³
şoma- A 588²

-t 2. sg. 662³
tāpärk 'jetzt' A 631¹
tarya f. B 589⁴
taryāk A 592, 1
-te 2. pers. 762, 2
tkan- 326⁵
tmāṃ A 593⁶
tñi gen. sg. A 601, 2

trai m. B 589⁴
tre A 589⁴
trĭ A 589⁴
trit A 596, 3
tsar 57⁵, A 286⁴
-tsi infin. 504, 2. II 358⁵
tu 'du' A 601, 2. 603⁷
tuwe 'du' B 601, 2
twe 'du' B 601, 2

-u A 540³

was A 601²
wät A 596, 3
we f. A 589¹
wiki A 591⁴
wŭ m. A 589¹

ya- 'machen' 714, 2
yakwe 351⁴
yas A 601²
ysār A 517³

# C. NICHTINDOGERMANISCHE SPRACHEN

## 1. ETRUSKISCH

Acaviser etr.-lat. 62⁴
aχle 154¹
Aχuvizr 62⁴
aivas 153⁸
Aivas 223⁸
atre 154¹
-c 65⁵
creice 80⁷
cursni 336¹
eprϑni 62⁴
huϑ 62³·⁶
*Kursne 336¹

Lar, Laris 60, 2
lupuce 63²
-m 65⁵
nele 154¹
netsvis 62⁴
pakste 153⁸
pele 154¹
Pele 576¹
prumaϑe 153⁸
puia 62⁴
purϑne 62⁴
raϑ 225, 2

Tinia 65⁵
tlamunus 153⁸
-ϑi loc. 627, 4
-um 65⁵
Veientes 526⁴
velparum 153⁸
Vikare 829⁶
vil(a)e 153⁸
vilatas 153⁸
Vilatas 224²
vraϑ 225, 2
ziumiϑe 154¹. 208³

## 2. KLEINASIATISCHES (NAMEN usw.)

### (auch kappadokische, karische, pisidische)

Αδα 60⁵
"Αγρεις 472³
'Αλικαρνασσός 60⁶
Αμμας 60⁵
-ανδα suff. ON 61⁴
Αππας 60⁵
Ασπενδος 60⁶
Αθανασσος 60⁶
Βαβας 60⁵
Βας 60⁵
Γλοῦς kar. 562³
Δαδας 60⁵
Dugdam 259⁴
Isbarta (modern) 60, 2
Ισινδα pisid. 60⁶
Καδυανδα 60⁶

Καλυνδα 60⁶
koa 302³
Κυινδα 60⁶
Λαλλα 60⁵
Λαρανδα 60⁶
Λας 60⁵
Μα 60⁵
Μαλλός, Μαρλοτᾶν kilik. 323⁴
Μάνης 282¹
Μάσνης 282¹
Μομμων 60⁵
Μορμονδα 60⁶
Μουσβανδα 61⁴
Ναννα 60⁵
-nd- suff. in Namen 60⁵⁻⁶. 61³

Νοννος 60⁵
Οἰνόανδα 61⁴
Ουαουας 60⁵
Πανύασσις kar. 60⁶
Πάσνης 282¹
Sagalassos 79⁷
Σαρδεις 60, 2
Sfarad 60, 2
Σοανδος kappad. 60⁶
-ss- suff. in Namen 60⁵⁻⁶
τάβα 60, 2
Ταττα 60⁵
Τελμησσος 60⁶
Τυυσσός kar. 327⁵
-Ϝανδα suff. in ON 61⁴

## 3. LYDISCH

Artimuλ 463⁶
asvil 205². 206, 3
bilis 62⁵
βρίγα, Βρίγες 65¹. 67⁸·

iśtubeλmlid 95⁷
-k 64⁸. 65⁵. II 573, 2
κανδαῦλα mäon. 65¹. 69¹
λάβρυς 495²
ni 64⁸

πάλμυς 30³. 495⁴
pis (pid) 64⁸
Trm̃mili 64⁸
Τύρσα 285⁷

## 4. LYKISCH

## 5. VORGRIECHISCH
(siehe auch das griechische Wortregister)

## 6. GEORGISCH

## 7. ELAMITISCH

## 8. MITANNI

## 9. SUMERISCH

## 10. BANTU

## 11. BARI-NEGER

## 12. HAMITISCH

gth (für gr. χϑ) demot. 211¹
Ḥape ägypt. 155, 2
ḥαρα kopt. 161¹
Ḥat-ḥôr ägypt. 155, 2
hε kopt. 160⁴
ηηϝτομάς kopt. 160⁶. 198⁴
hελος kopt. 161¹
hελπις kopt. 161¹
hενατον kopt. 161¹
hῆτα kopt. 161¹
heϑνος kopt. 161¹
hῑb ägypt. 155, 2
hιδιωτης kopt. 161¹. 220⁴
hιϰων kopt. 161¹
hιππεϝ kopt. 160⁴. 198³. 575⁶
hιϱηνη kopt. 161¹
hοβελιϲϰος kopt. 161²
hωιτε kopt. II 302, 1
hολοϰοτϲε ägypt. 160, 5
hοπωρα kopt. 161¹
hοπωϲ kopt. II 302, 1
h'pjtrs ägypt. 155⁴
hϱητωρ kopt. 161²
Hrm' ägypt. 155³
Hrmjnjqw' ägypt. 155³
hrōntor ägypt. 155³
Hrwmꞌ.t hierogl. ägypt. 155²
hυπαϰιϲτα kopt. 161¹
hυπωρα kopt. 161, 1
hυϲος kopt. 161¹
hυταλια kopt. 161¹
i (für Nähe) berb. 610, 3

ιαυδα kopt. 161⁴
lr altägypt. II 683, 4
jwn(n)' ägypt. 80⁴
kam nilnub. 140, 4
ϰαϲια kopt. 156⁵. 160⁵. 210¹
ϰερατϲε ägypt. 160, 5
Kôm ägypt. 122⁶
Kopte 160, 1
ϰύρα berb. 823⁵
χοῖαχ ägypt. 585²
Ljsmqws ägypt. 155⁴. 183⁷
μαριhαμ kopt. 161, 2
μηπωϲ kopt. II 302, 1
ne ägypt. 836⁷
ουεειʒνιν kopt. 80⁴
παρηϲια kopt. 161²
παρhυμια kopt. 161¹. 219³
προβαϲτιον kopt. 160⁵
Prtsjtqw' ägypt. 155²
Ψεν-Τϲεν ägypt. 636¹
psjmjtsj ägypt. 155²
πϑ kopr. 160⁷
πϑενοπεϱον kopt. 160⁷
πϑονοϲ kopt. 161¹
Pulasati ägypt. 276, 1
'qjwš, s. Aqajwaša
rms ägypt. 277⁸
ϲαιδιον kopt. 504²
ϲατεεϱε kopt. 155⁴
ϲινδυνοι kopt. 160⁵
šιλιαϱχοϲ kopt. 160, 5
ϲινυϱα kopt. 160⁵

cϰηβυ kopt. 160⁴
ϲλαδος kopt. 160, 5
snjns ägypt. (demot.) 155⁴.
 209⁶
ϲωλυ kopt. 160, 5
ϲπλαχνον kopt. 161¹. 207¹
srjtsj ägypt. 155²
srtjqs ägypt. 155⁴
srtjts ägypt. 155⁴
srtjws demot. 209⁷. 260⁶
cc kopt. 160⁵
ϲυνhοδος kopt. 161¹. 219³
ϲυποδιον kopt. (< gr. ϲυμπ-)
 160⁵. 208³. 270⁷
Šakalaša (š'kꞌlš') ägypt. 79⁷
Šardana (šꞌrd'n') ägypt. 79⁷
ϑαβμάζε kopt. 160⁴. 198⁴
ϑεβρωνια kopt. 160⁶
τhεϲαυϱος kopt. 160⁶
ϑι demot. 206⁶
ϑλοπονοϲ kopt. 160⁶
τϰολλυϲε kopt. 161². 827⁷
Τνεφαχϑος ägypt. 327⁵
τωπαδιον kopt. 160⁵
Tswgl ägypt. 155³
t-še-n- ägypt. 155²
Turuša (twrwš') ägypt. 79⁷
Tutmoses ägypt. 634, 1
wh'.t ägypt. 153¹
wjnn ägypt. (demot.) 80⁴
Wnnfrw ägypt. 153¹
ζειψαιοϲ kopt. 160⁵. 208³

## 13. SEMITISCH

'abaršija arab. 159⁶
'abge syr. 159⁵·⁸
'af äthiop. 161, 5
'aflatūn arab. 323⁸
'aftorō syr. 159⁶. 205⁶. 211³
afthoros syr. 206, 2
A-ga-ma-ta-nu babyl. 221, 1
'ahᵃbāʰ hebr. 39⁷
'ajn semit. 140, 3. 142⁷
'aksenjō syr. 159⁵
'al hebr. II 590, 1
'aleph hebr. 140²
'alf semit. 140, 3. 142⁷
A-lik-sa-dar babyl. 154²
A-lik-sa-an-dar babyl. 154²
'anāgʷənəsṭis äthiop. 161⁷
'andīdōrō syr. 159⁶
An-ti-'u-uk-su babyl. 154²
'antjākōs äthiop. 161⁵
Ardinis chald. 61³
'anqʷīrā äthiop. 161⁷
'anṣōkjā äthiop. 161⁵
Arwad phönik. 153²
'ašdōd [so] hebr. 153². 458¹
'asfūrēdā äthiop. 161⁶
'aspar späthebr. 152⁵
' šār 'wo' hebr. II 645¹

As-ta-ar-ta-ni-ik-ku babyl.
 154³
-ba'al phönik. 458³
bāmā aram. 492²
barr südarab. 58, 3
'bd 'strt phönik. 638, 1
bēt semit. 140, 3
bêth hebr. 140²
bˑr- semit. 278⁸
b'gwn späthebr. 154⁶. 209⁶
bor südarab. 58, 3
būr südarab. 58, 3
burr klass. arab. 58, 3
bwš hebr. 39⁷

Χαμβδ ς arab. 831⁶

dālĕth hebr. 140²
delt semit. 140, 3
dijatiqi westsyr. 159⁴
Di-mit-ri babyl. 154²
djatēqē ostsyr. 159⁴

'egdiqōs syr. 159⁶
'esfogō syr. 159⁶
'eskēmā syr. 159⁴

'eskēmō syr. 159⁶
'espērō syr. 159⁴
'esprīdō syr. 159⁸
'estērō f. syr. 159⁴
estîrâ aram. 413³
esṭrangelô syr. 159⁴
'esṭraṭēgō syr. 159⁴
'ēth hebr. II 490⁸
'ewgen syr. 159⁵
'əndəqtjōn äthiop. 161⁵
ft syr. 233⁸
ftyrizo syr. 206, 2
gaml semit. 140, 3
gazā syr. 154⁷
gəbcə äthiop. 161⁵
gə'əz äthiop. 161, 4
Gərlāwōs äthiop. 161⁶. 231²
gilgal hebr. 423, 6
gîmel hebr. 140²
gōpher hebr. 61⁶
Gubla phönik. 153²
ġurnûq arab. 292⁴
hā'ām 'Volk!' hebr. II 62, 1
Hannibăl pun.-lat. 634³

Hāšim arab. 159⁶
hdjwṭ' syr. 159⁷
'hdwn syr. 159⁷
he semit. 140³
hē semit. 140⁵, 3. 143⁴
Ḥᵉbōṣō syr. 159²
hedjōṭō syr. 159⁷. 220⁴
hēgmōnō syr. 159⁷
helpīsē syr. 159⁷
hinnēh hebr. II 270, 3
hjgmwn syr. 159⁷
hjūle syr. 159⁴
hjwl' syr. 159⁴
hlpjs' syr. 159⁷
hocte syr. 206, 2
hrdop syr. 159⁷
hrjsjs syr. 159⁷
hrksjs' syr. 159⁷
htjr syr. 159⁴·⁷
hūsōp äthiop. 161⁴
hwqnwmᶜ syr. 159⁴
hwrjwn syr. 159⁷

ḥēt semit. 140, 3. 143⁴
ḥêth hebr. 140²
ḥondrūs syr. 159⁶

'ibn arab. 636¹
'ijarūsalēm äthiop. 161⁴
'ijāsūs äthiop. 161⁴
-īm hebr., -īn aram. 276, 1
in-du]-ú babyl. 221, 1
ingenie syr. 159⁶
is-ta-tir-ra-nu babyl. 154³
ištu akkad. 630, 3
'ītjōpjā äthiop. 161, 4
I-tu-u-an-da-ar akkad. 153²

jāmanu akkad. 80⁴
jamnä(j)a akkad. 80⁴
jāwān hebr. 80⁴. 223⁸
jawṭā äthiop. 161⁴
jōd semit. 140, 3
jôdh hebr. 140²
Jōnāthān hebr. 634, 1
'jpwg' syr. 159⁸

kad hebr. 152⁶
kaf semit. 140, 3. 143³
kaph hebr. 140²
Katpatuka akkad. 316⁷
Ki-ip-lu-un-nu babyl. 154²
kīrjāq äthiop. 161⁴
kīrōgrəljōs äthiop. 161⁴
klmws syr. 159⁴
kʷīrjāqō äthiop. 161⁷

lamd semit. 140, 2. 3. 277⁶
lāmedh hebr. 140²
lanṣ äthiop. 161⁵
lāwəntjōs äthiop. 161⁷
lᵉ hebr. II 239⁴
lesṭō syr. 159⁴

22 H. d. A. II, 1, 3

lədjā äthiop. 161⁷
ləgēwōn äthiop. 161⁴
ləkjā äthiop. 161⁴
ləkʷətənt äthiop. 162¹
lībārjōs äthiop. 161⁶
lisṭ arab. 159⁴
līwārjōs äthiop. 161⁴·⁶
lm'n' syr. 159⁸
lō hebr. II 590, 1
Lūd hebr. 182⁵
Luddu akkad. 182⁵

Ma-ak-ku-du-na-a-a babyl. 154²
mana akkad. 332⁴
marqjōn syr. 159⁵
mēm [so] semit. 140⁴, 3
mērōn äthiop. 161⁴
mənakōs äthiop. 161⁵
Mᵉnašše semit. 278⁸
mərqēlōs äthiop. 161⁵
mərqōrēwōs äthiop. 161⁴
məšṭir äthiop. 161⁴
Mī-k'ā-'ēl hebr. 634³
min hebr. II 239⁴
mrlw aram. 323⁴
mūrā aram. 311⁶

Namphano pun. 638, 5
näfäš hebr. II 192, 1
nhš [so] semit. 142²
Ninua babyl. phönik. 153². 228³
nōtāw(ə) äthiop. 161⁴
'ntjhwprkws syr. 159⁷
nūn [so] semit. 140⁴, 3

opazgō syr. 159⁸

pagʷəmēn äthiop. 162¹
pdwptj späthebr. 154⁵
pē semit. 140⁸, 3
Pəlištīm hebr. 276, 1
Pi-la-a-gu-ra-as akkad. 153²
pilakku (-qqu) akkad. 293². 463⁴
pjljpws syr. 159⁶
prgz' späthebr. 154⁶
prrhsj' syr. 159⁷
psntrjn späthebr. 154⁶. 213⁸
'pšjn' syr. 159⁵
ptari chald. 325⁵
'ptntjn späthebr. 154⁵
'pwlmsjs syr. 159⁷

qajtwn syr. 159⁵
qāṭal hebr. 354¹
qēdrōs äthiop. 161⁵
qiddah hebr. 479³
Qobṭ arab. 160, 1
qōf semit. 140, 3. 143³
qōph hebr. 140²
qōprōs äthiop. 161⁴
qōṭēl hebr. 354¹

Qozmā syr. 159⁶
qʷasṭanṭīnōs äthiop. 161⁷
qwbjwsṭs späthebr. 154⁶
qwnkōjō syr. 159⁶

rēš semit. 140⁴
rhjṭr' syr. 159⁷
rhwm' syr. 159⁷
'rjsjs syr. 159⁷
rōš semit. 140⁴, 3
Ruwâd phönik. 153²

saleḥōm äthiop. 161⁶
samekh semit. 140⁵. 143⁵
sanpērō äthiop. 161⁵
semk semit. 140, 3
səlfānjūs äthiop. 161⁶
səndōn äthiop. 161⁴
sfəng äthiop. 161⁶
sibbōlet (š-) hebr. 75, 2
Si-lu-ku babyl. 154³
sin semit. 141¹
Σινα hebr. 154⁵.
smōmō syr. 159⁴
snhdrjn späthebr. 154⁶
sōsīmə äthiop. 161⁵
'spljd' syr. 159⁸
'sprjd' syr. 159⁸
'strt phönik. 638, 1
swnhdws syr. 159⁷. 219³

šᵉwā' hebr. 171, 2
ši akkad. 549¹
šibbōlet hebr. 75, 2
šin semit. 140, 3. 143⁵
šurṭa syr. 159⁶

ṣādē semit. 140, 3. 143⁵.144,1
ṣpīr äthiop. 161⁶

t emphatisch semit. 143⁸
ṭabērnəsəs äthiop. 161⁶
tanûr aram. 39⁷
tā'ōdərā äthiop. 161⁶
tâw hebr. 140²
taw semit. 140, 3
ṭēt semit. 140, 3
ṭēth semit. 143³
ṭêth hebr. 140²
tewdas syr. 159⁵
tēwōdōrā äthiop. 161⁶
ṭīmōtēwōs äthiop. 161⁵
'tr syr. 159⁴

Urfa syr. 829⁴
uš-ta-as-pa akkad. 153⁵

Vaštī hebr. 226³
wangēl äthiop. 161⁴
waw semit. 140, 3
wâw hebr. 140²
'wgr' syr. 159⁸
'wqnwnᶜ syr. 159⁴

wrhj syr. 829[4]
wsṭ späthebr. 198[3]
’wtjmjws syr. 159[5]
’wtntjs syr. 159[6]

zaj semit. 140, 3
zajin hebr. 140, 4. 329[7]
zajit semit. 140, 4
zajnūn äthiop. 161[5]

Zāmāsp syr. 154[7]
zmōnō syr. 159[6]
zōmō äthiop. 161[5]

## 14. URAL-ALTAISCH

### a. Finno-Ugrisch

fal magyar. 418, 2; a falak pl.
  418, 2
Helsinga finn. 638, 11
Helsingfors, finn. Helsinki
  638, 11
ja finn.-lapp. II 567, 2
ki grönländ. magyar. 615, 5.
  II 212, 5
király magyar. 323[8]
mi magyar. II 212, 5
ne magyar. II 590, 1
nem magyar. II 590, 1
sata finn. 49[4]
száz magyar. 49[4]

Tammerfors, finn. Tampere
  638, 11
Tukkholman finn. 323[8]. 334[7]
skattel livisch 334[8]

### b. Samojedisch

nom 827[5]
num 827[5]

### c. Türkisch

at 354[2]
beg II 40, 3; begden abl. II
  40, 3; begler pl. II 40, 3. 4
Bogházköi 50[3]

-den abl. 627, 4. II 99[2]
dilsɛz 78, 5
-dži suff. osman.-türk. 455, 2
effendi 260[6]
Istambol osman.-türk. 121[5].
  190[4]
jol osman.-türk. 418, 2; jol-
  dan abl. 418, 2; jollar pl.
  418, 2
ki II 212, 5
kim osman.-türk. 615, 5
ne II 212, 5
peder 354[2]
Rûm 78[6]
tümän uigur. 593[6]

## 15. OSTASIATISCHES

ai annamit. II 212, 4
dare japan. II 212, 5
nani japan. II 212, 5

ne indones. 836[7]
pori korean. 58, 3

p‘ (t‘, k‘) chines. 49, 1
ta chines. II 13[7]

## 16. MEHRERE SPRACHEN

j > gr. i 313[3.4]
m ‘ich’ verschiedene Spra-
  chen 600, 2

# III
## SACHREGISTER

# A

Adverb 587, 1. 617⁶–633³. II 14⁴·⁵. 17⁵. 68⁶.
69⁶. 70¹⁻². 413, 1. 601, 3; Berührungen d.
Adj. mit d. Adv. II 173³–180; Pron. aus
Adv. II 35⁴, 2; Übergang vom Adj. zum
Adv. II 178⁶⁻⁷; Adj. aus Adverbien II
179⁴⁻⁵; Präp. als Adverbia II 421⁵–424;
Präp. aus Adv. II 435¹⁻²; Adverbia nicht
scharf getrennt von Präp. u. Partikeln
618²⁻³; Adverbia im engeren Sinn II 412⁵
ff.; Herkunft von Adv. 618³, 2; Reste
abgekommener Kasusbild. als Adverbia
618⁵⁻⁶; Adverbia aus Kasus 618⁴. 620²–
626; – aus d. Akk. d. Satzapposition
II 87¹; – adjektiviert 461⁴. II 26⁶⁻⁷;
Ablativ als Adv. 622⁴; Akk. als – 621¹⁻⁴.
II 87³⁻⁷; 'adverbialer' Akk. II 67⁶–70.
84, 2; Akkusativadverbia II 87³⁻⁷. 617⁸ f.;
Dat. als Adv. 622¹⁻²; dativisch-lokati-
vische Adverbia auf -ᾱι (-ηι) 550³; Gen.
als Adv. 621⁴ f.; Instr. als – 621⁴ f. 622⁴;
Nom. als Adv. 620³⁻⁵; besondere Ad-
verbialendungen 626¹–632; Adverbia
syntakt. Komplexe 619³; Adv. Rest eines
Satzes II 414³⁻⁷; Adverbia erstarrte Sätze
II 16⁶; erweiterte – auf -δην, -δόν, -δά
626⁴⁻⁶; komponierte Adv. 632³ f. II
428⁵⁻⁶; – – in Akk. 621³; – – auf -(ε)ι
623²⁻⁵; – – von Präp. + Kasus II 435¹;
hypostasierte Adverbia mit κατά II 475,
0; Adv. mit d. Art. = Adj. II 178⁶. 415⁵f.;
– als Prädikativ II 178⁷; – für ein prä-
dikatives Adj. II 414⁷ f.; freie Stellung
d. Adv. II 424⁶; Adv. prägnant II 414²⁻³;
Adv. für ein prädikatives Adj. II 414⁷ f.;
– proleptisch II 415⁴⁻⁵; Adv. mit artikel-
losem Subst. II 416²; Adverbia sub-
stantiviert 461⁴; – durch Ellipse zu Aus-
rufen geworden II 626²; Präp. + Adv.
II 427¹·⁶⁻⁷; relat. Adverbia final ge-
worden II 672³⁻⁴; Ableitungen von Ad-
verbien II 548¹; s. adverbial, Akkusativ-,
Orts-, Pronominal-, Satz-, Spiel-, Wur-
zel-, Zahladverb
adverbal: –ₑr Pertinentiv II 122⁶–128
adverbial: Präv. – II 425²; Akk. d. Inhalts –
II 78²⁻³; –er Akk. II 67⁶–70. 84, 2. 87³⁻⁷
Adverbiale: Adverbia u. Adverbialia II
269⁸; –le vorangestellt II 694³⁻⁴; –lia als
Subst. II 622²; –lia nominalisiert II
416⁵ f.
Adverbialkasus 618⁵⁻⁶; s. Adverb
Adverbialsätze II 646⁶–688
adverbiell: –e Erstarrung von Nom. 620²ff.
II 67¹; –e Funktion d. Präp. 618, 1
adversativ-konzessiv: Ptc. – – empfunden
II 389² f.
Aeolicum: digamma – 106⁵. 222⁵
Affekt 15². 37²; Wortsinn u. – 154; Unter-
drückung d. Affekts 37²; Affekt in Wort-
schatz u. Syntax 15, 4; Wichtigkeit d.
Affekts f. den Wortschatz 37³
affektisch: emphat.-affekt. Form, – – Kür-
zung 15²; Ellipse affektisch II 88¹⁻²;
affekt. Rede mit ὦ hell. II 61⁶, 4;

Indik. d. affekt. Frage II 307⁷ f.; affekt.
Satzarten II 625⁴–626; nicht – – II 626⁷–
627¹
affektlos: –e Spr. 37²; –e Ellipse eines Ptc.
II 88²⁻³
Affinität 22¹
affirmativ: Konj. – II 310⁶⁻⁷; –e Wirkung
von Negationen II 598¹
Affix 417, 1
affiziert: –es Obj. II 71¹ ff.; Akk. d. –en
Obj. II 71¹–74
ägäisch: –e Sprachreste 62³⁻⁶. 64⁷; –e
Lehnwörter im Agr. 39¹; Entlehnungen
d. Gr. aus d. –en Sprachen 58⁴; –es Sub-
strat d. Gr. 59²–65; –e Wörter 395⁴;
idg. Elemente im –en 65³; Übereinstim-
mung d. ldg. u. Ägä. in Suffixen 65⁴
ägäisch-kleinasiatisch 64⁷; –er Sprach-
stamm 60⁴; –e Sprachen 152⁶⁻⁷
Agens: Partitiv als – II 102⁴; unpers. Pas-
siv ohne – II 239⁵·⁶; – des Infin. II 369⁴;
– bei intr. Aktiv II 226⁶; – beim Passiv
II 237 ⁵·⁶, 2. 238⁴⁻⁶. 239⁴·⁵; s. nomen
agentis
agensloser Gebr. d. Passivs II 239⁵
Agglutination des Art. im Ngr. II 27⁵
agglutinierende Sprachen 418³
Äginetisch 94³⁻⁴
Ägyptisch 151⁴·⁵. 152⁸ f. 154⁸; christl. –
151⁶; s. Wortind. 335 f.
ägyptisch: –e Koine 126⁵; –e Silbenschrift
141⁶. 142, 1
Aischylos' Spr. 26²
Akkadisch 126⁷. 153²; s. Wortind. 336–338
akkadische Keilschrift 141². 142³
Akkusativ; s. die Kasussuffixe im Wort-
index; II 54¹·⁴, 3. 56⁴. 58⁴. 67²–89; Sach-
bezeichnung als Akk. II 79¹; – syntakt.
für Dat. 132, 1; Ausdehnung d. Akk. auf
Kosten d. Dat. II 88⁸; absol. Gebr.
d. Akk. II 87⁷–88; – d. Neutra II 87²⁻³;
– bei Adj. II 86⁵; – d. Satzapposition
II 86⁶–87; bloßer – ohne Beziehung
II 68⁴; – mit Attribut II 68⁴; – von Per-
sonen u. Sachen bei αἰσθάνεσθαι, ἀκούειν,
κλύειν II 106⁸; – beim Passiv II 241¹⁻²;
– c. infin. II 359⁴·⁵; – – verselbständigt
durch Ellipse des Verbums II 380⁵ff.;
doppelter – II 78⁵, 1–83; zweiter –
II 79¹–83; – d. Beziehung II 84¹–86.
624⁵; – – mit Adj. II 108²; – d. Ergeb-
nisses II 71³. 79²; – d. Obj. II 67⁴. 70⁵–83;
– d. affizierten u. effizierten Obj. II 71¹–
74; – d. inneren Obj. (= Inhalts) II 71³.
74²–78; – – in adv. Gebr. II 78²⁻³;
resultativer – II 74⁶; Bereichs-Akk. II
84², 1; – d. Raumes u. Weges II 69⁴⁻⁷;
– d. Raumes u. d. Zeit II 624⁵; – d.
Ausdehnung II 68⁸–70; – d. Richtung
II 58⁴. 67⁴; präpositionsloser – d. Rich-
tung II 68³·⁴; – d. Zieles II 67⁷; – d.
Richtung u. d. Zieles II 67⁷–68; – d.
Zeitdauer II 69⁷ f.; Anwendungen d.
Akk. II 624⁵; paronomastischer – II 624⁵;

# B

## C

## D

# E

# F

# G

# H

# I

# J

# K

# L

# M

# N

# O

# P

Parallelismus II 702$^{6-8}$
παραπληρωματικοὶ σύνδεσμοι II 556, 2
parasitisches γ 125$^{4.5}$. 209$^{4.5}$
παρασύνθετα 428$^1$
parataktische Vordersätze II 307$^5$
Parataxe II 631$^8$–634; – volkstüml. Element II 634$^4$, 5; – mit stilist. Wert II 633$^7$; asyndetische – II 632$^{4.6}$ f.; syndetische – II 633$^{5-6}$; – – im NT 634$^3$, 1; – in Konsekutivsätzen N 678$^{3-4}$; – überwiegend bei Homer II 634$^1$; – in d. ngr. Volksspr. II 634$^4$; – mit καί im Ngr. II 13$^5$
παράθεσις (von Adj.) 607, 1; (= appositio) 613, 1
Parentel 22$^1$
Parenthese II 11$^5$. 623, 5. 705$^7$, 1 f. 710$^5$; – im engeren Sinn II 703$^7$. 706$^1$; – im weiteren Sinn II 632$^3$; Stellungsmöglichkeiten d. – II 637$^3$; Pause d. – II 637$^2$; – in Konsekutivsätzen II 678$^{3-4}$; – von οἶμαι II 554$^6$. 555$^5$. 583$^4$, 2. 584$^{3-4}$; – von ὁρᾷς 554$^6$; s. Kurzparenthese
parenthetisch; –e Sätzchen II 702$^2$; appositive Gruppe aus –em Satz II 615$^7$ f.; –er Nachtrag II 605$^3$. 611$^2$
Paretymologie; s. Volksetymologie
Paronomasie 4$^8$. 628$^2$. II 74, 3. 85$^8$. 116$^{3-5}$ 271$^4$. 700$^{3-8}$. 704$^5$
paronomastische Partizipia II 388$^{5-8}$; –er Akk. 624$^5$
Paroxytonese altertüml. 514, 1
paroxytonierte Wörter 514, 1
Paroxytonierung; Proparoxytonierung statt – 385$^5$
participium; s. Partizip
particulae orationis II 553$^8$
partielle Assimilation von Kons. 256$^5$; –e Reduplikation 644$^{5-6}$. 647$^6$ f.; – Kongruenz II 602$^5$; – Iteration II 699$^5$. 700$^{3-8}$
Partikeln II 553–590; ältere – II 557–577; jüngere – II 554$^4$. 578–590; Adverbia nicht scharf getrennt von – 618$^{2-3}$; bestätigende – in d. Antwort II 631$^6$; Kasusformen mit einer Partikel fest verbunden 618$^6$ f.; – trennt den Art. vom Subst. II 27$^1$; Partikeln vor Negation II 596$^{3-4}$; Partikel dem Pron. vorausgehend II 692$^3$; Opt. mit – II 305$^5$; Rückgang des Partikelreichtums II 633$^4$; Partikel unterstreicht Verknüpfung von Sätzen II 702$^1$; s. Fragepartikel, Inflexibilia, Modalpartikel, Vokativpartikel
Partitiv II 101$^5$–117; – vom Ablat. aus II 89$^7$; – verdeutlicht durch Präp. II 116$^7$; – als Agens II 102$^4$; – bei Verben d. Wahrnehmung II 105$^7$–110; – d. Ortes mit Lokaladv. II 114$^{3-6}$; adnominaler – II 115$^1$–117; Voranstellung d. Partitivs II 115$^7$ f.; gen. partitivus 102$^2$. II 101$^5$–117; partitive Apposition II 115$^4$. 616$^{2.3}$
Partizip 810$^{1-2}$. 811$^{7-8}$. II 144$^{4.6}$. 355$^{6.7}$. 356$^3$. 385$^1$–409. 482$^5$; Bed. d. Ptc. II 386$^{4-5}$;

– d. Pf. -ώς wechselnd mit -μένος 768$^{3-4}$; Erstarrung von -ien 805$^{3-4}$. II 387$^2$; Adjektivierung von – 810$^5$; Ptc. d. Aor. mit εἰμί 812$^6$; Ptc. mit Gen. d. Urhebers II 6$^5$; – doppelseitig II 14$^6$. 16$^8$; affektlose Ellipse eines Ptc. II 88$^{2-3}$; ptc.ia necessitatis II 149, 7; Dat. bei pass. Ptc. II 150$^{3-4}$; Berührungen d. Adj. mit Ptc. II 173$^3$–180; adjektiv. Funktion d. Ptc. II 174$^{1-2}$; Ptc. präs. f. Ipf. II 297$^4$; – – futurisch II 296$^{3.7-8}$; Ptc. d. Fut. II 295$^{3.7}$ f.; – – voluntativ II 294$^7$. 295$^8$ f.; Ptc. d. Aor. f. Fut. II 296$^8$ f.; ptc. coniunctum II 368$^1$; Ptc. als prädikative Apposition II 386$^5$; Ptc. prädikativ II 387$^3$–392; paronomastische Ptc.ia II 388$^{5-8}$; Ptc. adversativ-konzessiv empfunden II 389$^2$ f.; Infin. st. Ptc. II 396$^{3.4}$; bloßes Ptc. im Akk. II 403$^2$; Weglassung d. Ptc. ὤν II 404$^6$; zwei Ptc.ia koord. II 405$^8$; ptc. coniunctum u. gen. absol. koord. II 406$^{1-2}$; ein Ptc. von einem anderen abhängig II 406$^3$; eines von zwei koordinierten Ptc. anakoluthisch II 406$^{6-7}$; Ptc. potential II 407$^4$; – irreal II 407$^5$; – als Prädikativ II 407$^6$ f.; prädikatives Ptc. in adjektiv. Geltung II 408$^{1-2}$; formelle Substantivierung des Ptc. durch Gen. od. Adj. II 409$^2$; Ellipse d. Subst. beim Ptc. II 409$^3$; Tmesis bei Ptc. II 426$^{3-5}$; Ptc. mit ὡς II 667$^7$ f.; – bei ὥστε II 680$^{5-6}$; Ptc.ia in Xenoph. II 711$^{4-5}$; Einschränkung d. Ptc. II 387$^3$; – – im Ngr. 815$^5$
Partizipialkonstruktion; absol. – II 397$^4$ff. 616$^{5-7}$ f.
partiziplose Konstruktionen im Sinn von ὤν II 395$^{2-4}$
Passiv II 223$^4$; –es Verb II 236$^4$–241; kausat. Passiv II 241$^3$; –er Infin. II 369, 6; Ansätze zu selbständigem Passiv II 237$^3$ f.; pass. Bed. d. Aor. Med. 102$^2$; Passivformen f. Aor. u. Fut. 756$^4$; pass. Fut. 756$^5$; Passiv durch das Med. ausgedrückt II 224$^1$; Bild. des Pass. durch Periphrase II 223$^{4-6}$; med. Formen passiv gebraucht II 236$^5$; mediale Aoriste – – II 239$^4$; pass. Auffassung des Med. II 236$^6$; Medialformen mit nur pass. Bed. II 237$^3$; media tantum in pass. Funktion II 238$^7$; trans. media tantum passiv gebraucht II 240$^3$; Agens b. Passiv II 237$^{5.6}$, 2. 238$^{4-6}$. 239$^{4.5}$; agensloser Gebr. des Pass. II 239$^5$; unpers. Passiv (seit dem 5. Jh.) II 377$^8$ f.; – – mit Akk. II 240$^2$; – – ohne Agens II 239$^{5-6}$; Akk. b. Passiv II 241$^{1-2}$; pass. Pf. transitiver Verba II 264$^1$; das Pass. zurücktretend II 239$^{1-3}$
passivus; Kasus – II 708$^8$
Pathologie 7$^7$
Patronymikon 634$^6$; –a auf -δᾱ- 509$^2$ f.; – für Frauen gebraucht 509$^3$. 634$^7$

# Q

# R

# S

# T

# U

# V

des Nomens u. Verbs II 355⁴; Konstruktion des Nom. Akk. Pl. Neutr. mit sg. Verb 582¹⁻²; Subj. im Sg. mit pl. Verb II 242⁸; Dual beim Verb II 46⁴ f.; Dual des Verbs neben δύο mit Pl. II 609²; Pl. des Verbs bei δύο II 609⁴; personenlose Vorstufe des Verbs 445²⁻⁴. 645³. II 244⁵; Prädikatsverb im Pl. bei kollekt. Subj. II 608⁶ f.; das Verb ans Prädikativ attrahiert II 608⁵; Gleichzeitigkeit des Präs.- u. Pf.systems II 298⁷ f.; Vorvergangenheit des – II 299²⁻⁵; frühbyz. Verba c. infin. 810¹; s. Ablativ, denominativ, deverbativ, Endung, Schallverba, Suppletivverb, Tempus, Wortind. (-μι, -ω, etc.)

verbal; –er Dual bis 386ᵃ II 46, 5; –e Dvandvas 645¹; –e Kompos. 644³ f.; verstärkende – – II 268²⁻³; –er Numerus II 242⁵–244; Sg. u. Pl. wechseln II 242⁷ f.; 1. Pers. Pl. statt 1. u. 2. Pers. Sg. II 242⁸. 243² f.; –es Prädikat im Dual od. Pl. II 611⁴⁻⁵; –e Reduplik. 646³ –650; –e Rektionskomp. 441², 1 f. II 73²; –e Suppletion 816⁴⁻⁵; Infin. verbal II 369³; nominal-verbale Kongruenz II 602⁴

Verbalabstrakt; verschwiegenes Subjektwort ein – II 621²; –a 469², 1. II 355²⁻⁵. 356²–357

Verbaladjektiv 501⁵, 11 f. 810³–811⁴. II 174¹. 409⁴ f.; Erstarrungserscheinungen bei – 805³⁻⁴; –e adjektiviert 810⁵; – auf -ιος 466²; – auf -νο-, -το- 574. 644⁶ (s. Wortind.); – auf -τός u. -ής mit κατά II 475²; Dativ bei – II 150¹⁻²

Verbalakzent 389⁷⁻⁸–391. 718²

Verbalapposition II 368¹. 612⁷. 618⁷, 1 f.; – aus prosthet. Nominals. entstanden II 618, 1

verbalappositives Adj. II 178⁸; – – proleptisch gebraucht II 181²⁻³

Verbalaspekt; s. Aspekt

Verbalausgang 657, 4; – des Präs. mit je/o- 714³–717; s. Wortind. S. 277

Verbalbildungen; synthet. – 672 ff.; alter semasiolog. Unterschied bei – 816¹

Verbalellipse II 710²; s. Ellipse

Verbalendungen; primäre – 658¹⁻⁴, 1; sekundäre – 658¹·⁴·⁵; aktive – 659²–667; mediale – 667–672; Ausgleichung zwischen den – des Ipf. u. Aor. im Ngr. 130²; s. die Endungen im Wortind.

Verbalenklise im vorgeschichtl. Gr. II 695¹; s. Enklise

Verbalflexion defektiv 8²; μι-Flexion äol.-ark. 88⁵; Verbalflexion 813⁴ff. etc. – 728³–730; – mit Ptc. u. Infin. II 17¹

Verbalform; besondere –en für die relative Zeitstufe II 298¹; Dat. bei passiv. – II 150³⁻⁴; Ellipse einer – im Satz II 624⁷⁻⁸; Präp. von der – getrennt II 424⁷; Präv. + Verbalform als einheitliche Sprechgruppen II 426⁶

Verbalkomposita mit Präp. II 72⁸; Aspektwechsel in – II 255¹; Verhältnis der – zu Aspekt u. Tempus II 266⁵ ff.

Verbalkontraktion 728⁵

Verbalnomina 805¹⁻³; – mit Akk. II 73⁷ f.; Verbalnomen in verbaler Funktion 445²

Verbalparadigmata; Aufbau der – 816² f.

Verbalpersonen II 244¹–246; 1. u. 2. Pers. wechseln II 246¹⁻⁴; die 3. Pers. Sg. unbest. II 245¹⁻³; die 3. Plur. II 245³⁻⁵; 1. Pers. Pl. st. der 2. od. 3. Sg. II 246³⁻⁴

Verbalsatz II 65³; Kongruenz im – II 607¹–610; – mit mehreren Subj. II 611⁸ f.; s. Relativsatz

Verbalsatznamen 634²

Verbalstamm 641⁶·⁷. 643⁴·⁶; – als Flexionsstamm 643⁵; abgeleitete -stämme 702²; erweiterter – in außerpräs. Formen 738³⁻⁴; – auf Vokal od. Diphth. 685⁵

Verbalsubstantiv mit verbum finitum 811⁸

Verbindung von zwei gleichen Kasus II 617²; präpositionale –en 625²⁻⁵, 4; – – mit Kasus des Relativs II 652⁶–653; Kons.verbindungen 368⁴⁻⁶. 369 ⁴⁻⁶; – von Adjektiven II 181¹

verblose Redensarten II 143⁵⁻⁷; –er Nominals. II 623¹ f.

Verbot; s. Tabu, Wortverbot

verdoppelt; Vokativ – II 60³

Verdoppelung von Konsonanten (λλ μμ νν) bei Homer 310⁸. 311¹

Vereinfachung von Geminaten 230⁴·⁵. 233⁶. 338²; – der gr. Geminaten im Aksl. und Arm. 231¹

Vereinheitlichung: sprachl. – 181·⁴; Tendenz zur – des Verbs 74²

Verengung der Laute 232²·³

Verfahren; makroskopisches – d. Gesamtgrammatiken 26¹

vergangene Irrealität II 348³⁻⁶

Vergangenheit; Bed. der – bei Inf. u. Ptc. II 10²; Potential der – II 346⁷ f.; – – im Aor. II 328⁵ f.; Iteration der – II 350³ f.; Indik. Präs. mit Vergangenheitsbestimmung II 273⁸ f.

vergleichende Grammatik 12, 1; – Sprachwiss. in ihren Anfängen 24²; – Methode der idg. Sprachen 12¹; –e Syntax II 3⁶ f.

Vergleichssätze II 662⁴–671

Vergleichung; s. Dialekt

Verhältniswort II 420, 4; s. Präposition

verkürzte Kondizionalsätze II 687³ f.

Verlust von Konsonanten 335²–338; – von ϝ 85⁷. 226³. 228². 233². 246⁷. 260⁸. 272⁷. 283⁶; – von ε 252⁷; – des ι in εια ειο 194, 1; s. Hauchverlust, Silbenverlust

Vermeidung des Subj. II 621³; s. Hiatvermeidung

Vermischung von Nom. u. Akk. Pl. 563 f.

Vermutung; Potential mit ἄν für – II 329⁷

verneinende Antwort II 629⁴

Verneinung; starke – II 317⁴⁻⁶

Vernersches Gesetz 380⁷

# W

# X

# Z